LE NORD
Pages 426-437

LE WINE COUNTRY
Pages 438-449

**LE GOLD COUNTRY ET
LA CENTRAL VALLEY**
Pages 450-465

**DE SANTA CRUZ
À FRESNO**
Pages 482-501

LES HIGH SIERRAS
Pages 466-481

LOS ANGELES
Pages 54-183

HIGH
SIERRAS

Fresno •

Independence •

Death
Valley

DÉSERT DE
MOJAVE

Bakersfield •

CALIFORNIE
DU SUD

DE CAMBRIA À
SANTA BARBARA

Santa
• Barbara

LOS
ANGELES

Los
Angeles •

• San
Bernardino

• Anaheim

• Palm
Springs

ORANGE
COUNTY

INLAND
EMPIRE ET
LOW DESERT

SAN DIEGO
COUNTY

San
Diego •

GUIDES VOIR

CALIFORNIE

GUIDES ◉ VOIR

CALIFORNIE

Libre Expression
QUEBECOR MEDIA

HACHETTE TOURISME
43, quai de Grenelle, 75905 Paris Cedex 15

DIRECTION
Cécile Boyer-Runge

RESPONSABLE DE PÔLE ÉDITORIAL
Amélie Baghdiguian

RESPONSABLE DE COLLECTION
Catherine Laussucq

ÉDITION
Aurélie Pregliasco

TRADUIT ET ADAPTÉ DE L'ANGLAIS PAR
Dominique Brotot et Richard Migné,
avec la collaboration d'Isabelle de Jaham et Cécile Beaucourt

MISE EN PAGES (PAO)
Maogani

CE GUIDE VOIR A ÉTÉ ÉTABLI PAR
Jamie Jensen, Barry Parr, Ellen Payne, J. Kingston Pierce,
Rebecca Poole Forée, Nigel Tisdall, John Wilcock,
Stanley Young

Publié pour la première fois en Grande-Bretagne en 1997,
sous le titre : *Eyewitness Travel Guides : California*
© Dorling Kindersley Limited, London 2006
© Hachette Livre (Hachette Tourisme) 2006
pour la traduction et l'adaptation française
Cartographie © Dorling Kindersley 2006

© Éditions Libre Expression, 2007
pour l'édition française au Canada

IMPRIMÉ ET RELIÉ EN CHINE PAR SOUTH CHINA PRINTING CENTRE

Aussi soigneusement qu'il ait été établi, ce guide
n'est pas à l'abri des changements de dernière heure.
Faites-nous part de vos remarques, informez-nous
de vos découvertes personnelles : nous accordons
la plus grande attention au courrier de nos lecteurs.

Éditions Libre Expression
7, chemin Bates
Outremont (Québec) H2V 4V7

DÉPÔT LÉGAL : 1er trimestre 2007
ISBN 2-7648-0289-7

Volley-ball à Pismo Beach

Le Half Dome du Yosemite National Park

Le Capitol de
Sacramento

COMMENT UTILISER CE GUIDE

Ce guide a pour but de vous aider à profiter au mieux de vos visites de la Californie. L'introduction, *Présentation de la Californie*, situe l'État dans son contexte historique et culturel. Dans les dix chapitres régionaux et ceux consacrés à *Los Angeles* et à *San Francisco et la Bay Area*, textes, plans et illustrations présentent en détail les principaux sites et monuments et offrent un aperçu des particularismes locaux. Les *Bonnes adresses* conseillent hôtels et restaurants et les *Renseignements pratiques* vous faciliteront la vie quotidienne. Los Angeles, San Francisco et San Diego possèdent leurs propres rubriques pratiques.

LOS ANGELES ET SAN FRANCISCO ET LA BAY AREA

Nous avons divisé les centres des deux principales villes californiennes en quartiers. À chacun correspond un chapitre qui s'ouvre sur une liste des monuments présentés. Des numéros les situent clairement sur la *Carte illustrée*. Ils correspondent à l'ordre dans lequel les monuments sont décrits en détail dans le corps du chapitre.

Le quartier d'un coup d'œil donne une liste par catégories des centres d'intérêt : rues et bâtiments historiques, boutiques, architecture moderne, etc.

Un repère lilas signale toutes les pages concernant Los Angeles. Ce repère est vert feuillage pour San Francisco.

1 Plan général du quartier
Des numéros désignent sur ce plan les monuments et sites de chaque quartier. Ceux-ci apparaissent aussi sur les plans des Atlas des rues de Los Angeles (p. 172-183) et de San Francisco (p. 384-393).

2 Plan du quartier pas à pas
Il offre une vue aérienne détaillée du quartier.

Le meilleur itinéraire de promenade apparaît en rouge.

Des étoiles signalent les sites à ne pas manquer.

3 Renseignements détaillés
La rubrique consacrée à chaque site de Los Angeles et de San Francisco et la Bay Area fournit notamment des informations pratiques telles qu'adresse et heures d'ouverture. La légende des symboles utilisés se trouve sur le rabat de couverture en fin de volume.

Des encadrés approfondissent des sujets spécifiques.

1 Introduction

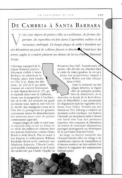

Elle présente les principaux attraits touristiques de chacune des régions du guide et décrit ses paysages et sa personnalité en montrant l'empreinte de l'histoire.

LA CALIFORNIE DU NORD ET LA CALIFORNIE DU SUD

Ce guide divise la Californie (hors Los Angeles et San Francisco et la Bay Area) en deux grandes régions. Il consacre à chacune cinq chapitres comportant au début une *Carte illustrée* où sont recensés les localités et les sites les plus intéressants.

Un repère de couleur correspond à chaque région. Le premier rabat de couverture en donne la liste complète.

2 La carte illustrée

Elle offre une vue de toute la région et de son réseau routier. Des numéros situent les principaux centres d'intérêt. Des informations pour visiter la région en voiture, en car ou en train sont fournies.

3 Renseignements détaillés

Les localités et sites importants sont décrits individuellement dans l'ordre de la numérotation de la Carte illustrée. *Les notices présentent en détail ce qu'il y a d'intéressant à visiter. Une référence cartographique renvoie en fin de volume à la carte routière de la couverture intérieure.*

Un mode d'emploi vous aide à organiser votre visite.

4 Les principaux sites

Deux pleines pages, ou plus, leur sont réservées. La représentation des édifices historiques en dévoile l'intérieur. Des codes de couleur aident à situer dans les musées les pièces les plus intéressantes. Les cartes des parcs nationaux et des forêts indiquent les équipements et les sentiers.

PRÉSENTATION DE LA CALIFORNIE

La Californie dans son environnement

Avec plus de trente millions d'habitants et une superficie de 411 013 km², la Californie n'est que le troisième État des États-Unis par la taille (après le Texas et l'Alaska), mais le plus peuplé. Elle forme, au bord du Pacifique, une bande de 1 300 km de long et de 400 km de large. Les visiteurs débarquent aux aéroports de ses deux métropoles, San Francisco et Los Angeles. Un dense réseau routier et ferroviaire (Amtrak) relie toutes les principales villes entre elles et aux autres États.

Downtown Los Angeles à l'aube

La baie de San Francisco vue par satellite

Hudson Bay

Churchill

Nelson

MANITOBA

ONTARIO

A

Attawapiskat

Albany

Albany

Missinaibi

Abitibi

James Bay

Severn

Winis

Lake Nipigon

Winnipeg

Winnipeg

Lake Superior

MINNESOTA

Lake Michigan

Lake Huron

Lake Ontario

Lester B Pearson

Toronto

Hamilton

Buffalo

WISCONSIN

St Paul

MICHIGAN

Minneapolis

Minneapolis-St Paul

Milwaukee

Detroit

Lake Erie

NEW YORK

MAINE

VT

NH

MA

Boston

Logan

CT

RI

IOWA

Chicago

Chicago-O'Hare

ILLINOIS

INDIANA

Indianapolis

OHIO

Pittsburgh

Greater Pittsburgh

Cincinnati

Cincinnati-Northern KY

PENNSYLVANIA

Ohio

New York

JFK

Philadelphia

NEW JERSEY

Philadelphia

DELAWARE

Baltimore

WASHINGTON, DC

MARYLAND

Dulles

Mississippi

Kansas City

Lambert-St Louis

St Louis

Ohio

WEST VIRGINIA

VIRGINIA

MISSOURI

KENTUCKY

Tennessee

NORTH CAROLINA

HOMA

Arkansas

TENNESSEE

Memphis

SOUTH CAROLINA

Atlanta

OCÉAN ATLANTIQUE

ARKANSAS

Mississippi

Dallas Fort Worth

Dallas

ALABAMA

GEORGIA

Red

MISSISSIPPI

Alabama

Jacksonville

LOUISIANA

0   500 km

Houston

Houston

New Orleans

New Orleans

FLORIDA

Bahamas

Miami

LÉGENDE

☐ Californie

✈ Aéroport

━ Autoroute

─ Principales lignes ferroviaires

UNE IMAGE
DE LA CALIFORNIE

*S*ymbole de la diversité des États-Unis et de leur course à la prospérité, la Californie impressionne autant par ses paysages sauvages que par son influence sur le monde moderne. Des séquoias millénaires s'y dressent à quelques heures de voiture seulement de centres urbains aussi importants que San Francisco et Los Angeles.

Les perceptions de la Californie varient tellement d'une personne à une autre qu'une plaisanterie affirme qu'il existe en fait deux Californie. L'une a une réalité géographique. Troisième État de l'Union par la taille, elle renferme son plus vaste comté, San Bernardino, dont la superficie (52 200 km²) dépasse celle du Vermont et du New Hampshire réunis. Cette Californie possède 840 km de côtes et mesure 587 km dans sa plus grande largeur. Elle abrite le deuxième plus haut sommet des États-Unis, le Mount Whitney (4 418 m), et leur plus basse étendue désertique, Death Valley. On y a recensé plus de 1 500 espèces végétales qui ne poussent nulle part ailleurs dans le monde.

Sceau de l'État

Environ un Américain sur huit y habite, ce qui en fait l'État le plus peuplé du pays, celui aussi qui envoie le plus de représentants au Congrès.

Et l'autre Californie ? Elle appartient au domaine du rêve. Des stars sillonnent ses boulevards dans d'immenses décapotables, ses plages grouillent de sveltes beautés bronzées en bikini et de jeunes bricoleurs inventent dans leurs garages les technologies du futur… Des stéréotypes qu'entretiennent l'industrie du cinéma et de la télévision.

Mais le mythe est à l'origine même de la Californie, cette « île toute proche du Paradis terrestre » imaginée par un écrivain espagnol du XVIᵉ siècle, des années avant son exploration. Et c'est

Bain de soleil sur Manhattan Beach, Los Angeles

◁ **Montagnes russes à Knott's Betty Farm, Orange County**

Joshua Tree National Park

Un cocktail ethnique qu'une promenade dans une des quatre villes principales (Los Angeles, San Diego, San José et San Francisco) rend immédiatement perceptible. Il prend encore davantage de saveur pendant les festivités du *Cinco de Mayo* (5 mai) mexicain ou la célébration du nouvel an chinois.

Le racisme a toutefois souvent sévi en Californie. Les abolitionnistes évitèrent que la convention constitutionnelle de 1849 interdise l'entrée des Noirs sur le territoire, mais, dans les années 1870, des orateurs tels que Denis Kearney attisèrent les violences contre les Chinois accusés de « voler » aux blancs leurs emplois. Malheureusement, la surpopulation rallume aujourd'hui les tensions raciales. Elle a aussi un effet négatif sur le maintien de l'ordre et l'éducation. Elle augmente notamment le nombre déjà important d'élèves par enseignant dans les écoles. Celles-ci ne dépendent pas de l'administration fédérale aux États-Unis et elles manquent de fonds pour faire face au problème depuis que la réduction des impôts fonciers a privé l'État et les gouvernements locaux d'une partie de leurs ressources. L'augmenta-

un autre mythe, l'or, qui fit connaître son nom dans le monde entier en 1849. Des milliers d'aventuriers, ou de désespérés, envahirent la région en quête du fabuleux métal. Peu firent fortune, mais tous répandirent le même message : la Californie n'était pas aussi fascinante qu'on le leur avait dit. Elle l'était encore plus.

VIE SOCIALE ET POLITIQUE

Surfer

Si les États-Unis en général méritent leur surnom de *melting-pot* « creuset » de cultures, nulle part le mélange des peuples n'y est aussi important qu'en Californie. L'État accueille le plus grand nombre d'immigrants (plus de 200 000 chaque année) et possède la population à la composition la plus variée. Le pourcentage de blancs et d'Afro-Américains est inférieur à la moyenne nationale, mais la proportion d'Asiatiques et d'Hispaniques au moins trois fois supérieure. Les Hispano-Américains représentent d'ailleurs plus du quart des habitants de la Californie.

Le Golden Gate Bridge de San Francisco

Red Rock Canyon dans le désert de Mojave

tion de la population a eu une autre conséquence, plus inévitable : le déséquilibre entre agglomérations urbaines et zones rurales, les quartiers résidentiels gagnant sur les espaces cultivés. Si l'agriculture californienne reste la plus productive de l'Union, elle emploie de moins en moins de bras et les secteurs en développement sont désormais les industries de services et la haute technologie.

Oranges californiennes

Une visite de la Californie commence généralement par San Francisco ou Los Angeles. Situées respectivement au nord et au sud de l'État, elles offrent un raccourci de ses deux faces opposées. Plus ancienne et plus compacte, San Francisco demeure très européenne. Fière de son anticonformisme et de son ouverture d'esprit, elle fut un des hauts lieux de la lutte contre la guerre du Vietnam et abrite l'une des plus fortes concentrations d'homosexuels du monde. Une communauté dont les votes comptent.

Los Angeles, de son côté, semble étendre à l'infini une juxtaposition incohérente de quartiers sans pôle clairement défini. La dictature de l'automobile a imposé la construction d'un réseau d'autoroutes qui étouffe certains de ses bâtiments historiques. Conservatisme et ultralibéralisme y tiennent le haut du pavé politique et la façade luxueuse qui a établi sa réputation cache souvent la misère.

Il ne faut toutefois pas en conclure que le nord est entièrement démocrate et le sud républicain. Hollywood a toujours défendu des causes sociales

Coquelicots dans l'Antelope Valley

et il existe des groupes armés d'extrême droite dans le nord-est. Mais les conflits de pouvoir au sein du gouvernement de l'État, à Sacramento, et les opinions contrastées des représentants de la Californie à Washington lui donnent une image légèrement schizophrénique.

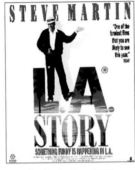
Los Angeles Story (1991)

CULTURE ET LOISIRS

Les superproductions hollywoodiennes et les innombrables séries télévisées tournées à Los Angeles pourraient faire croire que la culture en Californie est avant tout une industrie, une quête du dollar tout-puissant s'exposant sans pudeur dans les journaux à scandales et sur des panneaux publicitaires géants. L'État possède cependant certains des plus riches musées d'art du monde avec le LACMA, l'Oakland Museum, le San Francisco MOMA et le J. Paul Getty Museum. Des artistes modernes comme les peintres David Park et Elmer Bischoff et les céramistes Peter Voulkos et Robert Arneson ont acquis une renommée internationale, à l'in-

star de quelques pionniers de la création photographique tels Imogen Cunningham et Ansel Adams.

San Francisco doit beaucoup de son charme à ses maisons victoriennes. L'originalité de l'architecture américaine se découvre également dans les édifices dessinés par des Californiens tels que Willis Polk et Bernard Maybeck, ou ceux construits par Frank Lloyd Wright et Daniel Burnham. La Côte Ouest reste un lieu de création en cette matière avec des architectes comme Frank Gehry et Joe Esherick.

Al Pacino recevant un Oscar en 1993

Après le cinéma, c'est pourtant dans le domaine de la littérature que la Californie a le plus apporté à la culture mondiale. Dans les années 1930, John Steinbeck écrit *Des souris et des hommes* et *Les Raisins de la colère*, tandis

Le Napa Valley Train dans le Wine Country

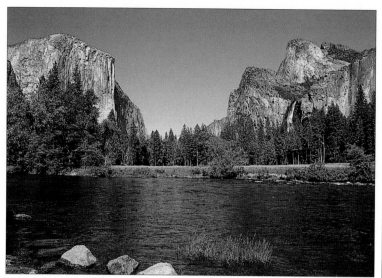

El Capitán dans le Yosemite National Park

que Dashiell Hammett *(Le Faucon maltais)* et Raymond Chandler *(Le Grand Sommeil)* donnent ses lettres de noblesse au roman noir. Dans les années 1950, c'est à San Francisco que les auteurs de la beat generation, tels Jack Kerouac *(Sur la route)* et Allen Ginsberg *(Baby Poems)*, connaissent leurs premiers succès publics. Après Charles Bukowski *(Contes de la folie ordinaire)*, des écrivains comme Armistead Maupin *(Chroniques de la cité)* et Amy Tan *(Le Club de la chance)* entretiennent cette tradition littéraire. En musique, c'est là que les Beach Boys, Janis Joplin, les Grateful Dead et les Red Hot Chili Peppers commencèrent leur carrière.

Terre de métissages et de rencontres, la Californie a donné naissance à une cuisine originale à l'initiative de maîtres queux tels que Wolfgang Puck et Alice Waters. Elle associe les ingrédients locaux à des influences asiatiques et méditerra-

néennes. Certains des vins californiens commencent à rivaliser avec les grands crus français. L'intérêt porté en Californie aux arts de la table n'empêche toutefois pas ses habitants d'attacher une grande importance à leur ligne et leur apparence physique qu'ils entretiennent en s'adonnant assidûment au jogging et au cyclisme. Favorisées par la douceur du climat et des espaces naturels riches et variés, les activités de plein air, qu'il s'agisse du base-ball, du surf, de la randonnée, du golf ou du rafting, sont au centre de leurs loisirs.

Match de base-ball au Padres de San Diego

Les paysages et la géologie de la Californie

L es paysages californiens comprennent le plus haut sommet des États-Unis, le Mount Whitney dans les High Sierras, et leur point le plus bas, Death Valley dans les déserts du sud. Il y a des millions d'années, la plaque formant le fond du Pacifique, en glissant sous le continent américain, a créé les Coast Ranges, la Central Valley et les rochers granitiques qui se soulevèrent plus tard pour former la Sierra Nevada. Les mouvements des deux plaques, le long de la faille de San Andreas, continuent de modeler la Californie.

Les Coast Ranges, massifs montagneux formant une bande le long du Pacifique, ont pour origine le soulèvement d'îles et de fragments du fond de l'océan il y a environ 25 millions d'années.

COMMENT L'OUEST S'EST FORMÉ

Due au mouvement des plaques pacifique et nord-américaine, la formation de la bordure occidentale de la Californie s'est achevée il y a 15 millions d'années.

Îles, Plaque pacifique, Sédiments peu profonds, Plaque nord-américaine, Zone de subduction au point de rencontre des deux plaques, 100 millions d'années

1 La plaque nord-américaine, en se déplaçant vers l'ouest, absorbe les îles.

MOUNT SHASTA 4 317 m

25 millions d'années, Coast Ranges

2 Le glissement vers le nord du fond de l'océan pousse des îles contre la côte et les soulève pour former les Coast Ranges.

Faille de San Andreas, Sierra Nevada, Bassin sédimentaire de la Central Valley, Aujourd'hui

3 Longue de plus de 1 000 km, la faille de San Andreas *(p. 20-21)* marque la limite entre la plaque pacifique et la plaque nord-américaine.

Le Mount Lassen (p. 437) *et le Mount Shasta* (p. 436), *volcans encore considérés comme actifs, à l'instar du Mount St Helens dont la dernière éruption eut lieu en 1980, font partie de la chaîne du Cascades Range créée par une zone de subduction sous l'angle nord-ouest de la plaque nord-américaine. Jadis, la Sierra Nevada a dû ressembler aux Cascades.*

Les citronniers prospèrent dans le centre de la Californie sur les sédiments fertiles de la Central Valley. Arrachés par l'érosion aux montagnes qui l'entourent, ceux-ci s'accumulent depuis plusieurs centaines de milliers d'années.

Le Mount Whitney (p. 479), point culminant des États-Unis, s'élève à 4 418 m dans les High Sierras de la Sierra Nevada, chaîne de montagnes dont la formation commença il y a plus de 50 millions d'années, mais qui prit son altitude actuelle il y a environ 5 millions d'années.

NORTH PALISADE
4 341 m

0   100 km

MOUNT DANA
3 979 m

MOUNT WHITNEY
4 418 m

DEATH VALLEY

BIG PINE MOUNTAIN
2 081 m

Les puits d'extraction se sont multipliés en Californie après la découverte de pétrole en 1892. L'exploitation des poches de gaz et des gisements fut si intense qu'une partie du comté de Los Angeles s'affaissa de 8,5 m. Les compagnies doivent maintenant remplacer par de l'eau de mer ce qu'elles extraient.

La Death Valley (p. 280-283), dans le désert de Mojave, bien qu'entourée de certaines des plus hautes montagnes du continent, a son point le plus bas à 85 m au-dessous du niveau de la mer. Elle s'est formée il y a moins de 15 millions d'années quand le frottement avec la plaque pacifique commença à étirer la plaque nord-américaine.

Les tremblements de terre en Californie

Entre le golfe de Californie et le Cape Mendocino, la faille de San Andreas s'étend sur presque toute la longueur de la Californie, où il existe d'autres failles, mais aucune à l'origine d'une aussi grande activité sismique. Chaque année, la plaque pacifique se déplace en moyenne vers le nord-ouest de 2,5 à 4 cm. Si ce mouvement rencontre une résistance, les tensions s'accumulent jusqu'à faire céder le blocage. En se relâchant, elles provoquent un tremblement de terre. La plupart des derniers grands séismes californiens concernèrent la partie nord de la faille. Celui qui déclencha l'incendie de San Francisco en 1906 atteignit une magnitude de 7,8 sur l'échelle de Richter. Celui d'octobre 1989, au sud de la ville, tua plus de 60 personnes *(p. 53)*. En 1994, celui de Northridge secoua Los Angeles et fut ressenti jusqu'à Las Vegas. Les scientifiques prévoient que le prochain grand séisme, censé dévaster la région, se produira dans le sud.

La faille de San Andreas est une *des rares zones de contact entre plaques situées sur un continent.*

Faille de Hayward

Épicentre du séisme de 1989

Hypocentre du séisme de 1989

Le tremblement de terre de 1906 déconcerta les géologues de l'époque et suscita la théorie du « rebond élastique » sur le déclenchement des séismes.

Le séisme de 1989 frappa les Santa Cruz Mountains en Californie centrale.

CHRONOLOGIE

	1769 Des membres de l'expédition de Portolá sont les premiers Européens à subir un séisme en Californie	1865 San Francisco connaît son premier grand séisme le 9 octobre, puis un autre le 23 octobre	1872 Lone Pine est détruite. La Sierre Nevada gagne 4 m de hauteur	1940 Imperial Valley (R 7,1)	1952 Kern County (R 7,7)	1992 Yucca Valley près de L. A. (R 7,4) 1989 Loma Prieta (R 7,1) frappe la région de San Francisco
1750	**1800**	**1850**	**1900**		**1950**	

Don Gaspar de Portolá

1857 Fort Tejon (R 8), suivi d'une secousse moins forte dans la Bay Area	1906 L'incendie de San Francisco causé par un séisme (R 7,8) fait 3 000 victimes et 250 000 sans-abri	1994 Northridge (R 6,7). Au moins 56 morts et plus de 7 000 blessés et 20 000 sans-abri. L'Anaheim Stadium et plusieurs autoroutes de Los Angeles subissent de graves dommages

Le séisme de 1994 sema la panique à Los Angeles. Des viaducs effondrés bloquèrent la Santa Monica Freeway et l'Interstate 5 près de Valencia. Des incendies se déclenchèrent dans la San Fernando Valley et à Malibu et Venice.

Le mouvement des plaques est plus marqué le long de la faille de San Andreas. Celle-ci « colle » parfois à cause des frottements.

Faille de Garlock

Les logements parasismiques conçus pour résister aux effets des tremblements de terre consistent souvent en une structure en bois reposant sur des fondations en béton.

Faille d'Elsinore

Los Angeles

Santa Barbara

San Diego

Faille de San Andreas

Les ondes S se propagent à travers la croûte terrestre.

Plaque nord-américaine

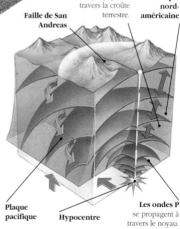

LA PLAQUE PACIFIQUE AU CONTACT DE LA PLAQUE NORD-AMÉRICAINE
Importante fracture dans l'écorce terrestre, la faille de San Andreas est le résultat de la friction de deux plaques tectoniques : la plaque pacifique (la majeure partie de l'océan Pacifique) et la plaque nord-américaine.

Plaque pacifique

Hypocentre

Les ondes P se propagent à travers le noyau.

Ondes P   **Ondes S**   **Ondes L**

Les courbes enregistrées par les sismographes offrent une représentation graphique de l'intensité des tremblements de terre dont la magnitude se mesure selon l'échelle de Richter (R).

L'énergie dégagée par un séisme circule depuis l'hypocentre à travers la croûte terrestre sous forme d'ondes dont la nature change au cours du processus : les ondes longitudinales P, les ondes transversales S et les ondes de surface L. Ce sont ces dernières qui causent la plupart des dommages.

La Californie littéraire

Comme le nota le journaliste Carey McWilliams en 1946 : « Ce qu'est l'Amérique, la Californie l'est avec des accents, en italique. » Cette caractéristique ne pouvait qu'attirer de nombreux auteurs. Robert Louis Stevenson (1850-1894) n'y fit qu'un passage, mais utilisa des paysages côtiers de la région de Monterey dans des scènes de

Masque de théâtre, Tao House

L'Île au trésor. Henry Miller se retira après la guerre à Big Sur où il rédigea *Sexus, Plexus* et *Nexus.* Né à Fresno, William Saroyan (1908-1981) trouva à San Francisco les modèles de ses personnages excentriques. C'est dans sa Tao House de la Ramon Valley (*p. 410*) que le dramaturge Eugene O'Neill (1888-1953), prix Nobel de littérature en 1936, écrivit certaines de ses meilleures pièces. La Californie continue de nourrir l'inspiration de nombreux auteurs reconnus, telle Amy Tan (née en 1952).

Robert Louis Stevenson, auteur de *L'Île au trésor*

LES PIONNIERS

La plupart des premiers écrits sur la Californie n'avaient pas d'autre objectif que de satisfaire le goût des lecteurs pour les grands espaces de l'Ouest. La ruée vers l'or (*p. 44-45*) ouvrit cependant la voie à une prose plus riche attachée à décrire les aventures humaines qu'entraînaient la conquête de ces terres vierges.

Samuel Langhorne Clemens, alias Mark Twain

Des journaux littéraires de la Bay Area comme *The Golden Era* et *The Overland Monthly* permirent l'apparition d'écrivains tels que Bret Harte (1836-1902), auteur d'*Histoire de la frontière*, l'essayiste Henry George (1839-1897) et les poètes Joaquin Miller (1837-1913) et Ina Coolbrith.

En 1864, le journaliste Samuel Langhorne Clemens (1835-1910) s'installait à San Francisco. L'année suivante, la publication de *La Célèbre Grenouille sauteuse* le rendait célèbre dans tout le pays sous le pseudonyme de « Mark Twain ».

LA CRITIQUE SOCIALE

Ambrose Bierce (1842-1914) fait partie des premiers écrivains qui, en Californie, utilisèrent leur plume pour défendre des réformes sociales et politiques. Ses éditoriaux féroces dans des journaux comme le *San Francisco Examiner* lui valurent de solides inimitiés, mais contribuèrent à réduire l'influence démesurée de la Southern Pacific Railroad Company (*p. 46-47*).

Frank Norris (1870-1902) s'attaqua également à la Southern Pacific dans *La Pieuvre* où il décrit le sort imposé aux fermiers de la San Joaquin Valley.

Jack London (1876-1916) vécut une enfance miséreuse à San Francisco. Après avoir participé à la ruée vers l'or dans le Klondike (cadre de *L'Appel de la forêt*), il développa, à côté de ses récits d'aventures, ses opinions marxistes dans des livres comme *Le Talon de fer* qui présageait le nazisme dès 1906.

Upton Sinclair (1878-1968) avait déjà publié *La Jungle* (1906), réquisitoire contre les conditions de travail et d'hygiène dans les abattoirs de Chicago, quand il s'installa en Californie, avant de vivre à Pasadena.

Dans *Tortilla Flat* (1935), son premier succès, John Steinbeck (1902-1968) relatait les aventures de jeunes Hispano-Américains de Monterey. Dans *Les Raisins de la colère* (1939), il décrivit avec une telle force l'exploitation de

Jack London dans son ranch de la Sonoma Valley

Steinbeck en Californie

fermiers de l'Oklahoma contraints à venir louer leurs bras en Californie que le livre fut banni des bibliothèques publiques dans certaines parties de l'État.

LE ROMAN NOIR

Après avoir travaillé pendant huit ans comme détective privé à la Pinkerton Agency, Dashiell Hammett (1884-1961) commença à publier au début des années 1920 des nouvelles dans la revue policière *Black Mask*. Ses romans, comme *La Moisson rouge* (1929) ou *Le Faucon maltais* (1930), apportèrent par leur réalisme une nouvelle dimension à la littérature policière, jusqu'alors dominée par les Anglais, et jetèrent les bases d'un style spécifiquement américain.

Raymond Chandler (1888-1959) ne connaissait pas aussi intimement la dure réalité de la rue ; il travaillait dans une compagnie pétrolière de Los

Affiche de l'adaptation au cinéma du *Faucon maltais* de Hammett

Angeles jusqu'à son renvoi pour ivrognerie. Il imposa néanmoins avec le personnage de Philip Marlowe, héros de sept romans dont *Le Grand Sommeil* et *Adieu ma jolie*, le prototype du détective privé qui affronte avec distance et beaucoup d'humour un monde corrompu.

De son vrai nom Kenneth Millar, Ross Macdonald (1915-1983) confirmera l'efficacité du modèle en relatant dans 19 romans, tel *L'Homme clandestin*, les enquêtes de Lew Archer.

L'écrivain beat Jack Kerouac et son ami Neal Cassady

LA BEAT GENERATION

C'est à New York, pendant la guerre, que se rencontrent trois jeunes gens étouffant dans l'Amérique conservatrice d'Eisenhower : Allen Ginsberg (1926-1997), Jack Kerouac (1922-1969) et William Burroughs (1914-1997). Ils s'y frottent aux exclus et aux musiciens de jazz de Harlem. Un petit délinquant habité d'une folle rage de vivre, Neal Cassady, les entraîne sur les routes.

À San Francisco, City Lights (*p. 330*), la librairie du poète Lawrence Ferlinghetti, devient le quartier général de ceux qu'un chroniqueur du *San Francisco Chronicle*, Herb Caen, appellera les « beatniks ». En 1956, City Lights publie *Howl* (*Hurlement*) de Ginsberg.

Attaqué pour obscénité, ce poème fait découvrir au public le mouvement beat, sa quête d'une intensité et d'une vérité intérieures rejetant tout tabou social ou sexuel et sa recherche d'une forme d'expression des expériences et des états de conscience, parfois induits par la drogue, directement inspirée des phrasés du jazz.

Publié l'année suivante, *Sur la route*, de Kerouac, lui donne une audience internationale. Une foule d'adolescents se retrouvent dans ce refus d'un avenir prédéfini. La voie est ouverte au mouvement hippie des années 1970.

LES MODERNES

Les œuvres de Richard Brautigan (*La Pêche à la truite en Californie*), très marqué par la culture hippie, et les descriptions par Charles Bukowski (*Contes de la folie ordinaire*) des aspects les plus sordides de Los Angeles offrent des images très contrastées de la Californie. Après des auteurs comme Amy Tan (*Le Club de la chance*) ou Alice Walker (*La Couleur pourpre*), de nouveaux écrivains, tels Ethan Canin (*Blue River*) et Ron Hansen (*L'Extase de Mariette*), trouvent aujourd'hui une large audience. Avec, entre autres, James Ellroy (*L.A. Confidential*, 1990), Dean Koontz (*Seule Survivante*, 2000) et Sue Grafton (*P comme Péril*, 2001) pour le policier, la littérature de genre connaît aussi un grand dynamisme.

Amy Tan

L'art en Californie

Les artistes qui travaillèrent en Californie à partir de la ruée vers l'or *(p. 44-45)* surent tirer parti des paysages et des personnages s'offrant à eux, mais ne dévièrent pas des normes esthétiques européennes. Il faut attendre la fin de la Deuxième Guerre mondiale pour que des Californiens, entre autres le peintre Richard Diebenkorn et le photographe Imogen Cunningham, s'émancipent des mouvements artistiques du Vieux Monde pour développer une vision originale digne d'une reconnaissance internationale. Depuis les années 1950, Los Angeles concurrence la primauté culturelle de San Francisco et l'art californien est devenu une forme d'investissement de grande valeur.

Figure on a Porch (1959) par Richard Diebenkorn

LA PEINTURE

La grandeur des paysages offerts par les montagnes, les déserts et le littoral de la Californie captiva l'attention des peintres à la fin du XIXᵉ siècle. Né en Angleterre et formé à Paris, Thomas Hill (1829-1908) s'installa sur la Côte Ouest en 1861 et se passionna pour la beauté de ses panoramas, en particulier ceux de la Yosemite Valley *(p. 472-475)*. Son œuvre attira de nouveaux visiteurs et contribua à la création du parc national de Yosemite en 1890. Plus populaire encore, l'Écossais William Keith (1838-1911) consacra cinquante années de sa vie à représenter une nature encore sauvage.

En comparaison, les villes et leurs habitants devaient paraître à cette époque de pâles sujets d'inspiration. Pourtant, nous ne pourrions aujourd'hui pleinement comprendre la Californie de l'époque dorée *(p. 46-47)* sans le tableau que dressa William Hahn (1829-1887), un immigrant allemand, de la vie dans la San Francisco naissante et sans les portraits d'Indiens de Grace Carpenter Hudson (1865-1937) ou les scènes maritimes de l'Irlandais William A. Coulter (1849-1936).

Dès 1900, les styles suivirent des évolutions différentes dans les deux moitiés de l'État. La lumière brumeuse du nord et les nuances gris-brun de ses paysages marquent les peintures de Xavier Martinez (1869-1943) et des *tonalists*. Au sud, une école impressionniste menée par Guy Rose (1867-1925) s'efforça de rendre l'éclat que donne la lumière aux couleurs dans la région.

Pendant la prohibition, Los Angeles flirta avec le style *synchromist* de Stanton Mac-donald-Wright (1890-1973). San Francisco tomba sous le charme de cubistes réalistes tels qu'Otis Oldfield (1890-1969). En 1940, le muraliste mexicain Diego Rivera peignit *Panamerican Mind*.

Le modernisme s'épanouit après la Deuxième Guerre mondiale et David Park (1911-1960) et Richard Diebenkorn (né en 1922), entre autres membres de la Bay Area Figurative School, marièrent expressionnisme et réalisme. Les abstractions *hard-edge* de John McLaughlin (1898-1976) et Helen Lundeberg suscitèrent l'engouement de la critique.

Les peintres californiens contemporains offrent un éventail de styles d'une remarquable diversité, des œuvres Pop Art d'Ed Ruscha (né en 1937) aux « paysages urbains » proches de l'abstraction de Wayne Thiebaud (né en 1920), en passant par les tableaux où l'Anglais David Hockney (né en 1937) exprime son plaisir de vivre à Los Angeles, ou ceux d'Arthur Carraway (né en 1927) qui célèbrent son héritage afro-américain.

Afternoon in Piedmont (Elsie at the Window) par Xavier Martinez

Two Callas par Imogen Cunningham

LA PHOTOGRAPHIE

La plupart des premières photographies de la Californie sont des portraits et des scènes strictement documentaires. Quelques précurseurs tels qu'Eadweard James Muybridge (1830-1904) trouvèrent toutefois dans ce nouveau média un support aussi riche que la peinture pour représenter la nature. Les nus et clichés allégoriques d'Anne Brigman (1869-1950) trouvèrent des admirateurs même à New York. En 1913, Arnold Genthe (1869-1942) publia un livre sur la communauté asiatique de la Bay Area.

En 1932, un groupe d'Oakland appelé « f/64 » organisa une grande exposition au M. H. De Young Museum de San Francisco *(p. 362-363)*. Ses membres, dont Ansel Adams (1902-1984), Imogen Cunningham (1883-1976) et Edward Weston (1886-1958), défendaient un parti pris réaliste. Dorothea Lange (1895-1965) prit de magnifiques portraits de Californiens victimes de la dépression économique des années 1930.

Les approches actuelles vont des instantanés de Judy Dater (née en 1941) aux ironiques mises en scène de chiens de William Wegman (né en 1942).

LE MÉCÉNAT EN CALIFORNIE

Le mécénat public et privé joue un rôle essentiel dans le dynamisme culturel de la Californie depuis la fin du XIXᵉ siècle. Sans l'argent et l'intérêt pour les arts du magnat du rail Henry Huntington, le public n'aurait pas accès aujourd'hui aux chefs-d'œuvre de la peinture anglaise du XVIIIᵉ siècle, tel le *Blue Boy* (v. 1770) de Thomas Gainsborough, exposés aux Huntington Library, Art Galleries et Botanical Gardens de Pasadena *(p. 154-157)*. Le multimillionnaire J. Paul Getty rassembla la célèbre collection d'antiquités grecques et romaines installée dans la J. Paul Getty Villa de Malibu *(p. 82)*, et celle de peintures, de sculptures et d'objets d'art qui constitue le fond du musée du nouveau Getty Center de Brentwood *(p. 78-79)*. Un autre multimillionnaire, Norton Simon, réunit les Goya, les Picasso, les Rembrandt et les Van Gogh que l'on admire aujourd'hui au Norton Simon Museum *(p. 152-153)*.

Les finances publiques ont aussi contribué à enrichir le patrimoine artistique de l'État. Dans les années 1930, le New Deal a permis la réalisation des fresques de la Coit Tower de San Francisco *(p. 321)* et l'embellissement de nombreux édifices publics. Plus récemment, des subventions municipales ont fait de Los Angeles l'un des grands centres mondiaux de la peinture murale.

Henry Huntington

LA SCULPTURE

Né en Allemagne, Rupert Schmid (1864-1932) arriva à San Francisco dans les années 1880 et bâtit sa réputation en Californie avec des statues figuratives comme sa *California Venus* (1895). Artiste plus important, Douglas Tilden (1860-1935), un sculpteur de Chico, réalisa d'impressionnants monuments civils. Arthur Putnam (1873-1930) fit preuve d'un grand talent à représenter avec sensualité des animaux sauvages.

California Venus de Schmid

Depuis plusieurs décennies, des Californiens associent sculpture et céramique. Les travaux de Peter Voulkos (né en 1924) ont porté sur de grandes œuvres de terre cuite, tandis que Robert Arneson (né en 1930) a suivi une démarche Pop Art étonnante et amusante. Bruce Beasley (né en 1939) et Michael Heizer (né en 1944), qui s'est aussi impliqué dans le Land Art, proposent des pièces prenant des dimensions différentes selon le climat.

L'architecture en Californie

L'histoire architecturale de la Californie commença à la fin du XVIIIe siècle avec la colonisation européenne *(p. 42-43)*. La plupart des premières missions espagnoles s'inspiraient directement du baroque mexicain et l'influence hispano-mexicaine resta prédominante jusqu'au milieu du XIXe siècle. Avec la vague d'immigration suscitée par la ruée vers l'or, cette tradition fusionna avec des styles importés par les colons venant d'Europe et de l'est des États-Unis. Des architectes tels qu'Henry Cleaveland, S. et J. Newsom et Bernard Maybeck développèrent le style victorien de la Californie, unique en son genre. Il a surtout marqué San Francisco et sa région.

La Hale House d'Heritage Square, Los Angeles

MISSION

À partir de 1769, des franciscains venus du Mexique établirent entre San Diego et Sonoma une chaîne de 21 missions destinées à servir de bases à la colonisation du territoire. Une journée de cheval séparait chacune d'elles de ses plus proches voisines. Dessinées par les religieux et construites en briques d'argile par des Indiens sans expérience, ces répliques d'églises mexicaines et les bâtiments les entourant subirent les ravages de l'érosion et des tremblements de terre. Nombre de ces missions ont été soigneusement restaurées au XXe siècle. Elles possèdent comme principaux traits distinctifs d'épais murs blanchis à la chaux, de petites ouvertures, des pignons curvilignes et des clochers à étages.

Clocher à toit en coupole de la Carmel Mission

Petite fenêtre ronde

Pignon curviligne

Mur blanchi à la chaux

La Mission San Luis Rey (1811-1851), la 18e fondée par les franciscains, fut souvent appelée « palais ».

MONTEREY

Dans les années 1850 et 1860, des colons venus de la Côte Est restèrent fidèles à des styles commençant déjà à passer de mode comme le Greek Revival. Capitale de l'État sous le gouvernement mexicain, Monterey donna son nom à une forme d'architecture consistant, pour l'essentiel, à habiller un bâtiment en adobe d'éléments inspirés des temples grecs. Particulièrement caractéristique : les portiques aux minces piliers carrés, les toits de bardeaux et une sage symétrie.

Rancho Los Cerritos, Long Beach

Pilier carré

Toit de bardeaux

Portique en bois

Mur en adobe

La Larkin House, construite en 1837 par Thomas Larkin, fut la première maison de style Monterey.

VICTORIEN

Trois principaux styles architecturaux se développèrent en Californie pendant la période victorienne : l'Italianate, surtout populaire à San Francisco *(p. 290-291)*, le Queen Anne et l'Eastlake. L'Eastlake, caractérisé par des façades et une ornementation aux motifs géométriques, était souvent associé au Queen Anne, plus extravagant. Introduit par l'Anglais Richard Norma Shaw, ce dernier juxtaposait un vaste porche, des réminiscences médiévales et des éléments décoratifs composant une anthologie merveilleusement confuse des apports du classicisme.

Tourelle

Gable décoratif

Fenêtre d'une maison victorienne de Napa

Porche

La Carson Mansion d'Eureka (1886) abrite désormais un club privé. Construite par S. et J. Newsom, elle est sans doute la demeure Queen Anne la plus exubérante de Californie.

ARTS AND CRAFTS

Né en Angleterre, le mouvement Arts and Crafts (litt. : Artisanat d'art) s'épanouit brièvement en Californie au début du XXᵉ siècle. Il eut parmi ses principaux représentants Bernard Maybeck et Charles et Henry Greene. À la simplicité de volumes ouverts sur l'extérieur répond le soin artisanal apporté à la décoration intérieure.

Élément de charpente de la Gamble House, Pasadena

Mur en bardeaux   Porche ombragé

La First Church of Christ Science de Berkeley (1907), dessinée par Bernard Maybeck, offre un magnifique exemple d'architecture Arts and Crafts.

MISSION REVIVAL

Passé de mode pendant la deuxième moitié du XIXᵉ siècle, le style hispano-mexicain suscita, avec ses arcs en plein cintre et ses proportions harmonieuses, un regain d'engouement au début du XXᵉ siècle. Les lignes devinrent plus sobres et des matériaux modernes remplacèrent les briques d'adobe.

Toit de tuiles du Beverly Hills Hotel

Mur stuqué

Toit de tuiles

Arc en plein cintre

Le Women's Club (1913) de La Jolla est une œuvre d'Irving Gill. Il utilisa des matériaux tels que le béton et le stuc et dépouilla le style Mission de ses fioritures pour créer une architecture résolument moderne.

L'architecture californienne du XXᵉ siècle

Au début du XXᵉ siècle, tout en renouant avec ses racines mexicaines et en se laissant séduire par le style Art déco importé d'Europe, la Californie donna naissance à une architecture originale qui empruntait aux édifices traditionnels japonais leurs ossatures en bois et leurs larges porches. Pendant les années 1950, la maison californienne de Cliff May, inspirée du ranch pour offrir une libre circulation avec l'extérieur, influença tous les États-Unis. Plus récemment, des créateurs tels que Craig Ellwood et Frank Gehry ont contribué à faire de Los Angeles un des grands pôles mondiaux de l'innovation architecturale *(p. 68-69)*.

Le **San Francisco Museum of Modern Art (1995)**

SPANISH COLONIAL

Les pavillons de la Panama-Pacific Exposition organisée à San Diego en 1915 *(p. 246-247)* rendirent populaire une déclinaison sophistiquée de l'architecture traditionnelle espagnole. Dans les années 1920, de nombreux édifices publics et d'habitation s'inspirèrent de ce style où des éléments en bois, en pierre et en fer forgé mettent en valeur de grandes surfaces de stuc blanc, des toits de tuiles rouges et des jardins luxuriants.

L'architecte George Washington Smith fut une des grandes figures du Spanish Colonial avec des créations comme la **Ostoff House** (1924) de San Marino et la Casa del Herrero (1925), une résidence de Montecito.

Dessiné par William Mooser, le **Santa Barbara County Courthouse** (1929) offre aussi un bel exemple de ce style avec ses peintures murales, ses mosaïques et son jardin tropical.

STREAMLINE MODERNE

L'Art déco aux lignes épurées fit une brève apparition en Californie à la fin des années 1920. Le Streamline Moderne aux formes courbes qu'animent nervures, reliefs et auvents lui succéda. Les bâtiments les plus représentatifs de ce style sont des cinémas tels que l'**Academy Cathedral** (1939) d'Inglewood et le **Paramount Theater** d'Oakland (Miller et Pflueger, 1931).

PWA MODERNE

Nommé d'après la Public Works Administration créée en 1933 dans le cadre du New Deal pour financer la construction de bâtiments publics comme le **Monterey County Courthouse** (1937) de Salinas, le PWA Moderne allie simplicité fonctionnelle et formalisme académique, notamment dans ses façades, pilastres et décors en pierre.

CONTEMPORAIN

De grands architectes aux démarches très variées ont créé de remarquables bâtiments contemporains. Parmi les réalisations intéressantes de ces dernières années figurent les constructions basses du **Sea Ranch**. Cet ensemble de résidences de vacances respectant l'environnement a pour origine un groupe d'immeubles en copropriété construit par Lyndon Turnbull Whittaker en 1965. Le **Salk Institute** de La Jolla (Louis Kahn, 1959-1965) offre un contraste frappant. Des laboratoires de pointe en béton armé bordent une esplanade pavée de travertin, lieu de rencontre symbolique reliant l'océan au continent.

Dessiné par le Suisse Mario Botta, le **San Francisco Museum of Modern Art** (1995) élève au-dessus d'une façade aveugle une verrière cylindrique éclairant le vaste hall d'entrée qui dessert des salles d'exposition en panneaux préfabriqués parés de briques.

POST-MODERNISME

Face au fonctionnalisme impersonnel des gratte-ciel de bureaux, des architectes tels que Michael

La Casa del Herrero (1925) de George Washington Smith à Montecito

Graves, Venturi Scott-Brown et Robert Stern défendirent dans les années 1970 une démarche plus décorative. Des édifices comme **The Library** (1984) de Robert Stern à San Juan Capistrano font un usage ludique d'éléments historiques (colonnes, frontons et pergolas) et de couleurs.

John Jerde mélange teintes et références architecturales avec une liberté encore plus grande dans ses centres commerciaux, en particulier la **Horton Plaza** (1989) de San Diego où coupoles et carreaux de céramique font écho aux édifices hispanisants.

La Horton Plaza post-moderne

Le Donut Hole de La Puente, à l'est de Los Angeles

BÂTIMENTS PROGRAMMATIQUES

L'importance prise par la voiture en Californie à partir des années 1920 entraîna une féroce concurrence pour attirer l'attention des automobilistes circulant sur les artères. Une architecture exubérante se développa au bord des routes, et les voyageurs se virent inviter à dormir dans des motels en forme de wigwam ou à faire réparer leurs semelles dans une chaussure géante (Doschander's Shoe Repair Shop, Bakersfield, 1947). Quelques-unes de ces fantaisies subsistent, comme le **Donut Hole** (1958) de La Puente et le stand de hot-dog **Tail o' the Pup** (1946) de West Hollywood.

FRANK LLOYD WRIGHT

Né au Wisconsin, Frank Lloyd Wright (1867-1959) vécut en Californie dans les années 1920 et y construisit pendant toute sa carrière. Il commença avec la **Hollyhock House** (1917-1920) de Hollywood et termina avec le **Marin County Civic Center** de San Rafael, au nord de San Francisco, achevé en 1972. Parmi ses édifices remarquables figurent le **Union Square Frank Lloyd Wright Building** (ancienne V. C. Morris Store, 1949) de San Francisco et plusieurs maisons de Los Angeles inspirées des temples mayas.

La Hollyhock House à Hollywood

OÙ TROUVER LES BÂTIMENTS

Academy Cathedral
3141 W Manchester Blvd, Inglewood. **Carte routière encadré A.**
Beverly Hills Hotel p. 91
Carmel Mission p. 496-497
Carson Mansion p. 430
Donut Hole
15300 E Amar Rd, La Puente, L. A. **Carte routière encadré A.**
First Church of Christ Science
Dwight Way at Bowditch St, Berkeley. **Carte routière encadré B.**
Gamble House p. 150
Hale House
Heritage Square Museum p. 148
Hollyhock House p. 143
Horton Plaza p. 240
Larkin House p. 492-493
Marin County Civic Center
San Pedro Rd, Civic Center Dr, San Rafael. **Carte routière encadré B.**
Mission San Luis Rey p. 252-253
Monterey County Courthouse
W Alisal & Church sts, Salinas. **Carte routière B4.**
Ostoff House
1778 Lombardy Rd, San Marino. **Carte routière encadré A.**
Paramount Theater
2025 Broadway, Oakland. **Carte routière encadré B.**
Rancho Los Cerritos
4600 Virginia Rd, Long Beach. **Carte routière encadré A.**
Salk Institute p. 251
San Francisco Museum of Modern Art p. 308-309
Santa Barbara County Courthouse p. 210
Sea Ranch
Hwy 1 nord de Stewarts Point, Sonoma County. **Carte routière A3.**
Tail o' the Pup
329 N San Vicente Blvd, West Hollywood. **Los Angeles plan 6 B2.**
The Library
31495 El Camino Real, San Juan Capistrano. **Carte routière D6.**
Union Square FLW Building
140 Maiden Lane, San Francisco. **San Francisco plan 5 C4.**
Women's Club
715 Silverado, La Jolla. **Carte routière D6.**

La Californie multiculturelle

Chinatown de San Francisco

Depuis la ruée vers l'or, au XIXᵉ siècle, l'immigration n'a jamais cessé en Californie dont les paysages, le climat et le dynamisme exercent une puissante séduction dans le monde entier. C'est aujourd'hui l'État de l'Union qui présente la plus grande diversité ethnique, et beaucoup de ses habitants pensent qu'au milieu du XXIᵉ siècle il n'y aura plus de communauté majoritaire. La répartition des différents groupes culturels varie toutefois selon les régions : le sud compte un plus grand nombre d'Hispano-Américains tandis que la Silicon Valley et les terres agricoles du nord ont plutôt vu s'installer des Asiatiques et des Européens.

Enseigne japonaise

Chinatowns. Ceux de Los Angeles et de San Francisco attirent toujours de nombreux touristes, bien que la jeune génération tende désormais à s'installer dans les quartiers résidentiels.

Musiciens de rue mexicains à Los Angeles

LES INDIENS

La Californie est l'État des États-Unis où vivent le plus d'Indiens, une population qui a crû dans les années 1960 après avoir obtenu la reconnaissance de ses droits politiques. Quelques-uns vivent encore dans les réserves, mais la plupart ont fait le choix de l'intégration.

Tenue traditionnelle indienne

LES HISPANO-AMÉRICAINS

Difficile de ne pas prendre conscience de l'influence hispanique en Californie, depuis les noms des villes, souvent fondées par des colons ou des explorateurs espagnols, jusqu'à l'architecture, l'art et la cuisine. Dès les années 1940, l'État abritait la plus importante communauté mexicaine hors du Mexique et les problèmes économiques et politiques qu'ont connus l'Amérique centrale et l'Amérique du Sud ont entretenu un flux constant d'immigration. Les Hispano-Américains organisent certaines des plus belles fêtes de Californie, notamment l'exubérant *Cinco de Mayo* (5 mai) *(p. 33)*.

LES CHINOIS

Les premiers immigrants chinois arrivèrent en Californie pendant la ruée vers l'or *(p. 44-45)*, suivis dans les années 1860 par de nombreux compatriotes venus participer à la construction de la ligne de chemin de fer transcontinentale *(p. 46-47)*. Après son achèvement, ils ouvrirent souvent de petits commerces, mais subirent les violences racistes d'extrémistes les accusant de « voler » les emplois des blancs. En 1882, le Congrès vota le Chinese Exclusion Act limitant sévèrement leur immigration, une loi qui resta en vigueur jusqu'en 1943.

Face à cette hostilité, les Chinois se replièrent en communautés fermées, les

LES AFRO-AMÉRICAINS

Il y avait déjà des Noirs en Californie sous le gouvernement mexicain, mais ce fut le développement de l'industrie lourde pendant la Deuxième Guerre mondiale qui provoqua leur arrivée en grand nombre depuis les États

La Rotchev House de Fort Ross

du Sud. Racisme et pauvreté entraînèrent la formation de ghettos et, bien qu'une bourgeoisie afro-américaine réussit dans les mondes de la politique, des affaires et du spectacle, les tensions persistent. Des fêtes traditionnelles ont toujours lieu dans des villes comme Oakland *(p. 406-409)*.

LES JAPONAIS

A rrivés au début du xxᵉ siècle, les premiers immigrants japonais en Californie étaient en majorité des fermiers qui jetèrent les bases de l'industrie agro-alimentaire de l'État. Pendant la Deuxième Guerre mondiale, des milliers de Nippo-Américains se virent néanmoins spoliés de leurs biens et internés dans des camps. La génération suivante joue un rôle économique de plus en plus important depuis 1980.

LES ITALIENS

L es Italiens, en majorité des pêcheurs, s'installèrent à North Beach, San Francisco *(p. 330-333)*, à la fin du xixᵉ siècle. Le climat et le sol séduisirent également des vignerons qui fondèrent ce qui est aujourd'hui une industrie viticole réputée.

LES RUSSES

D es trappeurs russes venus d'Alaska firent partie des tout premiers colons européens du nord de la Californie et ils établirent en 1812 un comptoir commercial à Fort Ross *(p. 444)*. De nos jours, une population russe de près de 25 000 personnes vit à San Francisco et à sa périphérie.

LES IRLANDAIS

L a Côte Ouest compte moins de descendants d'Irlandais que celle de l'Atlantique et ils ne possèdent pas en Californie de quartier distinct. Les villes comptent néanmoins de nombreux bars irlandais et, comme dans le reste des États-Unis, des parades célèbrent le 17 mars la Saint-Patrick *(p. 32)*, patron de l'Irlande.

Enseigne de pub à Santa Monica

LE MELTING POT

C es dernières décennies ont vu augmenter régulièrement le nombre d'immigrants asiatiques. Fresno *(p. 500)* abrite ainsi la deuxième communauté Hmong hors du Laos, tandis que Long Beach possède la plus importante population de Cambodgiens hors du Cambodge. Le quartier a d'ailleurs pris le surnom de « Petit Phnom Penh ». Dans les années 1950 et 1970, les réfugiés des guerres de Corée et du Vietnam durent s'installer dans les zones les plus pauvres des villes. Ils les ont souvent transformées en communautés florissantes.

Depuis les années 1970, les occasions offertes dans la haute technologie par la Silicon Valley *(p. 412)* attirent Indiens et Pakistanais. Des « pubs » révèlent à Santa Monica *(p. 72-73)* une forte présence britannique. Fondée en 1911 par des colons danois, la ville de Solvang entretient avec fierté le souvenir de ses origines scandinaves. C'est à Los Angeles que vivent les deux tiers de la communauté juive, la deuxième de l'Union.

Moulin danois à Solvang

LA CALIFORNIE
AU JOUR LE JOUR

Le climat ensoleillé dont profitent la majorité des Californiens *(p. 36-37)* leur permet d'organiser des réjouissances sans se soucier du temps. Les dimensions de l'État offrent un large éventail de possibilités : en hiver, on peut aussi bien skier dans le nord que prendre des bains de soleil sur le littoral méridional. Parades et fêtes sont nom-

breuses. Beaucoup célèbrent l'héritage agricole de la région, d'autres les traditions de groupes ethniques ou des périodes historiques comme la ruée vers l'or. De grandes manifestations telles que des festivals de musique ou de cinéma et des rencontres sportives opposant des équipes nationales de premier plan attirent un large public.

Participants au marathon de Los Angeles

PRINTEMPS

La vie prend un nouvel élan avec l'arrivée du printemps. Les reliefs côtiers se tapissent de fleurs sauvages, les baleines grises remontent vers le nord avec leurs nouveau-nés et les Californiens fouillent leurs tiroirs en quête des lunettes de soleil rangées au mois d'octobre. De nombreuses manifestations, telles les réjouissances du *Cinco de Mayo* (5 mai) à Los Angeles et à San Francisco, la remise des Oscars à Hollywood et la course de la Bay-to-Breakers de San Francisco rythment la saison.

MARS

Return of the Swallows *(19 mars)*, San Juan Capistrano. Les Californiens viennent en foule fêter les hirondelles de retour d'Argentine dans les jardins

de la mission *(p. 230-231)*.
Los Angeles Marathon *(1er dim.)*.
Snowfest *(2 prem. sem.)*, Tahoe City. Concerts, bain glacé et compétitions de ski pour cette fête de la neige.
St Patrick Day's Parade *(dim. le plus proche du 17 mars)*, San Francisco. Après une parade dans Market Street, on se réchauffe en buvant de l'irish-coffee dans

Trèfle de St Patrick's Day

les bars irlandais de la ville.
Redwood Coast Dixieland Jazz Festival *(fin mars)*, Eureka. Réunion de certains des meilleurs orchestres du monde.

AVRIL

Academy Awards Ceremony *(mars)*, Los Angeles. La remise des Oscars réunit le gratin d'Hollywood.
Major League Baseball *(avril-sept.)*. Compétition pour les Giants (San Francisco), les Athletics (Oakland), les Angels (Anaheim), les Dodgers (L. A.) et les Padres (San Diego).
Toyota Grand Prix *(mi-avril)*, Long Beach. Grande course automobile.
Agua Cahuilla Indian Heritage Festival *(mi-avril)*, Palm Springs. Une fête en l'honneur des Indiens qui découvrirent les vertus des sources chaudes locales.
Cherry Blossom Festival *(mi-avril)*, San Francisco. Démonstrations de danses et d'arts martiaux rythment cette fête japonaise *(p. 342)*.
Anniversaire du séisme de 1906 *(18 avril)*, San Francisco. Des cérémonies commémoratives ont lieu autour de la Lotta's Fountain, à l'angle de Kearny Street et Market Street.
San Francisco International Film Festival *(mi-avril-déb. mai)*. Films indépendants du monde entier.
Red Bluff Round-Up Rodeo *(3e week-end)*. Un des grands rodéos américains.

Hirondelles revenant à la Mission San Juan Capistrano

MAI

Raisin Festival *(déb. mai)*, Selma. Défilé et élection de la Reine du raisin sec.

Cinco de Mayo *(5 mai)*, L. A. et San Francisco. Musique et danses pour la plus grande fête mexicaine de Californie.

Bay-to-Breakers *(3e week-end)*, San Francisco. Une course de 12,5 km entre Embarcadero et Ocean Beach qui attire chaque année des milliers d'amateurs.

Calaveras County Fair *(mi-mai)*, Angels Camp. Un rodéo et les célèbres grenouilles sauteuses *(p. 463)*.

Mainly Mozart Festival *(fin mai-déb. juin)*, San Diego. Les chefs-d'œuvre de Mozart par de grands orchestres.

Carnaval *(der. week-end)*, San Francisco. Des groupes de salsa et de reggae font danser Mission District.

Sacramento Jazz Jubilee *(der. week-end)*.

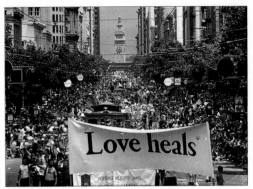

La parade de la Lesbian and Gay Pride à San Francisco

Danseuse mexicaine au *Cinco de Mayo*, Los Angeles

ÉTÉ

J amais la Californie ne ressemble autant qu'en été aux clichés qu'elle évoque. Les plages s'emplissent de surfers bronzés, et homosexuels et lesbiennes défilent dans les tenues les plus colorées à San Francisco. De nombreuses distractions s'offrent aux touristes : concerts en plein air, évocations de la ruée vers l'or comme les Old Miners' Days de Big Bear Lake ou fêtes culinaires telles que le Gilroy Garlic Festival.

JUIN

Lesbian and Gay Pride Day *(fin juin)*, San Francisco. Dans Market Street, un dimanche, la fête des homosexuels.

Lumber Jubilee *(fin juin)*, Tuolumne. Démonstrations d'adresse par des bûcherons californiens.

Monterey Blues Festival *(fin juin)*. Des grands noms du blues et beaucoup de public.

Juneteenth *(fin juin)*, Oakland. Jazz et gospel rythment cette célébration afro-américaine.

JUILLET

International Surf Festival *(tout le mois)*. Démonstrations et rencontres sportives sur diverses plages.

Feux d'artifice du 4 juillet. Ceux de Disneyland et du Santa Monica Pier sont particulièrement réputés.

Mammoth Lakes Jazz Jubilee *(1er week-end après le 4 juil.)*. Une douzaine d'orchestres y participent.

Obon Festival *(mi-juil.)*, San Jose. Percussionnistes et danseurs animent cette fête nippo-américaine.

Carmel Bach Festival *(mi-juil.-déb. août)*. Festival de musique classique.

Gilroy Garlic Festival *(fin juil.)*. La fête de l'ail, servi à toutes les sauces.

San Francisco Marathon *(mi-juil.)*.

Old Miners' Days *(fin juil.-mi-août)*, Big Bear Lake. Gamelles de chili et concours

de mensonges comme au temps de la ruée vers l'or.

Festival of the Arts *(juil.-août)*, Laguna Beach.

AOÛT

Native American Powwow *(déb. août)*, Costa Mesa. Célébration de la cuisine et de la culture indiennes.

Old Spanish Days Fiesta *(déb. août)*, Santa Barbara. Marchés espagnols, carnaval et danses.

Nisei Week *(déb. août)*. Fête japonaise dans le Little Tokyo de Los Angeles.

Pebble Beach Concours d'Elegance *(mi-août)*. Exposition de voitures de collection.

California State Fair *(mi-août-déb. sept.)*, Sacramento. De tout, des stars comme des courses de porcs.

Bigfoot Days *(fin août)*, Willow Creek. Défilé et crème glacée en l'honneur du cousin américain du yéti.

Danseurs indiens au Native American Powwow de Costa Mesa

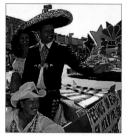

Parade à Santa Monica pour le Mexican Independence Day

AUTOMNE

D ans les High Sierras, les feuillus prennent des teintes rouges et or. Les caves de la Napa Valley (p. 446-447) fêtent les vendanges en proposant aux visiteurs des dégustations. Partout, la bière coule à flots au son des flonflons dans les Oktoberfests, tandis que des rodéos entretiennent les traditions du Far West.

SEPTEMBRE

Pro Football (sept.-déc.). Saison du football américain pour les '49ers (San Francisco), les Raiders (Oakland) et les Chargers (San Diego).
Los Angeles County Fair (tout le mois), Pomona. Une grande foire. Courses de chevaux.
Oktoberfest (déb. sept.-fin oct.), Torrance. La plus importante fête de la bière de la Californie du Sud.
Mexican Independence Day (16 sept.). Cuisine, danses et musique mexicaines à Santa Monica, Calexico et Santa Maria.
Monterey Jazz Festival (3ᵉ week-end). L'un des plus anciens festivals de jazz du monde.
Danish Days (fin sept.), Solvang. Défilés et spécialités danoises (p. 209).
San Francisco Blues Festival (der. week-end). Deux jours au Fort Mason.

OCTOBRE

Sonoma County Harvest Fair (déb. oct.), Santa Rosa. L'occasion pour les caves viticoles de la région de présenter leurs meilleurs crus.
US National Gold Panning Championship (déb. oct.), Coloma. Le championnat national d'orpaillage.
Mountain Man Rendezvous (déb. oct.), Bridgeport. Concours de tir et barbecue pour les nostalgiques de la vie en pleine nature des trappeurs du XIXᵉ siècle.
Black Cowboy Heritage Invitational Parade and Festival (déb. oct.), Oakland. La commémoration du rôle joué par les Noirs dans la conquête de l'Ouest.
Columbus Day Parade (dim. le plus proche du 12 oct.), San Francisco. Orchestres et chars descendent Columbus Avenue jusqu'au Fisherman's Wharf.
San Francisco Jazz Festival (fin oct.-déb. nov.). Des concerts dans toute la ville.
Pumpkin Festival (mi-oct.), Half Moon Bay. La fête du potiron : championnat du monde du potiron, sculpture de potirons et toutes sortes de plats au potiron.
International Festival of Masks (der. dim.), Los Angeles. Organisée à l'origine pour Hallowe'en, cette parade célèbre désormais la diversité ethnique de la ville.

Ballon de football

Halloween (31 oct.), San Francisco. Les habitants se déguisent pour défiler dans les rues.
Grand National Rodeo (fin oct.-déb. nov.), Daly City. Mustangs attrapés au lasso et exposition de bétail, entre autres, entretiennent la tradition.
Papillons (fin oct.-mi-mars), Pacific Grove. Migration annuelle de milliers de danaïdes (p. 494).

Participants costumés à la Doo Dah Parade de Pasadena

NOVEMBRE

Dia de los Muertos (1ᵉʳ nov.). Cette fête religieuse mexicaine où les morts sont supposés rendre visite à leurs parents survivants est particulièrement spectaculaire dans les quartiers d'El Pueblo (Los Angeles) (p. 122) et de Mission (San Francisco).
Death Valley '49ers Encampment (mi-nov.). Orpaillage et violons en souvenir des prospecteurs de la ruée vers l'or.
Doo Dah Parade (mi-nov.), Pasadena. Une parodie de la Roses Parade. Mauvais goût et caricatures.

Musiciens mexicains fêtant le *Dia de los Muertos*

Rencontre avec une baleine grise au large de la Baja California

HIVER

À Noël, édifices et places publiques se couvrent de décorations lumineuses. Hymnes et chants résonnent dans les églises, tandis qu'une grande parade à Hollywood réunit de très nombreuses vedettes. Le début de la saison de ski à Lake Tahoe provoque de véritables embouteillages sur les autoroutes menant au nord.

DÉCEMBRE

Hollywood Christmas Parade *(1er jeu. après Thanksgiving)*, Los Angeles. Il y a foule sur Hollywood et Sunset Boulevards pour ce défilé riche en stars.
Russian Heritage Christmas Celebration *(week-ends, tout le mois)*, Guerneville. Costumes, spécialités et musique évoquent la présence russe dans la région au XIXe siècle.

Décorations de Noël sur Carmel Plaza

International Tamale Festival *(déb. déc.)*, Indio. Danses mexicaines et dégustation de *tamales* (pâte de farine de maïs fourrée de viande épicée).
Baleines *(fin déc.-avril)*. On peut observer la migration vers le sud des baleines grises depuis la côte ou les embarcations proposées dans de nombreuses villes du littoral *(p. 580)*.

Char de la Tournament of Roses Parade de Pasadena

JANVIER

Pygargues à tête blanche *(jan.-fév.)*, Mount Shasta. Ces rapaces attirent de nombreux ornithologues amateurs *(p. 420-421)*.
Tournament of Roses Parade *(1er jan.)*, Pasadena. Défilé fleuri suivi du Rose Bowl, un grand match de football américain *(p. 151)*.
Palm Springs International Film Festival *(déb. jan.)*.
Gold Discovery Day *(24 jan.)*, Coloma. Démonstrations d'orpaillage pour l'anniversaire de la découverte de l'or *(p. 459)*.

AT&T Pebble Beach Pro-Am Golf Tournament *(fin jan.-déb. fév.)*. Pros et célébrités y participent.

FÉVRIER

Dickens Festival *(déb. fév.)*, Riverside. Fête en l'honneur de l'écrivain Charles Dickens sur la réplique d'une place de marché londonienne du XIXe siècle.
Napa Valley International Mustard Festival *(mi-fév.)*, Calistoga. Des centaines de moutardes à goûter.
Riverside County Fair and National Date Festival *(mi-fin fév.)*, Indio. Courses de chameaux et d'autruches pour la fête de la datte.
Nouvel An chinois *(mi fév.-déb. mars)*, San Francisco. Un dragon sillonne le Financial District et Chinatown pour la plus grande célébration de ce type aux U. S. A.

Célébrations du Nouvel An chinois à San Francisco

Le climat de la Californie

Hormis dans le Nord et les déserts, la Californie jouit d'un climat tempéré, ni caniculaire en été ni trop rigoureux en hiver. En cette saison, la partie nord des Coast Ranges est toutefois humide et, à l'est, les montagnes de la Sierra Nevada se couvrent de neige. Un climat méditerranéen règne en Californie centrale et dans la Central Valley. Il devient plus aride et plus chaud lorsqu'on descend vers le sud.

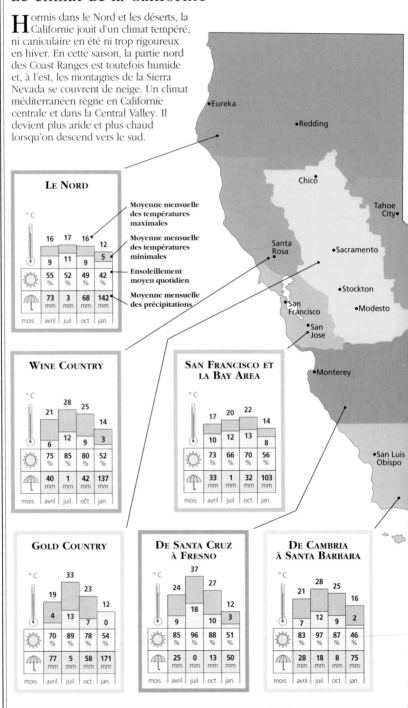

LE NORD

° C

| | 16 | 17 | 16 | 12 |
| | 9 | 11 | 9 | 5 |

Moyenne mensuelle des températures maximales

Moyenne mensuelle des températures minimales

| ☀ | 55 % | 52 % | 49 % | 42 % |

Ensoleillement moyen quotidien

| ☂ | 73 mm | 3 mm | 68 mm | 142 mm |

Moyenne mensuelle des précipitations

| mois | avril | juil. | oct. | jan. |

WINE COUNTRY

° C

	21	28	25	14
	6	12	9	3
☀	75 %	85 %	80 %	52 %
☂	40 mm	1 mm	42 mm	137 mm
mois	avril	juil.	oct.	jan.

SAN FRANCISCO ET LA BAY AREA

° C

	17	20	22	14
	10	12	13	8
☀	73 %	66 %	70 %	56 %
☂	33 mm	1 mm	32 mm	103 mm
mois	avril	juil.	oct.	jan.

GOLD COUNTRY

° C

	19	33	23	12
	4	13	7	0
☀	70 %	89 %	78 %	54 %
☂	77 mm	5 mm	58 mm	171 mm
mois	avril	juil.	oct.	jan.

DE SANTA CRUZ À FRESNO

° C

	24	37	27	12
	9	18	10	3
☀	85 %	96 %	88 %	51 %
☂	25 mm	0 mm	13 mm	50 mm
mois	avril	juil.	oct.	jan.

DE CAMBRIA À SANTA BARBARA

° C

	21	28	25	16
	7	12	9	2
☀	83 %	97 %	87 %	46 %
☂	28 mm	18 mm	8 mm	75 mm
mois	avril	juil.	oct.	jan.

Eureka

Redding

Chico

Tahoe City

Santa Rosa

Sacramento

Stockton

San Francisco

Modesto

San Jose

Monterey

San Luis Obispo

Histoire de la Californie

La Californie doit son nom à un rêve, celui d'un auteur espagnol du début du XVIᵉ siècle qui baptisa ainsi dans un roman, *Las Sergas de Esplanadían*, une île mythique peuplée exclusivement de femmes. En 1542, c'est ce nom que note dans son journal l'explorateur portugais Juan Rodríguez Cabrillo quand il atteint la baie de San Diego lors d'une expédition menée depuis le Mexique pour le compte de la couronne d'Espagne. Celle-ci attendra toutefois encore plus de deux siècles avant d'entreprendre vraiment la colonisation de la région en envoyant en 1769 le père Junípero Serra fonder des missions franciscaines le long du littoral.

Sceau de l'État

La ruée vers l'or

La barrière dressée par les Rocheuses maintient toutefois le territoire dans son isolement. C'est l'or découvert dans les contreforts de la Sierra Nevada en 1848, l'année où le Mexique cède la Californie au États-Unis, qui provoque la première grande vague d'immigration. Après l'or, l'exploitation de mines d'argent, l'achèvement en 1869 de la liaison ferroviaire transcontinentale et le développement de l'agriculture entretiennent le dynamisme économique du nouvel État. Mais la rapidité de sa croissance engendre corruption, banditisme et racisme, en particulier contre les Chinois venus travailler à la construction de la voie ferrée.

La Californie du XXᵉ siècle

Le tremblement de terre de San Francisco en 1906 fait croire un moment à la fin de l'âge d'or de la Californie. Cependant, Los Angeles connaît à cette époque son plein essor. Hollywood le pare des couleurs du rêve, mais il s'appuie avant tout sur l'industrialisation permise par la découverte de pétrole et l'extension des zones agricoles dans les vallées irriguées. En 1945, quand la charte des Nations Unies est signée à San Francisco, la Californie n'est plus la dernière frontière de la civilisation, mais un de ces acteurs centraux.

Ancienne carte de l'Amérique du Nord où la Californie apparaît sous forme d'île

◁ Peinture murale du Santa Barbara County Courthouse représentant l'arrivée de Cabrillo en Californie

La Californie des origines

On estime qu'entre 100 000 et 275 000 indigènes vivaient sur le territoire de la Californie avant sa colonisation par les Européens. Ils habitaient généralement des abris coniques ou hémisphériques réunis en villages de 100 à 150 personnes. Hormis le long du Colorado, ils ne pratiquaient pas l'agriculture et vivaient de chasse, de pêche et de cueillette. Pivot de la vie religieuse, le chaman communiquait directement pendant ses transes avec le monde des esprits et jouait le rôle de prêtre guérisseur. Pacifiques, les tribus ne possédaient quasiment pas de classes sociales ou de formes de gouvernement. Il existait de grandes divisions linguistiques entre elles.

Peuple des Tcholovoni
Plusieurs tribus, dont les Tcholovoni, vivaient dans de petits villages sur la côte de la baie de San Francisco.

Porte-monnaie
Des coquilles de dentale, gardées dans des boîtes sculptées, servaient de monnaie dans le nord.

Bijou
Ce collier en ormeau et coquille de palourde serait un des plus anciens objets fabriqués par les Indiens de Californie.

Des perles ornaient souvent les cadeaux, tel ce panier miwok.

Des plumes de caille et des danseurs géométriques ornent ce panier yokut.

Nasse à anguilles

VANNERIE
Les Indiens tressaient de très nombreux matériaux pour fabriquer des objets, souvent ornés de motifs symboliques, qui servaient à toutes les activités de la vie quotidienne : chasse, cuisine, conservation…

Coiffe
Les Miwok se paraient de plumes de pie noires et blanches.

CHRONOLOGIE

3 400 000 av. J.-C. Des cendres volcaniques émises par le Mt St Helena créent la forêt pétrifiée de Calistoga *(p. 445)*

200 000 av. J.-C. Des hominiens, probablement des prédécesseurs de l'*Homo sapiens*, vivent près de l'actuelle Calico *(p. 275)*

Outil en silex

3 400 000 av. J.-C.		200 000 av. J.-C.

3 000 000 av. J.-C. Des mouvements de plaques forment le Redrock Canyon de la Death Valley *(p. 280-283)*

Fossile de tigre à dents de sabre de La Brea, à Los Angeles

40 000 av. J.-C. Mammouths, tigres et divers animaux sont pris au piège dans les fosses de bitume de La Brea

Peuple des Kule Loklo
Anton Refregier représenta ces anciens habitants de la région de la Bay Area sur sa fresque de l'entrée du Rincon Center (p. 307).

Où voir la Californie des origines

Le George C. Page Museum of La Brea Discoveries *(p. 114)* présente des squelettes d'animaux fossilisés dans des fosses de bitume. Le Chumash Painted Cave State Historic Park *(p. 209)* recèle certains des rares pictogrammes exécutés par les Chumash. Le Southwest Museum de Los Angeles *(p. 149)* et la California Academy of Sciences de San Francisco *(p. 360-361)* exposent des objets fabriqués par les Indiens.

Des peintures rupestres *vieilles de milliers d'années ont été soigneusement conservées en Californie du Sud au Chumash Painted Cave State Historic Park.*

Les paniers servant à la conservation avaient des formes très variées.

Panier à eau

Les louches avaient un tressage très serré.

Les pièges à piverts étaient faits en branches de saule.

Costume de cérémonies
Les participants à la « danse de la peau de daim blanche » portaient des tabliers en peaux et queues de chats.

8 000 av. J.-C. Le climat est assez chaud pour des conifères	**1 000 av. J.-C.** Formation de l'Ubehebe Crater *(p. 282)* dans la Death Valley	*Abri indien*	
10 000 av. J.-C.	**6 000 av. J.-C.**	**1 000 av. J.-C.**	**100 apr. J.-C.**
10 000-8 000 av. J.-C. Fin de l'ère glaciaire. Les premiers Indiens s'installent en Californie	**6 000 av. J.-C.** Le climat est assez chaud pour des feuillus		**100 apr. J.-C.** L'évaporation d'un lac crée le Devil's Golf Course de Death Valley *(p. 281)*

L'époque coloniale

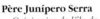

Bien qu'ils aient « découvert » la Californie dès 1542, les Espagnols n'entament sa colonisation qu'au XVIIIe siècle. Ils imposent leur domination au moyen de trois institutions : la mission (église), le *presidio* (fort) et le *pueblo* (village). Des trois, c'est la mission qui a le plus d'influence. Commençant à San Diego en 1769, des franciscains en fondent 21.

Statue de missionnaire

Elles jalonnent, tous les 50 km environ, El Camino Real, la Route royale qui longe la côte. Les moines n'hésitent pas à user de la force pour obliger les Indiens à travailler pour eux. De plus, ils leur transmettent des maladies contre lesquelles ils n'ont pas d'immunité. En 1900, la population indigène ne compte plus que quelque 16 000 âmes.

• San Francisco de Solano *(1823)*
• San Rafael Arcangel *(1817)*
• San Francisco de Asis *(1776)*
• San Jose *(1797)*
• Santa Clara de Asis *(1777)*

Santa Cruz *(1791)*
• San Juan Bautista *(1797)*

• Nuestra Señora de la Soledad *(1791)*
San Carlos Borromeo de Carmelo *(1770)*
• San Antonio de Padua *(1771)*

El Camino Real

San Miguel Arcangel *(1797)*

San Luis Obispo de Tolosa *(1772)*

La Purisma Concepcion *(1787)*

• Santa Ines *(1804)*

Santa Barbara *(1786)*

San Buenaventura *(1782)* •

Sir Francis Drake
Le navigateur anglais accosta en 1579 en Californie pour réparer son bateau. Il revendiqua la terre qu'il baptisa « Nova Albion » au nom de la reine Élisabeth Ire.

Père Junípero Serra
Originaire de l'île de Majorque, le père Junípero Serra dirigea l'expédition franciscaine qui fonda les missions californiennes.

Jedediah Smith
En 1828, un trappeur, Jedediah « Strong » Smith, fut le premier blanc à rejoindre la Californie depuis l'est des États-Unis en franchissant la Sierra Nevada.

CHRONOLOGIE

1524 Hernán Cortés, conquérant espagnol du Mexique, encourage Charles Quint à prendre le contrôle des « Îles de Californie »

1579 Le corsaire anglais Francis Drake mouille près de Point Reyes *(p. 396)*

| 1500 | 1600 | 1650 |

1542 Parti du Mexique, Juan Rodríguez Cabrillo atteint la baie de San Diego, ce qui en fait le découvreur officiel de la Californie

Juan Rodríguez Cabrillo

1595 Le navigateur portugais Sebastián Rodríguez Cermeño découvre la baie de Monterey

1602 Le marchand et aventurier espagnol Sebastián Vizcaíno remonte la côte californienne, donnant notamment leurs noms à San Diego, Santa Barbara, Point Concepcion et Carmel

Mission San Gabriel Arcángel
Considérée comme la première représentation d'une mission, cette œuvre exécutée par Ferdinand Deppe en 1832 montre l'église entourée des habitations des Indiens, souvent retenus de force.

Où voir la Californie coloniale

Quartiers d'habitation restaurés au Santa Barbara Mission Museum.

La Mission Dolores de San Francisco *(p. 351)*, l'Oakland Museum of California *(p. 408-409)*, la Mission San Carlos Borromeo de Carmel *(p. 496-497)* et la Mission Santa Barbara *(p. 212-213)* conservent des objets de l'époque franciscaine. La plupart des 21 missions proposent des visites guidées.

Victoire américaine
Le 9 juillet 1846, 70 soldats et marins des États-Unis s'emparent de San Francisco (alors Yerba Buena).

Clochettes à prières
Les pères franciscains apportèrent en Californie de nombreux objets, décoratifs ou liturgiques, provenant d'Espagne ou du Mexique.

• San Fernando Rey de España *(1797)*

• San Gabriel Arcangel *(1771)*

• San Juan Capistranol *(1776)*

• San Luis rey de Francia *(1798)*

• San Diego de Alcalá *(1769)*

El Camino Real
Les intervalles entre les 21 missions jalonnant El Camino Real de San Diego à Sonoma correspondaient à une journée de cheval.

1701 Le père Eusebio Francesco Kino prouve que la Baja California est une péninsule et non une île

1776 Le capitaine Juan Bautista de Anza atteint San Francisco et fonde un presidio *(p. 366-367)*

1781 Fondation du pueblo de Los Angeles

1822 Révolution mexicaine. Les Espagnols ne contrôlent plus la Californie

1835 William Richardson fonde Yerba Buena, la future San Francisco

1700	1750	1800

Canon d'un presidio du XVIIIe s.

1769 Gaspar de Portolá découvre la baie de San Francisco. Première mission fondée à San Diego *(p. 250)*

1777 Monterey capitale de la Californie mexicaine

1804 Première orangeraie à la mission San Gabriel

John C Frémont

1846 John C. Frémont conduit la Bear Flag Revolt *(p. 448)*

La ruée vers l'or

En 1848, le journaliste Sam Brannan brandit des pépites découvertes dans la Sacramento Valley en criant : « De l'or ! De l'or ! De l'or dans l'American River ! » La nouvelle attire des nuées de prospecteurs. Tous ceux qui s'échinent sur le Mother Lode (la veine mère) ne font pas fortune, loin de là, mais ces hordes d'immigrants transforment à jamais la région, notamment San Francisco dont la population passe, entre 1848 et 1850, de 812 à 25 000 habitants. Les prix grimpent, le crime prospère. En 1859, à la fin de la ruée vers l'or, la découverte de minerai d'argent (le Comstock Lode) donne un nouvel élan à la Californie.

Pépite d'or californien

Forty-Niner
Des prospecteurs venus de tous les États-Unis convergèrent avec armes et bagages vers la Californie en 1849, d'où leur surnom de « Quarante-neuvièmes ».

Des pics servaient à détacher le minerai destiné au débourbeur.

Saloon de la Barbary Coast
Crime, jeu et prostitution régnaient en maître dans le quartier de San Francisco surnommé la côte de Barbarie.

Capitale de l'État
En deux ans, la ruée vers l'or transforma la bourgade de Sacramento en ville animée. Elle devint la capitale de l'État en 1854.

Le débourbeur était une longue gouttière garnie de barres de bois qui retenaient les particules d'or.

CHRONOLOGIE

1848 Les U. S. A. annexent la Californie.
Découverte d'or à la scierie de John Sutter (p. 459)

1849 Près de 800 navires pleins de futurs chercheurs d'or quittent New York

Enseigne du clipper Flying Cloud

1854 Sacramento devient la capitale de la Californie

1848	1850	1852	1854

John Sutter (1802–1880)

1850 La Californie devient le 31e État de l'Union

1851 Le Comité de Vigilance de San Francisco pend plusieurs délinquants. Le clipper *Flying Cloud* rejoint San Francisco depuis New York en 89 jours, un record

1853 Levi Strauss débarque à San Francisco et commence à vendre ses pantalons de toile (p. 333)

Comte Agoston Haraszthy
Ce Hongrois fut le premier négociant en vins à implanter des cépages européens en Californie.

L'énergie hydraulique aidait à dégager les rochers pour découvrir les veines.

Où voir la ruée vers l'or

De la plupart des campements de prospecteurs, il ne subsiste plus aujourd'hui que des villes fantômes telles que Bodie *(p. 478)* et Calico *(p. 275)*. L'atmosphère reste toutefois préservée au Columbia State Historic Park *(p. 464-465)*, une ville du Mother Lode restaurée. Le Wells Fargo History Museum de San Francisco *(p. 304)* présente des souvenirs de la ruée vers l'or. Le Jackson Square Historical District *(p. 304)* faisait partie de la Barbary Coast.

Ancienne école dans la ville fantôme de Calico

Argent du Comstock Lodge
Entre 1859 et le milieu des années 1880, les mines des High Sierras produisirent pour 400 millions de dollars d'argent.

L'orpailleur faisait tourner dans une écuelle eau et boue pour isoler les paillettes par décantation.

TECHNIQUES D'EXTRACTION
Ce qui était une aventure au début de la ruée vers l'or devint une véritable industrie avec le développement de techniques minières sophistiquées.

Empereur Norton
S'étant autoproclamé empereur des États-Unis et protecteur du Mexique, l'excentrique Joshua Norton imprima sa propre monnaie et conseilla les législateurs de Sacramento.

1855 Des milices se forment à Los Angeles	**1856** L'assassinat de l'éditeur de journal James King of William entraîne à San Francisco la formation d'un nouveau Comité de Vigilance, dirigé par William T. Sherman		**1859** Le prospecteur James Finney découvre la veine d'argent du Comstock Lode	**1860** Le négociant ruiné Joshua Norton se déclare empereur des États-Unis sous le nom de Norton Ier
	1856	1858	1860	

Médaille du Comité de Vigilance de San Francisco

1857 Agoston Haraszthy, père de la viticulture californienne, fonde le domaine de Buena Vista dans la Sonoma Valley *(p. 449)*

1861 La Californie prête allégeance à l'Union. Forage du premier puits de pétrole

Puits de pétrole à Humboldt County

L'époque dorée

L es nouveaux riches de Californie bâtissent à la fin du XIXᵉ siècle de somptueuses demeures sur Nob Hill, l'adresse la plus prisée de San Francisco, ville qui compte en 1900 plus de 300 000 habitants. L'économie connaît une période d'expansion grâce aux liaisons ferroviaires ouvertes avec l'est et le sud. Les oranges californiennes s'exportent désormais à New York. Les immigrants, venus notamment d'Europe, continuent d'affluer sur la Côte Ouest. Le prix des terrains augmente dans le comté de Los Angeles.

**Montre
en or**

Décor victorien
*Ces fenêtres
appartiennent à la
Winchester Mystery
House (p. 414-415).*

**Salle de bains
(carreaux et
baignoire
d'origine)**

Salon de devant

Liaison transcontinentale
*Le dernier tire-fond de la voie ferrée
reliant les deux côtes des États-Unis
fut posé le 12 mai 1869.*

**Salle à
manger**

Les « Quatre Grands »
*Charles Crocker, Leland Stanford, Collis
Huntington et Mark Hopkins gagnèrent des millions
en investissant dans la liaison transcontinentale.*

CHRONOLOGIE

1863 Début de la construction du Central Pacific Railroad

1871 Environ 20 Chinois tués lors de violences racistes à L. A.

1873-1875 Plantations d'oranges à Riverside

1876 La ligne de la Southern Pacific atteint Los Angeles

Oranges californiennes

1884 Sarah Winchester commence à San Jose la construction de sa maison. Elle durera 38 ans (p. 414-415)

1870

1875

1880

1869 Achèvement de la liaison transcontinentale

1873 Andrew Hallidie teste le premier *cable car* de San Francisco

*Premier cable car
de San Francisco*

1877 Incendies criminels de boutiques et de laveries chinoises à San Francisco

1882 Le Congrès vote le Chinese Exclusion Act limitant l'immigration chinoise

Sutro Baths
Ouverte en 1896, la plus grande piscine de San Francisco ferma dans les années 1960.

Yosemite National Park
Fondé en 1890, le parc national de Yosemite devint la première attraction touristique de Californie et une image appréciée des publicitaires.

OÙ VOIR LA CALIFORNIE DE L'ÉPOQUE DORÉE

À San Francisco, des visites guidées ont lieu à la Haas-Lilienthal House *(p. 338)* et la Cable Car Barn *(p. 321)* expose le premier *cable car*. Le Stanford University Art Museum *(p. 411)* abrite le « tire-fond d'or » de la ligne transcontinentale, entre autres souvenirs des « Quatre Grands ». Les trains sont aussi à l'honneur au California State Railroad Museum de Sacramento *(p. 457)*.

Le California State Railroad Museum célèbre l'histoire du rail sur la Côte Ouest.

Le salon est aménagé dans une ancienne chambre.

Porche

Entrée meublée d'un sofa d'angle

Immigrant chinois
Les « coolies » employés à la construction de la ligne transcontinentale de chemin de fer s'installèrent, mais subirent des attaques racistes.

HAAS-LILIENTHAL HOUSE

Le marchand William Haas fit construire cette maison de style Queen Anne en 1886. Devenue un musée, cette demeure victorienne offre un aperçu de la vie d'une riche famille à la fin du XIXᵉ siècle à San Francisco *(p. 338)*.

1885	1890	1895

1890 Yosemite obtient le statut de parc national *(p. 472-475)*

Sceau de la Stanford University

1893 Le géologue Andrew Lawson de l'Université de Californie découvre la faille de San Andreas

1896 Adolph Sutro, constructeur du tunnel de Comstock, ouvre la plus grande piscine couverte d'eau de mer du monde

1888 L'Hotel del Coronado ouvre à San Diego *(p. 245)*

1891 Ouverture de la Stranford University *(p. 411)*. La première promotion comprend le futur président Herbert Hoover

1894 Première foire internationale de la Côte Ouest au Golden Gate Park de San Francisco

1897 Des marchands de San Francisco s'enrichissent en équipant des chercheurs d'or partant pour la Klondike River au Canada

L'essor d'Hollywood

En 1887, Harvey Henderson Wilcox décide d'appeler « Figwood » (figuerie) la ferme et le vaste terrain qu'il a achetés l'année précédente près de Los Angeles. Mais sa femme préfère « Hollywood » (bois de houx). Dès 1911, des cinéastes viennent y profiter d'un climat plus propice que celui de New York. Ils commencent à produire les films qui aideront les Américains, en leur offrant du rêve, à affronter la Première Guerre mondiale, puis la prohibition et la grande crise économique des années 1930. Parmi eux : Charlie Chaplin qui s'installe à La Brea en 1918 et Alan Crosland qui réalise le premier film parlant en 1927.

Le célèbre Oscar

Canal de Panama
Deux foires internationales fêtèrent son achèvement en 1915.

Clara Bow devint un des premiers sex-symbols d'Hollywood.

Tremblement de terre et incendie de San Francisco
Le désastre de 1906 détruisit les quatre cinquièmes de la ville.

Les acteurs étaient engagés pour leur physique plutôt que pour leur expérience.

Aqueduc de Los Angeles
Sa construction coûta 24,5 millions de dollars, mais permit d'irriguer le sud aride avec les eaux des High Sierras.

L'ÈRE DU CINÉMA MUET
L'industrie du cinéma se développa avec la création de grands studios qui tournaient chaque année des centaines de films muets tels que *Mantrap* (1927).

CHRONOLOGIE

1905 Le magnat du tabac Abbot Kinney inaugure sa cité lacustre : Venice *(p. 76)*. Début des fouilles des fosses de bitume de La Brea *(p. 115)*

1907 Convaincu de corruption, Abraham Ruef, « boss » politique de San Francisco, cause la chute du maire, Eugene Schmitz

1913 L'ouverture de l'aqueduc entre l'Owens Valley et L. A. améliore l'alimentation en eau de la ville

1900   **1905**   **1910**

1901 Une grève de trois mois sur le port de San Francisco cause des affrontements qui font 4 morts et 300 blessés

1906 Le 18 avril, un séisme de magnitude 8,3, le pire qu'aient connu les États-Unis, fait 3 000 victimes et 25 000 sans-abri à San Francisco

Caméra des débuts d'Hollywood

1911 Premier film tourné à Hollywood : *The Law of the Range* de William et David Horsley

La prohibition *(1920-1933)*
L'interdiction de vendre et de fabriquer de l'alcool engendra une importante contrebande, entre autres depuis le Mexique par le port de Los Angeles.

Les studios abritaient plusieurs tournages simultanés sur des plateaux voisins.

Les cameramen tournaient en 24 images par seconde avec des films de 35 mm de large.

Des réalisateurs connurent aussi gloire et fortune.

Des orchestres jouaient souvent pendant le tournage pour mettre les acteurs dans l'ambiance.

OÙ RÊVER À HOLLYWOOD

Le Hollywood Wax Museum *(p. 105)* expose les mannequins de cire de nombreuses vedettes. Installé dans une grange qui servit de lieu de tournage à Cecil B. De Mille, le Hollywood Studio Museum *(p. 108)* est consacré aux débuts du cinéma. Près de 200 stars ont laissé leurs empreintes devant le Mann's Chinese Theatre *(p. 106)*.

***Au Mann's Chinese Theatre**, la gloire prend la forme d'empreintes, de pieds et de mains, dans le ciment.*

***Les Paramount Studios**, derniers studios situés à Hollywood, attirent toujours des postulants au vedettariat (p. 109).*

Aimee Semple McPherson
Évangéliste controversée, elle ouvrit en 1923 à Los Angeles l'Angelus Temple où elle organisa régulièrement des réunions revivalistes.

1916 Les frères Lockheed commencent à construire des avions à Santa Barbara
WR Hearst

1924 L. A. devient le premier port de la Côte Ouest devant San Francisco

1929 Le krach de la Bourse déclenche la Grande Dépression. Douglas Fairbanks anime la première remise des Academy Awards

1915 **1920** **1925**

1915 San Francisco et San Diego organisent des expositions internationales

1917 Les U. S. A. entrent en guerre

Norma Talmadge

1919 William R. Hearst entreprend son somptueux château à San Simeon *(p. 202-205)*

1927 Norma Talmadge est la première actrice à laisser ses empreintes au Mann's Chinese Theatre *(p. 106)*

1928 Walt Disney crée le personnage de Mickey Mouse

Le rêve californien

Le cinéma et un nouveau média, la télévision, font de la Californie *le* symbole de la renaissance des États-Unis après la guerre : tout le monde se met à rêver de mener la vie lisse et prospère qui semble offerte à tous ses habitants. L'industrie aéronautique, les chantiers navals et l'agriculture entretiennent l'expansion économique pendant les années 1950. La population croît, de nouvelles banlieues surgissent, desservies par de nouvelles routes. En même temps, toutefois, les écoles manquent de fonds, Noirs et Hispano-Américains subissent un racisme violent et le maccarthysme prive Hollywood de ses plus grands créateurs accusés d' « activités antiaméricaines ».

Jeux olympiques de 1932
Ville organisatrice, Los Angeles réaménagea l'Exposition Park (p. 160-161) pour l'occasion.

Grève des dockers
Le 5 juillet 1934, la police ouvre le feu sur des dockers en grève, en tuant deux.

Le formica rend les cuisines plus pratiques.

Hoover Dam
Ce barrage sur la Colorado River produisit de l'électricité à partir de 1936.

L'électroménager, plus accessible, facilitait les tâches domestiques.

CHRONOLOGIE

1932 Premiers Jeux olympiques de Los Angeles

1934 L'île d'Alcatraz devient un pénitencier de haute sécurité (p. 328-329)

1936 Le Hoover Dam commence à fournir en électricité la Californie du Sud

1940 Los Angeles ouvre sa 1re autoroute, l'Arroyo Seco Parkway

1942 Les Nippo-Américains sont internés pour « raisons de sécurité » (p. 479)

1930　　**1935**　　**1940**

1933 Fin de la prohibition. « Sunny Jim » Rolph, populaire maire de San Francisco devenu gouverneur de l'État, choque ses partisans en approuvant des lyncheurs à San Diego

"Sunny Jim" Rolph

1937 Ouverture du Golden Gate Bridge

1939 La 3e foire de San Francisco, la Golden Gate International Exposition, a lieu sur Treasure Island

1941 Le Japon attaque Pearl Harbor

1943 L'agriculture californienne devient la 1re des États-Unis

Golden Gate Bridge
Pour son inauguration le 28 mai 1937, un convoi de limousines noires franchit le nouveau pont reliant San Francisco au Marin County.

OÙ VOIR LE RÊVE CALIFORNIEN

Le Petersen Automobile Museum de Los Angeles *(p. 114)* célèbre la passion vouée à l'automobile en Californie. Le Treasure Island Museum de San Francisco *(p. 396)* conserve des souvenirs de la Golden Gate International Exposition. Une visite du Sleeping Beauty Castle de Disneyland *(p. 223)* vous emmènera au bout du rêve californien.

Le Petersen Automobile Museum présente de nombreuses voitures de rêve, telle cette Cadillac de 1959.

Terre d'abondance
L'agriculture californienne devient pendant les années 1940 la plus productive des États-Unis.

Le réfrigérateur, grand et bien rempli, était un des symboles de la « belle vie » californienne.

LA MAISON CALIFORNIENNE
Eduardo Paolozzi caricature ici le mode de vie de la classe moyenne blanche des années 1950, un « rêve » qui s'appuie sur la famille nucléaire, la maison individuelle et la vie au grand air.

San Francisco Giant
Willie May faisait partie de l'équipe qui introduisit en 1958 le base-ball professionnel en Californie.

1945 Fin de la guerre. Signature, le 26 juin à San Francisco, de la Charte des Nations Unies

1955 Disneyland ouvre à Anaheim. James Dean meurt à 24 ans dans un accident de voiture près de Paso Robles

James Dean

1945	1950	1955

Drapeau des Nations unies

1948 Début de la guerre froide qui profite à l'industrie militaire californienne

1958 Les New York Giants viennent s'installer à San Francisco, donnant à la Côte Ouest sa première grande équipe de base-ball

La Californie d'aujourd'hui

Depuis 1962, année où elle devint l'État le plus peuplé de l'Union, la Californie a joué un rôle central dans les grandes mutations du pays. Dans les années 1960, les étudiants entrent en contestation à Berkeley, fondant le Free Speech Movement, tandis qu'Haight Ashbury devient la Mecque des hippies. La micro-informatique naît en Californie et la Silicon Valley reste toujours à la pointe de son évolution. L'État joue en outre un rôle de passerelle avec l'Extrême-Orient. Il garde toutefois une face plus sombre avec de grandes disparités sociales liées notamment à la ségrégation raciale.

1978 Apple fabrique le premier ordinateur personnel

1976 Lors d'une dégustation, un jury français attribue les deux premiers prix à des vins californiens

1968 Robert Kennedy, candidat démocrate aux présidentielles, est assassiné le 5 juin à Los Angeles après avoir annoncé sa victoire dans les primaires de l'État

1962 Marilyn Monroe meurt à 36 ans à Hollywood d'une surdose de somnifères

1967 500 000 jeunes gens fêtent le « Summer of Love » à Haight Ashbury

Années 1970 Arrêté en 1967, Huey Newton, un des fondateurs du Black Panther Party d'Oakland, devient un symbole de résistance

1960	1970	1980

1960	1970	1980

1960 Jeux olympiques d'hiver de Squaw Valley près du Lake Tahoe

1966 Plus de 7 millions d'habitants font du comté de Los Angeles le plus peuplé des U. S. A.

1978 Dan White, un ancien policier, tue au City Hall le maire de San Francisco, George Moscone, et son adjoint Harvey Milk

1963 Le surf devient un sport populaire en Californie

1969 L'American Indian Movement occupe Alcatraz *(p. 328-329)* pour rendre publics ses différends avec le bureau des Affaires indiennes

1968 Richard Nixon est le premier Californien de naissance élu président. Discrédité, il se retire en 1974 à San Clemente *(p. 228)*

1984 Deuxièmes Jeux
olympiques de Los Angeles

2004
L'acteur Arnold
Schwarzenegger est élu
gouverneur de Californie

1992 L'acquittement
de quatre policiers
blancs filmés en train
de frapper un noir,
Rodney King,
déclenche des
émeutes

1991 Le sida devient à San
Francisco la première cause
de mortalité chez les
hommes

1996
Le démocrate
Willie Brown devient
le premier
maire noir de
San Francisco

1990	2000
1990	2000

1994 Un séisme de
magnitude 6,8
frappe L. A., fait
plus de
60 victimes et 9 000
blessés et
détruit des
autoroutes

2001
Crise énergétique :
les grandes villes
subissent des
coupures
d'électricité

1987 Steven Spielberg
fonde son propre studio,
Dreamworks

1995 La régate de l'America's Cup a
lieu à San Diego entre janvier et mai

1989 Un séisme de magnitude 7,1 tue 61 personnes et en
prive 1 800 de foyers dans la Bay Area

LOS ANGELES

Los Angeles d'un coup d'œil

Formée de 80 villes, l'agglomération de
Los Angeles compte plus de
8,5 millions d'habitants sur une superficie
dépassant 1 200 km². Ce guide divise L. A.
en six quartiers. Creuset culturel,
Downtown juxtapose El Pueblo,
Chinatown, Little Tokyo et le quartier des
affaires. Parés de l'éclat que leur donne
leur place dans l'histoire du cinéma,
Hollywood et West Hollywood abritent
aussi de nombreux musées. Beverly Hills,
Bel Air et Westwood restent les lieux de
villégiature des stars. Les ports et les plages
de la Santa Monica Bay, de Palos Verdes et
de Long Beach témoignent de l'importance
de l'océan dans la vie de la cité. La
périphérie de Downtown recèle de
nombreux trésors, entre autres à Pasadena.

**PÉRIPHÉRIE DE
DOWNTOWN**
(p. 136-161)

**BEVERLY HILLS,
BEL AIR ET
WESTWOOD**
(p. 84-95)

SANTA MONICA BAY
(p. 70-83)

Sunset Boulevard
(p. 98-103) *est l'une des
plus célèbres avenues du
monde. Hôtels et clubs
bordent la partie appelée
Sunset Strip, pôle de la vie
nocturne de la ville.*

0   5 km

Le J. Paul Getty Museum
(p. 78-81) *offre depuis
le sommet d'une colline
une vue magnifique
sur Los Angeles et
les Santa Monica
Mountains. Sa remarquable
collection d'art inclut
cette Vénus (1773)
par Joseph Nollekens.*

Le LACMA (p. 110-113),
*installé dans l'Hancock
Park d'Hollywood depuis
1965, présente dans ses six
bâtiments une magnifique
collection d'art européen,
américain, asiatique,
islamique et japonais.*

Les Universal Studios (p. 142-145), *juste au nord d'Hollywood, proposent aux visiteurs des attractions à thèmes et la découverte de plateaux de tournage, dont certains en activité.*

Les Huntington Library, Art Collections and Botanical Gardens (p. 154-157) *de Pasadena possèdent une riche collection d'art et de livres rares ainsi que de magnifiques jardins botaniques.*

IOLLYWOOD
ET WEST
IOLLYWOOD
(p. 96-115)

DOWNTOWN
LOS ANGELES
(p. 116-125)

PÉRIPHÉRIE DE
DOWNTOWN
(p. 136-161)

El Pueblo (p. 122-123), *au cœur de Downtown, est le site très touristique de la première colonie de la région. La population mexicaine du quartier se retrouve dans ses églises et ses marchés colorés, en particulier les jours de fête.*

Le Queen Mary (p. 130-131), *l'un des plus prestigieux paquebots du monde, reste désormais à quai à Long Beach. Il a conservé une grande partie de son aménagement, à découvrir lors d'une visite ou en séjournant dans l'hôtel de luxe qu'il abrite.*

LONG BEACH ET
PALOS VERDES
(p. 126-135)

Los Angeles dans son cadre

Los Angeles s'étend dans un vaste bassin ouvert sur le Pacifique et entouré de montagnes. Les San Gabriel Mountains (3 068 m au Mount San Antonio) et le Traverse Range s'élèvent au nord. Ils rejoignent à l'est de la ville les Santa Ana Mountains (1 733 m au Santiago Peak). Au nord-ouest, les Santa Monica Mountains et les Hollywood Hills séparent le centre de l'agglomération des banlieues de la San Fernando Valley. Des falaises de Palos Verdes aux plages de sable de la Santa Monica Bay, le littoral présente des visages variés. Dominé par les gratte-ciel du Business District, Downtown occupe le centre du bassin. Hollywood, Beverly Hills et Santa Monica se trouvent à l'ouest.

Hollywood (p. 96-115), *foyer de l'industrie cinématographique moderne, s'étend au pied de son célèbre signe* (p. 141) *aux lettres hautes de 13 m.*

Dans la San Fernando Valley
(p. 140), principale banlieue de la ville, subsiste la Mission San Fernando Rey de España.

Malibu *(p. 82-83),* aux plages appréciées des surfers, recèle de somptueuses résidences appartenant à des célébrités et un parc national.

Santa Monica (p. 72-75), *perchée sur des hauteurs plantées de palmiers, domine de superbes plages et ménage des vues panoramiques de la côte. La plus ancienne station balnéaire de Los Angeles est aussi réputée pour ses excellents restaurants, sa vie nocturne et artistique et ses boutiques originales.*

À Beverly Hills (p. 84-93), *célébrités et grandes fortunes vivent dans un luxe dont témoignent les boutiques de Rodeo Drive.*

Pasadena (p. 150-157), *ancienne station d'hiver dont on voit ici l'hôtel de ville, est une banlieue prospère qui abrite, outre le stade du Rose Bowl, de beaux musées et d'excellents magasins et restaurants.*

Downtown Los Angeles (p. 116-125) *offre des visages contrastés, des murs de vitres des gratte-ciel du quartier des affaires au cachet exotique de Little Tokyo et Chinatown.*

Watts, un ghetto, recèle les Watts Towers *(p. 159).*

Long Beach *(p. 128-131)* entretient une vieille tradition nautique.

VERDUGO MOUNTAINS

SAN RAFAEL HILLS

MONTEREY PARK

PUENTE HILLS

DOWNEY

605

BALDWIN HILLS

42

105

710

405

INGLEWOOD

COMPTON

DOMINGUEZ HILLS

SIGNAL HILL

110

SANTA

TORRANCE

MONICA

BAY

PALOS VERDES HILLS

SAN PEDRO

SAN

PEDRO

BAY

Los Angeles International Airport, *le LAX, situé en bord de mer, offre un accès aisé aux principaux quartiers et aux grandes autoroutes sortant de la ville.*

Le phare de Point Fermin *dresse sa silhouette victorienne non loin de la falaise de Palos Verdes (p. 134-135).*

La côte nord de Los Angeles

Les stations balnéaires de l'agglomération de
Los Angeles attirent chaque année plus
de trente millions de personnes. À l'ouest
des collines de Malibu, où falaises et plages
alternent entre Point Dume et la Malibu Lagoon,
une longue bande de sable s'étire jusqu'aux
plages renommées de Santa Monica et Venice.
À l'intérieur des terres, les sentiers qui sillonnent
les Santa Monica Mountains conduisent à de
magnifiques points de vue au bord du Pacifique.
Les plages publiques Leo Carillo, Topanga
et du Malibu Pier sont considérées comme
les meilleures pour le surf.

Sur la Castro Crest, des chênes
s'accrochent à des pentes de grès
aux tons rouges et violets. Les
sentiers de randonnée du parc
ménagent de magnifiques vues
des Channel Islands et des
montagnes de Santa Susana.

La Cold Creek Canyon Preserve fondée en 1970
protège la faune et la flore variées des Santa Monica
Mountains, entre autres le lynx rufus, la rainette du
Pacifique et des orchidées rares.

★ **Leo Carillo State Beach** ①
En se retirant, la mer laisse une faune
variée dans les trous de rochers
autour de Sequit Point.

★ **Surfrider County Beach** ⑤
Voici l'une des meilleures plages de surf
de Californie et elle apparaît dans de
nombreux films. Le Malibu Pier offre un
bon poste d'observation.

Zuma County Beach ②
Son sable blanc rend en été la plus grande plage de Malibu très populaire auprès des baigneurs comme des surfers. Il faut toutefois se méfier des courants.

Point Dume County Beach ③
Cette plage séduira les plongeurs sous-marins et les adeptes de la pêche à la ligne ; on peut également pêcher dans les trous de rocher de Point Dume.

Paradise Cove ④
Propriété privée, cette crique possède une jetée appréciée des pêcheurs à la ligne, tandis que sa plage se prête à merveille aux bains de soleil et de mer.

Topanga State Beach ⑥
L'embouchure de la Topanga Creek traverse cette étroite plage de sable populaire auprès des véliplanchistes.

Marina del Rey Harbour ⑩
Sur l'un des plus grands ports artificiels du monde *(p. 76)*, le Fisherman's Village, près du bassin H, propose boutiques, cafés et restaurants.

★ Venice City Beach ⑨
Culturistes s'entraînant sur Muscle Beach, artistes de rue et as du roller-skate animent la plage de la pittoresque Venice *(p. 76)*.

★ Will Rogers State Beach ⑦
Cette plage qui porte le nom d'un acteur d'Hollywood *(p. 77)* se prête bien au bodyboard.

★ Santa Monica State Beach ⑧
Cette plage parmi les plus populaires de Santa Monica *(p. 72-75)* donne à l'ouest sur un groupe de maisons connu sous le nom de « Gold Coast ».

La côte sud de Los Angeles

S es longues étendues de sable et ses eaux peu profondes rendent idéal pour les familles le littoral entre la Dockweiler State Beach et la Torrance County Beach. D'autant que ses deux principales localités, Manhattan Beach et Redondo Beach, jouissent d'une mer particulièrement propre pour Los Angeles. Plus au sud, la Palos Verdes Peninsula abrite de petites criques où les trous de rocher grouillent de vie marine. Au delà du Worldport LA, les vagues déferlent à perte de vue sur le sable blanc de la côte de Long Beach, la deuxième ville du comté. Les pêcheurs apprécient Belmont Shores. L'Alamitos Bay attire les adeptes de la planche à voile, du kayak et du jet-ski.

★ **Manhattan State Beach** ②
Le long de la piste cyclable côtière, une longue plage où l'on peut nager, pêcher ou faire du surf.

★ **Hermosa City Beach** ③
Ambiance familiale sur cette plage où l'on pêche la perche de mer et qui se prête à toutes sortes d'activités balnéaires.

*Le **Woldport LA** comprend, sur ses 45 km de front de mer, un terminal pétrolier et un port de marchandises. Il abrite aussi la deuxième flotte de pêche du pays.*

★ **Torrance County Beach** ⑤
Au terme de la piste cyclable de la Santa Monica Bay *(p. 168)*, une plage appréciée aussi bien des nageurs, des surfeurs et des plongeurs que des pêcheurs à la ligne.

★ **Redondo State Beach** ④
Un buste en bronze commémore George Freeth qui introduisit ici le surf en Californie en 1907.

Dockweiler State Beach ①
🏃 🏖 ⚓ ♨ ♿ 🚻

La sterne naine de Californie vient nicher au-delà de l'entrée du port, à l'extrémité nord de la plage.

Cabrillo Beach ⑥
🏃 🏖 ⚓ ♨ ♿ 🚻

Divisée en deux par la digue, Cabrillo possède une jetée d'où l'on pêche côté océan et une plage abritée dans la San Pedro Bay.

Long Beach City Beach ⑦
🏃 🏖 ⚓ ♨ ♿ 🚻

Aussi appelée Long Beach Strand, elle possède à son extrémité ouest l'ancien quartier général des maîtres nageurs transformé un musée.

Belmont Shores ⑧
🏃 🏖 ⚓ ♨ ♿ 🚻

Au nord, les pêcheurs guettent le flétan, la bonite et la perche de mer depuis le Belmont Pier. C'est aussi un perchoir pour le pélican brun de Californie, une espèce menacée. La plage s'étend au sud jusqu'à l'embouchure de la San Gabriel River.

CARTE DE SITUATION

DOWNTOWN LOS ANGELES

DOWNTOWN LOS ANGELES

(405)

(110)

Alameda Street

(710)

(213)

(405)

①

Western Avenue

WILMINGTON

Long Beach Blvd

LONG BEACH

(103)

Ocean Blvd

ANAHEIM

⑦

⑧

⑨

HUNTINGTON BEACH

SAN PEDRO

Worldport LA

0   5 km

Point Fermin ⚓ ⑥

Alamitos Bay ⑨
🏖 ⚓ ♿ 🚻

Planche à voile, ski nautique et natation sont populaires dans les eaux abritées de la baie.

LÉGENDE

 Autoroute

━━━ Route principale

━━━ Route secondaire

〰 Cours d'eau

⚓ Point de vue

La Palos Verdes Peninsula domine de 400 m la côte rocheuse habitée par de nombreux échassiers. D'abrupts sentiers relient le littoral au sommet de la falaise offrant des vues panoramiques.

Le cinéma à Los Angeles

Los Angeles est une capitale industrielle, celle du cinéma. Ses usines à rêve emploient plus de 60 000 personnes et injectent environ 4 milliards de dollars par an dans l'économie de la ville. Hollywood Boulevard a malheureusement perdu beaucoup de son lustre et de nombreuses compagnies ont déménagé dans des endroits moins onéreux. Mais ce lieu où une jeune secrétaire appelée Ava Gardner ou un joueur de football universitaire du nom de John Wayne ont pu être « découverts » pour devenir des vedettes mondiales garde une magie particulière.

À un carrefour d'Hollywood

Des équipes de tournage en action n'ont rien d'exceptionnel dans les rues de Los Angeles.

Le Griffith Observatory (p. 146) *servit de décor à la célèbre bataille au couteau de* La Fureur de vivre *(1955). Ce film légendaire fit de James Dean une immense vedette, mais l'acteur mourut la même année dans un accident de voiture.*

LES ÉCRIVAINS À HOLLYWOOD

Hollywood a attiré de nombreux écrivains qui y travaillèrent comme scénaristes. Certains, tels Nathanael West et Francis Scott Fitzgerald, prirent la ville comme sujet de romans, exposant souvent ses aspects les plus creux et les plus cruels. *L'Incendie de Los Angeles* (1939) de West, violente dénonciation de l'industrie du cinéma, est devenu un classique de la littérature. Publié après sa mort, *Le Dernier Nabab* (1941) de Fitzgerald offre une vision sentimentale de la carrière d'Irving Thalberg, l'un des producteurs les plus influents de l'« âge d'or » d'Hollywood. Plus récent, *L.A. Confidential* (1997) de James Ellroy mêle corruption et rédemption dans le Los Angeles des années 1950.

Francis Scott Fitzgerald

Pour **The Last Action Hero**, *tourné en 1993 par Arnold Schwarzenegger, explosions et cascadeurs volant dans les airs apportèrent un peu d'animation à cette rue de Los Angeles.*

LES LIEUX DE TOURNAGE

S'ils utilisent toujours les décors édifiés dans les années 1940 et 1950 par les grands studios, les réalisateurs tournent aussi régulièrement en extérieur à Los Angeles… dans des lieux parfois supposés se trouver dans d'autres villes. Les cinéphiles éprouveront donc souvent une impression de déjà vu en se promenant dans la ville.

Des contrats en millions de dollars se signent
à Hollywood depuis 1917 où Charlie Chaplin
obtint le premier. Après avoir reçu deux
Oscars, Tom Hanks demande jusqu'à
20 millions pour un film, dix fois le salaire
annuel du président des États-Unis. Parmi les
vedettes à très gros cachets figurent
également Robin Williams, Julia Roberts et
Harrison Ford. Pour les dirigeants des
studios, ces sommes sont justifiées par le
public qu'attirent les stars et les gains.

Julia Roberts　　　**Harrison Ford**

Venice (p. 76) doit à son cachet de servir
souvent de lieu de tournage, comme ici
pour une scène de danse interprétée par
Sarah Jessica Parker dans le film Los
Angeles Story (1991) écrit par Steve
Martin et réalisé par Mick Jackson.

LES GROSSES RECETTES
Ni *Citizen Kane* (1941), qui
révolutionna l'expression
cinématographique, ni *Casablanca*
(1943), la plus populaire des
histoires d'amour tournées par
Hollywood, ne figurent sur la liste
dressée par le magazine *Variety* des
plus grosses recettes du cinéma
américain.

1. *Titanic* (1997)
2. *La Guerre des étoiles* (1977)
3. *Shrek 2* (2004)
4. *E.T.* (1982)
5. *La Menace fantôme* (1999)
6. *Spiderman* (2002)
7. *Le Retour du roi* (2003)
8. *Spiderman 2* (2004)
9. *La Passion du Christ* (2004)
10. *Jurassic Park* (1993)

Seuls deux films d'avant 1960 figurent
au « Top 50 » : *Autant en emporte le
vent* (1939), n° 40, et *Blanche Neige et
les sept nains* (1937), n° 45.

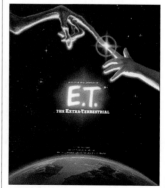

Affiche d'*E.T.*

Le Santa Monica Pier (p. 74) devrait paraître
familier aux spectateurs de L'Arnaque (1973)
où jouaient Robert Redford et Paul Newman.

La chasse aux stars
est un sport pratiqué à
Los Angeles aussi bien
par les autochtones que
les visiteurs. L'élégant
Spagos de Wolfgang
Puck (p. 545) et le Polo
Lounge du Beverly Hills
Hotel (p. 508) offrent
de bonnes occasions
d'apercevoir acteurs ou
réalisateurs.

Les meilleurs musées de Los Angeles

L es musées de Los Angeles reflètent la diversité de ses visages. Les collections consacrées à l'histoire naturelle, l'artisanat indien, l'époque de la Conquête de l'Ouest ou l'Holocauste témoignent de l'intérêt pour le passé d'une ville de fondation récente. De riches Angelenos, tels Norton Simon, J. Paul Getty et Henry et Arabella Huntington ont légué de prestigieuses collections d'art. Sur le Wilshire Boulevard, le « Museum Row » regroupe cinq musées dont le vaste complexe du Los Angeles County Museum of Art (LACMA) de réputation internationale.

Ceci n'est pas une pipe.

Le LACMA *est un des plus prestigieux musées d'art américains. On peut y voir notamment* La Trahison des Images (Ceci n'est pas une pipe), *peint par René Magritte vers 1928 (p. 110-113).*

Périphérie de Downtown

Santa Monica Bay

Le J. Paul Getty Museum *a récemment déménagé la plupart de ses collections dans le Getty Center des Santa Monica Mountains. La* Promenade *(1870) d'Auguste Renoir fait partie des prestigieux tableaux exposés (p. 78-81).*

Le Museum of Tolerance *a pour but de promouvoir la compréhension entre les peuples. Un objectif qu'illustre cette sculpture réunissant l'Égyptien Anouar al-Sadate, le président américain Jimmy Carter et l'Israélien Menahem Begin (p. 89).*

0   5 km

Le Southwest Museum *évoque à travers des milliers d'objets les cultures indiennes de l'Amérique du Nord. Les Acoma fabriquèrent ce pot vers 1900* (p. 149).

L'Autry Museum of Western Heritage *retrace l'épopée de l'Ouest américain et de ses mythes, tel Billy the Kid représenté ici sous la forme d'un mannequin de cire* (p. 147).

Le Norton Simon Musem of Art, *reconstruit en 1974, abrite une magnifique collection d'art européen et asiatique qui couvre une période de plus de 2 000 ans* (p. 152-153).

llywood et West llywood

Downtown Los Angeles

Les Huntington Library, Art Collections and Botanical Gardens *situés à Pasadena présentent entre autres œuvres d'art cette Vierge à l'Enfant du XVᵉ siècle par Roger Van der Weyden* (p. 154-157).

Le Natural History Museum of Los Angeles County *est l'un des trois musées d'Exposition Park. Cet ancêtre court sur pattes du rhinocéros vivait il y a huit millions d'années* (p. 160).

L'architecture contemporaine à Los Angeles

Pendant près d'un siècle après sa fondation en 1781, Los Angeles resta une petite bourgade aux modestes maisons en adobe. À la fin du XIXᵉ siècle, la construction de la ligne de chemin de fer transcontinentale entraîne un boom immobilier. Des colons venus de l'est et du Midwest introduisent le style victorien dans lequel ils avaient grandi. Au XXᵉ siècle, les architectes parent la ville d'édifices jouant avec imagination de styles anciens. Après la Deuxième Guerre mondiale, des créateurs tels que Charles Eames et Frank Gehry, sur les pas du précurseur Frank Lloyd Wright, explorent des voies résolument modernes.

Kate Mantilini's *(1985)*
Ce vaste restaurant offre un bel exemple du déconstructivisme à Los Angeles (p. 544).

2 Rodeo *(1990)*
Dans un célèbre quartier commerçant (p. 90), ce pastiche d'architecture européenne comprend une réplique des escaliers de la place d'Espagne de Rome. Des lampadaires victoriens ornent le parking.

Périphérie de Downtown

Beverly Hills, Bel Air et Westwood

Santa Monica Bay

Eames House *(1949)*
Ce bâtiment à structure métallique de Charles et Richard Eames faisait partie de 36 projets commandés par la revue Arts & Architecture.

TBWA Chiat/Day Advertising Agency *(1991) Frank Gehry dessina cet étonnant bâtiment (p. 74).*

Disney Studio Office Building *(1991)*
*Ce bâtiment construit à Burbank par
l'architecte post-moderne Michael Graves
présente un fronton d'inspiration classique
soutenu par les sept nains de Blanche-
Neige… hauts de près de 6 m. À l'intérieur,
des sièges incorporent Mickey Mouse
dans leur dessin (p. 140-141).*

Ennis House *(1924)*
*L'originalité de Frank Lloyd Wright
s'exprime avec force dans cette villa qui
servit au tournage de* Blade Runner.

Gamble House
(1908)
*Voici la plus belle des
demeures édifiées
par Charles et Henry
Greene au
tournant du siècle.
Le soin apporté
à la décoration
intérieure réalisée de
façon artisanale est
caractéristique du
style appelé Arts and
Crafts (p. 150).*

*Hollywood
et West
Hollywood*

*Downtown
Los Angeles*

Union Station *(1939)*
*La dernière des grandes
gares américaines. Son
hall voûté, sa salle
d'attente et ses patios
associent les styles Mission
Revival et Streamline
Moderne (p. 124).*

**Eastern Columbia
Building** *(1930)*
*Cet immeuble Art déco
dessiné par Claude Beelman
est l'un des plus marquants
de ce style à Los Angeles.*

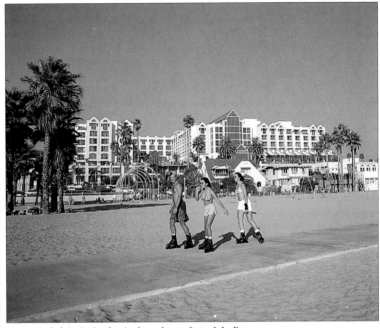

La promenade de Venice Beach attire de nombreux adeptes de la glisse

Santa Monica d'un coup d'œil

Légende

▢ Plan pas à pas
Voir p. 72-73

0   2 km

La Santa Monica Bay

S oleil, fraîches brises marines, excellents musées et immenses plages de sable blanc propices au surf font de la Santa Monica Bay un résumé de ce que la Californie a de meilleur à offrir. Des tribus Chumash et Tongva (Gabrielino) habitèrent la baie pendant 2 500 ans avant l'arrivée en 1542 de l'explorateur espagnol Juan Cabrillo *(p. 42)*. Au début du xixe siècle, le terrain fut divisé en plusieurs concessions, notamment le Rancho San Vicente y Santa Monica et le Rancho Topanga Malibu Sequit. En 1875, un sénateur du Nevada, John Percival Jones, acheta la jouissance du premier, comptant sur la création du port de Los Angeles à cet endroit. Par chance, cet honneur revint

Baigneur à Venice Beach

à San Pedro *(p. 134-135)* et les stations balnéaires de Santa Monica et Venice naquirent à la place. Elles demeurent deux des quartiers les plus agréables et les plus vivants de Los Angeles.

Frederick et May Rindge acquirent en 1887 le Rancho Topanga Malibu situé plus loin sur la côte. Leur famille se battit pendant des années contre l'État pour garder le contrôle de la propriété, mais dut s'incliner et céda alors une grande partie de Malibu à des personnalités fortunées. De vastes espaces de la Santa Monica Bay restent cependant préservés et les parcs nationaux de Topanga et de Malibu Creek, deux des poumons d'air pur de la cité, proposent des kilomètres de sentiers de randonnée.

COMMENT Y ALLER
La Santa Monica Freeway (1-10) s'achève à Santa Monica que la Pacific Coast Highway relie à Malibu. Santa Monica et Venice sont bien desservies par la Santa Monica Blue Bus Company. Prendre la piste cyclable côtière *(p. 168)* en ayant loué un vélo offre un excellent moyen de découvrir le littoral.

Santa Monica pas à pas ❶

Vue depuis le Palisades Park
Depuis ce jardin, ménageant de grandioses panoramas de la baie, la vue porte au nord jusqu'à Malibu.

Une moyenne de 328 jours de soleil par an et des rues où le piéton a sa place font de Santa Monica, rafraîchie par des brises marines, un des lieux de promenade les plus agréables de Los Angeles. Perchée sur une falaise, la ville domine la Santa Monica Bay et des kilomètres de larges plages de sable. Au bord de la falaise court le Palisades Park, un étroit jardin de 10 ha planté de palmiers. Il offre de magnifiques panoramas, en particulier au coucher du soleil. Un escalier descend jusqu'au Pier et la plage. À quelques pas du front de mer bordé d'hôtels, Third Street Promenade propose ses magasins et ses terrasses de cafés et de restaurants.

Artiste de rue

★ **Third Street Promenade**
Des fontaines en forme de dinosaures animent sur trois pâtés de maisons l'une des plus agréables rues commerçantes de Los Angeles.

SANTA MONICA BLVD

ARIZONA AVENUE

WILSHIRE BOULEVARD

Des hôtels bordent la plage.

★ **Le Palisades Park**
Cet étroit jardin offre l'ombre de ses palmiers pour se promener, faire du jogging ou s'asseoir sur un banc et admirer la vue. Beaucoup de gens viennent y contempler le coucher du soleil.

À NE PAS MANQUER

★ **Le Palisades Park**

★ **Le Santa Monica Pier**

★ **Third Street Promenade**

LÉGENDE

--- Itinéraire conseillé

0   200 km

Santa Monica Place
*Frank Gehry dessina en 1979 cette galerie marchande animée. Au rez-de-chaussée, vous trouverez à vous restaurer à des prix raisonnables.
Grands magasins et boutiques se partagent les deux niveaux supérieurs.*

CARTE DE SITUATION

★ Le Santa Monica Pier
Angelenos et visiteurs se pressent depuis 1908 sur ces vieux pontons de bois portant une longue promenade, des boutiques et des lieux de pêche. Le Pacific Park propose grande roue, montagnes russes et autos tamponneuses.

Information touristique

Plage
Une série télé a rendu la plage de Santa Monica célèbre dans le monde entier : Alerte à Malibu !

À la découverte de Santa Monica

Des liaisons ferroviaires avec le centre de Los Angeles donnèrent son essor à Santa Monica à la fin du siècle dernier. Elle mena un temps une double vie, à la fois station de villégiature assoupie et tête de pont des casinos flottants mouillés au large. Dans les années 1920 et 1930, des vedettes de cinéma telles que Cary Grant et Mary Pickford y achetèrent du terrain, créant la « Gold Coast ». La plage et la jetée demeurent les principales attractions de la ville, mais elle est aussi réputée pour ses restaurants *(p. 548)* et offre d'agréables rues commerçantes. Les amateurs d'art trouveront des galeries à la Bergamot Station et à Edgemar dans Main Street.

Statue de la Bergamot Station

Immeuble dessiné par Frank Gehry pour la TBWA Chiat/Day Mojo Advertising Agency

À la découverte de Santa Monica

Plusieurs parcs aèrent Santa Monica, mais aucun n'est aussi beau que le **Palisades Park** aménagé au bord de la falaise dominant l'océan. Cet étroit jardin soigneusement entretenu s'étend sur 2,5 km, et s'y promener au milieu des plantes exotiques, à l'ombre de hauts palmiers, alors que le Pacifique miroite sous le soleil, donne l'impression de participer à une série télévisée. À l'extrémité nord, le bien nommé Inspiration Point ménage un superbe panorama de la baie, de Malibu à Palos Verdes.

Côté terre, **Third Street Promenade**, artère commerçante jadis en déclin, a connu une importante restauration pour devenir l'un des lieux les plus animés de Los Angeles. Piétonnier entre Wilshire Boulevard et Broadway, ce boulevard est bordé de boutiques, de cafés, de restaurants, de librairies et de cinémas. Des artistes de rue, musiciens, danseurs, marionnettistes ou prestidigitateurs, y créent une

atmosphère particulièrement festive le soir. Les samedi et mercredi, un marché fermier se tient non loin sur Arizona Avenue.

L'autre grand secteur commerçant de Santa Monica est **Main Street** qui s'étend vers le sud en direction de Venice *(p. 76)*. C'était, au tournant du siècle, le quartier marchand du Pacific Ocean Park, un parc d'attractions. Il s'était trouvé pratiquement désaffecté au début des années 1970 et Main Street tombait dans la décrépitude.

La rue a aujourd'hui retrouvé son dynamisme et possède des boutiques variées, d'excellents restaurants et des galeries d'art. Plusieurs œuvres d'art la décorent, entre autres *Chain Reaction* (1991), sculpture inspirée à

Chain Reaction de Paul Conrad

Paul Conrad par les dangers d'une guerre nucléaire. Elle se dresse près du Civic Auditorium. Au carrefour avec Ocean Boulevard, une peinture murale par Jane Golden et Barbara Stoll, *Ocean Park Pier* (1976), représente le parc d'attractions de la jetée au début du siècle.

Un charmant exemple d'architecture coloniale espagnole subsiste à l'angle nord-ouest de l'intersection de Main Street et Pier Avenue. Non loin s'élève l'immeuble de la TBWA Chiat/Day Mojo Advertising Agency *(p. 68)*, surprenant bâtiment auquel Frank Gehry a donné en 1991 la forme d'une paire de jumelles.

🚻 Santa Monica Pier

Colorado et Ocean aves. ☎ *(310) 458-8900.* ◻ *t.l.j.* **Carousel** ☎ *(310) 395-4248* ◻ *de mai à sept. : de 10 h à 17 h du mar. au dim. ; d'oct. à avril : de 10 h à 17 h sam. et dim.* 🈂 🌐 *www.santamonicapier.org*

Cet ensemble de pontons en bois construit en 1908 forme la plus ancienne jetée de la Côte Ouest destinée aux loisirs (stands de pop-corn et de barbe à papa, autos tamponneuses et jeux d'arcade). À l'extrémité ouest, les attractions du Pacific Park comprennent des montagnes russes et une grande roue de la hauteur d'un immeuble de onze étages. Non loin tournent les quarante-quatre chevaux sculptés à la main d'un carrousel de 1922. C'est une œuvre de la famille Looff à l'instar de celui de

Immeubles d'habitation bordant Palisades Park

Santa Cruz *(p. 490)*. Il apparaît dans le film de George Roy Hill *L'Arnaque (p. 65)*. Aucun permis n'est exigé pour pêcher depuis les pontons inférieurs de la jetée. Des concerts gratuits ont lieu en été le jeudi soir *(p. 163)*.

🏛 Bergamot Station

2525 Michigan Ave. 📞 *(310) 829-5854.* ⏰ *de 10 h à 17 h du mar. au ven. ; de 11 h à 17 h le sam.* ⚫ *dimanche et jours fériés.*
Ce complexe de deux hectares occupe l'emplacement d'une ancienne gare de tramway de la Red Line. Dans ces bâtiments dépouillés revêtus d'aluminium, plus de vingt galeries présentent peintures, sculptures, photographies, mobilier et verrerie illustrant les dernières tendances de l'art contemporain. On y trouve également des objets de collection et de l'art africain. La Bergamot Station renferme aussi plusieurs ateliers d'artistes.

Affiche politique cubaine exposée à la Bergamot Station

🏛 California Heritage Museum

2612 Main St. 📞 *(310) 392-8537.* ⏰ *de 11 h à 16 h du mer. au dim.* ⚫ *1er jan., 4 juil., Thanksgiving, 25 déc.* 📷 ♿ 🌐 *www.california heritagemuseum.org*
Ce musée occupe la demeure Queen Anne qu'édifia en 1894 l'architecte Sumner P. Hunt pour Roy Jones, fils du fondateur de Santa Monica *(p. 71)*. Salle à manger victorienne, salon Arts and Crafts *(p. 69)*, cuisine des années 1930, les pièces du rez-de-chaussée offrent un aperçu d'anciens modes de vie de la

Façade victorienne du California Heritage Museum

Californie du Sud. À l'étage, des expositions temporaires développent des sujets tels que le surf *(p. 188-189)*, le western ou le mobilier de style Monterey Rancho.

🏛 Santa Monica Museum of Art

Building G-1, Bergamot Station. 📞 *(310) 586-6488.* ⏰ *de 11 h à 18 h du mar. au sam.* ⚫ *1er jan., 4 juil., Thanksgiving, 25 déc.* 🌐 *www.smmoa.org*
Le Santa Monica Museum est consacré à l'art moderne et

MODE D'EMPLOI

Carte routière encadré A.
🚶 *90 000.* ✈ *LAX à 13 km au S.-E. de Santa Monica.* 🚌 *4th St et Colorado Blvd.* ℹ *Palisades Park, 1400 Ocean Ave (310 393-7593).* 🎪 *Santa Monica Festival (avril).*

contemporain. Son principal objectif est de promouvoir des artistes vivants, notamment ceux qui ont choisi de s'exprimer grâce au multimédia.
Le musée a réouvert en mai 1998 après avoir emménagé dans un espace immense et novateur. Le complexe artistique Bergamot Station accueille également 20 autres galeries. Le musée ne dispose pas de collection permanente mais ses expositions temporaires rendent largement compte du travail des artistes choisis.

RAYMOND CHANDLER

Grand maître de la littérature policière américaine, Raymond Chandler (1888-1959) situa, en partie ou totalement, l'action de plusieurs de ses livres à Santa Monica, ville qu'il détestait. Il en fit notamment, à peine déguisée, la Bay City corrompue d'*Adieu ma jolie*. Sa description correspond à une réalité des années 1920 et 1930. Des bateaux ancrés au large abritaient alors des salles de jeu illégales ; parmi ceux-ci, le *Rex*, mouillé à 8 km hors de la Santa Monica Bay, fut rebaptisé *Royal Crown* par Chandler. Son personnage principal, Philip Marlowe, interprété à l'écran par Humphrey Bogart, est devenu l'archétype du détective privé : un solitaire cachant derrière une façade désabusée une âme de redresseur de torts. Fascinantes et manipulatrices, les femmes lui restent en général inaccessibles malgré son charme bourru et son humour. Le cinéma a adapté *Le Grand Sommeil*, *Adieu ma jolie*, *La Grande Fenêtre*, *Fais pas ta rosière* et *Sur un air de navaja*.

Affiche du *Grand Sommeil* (1946)

Venice ❷

Carte routière, encadré A. 🛈 *2904 Washington Blvd, Suite 100 (310 396-7016)*. 🅦 *www.venice.net*

Mû par l'ambition de déclencher une renaissance culturelle en Californie du Sud, le magnat du tabac Abbot Kinney décida au début du siècle de construire une version américaine de Venise. Il perça 11 km de canaux où circulaient gondoles et gondoliers le jour de l'inauguration en 1905. Malheureusement, Kinney avait oublié de prendre en compte les marées dans l'élaboration de son projet et la ville connut d'incessants problèmes d'égouts.

La majeure partie des voies navigables fut comblée en 1927 et l'ancien Grand Canal s'appelle aujourd'hui Grand Boulevard. Dell Avenue offre le meilleur point de vue sur les canaux ayant subsisté et les vieux ponts qui les enjambent.

Depuis sa création, Venice attire artistes et écrivains et de nombreuses peintures murales ornent ses façades. Rendez-vous des beatniks dans les années 1950, pôle de la contre-culture de la décennie suivante, cette petite station balnéaire garde une population bigarrée et, le week-end, il règne une atmosphère de cirque sur Ocean Front Walk, la promenade du bord de mer.

Des artistes de rue en tout genre, de l'avaleur de sabre à l'homme-orchestre, s'y produisent au milieu d'une nuée de jeunes gens fonçant à vélo, en roller-skate ou sur une planche à roulettes. Muscle Beach, où Arnold Schwarzenegger venait s'entraîner, attire toujours des culturistes.

Si Venice est un endroit sûr pendant la journée, mieux vaut éviter de s'y aventurer la nuit.

Yachts amarrés dans le port de Marina del Rey

Marina del Rey ❸

Carte routière, encadré A. 🛈 *4111 Via Marina (310 821-0555)*.

Marina del Rey s'étend sur une superficie de 3,4 km², pour moitié aquatique, et possède le plus grand port

artificiel de petite plaisance du monde. Les célibataires et les familles y apprécient les activités de plein air et les sports nautiques. On peut y louer des canots ou des yachts, et prendre part aussi bien à une expédition de pêche au gros qu'à une croisière de luxe.

Sur Fiji Way, le Fisherman's Village ressemble à un port de pêche de la Nouvelle-Angleterre et renferme boutiques, cafés et restaurants offrant pour la plupart une belle vue du port.

Museum of Flying ❹

2772 Donald Douglas Loop N, Santa Monica. 🄲 *(310) 392-8822.* 🄾 *jusqu'à mi-2006. Voir site Internet pour horaires après réouverture.* 🅦 *www.museumofflying.com*

Ce musée consacré à l'histoire de l'aviation abrite notamment le *New Orleans* de 1924, premier avion à avoir effectué le tour du monde. Sa collection de quarante aéroplanes comprend des Mustang et des Spitfire de la Deuxième Guerre mondiale. Des expositions interactives expliquent les complexités de la construction aéronautique et plusieurs ateliers proposent des activités aux enfants.

Certains des appareils

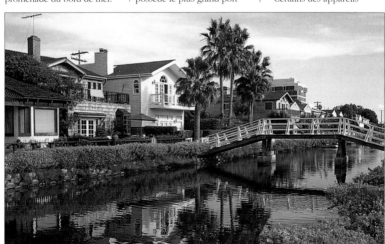

Canal de Venice

restent en état de voler malgré leur grand âge et on peut les voir décoller du Santa Monica Airport voisin.

Yellow Peril Boeing Steaman au Museum of Flying

La faune de la Santa Monica Bay

Dans les eaux de la baie vivent phoques, otaries de Californie et tursiops, une espèce de dauphin. Point Dume offre un des meilleurs points de vue pour apercevoir, entre décembre et février, les baleines grises venues d'Alaska mettre bas en Baja California. Les montagnes recèlent une faune exceptionnelle. Rare, le cougar peut atteindre deux mètres de long et préfère les zones les plus rocheuses et les plus isolées. Plus petit, son cousin, le lynx rufus, se reconnaît aux touffes de poils à la pointe de ses oreilles. Les coyotes sortent au coucher du soleil et se repaissent souvent des animaux de compagnie des gens vivant dans les collines. Rusé et audacieux, le raton laveur n'hésite pas à piller les campeurs. Cerfs à queue noire, lapins et mouflettes abondent également. Dans les airs planent aigles royaux et buses à queue rousse.

Raton laveur (Procyon lotor)

J. Paul Getty Center ❺

Voir p. 78-81.

Will Rogers State Historic Park ❻

1501 Will Rogers State Park Blvd, Pacific Palisades. **Carte routière**, encadré A. ⬛ (310) 454-8212. ◐ de 8 h au coucher du soleil t.l.j. ● 1er jan., Thanksgiving, 25 déc. 🖼 ♿ pelouse. ⬛

Simple gardien de vaches, Will Rogers (1879-1935) devint à partir de 1905 une vedette de cinéma, un commentateur radio et un chroniqueur de presse. Son humour direct et ses commentaires perspicaces sur l'actualité, commentaires qu'il faisait généralement en effectuant des tours d'adresse au lasso, lui valurent le surnom de « Philosophe cow-boy ».

À sa mort, en 1944, sa veuve Betty légua à l'État la maison et la propriété de 75 ha qui l'entoure. Son testament stipulait que l'intérieur de la demeure, à découvrir lors de visites guidées, devait rester inchangé et que des rencontres de polo (sport favori de son mari) seraient organisées le week-end.

Rogers traça la plupart des sentiers qui rayonnent du ranch. La pelouse juste à l'est de la maison offre un cadre idéal à un pique-nique.

Topanga State Park ❼

20825 Entrada Rd, Topanga. **Carte routière**, encadré A. ⬛ (310) 455-2465 et (805) 488-8147 pour les risques d'incendie en été et en automne. ◐ de 8 h au coucher du soleil t.l.j. 🖼 ♿

Ce parc de 4 000 ha s'étendant des Pacific Palisades à la San Fernando Valley *(p. 140)* porte un nom qui serait un mot indien signifiant « l'endroit où la montagne rencontre la mer ». Des tribus Tongva (Gabrielino) et Chumash habitèrent la région il y a 5 000 ans. Aujourd'hui, ses bosquets de sycomores et de chênes attirent des utopistes. La majeure partie du territoire protégé par le parc (5 300 ha) se trouve à l'intérieur de la ville de Los Angeles.

On atteint l'entrée, située juste au nord du village de Topanga, depuis la Highway 27, par Entrada Road. Au fur et à mesure que vous gravissez les Santa Monica Mountains, ravins, falaises et prairies cèdent la place à des points de vue sur l'océan et la San Fernando Valley. Quatre sentiers partent du centre d'accueil installé dans le Trippet Ranch : un parcours de découverte de la nature de 1,6 km de long ; le Dead Horse Trail ; le Musch Ranch Trail qui conduit à un camping ; et l'East Topanga Fire Road qui rejoint Eagle Junction. De là part un sentier très apprécié : l'Eagle Rock-Eagle Spring Trail (4 km).

Il est permis de circuler à bicyclette sur les pistes ouvertes pour les pompiers *(fire roads)* et à cheval sur tous les sentiers sauf un.

Sentiers du Topanga State Park traversant les Santa Monica Mountains

Le J. Paul Getty Museum et le Getty Center ❺

L e Getty Center qui a ouvert ses portes en décembre
1997 occupe une position géographique et culturelle
dominante. Il est situé sur les Santa Monica Mountains
dans la Sepulveda Pass, près de la San Diego Freeway
(I-405). Outre le musée, le centre abrite les instituts de
recherche, de conservation, d'éducation et d'information
du Getty Trust, fondation gérant un fonds de plusieurs
milliards de dollars légué par J. Paul Getty. Ce
collectionneur d'art voulait que le public puisse découvrir
gratuitement ses collections, principalement consacrées à
l'art européen, de la Renaissance au post-impressionnisme.
La Getty Villa de Malibu *(p. 82)* a conservé les antiquités
grecques et romaines.

CARTE DE SITUATION

▨ Zone représentée

☐ Bâtiments administratifs, de
l'auditorium, des instituts, du
café et du restaurant

▦ Station de tramway

★ **Iris** *(1989)*
*Dans cette œuvre
peinte par Vincent
Van Gogh pendant
son séjour à l'asile de
Saint-Rémy
transparaît
l'influence de
Paul Gauguin (1848-
1903) et du
Japonais Hokusai
(1760-1849).*

**Pavillon
est**

Plat hispano-arabe
*Cet élégant plat en
céramique fut
fabriqué par un
artisan maure
de Valence, en
Espagne, au
milieu du
XVᵉ siècle.*

Pavillon nord

**Cour
intérieure**

À NE PAS MANQUER

★ *Effet de neige*
de Claude Monet

★ *L'Enlèvement
d'Europe* de
Rembrandt

★ *Iris* de Vincent Van
Gogh

Entrée

Cabinet
Attribué au Français André-Charles Boulle, ce cabinet du XVIIe siècle glorifiait le règne et les victoires de Louis XIV.

Pavillon sud

Pavillon ouest

Promontoire sud

Coréen *(v. 1617)*
Ce portrait au pastel rouge et noir du Flamand Peter Paul Rubens appartient à l'importante collection de dessins du musée.

★ **Effet de neige**
(1891)
Dans sa série des « Meules », Monet représenta un même sujet à des moments différents.

Les expositions temporaires et le café du musée occupent ce bâtiment.

★ **L'Enlèvement d'Europe** *(1632)*
Ce tableau montrant Jupiter, transformé en taureau, enlevant la princesse de Tyre est l'un des rares paysages de Rembrandt.

SUIVEZ LE GUIDE !
Si vous venez en voiture, il vous faudra réserver à l'avance votre place de parking. Du parc de stationnement, un tram électrique conduit les visiteurs jusqu'au centre. Un café-restaurant se trouve sur la place en face de la station d'arrivée. Le musée renferme un autre café et une librairie. Derrière le hall d'entrée s'ouvre une cour intérieure entourée de cinq pavillons de deux étages contenant les collections d'art. À l'ouest du musée, l'artiste conceptualiste Robert Irwin a dessiné le Central Garden.

À la découverte du Getty Museum

Collectionneur forcené qui prenait presque autant de plaisir à la quête de l'objet désiré qu'à sa possession, J. Paul Getty (1892-1976) a réuni un ensemble exceptionnel de peintures, de sculptures et d'objets d'art européens datant d'avant le xxᵉ siècle. Il a légué la majorité de sa fortune à une fondation, le Getty Trust, qui poursuit depuis une ambitieuse politique d'acquisition. Elle a notamment créé les départements des dessins et des manuscrits du musée qui, en s'installant au Getty Center, pourra présenter deux fois plus d'œuvres qu'à la Getty Villa désormais uniquement consacrée aux antiquités grecques et latines *(p. 82)*.

Homme à la boue, **tableau peint entre 1860 et 1862 par Jean-François Millet**

l'art occidental : la fin du xixᵉ siècle où les impressionnistes et leurs amis ouvrirent de nouvelles voies à la représentation picturale.

Les sculptures européennes du Getty Museum datent du xviᵉ siècle à la fin du xixᵉ siècle. Pier Jacopo Antico exécuta à la fin de la seconde Renaissance italienne le *Buste d'un jeune homme* (1520). Le *Satyre* (v. 1542) de Benvenuto Cellini présente déjà l'élongation des corps caractéristique du maniérisme. *L'Enlèvement de Proserpine* (v. 1693-1710) de François Girardon et *L'Enfant au dragon* (v. 1614) du Bernin offrent deux beaux exemples du baroque. Les œuvres néo-classiques comprennent trois statues de Joseph Nollekens : *Vénus, Junon* et *Minerve* (1773-1776).

PEINTURES ET SCULPTURES EUROPÉENNES

Les peintures européennes du Getty Museum datent du xiiiᵉ siècle à la fin du xixᵉ siècle. Les œuvres italiennes de la Renaissance et de l'époque baroque comprennent une *Adoration des Mages* (v. 1495-1505) par Andrea Mantegna et une *Vue de l'arche de Constantine* (1742-1745) par Canaletto. *L'Enlèvement d'Europe* (1632) de Rembrandt est un fleuron de la collection flamande et hollandaise qui comporte aussi une esquisse à l'huile par Peter Paul Rubens (1577-1640) et un portrait par Antoine Van Dyck (1599-1641).

Les écoles françaises sont également bien représentées avec, entre autres, *La Course de chevaux libres* (1817) du peintre romantique Théodore Géricault et *Nature morte aux pommes* (1894) de Paul Cézanne. L'acquisition de ce tableau, ainsi que de *Effets de neige (p. 79)* de Claude Monet et des *Iris (p. 78)* de Vincent Van Gogh, a permis d'enrichir la partie de la collection consacrée à une période clé de

DESSINS

L'acquisition en 1981 du *Nu au serpent* (v. 1637), une étude à la sanguine de Rembrandt, marqua le début de la collection de dessins du musée. Aujourd'hui, elle compte plus de quatre cents œuvres de techniques très variées datant du xvᵉ siècle à la fin du xixᵉ siècle.

La Lucane (1505), illustration à l'aquarelle et à la gouache d'Albrecht Dürer, contraste par son souci du détail avec les *Études pour l'Enfant Jésus avec un agneau* (v. 1503-1506) exécutées à l'encre et au crayon par Léonard de Vinci dans un style beaucoup plus libre.

Parmi les portraits figurent le *Coréen (p. 79)* de Peter Paul Rubens et un *Autoportrait* (v. 1857-1858) d'Edgar Degas, huile sur papier montrant le jeune artiste au début de son extraordinaire carrière.

PHOTOGRAPHIES

Créé en 1984 avec l'acquisition d'importantes collections privées, en particulier celles de Bruno Bischofberger, Arnold Crane et Samuel Wagstaff, ce département a pour principal centre d'intérêt la photographie européenne et américaine jusque dans les années 1950. Son fonds est d'une richesse exceptionnelle en clichés des

Columbia River, Oregon **(1867) de Carleton E. Watkins**

années 1840, œuvres de pionniers, et comprend un daguerréotype de Jacques Daguerre lui-même pris par Charles R. Meade en 1848.

C'est un Anglais, William Henry Fox Talbot (1800-1877), qui réalisa les premiers tirages d'après négatifs. *Oak Tree in Winter* (1841) offre un bon exemple de son travail. À voir également, des photos d'Hippolyte Bayard (1801-1887), de la portraitiste Margaret Cameron (1815-1879), du photographe de guerre Roger Fenton (1819-1869), de Gustave Le Gray (1820-1882) et de Nadar (1820-1910).

Parmi les artistes du début du XXe siècle représentés figurent Edward Weston (1886-1958), auteur de magnifiques natures mortes, et Walker Evans (1903-1975) qui exerça une influence déterminante sur la photo documentaire aux États-Unis.

Coupe en verre de la Renaissance italienne fabriquée à Venise vers 1500

ARTS APPLIQUÉS

Ce département regroupe des pièces européennes d'avant 1650 et d'Europe du Sud 1650 et 1900, sélectionnées pour compléter la vaste collection d'objets d'art français réunie par Getty.

L'exposition comprend de la verrerie et de la poterie d'Italie et d'Espagne, de la ferronnerie française, allemande et italienne et des meubles très ornementés. Un cabinet richement marqueté à Augsbourg vers 1620-1630 entre dans cette dernière catégorie. Ses quatre faces s'ouvrent pour révéler de nombreux tiroirs et compartiments.

Panier en porcelaine de Sèvres du milieu du XVIIIe siècle

ARTS DÉCORATIFS

J. Paul Getty succomba à la passion de la collection après avoir loué à New York un appartement meublé d'antiquités françaises et anglaises du XVIIIe siècle et il s'intéressa en premier lieu aux arts décoratifs, du règne de Louis XIV jusqu'à l'époque napoléonienne.

Sous le Roi-Soleil, le mobilier français devint d'une grande sophistication, l'apparence comptant plus que la fonction. Le travail de l'ébéniste André Charles Boulle (1642-1732) illustre bien cette démarche avec ses marqueteries d'écaille et de cuivre. Le musée possède des œuvres ayant appartenu à la famille royale qui lui sont attribuées. Deux coffres sur pieds (v. 1680-1685) fabriqués pour le Grand Dauphin, le fils de Louis XIV, servaient probablement à garder des bijoux et objets précieux.

La collection compte aussi plusieurs tapisseries très bien préservées, dont une exécutée par Jean de la Croix (actif entre 1662 et 1712) pour Louis XIV, ainsi que des céramiques et des pièces d'argenterie et d'orfèvrerie telles que lustres et appliques murales.

Le musée a acquis ces dernières années des objets d'Italie et d'Europe du Nord. Un bureau à cylindre néo-classique conçu vers 1785 par l'Allemand David Roentgen possède une écritoire dissimulée et actionnée par un contre-poids, un mécanisme élaboré caractéristique des créations de son fabricant.

MANUSCRITS

Commencée en 1983 avec l'achat de la collection Ludwig qui réunit 144 œuvres provenant principalement d'Allemagne et d'Europe centrale, la collection permanente du département des manuscrits retrace aujourd'hui l'évolution de l'enluminure du VIe au XVIe siècle et comprend des chefs-d'œuvre des époques byzantine, ottonienne, romane, gothique et Renaissance.

Ces manuscrits étaient à l'origine pour la plupart copiés et illustrés dans des monastères, centres de la vie intellectuelle européenne. Au XIIe siècle, le développement des universités et les commandes passées par les rois ou les nobles multiplièrent les lieux de création. Si la plupart des livres avaient un contenu religieux, certains transmirent les textes philosophiques, historiques, littéraires, juridiques et scientifiques de la civilisation occidentale.

Présentés dans le cadre d'une exposition tournante avec des dessins et photographies, les manuscrits du Getty Museum, comptent un lectionnaire ottonien de Reichenau ou de Saint-Gall (950-975), une *Apocalypse* gothique anglaise (1255-1260), deux évangéliaires byzantins, *Les Visions de Tondal* (1475), une œuvre flamande, et les *Heures de Simon de Varie* enluminées par Jean Fouquet en 1455.

Portrait de saint Jean (v. 1120-1240) de l'évangéliaire de l'abbaye allemande de Helmarshausen

Getty Villa ❽

17985 Pacific Coast Hwy. ☎ *(310)
440-7300.* ⬤ *jusqu'à fin 2006 pour
rénovation.*

Actuellement fermée pour
rénovation jusqu'en 2006,
la villa J. Paul Getty abritera
la collection d'antiquités du
Getty Center *(p. 78-81)*,
réalisant enfin le rêve de son
fondateur : un musée où sa
collection d'antiquités serait
exposée dans un cadre
analogue à l'original. L'art
antique sera présenté aux
deux niveaux du bâtiment.

La Villa est une réplique de
la Villa des Papyrus,
résidence de campagne d'un
consul romain. Ses jardins
sont plantés de graines et de
bulbes importés d'Italie. Dans
le spectaculaire Main Peristyle
Garden, un grand bassin est
bordé de statues en bronze.
Les bâtiments marient
éléments romains
authentiques et technologie
moderne.

La propriété qui
fut la résidence
d'origine de
Getty et qui
abrita le premier
musée Getty
comporte
bibliothèque,
salles de
séminaire et
bureaux pour les
savants. La Ranch
House, comme on l'appelait
Getty, abritera l'Antiquities
Conservation Department du
musée Getty.

**Façade de style Spanish Colonial
de l'Adamson House**

Adamson House et Malibu Lagoon Museum ❾

23200 Pacific Coast Hwy. **Carte
routière**, encadré A. ☎ *(310) 456-
8432.* ⬤ *de 11 h à 15 h du mer. au sam.*
⬤ *1ᵉʳ jan., 4 juil., Thanksgiving, 25 déc.*
▨ ♿ ▨ ▨ *dernière visite à 14 h.*
@ *www.adamsonhouse.org*

Rhoda Adamson et son mari
Merritt firent construire en
1929 sur des plans
de Stiles Clements
cette demeure de
style colonial
espagnol. Rhoda
était la fille de
Frederick et May
Rindge, les derniers
propriétaires de la
concession du
Rancho Malibu, et
la famille garda
jusqu'en 1928 la
jouissance de 39 km de côte.

La maison, bâtie sur la plage,
et ses deux hectares et demi
de jardins dominent le Malibu

**Motif en carrelage à
l'Adamson House**

Pier et la Malibu Lagoon. Dans
tout le bâtiment et le parc, des
carreaux de céramique aux
couleurs vives, tous d'un
dessin original, ornent murs,
encadrements de portes et
fontaines. L'entreprise qui les
fabriqua, Malibu Potteries,
avait été fondée par May
Rindge. Les visiteurs
découvriront aussi dans la
maison son mobilier d'origine.

Transformé, l'ancien garage
de l'Adamson House abrite le
Malibu Lagoon Museum
consacré à l'histoire de Malibu.
Objets, documents et
photographies retracent
l'histoire de la famille Rindge,
mais aussi des Indiens Chumash
qui peuplèrent la région et de
José Tapia qui devint en 1802
le premier propriétaire
espagnol de la concession.

Malibu Lagoon State Beach ❿

Carte routière, encadré A. ☎ *(818)
880-0367.* ⬤ *de 8 h au coucher du
soleil t.l.j.* ▨ ♿

Les Chumash établirent au
bord de la lagune de
Malibu leur plus important
village : Humaliwo. Au
XVIᵉ siècle, il comptait environ
un millier d'habitants, ce qui en
faisait l'une des plus
importantes communautés au
nord de l'actuel Mexique.

L'estuaire de la Malibu Creek,
où viennent se nourrir
200 espèces d'oiseaux
migrateurs et sédentaires, abrite
une riche faune aquatique.

Le Main Peristyle Garden de la Getty Villa

Résidences très privées de la Malibu Colony

Ses rouleaux font de Malibu un des grands lieux du surf en Californie du Sud. À l'est de la lagune, la Surfrider County Beach est réservée à ce sport et il est interdit de s'y baigner. Les adeptes du longboard apprécient particulièrement la zone près de la jetée. Il existe également des terrains de volley-ball sur la plage.

La Malibu Lagoon et les Santa Monica Mountains

Malibu Colony ⓫

Carte routière, encadré A. 🖼️ ℹ️
*23805 Stuart Ranch Rd, Suite 100
(310 456-5737).*

A yant besoin d'argent dans sa lutte pour conserver la jouissance de Malibu, May Rindge vendit en 1928 cette portion du littoral à des vedettes de cinéma telles que Bing Crosby, Gary Cooper et Barbara Stanwyck. Le domaine, privé et clos, reste aujourd'hui habité par des professionnels de l'industrie des loisirs. Le commun des mortels n'ayant pas accès à la plage peut souvent voir des stars sur la Malibu Colony Plaza située près de l'entrée.

Malibu Creek State Park ⓬

Carte routière, encadré A. 📞 *(818) 880-0367, (818) 880-0350 ou (800) 444-7275 pour les réservations de places de camping.* ◯ *de 8 h au coucher du soleil t.l.j.* 🖼️ ♿ 🚗

L es Indiens Chumash habitèrent jusqu'au milieu du XIXᵉ siècle la région où s'étend ce parc de 4 000 ha doté de nombreuses aires de pique-nique. Randonneurs, cyclistes et cavaliers y disposent de vingt sentiers qui traversent des paysages où affleurements rocheux, prairies magnifiques fleuries au printemps et bosquets de chênes, de séquoias et de cornouillers donnent l'impression de se trouver à des kilomètres de toute civilisation.

La 20th-Century Fox posséda jusqu'en 1974 huit cents hectares de ce territoire qui servit de décor à des films tels que *M.A.S.H.* (1970), *Butch Cassidy et le Kid* (1969) et *La Planète des singes* (1968).

Situé près du parc de stationnement, le centre d'information propose des expositions sur l'histoire, la faune et la flore de la région. Un sentier spectaculaire, le Gorge Trail, part du cœur du parc et conduit à une mare d'eau de mer qui prit à l'écran un cachet tropical dans *South Pacific* (1958) et *Tarzan* (1959).

Crags Road conduit au marécageux Century Lake peuplé de poissons-chats et de perches. De nombreux oiseaux vivent aussi là : carouges à épaulettes, petits garrots, foulques, canards sauvages, etc.

Dans le Malibu Creek Park près de la Castro Crest *(p. 60)*

BEVERLY HILLS, BEL AIR, ET WESTWOOD

Grand centre résidentiel de l'industrie du spectacle depuis les années 1920, Beverly Hills est une commune indépendante possédant ses propres lois et règlements. Regroupant boutiques de luxe, cafés et restaurants, le Golden Triangle y est la réponse de la

Un nom prestigieux

Côte Ouest à la Madison Avenue de New York. Au sud des canyons ombragés de Bel Air, Westwood doit aux étudiants de l'UCLA son ambiance animée. Ces quartiers, auxquels il faut ajouter Century City et ses gratte-ciel, portent le nom générique de Westside.

WESTSIDE D'UN COUP D'ŒIL

Bâtiments historiques
Beverly Hills Civic Center ❶
Beverly Hills Hotel ❽
Hotel Bel-Air ⓫

Parc et jardins
Greystone Park et Greystone Mansion ❼
Virginia Robinson Gardens ❾

Quartiers et centres commerciaux
Century City ❻
Rodeo Drive p. 90 ❸
2 Rodeo ❹

Excursion
Les maisons des stars *p. 92-93* ❿

Musées
Museum of Television and Radio ❷
Museum of Tolerance ❺

Universités
UCLA et Westwood Village ⓬

Plan pas à pas *Voir p. 86-87*

Excursion *Voir p. 92-93*

COMMENT Y ALLER
Une voiture s'impose pour visiter ces quartiers dotés de nombreux parkings. Depuis la San Diego Freeway (I-405), prenez Wilshire Boulevard ou Sunset Boulevard. Quelques bus DASH circulent dans Westwood.

LÉGENDE

◁ **La tour caractéristique du Beverly Hills City Hall intégré au Civic Center**

Le Golden Triangle pas à pas

Entre Santa Monica Boulevard, Wilshire Boulevard et North Crescent Drive s'étend le quartier des affaires de Beverly Hills surnommé le Triangle d'or. Les magasins, restaurants et galeries d'art qui bordent ses rues font partie des plus luxueux du monde. Les grands noms de la mode internationale ont leurs boutiques sur Rodeo Drive, l'avenue centrale, tandis que sur Wilshire Boulevard, les plus prestigieux des grands magasins américains rivalisent de style et d'opulence. Au nord, on découvre les Beverly Gardens magnifiquement entretenus, l'élégant Civic Center dominé par la tour de l'hôtel de ville et le récent Museum of Televison and Radio.

★ **Le Museum of Television and Radio**
Ce musée récent offre un large aperçu de l'histoire de la télévision et de la radio américaines ❷

L'Electric Fountain érigée en 1930 porte la statue d'un Indien priant pour faire tomber la pluie. La frise du socle représente des scènes de l'histoire de la Californie.

Saks Fifth Avenue est l'un des quatre grands magasins bordant Wilshire Boulevard.

La Creative Artists Agency a pour siège un édifice dessiné par I. M. Pei, l'architecte de la pyramide du Louvre.

★ **Le Beverly Hills Civic Center**
Restauré, le City Hall bâti en 1932 dans le style Spanish Colonial a été complété par de nouveaux bâtiments administratifs ❶

CARTE DE SITUATION
Voir l'atlas des rues, plan 5

BEVERLY HILLS, BEL AIR, ET WESTWOOD

HOLLYWOOD ET WEST HOLLYWOOD

SANTA MONICA BAY

PÉRIPHÉRIE DE DOWNTOWN

L'Anderson Court fut dessiné par Frank Lloyd Wright en 1953.

2 Rodeo
Construit en 1990, ce centre commercial comprend la première rue ouverte à Beverly Hills depuis 1914 ❹

Le MGM Building, de style Art déco, fut construit dans les années 1920 par Louis B. Mayer pour abriter le siège de la Metro-Goldwin-Mayer qui venait de se former.

Le Beverly Theatre (1925), de style mauresque, accueillit de nombreuses premières avant de devenir l'Israeli Discount Bank.

0   100 m

Rodeo Drive
Sur trois pâtés de maisons, voici l'une des plus luxueuses rues commerçantes du monde ❸

LÉGENDE

– – – Itinéraire conseillé

Le Regent Beverly Wilshire Hotel ouvrit en 1928. En 1970, une deuxième aile, reliée par une rue privée, compléta le bâtiment qui a conservé son mobilier d'époque *(p. 508)*.

À NE PAS MANQUER

★ **Le Beverly Hills Civic Center**

★ **Le Museum of Television and Radio**

NORTH CRESCENT DRIVE
NORTH CANON DRIVE
NORTH BEVERLY DRIVE
NORTH RODEO DRIVE
DAYTON WAY
WILSHIRE BOULEVARD

Le Beverly Hills Civic Center dominé par la tour du City Hall

Beverly Hills Civic Center ❶

455 N Rexford Drive. **Plan** 5 F3.
☎ (310) 285-1000. ☐ de 7 h 30 à
17 h 30 du lun. au jeu. ; de 8 h à 17 h
le ven. ◯ jours fériés. &

Dessiné en 1932 par le cabinet d'architecture Koerner and Gage, le City Hall est devenu avec le temps un symbole de Beverly Hills et de son élégance inspirée par l'Europe.

En 1990, l'architecte Charles Moore relia l'édifice à un nouveau Civic Center par une série de cours intérieures piétonnières. Rappels du style Spanish Colonial de l'hôtel de ville, balcons et arcades agrémentent les deux niveaux supérieurs. Le bâtiment moderne abrite une magnifique bibliothèque publique, la caserne de pompiers et le poste de police.

L'interdiction des panneaux d'affichage dans le quartier et l'obligation pour les nouvelles constructions de ne pas dépasser 14 m de hauteur laissent la tour du City Hall seule maîtresse du ciel.

Museum of Television and Radio ❷

465 N Beverly Drive. **Plan** 5 F3. **☎** (310) 786-1000. ☐ de 12 h à 17 h du mer. au dim. (jusqu'à 21 h le jeu.). ◯ jours fériés. 🎫 & ✔ w www.mtr.org

Ce musée de la télévision et de la radio utilise le même fonds que son homologue de New York créé en 1975 par William S. Paley, alors directeur de CBS Television. Son but n'est pas de présenter de vieux appareils de réception, mais de proposer un vaste éventail de programmes, dont les plus anciens datent des balbutiements de la radio.

La collection en compte plus de 75 000. Ils offrent un panorama vertigineux de la culture populaire américaine avec des séries télévisées qui connurent un immense succès comme *I Love Lucy (p. 145)* ou des publicités

retraçant l'histoire de cette industrie aux États-Unis.

Les visiteurs peuvent choisir jusqu'à quatre extraits sur le catalogue informatisé des archives, puis les regarder, ou les écouter, sur de petites consoles individuelles. Les amateurs de musique pop et de rock reverront les Beatles au temps de leur jeunesse ou Elvis Presley faisant ses débuts sur le petit écran. Les sportifs revivront des moments marquants des compétitions olympiques.

Une salle de 150 places propose des expositions ou des projections ayant pour thème un sujet, un réalisateur ou un acteur particulier.

Rodeo Drive ❸

Voir p. 90.

2 Rodeo ❹

Plan 5 F3. ℹ 268 N. Rodeo Drive **☎** (310) 247-7040. w www.2rodeo.com

Fondé en 1990 à l'angle de Rodeo Drive et de Wilshire Boulevard, 2 Rodeo est l'un des centres commerciaux les plus coûteux jamais construits. Avec sa place publique et ses lampadaires victoriens, il ressemble à une version hollywoodienne d'une rue européenne. Bordée de boutiques de luxe, l'artère

Lucille Ball, vedette adorée des Américains dans les années 1950

Escalier du 2 Rodeo sur Wilshire

centrale pavée, Via Rodeo, sinue jusqu'à la réplique des escaliers de la place d'Espagne de Rome donnant sur Wilshire Boulevard.

Museum of Tolerance ❺

9786 W Pico Blvd. **Plan** 5 F5.
📞 (310) 553-8403. 🕐 de 11 h 30 à 16 h du lun. au jeu., de 11 h 30 à 13 h le ven., de 11 h à 17 h le dim. 🚫 sam., 1er jan., Thanksgiving, 25 déc. et toutes les grandes fêtes juives. 🎟 ♿ 📷
🌐 www.museumoftolerance.com

Le musée de la Tolérance a pour objectif de promouvoir le respect et la compréhension entre les peuples. Il développe deux thèmes principaux présentés à la fois dans leurs contextes historique et contemporain : la xénophobie aux États-Unis et l'Holocauste.

La visite commence dans le Tolerancenter destiné à offrir à ceux qui le désirent les moyens de combattre le racisme et l'intolérance dans leur propre environnement. « L'Autre Amérique » est une carte pilotée par ordinateur qui situe plus de 250 groupes racistes connus des États-Unis et fournit des renseignements à leur sujet. Un mur de 16 écrans vidéo retrace la lutte pour les droits civiques des années 1960. Des bornes interactives permettent d'aborder de façon

personnalisée les problèmes de responsabilité citoyenne et de justice sociale. Elles proposent aussi des images des émeutes de 1992 (p. 53) et des interviews qu'elles suscitèrent. Emprunter la « Galerie des murmures », où l'on se retrouve exposé à des railleries racistes et sexistes, est une expérience marquante.

Au début de la section consacrée à l'Holocauste, chacun reçoit une présentation et une photo d'un enfant dont cette tragédie marqua le destin. Son histoire se précise tout au long de la visite, où des personnages en cire font revivre l'Allemagne nazie, notamment la conférence du Wannsee où fut décidée la « solution finale ». Le sort de l'enfant est révélé à la fin. Dans la « Salle du Témoignage », des moniteurs diffusent des interviews de survivants des camps de concentration. Parmi les souvenirs exposés figurent des lettres originales d'Anne Frank.

Les étages supérieurs du musée accueillent des expositions temporaires, des projections et des conférences. Il y a également un centre d'étude multimédia où des bornes interactives proposent des informations complémentaires sur des sujets liés à la Seconde Guerre mondiale. Le matériel exposé est déconseillé à des enfants de moins de dix ans.

Histoire du racisme au Museum of Tolerance

Century City ❻

Plan 5 D5. 📍 2049 Century Park E, Suite 2600, Century City, 90067 📞 (310) 553-2222.

Des promoteurs achetèrent en 1961 ce terrain de 73 ha jadis utilisé par la 20th-Century Fox pour y construire gratte-ciel de bureaux, magasins et habitations.

Cabinets d'avocats, agences artistiques et sociétés de production emplissent aujourd'hui les bureaux, mais il n'y a pas de véritable vie de quartier à Century City et ses rues sont vides la nuit.

Le centre commercial, en plein air, a toutefois connu plus de succès. Il compte plus de 120 boutiques, quelque 20 restaurants et un cinéma de 14 salles.

Le Century City Shopping Center

Greystone Park et Mansion ❼

905 Loma Vista Drive. **Plan** 5 F1.
📞 (310) 550-4654. **Parc** 🕐 de 10 h à 17 h t.l.j. 🚫 1er jan., 25 déc. ♿ terrasse et bas des jardins.

Le millionnaire Edward L. Doheny fit bâtir en 1928 ce pastiche de manoir Tudor de 55 pièces pour son fils. Trois semaines après que celui-ci eut emménagé avec sa famille, son cadavre et celui d'un secrétaire furent retrouvés dans sa chambre. Il s'agissait apparemment d'un meurtre suivi d'un suicide.

Aujourd'hui propriété de la ville, Greystone sert au tournage de films, de clips vidéo et de spots publicitaires. La maison est fermée au public, mais les visiteurs peuvent se promener, pique-niquer et jouir du panorama de Los Angeles dans ses jardins en terrasses (7 ha).

Rodeo Drive ❸

L'avenue commerçante sans doute la plus luxueuse du monde, celle, en tout cas, fréquentée par le plus de vedettes, tire son nom d'El Rancho Rodeo de las Aguas (Ranch de la rencontre des eaux), concession espagnole qui incluait le site de l'actuel Beverly Hills. Sur Rodeo Drive, la haute couture italienne et française côtoie les grands noms internationaux de la joaillerie et les plus chic des enseignes américaines.

Cartier, au nº 320, est connu pour ses montres et pour ses bagues en diamant.

Gucci, au nº 347, surtout connu pour ses accessoires de mode, propose aussi des pièces d'ameublement comme ce coussin.

Rodeo Drive offre aux promeneurs de larges trottoirs plantés d'arbres.

0   50 m
0   50 yards

• 421

BRIGHTON WAY

• 370

• 347

• 317

VAN CLEEF & ARPELS

DAYTON WAY

• 273

• 230

Barakat, une des boutiques de la Rodeo Collection située au nº 421, vend de beaux bijoux, mais possède aussi une impressionnante collection d'antiquités grecques et précolombiennes.

Lalique, au nº 317, est célèbre par ses verreries et ses pâtes de verre Art nouveau et Art déco.

Christian Dior, au nº 230, est un des grands noms de la haute couture à entretenir la réputation de la France à Beverly Hills.

Le Beverly Hills Hotel

Beverly Hills Hotel ❽

9641 Sunset Blvd. **Plan** 5 D2. ☎ (310) 276-2251, (800) 283-8885. ⏰ t.l.j. ♿ ☑ www.thebeverlyhillshotel.com *Voir **Hébergement** p. 508.*

C'est en 1912 que le promoteur Burton E. Green fit construire cet extravagant hôtel de style Mission Revival surnommé le « Palace rose ». Nichés dans la verdure de jardins de 5 ha, ses 21 bungalows servirent de retraite à des vedettes de cinéma telles que Marilyn Monroe, Clark Gable, Richard Burton et Elizabeth Taylor.

Le Beverly Hills Hotel vient de connaître une importante rénovation (d'un coût de 100 millions de dollars) et sa piscine légendaire est redevenue l'un des endroits où il faut se faire voir et entendre à Los Angeles. Ses restaurants réputés, le Polo Lounge et le Polo Grill, ont aussi retrouvé leur place au centre des tractations commerciales de l'industrie du divertissement.

Virginia Robinson Gardens ❾

1008 Elden Way. **Plan** 5 D1. ☎ (310) 276-5367. ⏰ du mar. au ven. ⏰ jours fériés. 🏷 ♿ 📷 obligatoire 10 h et 13 h du mar. au jeu., 10 h le ven. Sur réservation uniquement.

En 1908, un riche héritier, Harry Robinson, et sa femme Virginia achetèrent un terrain sur lequel ils achevèrent trois ans plus tard la construction de la première maison de Beverly Hills. Des jardins de 2,5 ha, agrémentés de terrasses, d'étangs et de fontaines entourent la villa.

Légués au comté de Los Angeles, ils ouvrirent au public en 1982. La palmeraie recèle les plus grands palmiers royaux hors d'Australie.

La visite guidée permet de découvrir une partie de la maison et son mobilier d'origine.

Les maisons des stars ❿

Voir p. 92-93.

Hotel Bel-Air ⓫

701 Stone Canyon Rd. **Plan** 4 A1. ☎ (310) 472-1211. ⏰ t.l.j. ♿ ☑ www.hotelbelair.com *Voir **Hébergement** p. 508.*

Situé dans un canyon très boisé, cet hôtel considéré comme un des meilleurs des États-Unis offre calme et intimité. Datant des années 1920, ses bâtiments de style Mission Revival sont disséminés dans de magnifiques jardins d'une superficie de 4,5 ha.

Ornés de fontaines, ils renferment des essences rares en Californie du Sud, notamment des strelitzias à fleurs blanches et le plus grand fromager hors d'Amérique du Sud. Roses, gardénias, jasmin et fleurs d'orangers embaument l'air. Le Bel-Air est en réalité si parfait qu'un client y resta quarante ans.

Piscine entourée de jardins à l'Hotel Bel-Air

Les maisons des stars ❿

Depuis qu'en 1920, Mary Pickford et Douglas Fairbanks firent construire leur maison, Pickfair, au sommet de Summit Drive, vivre à Beverly Hills est le symbole du succès pour les professionnels de l'industrie du spectacle. Sunset Boulevard marque une frontière : ceux qui habitent au sud ne connaissent pas la misère, mais mieux vaut vivre au nord pour se voir considéré comme vraiment riche. Les demeures, d'un luxe ostentatoire ou parfois étonnamment modestes, présentent presque tous les styles architecturaux. Leurs numéros sont écrits sur les bordures des trottoirs.

Ancienne maison de James Stewart au n° 918 Roxbury Drive ⑬

Sud de Sunset

Partez du n° 714 Palm Drive, élégante demeure de Faye Dunaway ①, compagne de Warren Beatty dans *Bonnie and Clyde* (1967). Roulez vers le sud et tournez à droite dans Elevado Avenue. Rita Hayworth habita au n° 512 Palm Drive ②.

Tournez encore à droite dans Maple Drive. Au n° 720 se dresse la villa inspirée de l'architecture de la Nouvelle-Angleterre où vécurent George Burns et Gracie Allen ③. Ce couple connut un immense succès aux États-Unis sur scène comme à l'écran. Juste avant d'atteindre Sunset Boulevard, prenez à gauche dans Lomitas Avenue, puis tournez encore à gauche dans Foothill Road. Au n° 701, à l'angle d'Elevado Avenue, se trouve la maison sans prétention de Carroll Baker ④. Cette beauté blonde remarquée aux côtés de James Dean dans *Géant* (1956) parut à un moment pouvoir devenir la nouvelle Marilyn.

Tournez à droite dans Elevado Avenue, à droite dans Alpine Drive, à gauche dans Lomitas Avenue et encore à gauche dans Crescent Drive. Au n° 713, la modeste demeure de Doris Day ⑤ est à peine visible derrière une haute haie.

Tournez à droite dans Carmelita Avenue, puis à droite dans Cañon Drive. La jolie maison où vécurent Robert Wagner et Natalie Wood ⑥ s'aperçoit au n° 603. Continuez vers le nord jusqu'au carrefour avec Elevado Avenue. Juste de l'autre côté, au n° 707 Cañon Drive, des palmiers verdoyants marquent le début de la propriété de Kirk Douglas ⑦.

Tournez à gauche dans Elevado Avenue. En traversant Rodeo Drive, regardez à droite. La jolie maison du n° 725 Rodeo

Drive ⑧ fut celle de Gene Kelly.

Continuez sur Elevado Avenue, puis tournez à droite dans Bedford Drive. L'acteur Steve Martin possède la maison du n° 721 ⑨. Une haie de bougainvillées masque la majeure partie de ce bâtiment moderne dépourvu de fenêtres en façade.

Au n° 730, à l'angle de

Maison de Faye Dunaway au n° 714 Palm Drive ①

Le « Palais rose » de Jayne Mansfield au n° 10100 Sunset Boulevard ⑭

CARTE DE SITUATION
Voir l'atlas des rues, plan 5

en brique où vécut l'humoriste Jack Benny ⑪ possède un aspect très traditionnel. Ses anciens voisins, au n° 1000 Roxbury Drive ⑫, Lucille Ball et Desi Arnaz, acquirent aussi leur célébrité à la télévision avec la série *I Love Lucy (p. 88 et 145)*. James Stewart, qui joua notamment sous la direction de Frank Capra et Alfred Hitchcock, habita non loin le manoir Tudor du n° 918 ⑬.

Sur Sunset Boulevard, tournez à droite. Le « Palais rose » de Jayne Mansfield occupe au n° 10100 ⑭ l'angle sud-ouest du carrefour avec Carolwood Drive. L'actrice s'y fit construire une piscine en forme de cœur portant au fond l'inscription « *I love you Jaynie* ».

Tournez à droite dans Carolwood Drive. Tout de suite à droite, au n° 144 Monovale Drive ⑮, se trouve une des anciennes résidences d'Elvis Presley. Seuls les courts de tennis s'aperçoivent toutefois de la rue. Restez sur Carolwood Drive. L'actrice et chanteuse Barbra Streisand habite au n° 301 ⑯ une propriété sévèrement gardée. Walt Disney vécut un peu plus au nord, au n° 355 Carolwood Drive ⑰.

Avenue, puis à gauche Cañon Drive.

Nord de Sunset
Traversez Sunset Boulevard et prenez la rue la plus à gauche : Benedict Canyon Drive. À l'angle, le célèbre Beverly Hills Hotel *(p. 91)* fut à l'origine de bien des rumeurs. Les bungalows discrets cachés derrière sa façade rose abritèrent plus d'un rendez-vous sentimental, y compris, dit-on, ceux de Marilyn Monroe et John et Robert Kennedy.

À Roxbury Drive, tournez à gauche. Au n° 1002, la maison

Boîte aux lettres de Walt Disney ⑰

Bedford Drive et de Lomitas Avenue, un drame digne d'un film noir se déroula dans la villa de Lana Turner ⑩. Sa fille, Cheryl Crane, poignarda avec un couteau de cuisine l'amant de sa mère, le gangster Johnny Stompanato.

Prenez à droite Lomitas

CARNET DE ROUTE

Itinéraire : 8 km.
Attention : les maisons des stars sont des résidences privées. N'essayez pas d'y pénétrer.

L'University of California, Los Angeles et Westwood Village ⑫

Façade de style roman du Royce Hall de l'UCLA

Véritable ville dans la ville, l'université réputée de Los Angeles, l'UCLA, accueille plus de 35 000 étudiants sur un campus de 170 ha. Elle regroupe un large éventail de facultés et de centres de recherche. Le projet initial, dessiné en 1925, s'inspirait de l'architecture médiévale méditerranéenne et les quatre premiers bâtiments furent construits en brique dans un style proche du roman italien. Ce schéma directeur ne s'appliqua toutefois pas aux édifices ultérieurs, de conception plus moderne mais plus terne. La beauté du parc compense heureusement ce défaut.

À la découverte de l'UCLA et de Westwood Village

Depuis sa fondation en 1928 au sud de l'UCLA, Westwood Village est l'un des quartiers commerçants les plus agréables de la Californie du Sud. Son architecture marquée par le style Spanish Colonial, ses nombreuses boutiques, ses cinémas d'exclusivité et ses théâtres, tel le Geffen Playhouse (p. 164), attirent toujours, en particulier le week-end, une foule animée dans ses rues propices à la promenade. Malheureusement, la modernisation sans goût de certaines devantures a rompu l'harmonie de ce quartier commerçant animé.

Détail d'un plafond du Royce Hall

⊞ Royce Quadrangle
Dickson Plaza. [(310) 825-2101. ○ t.l.j.
Les quatre bâtiments qui forment le Royce Quadrangle sont les plus anciens du campus de l'UCLA. Construits en brique rouge dans le style roman italien, les Royce, Kinsey et Haines Halls et la Powell Library surpassent de loin en beauté les autres édifices de l'université.
Le plus élégant, le Royce Hall, accueille toute l'année des représentations théâtrales, musicales et chorégraphiques. Il s'inspire de la basilique San Ambrogio de Milan. La Powell Library possède une grande rotonde copiée sur le San Sepolcro de Bologne.

⌂ Armand Hammer Museum of Art and Cultural Center
10899 Wilshire Blvd. [(310) 443-7000. ○ de 11 h à 19 h mar., mer., ven., sam. ; de 11 h à 21 h le jeu. ; de 11 h à 17 h le dim. ● 4 juil., Thanksgiving, 25 déc. ⟁ gratuit de 11 h à 21 h le jeu. & ⟁ ⊡
W www.hammer.ucla.edu
Ce musée fut créé pour accueillir les collections réunies par l'homme d'affaires Armand Hammer (1899-1990). Il accorde une place importante aux impressionnistes et post-impressionnistes tels que Mary Cassatt (1845-1926), Claude Monet (1840-1926), Camille Pissarro (1830-1903), John Singer Sargent (1856-1925) et Vincent Van Gogh (1853-1890).
Le fonds comprend aussi un ensemble exceptionnel de peintures, sculptures et lithographies d'Honoré Daumier (1808-1879) et de ses contemporains. Elles sont présentées dans le cadre d'expositions tournantes nourries également par l'UCLA Grunwald Center for the Graphic Arts qui possède plus de 35 000 œuvres sur papier datant de la Renaissance à nos jours.

♣ Franklin D. Murphy Sculpture Garden
[(310) 443-7041. ○ t.l.j.
Voici le plus important des jardins de sculptures de la

UCLA ET WESTWOOD VILLAGE

LÉGENDE

🚌	Terminus d'autobus
ℹ	Information touristique
P	Parc de stationnement

Entrée de l'Armand Hammer Museum of Art

Automne (1948) par Henri Laurens

Côte Ouest. Il réunit plus de 70 œuvres. Parmi les plus belles figurent *Two-Piece Reclining Figure, n° 3* (1961) par Henry Moore et une *Baigneuse* (1923-1925) de Jacques Lipchitz.

❧ Mildred E. Mathias Botanical Garden

(310) 825-1260. ○ de 8 h à 17 h du lun. au ven., de 8 h à 16 h les sam. et dim. ● jours fériés. &

Ce paisible jardin divisé en 13 sections thématiques renferme près de 4 000 espèces de plantes, notamment tropicales et subtropicales. Les arbres sont spectaculaires. Ils comprennent des eucalyptus australiens et quelques séquoias d'une variété très rare.

⌂ Fowler Museum of Cultural History

(310) 825-4361. ○ de 12 h à 17 h du mer. au dim. (jusqu'à 20 h le jeu.). ● jours fériés. 🎟 gratuit le jeudi. 🔲

Ce musée d'art populaire et d'ethnographie, l'un des plus riches des États-Unis avec une collection de 750 000 pièces, propose une exposition centrée sur les cultures préhistoriques, historiques et contemporaines d'Afrique, d'Asie, d'Océanie et d'Amérique du Nord et du Sud.

⚰ Westwood Memorial Park

1218 Glendon Ave. (310) 474-1579. ○ de 8 h à 17 h t.l.j. &

Dans ce paisible petit cimetière situé derrière les cinémas et le parc de stationnement de l'Avco Center reposent des célébrités telles que Dean Martin, Peter Lorre, John Cassavetes, Natalie Wood et Marilyn Monroe dont le deuxième mari, le célèbre joueur de base-ball Joe DiMaggio, fit fleurir chaque semaine la tombe de six roses rouges pendant des dizaines d'années.

Le cimetière du Westwood Memorial Park

MARILYN MONROE

C'est sous le nom de Norma Jean Baker que la future Marilyn Monroe (1926-1962) naît au General Hospital de Los Angeles. Sa mère souffre de troubles mentaux et la place dans une famille d'accueil à l'âge de deux semaines. Un premier mariage, à seize ans, ne tue pas le rêve de la jeune fille de devenir actrice et sa carrière prend son essor en 1950 avec *Quand la ville dort* et *Ève*. Ses rôles dans des comédies comme *Sept ans de réflexion* et *Certains l'aiment chaud* en font le plus grand sex-symbol jamais issu d'Hollywood, mais sa vie privée n'est pas aussi souriante. Elle se suicide à l'âge de 36 ans.

MARILYN MONROE
1926 — 1962

Plaque tombale de Marilyn Monroe

0   500 m

HOLLYWOOD ET WEST HOLLYWOOD

En 1887, Harvey Henderson Wilcox et sa femme Daeida fondèrent une communauté chrétienne, où ils interdirent alcool et jeu, dans une banlieue de Los Angeles qu'ils appelèrent Hollywood. Ironie du sort, leur Utopie austère devint la capitale de l'industrie des apparences et du désir, celle du cinéma. L'invasion commença en 1913 quand Cecil B. De Mille tourna *The Squaw Man* dans une grange

Walk of Fame d'Hollywood

louée au coin de Vine et Selma Streets. Hollywood a connu son âge d'or dans les années 1930 et subit actuellement une période de déclin. Il ne conserve que quelques vestiges de sa splendeur passée. Sunset Boulevard reste cependant au cœur de la vie nocturne de Los Angeles. West Hollywood, avec son importante communauté homosexuelle, est un quartier animé où l'on peut dîner ou faire des achats.

HOLLYWOOD ET WEST HOLLYWOOD D'UN COUP D'ŒIL

Musées
Craft and Folk Art Museum ⑱
George C. Page Museum of La Brea Discoveries ⑰
Hollywood Studio Museum ⑧
Los Angeles County Museum of Art p. 110-113 ⑬
Petersen Automotive Museum ⑮

Bâtiments et rues historiques
Hollywood Bowl ⑦
Hollywood Roosevelt Hotel ①
Miracle Mile ⑭
Paramount Studios ⑪
Walk of Fame ⑤

Cimetière
Hollywood Memorial Park ⑩

Cinémas et théâtres
El Capitan Theatre ④
Hollywood and Highland ③
Mann's Chinese Theatre ②
Pantages Theater ⑨
The Improv ⑯
Wiltern Theatre ⑲

Boutique et marché
Farmers Market ⑫
Frederick's of Hollywood ⑥

Voir p. 101-103
Voir p. 104-105
Voir p. 98-100

COMMENT Y ALLER
Depuis Downtown : la Metro Red Line dessert la station Wilshire Boulevard at Western Avenue ; les lignes de bus intéressantes comprennent la nº 1 (par Hollywood Boulevard), la nº 2 (Sunset Blvd), la nº 4 (Santa Monica Blvd), la nº 10 (Melrose Ave.) et les nº 20, 21 et 22 (Wilshire Blvd) ; la Freeway 101 traverse Hollywood et continue vers Ventura.

LÉGENDE
Zones illustrées
Ⓜ Station de la Metro Red Line

◁ **Le Mann's Chinese Theatre, un somptueux vestige de l'âge d'or d'Hollywood**

Sur Sunset Boulevard : Sunset Strip

Sunset Boulevard forme une courbe longue de 42 km entre Downtown L. A. et la Pacific Coast Highway. Dans les années 1920, ce n'était à Hollywood qu'une piste de terre reliant les studios en plein développement et les villas des vedettes de l'écran perchées dans les collines de Beverly Hills *(p. 92-93)*. Sunset Strip, long de 2,5 km, en est la partie la plus riche en histoire et la plus animée avec ses boîtes de nuit, ses restaurants et ses hôtels de luxe. Pavé pour la première fois dans les années 1930, le Strip vit fleurir pendant la prohibition salles de jeu et débits de boisson illégaux. Les clubs les plus connus comprenaient le Trocadero, Ciro's et le Mocambo où la jeune Margarita Cansino rencontra le producteur Harry Cohen qui la rendit célèbre sous le nom de Rita Hayworth. Sunset Strip reste aujourd'hui le pôle de la vie nocturne de Los Angeles.

Sunset Strip et les Santa Monica Mountains vues de Crescent Heights

Rainbow Bar & Grill
Au nº 9015, ce restaurant où tonneaux de vin et disques d'or se disputent les murs s'appelait jadis le Villa Nova. En 1945, Vincente Minnelli y demanda Judy Garland en mariage et, 8 ans plus tard, Marilyn Monroe y rencontra Joe DiMaggio.

Original Spago
Wolfgang Puck, l'un des fondateurs de la cuisine californienne, eut son premier restaurant de L. A. au nº 8795. Dans les années 1970 et 1980, le légendaire agent artistique Irving Lazar vint y fêter bien des Oscars.

Le Viper Room, au nº 8852, est un club de rock *(p. 164)* dont Johnny Depp est un des propriétaires. En octobre 1993, le jeune acteur River Phoenix mourut devant l'entrée après avoir mélangé trop de drogues.

Roxy
Cette boîte de rock branchée occupe au nº 9009 le site du Club Largo.

CLARK ST   LARRABEE ST   HORN AVE

HAMMOND ST   HILLDALE AVE   SAN VICENTE BLVD   HOLLOWAY D

Sur Sunset Boulevard : Old Studio District

Pendant la première moitié du XXᵉ siècle, ces trois kilomètres de Sunset Boulevard étaient au cœur de la production cinématographique d'Hollywood. La 20th-Century Fox, la RKO, la Warner Bros, la Paramount et United Artists avaient leurs studios à proximité et les rues grouillaient de réalisateurs, d'acteurs et de stars en puissance. Dans le quartier connu sous le nom de Gower Gulch, de petites sociétés tournaient à la chaîne des westerns de série B. Des grands studios, il ne reste aujourd'hui que ceux de la Paramount *(p. 109)* situés au sud sur Melrose Avenue.

Sunset Boulevard à son âge d'or dans les années 1940

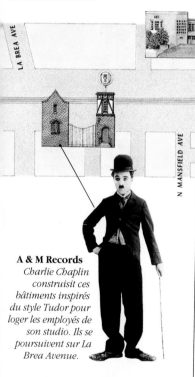

A & M Records
Charlie Chaplin construisit ces bâtiments inspirés du style Tudor pour loger les employés de son studio. Ils se poursuivent sur La Brea Avenue.

Crossroads of the World
Au nᵒ 6621, le premier centre commercial d'Hollywood, construit en 1936 à la ressemblance d'un paquebot, abrite désormais des bureaux.

Hollywood High School
Ce lycée, au nᵒ 6800, a eu des élèves célèbres, notamment Lana Turner découverte en 1936 par le réalisateur Mervyn LeRoy alors qu'elle sirotait un soda en face de l'école dans le défunt Top Hat Malt Shop. Un garage occupe aujourd'hui son emplacement.

Miyagi's, situé derrière le grand panneau publicitaire à l'ouest du Chateau Marmont, occupe l'emplacement du Players Club, propriété dans les années 1940 de Preston Sturges, le réalisateur, entre autres, d'*Infidèlement vôtre*.

Chateau Marmont
Inspiré des châteaux de la Loire, cet hôtel (p. 513), au n° 8221, ouvrit en 1929. Après Errol Flynn et Greta Garbo, il compte aujourd'hui comme habitués des vedettes telles que Christopher Walken et Winona Ryder.

Director's Guild of America
C'est l'un des nombreux immeubles de bureaux du Sunset Blvd dédiés à l'industrie du divertissement.

Le Trocadero, night-club au n° 8610, eut Nat King Cole comme pianiste. Il ne reste que trois marches du bâtiment d'origine.

Schwab's
Un Virgin Megastore a remplacé l'ancien drugstore où se retrouvaient acteurs et journalistes. De l'autre côté de Crescent Heights s'élevait le Garden of Allah, ensemble résidentiel légendaire où vécurent Francis Scott Fitzgerald et Dorothy Parker.

PANNEAUX PUBLICITAIRES

La publicité devient une forme d'art sur Sunset Strip où d'immenses panneaux peints à la main, souvent par d'excellents décorateurs d'Hollywood, vantent nouveaux films, disques ou célébrités. Ils acquièrent une dimension supplémentaire en 1953 quand le Sahara Hotel de Las Vegas exposa une véritable piscine où s'ébattaient des mannequins en maillots de bain. Pendant les années 1960, c'est l'industrie du disque qui prit la haute main sur les *billboards* de Sunset Strip et ils motivèrent même des clauses de contrat pour certaines vedettes. Malgré la guerre faite aux fumeurs à Los Angeles, le grand panneau du Chateau Marmont reste dédié au cow-boy de Marlboro.

La célèbre publicité Malboro n'est plus visible sur Sunset Strip

Hyatt Hotel
Jim Morrison, lorsqu'il joua avec les Doors au Whiskey A Go Go voisin, séjourna dans cet hôtel du n° 8401 (p. 513) qui reste un des favoris des rock-stars de passage.

Argyle Hotel
Ce gratte-ciel Art déco était à l'âge d'or d'Hollywood un immeuble d'appartements où vécurent, entre autres célébrités, Jean Harlow et Clark Gable (p. 513).

Comedy Store
Ce haut lieu du one man show occupe le site d'un célèbre night-club des années 1940, le Ciro's.

Carbo Cantina (The Source), restaurant du n° 8301, apparaît dans *Annie Hall* (1977) de Woody Allen.

Le Mondrian Hotel *(p. 513)*, au n° 8440, rend hommage avec sa façade au peintre dont il porte le nom.

House of Blues
Au n° 8430, cette boîte de blues (p. 164) installée dans un bâtiment transporté depuis Clarksdale, Mississippi, a parmi ses propriétaires l'acteur Dan Ackroyd, interprète, avec John Belushi, des Blues Brothers (1980).

Sunset Plaza
Avec ses boutiques et ses cafés, un lieu agréable à découvrir à pied.

Hollywood Athletic Club
Dans les années 1930 et 1940,
des acteurs tels que Buster Crabbe
(Flash Gordon) qui remporta une
médaille d'or aux Jeux olympiques
de 1932, venaient s'entraîner ici.

ArcLight Cinerama Dome
La première salle de cinérama
ouverte sur la Côte Ouest occupe
toujours le n° 6360.

The Cat and Fiddle
Un pub à l'anglaise
sert, au n° 6530, des
bières et spécialités
britanniques comme
les saucisses-purée.
Beau patio et, bien
entendu, jeu de
fléchettes.

CAPSULE TEMPORELLE

En 1954, la chambre de commerce de Los
Angeles décida d'assurer la pérennité de
l'histoire d'Hollywood grâce à une « capsule
temporelle ». Au célèbre carrefour de Sunset
Boulevard et Vine Street, elle fit enfouir
sous le trottoir un exemplaire du tube
de Bing Crosby sorti cette année-là,
White Christmas, une copie du
scénario d'*Autant en emporte le vent*, le   **Le chanteur Bing Crosby**
film le plus populaire jamais produit à
cette date, et divers enregistrements de programmes
de télévision et de radio.
La plaque marquant sur le trottoir
l'emplacement de la Time Capsule
affirme que la légende de
Hollywood naquit ici en 1913
avec le tournage, par Cecil B.
De Mille et Jesse Lasky, du
premier film de long métrage :
The Squaw Man. En fait, leur
grange aménagée en studio,
aujourd'hui installée sur North
Highland Avenue *(p. 108)*, se
trouvait au n° 1521 Vine Street.
Hollywood était en outre depuis
déjà dix ans une ville autonome
et le lieu de production de
nombreux courts métrages.

Autant en emporte le vent (1939)

Hollywood Palladium

Construit par Norman Chandler, directeur du Los Angeles Times, *et inauguré en 1940 par Lana Turner et Frank Sinatra, ce théâtre, au n° 6215, accueille toujours grands orchestres et vedettes de la chanson.*

CBS Studios

La Columbia Pictures occupa le n° 6121 après avoir succédé à la Nestor Film Co. qui, en 1911, louait le site 40 $ par mois.

Gower Gulch

Un centre commercial s'étend à l'endroit où, dans les années 1930 et 1940, des acteurs recrutés chaque matin et payés 10 $ la journée tournaient des westerns de série B.

Warner Bros Studio

Le premier film parlant, Le Chanteur de jazz, *avec Al Jolson, fut tourné ici, au n° 5858, en 1927. L'année suivante, le studio déménageait à Burbank (p. 141). Le bâtiment abrite des stations de radio.*

Sunset Boulevard Theatre

C'était à l'origine le Vanities Theater d'Earl Carroll qui se dressait au n° 6220. Il possédait dans les années 1940 la plus grande scène pivotante du monde.

ATTENTION !

Cette partie de Sunset Boulevard est malheureusement devenue mal famée. Il est conseillé de rester dans sa voiture, portes verrouillées et objets de valeur hors de vue. Si vous décidez malgré tout de vous promener, essayez de donner l'impression de savoir où vous allez.

Le Hollywood Boulevard

Le nom de Hollywood Boulevard évoque chez les amoureux du cinéma américain une image de luxe et de gloire. Ils risquent toutefois d'être déçus car l'avenue n'a conservé que peu de souvenirs de son âge d'or. Un programme de rénovation engagé depuis quelques années relancera peut-être le célèbre boulevard. Le Mann's Chinese Theatre et les empreintes de stars gravées dans son patio, ainsi que le Walk of Fame, gardent cependant sa légende vivante. Parmi les autres attractions figurent El Capitan Theatre, le Hollywood Wax Museum, le Hollywood Guinness World of Records et Ripley's Believe it or Not !® et le Hollywood Entertainment Museum.

Détail de la First National Bank

CARTE DE SITUATION
Voir l'atlas des rues, plan 2

★ **Mann's Chinese Theatre**
Des stars ont laissé leurs empreintes dans son patio ❷

L'Hollywood Galaxy abrite six salles de cinéma et l'Hollywood Entertainment Museum consacré au 7ᵉ art, à la télévision, à la radio et à l'industrie du disque.

HOLLYWOOD BOULEVARD CÔTÉ NORD ►►►►►►►►►►►►►►►►►►►►►►►►►►►►►►►►►►►►

★ **Walk of Fame**
L'étoile de Marilyn Monroe se trouve au nº 6776 Hollywood Boulevard. La caméra rappelle qu'elle fit carrière dans le cinéma ❺

Le Hollywood Guinness World of Records, installé dans le premier cinéma du quartier, utilise de nombreux supports pour illustrer des records parfois insolites.

Ripley's Believe It or Not !® expose, dans un bâtiment dominé par un *Tyrannosaurus rex*, plus de 300 bizarreries telles que trophées de réducteurs de têtes et veaux à deux têtes.

HOLLYWOOD BOULEVARD CÔTÉ SUD ►►►►►►►►►►►►►►►►►►►►►►►►►►►►►►►►►►

LÉGENDE

▶▶▶▶▶▶ Côté nord, vers l'est

◀◀◀◀◀ Côté sud, vers l'ouest

À NE PAS MANQUER

★ **Mann's Chinese Theatre**

★ **Walk of Fame**

La First National Bank, à l'angle de Highland Avenue, possède une façade ornée de reliefs représentant des personnages historiques comme Christophe Colomb ou Copernic.

Hollywood and Highland *est réputé pour ses magasins et ses lieux de distraction* ❸

200 m

Le Hollywood Wax Museum présente les mannequins en cire de célébrités telles que Clint Eastwood, Marilyn Monroe, Madonna, Michael Jackson, Dolly Parton et Ronald Reagan. Il propose aussi un tableau inspiré de la *Cène* (1497) de Léonard de Vinci.

Hollywood Roosevelt Hotel
Un portrait de Chaplin (1889-1977) orne cet hôtel bâti dans les années 1920 ❶

El Capitan Theatre
Magnifiquement restauré, ce cinéma Art déco offre aux spectateurs un confort à l'ancienne, mais un équipement ultramoderne ❹

Le Masonic Hall abrite des expositions interactives liées à Disney.

Le célèbre Mann's Chinese Theatre construit par Sid Grauman

Hollywood Roosevelt Hotel ❶

7000 Hollywood Blvd. **Plan** 2 B4.
📞 (323) 466-7000. ♿
🌐 www.hollywoodroosevelt.com
Voir **Hébergement** p. 510.

Cet hôtel ouvert en 1927 avait pour premiers propriétaires Louis B. Mayer, Mary Pickford, Marcus Loewe, Douglas Fairbanks et Joseph Schenk. Il reçut, entre autres clients prestigieux, Marilyn Monroe, Ernest Hemingway et Clark Gable. Le 16 mai 1929, le premier banquet des Academy Awards se déroula dans sa « Salle des Fleurs ».

En 1986, une rénovation a rendu à l'édifice son style Spanish Colonial. L'année suivante, David Hockney (p. 24) décora la piscine.

Au premier étage, une exposition photographique retrace l'histoire du quartier.

Le Clarion Hotel Hollywood Roosevelt

Mann's Chinese Theatre ❷

6925 Hollywood Blvd. **Plan** 2 B4.
📞 (323) 461-3331. 📠 (323) 464-8111. ⏰ t.l.j. 📷 ♿
🌐 www.mannmoviefone.com

Le monument le plus célèbre d'Hollywood n'a guère changé depuis son inauguration, en 1927, avec la première du *Roi des rois* de Cecil B. De Mille. C'est un voyage en Chine qui inspira à son fondateur, l'impresario Sid Grauman, l'idée de lui donner son aspect exotique.

Grauman eut une autre idée pour asseoir le prestige de son cinéma : inviter des stars d'Hollywood à laisser leurs empreintes de pieds et de mains, et leur signature, dans la cour du bâtiment. Il existe plusieurs versions sur l'origine de cette coutume. L'une affirme que l'actrice de films muets Norma Talmadge marcha accidentellement dans le ciment frais au gala d'inauguration (p. 49). Selon une autre, c'est un maçon français, Jean Klossner, qui posa sa main dans le ciment pour laisser, à l'instar des bâtisseurs du Moyen Âge, une marque pour la postérité. Quoi qu'il en soit, les premières empreintes « officielles », celles de Norma Talmadge, Mary Pickford et Douglas Fairbanks, datent du 17 mai 1927.

Tout le monde peut visiter la cour, mais il faut assister à une projection pour découvrir la décoration intérieure.

Hollywood and Highland ❸

6801 Hollywood Blvd. **Plan** 2 B4.
📞 (323) 467 6412. ⏰ de 10 h à 22 h du lun. au sam., de 10 h à 19 h dim. 🅿
♿ 🌐 www.hollywoodandhighland.com

Cet important complexe, situé dans un quartier autrefois négligé d'Hollywood, a ouvert ses portes en 2001, après d'importants travaux. Il comprend des restaurants, des clubs, des magasins, un hôtel, un cinéma multi-salles et un musée du Costume. Les visiteurs peuvent également assister à un concert ou faire un tour dans les coulisses du nouveau Kodak Theatre, où se déroule la cérémonie des Academy Awards.

El Capitan Theatre ❹

6838 Hollywood Blvd. **Plan** 2 B4.
📞 (323) 467-7674. ⏰ t.l.j. 📷

Théâtre construit en 1926, puis converti en cinéma, El Capitan accueillit de nombreuses premières, notamment celle du *Citizen Kane* (1941) d'Orson Welles. Un 1942, une nouvelle décoration intérieure couvrit l'ancienne et le cinéma prit le nom d'Hollywood Paramount.

Acheté en 1991 par Disney et Pacific Theatres, El Capitan a retrouvé sa somptuosité Art déco d'origine, restée pratiquement intacte sous le placage ultérieur.

Walk of Fame ❺

Plan 2 B4. 🛈 6541 Hollywood Blvd
(323) 461-2804. 📞 (323) 469-8311.

Voici sans doute le seul
trottoir de la ville nettoyé
six fois par semaine. Sur
Hollywood Boulevard et Vine
Street, plus de 2 000 plaques de
marbre poli célèbrent depuis
février 1960 des vedettes du
cinéma, de la radio, de la
télévision, du théâtre et de la
musique. Pour figurer avec
Charlie Chaplin (n° 6751) ou
Alfred Hitchcock (n° 6506) sur
la « Promenade de la
Renommée », il faut être
accepté par la chambre de
commerce et payer 7 500 $ de
frais d'installation.

Frederick's of Hollywood ❻

6608 Hollywood Blvd. **Plan** 2 C4.
📞 (323) 957-5953. ⏰ de 10 h
à 21 h du lun. au sam. ; de 11 h
à 19 h le dim. ⚫ 1er jan.,
Thanksgiving, 25 déc. ♿
🌐 www.fredericksofhollywood.com

Frederick Mellinger pensait
que « la mode peut
changer, mais le sex-
appeal ne se démode pas »
lorsqu'il se lança en 1946 dans
la vente par correspondance
de lingerie affriolante. Dans
un édifice Art déco à la façade
violette et rose, son principal
magasin regorge de dessous
coquins. Il abrite également

**Façade aguicheuse du Frederick's
of Hollywood**

un petit musée présentant des
sous-vêtements aussi célèbres
que les soutiens- gorge portés
par Marilyn Monroe dans *Le
Milliardaire* (1960) et Tony
Curtis dans *Certains l'aiment
chaud* (1959).

Hollywood Bowl ❼

2301 N Highland Ave. **Plan** 2 B3.
📞 (323) 850-2000. ⏰ fin juin-fin
sept. 📷 ♿ **Billeterie** ⏰ de 10 h
à 18 h du mar. au dim. **Edmund
D. Edelman Hollywood Bowl
Museum** 📞 (323) 850-2058.
⏰ de fin juin à mi-sept. : de 10 h
à 20 h 30 du mar. au sam. ;
de mi-sept. à fin juin : de 10 h
à 16 h 30 du mar. au sam.
🌐 www.hollywoodbowl.com

Situé dans un amphithéâtre
naturel considéré comme
sacré par les Indiens
Gabrielino du col de
Cahuenga, le Bowl accueille
depuis 1922 les concerts d'été

du L.A. Philharmonic *(p. 121)*.
Des milliers de personnes se
retrouvent sous les étoiles
pour pique-niquer en
musique sur les treize aires
aménagées à cet effet sur
24 ha. Des groupes de jazz,
de country, de folk et de rock
se produisent aussi pendant la
saison. Quelques événements
attirent une foule
particulièrement dense : le
concert avec feu d'artifice du
4 juillet ; le Easter Sunrise
Service (messe du lever du
soleil) du dimanche de
Pâques et le Tchaikovsky
Spectacular où interviennent
canons, feu d'artifice et
orchestre militaire.

Le fils de l'architecte Frank
Lloyd Wright dessina en 1929
la scène originale en forme
de coquillage. Selon une
légende, les matériaux de
construction provenaient du
décor d'un film de Douglas
Fairbanks, *Robin des Bois*
(1922). Le théâtre de verdure
compte 18 000 places.
Privées, les loges de devant
sont particulièrement
recherchées.

Le Edmund D. Edelman
Hollywood Bowl Museum
illustre la riche histoire du lieu
au moyen de projections vidéo,
de programmes, d'affiches et
de souvenirs des artistes qui
s'y produisirent, du violoniste
Jascha Heifetz aux Beatles.
Parmi les films qui utilisèrent
le Bowl figure *Une étoile est
née* (1937) de William
Wellman.

Le théâtre de verdure du Hollywood Bowl

Mausolée de William A. Clark Junior au Hollywood Memorial Park

Hollywood Studio Museum ❽

2100 N Highland Ave. **Plan** 2 B3.
📞 (323) 874-2276. ⏰ de 11 h à 16 h
le sam. ; de 12 h à 16 h le dim. Sur
rendez-vous en semaine. 🖼️ ♿ ✅

En 1913, Cecil B. De Mille et le producteur Jesse Lasky louèrent cette grange, alors située dans Vine Street, à quelques pas au nord de Sunset Boulevard, pour tourner le premier long métrage d'Hollywood : *The Squaw Man*. Son remake prit en France le titre *Un cœur en exil*.

Transporté en 1983 à son emplacement actuel sur le parc de stationnement du Hollywood Bowl (p. 107), et ravagé par un incendie 13 ans plus tard, le bâtiment, restauré, abrite aujourd'hui les accessoires, costumes, photographies et divers souvenirs d'un musée consacré aux débuts du cinéma.

Pantages Theater ❾

6233 Hollywood Blvd. **Plan** 2 C4.
📞 (323) 468-1770. ⏰ t.l.j. 🖼️ ♿

Construit en 1929, ce magnifique cinéma Art déco paré de marbre et de bronze présenta en 1930 pour son inauguration *The Floradora Girl* qu'interprétait Marion Davies, la maîtresse de William Hearst (p. 204). Il accueillit l'Academy Awards Ceremony entre 1949 et 1959.

Magnifiquement restauré dans les années 1980, le Pantages propose aujourd'hui des comédies musicales de Broadway. Il faut posséder un billet pour pouvoir découvrir l'exubérant intérieur, son vaste foyer, ses lustres, ses plafonds voûtés et ses colonnes décorées de motifs géométriques, un voyage dans le passé et l'époque où le faste d'Hollywood construisait sa légende.

Élégante façade Art déco du Pantages Theater

Hollywood Memorial Park ❿

6000 Santa Monica Blvd. **Plan** 8 C1.
📞 (323) 469-1181. ⏰ de 8 h
à 17 h du lun. au ven. ; de 8 h 30
à 16 h 30 sam.-dim. ● jours fériés.
♿ 🌐 www.forevernetwork.com

Disponible à l'entrée, le plan de ce cimetière se lit comme une histoire des débuts du cinéma américain. Tyrone Power repose près d'un lac, dans la partie orientale. À côté, le tombeau de Marion Davies porte son véritable nom : Douras. Cecil B. De Mille et beaucoup d'autres célébrités de l'âge d'or d'Hollywood comme Nelson Eddy, un chanteur d'opéra reconverti dans le cinéma, sont également enterrés à proximité. Le somptueux mausolée de Douglas Fairbanks aurait été payé par son ancienne femme, l'actrice Mary Pickford. Le lugubre Cathedral Mausoleum renferme la crypte où repose Rudolph Valentino. Chaque année, le 23 août, une « Dame en noir » lui rend hommage pour l'anniversaire de sa mort.

Le cimetière borde au sud les studios de la Paramount. Ceux de la Columbia se trouvaient jadis au nord. Leur patron, Harry Cohn, aurait choisi sa concession de manière à garder un œil dessus.

Paramount Studios ⓫

5555 Melrose Ave. **Plan** 8 C1.
(323) 956-5000. Fermé au public depuis le 11 septembre 2001.
Visitors' Center and Ticket Window 860 N Gower St. (323) 956-1777. de 9 h à 18 h du lun. au ven. 1er jan., dim. de Pâques, Thanksgiving, 25 déc.

Le dernier des grands studios encore en activité à Hollywood fut aussi le premier. Cecil B. De Mille, Jesse Lasky et Samuel Goldwyn s'associèrent en 1914 à Adolph Zukor pour former ce qui allait devenir la Paramount Pictures. Gloria Swanson, Rudolph Valentino, Mae West, Marlene Dietrich, Gary Cooper…, la liste des stars qui travaillèrent sous contrat à la Paramount est impressionnante.

Des anonymes en quête de gloire se pressent toujours aux portails en fer forgé de Bronson Avenue et Marathon Street. Pour se porter chance, ils citent la dernière réplique de Norma Desmond dans *Boulevard du crépuscule* : « Je suis prête pour mon gros plan, M. De Mille. »

Une visite guidée de deux heures retrace l'histoire du studio où furent tournés des classiques comme *Les Dix Commandements*, *La Guerre des mondes* ou *Le Parrain*. Les films et les productions télévisées en cours de réalisation offrent un aperçu de l'envers du décor *(p. 165)*.

MELROSE AVENUE

Jusqu'alors sans intérêt particulier, Melrose Avenue a vu au milieu des années 1980 se multiplier les boutiques excentriques et les bons restaurants. La partie la plus agréable s'étend sur 16 pâtés de maisons entre La Brea Avenue et Fairfax Avenue. Les magasins de vêtements et d'accessoires de mode offrent un large éventail de styles, du punk au plus classique en passant par les années 1950. Ils restent ouverts tard le soir *(p. 166-167)* à l'instar des nombreux restaurants dont la diversité reflète la richesse ethnique de Los Angeles. Si les pâtes italiennes et la pizza dominent, comme dans le reste

de la ville, les cuisines mexicaine et thaïlandaise sont bien représentées.

À l'extrémité occidentale de Melrose, sur San Vincente Boulevard, se dresse le Pacific Design Center, gratte-ciel vitré (183 m) dessiné par César Pelli en 1975 et surnommé la Baleine bleue. Cette vitrine des stylistes d'intérieur et des architectes, la plus importante de la Côte Ouest, s'adresse principalement à une clientèle professionnelle, mais est ouverte au public. Les prix d'entrée et les politiques de vente peuvent varier selon les salles d'exposition.

Vitrine colorée sur Melrose Avenue

Farmers Market ⓬

6333 W 3rd St. **Plan** 7 D3. (323) 933-9211. de 9 h à 21 h du lun. au ven. ; de 9 h à 20 h le sam. ; de 10 h à 19 h le dim. 1er jan. W www.farmersmarketla.com

En 1934, pendant la Grande Dépression *(p. 49)*, des fermiers commencèrent à vendre leurs produits directement au public dans un champ alors situé à la périphérie de la ville. Depuis, le Farmers Market reste un des lieux de rendez-vous favoris des Angelenos. Outre des

Tour de l'horloge marquant l'entré du Farmers Market

éventaires de fleurs, de fromages, de pain et de fruits et légumes, il propose plus de 100 boutiques vendant de tout, des antiquités jusqu'aux T-shirts et au matériel de jardinage.

Parmi les nombreux cafés et restaurants, nous vous conseillons le Bob's Donuts, le Kokomo Café, pour ses *pancakes* à la fraise et ses omelettes aux haricots noirs *(p. 546)*, et le Gumbo Pot qui propose des beignets et une cuisine cajun épicée *(p. 546)*. Non loin de là, le Grove est une immense galerie marchande, avec boutiques, restaurants et cinémas.

Affiche de *La Guerre des mondes* (1953)

Le Los Angeles County Museum of Art ⓭

Fondé en 1910, le LACMA, l'un des plus importants musées d'art des États-Unis, est situé dans le prestigieux Hancock Park depuis 1965. Autour d'une terrasse centrale, six bâtiments abritent ses collections d'une grande variété acquises grâce à des dons privés. LACMA West, de l'autre côté de la rue, est consacré à l'art américain et abrite une galerie conçue pour les enfants. Édifié en 1988, le spectaculaire Pavilion for Japanese Art présente l'ensemble exceptionnel d'œuvres japonaises possédé par le musée, notamment les collections Shin'enkan et Bushell. L'Anderson Building est consacré à l'art moderne et contemporain.

★ **Dans les bois de Giverny**
Cette œuvre peinte en 1887 par Claude Monet montre les filles de sa compagne : Blanche et Suzanne Hoschedé.

★ **Mother about to Wash her Sleepy Child**
(1880)
Mary Cassatt, qui peignit de très nombreuses scènes domestiques, joua un grand rôle dans la découverte de l'impressionnisme aux États-Unis.

Jour des fleurs
(1925)
Diego Rivera propose une relecture moderne des traditions mexicaines. Il est exposé à LACMA West avec d'autres artistes latino-américains.

3ᵉ niveau

2ᵉ niveau

Entrée

Niveau de la plaza

Niveau inférieur

AHMANSON BUILDING

À NE PAS MANQUER

★ *Dans les bois de Giverny* de Claude Monet

★ *Mother about to Wash her Sleepy Child* de Mary Cassatt

★ *Mulholland Drive* de David Hockney

Suivez le guide !
L'Ahmanson Building et l'Hammer Building abritent les œuvres européennes et américaines. Achevé en 1986 par Hardy Holzman Pfeiffer, l'Anderson Building est consacré à l'art du XXᵉ siècle. À côté, le jardin de sculptures abrite des bronzes de Rodin. Dessiné par l'architecte non conformiste Bruce Goff, le Pavilion for Japanese Art associe style des années 1950 et esthétique orientale. Au Bing Center, le Plaza Café permet une pause au cours de la visite. LACMA West se trouve de l'autre côté de la rue.

MODE D'EMPLOI

5905 Wilshire Blvd. **Plan** 7 E4.
(323) 857-6000. 20. de
12 h à 20 h lun., mar. et jeu. (jusqu'à
21 h le ven.), de 11 h à 20 h sam. et
dim. Mer., Thanksgiving, 25 déc.
(gratuit le 2ᵉ mar. du mois).
w www.lacma.org

★ **Mulholland Drive** *(1980)*
*Installé à Los Angeles, l'artiste
britannique David Hockney a
représenté ici l'une des plus célèbres
artères de la ville (p. 140).*

Niveau de la plaza

Assiette japonaise
*Cette porcelaine
du XVIIᵉ siècle offre
un exemple de
la qualité de
la collection
japonaise du musée.*

Entrée

2ᵉ niveau

HAMMER BUILDING

3ᵉ niveau

2ᵉ niveau

Niveau de la plaza

Entrée

PAVILION FOR JAPANESE ART

2ᵉ niveau

Niveau de la plaza

Entrée

Niveau de la plaza

BING CENTER

Entrée principale

MODERN AND CONTEMPORARY ART BUILDING

Jardin des sculptures

LÉGENDE DU PLAN

- Art américain
- Peinture, sculpture et arts décoratifs européens
- Art moderne et contemporain
- Photographies, gravures et dessins
- Antiquités et art islamique
- Art de l'Inde et de l'Asie du Sud-Est
- Art extrême-oriental
- Costumes et textiles
- Expositions temporaires
- Circulations et services

PLAN DU MUSÉE

- Ahmanson Building
- Modern and Contemporary Art Building
- Hammer Building
- Bing Center
- Pavilion for Japanese Art

À la découverte du LACMA

Guerrier debout

Plus de 100 000 objets produits par de nombreuses cultures, de la préhistoire à nos jours, font d'une visite au LACMA une promenade à travers l'histoire de l'art dans le monde. Les amateurs d'antiquités y découvriront, outre d'intéressantes pièces précolombiennes, égyptiennes, grecques et romaines, l'une des plus riches collections d'art islamique du monde. Complétées par des objets d'art, les expositions de peintures et de sculptures européennes et américaines, du Moyen Âge à l'époque contemporaine, comptent de nombreux chefs-d'œuvre. Le musée présente aussi une magnifique collection de costumes et de textiles et de grandes expositions temporaires.

Madeleine à la chandelle (1630-1635) de Georges de La Tour

ART AMÉRICAIN

La collection de peintures illustre l'évolution de l'art américain du XVIIIe siècle à la Deuxième Guerre mondiale. *Portrait of a Lady* (1771) de John Singleton Copley et *Cymon and Iphigenia* (1773) de Benjamin West restent marqués par l'Europe, mais des artistes comme Edwin Church (1826-1900), Winslow Homer (1836-1910) et Thomas Moran (1837-1926) abordent les paysages avec un regard nouveau. Des œuvres telles que *Mother about to Wash her Sleepy Child (p. 110)* de Mary Cassatt et *Avenue of the Allies* (1918) de Childe Hassam témoignent de l'impact de l'impressionnisme aux U. S. A. *Jour des fleurs (p. 110)* de Diego Rivera fait partie de la collection latino-américaine.

Les exemples d'arts décoratifs vont de meubles Chippendale à des lampes de Louis C. Tiffany (1848-1933).

Monument à Balzac par Auguste Rodin (1840-1917)

PEINTURE, SCULPTURE ET ARTS DÉCORATIFS EUROPÉENS

Les œuvres les plus anciennes de cette collection remontent au XIIe siècle. Au style gothique, auquel appartient encore *L'Annonciation* (1388) du Siennois Bartolo di Fredi, succède la Renaissance,

tournant majeur de l'art occidental. Le réalisme s'affirme alors comme le montrent des portraits par les Allemands Lucas Cranach l'Ancien (1472-1553) et Hans Holbein le Jeune (1497-1543), et des scènes religieuses des Italiens Fra Bartolommeo (1472-1517) et Titien (v. 1490-1576).

La Résurrection de Lazare (v. 1630) par Rembrandt et *Andromède Enchaînée* (1637-1638) d'Antoine Van Dyck témoignent de la maîtrise des peintres hollandais et flamands du XVIIe siècle, époque où Guido Reni peignit le *Portrait du cardinal Roberto Ubaldino* (avant 1625) et Georges de La Tour la magnifique *Madeleine à la chandelle* (1630-1635).

Les écoles françaises du XVIIIe et du XIXe siècles sont également bien représentées avec notamment des tableaux d'Eugène Delacroix (1798-1863) et Camille Corot (1796-1875). La collection de sculptures comprend plus de quarante Rodin.

Exposées au Hammer Building, les œuvres impressionnistes et post-impressionnistes, notamment d'Auguste Renoir (1841-1919), Vincent Van Gogh (1853-1890) et Paul Cézanne (1839-1906), comptent parmi leurs fleurons *Dans les bois de Giverny (p. 110)* de Claude Monet et un *Double Portrait des sœurs Bellelli* (1862-1864) par Degas.

Une aiguière vénitienne parée d'émail et d'or vers 1500 et une porcelaine de Limoges du XVIe siècle représentant Psyché et Cupidon font partie des plus beaux objets d'art.

The Cotton Pickers (1876) par Winslow Homer

ART MODERNE ET CONTEMPORAIN

L'exposition de l'Anderson Building offre des exemples de tous les principaux courants de l'art du XXᵉ siècle. Le premier étage présente des œuvres exécutées entre 1900 et 1970 telles que le *Portrait de Sébastien Juner Vidal* (1903) de Picasso et *La Trahison des images (p. 66)* de Magritte. Des travaux des groupes Die Brücke (le Pont) et Der Blaue Reiter (le Cavalier bleu) illustrent bien la démarche des expressionnistes allemands.

Au rez-de-chaussée, les peintures, sculptures et installations d'après 1970 comprennent *Mulholland Drive (p. 111)* de David Hockney.

PHOTOGRAPHIES, GRAVURES ET DESSINS

L'exceptionnelle collection de photographies du LACMA retrace l'évolution de ce médium depuis les daguerréotypes du début du XIXᵉ siècle. Richesse des textures et sensualité caractérisent les clichés d'Edward Weston (1886-1958).

Le musée possède également plus de 30 000 dessins et gravures, dont la Robert Gore Rifkind Collection consacrée à l'expressionnisme allemand avec des œuvres telles qu'*Enfant debout* (1910), estampe d'Erick Heckel.

ANTIQUITÉS ET ART ISLAMIQUE

Exposées dans l'Ahmanson Gallery, les antiquités comprennent notamment des sculptures grecques et romaines, des reliefs en albâtre provenant d'un palais assyrien du IXᵉ siècle av. J.-C., un rare bronze égyptien de la 25ᵉ dynastie et de délicates œuvres iraniennes dont certaines datent de 3000 av. J.-C. Spécialement riche en pièces turques et persannes, la collection d'art islamique couvre une période de près de 1 400 ans.

Les objets précolombiens proviennent du Pérou et d'Amérique centrale. Retrouvé au Mexique, le *Guerrier debout* (100 av. J.-C.–300 apr. J.-C.) est la plus grande effigie connue de ce type.

ART DE L'INDE ET DE L'ASIE DU SUD-EST

Particulièrement riche en œuvres indiennes, depuis de magnifiques statues jusqu'à de délicates miniatures, cette collection compte plus de 5 000 pièces, dont les plus anciennes datent du IIIᵉ siècle av. J.-C. À découvrir également : des manuscrits et *thankas* (peintures sur tissu) tibétains et népalais et des sculptures de bronze et de pierre provenant d'Indonésie, de Thaïlande, du Sri Lanka, du Cambodge et de Birmanie.

Couple d'officiels de la période **Tang (618-907)**

ART EXTRÊME-ORIENTAL

Ce département présente des céramiques, des sculptures, des paravents et des rouleaux peints de Chine, du Japon et de Corée. Son fleuron, l'exceptionnelle Shin'enkan Collection, est exposée dans le Pavilion for Japanese Art. Elle réunit quelque 200 paravents et rouleaux peints de la période Edo (1615-1868). Les derniers comprennent de magnifiques chefs-d'œuvre tels que *Coq, poule et hortensia* (XVIIIᵉ siècle) de Ito Jakuchu et *Coquillages et prunes* (XIXᵉ siècle) de Suzuki Kiitsu. La Bushell Collection de *netsukes* (chevilles sculptées), de céramiques, de sculptures et d'estampes est, elle aussi, remarquable.

COSTUMES ET TEXTILES

Véritable encyclopédie de l'habillement et du tissage, ce département possède environ 55 000 pièces produites par plus de 300 cultures. Parmi les plus anciennes figurent des linceuls brodés péruviens (100 av. J.-C.) et une tunique copte du Vᵉ siècle. À ne pas manquer non plus : le tapis « Ardabil » (1540), nommé d'après le sanctuaire du nord-ouest de l'Iran pour lequel il fut commandé ; une dalmatique hollandaise de 1570 ; une robe française du XVIIᵉ siècle brodée d'or et d'argent et un manteau impérial chinois du XVIIIᵉ siècle.

Dunes, Oceano (1936) par Edward Weston

Miracle Mile **⓮**

Wilshire Blvd entre La Brea et Fairfax Aves. **Plan** 7 D4. ℹ️ *685 S Figueroa St (213) 689-8822, 6801 Hollywood Blvd (323) 467-6412.*

En 1920, le promoteur A. W. Ross acheta sept hectares de terrain bordant Wilshire Boulevard et aménagea une zone commerciale visant la clientèle des riches familles de l'Hancock Park. Avec ses édifices Art déco et Streamline Moderne, ses trottoirs confortables, sa rue élargie pour les voitures et ses parcs de stationnement, elle attira bientôt en foule des acheteurs du centre-ville, marquant le début de la décentralisation de Los Angeles.

Jalonné d'épiceries au service de diverses communautés ethniques, le Miracle Mile ne présente toutefois plus qu'un pâle reflet de ce qu'il fut. À l'est subsistent quelques vestiges Streamline Moderne comme le petit bâtiment du nº 5209, version miniature de la Richfield Tower qui se dressait à Downtown.

La partie occidentale a connu un meilleur sort. À l'angle de Fairfax Avenue, l'immeuble de la May Company comprend une tour ornée de dorures et de mosaïques qui ressemble à un flacon de parfum géant. Ses cinq musées, dont le LACMA *(p. 110-113),* valent au quartier d'avoir pris le surnom de Museum Row.

Tour dorée de l'immeuble de la May Company sur Wilshire Blvd

Roadster Duesenberg Model J de 1932 au Petersen Automotive Museum

Petersen Automotive Museum **⓯**

6060 Wilshire Blvd. **Plan** 7 D4. 📞 *(323) 937-4230.* 🕐 *de 10 h à 18 h du mar. au dim.* ⬤ *1ᵉʳ jan., Thanksgiving, 25 déc.* 🏷️ ♿ 🎥 📷 🌐 *www.petersen.org*

Ce musée inauguré en 1994 ravira tous les amoureux de belles américaines. Des dioramas et des expositions temporaires illustrent l'évolution de la culture automobile des États-Unis *(p. 190-191).* Plus de 200 véhicules sont présentés en permanence, certains dans des décors élaborés comme un Ford T de 1922 apparaissant dans une scène d'un film de Laurel et Hardy et trois magnifiques voitures de collection placées dans une rue des années 1920 reconstituée.

À voir également : un garage des années 1920, un magasin d'exposition des années 1930 dont l'opulence défiait la dépression et un restaurant drive-in des années 1950.

À l'étage, cinq galeries regorgent de véhicules de tous genres, depuis les motos et les *hot rods* (voitures gonflées) jusqu'à une Cadillac de 1953 ayant appartenu à Rita Hayworth et une Mercedes Benz de Clark Gable.

The Improv **⓰**

8162 Melrose Ave. **Plan** 8 B2. 📞 *(323) 651-2583.* 🕐 *à partir de 20 h lun. et mar. ; 20 h 30 et 22 h sam. et dim.* 🏷️ ♿ 🎥 🌐 *www.improv.com*

Créé en 1975, The Improv est aujourd'hui connu dans le monde entier. Des célébrités, telles que Jay Leno, Richard Lewis ou encore Damon Wayans se produisent régulièrement dans ce « café-théâtre ». Presque tous les jeudis, on y retrouve Drew Carey et ses partenaires du Drew Carey Show. The Improv est également un bon endroit pour découvrir de nouveaux talents. Chaque personne doit consommer au moins deux boissons au bar. Vous pouvez dîner dans la salle de spectacle ou dans le restaurant du club, qui propose des spécialités italiennes. Ce club étant très fréquenté, il est conseillé de réserver un ou deux jours à l'avance.

Le comédien populaire Drew Carey à l'Improv club

George C. Page Museum of La Brea Discoveries **⓱**

5801 Wilshire Blvd. **Plan** 7 E4. 📞 *(213) 934-7243.* 🕐 *de 9 h 30 à 17 h t.l.j.* ⬤ *1ᵉʳ jan., Thanksgiving, 4 juil., 25 déc.* 🏷️ *gratuit le 1ᵉʳ mardi du mois.* ♿ 🎥 📷

Ce musée ouvert en 1976 possède une collection de plus d'un million de fossiles découverts dans les puits de bitume de La Brea. Ces pièges naturels ont conservé les restes de plus

LES FOSSES DE BITUME DE LA BREA

Le bitume des La Brea Tar Pits se forma il y a environ 42 000 ans. Les animaux qui venaient boire l'eau dans les fosses se retrouvaient pris au piège. Engloutis, leurs os se fossilisaient.

Pendant des siècles, les Indiens Gabrielino utilisèrent le goudron pour rendre étanches leurs paniers et leurs bateaux. Plus tard, les colons espagnols et mexicains en enduisirent leurs toits. En 1906, des géologues dégagent les premiers fossiles du site, le plus riche en vestiges du pléistocène jamais découvert. Le terrain est cédé au comté en 1916.

Maquettes représentant les animaux englués

de 200 espèces d'oiseaux, dont certains sont vieux de 42 000 ans, de reptiles, de plantes, d'insectes et de mammifères tels que des tigres à dents de sabre (smilodons) *(p. 40)*, des lions américains et le mammouth impérial. Plus de 400 crânes de loups montrent l'étendue des variations qui peuvent intervenir dans une même espèce. Un hologramme prête chair au seul squelette humain retrouvé, celui de la femme de La Brea qui vécut il y a environ 9 000 ans.

En été, les visiteurs peuvent voir les paléontologistes au travail au puits 91, le plus riche. À l'intérieur du musée, un mur vitré donnant sur un laboratoire permet d'observer le nettoyage, l'identification et le classement des fossiles.

Craft and Folk Art Museum ⓲

5814 Wilshire Blvd. **Plan** 7 E4. *(323) 937-4230.* ◯ de 11 h à 17 h du mer. au dim. ● 1er jan., Thanksgiving, 25 déc. 🖼 ✔ Mer. 🔲 W www.cafam.org

Ce musée d'artisanat et d'art populaire possède une collection de plus de 3 000 pièces du monde entier allant de masques africains jusqu'à du mobilier contemporain en passant par des édredons du XIXe siècle. Elle comprend une belle sélection de créations mexicaines en papier mâché de la famille Linares.

Le musée propose des expositions sur des thèmes tels que les jouets, la verrerie ou les textiles et organise en octobre dans l'Hancock Park voisin le festival international des masques.

Masque africain au Craft Museum

Wiltern Theatre ⓳

3790 Wilshire Blvd. **Plan** 9 D4. *(213) 380-5005.* ◯ Représentations uniquement. 🖼 ♿ ✔

Ancien cinéma construit en 1931 et restauré en 1985, le Wiltern Theatre accueille maintenant des spectacles vivants. Un plaquage en terre cuite turquoise orne sa tour et ses ailes Art déco. Le motif en rayons de soleil de la marquise de l'entrée principale se retrouve dans la salle au plafond décoré de gratte-ciel en bas-relief. Mais pour découvrir l'intérieur du Wiltern Theatre, il faut acheter sa place pour un spectacle.

Squelette de mammouth au George C. Page Museum

DOWNTOWN LOS ANGELES

Cité tentaculaire qui était encore considérée comme un trou perdu il y a à peine plus d'un siècle, Los Angeles tire son origine d'El Pueblo où l'Old Plaza Church et l'Avila Adobe, dont on a reconstitué l'intérieur espagnol, entretiennent le souvenir de l'époque où *rancheros* et *señoras* arpentaient ces rues pavées aujourd'hui dominées par des gratte-ciel. Au nord d'El Pueblo se dessine Chinatown. Au sud, Little Tokyo reste le pôle de la plus importante

Détail du Fine Arts Building dans West 7th Street

communauté nippo-américaine du continent. Le quartier des affaires de Downtown a pour centre Bunker Hill, une ancienne zone résidentielle où vivait l'élite victorienne de la ville. Aujourd'hui, de hautes tours de bureaux, telles celles du First Interstate World Center et du Wells Fargo Center, dominent le paysage. La culture y a toutefois aussi sa place avec le Museum of Contemporary Art (MOCA), le Music Center et la Los Angeles Central Library.

DOWNTOWN D'UN COUP D'ŒIL

Quartiers et bâtiments historiques
Angels Flight ❷
Bradbury Building ❹
Chinatown ❽
El Pueblo p. 122-123 ❼
Grand Central Market ❸
Little Tokyo ⓭
Los Angeles Central Library ❶
Los Angeles City Hall ⓫
Union Station ❾

Musées
Geffen Contemporary at MOCA ⓬
Japanese American National Museum ⓮
Los Angeles Children's Museum ❿
Museum of Contemporary Art ❺

Centre culturel
Music Center ❻

COMMENT Y ALLER
En métro, la Red Line dessert les stations 7th Street/ Metro Center, Pershing Square, Civic Center et Union Station, la Blue Line relie Long Beach et 7th Street/Metro Center. Des bus DASH desservent également le quartier.

0 — 500 m

LÉGENDE

☐ Plan pas à pas *Voir p. 118-119*

☐ Plan pas à pas *Voir p. 122-123*

🚆 Gare Amtrak

Ⓜ Station de la Metro Red Line

Ⓜ Station de la Metro Blue Line

◁ **Le Wells Fargo Center**

Le Business District pas à pas

Relief du Biltmore Hotel

L'expansion de Los Angeles vers l'ouest et l'océan au XXᵉ siècle avait relégué Downtown à un rôle secondaire dans la vie de la cité. Cette période est révolue. Le centre des affaires qui s'est développé autour de Flower Street lui a rendu son dynamisme et touristes et Angelenos se pressent sur ses trottoirs au pied des hauts gratte-ciel, tel le Wells Fargo Center, abritant les sièges des grands organismes bancaires californiens. Cette renaissance se poursuit plus à l'est où prospère le commerce de gros de bijoux, de jouets, de vêtements et d'aliments. L'élan donné par des institutions comme le Museum of Contemporary Art (MOCA), le Music Center et la Los Angeles Central Library a engendré un environnement culturel animé qui a fait revenir les citadins dans le centre-ville.

Le Westin Bonaventure Hotel possède des ascenseurs extérieurs offrant une vue panoramique aux clients en route vers le bar *(p. 510)*.

Le First Interstate World Center, gratte-ciel de 73 étages dessiné en 1992 par I. M. Pei, est le plus haut bâtiment de Los Angeles (310 m).

Fine Arts Building

7th Street/ Metro Center

0   100 m

SOUTH FLOWER STREET

SOUTH HOPE STREET

WEST SIXTH STREET

WEST SEVENTH STREET

★ La Los Angeles Central Library
Récemment agrandie, cette bibliothèque est ornée de reliefs et d'inscriptions ayant pour thème la « lumière du savoir » ❶

L'Oviatt Building (1925) est un édifice Art déco auquel travailla le verrier René Lalique.

Le Biltmore Hotel est l'un des hôtels les plus luxueux de L. A. depuis 1923 *(p. 509)*.

★ Le Museum of Contemporary Art
Sur la California Plaza, le bâtiment du MOCA suscita de vives louanges à son inauguration en 1986. La collection donne un aperçu audacieux de l'art contemporain **5**

CARTE DE SITUATION
Voir l'atlas des rues, plan 11

Le Wells Fargo Center
abrite un musée *(p. 304)*. Les œuvres d'artistes tels que Jean Dubuffet ornent sa cour de sculptures.

Angels Flight
Ce funiculaire (actuellement fermé) relie South Hill Street à la California Plaza **2**

★ Le Bradbury Building
Ce bâtiment victorien possède l'un des plus beaux atriums de ce style aux U. S. A. **4**

Station de métro Pershing Square

Grand Central Market
Ce marché couvert se trouve au cœur de l'ancien quartier des cinémas **3**

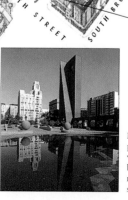

Le Pershing Square, premier parc public de la ville (1866), aujourd'hui bétonné, reste un lieu de rencontre apprécié avec ses statues, ses bancs et ses arbres.

LÉGENDE

— — — Itinéraire conseillé

À NE PAS MANQUER

★ Le Bradbury Building

★ La Los Angeles Central Library

★ Le Museum of Contemporary Art

Façade de la Los Angeles Central Library

Los Angeles Central Library ❶

630 W 5th St. **Plan** 11 D4. 【 *(213) 228-7000.* ◯ *de 10 h à 20 h du lun. au jeu. ; de 10 h à 18 h les ven. et sam. ; de 13 h à 17 h le dim.* ● *jours fériés.* ♿ Ⓦ *www.lapl.org*

C onstruite en 1926, la bibliothèque centrale de Los Angeles fut ravagée par un incendie criminel en 1986 et resta fermée sept ans. Le programme de rénovation coûta 213,9 millions de dollars pour permettre aujourd'hui l'accès à plus de 5 millions de livres, de périodiques et de documents.

Orné de sculptures et d'inscriptions sur le thème de « la lumière du savoir », le bâtiment originel intègre des éléments architecturaux byzantins, égyptiens et romains. Des peintures murales de Dean Cornwell (1892-1960) illustrent dans la rotonde l'histoire de la Californie.

Statue ornant la bibliothèque

Un grand soin a été apporté aux détails dans l'aile neuve (Tom Bradley) comme en témoignent les trois lustres de l'atrium. Créés par Therman Statom, ils représentent les mondes de la nature, de l'éther et de la technologie. Le jardin de la bibliothèque, proche de l'entrée sur Flower Street, offre aux visiteurs fatigués ses bancs ombragés, ses fontaines, ses sculptures et un restaurant.

La Central Library propose un programme varié de lectures, de conférences, de concerts et de représentations théâtrales.

Angels Flight ❷

Entre Grand, Hill, les 3rd et 4th Sts. **Plan** 11 D4. 【 *(213) 626-1901.* ● *Fermé jusqu'à nouvel ordre.*

C onstruit en 1901 et vanté par ses promoteurs comme « la plus courte voie ferrée du monde », le funiculaire d'Angels Flight, long de 96 m entre Hill Street et Bunker Hill, resta pendant près de 70 ans un moyen de transport cher au cœur des Angelenos.

En 1969, Bunker Hill s'était toutefois tellement dégradé que la ville démonta Angels Flight, promettant de le rouvrir après la réhabilitation du quartier. En 1996, quelque 27 ans plus tard, elle tint finalement sa promesse.

Grand Central Market ❸

317 S Broadway. **Plan** 11 E4. 【 *(213) 624-2378.* ◯ *de 9 h à 18 h t.l.j.* ● *1ᵉʳ jan., Thanksgiving, 25 déc.* ♿

L es Angelenos viennent s'approvisionner dans ce marché couvert animé depuis 1917. Il abrite aujourd'hui plus de 40 éventaires aux enseignes et panneaux rédigés presque tous en anglais et en espagnol.

Ils s'adressent en effet à des clients en majorité latino-américains qui viennent s'y procurer des ingrédients exotiques de leurs pays d'origine. Sur les étals de fruits et légumes, harmonieusement agencés, des échantillons gratuits permettent souvent de goûter avant d'acheter. Les poissonniers vendent un vaste choix de produits de la mer pêchés au large de la Californie du Sud. Sur les éventaires de boucherie, têtes de chèvres et abats voisinent avec les pièces de viandes plus communément vendues aux États-Unis. Des herboristes proposent une large gamme de remèdes naturels pour des affections bénignes.

Les visiteurs auxquels les parfums qui flottent dans le Grand Central Market auraient ouvert l'appétit y trouveront de nombreux cafés et stands de plats préparés. Le China Café sert depuis les années 1930 des *chow mein* (spécialités de nouilles) réputés. À la Chapalita Tortilleria, les clients peuvent regarder une machine branlante transformer de la *masa* (pâte de farine de maïs) en tortillas et déguster les échantillons gratuits disposés sur le comptoir. Des étals mexicains tels qu'Ana Maria vendent des *tacos* et des *burritos* farcis de toutes sortes de viandes et de fruits de mer.

Le marché donne sur Broadway, la principale rue commerçante de la communauté hispanique de Los Angeles. Avant la Deuxième Guerre mondiale, elle formait le cœur du quartier des cinémas, mais la plupart ont fermé ou accueillent des rencontres religieuses. Mieux vaut s'y méfier des pickpockets.

Une bonne adresse du marché

Atrium du Bradbury Building

Bradbury Building ❹

304 S Broadway. **Plan** 11 E4.
📞 *(213) 626-1893.* ⏰ *de 9 h à 18 h du lun. au ven. ; de 9 h à 17 h sam. et dim.* ♿ *depuis 3rd St.*

Dessiné par George Herbert Wyman en 1893, le Bradbury Building est l'un des rares édifices victoriens à avoir subsisté à Los Angeles et le seul immeuble de bureaux de la ville reconnu comme un National Historic Landmark. Derrière une façade rouge et dépouillée s'ouvre un atrium extraordinaire avec sa verrière, son entrelacs d'escaliers et de passerelles métalliques, ses boiseries de chêne, ses murs en briques vernissées et ses deux ascenseurs d'époque. Un décor dont Ridley Scott tira notamment parti en tournant *Blade Runner* (1982).

Museum of Contemporary Art ❺

250 S Grand Ave. **Plan** 11 D4.
📞 *(213) 621-2766.* ⏰ *de 11 h à 17 h du mar. au dim. (jusqu'à 20 h le jeu.).* ⏰ *1ᵉʳ jan., 4 juil., Thanksgiving, 25 déc.* 🎫 *gratuit de 17 h à 20 h le jeu.* ♿ 🌐 *www.moca.org*

Le Japonais Arata Isozaki réalisa en 1986 le bâtiment du musée d'Art contemporain (MOCA), classé par l'American Institute of Architects parmi les meilleures réalisations architecturales aux États-Unis. L'édifice joue de volumes géométriques tels que pyramides, cylindres et cubes. Les tons chauds de ses murs en calcaire des villages indiens, qui reposent sur des fondations en granit rouge, créent un agréable contraste avec les surfaces vitrées des gratte-ciel qui l'entourent.

On atteint les sept galeries d'exposition depuis la cour d'entrée par un grand escalier.

Fondé en 1979, le Museum of Contemporary Art a rapidement réuni un ensemble renommé d'œuvres exécutées après 1940 par des artistes tels que Piet Mondrian, Jackson Pollock, Louise Nevelson et Julian Schnabel. Le fond comprend aussi la Panda Collection consacrée au Pop Art et à l'expressionnisme abstrait : 80 œuvres d'artistes comme Robert Rauschenberg, Mark Rothko et Claes Oldenburg. Acquise en 1995, la Freidus Collection retrace à travers 2 100 tirages l'évolution de la photographie documentaire aux États-Unis des années 1940 aux années 1980. Elle inclut des clichés par Diane Arbus et Robert Frank.

Coca Cola Plan (1958) de Robert Rauschenberg

Le MOCA ferme au nord la California Plaza, vaste complexe de 4,5 ha. Celui-ci finança la création du musée, 1,5 % de son budget fut dédié à l'art comme l'impose la législation de Los Angeles. La fontaine spectaculaire ornant le centre de l'esplanade répète son programme synchronisé toutes les 20 minutes. Une vague de plus de 45 mètres cubes en constitue le finale.

Music Center ❻

135 N Grand Ave. **Plan** 11 E3.
📞 *(213) 972-7211.* 🎫 ♿ **Billeterie du Dorothy Chandler Pavilion** ⏰ *de 12 h à 18 h du mar. au sam. ; de 12 h à 16 h le dim.* **Billeterie du Taper Forum et de l'Ahmanson Theatre** ⏰ *de 12 h à 20 h du mar. au dim.* **Billeterie du Walt Disney Concert Hall** ⏰ *de 12 h à 18 h du mar. au dim.* 🌐 *www.musiccenter.org*

Ce centre est l'un des trois plus grands complexes de spectacle des États-Unis. Conçu par l'architecte Frank Gehry, le Walt Disney Concert Hall a été inauguré en 2003. Son impressionnante salle de 2 265 places est le nouveau siège de la Los Angeles Philharmonic Master Chorale. Le Dorothy Chandler Pavilion est le siège du LA Music Center Opera, de la LA Master Chorale et du LA Philharmonic. L'Ahmanson Theater présente des pièces de Broadway et le Mark Taper Forum propose d'excellentes mises en scènes.

Le Walt Disney Concert Hall a été imaginé par l'architecte Frank Gehry

El Pueblo pas à pas 🔞

Statue de Felipe de Neve

Fondé en 1781 par Felipe de Neve, gouverneur espagnol de la Californie, El Pueblo de la Reina de Los Angeles, berceau de la cité, est aujourd'hui un State Historic Monument. Boutiques et éventaires vendent le long d'Olvera Street des vêtements mexicains, des *baraches* (sandales) en cuir, des *piñatas* (animaux en paille) et des en-cas comme les *churros*, une espèce de pain frit. La communauté hispanique de la ville continue toutefois d'y célébrer avec passion des fêtes comme la bénédiction des animaux domestiques, le *Cinco de Mayo* (5 mai), le Mexican Independence Day (13-15 septembre) ou *Las Posadas* (16-24 décembre).

★ L'Old Plaza Church
L'Annonciation *(1981)*, une mosaïque d'Isabel Piczek, orne la façade de la plus vieille église de la ville.

Pico House
Construit en 1870 par le dernier gouverneur mexicain de Californie, Pío Pico, cet édifice Italianate abrita pendant de nombreuses années le meilleur hôtel du quartier.

Site du 1er cimetière de Los Angeles.

NORTH MA

NORTH LOS ANGEL

ARCADIA STREET

Caserne de pompiers

Old Plaza
Une liste des 44 premiers colons et une statue de Felipe de Neve se trouvent près du kiosque à musique.

À NE PAS MANQUER

★ **L'Avila Adobe**

★ **L'Old Plaza Church**

LÉGENDE

  Itinéraire conseillé

CARTE DE SITUATION
Voir l'atlas des rues, plan 11

Tropical America
(1932), fresque de David
Alfaro Siqueiros.

‹ L'Avila Adobe
*a plus ancienne maison
e Los Angeles présente
aspect intérieur qu'elle
urait eu vers 1840.*

**Sepulveda
House**

**Plaza
Methodist
Church**

0   50 m

Chinatown ❽

Plan 11 F2. 🛈 *977 N Broadway,
Suite E (213 617-0396).*

L es Chinois arrivèrent en
Californie pendant la ruée
vers l'or *(p. 44-45)* pour
travailler dans les mines et à
la construction des voies de
chemin de fer. Victimes de
racisme, ils s'établirent en
communautés étroitement
soudées. Créé en 1970 sur
le site actuel de l'Union
Station *(p. 124)*, le premier
Chinatown de Los Angeles
fut déplacé d'un peu plus de
800 m vers le nord pendant
les années 1930. Douze mille
personnes vivent et travaillent
aujourd'hui dans le quartier.

Sur North Broadway, la
porte de l'East Gate ouvre
sur Gin Ling Way et la New
Chinatown Central Plaza.
Dans cette zone piétonnière,
des édifices peints de couleurs
vives abritent sous des toits
de pagode des boutiques
vendant de tout, babioles
bon marché aussi bien
qu'antiquités et délicats bijoux
de jade.

Les rues environnantes ont
moins de caractère, mais
renferment des restaurants
offrant un large éventail de
spécialités chinoises, depuis
les *dim sum (p. 540)* jusqu'aux
plats épicés du Sichuan.

Bien que de moindre
ampleur qu'à San Francisco
(p. 35), parades et danses
marquent aussi en février à
Los Angeles le Nouvel An
chinois.

Olvera Street
*Une campagne
civique menée par
Christine Sterling
sauva dans les
années 1930 cette
rue aujourd'hui
piétonnière.*

**Restaurant couronné d'une
pagode à Chinatown**

La façade de l'Union Station, superbe mariage de divers styles architecturaux

Union Station **❾**

800 N Alameda St. **Plan** 11 F3.
📞 *(213) 683-6979 ; (800) 872-7245.*
🕐 *24 h sur 24.* ♿

D atant de 1939, cette grande gare fut la dernière de ce genre construite aux États-Unis. L'extérieur présente un mélange réussi de styles mauresque, Spanish Mission et Streamline Moderne *(p. 26-28)*. À l'intérieur, les bordures de carreaux des murs, les mosaïques de marbre des sols et les filigranes au-dessus des fenêtres et des portes reprennent des motifs espagnols.

Haut de près de 16 m, le vaste hall évoquera des souvenirs à bien des cinéphiles. Sydney Pollack y tourna *Nos plus belles années* (1973) et Barry Levinson *Bugsy* (1991). Les stars s'y faisaient souvent photographier à leur arrivée à Los Angeles pendant les années 1940. Il règne une ambiance plus calme aujourd'hui malgré des départs quotidiens pour Chicago, Seattle et San Diego.

Los Angeles Children's Museum **❿**

Actuellement fermé pour rénovation et déménagement. Rouvrira en 2007 près de Hansen Dam, dans la San Fernando Valley.
W *www.childrensmuseumla.org*

U n principe a guidé la conception de ce musée, ouvert en 1979 : les enfants apprennent mieux en participant.

Une série de rampes relie vingt attractions interactives. L'architecte Frank Gehry dessina ce « labyrinthe de la découverte ». Les jeunes visiteurs apprécient particulièrement la Videozone où ils peuvent se voir sur écran en train de chanter, de danser ou de raconter des histoires. Dans la Sticky City (la Ville collante), de grands blocs de mousse et de Velcro s'accrochent entre eux, aux murs et même aux constructeurs qui édifient gratte-ciel, montagnes et tunnels. Dans la City Street, les enfants peuvent se prendre pour le conducteur d'un bus ; dans la Grotte des dinosaures, bruits enregistrés et hologrammes les ramènent aux origines de l'homme et même au-delà. Le musée propose un programme régulier d'activités artistiques et d'événements ponctuels.

Los Angeles City Hall **⓫**

200 N Spring St. **Plan** 11 E4. 📞 *(213) 485-2121.* 🕐 *de 8 h à 17 h du lun. au ven.* ● *jours fériés.* ♿ *depuis Main St.* 📷 *réservations obligatoires.*

À sa construction en 1928, on incorpora au mortier de l'hôtel de ville de Los Angeles du sable de tous les comtés de la Californie et de l'eau provenant des 21 missions de l'État. Jusqu'en 1957, cet édifice de 28 étages resta le plus haut de Downtown – tous les autres étant limités à 12 étages. Malgré les gratte-ciel qui l'écrasent de leurs masses aujourd'hui, sa

Entrée du Los Angeles Children's Museum

tour demeure un point de repère familier des Angelenos. La série télévisée *Superman* y situait le lieu de travail de Clark Kent, le journal *Daily Planet*.

À l'intérieur, la rotonde jouit d'une excellente acoustique. À la coupole, huit personnages symbolisent les principales préoccupations de l'institution municipale : éducation, santé, droit, art, service, autorité, protection et confiance.

Les groupes participant à la visite guidée de 45 minutes peuvent monter jusqu'à la plate-forme d'observation de la tour, restaurée après avoir été endommagée en 1994 par le très important tremblement de terre de North Ridge *(p. 53)*. Elle offre une vue panoramique de la ville.

Rotonde du City Hall

Geffen Contemporary at MOCA ⑫

152 N Central Ave. **Plan** 11 F4. ☎ *(213) 621-2766.* ⬤ *de 11 h à 17 h du mar. au dim. (jusqu'à 20 h le jeu.).* ⬤ *1ᵉʳ jan., 4 juil., Thanksgiving, 25 déc.* ▨ *(gratuit le jeu. de 17 h à 20 h)* ♿ ▯ �渭 *www.atmoca.org*

E n 1983, cet ancien garage de police servit d'espace

temporaire d'exposition en attendant l'achèvement du bâtiment du musée d'art contemporain de la California Plaza *(p. 121)*. Son aménagement par Frank Gehry connut un tel succès que l'entrepôt continue d'accueillir des expositions, constamment renouvelées.

Little Tokyo ⑬

Plan 11 E4. 🛈 *244 S San Pedro St. (213 628-2725).*

A ujourd'hui délimité par First Street, Third Street, Los Angeles Street et Alameda Street, le quartier japonais existe depuis 1884. Il a pour centre le Japanese American Cultural and Community Center, au nᵒ 244 South Pedro Street, qui organise des activités et manifestations culturelles telles que la Nisei Week *(p. 33)*. Son théâtre en forme d'éventail, le Japan America Theater, accueille souvent des compagnies japonaises, notamment de kabuki.

Au nᵒ 335 East Second Street, la Japanese Village Plaza s'inspire d'une rue de village japonais avec ses toits de tuiles bleues, ses structures en bois apparentes et ses sentiers agrémentés de plans d'eau et de rochers. Une tour de guet traditionnelle marque l'entrée sur First Street. Des magasins la bordent dont l'Enbun Market, l'un des plus anciens commerces de Little Tokyo, et la confiserie Mikawaya. Donnant dans San Pedro Street, Onizuka Street recèle des boutiques plus chic.

Entrée sur Central Avenue du Japanese American Museum

Japanese American National Museum ⑭

369 E 1st St. **Plan** 11 F4. ☎ *(213) 625-0414.* ⬤ *de 10 h à 17 h du mar. au dim. (jusqu'à 20 h le jeu.).* ⬤ *1ᵉʳ jan., Thanksgiving, 25 déc.* ▨ ♿ ▯ �渭 *www.janm.org*

L 'ancien temple bouddhique Nishi Hongwanji abrite désormais un musée. Son architecte, Edgar Cline, lui donna en 1925 une personnalité double. L'entrée sur First Street ouvre une façade en brique anodine. L'entrée cérémoniale, sur Central Avenue, marie éléments extrême-orientaux et égyptiens avec son auvent en béton inspiré de celui d'une porte d'un temple de Kyoto et les chapiteaux en terre cuite couronnant ses pilastres.

Le musée possède la plus riche collection du monde liée à l'histoire des Nippo-Américains. Beaucoup perdirent toutefois tous leurs biens lors de leur internement pendant la Deuxième Guerre mondiale *(p. 50-51)*, et il s'agit souvent d'objets de la vie quotidienne tels que journaux, bagages et vêtements. Des documents et du mobilier évoquent la détention dans les camps.

Des ateliers et des expositions temporaires proposent des thèmes comme les Issei (premiers immigrants japonais), les camps de concentration en Amérique ou les soldats nippo-américains.

Onizuka Street dans Little Tokyo et tour du Los Angeles City Hall

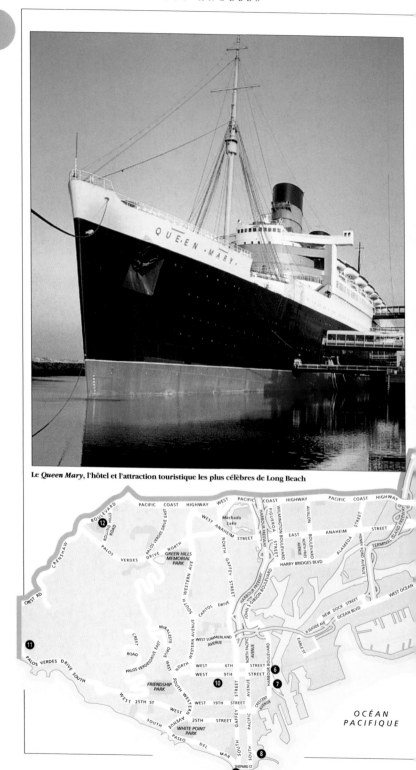

Le *Queen Mary*, l'hôtel et l'attraction touristique les plus célèbres de Long Beach

LONG BEACH ET PALOS VERDES

Il n'y a que l'océan pour unir cette juxtaposition de zones très différentes. Dans la péninsule de Palos Verdes, bordée d'une magnifique côte rocheuse, des résidences de luxe et leurs écuries se nichent dans les collines sous des eucalyptus. Il règne une ambiance beaucoup plus prolétaire au sud-est, à San Pedro, le port de Los Angeles.

Statue au Ports O'Call Village

Il est devenu le premier des États-Unis pour l'import-export, mais la pêche y reste pratiquée. Ville la plus peuplée de la région, et la cinquième de la Californie, Long Beach porte bien son nom de « Longue Plage » avec ses 9 km de sable blanc. Fière de sa tradition portuaire, elle a acquis le célèbre paquebot *Queen Mary* pour en faire une attraction touristique très populaire.

LONG BEACH ET PALOS VERDES D'UN COUP D'ŒIL

Navire historique
Queen Mary p. 130-131 ❺

Villes et quartiers
Long Beach p. 128-129 ❶
Naples ❹
Ports O'Call Village ❼
San Pedro ❿

Bâtiments historiques
Rancho Los Alamitos ❸
Rancho Los Cerritos ❷

Architecture moderne
Wayfarers Chapel ⓫

Parc et jardin
Point Fermin Park ❾
South Coast Botanic Garden ⓬

Musées
Cabrillo Marine Aquarium ❽
Los Angeles Maritime Museum ❻

COMMENT Y ALLER
Outre un dense réseau d'autoroutes, la Metro Blue Line relie Downtown Los Angeles à Long Beach. Une navette gratuite, le Runabout, effectue de fréquents trajets entre le centre de Long Beach, Shoreline Village, le *Queen Mary* et l'embarcadère pour la Catalina Island (p. 232-233). Les cyclistes peuvent emprunter l'Oceanside Bike Path (p. 168) de Long Beach à Naples.

LÉGENDE

Plan pas à pas
Voir p. 128-129

Ⓜ Station de la Metro Blue Line

0   2 km

Long Beach pas à pas ❶

Enseigne au Shoreline Village

Sur fond de palmiers et d'océan, le centre de Long Beach mêle édifices soigneusement restaurés (la ville subit un terrible tremblement de terre en 1933) et gratte-ciel modernes. En son cœur, Pine Avenue conserve le charme provincial qui valut à Long Beach le surnom d'« Iowa-sur-Mer ». Les habitants de l'agglomération viennent s'y détendre, savourer une tasse d'*espresso* ou déguster une des meilleures cuisines de la région. Non loin, le Long Beach Convention and Entertainment Park occupe l'emplacement de l'ancien Pike Amusement Park. Le Terrace Theater y propose désormais concerts et ballets. En bord de mer, les restaurants du Shoreline Village offrent une belle vue sur le *Queen Mary*.

Farmers and Merchants Bank Tower
Édifié en 1922, le premier gratte-ciel de Long Beach possède un beau hall d'époque.

Station de métro Transit Mall

Fresque du Long Beach Municipal Auditorium
Cette peinture murale de 1938 représentant une journée à la plage ornait à l'origine le Municipal Auditorium, bâtiment démoli en 1979 pour laisser place au Terrace Theater.

La Promenade
s'emplit tous les vendredis des étals de fruits et légumes et d'artisanat du marché fermier de Long Beach.

L'Ocean Center Building
(1929) marquait le début de la « Promenade des Mille Lumières » du Pike Amusement Park.

LÉGENDE

– – – Itinéraire conseillé

À NE PAS MANQUER

★ Pine Avenue

★ Le Shoreline Village

★ Pine Avenue
Dans Pine Avenue, cœur du downtown de Long Beach, certains des boutiques, cafés et restaurants occupent des édifices historiques comme le Masonic Temple (1903) du n° 230.

CARTE DE SITUATION

Convention and Entertainment Center
Récemment agrandi, ce complexe comprend le Terrace Theater, siège de l'orchestre symphonique et de l'opéra de Long Beach.

Station de métro 1st Street

The Breakers (1925), un ancien hôtel, abrite désormais des personnes âgées.

Planet Ocean (1992)
La plus grande peinture murale du monde, Planet Ocean, *fait évoluer des créatures marines grandeur nature sur les 11 000 m² du mur de la Long Beach Arena.*

Le Hyatt Regency Hotel
jouxte le Convention Center *(p. 511)*.

★ **Le Shoreline Village**
Ce centre commercial riche en restaurants recèle un carrousel Looff de 1906 et offre de beaux points de vue sur le Queen Mary (p. 130-131).

Le voilier *Californian*
propose courtes ou longues croisières depuis le Shoreline Village.

0   200 m

Rancho Los Cerritos ❷

4600 Virginia Rd. 📞 *(562) 570-1755.*
🕐 *de 13 h à 17 h du mer. au dim.* ⬤
*1ᵉʳ jan., dim. de Pâques, Thanksgiving,
25 déc.* ♿ ✅ *à 13 h, 14 h, 15 h et
16 h les sam. et dim. seulement.*

L e Rancho Los Cerritos
faisait jadis partie d'une
concession de 121 400 ha
accordée entre 1784 et 1790 à
un soldat espagnol, Manuel
Nieto. La Mission San Gabriel
en récupéra près de la moitié
et les enfants de Nieto
héritèrent du reste à sa mort
en 1804. En 1834, la propriété
fut partagée en cinq ranchs.
    John Temple acheta Los
Cerritos en 1844 et édifia la
demeure en adobe, mais des
sécheresses successives, dans
les années 1860, l'amenèrent

à vendre à la firme Flint,
Bixby & Co. Celle-ci céda la
majeure partie du terrain,
mais la maison et les 2 ha qui
l'entourent restèrent dans la
famille Bixby jusqu'à leur
achat en 1955 par la ville de
Long Beach.
    Devenu un musée, le
Rancho Los Cerritos, de style
Monterey *(p. 26)*, est meublé
comme dans les années 1870.

Rancho Los Alamitos ❸

6400 Bixby Hill Rd. 📞 *(562) 431-3541.*
🕐 *de 13 h à 17 h du mer. au dim.* ⬤
*1ᵉʳ jan., dim. de Pâques, Thanksgiving,
25 déc.* **Contribution.** ♿ ✅

S ur une mesa habitée depuis
l'an 500, le Rancho Los
Alamitos faisait partie en 1790
de la concession de Manuel

**Le Cactus Garden du Rancho Los
Alamitos**

Nieto. Construite en 1806, la
maison est une des plus
anciennes de la Californie du
Sud. Elle changea souvent de
mains au XIXᵉ siècle jusqu'à

Queen Mary ❺

Pier J, 1126 Queens Hwy. **Carte
routière,** encadré A. 📞 *(562) 435-
3511.* 🕐 *de 10 h à 16 h 30 du lun.
au jeu. ; de 10 h à 17 h les ven. et
sam.* 📷 ♿ ✅ *Voir **Hébergement**
p. 511 et **Restaurants** p. 547.*
🌐 *www.queenmary.com*

N ommé d'après l'épouse du
roi George V, le plus
grand paquebot du monde,
long de 310 m, fit sa première
traversée le 27 mai 1936. Joyau
de la Cunard White Star Line, il
effectua ensuite des navettes
régulières entre Southampton,
en Angleterre, et New York.
    Les deuxième et troisième
classes, bien qu'exiguës

***Royal Jubilee Week, 1935** par A. R. Thomson,
au-dessus du bar de l'Observation Lounge*

comparées au luxe de la
première, étaient considérées
comme spacieuses et chic.

Le *Queen Mary*
mettait cinq jours à
traverser
l'Atlantique,
transportant
3 000 passagers et
membres
d'équipage. Ils
disposaient de
deux piscines, de
deux chapelles,
d'une synagogue,
d'un gymnase, d'une
salle de bal et de
salles de jeu pour les enfants.
    De 1939 à 1946, le navire,
rebaptisé *Grey Ghost* (Fantôme

Sir Winston's
Piano Bar

Queen's Salon

Chelsea Restaurant

Royal
Salon

Sir Winston's
Restaurant

Chapelle des
mariages

Britannia Salon

Verandah Grill

Grand Salon

son achat en 1881 par la famille Bixby. Fred et Florence Bixby s'y installèrent en 1906 et commencèrent à aménager la demeure et le jardin.

Donné en 1968 à la ville de Long Beach pour abriter un centre historique et éducatif, le ranch est resté meublé comme dans les années 1920-1930. Élégant, le parc offre un exemple rare de jardin de pionniers.

Naples ❹

Carte routière, encadré A. 🚌 *Long Beach.* 🛈 *One World Trade Center, Suite 300 (562 436-3645).* **Gondola Getaway** *5437 E Ocean Blvd (562 433-9595).* Ⓦ *www.gondo.net*

En 1903, le promoteur Arthur Parson commença à construire sa propre version de la ville italienne de Naples sans hésiter à améliorer le modèle original en perçant des canaux enjambés par de petits ponts.

Tenant compte des erreurs commises par Abbot Kinney à Venice *(p. 76)*, il conçut toutefois le réseau de voies navigables de manière à ce que les courants et les marées de l'océan Pacifique les gardent propres.

Achevée dans les années 1920, la plus agréable des zones résidentielles de Long Beach s'étend sur trois îles au milieu de l'Alamitos Bay. Au cœur de Naples, le canal le plus large, le Rivo Alto Canal, entoure le Colonnade Park.

Bateaux amarrés à des jetées privées sur un canal de la ville résidentielle de Naples

Un mélange éclectique de maisons en bardeaux, victoriennes, ou de style Mission Revival ou Arts and Crafts *(p. 26-29)* borde les rues sinueuses. On peut aussi se promener dans une authentique gondole vénitienne (réservation deux semaines à l'avance auprès de Gondola Getaway).

---

gris), servit au transport de troupes. À la fin de la guerre, ce furent les femmes que les soldats avaient épousées et leurs enfants, plus de 22 000 en tout, qui l'utilisèrent pour rejoindre les États-Unis dans le cadre de l'« Operation Diaper » (Opération Couche).

Acheté en 1967 par la ville de Long Beach, après 1 001 traversées, le *Queen Mary* reste désormais à

Détail de la décoration du Grand salon

quai et sert d'hôtel et d'attraction touristique. Les visiteurs peuvent ainsi découvrir la salle des machines originelle, celle des commandes, des cabines et une exposition sur le rôle du *Queen Mary* pendant la dernière guerre. Il a conservé une grande partie de son décor Art déco créé par plus de 30 artistes.

Gouvernails en laiton dans la timonerie du *Queen Mary*

Station de radio amateur W6R0

Timonerie du pont

Nid de pie

Quartiers des officiers

QUEEN MARY

Promenade Café   Piccadilly Circus   Observation Lounge

Moment de détente sur Rodondo Beach, Los Angeles *(p. 62)* ▷

Los Angeles Maritime Museum ❻

Berth 84, 6th St, San Pedro. **Carte routière**, encadré A. 🕿 *(310) 548-7618.* ◯ *de 10 h à 17 h du mar. au sam ; de 12 h à 17 h le dim.* ⬤ *Dim. de Pâques, Thanksgiving, 25 déc.* **Contribution.** ♿ 🅦 *www.lamaritimemuseum.org*

I nstallé dans un terminal de ferries restauré, le musée maritime de Los Angeles présente un ensemble de peintures et d'objets liés à la navigation, tels qu'une figure de proue représentant la reine Victoria et une collection de maquettes comprenant une réplique de 5,5 m du *Titanic*. À voir également : la proue et le pont du croiseur *USS Los Angeles*. Le dock du musée renferme des bateaux de pêche de Monterey datant du début du siècle.

La reine Victoria en figure de proue

Ports O'Call Village ❼

Berth 77, San Pedro. **Carte routière**, encadré A. 🕿 *(310) 732-7696.* ◯ *de 11 h à 21 h du dim. au jeu. ; de 11 h à 20 h les ven. et sam.*

C e centre commercial juxtapose des styles architecturaux très différents :

Scène de rue dans le pittoresque Ports O'Call Village

village de pêcheurs de la Nouvelle-Angleterre, port méditerranéen ou ville mexicaine. Des allées pavées, où se produisent en été des artistes de rue, relient les 75 magasins et 15 restaurants du Ports O'Call Village. Plusieurs pêcheries les alimentent en poisson frais.

Les visiteurs peuvent regarder passer cargos et paquebots depuis la promenade en bois du quai. Des visites en bateau permettent également de découvrir l'arrière-port, le poste de gendarmerie maritime, le port de plaisance et les opérations de transbordement. Des excursions à la Catalina Island *(p. 232-233)* et, en hiver, d'observation de baleines sont également proposées.

Cabrillo Marine Aquarium ❽

3720 Stephen White Drive, San Pedro. **Carte routière**, encadré A. 🕿 *(310) 548-7562.* ◯ *de 12 h à 17 h du mar. au ven. ; de 10 h à 17 h les sam. et dim.* ⬤ *Thanksgiving, 25 déc.* ♿ *stationnement seulement.* ♿ 🅦 *www.cabrioaq.org*

D essiné par l'architecte Frank Gehry, le Cabrillo Marine Aquarium abrite dans 38 aquariums une riche collection d'espèces marines de la Californie du Sud. Requins, murènes et raies ravissent chaque année des milliers de visiteurs. Didactique, la présentation est organisée en fonction de trois environnements : côtes rocheuses ; sable et laisse ; haute mer. Elle permet de se familiariser avec la faune et la flore typiques de la région.

Le bassin en plein air où l'on peut toucher des oursins et des holothuries, des anémones et des étoiles de mer connaît un grand succès auprès des enfants. Il est également possible d'observer une vague par en dessous. Une exposition illustre les effets des activités humaines sur le milieu marin du port de Los Angeles.

Le phare de Point Fermin (1874) magnifiquement conservé

Point Fermin Park ❾

Gaffey St & Paseo del Mar, San Pedro. **Carte routière**, encadré A. 🕿 *(310) 548-7756 (310 832-4444 pour l'observation des baleines de déc. à avril).* ◯ *t.l.j.*

C e parc de 15 ha s'étend sur un promontoire dominant l'océan d'où il est possible, entre janvier et mars, d'apercevoir au large des baleines grises en cours de migration. Par temps clair, la vue porte jusqu'à la Catalina Island. De style victorien, le phare date de 1874. Les briques et le bois qui servirent à sa construction durent franchir le Cap Horn. Un projecteur électrique remplaça en 1925 ses lampes à pétrole qui avaient une puissance d'environ 2 100 bougies.

San Pedro ❿

Carte routière, encadré A. ✈ *LAX, 24 km au nord-ouest de San Pedro.* 🚌 *MTA.* 🛈 *390 W 7th St (310 832-7272).*

L e Worldport LA de San Pedro est devenu le plus important port d'import-export des États-Unis grâce aux échanges avec les pays du Pacifique. Les maisons paraissent petites comparées à celles de Palos Verdes, mais la ville conserve une atmosphère marquée par l'Europe de l'Est et la Méditerranée. La pêche y reste une activité familiale.

Korean Friendship Bell de l'Angels Gate Park de San Pedro

L'Angels Gate Park, au bout de Gaffey Street, abrite une Korean Friendship Bell (Cloche de l'Amitié) offerte par la Corée du Sud en 1976.

Escalier conduisant à la Wayfarers Chapel

Wayfarers Chapel ⓫

5755 Palos Verdes Drive S, Rancho Palos Verdes. **Carte routière**, encadré A. ☏ *(310) 377-1650.* ◯ *téléphoner (souvent réservée pour des mariages).* **Jardins** ◯ *t.l.j.* ♿ Ⓦ *www.wayfarerschapel.org*

D epuis la rue au-dessous, la chapelle des Voyageurs, perchée sur une colline dominant l'océan, ne laisse voir qu'une fine tour de pierre et de béton surgissant de la verdure. En construisant en 1949 ce sanctuaire enchâssé dans une structure de verre et

de séquoia, son architecte, Lloyd Wright (fils de Frank Lloyd Wright), voulut en faire un lieu de culte inscrit dans la nature. Son charme lui vaut aujourd'hui de servir de cadre à de nombreux mariages.

La congrégation qui entretient la chapelle suit les préceptes d'Emmanuel Swedenborg, grand théologien et mystique suédois du XVIIIᵉ siècle.

South Coast Botanic Garden ⓬

26300 S Crenshaw Blvd, Palos Verdes. **Carte routière**, encadré A. ☏ *(310) 544- 6815.* ◯ *de 9 h à 17 h t.l.j.* ● *25 déc.* ⚐ ♿ ✔

C e jardin de 35 ha qu'agrémentent un lac et un ruisseau s'étend à l'emplacement d'une ancienne

mine de diatomite, une roche formée de débris d'algues, qui servit de décharge entre 1956 et 1960. Les 3 175 000 tonnes de déchets déversés continuent de se décomposer en sous-sol. Capté, le gaz dégagé est utilisé à la production d'électricité.

Modèle de remise en valeur d'un site de décharge, le South Coast Botanic Garden met l'accent sur des plantations résistant à la sécheresse. Il réunit plus de 2 000 espèces de tous les continents.

Celles de l'Herb Garden ont été sélectionnées pour leurs qualités odorantes, médicinales ou culinaires. La roseraie compte plus de 1 600 roses de toutes variétés. Cependant, le site le plus original est sans doute le « jardin des sens » aux plantes choisies pour les plaisirs qu'elles offrent à la vue, à l'odorat ou au toucher.

Le Children's Garden (jardin des enfants) du South Coast Botanic Garden

LA PÉRIPHÉRIE DE DOWNTOWN

*L*e spectacle offert par l'agglomération de Los Angeles depuis ses autoroutes laisse difficilement présager les nombreux trésors qu'elle recèle. Pourtant, des banlieues à quelques kilomètres du centre offrent de bonnes surprises, notamment Pasadena, au charmant quartier ancien, où l'on visite l'excellent Norton Simon Museum et l'Huntington Library, Art Collection and Botanical Gardens.

Au nord-est de Downtown se trouvent les bâtiments historiques de l'Heritage Square Museum, la Lummis House et le Southwest Museum qui possède l'une des plus belles collections d'artisanat indien des États-Unis. Juste au nord d'Hollywood, le vaste Griffith Park permet pique-niques, randonnées et promenades à dos de poney. Il renferme le Los Angeles Zoo, le Griffith Observatory et l'Autry Museum of Western Heritage.

Non loin, les studios d'Universal, l'une des quatre grandes compagnies de production audiovisuelle à s'être installées à Burbank, proposent une visite de leurs décors et un parc d'attractions. Plus au nord, dans la San Fernando Valley, la Mission San Fernando Rey de España, fondée en 1797, rappelle que la colonisation de la région n'a commencé qu'il y a deux siècles.

Au sud de Downtown, le National History Museum of Los Angeles County et le California Museum of Science and Industry font partie, avec les bâtiments majestueux de l'University of Southern California, des principales attractions de l'Exposition Park.

Affronter les virages de Mulholland Drive vous fera découvrir de magnifiques panoramas.

Le paisible jardin japonais des Huntington Botanical Gardens

◁ Monument à la mémoire de grands astronomes devant le Griffith Observatory

À la découverte de la périphérie de Downtown

Découvrir les musées, parcs et bâtiments historiques de la périphérie de Downtown demande un peu d'organisation pour bien user de son temps. L'Heritage Square Museum et le Southwest Museum se visitent aisément sur le chemin de Pasadena. Si les Universal Studios exigent à eux seuls une journée entière, la découverte d'autres studios de Burbank peut être associée à une promenade au Griffith Park (un bon endroit d'où voir l'Hollywood Sign) ou à la Mission San Fernando Rey de España. Un passage matinal au Flower Market mettra les lève-tôt en jambes avant l'ouverture des trois musées de l'Exposition Park.

LES SITES D'UN COUP D'ŒIL

Le Los Angeles Memorial Coliseum et Downtown vus depuis l'Exposition Park

Une vue de la San Fernando Valley depuis Mulholland Drive

San Fernando Valley ❶

Carte routière, encadré A. 🚶
Burbank-Glendale-Pasadena, 32 km
au sud-est de San Fernando. 🚌
MTA. ℹ️ 519 S Brand Blvd, San
Fernando (818 361-1184).

L es Santa Monica Mountains
(p. 58-59) divisent
l'agglomération de Los
Angeles en deux parties
nettement distinctes. Au nord,
la San Fernando Valley
forme une étendue
apparemment sans fin
de villas bien
entretenues,
d'autoroutes et de
centres commerciaux
tels que la Sherman
Oaks Galleria *(p. 166)*.
La pollution de l'air y est
toutefois plus importante
qu'au sud des
montagnes. Il y règne
aussi une chaleur plus
forte en été.

Au XIXᵉ siècle, c'étaient des
ranchs, des orangeraies et des
champs non irrigués qui
occupaient le sol de la San
Fernando Valley. Achevé en
1913, le Los Angeles Aqueduct
(p. 192-193) assura son
approvisionnement en eau et
elle se transforma rapidement
en une banlieue résidentielle.
Plus d'un million de citadins y
vivent aujourd'hui sur une
superficie de 460 km².

D'une magnitude de 6,8 sur
l'échelle de Richter, le séisme
du 17 janvier 1994 *(p. 20-21)*
avait son épicentre dans la
vallée où un tremblement de
terre avait déjà causé de graves
dommages en février 1971.

Mission San Fernando Rey de España ❷

15151 San Fernando Mission Blvd,
Mission Hills. **Carte routière**,
encadré A. 📞 (818) 361-0186. 🕐 de
9 h à 16 h 30 t.l.j. 🚫 Thanksgiving,
25 déc. 💰 ♿ jardins seulement. 📷

F ondée en 1797 et nommée
d'après le roi Ferdinand III
d'Espagne, la 17ᵉ des 21
missions de Californie
(p. 42-43) offre un
aperçu de la forme de
la colonisation
espagnole, les Indiens
convertis vivant et
travaillant avec les
moines pour rendre la
mission autosuffisante,
mais sans avoir le droit
de la quitter. L'église
actuelle est une
réplique exacte de celle
d'origine, détruite par
le séisme de 1971. Le
convento (quartiers
d'habitation) comprend un
portique de 21 arches et reste
le plus grand des bâtiments
des missions encore debout.

Détail de l'autel de la mission

Mulholland Drive ❸

Depuis les highways 1 et 27,
de la Hollywood Fwy à la Leo Carrillo
State Beach. **Plan** 1 C2. ℹ️ Malibu
Chamber of Commerce, 23805 Stuart
Ranch Rd, Ste 100 (310 456-9025).

M ulholland Drive, l'une des
plus célèbres routes de
Los Angeles, sinue pendant
près de 80 km entre le nord
d'Hollywood et la côte de
Malibu. Longeant la crête des
Santa Monica Mountains, elle
offre des vues spectaculaires
sur la ville, la San Fernando
Valley et certaines des plus
luxueuses villas de Los
Angeles. Elle inspira au peintre
David Hockney un tableau
exposé au LACMA *(p. 111)*.

William Mulholland *(p. 192)*
lui donna son nom. Surtout
connu pour son rôle dans la
construction du Los Angeles
Aqueduct, il supervisa
l'achèvement de Mulholland
Drive en 1924.

Burbank ❹

Carte routière, encadré A. 🚶
Burbank-Glendale-Pasadena. 🚌
MTA. ℹ️ 200 W. Magnolia Burbank
(818) 846-3111. Voir **Se distraire
à Los Angeles** p. 164-165.
🌐 www.burbankchamber.com

D epuis que les Universal
Studios *(p. 142-145)* se
sont installés à proximité en
1915, Burbank dispute à
Hollywood le rang de capitale
de l'industrie audiovisuelle en
Californie. Quatre grandes
compagnies y ont leurs
studios aujourd'hui :
Universal, Disney, NBC
Television et Warner Bros.

Ceux de Disney sont fermés

La Mission San Fernando del Rey dans les Mission Hills

Les Warner Bros Studios de Burbank

au public, mais le bâtiment s'aperçoit depuis Alameda Avenue. Dessiné par Michael Graves, il présente une façade dont les sept nains de Blanche Neige portent le fronton *(p. 69)*.

À côté, NBC enregistre en public certaines émissions comme le célèbre *Tonight Show* dont le plateau de tournage, entre autres, peut se découvrir dans le cadre d'une visite de 70 mn. Non loin, près de 3 000 personnes travaillent aux Warner Bros Studios. Une visite guidée de deux heures, en petits groupes de personnes d'au moins huit ans, permet notamment de se promener parmi des décors tels que la réplique d'une rue de New York.

Universal Studios **❺**

Voir p. 142-145.

Hollywood Sign **❻**

Mt Cahuenga, au-dessus d'Hollywood. ℹ *Hollywood Visitors Information Center, 6801 Hollywood Blvd (323) 467-6412.*

Devenu dans le monde entier le symbole de l'industrie cinématographique américaine, l'Hollywood Sign a été classé site historique. Visible à des kilomètres depuis de nombreux points de Los Angeles, il n'est toutefois pas accessible au public, aucun sentier « officiel » ne conduisant au pied des lettres hautes de 13 m.

Érigées en 1923, elles faisaient à l'origine la publicité d'un programme de promotion immobilière, Hollywoodland, mené par l'ancien directeur du *Los Angeles Times* Harry Chandler *(p. 121)*. En 1932, Peg Entwhistle, désespérée de n'avoir pu devenir actrice, se

suicida en sautant du « H ». Les lettres de « land » disparurent en 1949. Près de 30 ans plus tard, des vedettes durent parrainer le remplacement de celles qui restaient, très détériorées, au prix de 27 000 dollars pour chacune d'elles.

Hollyhock House **❼**

4808 Hollywood Blvd. ℂ *(323) 644-6269.* ⬤ *Téléphoner pour plus de renseignements* ☑ *les sam. et dim. (sur r.-v. les mer. et ven.)* W *www.hollyhockhouse.net*

Achevée en 1921, la Hollyhock House fut la première des maisons que l'architecte Frank Lloyd Wright *(p. 29)* dessina à Los Angeles et elle reste l'une des plus connues. Ressemblant à un temple maya, elle offre un bon exemple de l'inspiration qu'il puisa dans les édifices précolombiens. La maison est en rénovation, mais on peut visiter les parties extérieures.

Il la construisit pour Aline Barnsdall dont la famille avait fait fortune dans l'industrie pétrolière et elle demanda que sa fleur favorite, la rose trémière *(hollyhock)*, serve de motif décoratif. Elle apparaît à l'extérieur sous forme de reliefs stylisés ainsi qu'à l'intérieur, par exemple sur les sièges de la salle à manger et sur d'autres pièces de mobilier dessinés par Frank Lloyd Wright. Le Barnsdall Park, don de Aline Barnsdall, est aujourd'hui un jardin public dédié à l'art.

L'Hollywood Sign domine Los Angeles depuis les Hollywood Hills

Les Universal Studios ❺

**Logo des
Universal
Studios**

En 1915, Carl Laemmle acheta ici un élevage de poulets pour y déménager son studio de cinéma alors installé à Hollywood et offrit au public la possibilité d'assister aux tournages pour 25 cents. Les visites cessèrent lorsque l'avènement du parlant, en 1927, imposa le silence sur les plateaux. Elles reprirent en 1964 quand les Universal Studios proposèrent une découverte en tram des coulisses. Le Studio Tour fait découvrir aux visiteurs les lieux de tournage et les décors de cinéma d'Universal. Les animations, de Shrek à la dernière attraction virtuelle, recréent l'univers magique et prestigieux d'Hollywood.

CARTE DE SITUATION

☐ Universal Studios

Le Studio Tour vous fait découvrir plus de 500 décors et façades

DÉCOUVRIR LE PARC

Sur une superficie de 168 ha sont installés les plus grands studios de cinéma et de télévision du monde, ainsi que le plus grand parc à thème. Le complexe est divisé en trois zones : l'**Entertainment Center**, le **Studio Center** et les studios. Dès qu'il franchit la grille d'entrée, le visiteur pénètre dans The Streets of the World, où sont reconstitués différents endroits du monde, du village américain des années cinquante au village européen. Le **Studio Tour** est le seul moyen de voir les principaux lieux de tournage, les décors et les stars. L'Entertainment Center propose plusieurs spectacles impressionnants, comme Spider-man Rocks et Animal Planet Live !. Les deux niveaux

qui accueillent les studios sont reliés par le StarWay, un escalator futuriste. C'est au niveau inférieur que se déroulent la plupart des attractions sensationnelles, comme *Revenge of the Mummy*. L'Universal CityWalk, une longue rue commerçante, abrite plus de 65 lieux de divertissement.

STUDIO TOUR

Le Studio Tour donne aux visiteurs une vision découverte du passé, présent et avenir de l'industrie cinématographique d'Hollywood. Ces derniers se promènent parmi les studios et les décors à bord d'un tram équipé d'un système audiovisuel dernier cri. Des personnalités, comme l'acteur Jason

Alexander ou encore le metteur en scène Ron Howard, décrivent le fonctionnement de l'industrie hollywoodienne. Les plus chanceux pourront assister à un tournage de film dans l'un des studios.

Au cours de cette promenade, les visiteurs rencontrent King Kong et Jaws, vivent l'expérience d'un tremblement de terre, survivent à l'écroulement d'un pont, à une crue subite et à une avalanche. Le tram passe devant le Bates Motel de *Psychose* et Who-ville de *Dr Suess' How The Grinch Stole Christmas*. Les meilleurs moments de la promenade sont le montage Before They Were Stars et la démonstration d'effets spéciaux météorologiques.

Les 35 salles de tournages, décors, caméras, lumières, accessoires et le flot d'actions donnent aux visiteurs un aperçu des réalités et illusions de l'univers du film. Les

---

LES DÉCORS DU BACKLOT

Pendant le Studio Tour, les visiteurs pourront voir les décors de centaines de films et de productions TV, qu'ils reconnaîtront parfois. Dans chaque tram, un LCD à écran plat, un équipement audiovisuel et un lecteur DVD permettent d'identifier chaque décor.

1. Courthouse Square : le décor le plus utilisé (série *Back to the Future*, *To Kill a Mockingbird*, *Batman and Robin*, *Dr Seuss' The Cat in The Hat*).
2. Psycho House / Bates Motel : le décor le plus célèbre (***Psycho***, version originale et remake du film).
3. Who-Ville : des scènes de ville (*Dr Seuss' How the Grinch Stole Christmas*).
4. Denver Street : à une échelle de 7/8ᵉ pour que les acteurs paraissent plus grands (***Winchester'73***, *Babe*).
5. Falls Lake with Backdrop : décor polyvent (***Apollo 13***, ***Charlies's Angel***, *O Brother Where Art You*, *Van Helsing*).

MODE D'EMPLOI

100 Universal City Plaza, Universal City. **Carte routière**, encadré A.
📞 (800) 864-8377. 📠 424.
🕐 de juin à sept. : de 9 h à 20 h t.l.j. ; d'oct. à mai : de 10 h à 18 h t.l.j. ● Thanksgiving, 25 déc. 📷
📷 ♿ 🚻 🍴 🛍 📷 W www.universalstudioshollywood.com

STUDIOS UNIVERSAL D'HOLLYWOOD TICKETS ET CARTES

Entrée générale : tickets pour adultes ou enfants (3-9).
Parking en plus.
1. Hollywood CityPass : entrée pour les studios Universal et pour six autres sites d'Hollywood. Valable 30 jours.
2. Front of Line Pass : valable une journée, priorité pour toutes les attractions et places assises réservées pour tous les spectacles.
3. Celebrity Annual Pass : accès illimité au parc pendant une année (le parc est fermé 30 jours).
4. VIP : entrée, tram privé, visites personnalisées, carte coupe-file et places assises réservées pour tous les spectacles.
5. Southern California Value Pass : entrée aux studios Universal et au Sea World de San Diego. Valable 14 jours.
Pour plus d'informations, appelez 1-800-Universal ou rendez-vous sur le site web.

décors de *The Mummy*, *Earthquake*, *The Big One*, *King Kong* et *Jaws Lake* leur permettent de vivre l'action. Le Tour laisse une impression de déjà-vu au visiteur, qui connaît indirectement la plupart de ces lieux de tournage grâce à la magie du cinéma. Malgré les attractions les plus modernes, le Studio Tour reste fidèle à ce que représentent les Universal Studios.

UNIVERSAL CITYWALK

En 1993, l'architecte américain Jon Jerde a doté cette rue commerçante de façades fantaisistes. Aujourd'hui, avec plus de 30 nouvelles attractions (bars, night-clubs, cinémas, etc.), Universal CityWalk est en passe de devenir la « Mecque du divertissement » en Californie du Sud. Ici, les visiteurs

rencontrent des décors et des situations insolites : ils aperçoivent un joueur de base-ball géant en train de balancer sa batte au dessus d'un magasin de sport ; pour entrer chez le marchand de glace, ils doivent passer sous une voiture décapotable rose encastrée, à l'envers, dans un panneau de Hollywood Freeway, etc.

Jillian's Hi-Life Lanes, une piste bowling multimédia, invite les visiteurs à dépenser leur trop-plein d'énergie.

Le Café Tu Tu Tango offre des tapas et des spectacles de danse et de musique improvisés dans un décor

Une voiture retournée suspendue à l'entrée d'un magasin de CityWalk

reconstituant l'atelier d'un artiste. Au cinéma IMAX 3-D, sur 3 étages, vous assisterez à la projection d'un film renversant ! La course automobile virtuelle NASCAR est un bon antidote contre la tentation des dernières boutiques, restaurants…

Cette spectaculaire excursion dans l'espace fantaisiste et animé de CityWalk est néanmoins le meilleur moment pour acheter des souvenirs d'Hollywood.

À NE PAS MANQUER

★ **Animal Planet Live!**

★ **Studio Tour**

★ **Universal CityWalk**

★ **Terminator II 3-D**

★ **Jurassic Park**

Spots, buildings et attractions spectaculaires à CityWalk

Attractions et effets spéciaux

Les Universal Studios proposent les attractions les plus spectaculaires, agrémentées d'effets spéciaux. Ici, chaque attraction est riche en émotions et sensations. Les visiteurs pourront découvrir la dernière attraction *Revenge of the Mummy – The Ride* et la nouvelle version de Terminator II en 3-D, qui met en scène des monstres encore plus terrifiants. Ils verront King Kong dans la plus grande salle de tournage du monde et auront peut-être la chance d'entrevoir des scènes de tournage en cours. Ici, chaque divertissement est une attraction sensationnelle où le film devient réalité.

Tourner en studio

Une star de Animal Planet Live ! en train de montrer sa patte

ENTERTAINMENT CENTER

L'Entertainment Center renferme des dizaines de boutiques de souvenirs et de restaurants. Huit spectacles s'y inspirent de l'univers du cinéma et de la télévision.

Animal Planet Live !
Des animaux, véritables stars de cette attraction, jouent aux côtés d'humains. Le spectacle introduit des sketchs de la chaîne de TV Animal Planet et des effets multimédias. Un divertissement chaleureux à vivre en famille.

Terminator II 3-D
Ce nouveau spectacle inspiré du film Terminator II est considéré comme la plus innovante attraction du genre au monde.
Arnold Schwarzenegger et les autres acteurs de *Terminator II : Judgment Day* poursuivent leur épopée dans

cette saisissante version 3-D.
Les aventures interactives et les cascades spectaculaires sont projetées sur le plus grand écran 3-D du monde.

WaterWorld - A Live Sea War Spectacular
Le public prend part à l'action de ce spectacle high-tech frissonnant, qui utilise des moyens pyrotechniques : une boule explosive atteignant 15 m de haut. Batailles, cascades extraordinaires et acrobaties en jet-ski se succèdent pendant 16 mn.

Shrek 4D
Cette nouvelle attraction « multi-sensorielle » poursuit les aventures de Shrek dans le « plus grand conte de fées jamais relaté ». Reprenant là où le film de Dream Works s'était arrêté, le deuxième épisode de ses aventures

utilise le procédé révolutionnaire « Ogre Vision »

Back to the Future - The Ride
Installé dans le plus grand cinéma du monde, le public accompagne Doc Brown dans la voiture à voyager dans le temps de *Retour vers le futur*.
Ils poursuivent le diabolique Biff dans l'espoir de sauver l'univers. La voiture traverse le temps, de l'Âge de Glace à l'année 2015. Pendant la traque, les spectateurs pénètrent dans un boyau volcanique, dévalent des falaises de glace… Images, sons et mouvements imprimés au simulateur rendent cette poursuite réaliste.

Détente et plaisir dans la Blast Zone

Nickelodeon Blast Zone
Cet immense espace interactif recrée les dessins animés télévisés pour enfants les plus populaires du Nickelodeon. À ne pas manquer : Nickelodeon Splash !, une aire de savants jeux d'eau, Wild Thornberry's Adventure Temple, une zone

Un public terrifié devant le spectacle Terminator II 3-D

mouvementée dotée de plus de 25 000 boules de mousse couleur lave en fusion, et Nick Jr. Backyard, une attraction amusante et sûre pour les enfants de moins de six ans.

Blues Brothers Show
Ce concert de 20 mn rend hommage au répertoire blues et aux fameuses pitreries des Blues Brothers. Le public participe largement en dansant et en chantant, dans une ambiance parfois teintée d'humour décalé.

Spider-Man Rocks !
A Rock-n-Rock Stunt Show
Ce super-héros des Marvel Comics entre en scène dans une production sophistiquée, bourrée de pyrotechnie, cascades, musique et danse. Le spectacle oppose Peter Parker à son ennemi juré le Green Goblin. Le scénario de cette attraction pour petits et grands comporte des cascades époustouflantes.

Van Helsing : Fortress Dracula
Des centaines d'effets spéciaux tirés du film font pénétrer dans l'univers surnaturel du film. À ne pas manquer : les accessoires et les fragments de décor du film original, la crypte de Dracula et une métamorphose en loup-garou.

STUDIO CENTER

Le StarWay, qui relie les deux niveaux où sont installés les studios, offre des vues spectaculaires.

King Kong, le personnage fétiche des cinéphiles, au Studio Tour

Le Studio Center, au niveau inférieur, propose entre autres trois grandes attractions sensationnelles, qui révèlent les secrets de certains films les plus célèbres.

Bien sûr, vous aurez l'occasion de prendre de nombreuses photos : d'un requin géant de 7 m ou encore de Woody Woodpecker, la mascotte d'Universal. Peut-être même aurez vous la chance de rencontrer Charlie Chaplin, Frankenstein, Dracula, The Mummy ou Marylin Monroe…

Backdraft
Un technicien décrit les effets spéciaux utilisés dans ce film. La reconstitution de la scène finale permet au spectateur de vivre le terrible incendie d'un entrepôt. Les explosions dégagent une chaleur intense et des cendres brûlantes. Attention, l'expérience peut être effrayante pour les jeunes enfants.

Revenge of the Mummy – The Ride
Grâce à l'animatronique la plus avancée jamais inventée, à la robotique et à la technologie futuristes, ces montagnes russes couvertes les plus rapides de Californie proposent un voyage palpitant qui arrache des hurlements aux plus téméraires. L'éclairage passe de la lumière du jour à l'obscurité totale. Ne manquez surtout pas les squelettes guerriers.

Jurassic Park – The Ride

Lucy – A Tribute
Cette exposition est consacrée à Lucille Ball, l'une des plus grandes actrices au monde. Pour cet hommage, le décor de I love Lucy est reconstitué, tout comme le bureau de la maison de Beverly Hills de la star. Les plus mordus pourront même tester leurs connaissances sur Lucille Ball grâce à un jeu interactif.

Logo de Jurassic Park

Jurassic Park – The Ride
Iinspiré de l'un des plus grand films de tous les temps, Jurassic Park–The Ride utilise les moyens informatiques et robotiques les plus sophistiqués. Une excursion de plus de 5 mn entraîne les passagers à toute allure à travers 2,5 ha de végétation exotique. Là, de gigantesques dinosaures tombent nez à nez avec les passagers, tandis qu'un terrifiant Tyrannosaurus rex aux dents aussi tranchantes que des lames de rasoir n'attend qu'une chose : les dévorer. Une glissade de 25 m dans une totale obscurité conclut la promenade.

Le Griffith Park ➑

**Cheval de bois
du carrousel**

Sur un terrain donné à la ville en 1896 par le colonel Griffith J. Griffith, un Gallois qui avait émigré en 1865 aux États-Unis et fait fortune dans la mine et l'immobilier, cet immense parc municipal (1 620 ha) offre au cœur de Los Angeles des collines rocailleuses, des vallées boisées et de vertes prairies. Il renferme le zoo de Los Angeles, plusieurs musées, des aires de pique-nique, et on peut s'y promener à pied ou à dos de cheval sur 85 km de sentiers. Mieux vaut l'éviter la nuit.

Le Griffith Observatory sur le Mount Hollywood

À la découverte du Griffith Park

Situé sur Crystal Springs Drive, le Rangers Visitors' Center propose des cartes situant les aires de pique-nique, les sentiers de randonnée et les pistes cavalières. Deux golfs municipaux de 18 trous s'étendent à l'est du parc et des courts de tennis se trouvent sur Riverside Drive et dans le Vermont Canyon.

Dans les collines, tout près de Griffith Park Drive, on peut enfourcher les 66 chevaux sculptés d'un carrousel de 1926. Depuis les années 1960, des percussionnistes se retrouvent le dimanche de l'autre côté de la rue. Fern Dell, à l'entrée sud, est un joli vallon où court un ruisseau.

🜨 Griffith Observatory

2800 Observatory Rd.
📞 (323) 664-1181. 🗓 planétarium.
⬤ Actuellement fermé pour rénovation jusqu'en juin 2006.
🌐 www.griffithobs.org

Cet observatoire Art déco offre une vue magnifique sur Los Angeles. Il est divisé en trois parties : le Hall of Science, le Planetarium Theatre et les télescopes.

Dans la grande rotonde du Hall of Science, le pendule de Foucault démontre la rotation de la Terre. Hugo Ballin exécuta en 1934 les peintures murales qui se trouvent au-dessus. Des personnages de la mythologie classique ornent la coupole. Huit panneaux rectangulaires illustrent d'importants concepts scientifiques.

Le spectacle du planétarium entraîne les visiteurs dans un voyage à travers le temps et l'espace sous un plafond où apparaissent quelque 9 000 étoiles, planètes et satellites. Par temps clair, le télescope géant est accessible le soir au public.

🏛 Travel Town

5200 W Zoo Drive. 📞 (323) 662-5874 pour la promenade en train.
◔ de 10 h à 16 h du lun. au ven. ; de 10 h à 17 h les sam. et dim. ⬤ 25 déc.

Ce musée des transports en plein air présente entre autres une riche collection de locomotives à vapeur et des voitures de pompiers. Adultes et enfants peuvent monter dans les différents wagons de marchandises et de voyageurs ou faire un tour dans un petit train. Sur Zoo Drive, de puissants trains miniature proposent le week-end des promenades dans les collines.

**Locomotive à vapeur de 1922
exposée à Travel Town**

🎭 Greek Theatre

2700 N Vermont Ave. 📞 (323) 665-1927. ◔ de mai à nov. : de 10 h à 17 h du lun. au ven. 🗓 concerts.

Construit sur le modèle d'un amphithéâtre grec, ce lieu de spectacles en plein air de 6 000 places possède une excellente acoustique. Il accueille en été aussi bien opéras et ballets que concerts de rock. Pensez à prendre un pull, les nuits étant parfois fraîches.

🐾 Los Angeles Zoo

5333 Zoo Drive. 📞 (323) 644-4200. 🕐 de 10 h à 17 h t.l.j. ⬤ 25 déc. ♿ 🌐 www.lazoo.org

Sur 46 hectares vallonnés vivent plus de 1 200 mammifères, reptiles et oiseaux dans des environnements reconstituant leurs habitats naturels. Gorilles, lions, requins ou serpents sont là, bien sûr, mais aussi des espèces plus rares comme le koala, visible dans la Koala House faiblement éclairée pour encourager l'activité de cette créature nocturne.

Flamants du Los Angeles Zoo

Les enfants apprécieront Adventure Island et les nouveau-nés de l'Animal Nursery. Le zoo poursuit un important programme de reproduction d'espèces menacées de disparition. Plusieurs spectacles animaliers s'adressent également à un jeune public.

Équipez-vous pour de longues marches ou utilisez le Safari Shuttle, service de bus à l'intérieur du zoo.

🏛 Autry Museum of Western Heritage

4700 Western Heritage Way (en face du zoo). 📞 (213) 485-5027. 🕐 de 10 h à 17 h du mar. au dim (jusqu'à 20 h ke jeu.). ⬤ Thanksgiving, 25 déc. ♿ (gratuit le 2e jeu. du mois, l'a.-m.). 🌐 www.autry-museum.org

Ce musée évoque l'épopée de la conquête de l'Ouest. Des peintures et des sculptures d'artistes tels qu'Albert Bierstadt et Frederic Remington (p. 24-25) en offrent une image romantique. De nombreux objets et décors font revivre cette époque qui marqua le cinéma. Vêtements et figurines rituelles rappellent la diversité des peuples qui habitaient la région avant les blancs.

Robe sioux en daim

Au Discovery Center, les enfants peuvent jouer dans la réplique d'un ranch du XIXe siècle. Fondé par l'acteur Gene Autry, le « cow-boy chantant », le musée abrite aussi une superbe collection de documents et de souvenirs liés à l'histoire du cinéma et de la télévision.

🐾 Bird Sanctuary

Vermont Canyon Rd (au nord du Greek Theatre). 📞 (323) 913-4688. 🕐 de 10 h à 17 h t.l.j.

Arbres et buissons ont été plantés dans ce canyon abrité pour inciter les oiseaux à y nicher. Vous n'en verrez peut-être pas beaucoup, mais vous les entendrez chanter. Quand la saison le permet, l'eau qui coule dans le ruisseau ajoute à la sérénité de l'endroit.

GRIFFITH PARK

0   1 km

LÉGENDE

ℹ️ Information touristique

Dodger Stadium **9**

1000 Elysian Park Ave (à la hauteur de Stadium Way). **Plan** 11 F1. **C** *(323) 224-1400.* **Billeterie** *(323) 224-1471* ○ *lors d'événements spéciaux seulement.* 🅿️ ♿

Construit en 1962 pour les Dodgers, équipe de Brooklyn qui venait de s'installer à Los Angeles, ce stade de base-ball peut accueillir 56 000 spectateurs. Son architecture permet à chacun d'avoir une vue dégagée sur l'aire de jeu.

Le Dodger Stadium offre aussi une vue magnifique sur la ville. Au sud s'étend Downtown, au nord et à l'est s'élèvent les San Gabriel Mountains. 120 ha de terrain paysager l'entourent, plantés de plus de trois mille arbres tels qu'acacias et eucalyptus.

Hale House de style Queen Anne de l'Heritage Square Museum

Heritage Square Museum **10**

3800 Homer St, Los Angeles. **C** *(626) 449-0193.* ○ *de 12 h à 16 h du ven. au dim.* 🅿️ ♿ 📷 **W** *www.heritagesquaremuseum.com*

Le Cultural Heritage Board a réussi à sauver quelques-uns des édifices victoriens de Los Angeles, pour la plupart démolis au cours du développement de la ville, et les a réunis ici. Construits entre 1865 et 1914, ils comprennent une gare et une église. L'Hale House de style Queen Anne *(p. 27)* a retrouvé ses couleurs d'origine.

Intérieur restauré de la Lummis House (XIXᵉ siècle)

Lummis House **11**

200 East Ave 43, Los Angeles. **C** *(323) 222-0546.* ○ *de 8 h 30 à 17 h du lun. au ven.* **Contribution.** ♿ 📷

Entre 1898 et 1910, Charles Fletcher Lummis (1859-1928) édifia cette maison en grande partie de ses propres mains. Il utilisa du béton et des pierres provenant du lit de la rivière proche. Le bâtiment intègre des éléments indiens, Mission Revival et Arts and Crafts *(p. 27)*, et témoigne de l'ouverture d'esprit d'un homme qui s'affirma toute sa vie comme un penseur indépendant.

Lummis fut rédacteur en chef de journal, écrivain, photographe, artiste et historien. En 1885, il traversa à pied les États-Unis, de l'Ohio à Los Angeles où il s'installa. Il joua un rôle central dans la vie culturelle de la ville à la tête du *Los Angeles Times*. En tant que cofondateur du California Landmark Club, il fit campagne pour la sauvegarde des missions *(p. 42-43)*. Sa collection d'objets indiens servit de point de départ à la constitution du fond du Southwest Museum.

Devenue le siège de l'Historical Society of Southern California, la Lummis House, aussi connue sous le nom d'El Alisal (Lieu du sycomore en espagnol), n'a conservé que peu d'éléments de son mobilier d'origine. Elle abrite néanmoins une magnifique cheminée Art nouveau.

Le jardin, où poussaient jadis légumes et arbres fruitiers, a été remanié en 1985 et planté d'espèces végétales indigènes de la Californie du Sud ou résistantes à la sécheresse.

LES DODGERS

L'équipe de base-ball des Dodgers se forma à Brooklyn, l'un des cinq *boroughs* de New York où ses joueurs s'entraînaient en esquivant *(dodging)* les tramways qui dévalaient les rues de la ville. Après avoir fait, en 1947, la une des journaux en engageant Jackie Robinson, né à Pasadena, le premier Noir à jouer dans les grandes divisions professionnelles, elle s'installa à Los Angeles en 1958. En 1955, elle remportait le championnat du monde. Une performance qu'elle renouvellera quatre fois. Des joueurs exceptionnels tels que Sandy Koufax et Roy Campanella ont contribué à établir sa légende. Chaque printemps, se rendre au Dodger Stadium est un rite pour les Angelenos. Leur ferveur a traversé l'océan. En 1995, le *pitcher* japonais Hideo Nomo a rejoint l'équipe des Dodgers et a fait sensation pendant sa première saison de jeu. Lors des matchs de barrage, tout Tokyo retenait son souffle quand il se préparait à lancer la balle de l'autre côté du Pacifique.

Quelques membres de l'équipe du championnat du monde de 1959

Le Southwest Museum de style Mission Revival

SUIVEZ LE GUIDE !

Les salles d'exposition occupent deux niveaux. L'entrée principale se trouve à l'étage supérieur, celui où sont présentés les objets de la côte nord-ouest, de la Californie et des Plaines, ainsi que les expositions temporaires. L'étage inférieur abrite la collection de paniers, les pièces du Sud-Ouest et la boutique. Adjacente au musée, la Braun Research Library est dédiée aux peuples indiens et hispaniques des Amériques.

Niveau supérieur

Entrée

Niveau inférieur

Southwest Museum ⑫

234 Museum Drive, Los Angeles. ☎ (323) 221-2164. ☐ de 10 h à 17 h du mar. au dim. ● 1ᵉʳ jan., dim. de Pâques, Thanksgiving, 25 déc.

W www.southwestmuseum.com

C'est à Charles Fletcher Lummis que l'un des plus intéressants musées des États-Unis consacrés aux Indiens doit son existence. Pendant sa traversée à pied du pays à la fin du XIXᵉ siècle, Lummis vécut dans le Sud-Ouest et devint l'un des premiers blancs à apprécier l'histoire et la culture des peuples indigènes. Il donna la majeure partie des objets qu'il avait réunis pour jeter les bases de la collection du Southwest Museum.

Celui-ci occupe un édifice de style Mission Revival *(p. 27)* situé au sommet du Mount Washington d'où il offre une belle vue de Downtown. Il comprend une tour de six étages et est entouré d'un jardin planté d'espèces indigènes.

La collection rassemble des objets d'art et d'artisanat, notamment 11 000 paniers, datant de la préhistoire à nos jours et provenant d'une aire s'étendant de l'Alaska à

Relief indien de Sequoyah

l'Amérique du Sud. Leur présentation est organisée en fonction de leurs lieux d'origine, avec des sections dédiées aux Grandes Plaines, à la côte nord-ouest, au Sud-Ouest et à la Californie, ces deux-ci étant les plus importantes. Tipis, ateliers et conteurs en facilitent l'abord aux enfants.

LÉGENDE DU PLAN

☐ La côte nord-ouest
☐ Le Sud-Ouest
☐ Les Plaines
☐ La Californie
☐ Vannerie
☐ Expositions temporaires
☐ Circulations et services

Pasadena ⓭

L'achèvement du Santa Fe Railroad en 1887 permit à des habitants aisés de la Côte Est de commencer à venir profiter en hiver de la douceur du climat de la Californie du Sud. Beaucoup s'installèrent à Pasadena où les rejoignirent des artistes également en quête de soleil. Cette rencontre de la créativité et de la richesse vaut à la ville un magnifique patrimoine culturel qui a pour principaux fleurons les Huntington Library, Art Collections and Botanical Gardens *(p. 154-157)* et l'exceptionnelle collection de peintures anciennes et impressionnistes du Norton Museum *(p. 152-153)*.

Statue du Rose Bowl

À la découverte de Pasadena

À l'est du Norton Museum s'étend **Old Pasadena**, une douzaine de pâtés de maisons d'édifices commerciaux dont les premiers furent construits dans les années 1880. Restaurés, ils abritent aujourd'hui boutiques, restaurants et cinémas. Son mélange d'architectures victorienne, Spanish Colonial *(p. 27)* et Art déco ajoute au charme du quartier. Dans Union Street, l'imposant **Civic Center** dessiné par Edward Bennett au début des années 1920 abrite l'hôtel de ville, un poste de police, une bibliothèque et une salle de spectacle. Le quartier au nord-est de la Gamble House renferme de nombreux exemples d'architecture Arts and Crafts *(p. 27)*, en particulier sur **Prospect Boulevard**, artère plantée d'arbres.

L'hôtel de ville de Pasadena dans le Civic Center

🏈 Rose Bowl
1001 Rose Bowl Drive. 📞 *(626) 577-3100.* ⏰ *de 7 h 30 à 17 h 30 du lun. au ven.* 🚫 *jours fériés (sauf le 1ᵉʳ jan.).* ♿ 🌐 *www.rosebowlstadium.com*
Construit en 1922 pour accueillir le Rose Bowl, importante rencontre annuelle entre certaines des meilleures équipes universitaires de football américain, ce stade gigantesque situé dans une banlieue aisée peut accueillir plus de 100 000 spectateurs, une cause fréquente d'embouteillages.

Lampe Tiffany de la Gamble House

Siège de l'équipe de l'UCLA *(p. 94-95)*, les Bruins, le Rose Bowl a aussi accueilli plusieurs Super Bowl (match opposant les deux meilleures équipes de l'année) ainsi que les compétitions de football des Jeux olympiques de 1984 et la finale de la Coupe du Monde de 1994. Un marché aux puces s'y tient chaque mois.

🏛 Gamble House
4 Westmoreland Place. 📞 *(626) 793-3334.* ⏰ *de 12 h à 15 h du jeu. au dim.* 🚫 *jours fériés.* ♿ 📷 *obligatoire.* 🌐 *www.gamblehouse.org*
Bâtie en 1908 pour David Gamble, de la Procter and Gamble Company, cette maison en bois est considérée comme le chef-d'œuvre des frères Charles et Henry Greene qui, après avoir commencé leur carrière à Boston, s'installèrent à Pasadena en 1893. Elle offre un des plus beaux exemples de la démarche du mouvement Arts and Crafts *(p. 27)* qui accordait une grande place à la décoration intérieure et au travail artisanal.
Donnée en 1966 à la ville de Pasadena avec son mobilier intact, la Gamble House offre une réponse adaptée au climat de Los Angeles avec ses larges terrasses facilitant la circulation entre intérieur et plein air et ses avant-toits protégeant du soleil.

🏛 Pacific-Asia Museum
46 N Los Robles Ave. 📞 *(626) 449-2742.* ⏰ *de 10 h à 17 h du mer. au dim. (20 h ven.)* 🚫 *jours fériés.* ♿ 📷 🌐 *www.pacificasiamuseum.org*
Ce musée d'art extrême-oriental fondé par Grace Nicholson occupe un bâtiment construit en 1924 sur un modèle traditionnel de la Chine du Nord. Des expositions temporaires complètent la présentation de la collection permanente. Le jardin est l'un des deux seuls authentiques jardins chinois des États-Unis.

Le Rose Bowl bondé pour un match de football américain

♣ LA State and County Arboretum

301 N Baldwin Ave, Arcadia. ☎ (626) 821-3222. ◯ de 9 h à 16 h 30 t.l.j. ● 25 déc. 🏷 (gratuit le 3e mar. du mois) & ☒ W www.arboretum.org

Sur un terrain de 51 ha situé à l'est de Pasadena, l'arboretum de Los Angeles réunit plus de 30 000 espèces végétales présentées selon leurs origines géographiques. Il comprend un jardin d'herbes, une chute d'eau, des bassins et une jungle tropicale. Elle sert de décor à tous les films de *Tarzan* (1932-

Paysage tropical au LA State and County Arboretum

1948) tournés avec Johnny Weissmuller et à certaines scènes d'*African Queen* (1951). Parmi les bâtiments à découvrir figurent des *wickiups* (huttes) des Indiens Gabrielino.

🏛 Kidspace Museum

480 North Arroyo Blvd, Brookside Park. ☎ (626) 449-9144. ◯ de 9 h 30 à 17 h t.l.j. ● jours fériés. 🏷 & W www.kidspacemuseum.org

À sa nouvelle adresse de Brookside Park, le Kidspace Children's Museum séduit petits et grands. Il sait éveiller la créativité et l'imagination de chacun par ses

MODE D'EMPLOI

Carte routière, encadré A. 🏠 135 000. 🚌 79 depuis Downtown. ℹ 171 S Los Robles Ave (626 795-9311). 🎗 Tournament of Roses Parade (1er jan.). W www.pasadenacal.com

17 expositions en salle et ses 10 espaces didactiques en extérieur.

Les programmes éducatifs changent constamment. Un café et une boutique de documentation complètent le musée.

LA ROSE PARADE

En 1890, les membres d'une association de chasse, le Pasadena Valley Hunt Club, décidèrent d'organiser le premier Tournoi des roses pour faire la promotion de la douceur du climat hivernal de la région. Ils ne savaient pas que leur parade improvisée deviendrait un défilé de chars toujours plus spectaculaires attirant chaque année plus d'un million de spectateurs.

Char de la Rose Parade

PASADENA : CENTRE-VILLE

Civic Center ④
Gamble House ②
Huntington Library,
  Art Collections and
  Botanical Gardens ⑦
Kidspace
  Museum ⑥
Norton Simon
  Museum ③
Pacific-Asia Museum ⑤
Rose Bowl ①

LÉGENDE

ℹ Information touristique

🚌 Gare routière

0   1 km

Le Norton Simon Museum

Homme d'affaires à la tête d'une multinationale, Norton Simon (1907-1993) a réuni à partir des années 1950 une exceptionnelle collection d'œuvres d'art. Elle comprend des chefs-d'œuvre de la peinture et de la sculpture occidentales et asiatiques couvrant une période de plus de 2 000 ans. En ce qui concerne l'art européen, les grands maîtres et les impressionnistes sont particulièrement bien représentés, ainsi que, dans une moindre mesure, les artistes de la Renaissance, du post-impressionnisme, de l'expressionnisme allemand et de l'époque moderne. Les sculptures provenant d'Inde et d'Asie du Sud-Est font partie des plus belles visibles en Occident.

Niveau principal

Jardin de sculptures

★ **Femme avec un livre** *(1932)*
Artiste majeur du XXᵉ siècle, Pablo Picasso fut à l'origine du cubisme et marqua profondément le surréalisme. Dans les années 1930, ses tableaux eurent souvent pour sujet sa compagne, Marie-Thérèse Walter.

Autoportrait
(v. 1636-1638)
Rembrandt a laissé près de 100 autoportraits, tel celui-ci peint vers trente ans.

Niveau inférieur

★ **Nature morte aux citrons, aux oranges et à la rose** *(1633)*
C'est dans les portraits et les natures mortes que s'exprima avec le plus de force le talent du peintre espagnol Francisco Zurbarán. Son œuvre eut une grande influence en Amérique latine.

À NE PAS MANQUER

★ *Nature morte aux citrons, aux oranges et à la rose* de Zurbarán

★ *Femme avec un livre* de Pablo Picasso

SUIVEZ LE GUIDE !

L'exposition occupe deux niveaux reliés par un escalier en colimaçon. L'étage principal abrite les œuvres européennes, celui du dessous celles provenant d'Inde et d'Asie du Sud-Est. La rénovation des bâtiments et des jardins s'est achevée en 1999. L'espace extérieur a été aménagé en jardin orné de sculptures ; au centre, la pièce d'eau est inspirée des tableaux de Claude Monet.

MODE D'EMPLOI

411 W Colorado Blvd. (626) 449-6840. 181, 182. de 12 h à 18 h du mer. au lun. (20 h le ven.) 1er jan., 4 juil., Thanksgiving, 25 déc. www.nortonsimon.org

Saint Paul et saint Frediano *(v. 1483)*
Élément d'un diptyque, ce panneau montre l'influence qu'eurent sur l'artiste florentin Filippino Lippi son père, Fra Filippo Lippi, et Sandro Botticelli auprès de qui il travailla.

Théâtre

Escalier en colimaçon

PLAN DU MUSÉE

- XIVe-XVIIe siècles
- XVIIe-XVIIIe siècles
- XIXe siècle
- XXe siècle
- Asie du Sud
- Expositions temporaires
- Circulation et services

Entrée principale

La Petite Danseuse de quatorze ans
(1878-1881)
Le musée possède plus de 100 œuvres d'Edgar Degas. Le ballet fut un de ses sujets favoris comme le rappelle ce bronze.

Bouddha
Ce bronze coulé au Cachemire au VIIIe siècle est incrusté d'argent et de cuivre.

Escalier en colimaçon

L'Huntington Library, Art Collections, et Botanical Gardens

Détail d'une urne de jardin

Henry Huntington (1850-1927), qui fit fortune dans l'immobilier et la construction d'un réseau ferroviaire interurbain à Los Angeles, possédait la passion des livres et a réuni une très importante bibliothèque. Il épousa en 1913 la veuve de son oncle, Arabella, dont la riche collection de peintures constitue le fond de la galerie des Beaux-Arts installée dans la demeure, bâtie entre 1909 et 1911, où résida le couple. Plus de 100 ha de magnifiques jardins l'entourent.

Mausolée
L'architecte John Russell Pope dessina ce bâtiment en forme de temple grec construit en marbre du Colorado.

Entrée principale

Camellia Garden

Orangeraie

Rose Hills Foundation Conservatory for Botanical Science

Virginia Steele Scott Gallery

Breakfast in Bed *(1897)*
Dans la Virginia Steele Scott Gallery consacrée à l'art américain figure cette toile de l'impressionniste Mary Cassatt. Les scènes domestiques constituent une part importante de son œuvre (p. 110).

Boone Gallery

Lois and Robert F. Erburu Gallery

Herb Garden

Japanese House

Zen Garden

À NE PAS MANQUER

- ★ **The Blue Boy** de Thomas **Gainsborough**
- ★ **La Bible de Gutenberg**
- ★ **Le Japanese Garden**

★ **Le Japanese Garden**
Lieu destiné à la contemplation, ce jardin japonais intègre un petit lac que franchit un pont en arc de cercle, ainsi qu'une maison japonaise traditionnelle.

★ La Bible de Gutenberg
Imprimée par Johannes Gutenberg à Mayence vers 1450-1455, cette bible est le plus ancien livre imprimé de l'Huntington Library.

MODE D'EMPLOI

1151 Oxford Rd. ☎ (626) 405-2100. ◯ juin à août : 10 h 30 à 16 h 30 du mar. au dim. ; sept. à mai : 12 h à 16 h 30 du mar. au ven. ; 10 h 30 à 16 h 30 sam. et dim. ● jours fériés. 🖼 ⊙ ♿ 🎁 ✎ 📷 ▣

Jungle Garden
Ce jardin rassemble des plantes typiques des forêts humides telles que palmiers, fougères et gingembres. La cascade ajoute encore à son charme mystérieux.

Arabella D Huntington Memorial Collection

he Munger esearch Center

Shakespeare Garden

Huntington Library

Palm Garden

Desert Garden

Lily Ponds

Huntington Art Gallery

Subtropical Garden

Australian Garden

Rose Garden

North Vista
Ouvrant sur les San Gabriel Mountains, cette perspective recrée l'atmosphère d'un jardin européen du XVIIe siècle. Il y a même une fontaine baroque italienne.

★ The Blue Boy *(v. 1770)*
Ce portrait par Thomas Gainsborough de Jonathan Buttall, le fils d'un marchand, est le plus célèbre tableau de l'Huntington Art Gallery.

À la découverte des institutions des Huntington

En 1919, Henry et Arabella Huntington créèrent un institut de recherche à but non lucratif, lui confiant l'administration de leur demeure et de ses jardins. Le grand public peut aujourd'hui profiter d'une remarquable collection d'art et de plus de 50 ha de jardins botaniques tandis que les spécialistes disposent d'une des grandes bibliothèques de recherche de la planète. Ce centre n'ouvre toutefois que quelques heures par jour ; mieux vaut organiser votre visite à l'avance.

Diane chasseresse (1782) de Jean Antoine Houdon

HUNTINGTON LIBRARY

Construite en 1920, cette bibliothèque est principalement consacrée à l'histoire et à la littérature britanniques et américaines. Elle attire près de 2 000 érudits chaque année. Dans l'Exhibition Hall, le grand public peut découvrir quelques-unes de ses possessions les plus rares et des expositions tournantes.

Le fonds réunit 600 000 livres et trois millions de manuscrits, dont le manuscrit Ellesmere des *Contes de Canterbury* de Chaucer (v. 1410) et une *Bible de Gutenberg* (v. 1455), l'une des douze au monde imprimées sur vélin. Il comprend aussi des premières éditions et des manuscrits d'auteurs tels que Mark Twain, Charles Dickens et Lord Tennyson, ainsi que des premières éditions des pièces de Shakespeare. On y trouve aussi des lettres de George Washington, Benjamin Franklin et Abraham Lincoln.

Pèlerin des Contes de Canterbury

ARABELLA D. HUNTINGTON MEMORIAL COLLECTION

L'aile ouest du principal bâtiment de la bibliothèque abrite un petit groupe de peintures de la Renaissance, dont une *Vierge à l'Enfant* (p. 67) du Flamand Roger Van der Weyden (v. 1400-1464), ainsi que du mobilier français, de la porcelaine de Sèvres et une collection de sculptures françaises, dont un *Portrait d'une dame* (1777) sculpté par Jean Antoine Houdon.

HUNTINGTON ART GALLERY

L'ancienne demeure des Huntington abrite désormais une importante collection d'art anglais et français des XVIIIe et XIXe siècles.

Les œuvres les plus célèbres, un groupe de portraits en pied, se trouvent dans la Main Gallery. Ils comprennent *The Blue Boy* (v. 1770) de Thomas Gainsborough, *Pinkie* (1794) de Thomas Lawrence et *Mrs Siddons as the Tragic Muse* (1784) de Joshua Reynolds.

La Large Library Room (Grande bibliothèque) renferme du mobilier du XVIIIe siècle, notamment deux tapis de la Savonnerie tissés pour Louis XIV et cinq tapisseries de Beauvais. Dans la Small Library, une petite collection de bronzes de la Renaissance comprend *Nessus et Déjanire* du sculpteur italien Jean de Bologne (1529-1608). *Anne*

Killigrew, Mrs Kirke (v. 1638) peint par le Flamand Antoine Van Dyck (1559-1642), orne l'escalier.

BOONE GALLERY

La Boone Gallery qui vient d'ouvrir aux Huntington accueille des expositions temporaires d'art anglais et américain, des livres rares et des manuscrits ainsi que les chefs-d'œuvre de la collection permanente. L'immeuble néo-classique fut construit en 1911 pour abriter la flotte automobile de Mr Huntington. Laissé à l'abandon, il servit ensuite à entreposer des outils de jardin. Sa restauration récente, financée par MaryLou et George Boone, a permis d'ajouter 4 000 m² d'espace d'exposition.

Mobilier français dans la Large Library Room

VIRGINIA STEELE SCOTT GALLERY OF AMERICAN ART

Ouverte en 1984, cette exposition présente des œuvres américaines datant des années 1740 aux années 1930. Pendant la période coloniale, des artistes tels que Benjamin West (1738-1820) et Gilbert Stuart (1755-1828) restèrent sous l'influence des portraitistes britanniques. Un style spécifiquement américain n'émergea qu'au début du XIXe siècle, principalement dans le domaine du paysage comme en témoigne *Chimborazo* (1864) peint par Frederic Edwin Church après deux séjours en Équateur.

La Dorothy Collins Brown Wing abrite du mobilier dessiné par Charles et Henry Greene *(p. 27)*.

Desert Garden

JARDINS BOTANIQUES

En 1904, Henry Huntington confia au paysagiste William Hertrich la tâche d'aménager son domaine. Le parc comprend aujourd'hui 15 jardins principaux.

Sur 5 ha, le Desert Garden réunit plus de 4 000 espèces résistantes à la sécheresse. Dans la roseraie, 2 000 variétés retracent l'histoire de la rose sur plus de 1 000 ans. Les plus anciennes se trouvent dans le Shakespeare Garden orné de fleurs que l'auteur cita dans ses œuvres. La sérénité du jardin japonais en fait un des plus appréciés.

HUNTINGTON ART GALLERY

Premier étage

Deuxième étage

1 Large Library Room
2 Large Drawing Room
3 Small Drawing Room
4 Dining Room
5 North Passage
6 Main Gallery
7 Hall
8 Small Library
9 Quinn Room
10 Southeast Room
11 Wedgwood Room
12 Adele S. Browning Memorial Collection
13 Moseley Collection
14 Southwest Room
15 Expositions temporaires

ARABELLA D HUNTINGTON MEMORIAL COLLECTION

HUNTINGTON LIBRARY

Premier étage

1 Salle de la porcelaine de Sèvres
2 Salle du mobilier français
3 Salle de la sculpture française
4 Salle des peintures Renaissance
5 Expositions temporaires

1 Manuscrits médiévaux et premières éditions
2 Littérature anglaise et américaine
3 Histoire américaine

VIRGINIA STEELE SCOTT GALLERY OF AMERICAN ART

Premier étage

1 Collection permanente
2 Dorothy Collins Brown Wing
3 Print Room (fermée au public)
4 Collection permanente

Bottes en vente au El Mercado

El Mercado ⑭

3425 E 1st St. 📞 *(323) 268-3451.*
🕐 *de 10 h à 20 h du lun. au ven. ;*
de 9 h à 21 h les sam. et dim. ♿

C'est à l'est de Los Angeles
que se trouve le cœur de
la communauté mexicano-
américaine *(p. 30)* où ce
marché s'adresse à une
clientèle locale. Vendeurs de
tacos, mariachis (musiciens de
rue) et familles venues prendre
un bon repas forment sur ses
trois niveaux une foule animée.
À la différence d'Olvera Street
(p. 123), El Mercado n'est pas
un lieu touristique.
L'authenticité de l'atmosphère
et de la cuisine proposée
constitue son principal intérêt.

Les étals d'alimentation du
niveau principal proposent de
tout, depuis les piments
jusqu'aux plats à emporter.
Vous y trouverez une
tortillaria, des produits
d'épicerie inconnus et des
boulangers vendant pains et
pâtisseries traditionnelles. Pour
écouter les *mariachis*, montez
à l'étage supérieur qui
renferme les restaurants.

Vêtements, meubles et
artisanat emplissent les
boutiques du sous-sol.

LES LAKERS ET LE BASKET-BALL

James Naismith, un professeur d'éducation physique de
Springfield, une ville du Massachussets, inventa en 1891 un
sport qui pouvait se pratiquer à l'intérieur pendant les hivers
rigoureux que subit cette région : le basket-ball. Los Angeles
ne connaît pas ce problème,
mais ses habitants adorent un
jeu rapide où le score grimpe
vite. Des joueurs illustres tels
que Magic Johnson, Wilt
Chamberlain, Kareem Abdul-
Jabbar, Shaquile O'Neal et
Kobe Bryant ont contribué à
faire de l'équipe des Lakers,
née dans le Minnesota, l'« État
des 10 000 lacs », l'une des
meilleures de la National
Basketball Association (NBA).
Elle a d'ailleurs remporté
quatre fois le championnat de
la NBA dans les années 1980.

Magic Johnson

Flower Market ⑮

742 Mapple Ave. 📞 *(213) 627-2482.*
🕐 *de 8 h à 12 h les lun., mer. et ven. ;*
de 6 h à 12 h les mar., jeu. et sam. ♿

A ux premières heures de la
journée, avant le lever du
soleil, les fleuristes de Los
Angeles convergent vers ce
quartier pour acheter en gros
les fleurs et plantes vertes
qu'ils revendront à leurs
clients. Sur les éventaires et
dans les vitrines des magasins
des entrepôts, les plus beaux
joyaux de la planète, de la
Nouvelle-Zélande à la
Colombie, créent une palette
multicolore qui contraste
vivement avec la grisaille des
édifices.

Tout le monde peut profiter
des prix bas et il y a de
magnifiques affaires à faire
après 8 h. Les stocks
s'écoulent vite cependant.

Exposition Park et University of Southern California ⑯

Voir p. 160-161.

Great Western Forum ⑰

3900 Manchester Blvd, Inglewood.
Carte routière, encadré A. 📞 *(310)*
419-3100. 🕐 *pour les manifestations*
seul. 🎦 *pour les manifestations.* ♿
Billeterie 🕐 *de 10 h à 18 h t.l.j.*

L e Great Wester Forum est la
plus prestigieuse salle de
sport et de concert de Los
Angeles. Pouvant contenir
17 000 spectateurs, elle
accueille d'importantes
compétitions sportives,
diverses cérémonies et des
événements médiatiques.

Le Great Western Forum d'Inglewood

Staples Center ⓲

1111 S Figueroa St. **Carte** 9 C5. ☏ (877) 305-1111. ◐ pour les manifestations. 🅿 pour les manifestations. 🆆 www.staplescenter.com

Siège de trois clubs sportifs professionnels, le LA Lakers, le LA Clippers et le LA Kings, ce stade a revivifié le centre sportif de Los Angeles. Il accueille aussi le Disney Concert Hall pour le LA Philharmonic, les US Figure Skating Championships, les grands concerts de rock, la lutte WWF, les cérémonies de remise des prix d'Hollywood et celles de remise de diplômes.

Hollywood Park Racetrack ⓳

1050 S Prairie Ave, Inglewood. **Carte routière**, encadré A. ☏ (310) 419-1500. ◐ de 13 h à 17 h du mer. au ven. ; de 12 h 30 à 17 h les sam. et dim. 🅿 🅶 🆆 www.hollywood park.com

D'avril à juillet, les passionnés de courses se retrouvent au Hollywood Park pour parier sur les pur-sang. Dans un cadre paysager magnifique, avec des lagunes et une végétation verdoyante, l'hippodrome possède une élégance empreinte de nostalgie. Un grand écran permet de suivre ce qui se passe sur la ligne droite hors de vue et diffuse photos des arrivées et statistiques sur les courses. Dans le North Park, l'aire de jeu pour enfants renferme un carrousel.

Les Watts Towers, ornées de coquillages, de porcelaine et de verre

L'hippodrome du Hollywood Park à Inglewood

Watts Towers ⓴

1727 E 107th St, Watts. **Carte routière**, encadré A. ☏ (213) 847-4646. ◐ de 10 h à 16 h du mar. au sam. ; de 12 h à 16 h le dim. ⬤ Thanksgiving, 25 déc. 🅿 Tours seul. 🅶 Arts Center seul. 🆆 www.wattstower.net

C'est un immigrant italien originaire de Naples, Simon Rodia, qui édifia ce chef-d'œuvre d'art populaire. Entre 1921 et 1954, il assembla barres et tuyaux métalliques, ainsi que tout ce qu'il pouvait récupérer, pour créer une gigantesque structure (la plus haute tour mesure 31 m) dont il orna la surface cimentée de coquillages et de débris de carreaux, de vaisselle et de verre. Il ne donna jamais la moindre explication sur le sens de son entreprise et, à son achèvement, laissa le terrain à un voisin et quitta la ville.

Menacées plusieurs fois de destruction, les Watts Towers sont aujourd'hui un Historic Park Site et un symbole d'espoir dans une zone déshéritée où éclatèrent en 1965 et 1992 les pires émeutes qu'ait connues Los Angeles.

À côté, le Watts Towers Arts Center organise des expositions temporaires d'œuvres d'artistes afro-américains. Une forte criminalité règne dans le quartier de South Central où se trouve Watts. Les visiteurs ne doivent pas y rester le soir, et dans la journée mieux vaut prendre toutes les précautions de bon sens et ne pas s'éloigner des tours.

Exposition Park et University of Southern California ⓰

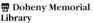

À l'emplacement de l'Exposition Park se tenaient à la fin du siècle dernier des marchés en plein air, des fêtes foraines et des courses de chevaux. Débits de boisson, cercles de jeu et prostituées abondaient. Quand les élèves du cours de catéchisme voisin du juge William Miller Bowen commencèrent à succomber à ces tentations, celui-ci usa de son influence pour obtenir la transformation du lieu en un site culturel. Il comprend aujourd'hui trois musées autour d'une roseraie plantée de plus de 19 000 rosiers. De l'autre côté de la rue, l'University of Southern California (USC), université privée fondée en 1880, accueille près de 28 000 étudiants sur un campus de 61 hectares.

Statue de
Tommy Trojan

Bovard Administration Building

🏛 Doheny Memorial Library
Au coin de Hoover Blvd et de Childs Way. 📞 *(323) 740-2924.* ⏰ *t.l.j.*
Bâtie en 1932 et nommée d'après Edward L. Doheny, Jr, un administrateur de l'université, la principale bibliothèque de référence de l'USC associe des éléments décoratifs d'influences romane italienne, égyptienne et mauresque. Un escalier monumental en marbre conduit à l'entrée et des vitraux éclairent le hall principal.

🏛 Natural History Museum of Los Angeles County
900 Exposition Blvd. 📞 *(213) 763-3466.* ⏰ *de 9 h 30 à 17 h t.l.j.* ⏰ *1ᵉʳ jan., Thanksgiving, 25 déc.* 💲 *gratuit le 1ᵉʳ mardi du mois.*
Ce musée d'histoire naturelle, le troisième par la taille des États-Unis, présente une remarquable collection de spécimens allant de cristaux à des fossiles de dinosaures. Les autres attractions sont le

Schreiber Hall of Birds, un habitat troglodytique Pueblo, l'Insect Zoo et un Discovery Center interactif. Le Page Museum *(p. 114-115)* de La Brea Tar Pits fait aussi partie du Natural History Museum.

🏛 Bovard Administration Building
Hahn Plaza. ⏰ *t.l.j.*
Portant le nom du quatrième président de l'USC, cet édifice inspiré du roman italien possède un ancien clocher orné des sculptures de huit grands personnages, dont Abraham Lincoln, Theodore Roosevelt, Cicéron et Platon. Restauré, le Norris Auditorium néo-gothique compte 1 600 places. *Tommy Trojan* (Roger Nobel Burnham, 1930), statue d'un guerrier troyen et symbole de l'université, se dresse devant l'entrée principale.

LES SITES D'UN COUP D'ŒIL

Le Natural History Museum de l'Exposition Park

Los Angeles Memorial Coliseum

🏟 Los Angeles Memorial Coliseum

3939 S Figueroa St. 📞 *(323) 747-7111.* ⭕ *pour les manifestations et les visites guidées.* 🎫 📷 *10 h 30, 12 h, 13 h 30 les mar., jeu. et sam. ; téléphoner car les horaires varient.*

Le stade où se déroulèrent les Jeux olympiques de 1932 et de 1984 a aussi accueilli des matchs de football américain, des concerts de rock, le discours d'acceptation de la candidature démocrate de John F. Kennedy en 1960 et la messe célébrée par Jean-Paul II en 1987.

Une visite guidée de 40 minutes permet d'en découvrir les vestiaires, la salle de presse et l'histoire.

🏛 California Science Center

700 State Drive. 📞 *(323) 724-3623.* ⭕ *de 10 h à 17 h t.l.j.* ⬤ *1ᵉʳ jan., Thanksgiving, 25 déc.* 📷 🌐 *casciencectr.org*

Ce musée, l'un des plus importants aux États-Unis, a pour objectif de rendre la science accessible à tous. Dans le Kinsey Hall of Health, le World of Life dévoile les fonctions biologiques avec pour élément central un corps humain transparent de 15 m de long aux organes lumineux. Le Creative World illustre le processus de la création, de l'idée de départ à la production. L'IMAX Theater présente des films sur un écran géant. Impossible de ne pas reconnaître l'Aerospace Museum dessiné par l'architecte Frank Gehry avec son F-104 Starfighter fixé à la façade. Le bâtiment abrite toutes sortes d'engins volants, d'un planeur des frères Wright à une capsule spatiale Gemini 11.

🏛 Fisher Gallery

Bloom Walk. 📞 *(323) 740-4561.* ⭕ *de 12 h à 17 h du mar. au sam.* ⬤ *jours fériés.*

Portant le nom du mécène qui permit sa fondation, Mrs Walter Harrison Fisher, ce musée présente une collection de paysages du XIXᵉ siècle américains et français, ainsi que des œuvres hollandaises, notamment de Peter Paul Rubens.

MODE D'EMPLOI

Carte routière, encadré A. 🚍 *Navette C du DASH depuis Business District.* 🚌 *81.* **Exposition Park** 📞 *voir articles sur les sites.* **University of Southern California** 📞 *(323) 740-5371.* 📷 🌐 *www.usc.edu*

🏛 California Afro-American Museum

600 State Drive. 📞 *(323) 744-7432.* ⭕ *de 10 h à 17 h du mar. au dim.* ⬤ *1ᵉʳ jan., Thanksgiving, 25 déc.*

Ce musée dresse un inventaire des apports des Noirs à la culture américaine dans les arts, les sciences, la politique, la religion et les sports. La collection d'art permanente comprend des œuvres de Martin Pierré, Betye Saar, Noah Purifoy et Robert Duncanson, un peintre paysagiste du XIXᵉ siècle. La cour de sculptures accueille des expositions temporaires.

🏟 Mudd Memorial Hall

Angle de Trousdale Parkway et Exposition Blvd. ⭕ *t.l.j.*

Construite sur le modèle d'un monastère médiéval de Toscane, la faculté de philosophie possède un clocher de 44 m de haut qui servit de décor dans *Le Bossu de Notre-Dame* (1939). Des statues de grands philosophes ornent l'extérieur. Diogène domine l'entrée. La Hoose Library of Philosophy, l'une des meilleures bibliothèques américaines dans son domaine, possède plus de 60 000 volumes.

Façade italianisante du Mudd Memorial Hall

SE DISTRAIRE
À LOS ANGELES

La capitale mondiale de l'industrie du spectacle est une ville où le travail passe souvent avant les loisirs et seuls quelques quartiers relativement restreints y restent animés une fois la nuit tombée. Ils offrent cependant un très large éventail de possibilités. Le cinéma tout d'abord, avec des dizaines de films projetés aussi bien dans d'extravagants *movie palaces* des années 1930 que dans des complexes multisalles ultramodernes. Los Angeles possède également une compagnie d'opéra et un orchestre philharmonique qui, en été, donnent des représentations en plein air au Hollywood Bowl *(p. 107)*. Grandes productions internationales, comédies musicales ou créations plus avant-gardistes, le théâtre demeure très vivant. Les clubs de jazz et de blues se concentrent autour de Sunset Boulevard.

Enseigne à Hollywood

Magazines de programmes

SOURCES D'INFORMATION

Plusieurs publications vous aideront à faire votre choix parmi les innombrables distractions offertes à Los Angeles. Hebdomadaire gratuit distribué dans les bars, les clubs et les commerces, le *LA Weekly* donne le programme le plus complet des spectacles et des événements artistiques. Visant une clientèle plus jeune, il surclasse le *Los Angeles View*. Le *New Times* est un magazine bien fait et on peut se fier à la rubrique « Calendar » du *Sunday Los Angeles Times*.

Parmi les mensuels, le *Los Angeles Magazine* annonce les principales manifestations et propose de bonnes critiques de restaurants. Les recommandations du *Buzz*, les « Buzz Bets », séduiront un lectorat plus jeune. Le *Where Magazine* fournit des informations plus générales destinées aux touristes.

Les homosexuels pourront consulter *Planet Homo*, *The Edge* et *LA Girl Guide*.

Le principal centre de renseignements du **Los Angeles Convention and Visitors' Bureau** se trouve à Downtown. Le personnel y est polyglotte et vous y trouverez *Destination Los Angeles* qui recense restaurants, hôtels, boutiques et distractions. Vous pouvez également vous adresser à l'**Hollywood Conventions & Visitors' Bureau** et au **Beverly Hills Visitors' Bureau**.

ACHETER SA PLACE

Que ce soit pour assister à un concert, à une pièce de théâtre ou à un match, le plus simple, au prix d'une commission, est de passer par **Ticketmaster**, en téléphonant (paiement par carte bancaire), ou en se rendant dans les magasins de disques Music Plus et Tower Records ou les magasins Robinsons-May. Vous pouvez aussi appeler les lieux de spectacle. **Tickets LA, Telecharge** et **Good Time Tickets** sont d'autres agences. **Theater LA** fournit des renseignements sur les programmes de théâtre.

LES TARIFS RÉDUITS

Theater LA vous renseignera sur des places bradées le jour de la représentation et vous en vendra. **Tickets LA** propose aussi des billets demi-tarif pour certaines manifestations. Les réservations se paient par carte bancaire, mais peuvent être retirées sur le lieu de spectacle.

Beaucoup de salles « soldent » en outre leurs places restées libres quelques heures avant la représentation. Adressez-vous directement aux billetteries.

Les étudiants détenteurs d'une carte ISIC *(p. 590)* jouissent de tarifs préférentiels pour certains concerts et spectacles, principalement dans les lieux affiliés aux universités de Los Angeles comme le Geffen Playhouse de l'UCLA *(p. 164)*.

Los Angeles County Museum of Arts *(p. 110-113)*

L'Hollywood Bowl, une grande salle de concert en plein air *(p. 107)*

LES SPECTACLES GRATUITS

La plupart des quartiers ou banlieues de Los Angeles organisent des fêtes locales, surtout en été. Elles proposent généralement animations musicales et stands de nourriture et d'artisanat. Le **LA Cultural Affairs Department** vous en donnera le détail. Les jeudis soirs d'été, des concerts variés ont lieu sur le Santa Monica Pier *(p. 74-75)*.

En été également, le LA Philharmonic ouvre au public ses répétitions de concerts à midi, au Hollywood Bowl *(p. 107)*. Certains musées ne perçoivent pas de droit d'entrée, notamment le California Museum of Science and Industry *(p. 161)*, le Travel Town du Griffith Park *(p. 146)* et le J. Paul Getty Museum *(p. 78-81)*. Le Los Angeles County Museum of Art *(p. 110-113)* organise des concerts de jazz et de musique de chambre sur son esplanade les vendredis et dimanches.

SPECTATEURS HANDICAPÉS

Comme dans le reste de la Californie *(p. 590)*, presque tous les cinémas, théâtres et clubs de jazz ou de rock sont accessibles en fauteuil roulant. La plupart possèdent en outre des places de stationnement réservées et des toilettes adaptées. Une brochure publiée par la **Los Angeles County Commission on Disabilities** recense les services offerts par des organismes publics et privés. Elle fournit aussi des renseignements sur les transports, les distractions et les équipements spéciaux en vente ou en location.

Quelques organisations locales telles que le **Westside Center for Independent Living** proposent des services. La régie des transports publics, la Metropolitan Transit Authority *(p. 168-169)*, gère un parc de bus équipés d'ascenseurs. Si vous avez des besoins particuliers pour vos déplacements, il faut composer le **800** (pour Los Angeles uniquement).

Détail d'un théâtre

Façade Art déco du Hollywood Pantages Theater *(p. 108)*

Les lieux de spectacle

L a variété des distractions proposées à Los Angeles est à l'échelle de la ville. Siège du LA Philharmonic et du LA Opera, le Music Center *(p. 127)* de Downtown abrite aussi deux théâtres de premier plan. Cinémas et théâtres historiques abondent à Hollywood et à West Hollywood, à côté de boîtes de nuit, tel le Viper Room *(p. 98)*, appartenant à des célébrités. Rencontres sportives, visites de studios ou enregistrements d'émissions de télévision animeront la journée.

Le Hollywood Galaxy *(p. 104)* sur
Hollywood Boulevard

Cinéma

T ous les derniers films américains, et d'innombrables classiques, sont bien entendu visibles en permanence à Los Angeles, entre autres dans de grands cinémas historiques comme le Mann's Chinese et El Capitan *(p. 106)*, sur Hollywood Boulevard. Des complexes multisalles, tels ceux d'**Universal City** et du **Beverly Center**, offrent des conditions de vision et d'écoute ultramodernes. Le **Silent Movie** projette des classiques des années 1920.

Théâtre

P lus de 1 000 pièces professionnelles sont présentées chaque année à Los Angeles. Le Music Center *(p. 121)* abrite deux salles importantes, l'Ahmanson Theatre et le Mark Taper Forum. Les comédies musicales de Broadway en tournée se produisent principalement à l'Ahmanson et au Pantages *(p. 108)* d'Hollywood. Dans un superbe cadre de style méditerranéen, le **Pasadena**

Playhouse et le **Geffen Playhouse** proposent aussi bien des œuvres modernes que des pièces du répertoire. Pour des créations plus avant-gardistes, essayez de plus petits lieux comme l'**Actors' Gang Workshop** ou **LA Theater Works**.

Opéra, danse et musique classique

À l'instar du **LA Opera** (de septembre à juin), le LA Philharmonic se produit en hiver au Pavilion *(p. 121)*. En été, il s'installe au Hollywood Bowl *(p. 107)*. Différents lieux, dans toute la ville, proposent des concerts de musique de chambre. L'**UCLA Center for the Performing Arts** accueille des artistes internationaux de premier plan. Le **City Ballet** de Los Angeles donne des concerts réguliers dans le sud de la Californie.

Rock, jazz et blues

C 'est un rock dur que proposent en général les clubs du Sunset Strip *(p. 98-100)* où les vénérables **Roxy**

et **Whiskey a Go Go** affrontent la concurrence de nouveaux venus tels que le **Viper Room** et le **Key Club**. Le jazz s'écoute dans des établissements plus « cool » comme le **Baked Potato** et le **Catalina Bar & Grill**. **The House of Blues** n'est qu'un de ceux qui servent aussi à manger *(p. 549)*. Les têtes d'affiche se produisent dans des lieux comme le Greek Theater *(p. 146)* et l'**Universal Amphitheatre** *(p. 143)*.

Boîtes de nuit

H ouse ou hip-hop au **Key Club**, hip-house au **Catch One**, groove au **Little Temple**, toutes sortes de musiques résonnent dans les boîtes de L. A. **The Factory** est une des discothèques les plus en vogue de West Hollywood, quartier à la forte population gay. Pour voir des célébrités, essayez le **Bar Marmont**. Les modes changent vite cependant ; consultez les magazines de programmes. Il faut avoir 21 ans pour consommer de l'alcool. Pensez à vous munir d'une pièce d'identité.

Sur Sunset Boulevard *(p. 99)*

En coulisse et sur les plateaux

B eaucoup de studios de télévision et de cinéma proposent à Los Angeles des visites des coulisses ou la possibilité d'assister aux enregistrements d'émissions. À **CBS-TV**, vous pourrez par exemple faire partie du public de *The Price is Right* (le Juste Prix). Cette offre est toutefois

Le célèbre portail des Paramount Studios *(p. 109)*

réservée aux personnes parlant l'anglais et il faut réserver par écrit environ six semaines à l'avance.

Parmi les autres studios qui se visitent figurent à Burbank *(p. 140-141)* ceux de **NBC-TV** et ceux de la **Warner Bros**. C'est dans ces derniers que vous aurez sans doute l'aperçu le plus authentique des conditions de tournage actuelles. Il faut avoir huit ans pour découvrir les Paramount Studios *(p. 109)*.

ACTIVITÉS DE PLEIN AIR

Les plages, le Topanga State Park *(p. 77)* et le Griffith Park *(p. 146-147)* permettent de très nombreuses activités de

plein air. Vous pourrez assister à des courses de chevaux au Hollywood Park Racetrack *(p. 159)* et à des rencontres de base-ball au Dodger Stadium *(p. 148)*, de basket-ball et de hockey sur glace au Great Western Forum *(p. 158-159)* et de polo au Will Rogers State History Park *(p. 77)*.

Surfers à Manhattan Beach *(p. 62)*

CARNET D'ADRESSES

CINÉMA

ArcLight Cinerama Dome
6360 W Sunset Blvd. **Plan** 2 C5. (323) 464-4226. www.arclight cinemas.com

Cineplex Odeon Beverly Center Cinemas
8522 Beverly Blvd. **Plan** 6 C2. (310) 652-7760.

Cineplex Odeon Universal City Cinemas
Universal City, CA 91608. (818) 508-0588. www.enjoytheshow.com

Mann's Festival Westwood
10887 Linbrooke Dr. **Plan** 4 A4. (310) 208-4575.

Silent Movie
611 N Fairfax Ave. **Plan** 7 D1. (323) 655-2520.

THÉÂTRES

Actors' Gang Workshop
6209 Santa Monica Blvd. **Plan** 8 B1. (323) 465-0566. www.theactorsgang.com

Ahmanson Theatre
The Music Center, 135 N Grand Ave. **Plan** 1 E3. (213) 628-2772.

Geffen Playhouse
10886 Le Conte Ave. **Plan** 4 A4. (310) 208-5454.

LA Theater Works
681 Venice Blvd, Venice CA 90291. (800) 708-8863. www.latw.org

Pasadena Playhouse
39 S El Molino Ave, Pasadena, CA 91101. (626) 356-7529.

OPÉRA, DANSE ET MUSIQUE CLASSIQUE

Alex Theater
216 N Brand Blvd, Glendale, CA 91206. (818) 243-2539. www.alextheater.com

City Ballet of Los Angeles
(323) 292-1932.

Ford Amphitheatre
2580 E Cahuenga Blvd. **Plan** 2 B3. (323) 461-3673.

LA Civic Light Opera
(323) 468-1704.

LA Opera
135 N Grand Ave. **Plan** 11 E3. (213) 972-8001.

UCLA Center for the Performing Arts
405 Hilgard Ave. **Plan** 4 A4. (310) 825-2101.

ROCK, JAZZ ET BLUES

Baked Potato
3787 Cahuenga Blvd W, Studio City, CA 91105. (818) 980-1615.

BB Kings' Blues Club
1000 Universal City Drive, CA 91608. (818) 622-5464.

Catalina Bar and Grill
1640 N Cahuenga Blvd. **Plan** 2 C4. (323) 466-2210.

House of Blues
8430 W Sunset Blvd. **Plan** 1 A5. (323) 848-5100.

Key Club
9041 W Sunset Blvd. **Plan** 6 A1. (310) 274-5800.

The Roxy
9009 W Sunset Blvd. **Plan** 6 A1. (310) 276-2222.

Universal Amphitheatre
Universal City, CA 91608. (818) 622-4440.

Viper Room
8852 W Sunset Blvd. **Plan** 6 B1. (310) 358-1880.

Whiskey a Go Go
8901 W Sunset Blvd. **Plan** 6 B1. (310) 652-4202.

BOÎTES DE NUIT

Bar Marmont
8171 W Sunset Blvd. **Plan** 1 B5. (323) 650-0575.

Catch One
4067 W Pico Blvd, Los Angeles, CA 90035. (323) 734-8849.

The Century Club
10131 Constellation Blvd, Century City. **Plan** 5 D5. (310) 553-6000.

The Factory
652 N La Peer Drive. **Plan** 6 A2. (310) 659-4551.

Little Temple
4519 Santa Monica Blvd. **Plan** 9 F1. (323) 662-6166.

EN COULISSE ET SUR LES PLATEAUX

CBS-TV
7800 Beverly Blvd. **Plan** 7 D2. (323) 575-2624.

NBC-TV
3000 W Alameda Ave, Burbank, CA 91523. (818) 840-3538. (818) 840-3537.

Warner Bros
4000 Warner Blvd, Burbank, CA 91522. (818) 977-1744.

FAIRE DES ACHATS À LOS ANGELES

Tout ce que l'argent peut offrir s'achète à Los Angeles, des bijoux Cartier aux articles les plus simples de la vie quotidienne. Alors que le shopping se pratique principalement dans des galeries commerciales aux États-Unis, la douceur du climat permet à Los Angeles de proposer des espaces plus aérés, chic et célèbres tel Rodeo Drive (*p. 90*) ou jeunes et animés comme Melrose Avenue (*p. 109*) ou Third Street Promenade (*p. 74*) à Santa Monica. Les meilleurs quartiers où trouver la mode dernier cri et la décoration d'intérieur en vogue sont Robertson Boulevard, entre Melrose Avenue et Burton Way, et Beverly Boulevard au niveau de Martel Avenue. Old Pasadena (*p. 150*), avec ses boutiques installées dans des édifices du XIXᵉ siècle, est très agréable.

Shopping à L. A.

Intérieur du Westside Pavilion au sud de Westwood Village

GALERIES ET CENTRES COMMERCIAUX

Los Angeles recèle une grande variété de galeries et de centres commerciaux. Le **Beverly Center** propose plus de 170 magasins, tandis que, dans un décor en plein air sophistiqué, le Century City Shopping Center (*p. 89*) en réunit plus de 120. Non loin, le **Westside Pavilion** offre un bon choix de boutiques pour enfants. Plus intime, la Santa Monica Place (*p. 73*), au sud de Third Street Promenade. Dans la San Fernando Valley, **Westfield Shoppingtown Fashion Square** est propice à un shopping éclectique.

GRANDS MAGASINS

Les centres commerciaux comprennent au moins un grand magasin comme les populaires **Bloomingdales** et **Macy's**. L'endroit où Wilshire Boulevard traverse le Triangle d'or de Beverly Hills (*p. 86-87*) a pris le surnom de Department Store Row (rue des grands magasins). Quatre enseignes prestigieuses y voisinent, dont **Barneys New York** et **Saks Fifth Avenue**. **Nordstrom** doit sa renommée à son rayon chaussures et à ses soldes de janvier et de juin.

VÊTEMENTS

La décontraction est la norme à Los Angeles, mais vous trouverez des boutiques de haute couture à Beverly Hills. Parmi les marques les plus en vogue auprès des femmes figurent **Eduardo Lucero** et **Tyler Trafficante**. **American Rag** propose des vêtements neufs et d'occasion aussi bien pour adultes que pour enfants. **Maxfield** et **Fred Segal** s'adressent à une clientèle aisée aimant le style. Les robes et les jeans de **Guess Kids** séduiront plutôt les jeunes filles. À Melrose, **Betsey Johnson** garde une approche enjouée de la mode féminine. **Bernini** et **Mark Michaels** proposent ce qui se fait de mieux en prêt-à-porter masculin. Pour être détendu, allez chez **Urban Outfitters** à Santa Monica, et s'il vous manque un bikini, chez **Everything But Water**.

Enseigne sur Melrose Avenue

ART, LIVRES, DISQUES ET ANTIQUITÉS

La **Cité des Livres** propose une large sélection de livres et de publications françaises. Outre les succursales de grandes chaînes comme **Barnes and Noble** et **Borders**, qui peuvent comprendre un café, L. A. compte de nombreuses libraires indépendantes telles que **Book Soup**, **Dutton's** et **Skylight Bookstore**. Les magasins d'antiquités sont regroupés autour de Melrose Place près de Melrose Avenue, tandis que la Bergamot Station (*p. 75*) abrite certaines des principales galeries d'art. Parmi les autres figurent **LA Louver** et **G. Ray Hawkins**. Les deux marchands de disques offrant le plus vaste choix, **Tower Records** et le **Virgin Megastore**, bordent West Sunset Boulevard.

Boutiques de luxe sur Rodeo Drive (*p. 90*)

BOUTIQUES SPÉCIALISÉES

Partout en ville abondent les souvenirs liés à Hollywood, mais **Fantasies Come True** et **Larry Edmund's Cinema Bookshop** sont deux excellentes boutiques en ce domaine. **The Folk Tree** propose une belle sélection d'artisanat latino-américain. La palme du plus large choix de gadgets destinés à des hommes d'affaires revient à Hammacher Schlemmer sur Rodeo Drive *(p. 90)*.

NOURRITURE ET VIN

Les éventaires du Grand Central Market *(p. 120)* et du Farmers Market *(p. 109)* débordent de fruits et de légumes frais. Considéré comme une des bonnes raisons de venir vivre à Los Angeles, **Trader Joe's** possède un superbe choix de vins et d'épicerie fine. Le **Whole Foods Market** l'imite dans le domaine des produits diététiques. Les caves du **Wine Merchant** de Beverly Hills sont magnifiques.

Éventaires colorés du Grand Central Market *(p. 120)*

CARNET D'ADRESSES

GALERIES ET CENTRES COMMERCIAUX

Beverly Center
8500 Beverly Blvd. **Plan 6 C2.** ((310) 854-0070. w www.beverlycenter.com

Westfield Shoppingtown Fashion Square
14006 Riverside Dr, CA 91423. ((818) 783-0550. w www.westfield.com

Westside Pavilion
10800 W Pico Blvd, CA 90064. ((310) 474-6255.

GRANDS MAGASINS

Barneys New York
9570 Wilshire Blvd. **Plan 5 F4.** ((310) 276-4400. w www.barneys.com

Bloomingdales
Beverly Center, 8500 Beverly Blvd. **Plan 6 C2.** ((310) 360-2700. w www.bloomingdales.com

Macy's
Beverly Center, 8500 Beverly Blvd. **Plan 6 C2.** ((310) 854-6655. w www.macys.com

Nordstrom
Westside Pavilion, 10830 W Pico Blvd, CA 90064. ((310) 470-6155.

Saks Fifth Avenue
9600 Wilshire Blvd. **Plan 5 E4.** ((310) 275-4211.

VÊTEMENTS

American Rag
150 S La Brea Ave. **Plan 7 F2.** ((323) 935-3154.

Bernini
Beverly Center, 8500 Beverly Blvd. **Plan 6 C2.** ((310) 855-1786. w www.bernini.com

Betsey Johnson
Fashion Square Mall. Sherman Oaks, CA 91403. ((818) 986-9810.

Eduardo Lucero
7378 Beverly Blvd. **Plan 7 E2.** ((323) 933-2778.

Everything But Water
Beverly Center, 8500 Beverly Blvd. **Plan 6 C2.** ((310) 289-1550.

Fred Segal
8118 Melrose Ave. **Plan 7 D1.** ((323) 651-1935.

Guess Kids
Beverly Center, 8500 Beverly Blvd. **Plan 6 C2.** ((310) 659-4991.

Mark Michaels
4672 Admiralty Way, Marina del Rey, CA 90292. ((310) 822-1707.

Maxfield
8825 Melrose Ave. **Plan 6 B2.** ((310) 274-8800.

Tyler Trafficante
2001 Saturn St, Monterey Park, 91755. **Plan 7 F2.** ((213) 869-9299.

Urban Outfitters
1440 Third St Promenade, Santa Monica, CA 90401. ((310) 394-1404.

ART, LIVRES, DISQUES ET ANTIQUITÉS

Barnes and Noble
1201 Third St Promenade, Santa Monica, CA 90401. ((310) 260-9110.

Book Soup
8818 W Sunset Blvd. **Plan 1 A5.** ((310) 659-3110.

Borders
1360 Westwood Blvd. **Plan 4 A5.** ((310) 475-3444.

Dutton's
11975 San Vicente Blvd, Brentwood, CA 90049. ((310) 476-6263. w www.duttons brentwood.com

G. Ray Hawkins
300 N Crescent Heights Blvd, LA, CA 90048. ((323) 655-4180.

LA Louver
45 N Venice Blvd, Venice, CA 90291. ((310) 822-4955. w www.lalouver.com

Skylight Bookstore
1818 Vermont Ave, Los Angeles, CA 90027. ((323) 660-1175. w www.skylightbooks.com

Tower Records
8801 W Sunset Blvd. **Plan 1 A5.** ((310) 657-7300.

Virgin Megastore
8000 W Sunset Blvd. **Plan 1 B5.** ((323) 650-8666.

BOUTIQUES SPÉCIALISÉES

Fantasies Come True
8012 Melrose Ave. **Plan 7 D1.** ((323) 655-2636. w www.fantasies cometrue.com

The Folk Tree
199 S Fair Oaks Ave, Pasadena, CA 91105. ((626) 793-4828. w www.folktree.com

Larry Edmund's Cinema Bookshop
6644 Hollywood Blvd. **Plan 2 B4.** ((323) 463-3273. w www.larryedmunds.com

NOURRITURE ET VIN

Trader Joe's
7304 Santa Monica Blvd. **Plan 7 F1.** ((323) 851-9772.

Whole Foods Market
239 N Crescent Drive. **Plan 5 F4.** ((310) 274-3360. w www.wholefoods.com

The Wine Merchant
9467 Little Santa Monica Blvd. **Plan 5 E4.** ((310) 278-7322.

CIRCULER À LOS ANGELES

L'agglomération de Los Angeles occupe une superficie de 1 200 km² et y circuler peut paraître intimidant. Le réseau d'autoroutes *(p. 170-171)* permet toutefois un accès facile, bien que parfois lent aux heures de pointe. La voiture reste de toute manière la seule façon de se déplacer aisément, bien que les transports publics soient efficaces

à Downtown et Hollywood. Les taxis s'appellent généralement par téléphone. En prendre un de l'aéroport jusqu'au centre peut se révéler coûteux. Les autobus empruntent les principales artères de la ville, mais sont souvent bondés et lents. Le métro dessert bien le Business District. C'est à pied que se découvrent le mieux certains quartiers.

Taxi à Beverly Hills

notamment le Business District de Downtown *(p. 118-119)*, Old Pasadena *(p. 150)*, Melrose Avenue *(p. 109)*, le Golden Triangle de Beverly Hills *(p. 86-87)*, Pine Avenue à Long Beach *(p. 128)* et, à Santa Monica, Third Street Promenade, la plage et Main Street *(p. 72-75)*.

Ne vous risquez pas à pied la nuit hors des rues bien éclairées et animées.

À BICYCLETTE

C'est sur la piste côtière de la Santa Monica Bay, longue de 40 km, ainsi qu'au Griffith Park et sur l'Oceanside Bike Path de Long Beach qu'il est le plus agréable de faire du vélo. Un mode de transport interdit sur les autoroutes. Le **LA Department of Transportation** fournit des cartes détaillées. **Sea Mist Skate Rentals**, sur le Santa Monica Pier, **Marina Bikes** (Redondo Beach), et des stands de pizzas de Santa Monica Beach louent des bicyclettes.

EN BUS ET EN MÉTRO

Les arrêts de bus portent le signe de la MTA **(Metropolitan Transportation Authority)**, la régie des transports publics de l'agglomération. Parmi les lignes les plus pratiques : la 20 et la 720, de Wilshire Boulevard à Santa Monica Beach ; la 21 pour Westwood et l'UCLA ; la 4, de Santa Monica Boulevard à la plage ; la 2, de Sunset Boulevard à Pacific Palisades.

Pour 25 cents, les navettes du **DASH** offrent un moyen pratique de circuler dans des zones limitées, comme Downtown et Hollywood. La **Santa Monica Blue Bus Co.** et le **Long Beach Transit** desservent ces villes.

La nouvelle Metro Gold Line relie Union Station, Downtown LA et Pasadena. Au départ d'Union Station, la Metro Red Line dessert Universal City et North Hollywood. La Blue Line relie Downtown Los Angeles à Long Beach, et la Green Line dessert l'aéroport.

Sur l'autoroute en direction de Downtown

EN VOITURE

Préparer vos trajets vous fera gagner beaucoup de temps. La carte des pages 170-171 vous aidera à repérer les changements d'autoroutes et les sorties correspondant à votre itinéraire. Évitez les heures de pointe : en semaine de 8 h à 9 h 30 et de 16 h à 18 h 30. Quelques autoroutes sont encombrées en permanence pendant la journée ; emprunter les grandes artères se révélera parfois préférable. Respectez les conditions de stationnement et prévoyez des pièces de 25 cents pour les parcmètres. Les parkings gardés sont plus sûrs la nuit.

À PIED

Malgré l'étendue de la ville, quelques quartiers se prêtent bien aux promenades,

Cyclistes à Venice sur la piste côtière

Rame de la Metro Red Line à la station Pershing Square

Toutes les lignes du métro fonctionnent de 5 h à 0 h 30. L'horaire du week-end s'applique aux jours fériés. Un trajet en autobus coûte 1,25 $ (l'appoint est exigé). Les tickets de métro s'achètent aux distributeurs automatiques dans les stations.

AUTRES MODES DE TRANSPORT

Independent Cab Co. et Yellow Cab sont deux compagnies de taxis fiables. Vous pouvez aussi opter pour le luxe en louant une limousine auprès de **Limousine Connection** ou de **Pioneer Limousine**.

Guide Line Tours organise des visites guidées en car.

Les visites organisées par **Hollywood Tours** et **Starline Tours** permettent de voir les maisons des vedettes de cinéma et autres célébrités locales.

Beverly Hills Tours propose une découverte de Beverly Hills et d'Hollywood et **LA Nighthawks** de luxueuses sorties nocturnes.

CARNET D'ADRESSES

BICYCLETTES

Marina Bike Rentals
505 N Harbor Dr, Redondo Beach, CA 90277. (310) 318-2453.

LA Department of Transportation (LADOT)
221 N Figueroa St, Los Angeles, CA 90012. **Plan** 11 D3.
(213-310-323-818) 808-2273.

Sea Mist Skate Rentals
1619 Ocean Front Walk, Santa Monica, CA 90401.
(310) 395-7076.

TRANSPORTS PUBLICS

DASH
(213-310-323-818) 808-2273.

Long Beach Transit
(562) 591-2301.

Metropolitan Transportation Authority (MTA)
(800) 266-6883.

Santa Monica Blue Bus Co.
(310) 451-5444.

TAXIS

Independent Cab Co.
(800) 521-8294.

Yellow Cab
(800) 200-1085.

LIMOUSINES

Limousine Connection
(800) 266-5466.

Pioneer Limousine
(800) 640-0700.

VISITES ORGANISÉES

Beverly Hills Tours
(213) 617-0818.

Guide Line Tours
(323) 461-0156 ;
(800) 604-8433.

Hollywood Tours
(800) 789-9575.

LA Nighthawks
(310) 392-1500.

LA Tours
(323) 460-6490.

Starline Tours
(800) 959-3131.

PLAN DU MÉTRO

LÉGENDE

— Metro Red Line
— Metro Blue Line
— Metro Gold Line
— Metro Green Line

Carte autoroutière de Los Angeles

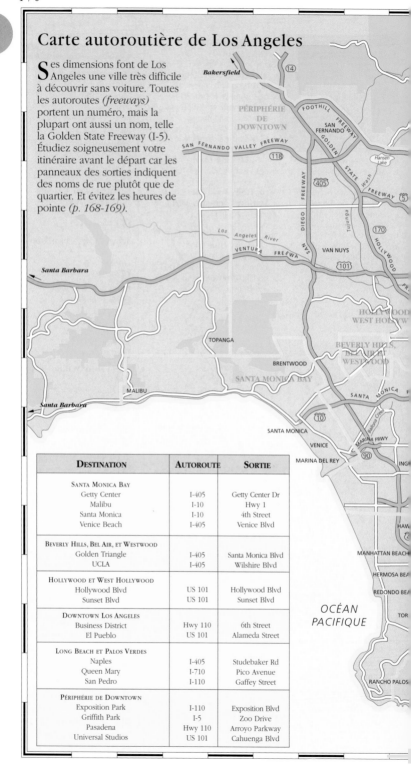

Ses dimensions font de Los Angeles une ville très difficile à découvrir sans voiture. Toutes les autoroutes *(freeways)* portent un numéro, mais la plupart ont aussi un nom, telle la Golden State Freeway (I-5). Étudiez soigneusement votre itinéraire avant le départ car les panneaux des sorties indiquent des noms de rue plutôt que de quartier. Et évitez les heures de pointe *(p. 168-169)*.

DESTINATION	AUTOROUTE	SORTIE
SANTA MONICA BAY		
Getty Center	I-405	Getty Center Dr
Malibu	I-10	Hwy 1
Santa Monica	I-10	4th Street
Venice Beach	I-405	Venice Blvd
BEVERLY HILLS, BEL AIR, ET WESTWOOD		
Golden Triangle	I-405	Santa Monica Blvd
UCLA	I-405	Wilshire Blvd
HOLLYWOOD ET WEST HOLLYWOOD		
Hollywood Blvd	US 101	Hollywood Blvd
Sunset Blvd	US 101	Sunset Blvd
DOWNTOWN LOS ANGELES		
Business District	Hwy 110	6th Street
El Pueblo	US 101	Alameda Street
LONG BEACH ET PALOS VERDES		
Naples	I-405	Studebaker Rd
Queen Mary	I-710	Pico Avenue
San Pedro	I-110	Gaffey Street
PÉRIPHÉRIE DE DOWNTOWN		
Exposition Park	I-110	Exposition Blvd
Griffith Park	I-5	Zoo Drive
Pasadena	Hwy 110	Arroyo Parkway
Universal Studios	US 101	Cahuenga Blvd

ATLAS DES RUES DE LOS ANGELES

L es références cartographiques données dans les pages de ce guide consacrées à Los Angeles, pour les sites de visite comme pour les salles de spectacle *(p. 165)*, les magasins *(p. 167)*, les hôtels *(p. 508-513)* et les restaurants *(p. 544-550)*, renvoient aux plans de cet atlas. Les références routières renvoient en fin de livre à la carte de la couverture intérieure.

La carte d'ensemble ci-dessous pré-

Patineuse à Venice Beach

cise la zone couverte par chaque plan de l'atlas et les quartiers de l'agglomération de Los Angeles qui la composent. Sur les plans figurent tous les sites et monuments intéressants, ainsi que des adresses utiles telles que stations de métro, gares, terminus de bus et services d'urgence. La carte autoroutière des pages 170-171 facilitera vos déplacements en voiture.

Vous trouverez ci-dessous la légende des symboles utilisés dans les plans de l'atlas.

LÉGENDE DE L'ATLAS DES RUES

▢ Site exceptionnel	ℹ Information touristique	═ Autoroute	
▢ Site intéressant	✚ Hôpital de garde	─ Rue à sens unique	
Ⓡ Gare Amtrak	🚓 Poste de police	▬ Rue piétonnière	
Ⓜ Station de la Metro Red Line	⊠ Bureau de poste		
Ⓜ Station de la Metro Blue Line	⛳ Terrain de golf	**ÉCHELLE DES PLANS 1 À 11**	
▥ Terminus d'autobus	═ Voie ferrée	0 500 m	

LA CALIFORNIE DU SUD

La Californie du Sud d'un coup d'œil

Le sud de la Californie est une terre de contrastes avec des sommets enneigés d'où la vue porte jusqu'à l'océan dominent de vastes étendues arides. On peut s'y baigner le matin, skier l'après-midi et jouer au golf le soir. Entre San Simeon et San Diego, plages et stations balnéaires jalonnent la côte dont la visite des charmantes villes de Santa Barbara et de San Diego, de missions historiques et des parcs d'attractions de l'Orange County agrémenteront la découverte. À l'intérieur des terres, le Death Valley National Park et le Joshua Tree National Park protègent deux superbes déserts.

La Santa Barbara Mission (p. 212-213) *est la plus visitée des missions californiennes et la seule que des franciscains ont occupée sans interruption depuis sa fondation en 1786. L'intérieur de l'église possède, comme la façade, un style classique.*

DE CAMBRIA À SANTA BARBARA
(p. 194-215)

LOS ANGELES
(p. 54-183)

L'Hearst Castle™ (p. 202-205), *construit sur la côte au nord de San Luis Obispo par le milliardaire William R. Hearst, servit de cadre à de somptueuses réceptions dans les années 1930 et 1940. Les invités appréciaient particulièrement la piscine de Neptune.*

ORANGE COUN
(p. 216-233)

La Mission San Juan Capistrano (p. 230-231), *dans le sud de l'Orange County, porte le surnom de « Joyau des Missions ». Fondée en 1776 et ravagée par un séisme en 1812, elle a été superbement restaurée.*

0   50 km

Le Death Valley National Park
(p. 280-283) renferme le point le plus
bas de l'hémisphère occidental. Dunes
de sable, lacs asséchés et rochers érodés
y composent des paysages grandioses.
Cœur du parc, la vallée de la Mort
s'étend sur 225 km et possède, malgré
un des climats les plus chauds du globe,
une faune et une flore surprenantes. Le
Scotty's Castle témoigne des
engouements qu'engendra un tel lieu.

**LE DÉSERT
DE MOJAVE**
(p. 270-283)

Le Joshua Tree National Park
(p. 268-269), aisément accessible dans le
Low Desert depuis la ville de Palm
Springs, doit son nom aux arbres de
Josué qui dressent leurs formes étranges
au milieu de formations rocheuses
sculptées par les éléments.

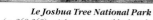

**INLAND EMPIRE
ET LOW DESERT**
(p. 258-269)

**SAN DIEGO
COUNTY**
(p. 234-257)

Le Balboa Park (p. 246-249) de
San Diego, site de la Panama-
Pacific Exposition de 1915, abrite
de nombreux musées, dont le San
Diego Museum of Man installé dans
le California Building de style
Spanish Colonial. Au nord du parc
s'étend le célèbre zoo de San Diego.

Le surf, un sport et une culture

Les Californiens du Sud vénèrent la jeunesse, la santé et la beauté, et ils ont les plages pour églises. Là, ils viennent exposer sous un soleil perpétuel des corps dont la plastique parfaite a parfois profité des progrès de la chirurgie. Le patin à roulettes et le volley-ball comptent beaucoup d'adeptes, mais c'est la capacité à se montrer élégant sur une planche de surf qui distingue vraiment l'élite. Ce sport était à l'origine une pratique religieuse de la noblesse hawaïenne. George Freeth l'introduisit en Californie en 1907 *(p. 62)* et le nageur olympique Duke Kahanamoku le rendit populaire à Waikiki dans les années 1920. Une véritable « culture de la plage » s'est développée autour du surf, avec ses rites, son argot et ses codes vestimentaires. Elle influence tous les États-Unis depuis le succès, en 1961, d'une chanson des Beach Boys, *Surfin*.

Buste de Duke Kahanamoku

Les Beach Boys *chantèrent les joies du surf, mais aucun d'eux ne savait tenir sur une planche.*

Des films comme Gidget *(1959),* Ride the Wild Surf *(1964) et* Beach Blanket Bingo *(1965), ainsi que le documentaire* Endless Summer, *rendirent populaires dans les années 1960 le mode de vie des surfers et leurs longues fêtes sur la plage.*

OÙ APPRENDRE LE SURF

Il est recommandé aux débutants de commencer par pratiquer le body surfing sans planche. Courtes et stables, les boogie boards sont sinon les plus aisées à maîtriser, en particulier sur des plages comme Santa Monica *(p. 61)*, Carpinteria *(p. 199)* et Del Mar *(p. 239)*. Où que vous soyez, préférez les endroits où la vague déferle parallèlement à la plage *(surf break)*. Mieux vaut éviter des lieux pourtant réputés comme Surfrider *(p. 60)*, San Clemente *(p. 220)* et Huntington *(p. 220)* où les conditions peuvent exiger de l'expérience.

Le boogie board, un jeu d'enfant ?

Le « tube » est le passage
cylindrique qui se forme
sous la crête d'une
déferlante.

L'ART DU SURF

L'un des grands plaisirs des surfers est de
tenir le « tube » en glissant sous la crête
de la vague de manière à rester toujours
un peu en avant de la déferlante. Tout
l'art consiste à ne pas sortir du rouleau en
allant trop vite sans pour autant se laisser
rattraper, puis à s'extraire du tunnel d'eau
au bon moment quand il vient mourir sur
la plage.

Le surfer influe sur sa vitesse
et la direction qu'il suit en
changeant de position.
S'accroupir abaisse le centre
de gravité et accroît la stabilité.

Les planches modernes,
faites de matériaux légers
comme la fibre de verre,
permettent d'atteindre de
plus grandes vitesses. Leurs
couleurs vives aident à les
voir dans l'eau.

*Les premières planches,
telles celles exposées au Santa
Cruz Surfing Museum* (p. 491),
*venaient de Hawaï et leur forme
leur valut le surnom de
« couvercles de cercueil ». Faites
en bois, elles étaient lourdes et
peu maniables.*

AUTRES ACTIVITÉS DE PLAGE

Les magnifiques plages de la Californie du
Sud sont surtout fréquentées en été, mais
elles permettent de pratiquer toute l'année
des sports et des distractions très variés.
La voile compte de nombreux amateurs et
les ports de plaisance jalonnant le littoral
abritent des milliers de bateaux. Les vents
dominants soufflent de la mer, ce qui
favorise aussi la planche à voile et les
évolutions des cerfs-volants. Les côtes
rocheuses, en particulier celles des
Channel Islands *(p. 214)*, s'offrent à la
découverte en canoë ou en kayak. Jadis
limité à des matches entre amis, le volley-
ball est devenu un sport professionnel et
des compétitions ont lieu en été.

Rencontre amicale à Santa Monica

Le culte de l'automobile en Californie

**Plaque minéralogique
californienne**

L a construction de la
première autoroute à Los
Angeles en 1940 *(p. 50)* ouvrit
une nouvelle ère en Californie
du Sud. Les villes se
développèrent en fonction de
l'automobile et un ruban de goudron filant vers
l'horizon dans le désert devint le symbole de l'esprit
d'indépendance de l'État. Expression de l'identité
de son propriétaire, la voiture, parfois personnalisée
(customized), est au centre de la vie américaine, en
particulier de celle des adolescents, grâce à toutes
sortes de *drive-in* : cinémas, fast-foods et même
banques. Les Californiens en paient le prix : les
embouteillages et le smog produit par les pots
d'échappement. Huit millions de véhicules circulent
dans l'agglomération de Los Angeles.

Les autoroutes de Los Angeles
*forment un réseau complexe
reliant la ville à ses banlieues et
au reste de l'État.*

Écusson d'une Ford Thunderbird

La capote se
faisait discrète les
jours de soleil.

Du chrome
enveloppait les
feux arrière.

**Baguette
chromée**

LES BANDES DE MOTARDS

Ce sont des vétérans de la
Deuxième Guerre mondiale
qui donnèrent naissance en
1948, à San Bernardino, au
célèbre groupe de *bikers* des
Hell's Angels, les Anges de
l'Enfer. Il compte aujourd'hui
quelque mille membres à
travers le monde et continue
de symboliser le rejet de
l'autorité qu'incarna Marlon
Brando en 1953 dans le film
qui lança sa carrière et celle
de Lee Marvin : *L'Équipée
sauvage (The Wild One)*.

Marlon Brando

Les voitures japonaises, *ici
en transit au Worldport LA
(p. 62), font une sérieuse
concurrence aux constructeurs
américains.*

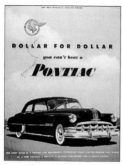

Cette publicité date des années 1950. Les modèles proposés par les fabricants répondaient à l'attente de clients dont la voiture reflétait le statut social.

OÙ VOIR DE BELLES AMÉRICAINES

La plupart des villes célèbrent la culture automobile californienne en organisant des défilés ou des expositions de voitures anciennes ou personnalisées *(customized)*. Le *visitors' centre* local *(p. 589)* vous en donnera le détail. L'une des plus importantes de ces manifestations se tient au début du mois d'avril aux LA County Fairgrounds de Pomona. Le Muscle Car Show de Bakersfield *(p. 215)*, le West Coast Kustom Cars de Paso Robles *(p. 200-201)* et les Graffiti USA Festival and Cruise de Modesto ne manquent pas non plus d'intérêt. Plusieurs grandes courses automobiles ont également lieu en Californie, notamment le Long Beach Toyota Grand Prix en avril *(p. 32)* et la Savemart 300 Nascar Winston Cup Race de Sonoma *(p. 448-449)*. L'État possède aussi plusieurs musées remarquables tels que le Petersen Automotive Museum *(p. 114)* de Los Angeles et le Behring Auto Museum proche de San Jose *(p. 412-413)*.

Tucker Torpedo exposée au Petersen Automotive Museum de Los Angeles

Des déflecteurs équipaient les portières.

Le pare-brise enveloppant s'inspirait des avions.

CADILLAC ROSE
Décapotable au luxe affirmé, cette Cadillac de 1959 convenait parfaitement à l'esprit et au climat californiens, mais ses deux tonnes la rendaient difficile à manœuvrer et elle céda la place à des modèles plus pratiques.

Les pare-chocs étincelaient plus encore qu'ils ne protégeaient.

Des pneus à flanc blanc ajoutaient une touche élégante.

La Ford modèle T (surnommée Tin Lizzy) apparut en 1908. Henry Ford créa les premières chaînes d'assemblage dès 1913 et les prix chutèrent jusqu'à 500 $. Cette photo de 1924 montre que les Californiens ne perdirent pas de temps à inventer l'embouteillage.

Les camping-cars (motorhomes) qui se sont popularisés dans les années 1960 ont permis aux Californiens de concilier deux passions : celle des grands espaces et celle du confort.

De l'eau dans le désert

L a majeure partie de la Californie du Sud est désertique
et, jusqu'en 1913, la survie des immigrants reposait
sur les puits. Le développement de la population rend
nécessaire la construction d'un réseau d'aqueducs et de
canaux, l'un des plus élaborés du monde. Il a permis la
transformation des étendues arides en riches terres
agricoles et l'installation dans les centres urbains de
millions d'habitants. Leurs besoins en eau mettent
toutefois à forte contribution les grandes sources
d'alimentation de la région, la Colorado River et les
rivières de la Sierra Nevada, et suscitent de vives
controverses avec les Californiens du Nord.

Le Sacramento/San Joaquin River Delta alimente les fermes du sud. Le pompage est tel par moments que le sens d'écoulement s'inverse et que de l'eau de mer envahit le delta.

L'Owens Lake (p. 479) *s'étend entre la Sierra Nevada et le désert de Mojave. D'une superficie de 260 km², il s'assèche peu à peu depuis que le LA Aqueduct détourne les eaux de l'Owens River vers Los Angeles.*

BAKERSFIELD

SAN LUIS OBISPO

SANTA BARBARA

SAN GAB MOUNTA

LOS ANGELES

Le Los Angeles Aqueduct rendit fertile la San Fernando Valley (p. 140) en 1914 et assura la fortune de spéculateurs bien informés.

WILLIAM MULHOLLAND

À la tête du service des eaux, William Mulholland (1855-1935) (p. 140) et Fred Eaton construisirent l'aqueduc reliant l'Owens Valley à Los Angeles. Achevé en 1914, il coûta plus de 24 millions de dollars et suscita de nombreuses polémiques. En 1929, il ne suffisait déjà plus et les ingénieurs durent détourner des rivières du Mono Basin et la Colorado River coulant à 645 km de là.

0   75 km

LÉGENDE

	Zones habitées
	Cours d'eau
	Rivières asséchées
	Canaux
	Aqueducs

La vallée de la Mort (p. 280-283) *ne reçoit en moyenne que 4 cm d'eau par an, mais ils suffisent aux 900 variétés de plantes qu'abrite le Death Valley National Park.*

Palm Springs (p. 264-265) *se trouve en bordure du désert, mais l'eau provenant de montagnes voisines et de sources souterraines en fait une véritable oasis.*

Parker Dam

Le Joshua Tree National Monument
(p. 268-269) *se trouve dans le Low Desert. Des plantes résistantes comme l'arbre de Josué permettent à 25 espèces d'oiseaux d'y vivre.*

Le All American Canal
alimenté par la Colorado River irrigue l'Imperial Valley où poussent toute l'année laitues, melons, tomates et petits pois.

LE RÉSEAU D'ALIMENTATION EN EAU DE LA CALIFORNIE DU SUD

L'eau de la Californie du Sud a deux principales origines : la Sierra Nevada, au nord, qui alimente Los Angeles par le LA Aqueduct, et le Colorado River, au sud-est. Le Colorado Aqueduct, qui part du Parker Dam, comporte plus de 600 km de canalisations. Le réseau de canaux qui rend fertile l'Imperial Valley irrigue aussi la station de villégiature de Palm Springs.

La Salton Sea (p. 267) *doit à une brèche dans le système d'irrigation de l'Imperial Valley de s'être formée en 1905.*

DE CAMBRIA À SANTA BARBARA

Voici une région de petites villes accueillantes, de fermes dispersées, de vignobles nichés dans d'agréables vallées et de ruisseaux ombragés. De larges plages de sable s'étendent sur des kilomètres au pied de collines fauves et désertes. À l'intérieur des terres, aigles et condors planent au-dessus de la Los Padres National Forest.

L'héritage espagnol de la région demeure particulièrement visible à Santa Barbara où subsistent le Presidio, place forte fondée en 1782, et la « Reine des Missions » *(p. 212-213)* qui abrite toujours un couvent franciscain. Le style Mission Revival *(p. 27)*, qui se répandit dans toute la Californie, donne son homogénéité à l'architecture de la ville. Ses environs ont gardé un charme rural. Après la ruée vers l'or *(p. 44-45)*, des immigrants venus de la Côte Est s'y partagèrent les grandes concessions issues du démembrement des missions pour créer de petites communautés agricoles.

Longues plages de sable et soleil assuré attiraient déjà en été au début du XXe siècle des milliers de visiteurs dans des stations balnéaires comme Pismo Beach et Avila Beach. Plus au nord, à San Simeon, le millionnaire William Randolph Hearst se fit construire une fabuleuse demeure, l'Hearst Castle, qu'il meubla d'antiquités et où il reçut des invités tels que Charlie Chaplin ou Winston Churchill. Transformée en musée, elle dévoile ses charmes dans le cadre de visites guidées. La vie qu'y mena son propriétaire inspira à Orson Welles son film *Citizen Kane* (1940).

Outre le farniente sur des plages désertes, la région offre de multiples possibilités de distraction, de la descente en kayak de la Kern River, près de Bakersfield, à une promenade de dégustation dans les vignobles de la Santa Ynez Valley. Fondée par des Danois en 1911, Solvang a conservé un étonnant cachet nordique. Les Indiens Chumash qui peuplaient jadis le littoral ont laissé non loin des peintures rupestres. Des centaines de kilomètres de sentiers de randonnée sillonnent les paysages montagnards ou désertiques de la Los Padres National Forest.

Au large, la réserve naturelle des Channel Islands offre un refuge à de nombreuses espèces de mammifères et d'oiseaux marins et un bon endroit d'où observer la migration des majestueuses baleines grises.

Éventaire de produits locaux à Morro Bay

◁ **Pêcheur et pélicans sur la jetée de Pismo Beach**

À la découverte de la région

Au-delà des rondes collines plantées de chênes qui dominent les plages et les plaines côtières, la Los Padres National Forest offre aux randonneurs des centaines de kilomètres de sentiers. À quelques kilomètres au nord de Santa Barbara, la qualité des crus produits par ses caves ajoute au charme de la Santa Ynez Valley. Sur le littoral du San Luis Obispo County, les stations balnéaires de Morro Bay et Pismo Beach sont réputées pour la pêche et les clams. Il faut réserver pour visiter le Hearst Castle situé au nord-ouest.

LA RÉGION D'UN COUP D'ŒIL

VOIR AUSSI

- *Hébergement* p. 514-515
- *Restaurants* p. 551-553

LÉGENDE

▨	Autoroute
▬	Route principale
▬	Route secondaire
▬	Parcours pittoresque
∿	Cours d'eau
❀	Point de vue

Paysage de montagne dans la vaste Los Padres National Forest

CIRCULER

Longeant la côte, la I-101 et la Hwy 1 desservent les principaux sites. À l'instar des cars Greyhound, les trains du Coast Starlight (entre Los Angeles et San Francisco) s'arrêtent à Santa Barbara et San Luis Obispo. On peut gagner Bakersfield en voiture en traversant la Los Padres National Forest, mais la route la plus fréquentée, la I-5, part de Los Angeles. Le Channel Islands National Park se rejoint en vedette depuis Ventura.

Stockton

Fresno
Visalia

KWELLS
RNER

California Aqueduct

West-Side Canal

East Side Canal

46

99

65

43

58

58

58

58

20 BAKERSFIELD

Kern River

178

58

33

58

119

223

166

99

Barstow
Las Vegas

Cuyama River

33

MARICOPA

TEHACHAPI

58

WHEELER RIDGE

CUYAMA

33

5

Los Angeles Aqueduct

H U M A S H
A I N T E D
A V E
A T E
S T O R I C
A R K

33

19

L O S   P A D R E S

N A T I O N A L   F O R E S T

Santa Clara
Los Angeles

18 OJAI

150

14

**SANTA
BARBARA**

101

33

126

VENTURA 15

Santa Clara River

118

17

**RONALD REAGAN
PRESIDENTIAL
LIBRARY**

101

1

Los Angeles

16

A N N E L   I S L A N D S
A T I O N A L   P A R K

0   25 km

**La jetée de Santa Barbara, le
Stearns Wharf**

La côte de Cambria à Santa Barbara

L e littoral entre Cambria et Santa Barbara offre des kilomètres de larges plages de sable aisément accessibles et certains des meilleurs sites de Californie pour pratiquer le surf. Bien que l'eau soit plus fraîche qu'entre Los Angeles et San Diego, vous apprécierez la possibilité de dénicher des lieux isolés où vous profiterez du soleil et de l'océan en toute quiétude. Plusieurs plages se trouvent dans des parcs d'États où des sentiers grimpent dans les collines jusqu'à de spectaculaires points de vue sur des paysages préservés.

★ Avila State Beach ③

Proche d'une station paisible, cette plage de sable blanc appréciée des surfers en été possède un ponton où l'on peut pêcher.

★ Pismo State Beach ④

Surtout connue pour ses clams *(p. 206-207)*, cette plage au sable compact se prête bien à la pratique du volley-ball.

0   20 km

La Purísima Concepción Mission se trouve dans la Lompoc Valley (p. 207). La onzième des missions fondées par les Espagnols (p. 42-43) est celle qui a connu la reconstruction la plus complète et sa visite instruit sur les conditions de vie des colons franciscains.

Le Morro Rock, rocher d'origine volcanique où nichent des faucons pèlerins, prend toute sa beauté au lever et au coucher du soleil (p. 206).

CARTE DE SITUATION

William R. Hearst Memorial State Beach ①

Sous le Hearst Castle™ *(p. 202-205)*, cette plage en forme de croissant offre un bon endroit où pique-niquer. On peut affréter des bateaux de pêche en haute mer à la jetée.

Montana de Oro State Park ②

Derrière cette plage rocheuse, des sentiers grimpent dans les collines d'un parc de 3 250 ha où des papillons Monarch *(p. 209)* viennent se poser sur les eucalyptus en hiver.

★ East Beach ⑦

Cette plage de sable s'étire sur 2,5 km depuis le Stearns Wharf de Santa Barbara. Les enfants apprécieront l'aire de jeu et la pataugeoire.

Gaviota State Park ⑤

Dans une crique, cette plage de 9 km possède une aire de jeu et une jetée qui permet de pêcher. Des sentiers sillonnent les 1 100 ha du parc adjacent.

El Capitan State Beach ⑥

Les mares qui se forment dans les rochers et les bois qui s'étendent derrière la plage abritent une riche faune. Les baleines passent non loin en hiver *(p. 580)*.

Carpinteria State Beach ⑧

Dominée par les Santa Ynez Mountains, cette plage abritée est un des endroits les plus sûrs et les plus agréables pour la baignade en Californie du Sud.

Point Mugu State Park ⑩

À la pointe occidentale des Santa Monica Mountains, ce parc sillonné de sentiers permet souvent d'apercevoir des dauphins et des otaries.

Leo Carrillo State Beach North ⑪

Cette partie de la Leo Carrillo State Beach *(p. 60)* qui se poursuit dans le Los Angeles County est un des hauts lieux du surf en Californie.

★ San Buenaventura State Beach ⑨

Près du centre de Ventura *(p. 214)*, la digue du port crée ici une aire de baignade agréable.

LÉGENDE

▬▬	Autoroute
▬▬	Route principale
▬▬	Route secondaire
〰	Cours d'eau
☆	Point de vue

Galerie du cloître de la Mission San Miguel Arcángel

Mission San Miguel Arcángel ❶

801 Mission St, San Miguel.
Carte routière B5. ☎ (805) 467-2131. ● Fermé au public.
ⓦ www.missionsanmiguel.org

L a Mission est fermée au public, suite aux dégâts causés par le tremblement de terre de décembre 2003. C'est le père Fermín de Lasuén, successeur du père Junípero Serra, qui fonda en 1742 cette seizième mission californienne *(p. 42-43)*. Neuf ans plus tard, un incendie détruisit l'église originelle, et l'édifice actuel, qui servait d'église paroissiale, date de 1819. Des Indiens peignirent entre 1822 et 1823 ses décorations murales sous la direction d'Esteban Munras. Les six salles du musée sont meublées comme au début du xixᵉ siècle.

Les *padres* élevèrent du bétail et cultivèrent légumes et céréales pour se nourrir. Ils plantèrent aussi de la vigne pour produire leur vin de messe et il existe aujourd'hui plus de trente *wineries* dans les collines environnantes.

Désaffectée en 1834, la mission servit d'entrepôt et de bar avant sa restitution aux franciscains en 1928. Elle abrite aujourd'hui un centre de retraite et un noviciat.

Hearst Castle™ ❷

Voir p. 202-205.

Cambria ❸

Carte routière B5. 🏠 5 000. 🚌
ℹ 767 Main St. ☎ (805) 927-3624.
ⓦ www.cambriachamber.org

E ntre une côte rocheuse et des collines plantées de pins, Cambria doit sa création, en 1866, à une mine de mercure. Elle devint ensuite un centre laitier et forestier. De nombreux artistes et artisans y vivent aujourd'hui.

La ville est divisée en deux quartiers : East Village, charmant ensemble de maisons Arts and Crafts *(p. 27)*, et West Village, plus moderne. Boutiques spécialisées, galeries d'art, restaurants et la plus ancienne demeure de Cambria, la Lull House, bordent Main Street qui les relie. Juste au nord, sur Hillcrest Drive, se dresse la Nit Wit Ridge. Art Beal, un entrepreneur local surnommé Captain Nit Wit (capitaine Crétin), commença de bâtir cette résidence fantasque dans les années 1930. Il mit plus de soixante ans à la construire à partir de matériaux de récupération allant de coquillages jusqu'à de vieux pneus.

Statue de l'archange saint Michel

Au nord de la ville, sur Moonstone Drive, un magnifique débarcadère, le Leffingwell Landing, offre de belles vues des vagues qui déferlent et, à l'occasion, d'otaries, de baleines ou de loutres nageant au large. À marée basse, on peut descendre explorer les mares qui se forment au pied des falaises.

Paso Robles ❹

Carte routière B5. 🏠 21 000. 🚌
ℹ 1225 Park St. ☎ (805) 238 - 0506.
ⓦ www.pasorobleschamber.com

L e « col des Chênes » faisait jadis partie d'une concession de 10 500 ha : le ranch d'El Paso de Robles. Une source chaude d'eau sulfureuse, dont les Indiens connaissaient déjà les vertus curatives, permit la création d'une station thermale qui se développa à partir de 1866 quand le Southern Pacific Railway desservit la région.

Élevages de chevaux et vignobles entourent aujourd'hui la ville, ainsi que 2 000 ha de vergers d'amandiers qui se couvrent de fleurs au début du printemps. Si elle a perdu sa source qui polluait la Salinas River, elle a encore beaucoup à offrir au visiteur. Dans Vine Street, entre 12th Street et 20th Street, se dressent plusieurs bâtiments de la fin du siècle dernier, dont la **Call-Booth House Gallery** qui expose dans un cadre victorien les œuvres d'artistes

La Nit Wit Ridge de Cambria

Fête du vin à l'Arciero Winery, Paso Robles

pour la plupart locaux. Des édifices de la même époque abritent plusieurs restaurants. Berardi & Sons est ainsi installé dans l'ancien siège du quotidien de la ville, tandis que la McLee's Steak House, dans une église désaffectée, possède d'immenses vitraux. Le Touch of Paso occupe un relais de poste où s'arrêtaient les diligences de l'Overland Stage Company. La Paso Robles Inn, située au 1003 Spring Street, s'élève sur le site du Hot Springs Hotel bâti en 1860. Ses jardins sont ouverts au public.

Deux importantes manifestations rythment la vie de Paso Robles : la California Mid-State Fair, une grande foire agricole organisée au début du mois d'août et réputée pour la qualité des animations présentées, et le Wine Festival où plus de vingt domaines viticoles de la région proposent en mai des dégustations de leurs crus.

Aux environs
On atteint le **Lake Naciemento**, situé au 27 km au nord-ouest de Paso Robles, par la County Road G 14. Dans une vallée pittoresque plantée de pins et de chênes, cette aire de loisirs offre un cadre agréable pour pique-niquer, camper ou pratiquer des sports nautiques. Le lac recèle perches et poissons-chats.

Au croisement de la Hwy 46 et de la Hwy 41, à 24 km à l'est de Paso Robles, le **James Dean Monument** rend hommage à l'interprète de *La Fureur de vivre* qui périt ici au volant de sa Porsche le 30 septembre

1955. Il avait 24 ans. En acier inoxydable, le monument entoure un ailante. Une plaque évoque la vie de l'acteur.

🏛 Call-Booth House Gallery
1315 Vine St. 📞 *(805) 238-5473.*
🕐 *de 11 h à 15 h du mer. au dim.*
⬤ *jours fériés.* 🦽

Atascadero ⑤

Carte routière B5. 🏠 *26 000.*
🚉 *San Luis Obispo.* 🚌 *Dial-A-Ride (805 466-7433).* 🚌 🛈 *6550 El Camino Real.* 📞 *(805) 466-2044.*
🌐 *www.atascaderochamber.org*

À un endroit dont le nom signifie bourbier en espagnol, l'éditeur Edward G. Lewis acheta en 1913 un ranch de 9 300 ha pour y fonder une ville idéale. Inspiré de la Renaissance italienne, le bâtiment d'où il dirigea cette entreprise lui coûta en 1914 près d'un quart de million de dollars. Après avoir un temps servi d'école, il abrite aujourd'hui les services municipaux. Dans la rotonde du premier étage, l'**Atascadero Historical Society Museum** présente plusieurs centaines de clichés pris par le photographe officiel de Lewis. Le musée possède aussi des objets ayant appartenu aux premiers colons qui s'installèrent dans la région. Orné de fontaines et de statues, le Sunken Gardens Park entoure l'édifice.

Lewis fit faillite avant d'avoir vu aboutir son projet, mais, à partir des années 1950, Atascadero continua son essor, son charme rural attirant de nouveaux habitants. Elle prit son statut municipal en 1979.

Les visiteurs apprécient ses magasins d'antiquités, ses boutiques élégantes et son marché fermier hebdomadaire. En octobre, les Colony Days célèbrent l'histoire de ses débuts.

À la sortie sud de la ville, sur la Hwy 41, l'Atascadero Park renferme des aires de pique-nique et une aire de jeu pour enfants. On peut y faire d'agréables promenades et pêcher dans l'Atascadero Lake. À côté, le **Charles Paddock Zoo** rassemble sur un hectare plus de 100 espèces d'animaux, dont des singes, des grizzlis, un couple de tigres et un jaguar.

🏛 Atascadero Historical Society Museum
6500 Palma Ave. 📞 *(805) 466-8341.*
🕐 *de 13 h à 16 h du lun. au sam.*
⬤ *jours fériés.* **Contribution.**

🐾 Charles Paddock Zoo
9100 Morro Rd, Atascadero. 📞 *(805) 461-5080.* 🕐 *de 10 h à 16 h du lun. au jeu., de 10 h à 17 h du ven. au dim.* ⬤ *Thanksgiving, 25 déc.* 🦽

L'Atascadero Lake

Le Hearst Castle™ ❷

Sur une colline dominant le village de San Simeon, la résidence extravagante que se fit construire le magnat de la presse William Randolph Hearst au sein d'un vaste parc est devenue l'une des principales attractions touristiques de la Californie. Malgré la richesse des trois pavillons destinés aux invités, le clou de la visite reste la Casa Grande. Édifiée entre 1922 et 1947 par une architecte diplômée des Beaux-Arts de Paris, Julia Morgan, elle comprend 115 pièces décorées de très nombreuses œuvres d'art.

Détail d'un carrelage

Façade
La façade de la Casa Grande mêle de nombreux styles et incorpore des éléments architecturaux anciens.

Cinéma
Tendue de damas, la salle de projection privée pouvait accueillir 50 spectateurs.

★ La Billiard Room
Une tapisserie à mille fleurs française du XVIᵉ s. orne la salle de billard.

CHRONOLOGIE

1865 George Hearst achète un terrain de 19 200 ha près de San Simeon

1919 W. R. Hearst hérite de la fortune familiale

1921 Achèvement de la Casa del Mar

1922 La Casa Grande est entreprise

1924 Achèvement de la Casa del Sol

1928 Hearst emménage dans la Casa Grande

1935 Achèvement de la Neptune Pool

1947 Hearst quitte San Simeon après une attaque cardiaque

Coffre du XVIᵉ siècle orné d'un Christ rencontrant saint Pierre

1951 Hearst meurt

1958 L'Hearst Castle™ ouvre au public

Vase grec du IIIᵉ siècle apr. J.-C.

| 1920 | 1930 | 1940 | 1950 |

★ **Le Gothic Study**
*C'est de cette pièce que
William Hearst dirigeait
son empire quand il
résidait à San Simeon.*

MODE D'EMPLOI

750 Hearst Castle Rd. **Carte routière**
B5. 📞 *(805) 927-2020 ; (916) 444-
4445.* 🚌 *jusqu'à San Simeon.* ⬜
*de 8 h à 16 h t.l.j. Pour les nocturnes
et les horaires d'été appeler le 1-800-
444-4445.* ⬤ *1ᵉʳ jan., Thanksgiving,
25 déc.* 🎫 📷 ♿ *téléphoner.* 📷 ✔
obligatoire. 🌐 *www.hearstcastle.org*

Celestial Suite
*Un spacieux salon relie
les deux chambres,
situées dans les tours
nord et sud, de la
Celestial Suite.*

★ **L'Assembly Room**
*À côté d'une cheminée
Renaissance française,
une tapisserie flamande
domine des stalles
italiennes dans le
grand salon.*

**Entrée
principale**

★ **La Refectory
Room**
*Tapisseries, stalles
de chœur, drapeaux
et chandeliers en
argent composent
un décor majestueux
dans la salle
à manger.*

À NE PAS MANQUER

★ **L'Assembly Room**

★ **La Billiard Room**

★ **Le Gothic Study**

★ **La Refectory Room**

À la découverte du Hearst Castle™

Statue de la Victoire

Participer à une visite guidée est obligatoire au Hearst Castle™. Au nombre de quatre, elles partent toutes du Visitors' Center. Le Tour One offre le plus d'intérêt pour un premier contact. Il permet de découvrir le rez-de-chaussée de la Casa Grande, la Casa del Sol, les deux piscines et une partie des jardins. Au printemps et en automne, des acteurs en costumes des années 1930 animent des visites en nocturne.

La Roman Pool inspirée d'une piscine romaine

de prendre leur dernier repas de la journée dans cette salle à manger.

Dans la Billiard Room au plafond gothique espagnol, vous admirerez une tapisserie à mille fleurs du début du XVIe siècle qui montre une chasse à cour.

Attenante, la salle de cinéma privée de Hearst pouvait accueillir 50 personnes.

De célèbres acteurs donnaient à l'occasion une représentation sur la petite scène aménagée derrière l'écran amovible.

Couverte et chauffée, la Roman Pool (piscine romaine) tapissée de mosaïques vénitiennes bleues et or offrait un cadre particulièrement romantique à de tendres bains de minuit, une activité que désapprouvait le maître de maison.

LA CASA GRANDE : LA GRANDE MAISON

Souvent modifiée, la Casa Grande présente une façade inspirée des cathédrales méditerranéennes, mais William Hearst la fit construire en béton armé pour qu'elle résiste aux tremblements de terre qui frappent malheureusement la Californie.

Les invités y disposaient de 22 chambres ornées d'œuvres d'art issues de la collection éclectique du magnat de la presse. Amateur d'art, William Hearst faisait venir des œuvres par bateaux entiers de toute l'Europe. Celui-ci habitait la Gothic Suite du deuxième étage. Un plafond espagnol du XIVe siècle et une *Vierge à l'Enfant* de l'atelier de Duccio di Buoninsegna (v. 1255-1318) décoraient sa chambre. Un salon donnant sur l'océan la reliait à celle de sa maîtresse, l'actrice Marion Davies. Le Gothic Study, d'où il dirigeait son empire, abritait ses livres et ses manuscrits les plus précieux.

Au rez-de-chaussée, l'Assembly Room, ou grand salon, s'organise autour d'une cheminée Renaissance du XVIe siècle. Elle provient du Château des Jours, en Bourgogne, propriété de la famille d'Anglure. À côté, la Refectory Room renferme sous un haut plafond à caissons des stalles d'église et des drapeaux du Palio de Sienne. Les invités se devaient

LES JARDINS ET LA NEPTUNE POOL

Pour transformer une colline dénudée en jardin d'Éden, William Hearst ne recula devant aucune dépense, n'hésitant pas à faire charrier sur une piste en terre des palmiers hauts de 4,5 m, des cyprès adultes et des chênes vieux de deux siècles. Six mille pins de Monterey plantés dans des trous creusés dans le rocher à l'explosif dissimulèrent un château

WILLIAM RANDOLPH HEARST

Fils d'un multimillionnaire, W. R. Hearst (1863-1951) bâtit sa propre fortune dans le journalisme. Il hérita du domaine de San Simeon à la mort de sa mère en 1919 et décida, pour lui rendre hommage, d'y construire son « ranch ». Sa femme, Millicent Wilson, épousée à New York en 1903, refusa de s'installer sur la Côte Ouest et c'est avec sa maîtresse, l'actrice Marion Davies, qu'il y reçut pendant 20 ans de nombreuses célébrités. Souffrant de problèmes cardiaques, il déménagea en 1947 dans une maison de Beverly Hills où il mourut en 1951.

William R. Hearst à 31 ans

d'eau avoisinant.

Il fallut apporter d'énormes quantités de bonne terre pour créer les massifs de fleurs ornant les jardins, d'une superficie de 51 ha, et permettre aux 4 000 arbres fruitiers du domaine de se développer. Les jardiniers disposaient de cinq serres pour les plantes décoratives.

Parmi les sculptures réunies pour décorer les terrasses figurent quatre statues de Sekhmet, déesse égyptienne de la guerre. Elles datent de 1350-1200 av. J.-C.

Le fleuron du parc reste néanmoins la Neptune Pool (piscine de Neptune) en marbre blanc. La réplique d'un portique de temple gréco-romain la domine. Il incorpore des colonnes et des frises antiques. Un artiste français, Charles Georges Cassou, sculpta dans les années 1920 les statues qui entourent le bassin.

Hearst fit construire une piste cavalière couverte d'un kilomètre et demi de long. Deux courts de tennis s'étendaient sur le toit de la Roman Pool. La propriété renfermait également un zoo où vivaient lions, ours, éléphants, léopards et pumas. Des girafes, des autruches, des zèbres et même un éléphanteau couraient en liberté dans la propriété.

JULIA MORGAN

Californienne, Julia Morgan avait 47 ans quand elle commença à travailler pour William R. Hearst. Leur collaboration dura 30 ans. Ingénieur formé à l'université de Berkeley et première femme à obtenir le diplôme d'architecture de l'école des Beaux-Arts de Paris, c'était une créatrice aux multiples talents qui dessina presque tous les éléments de l'immense demeure, depuis le carrelage et les fenêtres jusqu'aux piscines et fontaines.

Julia Morgan (1872-1957)

Fondées sur un respect mutuel, ses relations avec son employeur furent souvent tumultueuses. Un télégramme pouvait à tout moment remettre en question un projet qu'elle avait passé des heures à parfaire avec Hearst. Certaines pièces furent entièrement refaites plusieurs fois.

Façade de la Casa del Sol

LES MAISONS DES INVITÉS

Avant de pouvoir occuper la Casa Grande, Hearst habita quelques années la Casa del Mar. Il apprécia son séjour, mais confia, en voyant la demeure principale achevée : « Si j'avais su qu'elle serait si grande, j'aurais fait les petits bâtiments plus grands. » Les « petits bâtiments » offraient toutefois aux invités qui y résidaient des conditions d'hébergement plus que confortables. La Casa del Mar possède 19 pièces. Construite sur trois niveaux, la Casa del Sol en compte 18. Une haute fontaine dominée par une copie en bronze du *David* de Donatello orne sa large terrasse. Plus modeste (10 pièces), la Casa del Monte fait face aux collines.

Des colonnades et la réplique d'un portique de temple antique entourent la Neptune Pool

Bateaux de pêche autour du Morro Rock à Morro Bay

Morro Bay ❻

Carte routière B5. 🏃 10 000. 🚌
Dial-A-Ride (805 772-2744). 🚃 🛈
880 Main St (805 772-4467).

Créé en 1870 pour
permettre l'exportation de
la viande et des produits
laitiers des élevages de la
région, ce port maritime vit
aujourd'hui principalement du
tourisme, et des galeries, des
boutiques, des restaurants de
poisson et un aquarium
bordent son front de mer. Il
conserve néanmoins une
flotte de pêche et des bateaux
proposent des promenades
dans la baie ou des excursions
d'observation de baleines. Un
escalier en séquoia célébrant
le centenaire de la ville
descend depuis la sculpture
en pierre d'un pélican jusqu'à
l'Embarcadero où un jeu
d'échecs géant possède des
pièces de 84 cm de haut. Le
panorama offert par le Black
Hill Lookout justifie l'effort de
grimper à pied depuis son
parc de stationnement.

Le Morro Rock, pic
volcanique de 175 m de haut,
se dresse en face du port.
Baptisé El Moro en 1542 par
Juan Cabrillo qui trouvait qu'il
ressemblait au turban d'un
Maure, il fut relié au continent
par une chaussée en 1933.
Utilisé comme carrière entre
1880 et 1969, le Morro Rock
est aujourd'hui une réserve
naturelle où nichent des
faucons pèlerins. On peut
rejoindre en voiture le
Coleman Park, à la base du
rocher, un lieu très apprécié
des pêcheurs.

San Luis Obispo ❼

Carte routière B5. 🏃 43 000. ✈
San Luis Obispo. 🚇 🚌 🛈 1037
Mill St, Suite E (805 541-8000).
🅦 www.sanluisobispo.com

Située dans une vallée des
Santa Lucia Mountains,
cette petite ville se développa
autour de la **San Luis Obispo
Mission de Tolosa** fondée le
1er septembre 1772 par le père
Junípero Serra (p. 42).
Cinquième des 21 missions
californiennes, elle sert
toujours d'église paroissiale.
Un musée abrite l'autel
originel de la mission, ainsi
que des objets fabriqués par
les Indiens Chumash tels que
paniers, récipients et bijoux.

Devant l'église s'étend
Mission Plaza, une place
publique que traverse un
ruisseau bordé d'arbres. On y
organisait au siècle dernier des
courses de taureaux et des
combats d'ours et de chiens.

Juste à l'ouest de la plaza, au
800 Palm Street, l'Ah Louis

Store existe depuis 1874. Créé
par un cuisinier chinois qui
avait participé à la construction
de la voie ferrée (p. 46-47), il
devint le centre d'un
Chinatown florissant et fit
fonction de poste, de banque
et de bazar. Il appartient
toujours à la famille Louis mais
vend désormais des souvenirs.

🛈 San Luis Obispo Mission
de Tolosa
751 Palm St. ☎ (805) 781-8220.
🕐 de 9 h à 17 h du lun. au ven. ⬤
1er jan., Pâques, Thanksgiving, 25 déc.

Pismo Beach ❽

Carte routière B5. 🏃 8 700. ✈ San
Luis Obispo. 🚇 San Luis Obispo. 🚌
🛈 581 Dolliver St (805 773-4382).
🅦 www.pismobeach.com

Pismo Beach est réputée
pour ses clams que célèbre
une fête organisée en
automne. Au tournant du
siècle, on pouvait en trouver
jusqu'à 40 000 par jour. En
1911, l'autorisation de

Pismo Beach s'étend au pied de rondes collines

ramassage fut limitée à 200 coquillages par personne. Elle est aujourd'hui de dix et il faut un permis.

Longue, au sud, de 13 km jusqu'à la Santa Maria River, la plage *(p. 198)* offre sites de camping, activités nautiques, pêche et aires de pique-nique. Depuis Grand Avenue, à Grover Beach, et Pier Avenue, à Oceano, des rampes permettent aux voitures de descendre sur le sable compact.

Dans de vastes dunes plantées notamment d'armoise, de fleurs sauvages et de verveine vivent des oiseaux et quelques renards, lapins et coyotes. Des amas de coquillages, en particulier près de l'Arroyo Grande Creek, signalent des lieux où vécurent jadis les Indiens Chumash. Dans les années 1930 et 1940, ces dunes attirèrent de nombreux artistes, nudistes et mystiques. Elles séduisirent aussi les réalisateurs de cinéma et servirent de décor à de nombreux films, dont *Le Cheik* (1921) qui avait pour vedette Rudolph Valentino *(p. 108)*.

Lompoc Valley ❾

Carte routière B5. ✈ *Santa Barbara.*
🚌 *Lompoc.* ℹ *111 S I St, Lompoc*
(805 736-4567). Ⓦ *www.lompoc.com*

La Lompoc Valley est l'une des plus importantes régions productrices de semences de fleurs du monde et, de la fin du printemps au milieu de l'été, soucis, pieds-d'alouette, asters, lobélies, pois de senteur, capucines et bleuets, entre autres, parent

---

L'ÉCOLOGIE DES DUNES

Les dunes côtières se forment grâce au vent… et aux plantes. Juste au-dessus de la ligne de marée haute, la roquette maritime stabilise le sable sec. Derrière elle, le roseau des sables et le lupin créent de petits monticules que maintiennent en place leurs racines. Le compost du lupin permet à d'autres espèces comme le sarrasin des dunes et l'haplopappus de pousser à leur tour et même de le supplanter. Cristalline, verveine et volubilis peuvent alors eux aussi se développer. Cette végétation fournit nourriture et protection à une faune variée d'insectes, tels que guêpes, scarabées et grillons, et de petits vertébrés, notamment de minuscules souris. Ces animaux dépendent pour leur survie de la rosée qui se dépose sur ces plantes. Si des tempêtes, des vents violents ou les hommes détruisent ce couvert végétal, le sable se disperse et va former une nouvelle dune à l'intérieur des terres.

Cristalline poussant sur une dune côtière

---

de couleurs vives les champs et les collines. La chambre de commerce de Lompoc fournit une carte des plantations. Sur la Civic Center Plaza, entre Ocean Avenue et C Street, un jardin d'exposition permet de se familiariser avec toutes les espèces cultivées.

À 5 km au nord-est de la ville, **La Purísima Concepción Mission**, onzième mission fondée en Californie, possède depuis les années 1930 le statut de State Historic Park. Reconstruits avec respect, les bâtiments du début du XIXe siècle instruisent sur le mode de vie des missionnaires espagnols. On peut ainsi visiter leurs quartiers d'habitation au mobilier authentique et

l'étroite et modeste église ornée de peintures au pochoir. Les ateliers adjacents servaient jadis à la fabrication des vêtements, des bougies, des meubles et des objets en cuir utilisés par les pères.

Dans les jardins superbement restaurés poussent des arbres fruitiers, des plantes potagères et des herbes qui étaient tous répandus au début du XIXe siècle. Les visiteurs découvrent également le système qui alimentait en eau la mission.

🔒 La Purísima Concepción Mission

2295 Purísima Rd, Lompoc. 📞 *(805) 733-3713.* ☐ *de 9 h à 17 h t.l.j.*
⬤ *1er jan., Thanksgiving, 25 déc.* 📷

La Purísima Concepción Mission dans la Lompoc Valley

Les caves de la Santa Ynez Valley ❿

La Santa Ynez Valley est l'une des plus récentes et des plus intéressantes régions viticoles de la Californie, car les brumes marines y créent des microclimats différents selon l'altitude et l'éloignement de l'océan. La saison de maturation dure aussi plus longtemps que dans le nord de l'État. Ces conditions particulières permettent la culture de cépages classiques.

Cru local

CARNET DE ROUTE

Itinéraire : 50 km.
Où faire une pause :
Agréable au déjeuner, le Los Olivos Café (p. 551) prépare aussi des paniers de pique-nique. Toutes les wineries proposent une aire où les savourer avec un vin local.

Fess Parker Winery ⑤
Les vins issus du cabernet sauvignon, du syrah et du riesling vendus par cette cave se dégustent dans un bel édifice au sein du pittoresque Foxen Canyon.

Brander Vineyard ⑥
Dans un bâtiment de style français dominant les vignes, ce domaine fondé en 1975 propose entre autres des sauvignons blancs primés.

Firestone Vineyard ④
Le principal producteur de la région présente dans une grande salle d'intéressants rieslings, chardonnays et merlots.

Carey Cellars ③
Une ferme rustique sert de cadre à la dégustation de crus issus du cabernet sauvignon et du merlot.

Gainey Vineyard ①
L'accueil se fait ici dans un bâtiment de style espagnol près du Lake Cachuma.

Santa Ynez ②
La Santa Ynez Winery et les Sunstone Vineyards and Winery font partie des caves et des domaines viticoles entourant la ville.

LÉGENDE

━━ Circuit recommandé

┄┄ Autres routes

0   2 km

Façade et campanile de l'église de la Mission Santa Inés

Solvang ⓫

Carte routière C5. 🏛 5 000. 🚌 ℹ️
1511-A Mission Drive (805 688-6144).
🌐 www.solvangusa.com

Un groupe d'éducateurs danois paya en 1911 la somme de 360 000 $ pour acheter 3 650 ha de champs de moutarde et de haricots pour fonder une colonie et une école. Cette dernière se dressait sur Alison Road à l'emplacement de l'actuel Bit O' Denmark Restaurant. Construit en 1928, le temple luthérien de Bethnania abrite une maquette de bateau suspendue au plafond. Un tram tiré par des chevaux, le *honen* (poule), permet de faire le tour de la ville et de découvrir les moulins à vent, les maisons à colombage, les nids de cigognes artificiels et les lampadaires à gaz. Les bars servent dans des jardins de l'*aebleskiver* (une pâtisserie danoise), en particulier pendant la fête des Danish Days *(p. 34).*

Mission Santa Inés ⓬

1760 Mission Drive, Solvang. **Carte routière** C5. 📞 *(805) 688-4815.* 🕐 *de 9 h à 17 h 30 t.l.j.* 🚫 *Pâques, Thanksgiving, 25 déc.* ♿ 🎁 🌐 www.missionsantaines.org

Fondée le 17 septembre 1804, la 19e mission californienne *(p. 42-43)* subit

Statue de la Vierge

en 1812 un tremblement de terre qui détruisit la majeure partie de l'église. Rebâtie avec des murs épais de 1,5 m, elle fut de nouveau consacrée 5 ans plus tard. Santa Inés posséda jusqu'à 12 000 têtes de bétail, mais sa prospérité ne survécut pas à sa sécularisation en 1834 et la création en 1843 du premier séminaire de Californie ne lui évita pas de tomber en décrépitude. W. R. Hearst *(p. 204)* participa à sa restauration, commencée après la Deuxième Guerre mondiale, en finançant la rénovation du campanile. La mission possède un jardin et un petit musée qui présente des livres, des meubles et des vêtements d'époque, ainsi que des peintures murales réalisées par des Indiens.

Chumash Painted Cave State Historic Park ⓭

Painted Cave Road. 📞 *(805) 968-1033.* 🚌 *depuis Santa Barbara. Stationnement limité à 2 véhicules.*

À 13 km au nord-ouest de Santa Barbara, les Santa Ynez Mountains recèlent quelques grottes décorées de dessins ou de pictogrammes chumash. La plus célèbre, une caverne de 6 m sur 12 m, s'atteint par la Hwy 154. À l'intérieur, une grille métallique protège une cavité ovoïde couverte de graffiti ocre.

On sait que les tribus s'échangeaient des pigments et certaines grottes abritent des figures rouges, noires ou blanches ressemblant à des lézards, des serpents et des scorpions. Certains experts estiment qu'elles avaient un sens symbolique et religieux, d'autres qu'elles n'ont aucune signification.

Peintures rupestres exécutées par les Chumash

LES PAPILLONS MONARCH

Chaque année en octobre et en novembre, des millions de Monarch *(Danaus plexippus)*, papillons qui peuvent vivre de 10 à 12 mois, quittent le Canada et l'ouest des États-Unis

pour hiverner au Mexique et dans le sud et le centre de la Californie. Ils parcourent jusqu'à 130 km par jour, parfois à près de 50 km/h. Sur la côte, ils marquent une préférence pour les eucalyptus et se voient en saison autour du Montana de Oro State Park *(p. 199),* de Pismo Beach et de Ventura. Après la période de reproduction, en janvier et février, ils repartent vers le nord.

Monarch

Santa Barbara pas à pas ⓮

Station balnéaire renommée, Santa Barbara offre l'exemple rare en Californie du Sud d'une ville au style architectural homogène.

Forteresse espagnole fondée en 1782, quatre ans avant la Santa Barbara Mission (*p. 212-213*), elle resta pendant le XIXe siècle un *pueblo* paisible habité par quelques centaines de familles au cœur d'une région d'élevage. Une douzaine de maisons en adobe de cette époque ont subsisté malgré le séisme dévastateur qui ravagea en 1925 le centre de Santa Barbara. Les règles strictes imposées lors de sa reconstruction expliquent le charme de la ville actuelle. Une importante population d'étudiants contribue à lui donner une atmosphère décontractée.

Fontaine du County Courthouse

Vers la Sant Barbara Mission

FIGUEROA STREET

ANACAPA STREET

CARRIL

★ **Le Museum of Art**
Cette riche collection d'art régionale comprend des antiquités, des estampes, des œuvres asiatiques et de nombreuses peintures américaines et européennes, dont Le Blé mûr *(1884) du Français Jules Bastien-Lepage.*

★ **Le County Courthouse**
Un tribunal en activité occupe toujours cet édifice de style Spanish Colonial de 1929 décoré de carreaux tunisiens et de ferronneries. Dans l'Assembly Room, des fresques de D. S. Groesbeck évoquent l'histoire de la Californie (p. 38). La tour ménage un beau panorama.

LÉGENDE

‐ ‐ ‐   Itinéraire conseillé

À NE PAS MANQUER
★ Le County Courthouse
★ Le Museum of Art
★ Le Presidio

Paso Nuevo
Cet agréable centre commercial complète une galerie marchande plus ancienne située de l'autre côté de State Street.

★ **Le Presidio**
*Bâti en 1782,
il faisait partie
d'un chapelet
de quatre
forteresses
érigées par les
Espagnols le
long de la côte
californienne.*

Dans le Cañedo Adobe
logeaient des soldats et
leurs familles.

El Cuartel était
un quartier
d'habitation du
Presidio.

Lobero Theatre
*Ce gracieux édifice (1924)
occupe le site du théâtre
originel bâti en 1837 par
José Lobero, un
musicien italien.*

**Vers East
Beach**

0 ———————— 100 m

**Historical
Museum**
*Deux maisons
en adobe
abritent les
collections de
l'Historical Society,
dont cette statue
représentant
sainte Barbe,
martyre du
IVe siècle.*

La Santa Barbara Mission

Moine franciscain

Fondée en 1786 le jour de la Sainte-Barbe, la « Reine des Missions » est à la fois la dixième que les Espagnols créèrent en Californie (p. 42-43), celle qui attire le plus de visiteurs et la seule restée en permanence occupée par des religieux jusqu'à nos jours. Après qu'un séisme eut détruit en 1812 la troisième église en adobe à se dresser sur le site, le sanctuaire actuel fut achevé en 1833. Ses tours jumelles et son mélange d'influences romaine, maure et espagnole servirent de principaux fondements à ce qui allait prendre le nom de style Mission (p. 26). Un tremblement de terre endommagea à nouveau en 1925 les tours et la façade de l'église. À cause de réactions chimiques entre des alcalis et des agrégats du mortier, il fallut reprendre entièrement la restauration en 1953. Elle respecte l'aspect originel du bâtiment.

Fontaine centrale
Ce bassin entouré de palmiers date de 1808.

Une cellule a retrouvé son aspect du début du XIXe siècle.

Entrée

Arcades
Les salles du musée installé dans d'anciens quartiers d'habitation donnent sur une galerie couverte.

Cuisine
La cuisine est aménagée comme vers l'an 1800. Cultures et bétail permettaient à la mission de subvenir à l'essentiel de ses besoins.

À NE PAS MANQUER

★ **L'église**

★ **La façade principale**

★ **Les Sacred Gardens**

★ Les Sacred Gardens
Ce magnifique jardin exotique s'étend à l'endroit où travaillaient les Indiens. Les bâtiments qui l'entourent abritaient ateliers et quartiers d'habitation.

MODE D'EMPLOI

2201 Laguna St. ☎ (805) 682-4713. 🚌 22. ◯ de 9 h à 17 h t.l.j. **Contribution**. ✝ 7 h 30 du lun. au ven., 16 h le sam. ; 7 h 30, 9 h, 10 h 30, 12 h le dim. 📷 ♿ 🚻

★ L'église
Étroite, l'église possède un intérieur néo-classique. Les éléments de décor peints et les patines imitant le marbre rappellent que les missionnaires n'avaient que peu de moyens. Des sculptures en bois ornent le retable.

La chapelle latérale
est dédiée au saint sacrement.

La largeur de la nef
dépendait de la taille des arbres disponibles pour la charpente.

Le cimetière renferme les tombes des frères et de quelque 4 000 Indiens.

★ La façade principale
Grand admirateur de Vitruve (actif vers 27 av. J.-C.), auteur romain du traité De architectura, le père Antonio Ripoll s'inspira fortement de ses idées en concevant la façade classique de l'église.

Église de la San Buenaventura Mission à Ventura

Ventura ⑮

Carte routière C5. 👣 *102 000.*
🚌 ℹ️ *89 S California St.* 📞 *(805) 648-2075.* 🌐 *www.ventura-usa.com*

Ventura demeure un centre agricole, mais le tourisme s'y développe et le Harbor Village renferme 30 boutiques et restaurants, un carrousel et un théâtre. C'est aussi de là que partent les bateaux proposant des visites du port ou des promenades à la rencontre des baleines grises, ainsi que les vedettes pour le Channel Islands National Park.

Il ne reste qu'une église, un jardin clos et une fontaine carrelée de la **San Buenaventura Mission** fondée en 1782 et achevée en 1809. Un musée présente cependant en détail les bâtiments d'origine. Deux maisons en adobe du milieu du XIXᵉ siècle subsistent également à Ventura. La minuscule **Ortega Adobe** témoigne des conditions difficiles dans lesquelles vivait alors la majorité de la population. Elle offre un contraste frappant avec l'**Olivas Adobe**, ranch de style Monterey *(p. 26)* abritant du mobilier d'époque et doté d'une roseraie et d'un jardin d'herbes. Construit à flanc de colline à la sortie nord de la ville, le **City Hall** (1913) possède des murs extérieurs en marbre et une coupole recouverte de cuivre.

🏛 San Buenaventura Mission
211 E Main St. 📞 *(805) 643-4318.*
🕐 *t.l.j.* ⬤ *1ᵉʳ jan., Pâques, Thanksgiving, 25 déc.*

🏛 Ortega Adobe
100 W Main St. 📞 *(805) 658-4726.*
🕐 *t.l.j.* ⬤ *1ᵉʳ jan., dim. de Pâques, Labor Day, Thanksgiving, 25 déc.*
🏛 Olivas Adobe
4200 Olivas Park Drive. 📞 *(805) 648-5823.* **Jardin** 🕐 *t.l.j.* **Maison** 🕐 *sam. et dim.* ⬤ *1ᵉʳ jan., Pâques, Thanksgiving, 25 déc.*

Channel Islands National Park ⑯

Carte routière C6. 🚉 *Ventura.* 🚌
Visitors' Center 📞 *(805) 658-5700.*
🕐 *t.l.j.* 🚢 *Island Packers, 1867 Spinnaker Drive (805 642-1393).*

Ce parc national protège cinq îles volcaniques et inhabitées : Santa Barbara, Anacapa, San Miguel, Santa Cruz et Santa Rosa. Les *rangers* en contrôlent strictement l'accès et il faut pour s'y rendre obtenir une autorisation au Visitors' Center. Camper est toutefois possible sur toutes sauf Santa Cruz à condition de réserver au moins deux semaines à l'avance et d'emporter vivres et eau en quantités suffisantes, rien n'étant disponible sur place.

Pendant la traversée, on peut parfois apercevoir dauphins, baleines et pélicans bruns de Californie. Sur les îles vivent cormorans, mouettes, otaries et éléphants de mer. Une journée sur Anacapa, l'île la plus proche du continent, offrira un premier aperçu de cet écosystème unique, mais participer à l'une des promenades guidées par des rangers sur San Miguel et Santa Rosa se révélera beaucoup plus instructif. Les animaux domestiques sont interdits.

Dans le varech poussant autour des Channel Islands prospèrent plus de 1 000 espèces animales et végétales, un univers magique pour les plongeurs. Les grottes creusant les côtes ajoutent au plaisir d'une promenade en canoë ou en kayak.

Ronald Reagan Presidential Library ⑰

40 Presidential Drive, Simi Valley.
Carte routière C5. 📞 *(800) 410-8354.* 🕐 *de 10 h à 17 h t.l.j.* ⬤ *1ᵉʳ jan., Thanksgiving, 25 déc.* 🌐 *www.reagan.utexas.edu*

Cet édifice de style Mission Revival construit sur une colline abrite une réplique à l'identique du Bureau ovale de la Maison-Blanche et les archives du président Ronald Reagan. Une exposition permanente retrace l'histoire de sa vie et de celle de sa femme Nancy. Des expositions temporaires de cadeaux, de costumes, de documents ou d'œuvres d'art évoquent les huit années où il dirigea les États-Unis.

Dans le patio, un gros morceau du mur de Berlin, toujours couvert de ses graffiti, se détache contre le panorama offert par les Simi Hills et les Santa Susana Mountains.

Pélican brun de Californie

Réplique du Bureau ovale à la Reagan Presidential Library

Arcades de style Mission Revival le long de Main Street, Ojai

Ojai ⓱

Carte routière C5. ⚑ *8 000.* ▭
🚌 🛈 *150 W Ojai Ave.* 📞 *(805) 646-8126.* 🌐 *www.ojaichamber.org*

Baptisée Nordhoff à sa
fondation en 1874, d'après
Charles Nordhoff, l'auteur d'un
ouvrage vantant la Californie,
Ojai s'étend dans une vallée
en forme de croissant et elle
prit pour nom en 1917 un mot
chumash signifiant lune.

Richard Requa dessina la
même année les arcades de
style Mission Revival *(p. 27)*
de la rue principale. Un riche
industriel, Edward J. Libby, en
assura le financement. la ville
offre comme autre attraction la
librairie Barts Corner, au 302,
West Matilija Street. La plupart
de ses 25 000 volumes sont
exposés en plein air. La nuit, il
reste possible d'y chercher
son bonheur. On paye alors
par une fente dans la porte.

L'Ojai Valley attire depuis les
années 1920 de nombreux
groupes mystiques et plusieurs
organisations New Age et
religieuses y ont leur siège.

Los Padres National Forest ⓳

Carte routière C5. 🚌 *Santa Barbara.* **Visitors' Center** ⬭ *de 8 h 30 à 16 h 30 du lun. au ven.* 📞 *(805) 968-6640.*

La Los Padres National Forest
couvre plus de 800 000 ha
et présente une grande variété
de paysages, depuis des
étendues désertiques jusqu'à
des montagnes boisées d'où se
détachent des cimes atteignant
2 692 m au Mount Pinos. Ours

noirs, renards, cerfs et pumas
font partie des animaux
peuplant les bois. Dans les airs
évoluent des aigles royaux et
des condors, le plus grand
oiseau d'Amérique du Nord
avec une envergure de 3 m.

Des séquoias poussent sur
les pentes les plus basses,
mais ils cèdent la place en
altitude à des sapins. Il ne
tombe parfois pas une goutte
d'eau entre mai et octobre et,
en été, la chaleur peut se
révéler torride. Les marcheurs
expérimentés disposent de
centaines de kilomètres de
sentiers de randonnée dans la
forêt, mais peu de routes la
sillonnent en dehors de la
Hwy 33 et de la Hwy 150.
Entre Santa Ynez *(p. 208)* et
Santa Barbara *(p. 210-213)*, la
Hwy 154, qui emprunte le
spectaculaire Cold Spring Arch
Bridge, en traverse un angle.

Il existe 88 sites de camping
éparpillés dans la Los Padres
National Forest et on peut y
pratiquer, entre autres activités,
la pêche, la promenade à
cheval et, sur le Mount Pinos,
le ski.

Bakersfield ⓴

Carte routière C5. ⚑ *384 000.* ▭ 🛈 *1325 P St.* 📞 *(661) 325-5051.* 🌐 *www.bakersfieldcvb.org*

Le nom de Bakersfield
évoque son origine, le
champ *(field)* de luzerne que
planta un colon du nom de
Thomas Baker. Il servait à
nourrir les chevaux des
voyageurs qui se reposaient ici
avant de traverser les
Tehachapi Mountains
marquant la « frontière » entre
Californie du Sud et du Nord.
La cité prit son essor avec la
découverte d'or dans les
années 1850, puis de gisements
de pétrole. Sur les terres fertiles
de la région s'installèrent des
immigrants européens.

On rejoint Bakersfield par la
I-5 reliant San Francisco à Los
Angeles, mais on peut aussi
l'atteindre depuis Santa Maria
et Ojai par de petites routes
traversant la Los Padres
National Forest.

Quoique en plein
développement, Bakersfield
conserve une atmosphère
rurale et reste un centre
reconnu de musique country.
Elle propose également de
bons restaurants, des
magasins d'antiquités et le
Kern County Museum, un
musée en plein air de 6,5 ha.

La Kern River *(p. 578)* et le
Lake Isabella, à 65 km à l'est,
permettent de pratiquer des
sports nautiques.

🏛 **Kern County Museum**
3801 Chester Ave. 📞 *(661) 636-4000.* ⬭ *t.l.j.* ⬤ *1er jan., Thanks-giving, les 24, 25 et 31 déc.* 📷
🌐 *www.kcmuseum.org*

Le Cold Spring Arch Bridge, Los Padres National Forest

L'ORANGE COUNTY

Il y a encore un siècle, les orangeraies qui s'étendaient entre les Santa Ana Mountains et le Pacifique sur les terres ensoleillées de l'Orange County justifiaient pleinement son nom. Autoroutes et banlieues résidentielles ont aujourd'hui pris leur place. Le comté offre toutefois aux visiteurs plusieurs musées, des sites d'intérêt historique et deux grands parcs d'attractions.

Au milieu des années 1950, les routes conduisant aux parcs d'attractions du comté traversaient encore de vastes orangeraies. À l'époque, Disneyland attirait ses premiers clients et un enfant du pays, Richard Nixon, assurait la vice-présidence des États-Unis. Le développement urbain a aujourd'hui dévoré les vergers et les étiquettes de caisses de fruits sont devenues des articles de collection. Plus de deux millions de personnes habitent dans cette région, profitant d'un soleil perpétuel et d'un haut niveau de vie.

Sur le littoral se succèdent larges plages de sable, hauts lieux du surf, ports de plaisance, communautés d'artistes et stations balnéaires aisées où l'on admire le coucher du soleil depuis des bars perchés sur des falaises. Les sites culturels se trouvent à l'intérieur des terres. La Mission San Juan Capistrano, fondée en 1776, évoque une période, la colonisation espagnole, qui paraît remonter à bien plus de deux siècles. Le Boxers Museum of Cultural Art abrite à Santa Ana de magnifiques exemples d'arts indigènes du monde entier. À Yorba Linda, les expositions des Richard Nixon Library et Birthplace illustrent le parcours d'un des présidents les plus controversés de l'histoire des États-Unis.

La Knott's Berry Farm, le plus ancien parc à thème d'Amérique, et Disneyland, « le plus célèbre piège à hommes jamais construit par une souris », proposent aux visiteurs distractions familiales et émotions fortes.

Le Reflecting Pool des Nixon Library and Birthplace

◁ Le Log Ride, une des attractions de la Knott's Berry Farm

À la découverte de l'Orange County

Des communautés urbaines reliées par des autoroutes à la circulation incessante occupent la majeure partie des 2 000 km² de l'Orange County. Santa Ana, la ville la plus importante, Anaheim, la seconde en taille où se trouve Disneyland, et Buena Park, proche du parc à thème de la Knott's Berry Farm, forment le cœur touristique du comté. Le littoral est presque partout construit, mais les localités y possèdent plus de variété et de caractère que les alentours des parcs d'attractions. À l'est, à l'intérieur des terres, la Cleveland National Forest et les Santa Ana Mountains renferment des espaces plus préservés.

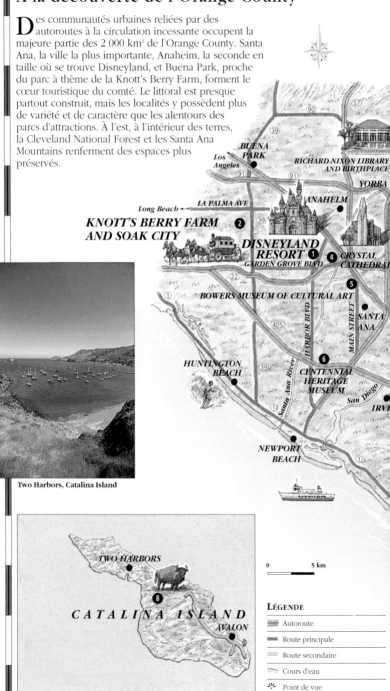

Two Harbors, Catalina Island

LÉGENDE

	Autoroute
	Route principale
	Route secondaire
	Cours d'eau
	Point de vue

0   5 km

L'immense Crystal Cathedral de Garden Grove au sud d'Anaheim

L'ORANGE COUNTY D'UN COUP D'ŒIL

VOIR AUSSI

(91) *Riverside*

Irving Lake

S18

CLEVELAND NATIONAL FOREST

S19

S18

133

● **MISSION VIEJO**

Indian Wells

UNA CH

(5) *San Juan* Creek

(74)

7

MISSION SAN JUAN CAPISTRANO

(1)

(5)

San Diego

CIRCULER

La I-5 entre Los Angeles et San Diego est la principale voie de communication au nord-ouest. Plus pittoresque, la Hwy 1, ou Pacific Coastal Highway, relie les villes du littoral. Depuis Los Angeles, les trains Amtrak et, en semaine, ceux du LA Metrolink *(p. 600)* desservent Anaheim et San Juan Capistrano. Conçues pour répondre aux besoins des banlieusards, la plupart des lignes de bus manquent d'intérêt pour les visiteurs. Navettes (shuttles) et visites guidées en autocar offrent en revanche un bon moyen de rejoindre les parcs ou Los Angeles. Des vedettes pour la Catalina Island circulent tous les jours en été. Le trajet jusqu'aux ports d'Avalon ou de Two Harbors dure de 1 à 2 heures.

La côte de l'Orange County

Plat au nord, ponctué de falaises et de criques abritées au sud de la Balboa Peninsula, le littoral de l'Orange County ressemble presque à un stéréotype du rêve californien. Villas hors de prix, luxueux ports de plaisance et importance accordée aux activités sportives et aux modes reflètent l'aisance et le dynamisme de sa population.

Le Balboa Pavilion
(1905), ancien terminus de la Pacific Electric Red Car Line, accueillit dans les années 1930 et 1940 des stars du jazz telles que Count Basie. Il abrite aujourd'hui un restaurant et sert de point de départ à des promenades en bateau dans le Newport Harbor.

★ **Huntington State Beach** ③
🚶 ⛱ 🏊 🎣 ♿ 🚻 🏕 🏄
Le surf est à l'honneur à Huntington Beach qui lui consacre un musée, organise des compétitions internationales et possède une jetée d'où contempler ses adeptes à l'œuvre.

L'Upper Newport Bay Ecological Reserve
protège une zone marécageuse de 300 ha où font escale des oiseaux migrateurs. Une piste cycliste et des visites guidées à pied et en kayak permettent de la découvrir.

Légende

🛣	Autoroute
▬	Route principale
▬	Route secondaire
〰	Cours d'eau
❄	Point de vue

Seal Beach ①
🚶 ⛱ 🏊 🎣 ♿ 🚻
Cette plage paisible au sable plat s'étend sur 1,6 km. Depuis son ponton de bois, long de 570 m et apprécié des pêcheurs, la vue porte au nord jusqu'aux gratte-ciel de Long Beach *(p. 128-129)*.

Bolsa Chica State Beach ②
🚶 ⛱ 🏊 🎣 ♿ 🚻 🏄
120 ha de zone marécageuse protégée par une réserve écologique et une étendue plate et sauvage ponctuée de puits de pétrole donnent une atmosphère particulière à cette plage dont le nom signifie « petite poche » en espagnol.

Newport Beach ④
🚶 ⛱ 🏊 🎣 ♿ 🚻
Célèbre par ses villas dispendieuses et le mode de vie qui va avec, Newport Beach possède 5 km de sable blanc et 2 pontons. Au nord, près du Newport Pier, du poisson frais pêché est vendu par une entreprise historique, Dory.

Aliso Beach ⑦
🚶 ⛱ 🏊 🎣 ♿ 🚻
Cette petite plage de sable dotée d'une jetée en béton de 190 m s'étend à l'embouchure de l'Aliso Creek. Au large de son extrémité sud, une réserve marine protège des bancs d'algues géantes.

Doheny State Beach ⑧
🚶 ⛱ 🏊 🎣 ♿ 🚻 🏕 🏄
Cette plage de sable proche de l'embouchure de la San Juan Creek attire un mélange typiquement californien de baigneurs, de surfers, d'ornithologues, de pêcheurs, de cyclistes et de campeurs.

San Clemente State Beach ⑨
🚶 ⛱ 🏊 🎣 ♿ 🚻 🏕 🏄
Accroché à flanc de colline, San Clemente domine une étroite bande de sable. Un ponton municipal se trouve près de la gare. Plus au sud, la State Beach couvre 40 ha et propose entre autres des aires de pique-nique et un terrain de camping.

★ Corona del Mar State Beach ⑤

Dominée par des falaises, bordée de villas élégantes et de points de vue, cette plage offre aux familles des criques abritées propices à la baignade.

CARTE DE SITUATION

NEVADA

CALIFORNIE

Océan Pacifique

0   5 km

LOS ANGELES

73
405

Upper Newport Bay Ecological Reserve

133

Corona del Mar

Balboa Pavilion

⑤

⑤

Laguna Beach

⑥

⑦
South Laguna

Crown Valley Parkway

San Juan Capistrano

①

Dana Point

⑧

⑤

San Clemente

⑨

SAN DIEGO

★ Laguna Beach ⑥

Avec ses promenades, ses petites plages abritées et sa communauté d'artistes, Laguna évoque un peu la Riviera méditerranéenne. Célèbre par son festival des arts, le Pageant of the Masters *(p. 33)*, c'est l'endroit idéal pour un cocktail au coucher du soleil.

Le Dana Point porte le nom de l'auteur Richard Dana qui raconta en 1840 dans Deux années sur le gaillard d'avant *les débuts de la Californie. Le port abrite une réplique d'un brick de l'époque, le* Pilgrim.

Disneyland Resort® ❶

Le « Royaume magique » de Walt Disney n'est pas uniquement la meilleure attraction touristique de Californie. C'est aussi un élément essentiel du rêve américain. Le Resort, qui regroupe désormais Disneyland Park, California Adventure, Downtown Disney et trois grands hôtels est un modèle pour les parcs à thème du monde entier. Spectacles et décors fabuleux, attractions sensationnelles, feux d'artifice, boutiques : dans ce lieu joyeux, tout est fantaisie et divertissement à l'américaine.

À la découverte du Resort
Disneyland Park, qui s'étend sur 34 ha, est divisé en huit zones à thème appelées *lands*. La circulation au sein du parc est assurée par Disneyland Railroad, un monorail, et des trams. Disney's California Adventure Park, plus petit que le précédent, comporte trois zones à thème. Ici, les visiteurs peuvent circuler à pied. Ce voyage nostalgique dans l'univers de Disney convient mieux aux goûts et intérêts des adolescents et jeunes adultes, car les attractions et les spectacles sont trop intenses pour les tout-petits. Au cœur du Resort, entre les deux parcs à thème, s'étend Downtown Disney. Cette zone animée abrite de nombreux restaurants et boutiques, et propose des animations innovantes. Depuis que le Resort s'est agrandi, il faut compter au moins trois jours pour une visite complète. Un billet d'entrée global (*voir p. 223*) donne accès à tous les parcs à thème, excepté Downtown Disney. Il donne accès à tous les spectacles, les attractions, à un plan du parc et au programme.

Les parcs sont ouverts tard dans la soirée durant la pleine saison. N'hésitez pas à veiller tard pour assister à certains spectacles, comme le Fireworks Show, à Disneyland.

MAIN STREET, USA

C'est cette rue colorée et impeccablement propre qui offre aux visiteurs leur premier contact avec le parc. Sur la **Central Plaza** circulaire se déroule la Parade des Stars : défilé de personnages de Disney et reconstitution de scènes de films célèbres. On peut également y rencontrer et y discuter avec les héros des plus grands dessins animés de Disney. Vous aurez ici de nombreuses occasions de réaliser des photos ou des vidéos mémorables. Main Street propose de nombreuses attractions, mais aussi des boutiques et des endroits pour se restaurer. **Main Street Cinema** diffuse des films muets de Disney. Les visiteurs peuvent obtenir des renseignements au **City Hall**.

TOMORROWLAND

Le futur inspire les attractions de Tomorrowland, et celles-ci changent régulièrement pour garder un peu d'avance sur la réalité. Autopia, l'une des premières attractions (1955) a été complètement mise à jour et plonge les visiteurs dans un univers parallèle à partir d'une voiture. L'itinéraire passe par Tomorrow-land et Fantasy-land.

Star Tours
Conçu en collaboration avec George Lucas, le créateur de *La Guerre des étoiles*, Star Tours utilise la technologie des simulateurs de vol pour offrir un voyage agité aux visiteurs. Ceux-ci embarquent à bord du StarSpeeder pour foncer dans l'espace au milieu de vaisseaux spatiaux et astéroïdes. Une aventure tumultueuse, distrayante et très réaliste.

Space Mountain
L'un des clous de Disneyland : des montagnes russes qui vous propulsent à 36 m au-dessus du sol et à plus de 40 km/h dans un voyage intersidéral. Le trajet se fait presque entièrement dans l'obscurité. Cette attraction, qui a été modernisée pour le nouveau millénaire, ne convient pas aux très jeunes enfants.

MICKEY'S TOONTOWN

L'architecture fantaisiste des dessins animés a acquis ici une troisième dimension pour offrir aux personnages de Walt

---

À NE PAS MANQUER

★ **Pirates of the Caribbean**

★ **Haunted Mountain**

★ **Space Mountain**

★ **Matterhorn Bobsleds**

★ **Star Tours**

SHOPPING

Les boutiques de Disneyland, notamment celles de Main Street, USA, sont souvent pleines jusque tard et surtout aux heures de fermeture. Mieux vaut faire ses achats assez tôt et les récupérer au Redemption Centre. La plupart des articles sont à l'effigie des héros de Disney, mais ils sont personnalisés selon les *lands*. Par exemple, on peut acheter des vêtements d'Indiana Jones à Adventureland, ou de l'artisanat indien à Frontierland. La Disney Gallery au New Orleans Square propose des lithographies en édition limitée de dessinateurs de Disney. Enfin, la plus grande des boutiques du « Royaume magique » est l'Emporium, sur Main Street.

Façade du Sleeping Beauty Castle de Fantasyland

MODE D'EMPLOI

1313 Harbor Blvd, Anaheim.
 (714) 781-7290. (714) 871-4565. depuis LAX. 435.
 de juin à août : de 8 h à minuit t.l.j. ; de sept. à mai : de 9 h à 18 h t.l.j.
 www.disneyland.com

Disney un lieu de résidence. C'est dans cette partie du parc que les visiteurs ont le plus de chance de voir déambuler Mickey, Goofy et les autres, toujours prêts à poser pour une photo.

La demeure la plus populaire est, bien entendu, celle de Mickey Mouse, où le soin légendaire apporté aux détails par son créateur se retrouve dans de petites touches comme un livre publié par Random Mouse ou des boîtes de café Maxwell Mouse. Ici, la plupart des attractions sont destinées aux enfants de plus de trois ans : **Chip'n Dale Treehouse**, mini-montagnes russes, **Goofy's Bounce House** et voitures tamponneuses sur l'eau.

Particulièrement appréciée des jeunes enfants, la plus importante attraction de Toontown, le **Roger Rabbit's Car Toon Spin**, vous entraîne dans une course folle en taxi au sein d'un monde surréaliste.

FANTASYLAND

L a foule qui se presse en permanence à Fantasyland témoigne de l'attrait qu'exercent même sur les adultes les rêves de l'enfance. Au pied des tours or et rose du **Sleeping Beauty Castle** (Château de la Belle au bois dormant) et d'une réplique du **Matterhorn**, des héros comme Peter Pan, Dumbo et Blanche-Neige fournissent les thèmes de nombreuses attractions où l'on embarque dans des véhicules tels que des galions volants, des barques flottant sur des canaux ou les tasses géantes et tournoyantes du célèbre chapelier fou.

Matterhorn Bobsleds
Attraction historique, ces montagnes russes existent depuis 1959. Quatre passagers prennent place dans des bobsleighs qui gravissent une réplique haute de 45 m du Matterhorn, le célèbre sommet alpin. Arrivés à la cime enneigée, ils dévalent à grande vitesse la pente, entrant dans le rocher et en sortant, dépassant des grottes creusées dans un glacier et des chutes d'eau. L'arrivée a lieu dans un lac et les personnes assises à l'avant échappent rarement à l'aspersion.

It's a Small World
Ce spectacle propose une vision utopique d'un monde où régnerait l'harmonie. Des bateaux colorés circulent au milieu de quelque 300 poupées animées et chantantes vêtues de costumes traditionnels.

BILLETS
Le ticket à la journée pour Disneyland ou California Adventure couvre l'accès au parc et à la plupart des attractions. Pour le parking, certains spectacles, la nourriture et les galeries marchandes, il faut payer un supplément. Multiday Tickets (valable 3 ou 4 jours) et Annual Passeport (valable 1 an) offrent un accès illimité aux attractions. Avec Fastpass, les visiteurs accèdent à des animations spécifiques sans faire la queue grâce à un système de réservation informatique. Évitez la file d'attente à l'entrée en achetant votre billet à l'avance dans un Disney Store ou sur le site internet : www.disney.com. Vous trouverez des informations tenues à jour sur les horaires, temps d'attente et heures de fermeture au bout de Main Street, en face du Plaza Pavillon.

Le Mark Twain Riverboat

FRONTIERLAND

L'époque de la conquête de l'Ouest inspire cette partie du parc et les danseuses n'hésitent pas à lever la jambe sur la scène du **Golden Horseshoe Jamboree**. Non loin se tient le **Hunchback of Notre Dame Festival of Fools** (Carnaval des fous du bossu de Notre-Dame). Chaque week-end, le soir a lieu le

DOWNTOWN DISNEY

Situé entre les entrées de Disneyland park et California Adventures, Downtown Disney® est un paradis vert. Cette zone propose au public, sur plus de 33 000 m², des attractions innovantes, mais également des restaurants, boutiques, snack-shops, points de vente et même une agence de voyages. L'entrée étant gratuite, Downtown Disney® draîne les foules. L'AMC Theater® (à 12 écrans), ESPN Zone™ et LEGO Imagination Center® sont, ici, les meilleurs divertissements.

spectaculaire **Fantasmic!**, qui se termine par un feu d'artifice.

Mark Twain Riverboat
Le visiteur revit la légende du Mississippi le temps d'une promenade de 15 mn sur un lac appelé Rivers of America. Des élans et des cerfs en plastique peuplent les vertes forêts des rives et la Tom Sawyer Island.

Big Mountain Thunder Railroad
Le succès de ces montagnes russes ne se dément pas. Un convoi de wagons de minerai part d'un village datant de la ruée vers l'or : Big Thunder. Le train zigzague à toute vitesse dans les tunnels creusés dans la montagne, jaillit à l'extérieur, n'évite que de justesse cascade rugissante et éboulis…

CRITTER COUNTRY

Construit dans le style rustique caractéristique du nord-ouest des États-Unis, Critter Country occupe 1,6 ha à côté de Frontierland et abrite l'une des attractions les plus populaires de Disneyland, Splash Mountain, ainsi qu'un de ses restaurants les plus paisibles, l'Hungry Bear.

Splash Mountain
À bord de troncs d'arbres évidés flottant sur une rivière, vous évoluez au milieu des automates qui peuplent la

montagne. Issus du film, *Song of the South* (1946), ces personnages velus chantent. Votre embarcation bascule dans une abrupte chute d'eau pour la plongée la plus longue du monde. Les occupants des premières places doivent s'attendre à être aspergés.

David Crockett's Explorer Canoes
Une descente de la rivière à la rame à la manière des pionniers. Des guides veillent à la sécurité.

Teddi Barra's Swingin' Arcade
Ce stand de tir où l'on vise des ours mécaniques fait revivre l'ambiance du Far West.

NEW ORLEANS SQUARE

Cette place pleine de charme s'inspire du quartier français de La Nouvelle-Orléans tel qu'il se présentait quand la ville connaissait son âge d'or au XIXe siècle. Des balcons en fer forgé ornent les bâtiments qui abritent d'intéressants magasins.

Haunted Mansion
Le Manoir Hanté a ses habitués capables de réciter par cœur le commentaire d'introduction pendant qu'ils descendent au cœur du dédale où les attendent fantômes, vampires

et morts vivants. Toutes les apparitions sont extrêmement réalistes, de la tête de femme parlant dans une boule de cristal aux hologrammes réunis pour un bal spectral.

Pirates of the Caribbean
Ce formidable périple en barque entre des villages de pêcheurs où de terribles pirates pillent, se battent et beuglent des chansons d'ivrognes témoigne des possibilités offertes par la technique d'animation d'automates à l'aide de bandes magnétiques, dite Audio-Animatronic, développée à Disneyland.

The Disney Gallery
Les documents exposés au-dessus de l'entrée de Pirates of the Caribbean comprennent des dessins qui servirent de support à l'élaboration de projets de Walt Disney.

ADVENTURELAND

C'est le plus petit *land*, mais sans doute le plus aventureux du parc. Dans **The Enchanted Tiki Room**, des oiseaux mécaniques exposés en vitrine offrent un divertissement musical farfelu à travers les tropiques.

Indiana Jones™ Adventure
La célèbre trilogie de George Lucas et Steven Spielberg a inspiré cette excitante expédition en jeep à travers le Temple of the Forbidden Eye (Temple de l'œil interdit). Explosions, serpents, coulées de lave, brusques virages et chutes inattendues : la mise en scène, les images, l'illustration sonore et les sensations fortes provoquées par un parcours en montagnes russes font de cette attraction l'une des plus réussies de Disneyland.

Jungle Cruise
Tandis que votre embarcation glisse que les canaux d'une forêt tropicale envahie d'animaux menaçants et de chasseurs de têtes, le capitaine commente le voyage en faisant de terribles plaisanteries.

Tarzan™'s Treehouse
Grimpez dans la cabane avec Tarzan et Jane et profitez d'une aire de jeu interactive au pied de l'arbre !

Disney's California Adventure

Disney's California Adventure, la nouvelle « star » à Anaheim, est situé près de Disneyland. Construit sur un ancien parking, cet espace s'étend sur 22 ha et comprend trois *lands*. Chacun propose des jeux à thème qui rendent hommage au Rêve américain. Ici, les animations sont surtout destinées aux adultes et adolescents, mais beaucoup d'attractions attireront tous les âges. Avec Disneyland Park, California Adventure vient enrichir la légende de Disney.

HOLLYWOOD PICTURES BACKLOT

Le Backlot propose au public une vision désinvolte de l'industrie cinématographique, grâce aux simulations et trucages. À l'**Hyperion Theater**, Woopi Goldberg raconte l'histoire des immigrants de Californie. Dans le **Muppet* Vision 3-D** de Jim Henson, Miss Peggy et Kermit ainsi que tous les autres charmants personnages du Muppet rendent un hommage au cinéma.

GOLDEN STATE

Le Grizzly Peak, étape incontournable de California Adventure, rend hommage à la topographie et à l'agriculture de la Californie. **Soarin' Over California** est le point central de cette étape : une promenade simulée sur deltaplane invite le public à découvrir les paysages variés de la Californie sur un écran géant. Aucun commentaire n'accompagne la balade, mais les visiteurs peuvent sentir les vents puissants et le pafum de la fleur d'oranger lorsqu'ils s'élèvent à 12 m de haut. **Bountyfull Valley** propose un film en 3-D avec Flik, de *A Bug's Life*.

PARADISE PIER

Ici, les attractions sont moins sensationnelles. Paradise Pier est l'endroit des montagnes russes, des Ferris Wheels et des sauts en parachute. **California Screamin'**, la gigantesque **Sun Wheel**, **Boardwalk Games** et **King's Triton's Carousel** rappellent les anciens parcs de jeux.

Le Grizzly River Run est l'attraction majeure de California Adventure

La Knott's Berry Farm ❷

Knott's Berry, une ancienne petite ferme des années 1920, est devenu un grand complexe de divertissements. Ce premier parc à thème américain propose plus de 165 attractions. Mais il est surtout intéressant pour son authenticité. The Old West Ghost Town, au cœur du parc, abrite de vrais bâtiments d'une ville fantôme.

Statues de cow-boys à Ghost Town

Knott's Berry est situé à Buena Vista, Orange County, à une demi-heure en voiture de L.A. Le complexe, qui possède trois espaces à thème, un centre de loisirs et des boutiques, propose de nombreux spectacles et des attractions sensationnelles.

À NE PAS MANQUER

- ★ **Old West Ghost Town**
- ★ **Camp Snoopy**
- ★ **Soak City USA**

GHOSTRIDER

Ces montagnes russes en bois, qui existent depuis 1998, sont l'une des meilleures attractions du genre. La première descente brute de 33 m atteint une vitesse de 97 km/heure. L'attraction dure 2,5 mn.

OLD WEST GHOST TOWN

Les rues de cette ville, qui a connu la ruée vers l'or en 1880, sont bordées d'anciens bâtiments. The **Ghost Town & Calico Railroad**, un train à vapeur datant de 1880, fait le tour du parc, tandis que la diligence **Overland Trails** propose aux passagers un voyage dans le temps.

Le **Gold Trails Hotel and Mercantile**, une ancienne école rénovée du Kansas, et le **Western Trails Museum** sont pleins de souvenirs à rapporter. Les visiteurs peuvent chercher de l'or au **Old Farm Mine** ou danser à Calico Square. Le **Ghost Rider Log Ride** emmène les passagers dans une scierie des années 1880 avant de plonger dans une chute d'eau de 13 m. Au cœur de Ghost Town, le spectaculaire **GhostRider**, de 1 325 m de long, domine le parc.

La plus grande montagne russe en bois des États-Unis (36 m de haut)

Une piste de 1 382 m de long

Un train à vapeur de 1880 promène les passagers dans le parc

CAMP SNOOPY

Inspiré du majestueux High Sierra, le monde merveilleux de Camp Snoopy est un véritable paradis pour les enfants. Cet espace, qui s'étend sur 2,4 ha, leur offre des attractions interactives. Trente attractions et mini-promenades conçues pour les enfants sont animées par les personnages de Peanuts : Snoopy, Lucy et Charlie Brown. Les moins de 12 ans adoreront les montagnes russes de **Timberline Twister**, les avions de Red Baron et la Ferris Wheel à l'ancienne, où parents et enfants survoleront le parc et découvriront de magnifiques vues. Le **Charlie Brown Speedway** fera le bonheur des amateurs de courses de stock-car. Les enfants pourront même carresser des petits animaux dans une basse-cour.

Des enfants au volant d'une voiture à Charlie Brown Speedway

FIESTA VILLAGE

Ce village rend hommage à l'héritage espagnol en proposant une série d'aventures au sud de la frontière. L'attraction du Dentzel Carousel, le plus vieux du monde, procure un véritable plaisir nostalgique. Deux grandes montagnes russes, la **Jaguar** et la **Montezooma's Revenge**, garantissent frissons et sensations. À la fin de la journée, vous pourrez assister à un feu d'artifice et une démonstration laser à Reflection Lake.

Une réplique du Philadelphia Independance Hall

INDIAN TRAILS

Des objets artistiques et artisanaux des Indiens d'Amérique du Nord-Ouest du Pacifique, des Great Plains, du Sud-Ouest et Far-West sont ici exposés. Les panneaux totémiques des tribus Blackfoot, Nez Percé et Arapho rappellent la beauté et la diversité de leur culture.

Grâce à des aventures éducatives, les visiteurs comprendront comment vivaient autrefois ces populations, comment croyaient leurs croyances et leur environnement naturel influençaient leur quotidien.

THE BOARDWALK

Une fête permanente en bord de mer comme thème principal… Ici, tout tourne autour de la culture de plage de la Californie du Sud. **Supreme Scream** simule un lancement de fusée, et le **Perilous Plunge** est déconseillé aux âmes sensibles. Après les attractions, vous pourrez assister à un spectacle au **Charles M. Schultz Theater**.

WILD WATER WILDERNESS

Vivez la magie des années 1900 et réalisez vos rêves les plus sauvages avec **Bigfoot Rapids** ! Vous survolerez des étendues de rivières déchaînées, des geysers et des cascades gigantesques ! Le multisensoriel **Mystery Lodge** rend hommage à la culture des Indiens d'Amérique, avec musique, danse et comteur indien. À **Ranger Station**, un naturaliste sympathise avec Sasquatch (Bigfoot), la créature de California High Sierra.

SOAK CITY USA

Le nouveau parc d'aventures aquatique de la Californie du Sud propose 21 attractions nautiques inspirées de la culture surf des années 1950 et 1960.

Situé près de Knott, Soak City USA comprend 5,3 ha d'eau, avec notamment des

MODE D'EMPLOI

8039 Beach Blvd, Buena Park.
📞 (714) 827-1776. 📠 (714) 220-5200. 🚌 29, 38, 42.
🕐 t.l.j. Les horaires variant considérablement en fonction des jours et des saisons, il est préférable de téléphoner pour connaître les détails. ● 25 déc. 📷 🅿 ♿ 🛒 🍴 🎁 🎦 www.knotts.com

tobbogans, dont un à six voies, et le **Tidal Wave Bay**, une piscine à vagues.

Gremmie Lagoon est une aire de jeux destinée aux enfants.

Ici, les attractions sont accessibles en fonction de l'âge et du poids des personnes.

Au sein du parc, vous trouverez des endroits pour manger et acheter des souvenirs, mais également des vestiaires.

RADISSON RESORT, KNOTT'S BERRY FARM

Sous cette appellation se cachent les trois parcs de Californie du Sud les plus distingués : Knott's Berry Farm Theme Park, Soak City USA et Radisson Resort. Dans un hôtel de 321 chambres, les invités peuvent choisir la suite à thème Snoopy et profiter des piscines, des complexes sportifs, du centre de fitness et d'une aire de jeux destinée aux enfants. Les restaurants, comme le Cucina ! Cucina ! Italian Café, contribuent à l'ambiance joyeuse du lieu. Les habitués bénéficient de tarifs particuliers.

Spectaculaires attractions nautiques à Soak City USA

Maison natale de Richard Nixon

Richard Nixon Library and Birthplace ❸

Carte routière D6. 18001 Yorba Linda Blvd. **(** (714) 993-5075. **R** *jusqu'à Fullerton.* **◯** *de 10 h à 17 h du lun. au sam. ; de 11 h à 17 h le dim.* **●** *Thanksgiving, 25 déc.* **W** *www.nixonlibrary.org*

Un musée et une bibliothèque célèbrent Richard Nixon, président des États-Unis de 1969 à 1974. La modeste maison de bois où il naquit en 1913 se dresse au sein d'un parc parfaitement entretenu. Non loin se trouvent le Reflecting Pool *(p. 217)*, bassin invitant à la méditation, et les pierres tombales en granit noir sous lesquelles reposent le président Nixon et sa femme Pat.

Dans le musée, l'exposition permanente qui retrace dans l'ordre chronologique l'ascension et la chute du politicien républicain met l'accent sur la paix qu'il conclut au Viêt-nam et son rôle sur la scène internationale. La réplique d'un pavillon chinois abrite ainsi des documents sur sa visite officielle en Chine en 1972, tandis qu'une reconstitution de l'église Basile-le-Bienheureux de Moscou évoque son voyage en Union soviétique la même année.

Dans la World Leaders' Room, les statues de dirigeants célèbres tels que Mao Zedong et Winston Churchill sont entourées de certains des cadeaux que reçut Richard Nixon pendant son mandat, entre autres une statue de la déesse Isis datant du VIᵉ siècle av. J.-C., présent d'Anouar el-Sadate, et un tableau de Sonia Delaunay offert par Georges Pompidou.

Les objets historiques exposés dans d'autres salles comprennent un morceau de pierre lunaire vieux de trois milliards d'années, un fragment du mur de Berlin et des robes portées par la *First Lady*. On peut également écouter les célèbres bandes magnétiques du Watergate qui finirent par contraindre Nixon à la démission. Dans le Presidential Forum, la magie de l'interactivité permet aux visiteurs de poser des questions au président défunt. Des archives fournissent les réponses. D'autres salles abritent des expositions temporaires sur des aspects plus populaires de la vie politique américaine comme les visites de vedettes de variétés à la Maison-Blanche.

Crystal Cathedral ❹

12141 Lewis St, Garden Grove. **(** (714) 971-4013. **◻** 45 N. **◯** *du lun. au sam.* 9 h 30, 11 h, 18 h le dim. **W** *www.crystalcathedral.org*

Écheveau de poutrelles métalliques recouvertes de plus de 10 000 panneaux de verre argenté, l'étincelante cathédrale de Cristal est à la dimension de la fascination qu'éprouvent des millions d'Américains pour les évangélisateurs qui se servent de la télévision pour transmettre leur message. Elle peut confortablement accueillir près de 3 000 fidèles. Ils viennent en particulier assister le dimanche au service du Dr Robert H. Schuller diffusé en direct sous le titre évocateur de *Hour of Power*

L'intérieur de la Crystal Cathedral à Garden Grove

(Heure du pouvoir).
En forme d'étoile, l'édifice dessiné par Philip Johnson en 1980 abrite l'un des plus grands orgues du monde et un écran vidéo de 4,5 m de large. D'immenses portes vitrées permettent aux croyants garés dehors d'écouter l'office religieux sans quitter leur voiture. Une flèche en acier inoxydable de 72 m de haut ajoutée en 1990 ainsi qu'un cimetière d'une capacité de 10 000 tombes complètent le sanctuaire.

Le Dr Schuller commença sa carrière en 1955 en prêchant dans un cinéma drive-in, toujours debout, puis il fit construire la Southern California Community Church, une église elle aussi drive-in qui se visite gratuitement en même temps que la cathédrale. Il a aujourd'hui des disciples jusqu'au Canada et en Australie et on vient de très loin assister aux reconstitutions en costumes organisées à Noël et à Pâques. Des anges suspendus au plafond planent alors au-dessus de la congrégation.

Bowers Museum of Cultural Art ❺

2002 N Main St, Santa Ana. **Carte routière** D6. **☎** (714) 567-3600. **🚊** jusqu'à Anaheim. **🚌** 45 S. **🕐** de 11 h à 18 h du mar. au dim. **🌑** 1ᵉʳ jan., 4 juil., Thanksgiving, 25 déc. **🎫 ♿ 📷** (les sam. et dim.) **🌐** www.bowers.org

Fondé en 1932, ce musée ethnographique possède de riches collections permanentes et propose des expositions temporaires de haut niveau. Les bâtiments de style Mission (p. 27) qu'il occupe renferment aussi un café élégant (p. 554) et une boutique vendant de l'artisanat et des livres d'art.

Réunie par Paul et Ruth Tishman, et aujourd'hui mise à disposition sous forme de prêt à long terme par la Disney Corporation, la collection de masques africains du Bowers Museum justifie à elle seule le déplacement, mais il présente aussi des merveilles issues de cultures qui prospéraient en Asie du Sud-Est, en Océanie,

Portail d'entrée du Bowers Museum of Cultural Art

au Mexique et en Amérique du Nord avant la colonisation. Ces objets illustrent les croyances religieuses de ces peuples ainsi que leurs vies quotidiennes.

Décorées de fresques et de stucs des années 1930, les salles de l'étage sont consacrées à la période des missions et des *ranchos* en Californie et dans l'Orange County (p. 42-43).

À un pâté de maisons de là, une ancienne banque abrite le **Kidseum** où les enfants peuvent participer à des activités créatrices et essayer masques et costumes du monde entier.

Statuette maya (800-950 apr. J.-C.), Bowers Museum

🏛 Kidseum

1802 N Main St, Santa Ana. **☎** (714) 480-1520. **🕐** de 10 h à 16 h sam. et dim. **🎫 ♿ 🌐** www.bowers.org

Centennial Heritage Museum ❻

3101 W Harvard St, Santa Ana. **Carte routière** D6. **☎** (714) 540-0404. **🚊** jusqu'à Anaheim. **🚌** 45 S. **🕐** de 13 h à 17 h du mer. au ven. ; de 11 h à 15 h le dim. **🌑** 1ᵉʳ jan., dim. de Pâques, Thanksgiving, 25 déc. **🎫 ♿ 📷** **🌐** www.centennialmuseum.org

L'époque victorienne reste d'actualité dans l'Hiram Clay Kellogg House, curieuse demeure de deux étages construite en 1898 par un ingénieur des travaux publics fasciné par les bateaux. Deux

statues d'ours ornent le perron. Ovale, la salle à manger possède un plancher en lattes de chêne et de noyer disposées en bandes pour ressembler à un pont de navire. Certains tiroirs des meubles de rangement encastrés peuvent aussi s'ouvrir depuis la cuisine située de l'autre côté du mur. Des fruits ornent le plafond et un élégant escalier circulaire s'enroule autour d'un mat.

L'édifice abrite aujourd'hui un musée qui s'adresse plus particulièrement aux enfants, mais qui présente aussi un intérêt historique et architectural pour les adultes. Les jeunes visiteurs s'y voient offrir la possibilité d'enfiler d'authentiques vêtements anciens pour mieux s'imaginer vivant au tournant du siècle. Jouets, bureaux d'écoliers et maisons de poupées d'époque meublent les pièces des étages. Au rez-de-chaussée, les enfants apprennent à découvrir de mystérieux instruments tels qu'un stéréoscope ou un téléphone à manivelle. La cuisine a gardé un équipement d'un autre âge avec sa glacière et sa baratte.

La John A. Magg House voisine date de 1899 et a été installée ici avec son écurie et son château d'eau en 1982. Il y a également une orangeraie, une rareté désormais dans l'Orange County.

Outils pour la culture des oranges au Centennial Heritage Museum

La Mission San Juan Capistrano ❼

Statue de San Juan Capistrano

La chapelle du « Joyau des Missions » est le dernier bâtiment existant en Californie où prêcha le célèbre père Junípero Serra (p. 42). Fondée en 1776, la Mission San Juan Capistrano acquit une prospérité qui permit la construction d'une Great Stone Church (grande église de pierre) achevée en 1806. Six ans plus tard, un tremblement de terre n'en laissait qu'une coque en ruine actuellement en cours de restauration. Entourant un jardin ornemental, les autres édifices, en adobe et en briques, aident à imaginer l'activité qui régnait dans la mission pendant la colonisation espagnole.

★ **Les quartiers d'habitation des pères**
Les moines de la mission dormaient dans des cellules austères aux lits en planches. Les visiteurs jouissaient de plus de confort.

Les cuisines abritent des ustensiles anciens.

Une hutte évoque les abris traditionnels des Indiens qui vivaient dans la région à l'époque de la mission.

Cloches du Sacred Garden
Les quatre cloches de la Great Stone Church sont suspendues dans le mur d'un petit jardin. Les deux plus grosses datent de 1796.

Junípero Serra
Une statue du fondateur de la mission et d'un jeune Indien orne un angle des jardins.

À NE PAS MANQUER

★ Le jardin de la cour intérieure

★ Les quartiers d'habitation des pères

★ La Serra's Chapel

MODE D'EMPLOI

Camino Capistrano et Ortega Hwy.
Carte routière D6. 📞 *(949) 234-1300.* ⏲ *de 8 h 30 à 17 h t.l.j.* ● *ven. saint apr.-m., Thanksgiving, 25 déc.* 🈺 ⊙ 🚻 🏠 🔄 🎏 *fête des hirondelles (mars).*

★ **Le jardin de la cour intérieure**
Cœur de la mission, cette cour entourée de galeries est devenue un magnifique jardin orné en son centre d'une fontaine.

La Bodega (entrepôt) renfermait suif, grain, lainages et peaux.

Galeries
Avec leurs murs carrelés, les galeries entourant la cour intérieure offrent un endroit frais à l'ombre pour se reposer ou contempler le jardin.

★ **La Serra's Chapel**
En bois de cerisier doré à la feuille, l'autel de la chapelle, vieux de trois siècles, fut apporté de Barcelone en 1906.

La Great Stone Church, dont il ne reste que des ruines, est en cours de restauration.

LES HIRONDELLES DE LA MISSION

Chaque printemps, des milliers d'hirondelles de retour d'Amérique du Sud s'installent pour l'été à San Juan Capistrano et une fête salue leur arrivée le 19 mars, jour de la Saint-Joseph *(p. 32).* Depuis plus de deux siècles, ces oiseaux fabriquent sous les toits en tuiles et contre les murs en adobe de la mission des nids en boue séchée où ils couvent de 4 à 5 œufs. À l'automne, ils repartent vers le sud.

Une jeune hirondelle

Catalina Island ⑧

Une trentaine de kilomètres seulement séparent du continent l'île la plus accessible des Channel Islands. D'une superficie de 200 km², elle doit son nom à l'explorateur portugais Sebastián Vizcaíno qui y débarqua en 1602 le jour de la fête de sainte Catherine d'Alexandrie. Rocheuse, elle reste en grande partie préservée malgré les visiteurs qu'elle attire le week-end et en période de vacances.

Les plus beaux édifices de la principale ville, le port d'Avalon, furent construits par le millionnaire William Wrigley, Jr, qui acheta l'île en 1919. Elle appartient aujourd'hui dans sa quasi-totalité au Santa Catalina Island Conservancy qui protège ses richesses naturelles.

Two Harbors
Cet isthme bas sépare deux baies. On y trouve notamment un camping, un centre de plongée sous-marine et un bazar.

Airport-in-the-Sky et Nature Center

El Rancho Escondido, un élevage de chevaux primés, se visite dans le cadre de visites guidées de l'île.

Little Harbor
Outre un joli port et une plage abritée au fond d'une crique, cette baie isolée de la côte occidentale recèle plusieurs pistes cyclistes et un bon terrain de camping.

Dans la Black Jack Mountain (610 m), deuxième sommet de l'île, des mines produisirent plomb, zinc et argent dans les années 1920.

LA FAUNE ET LA FLORE DE CATALINA

Au fil des siècles, la Catalina Island est devenue un sanctuaire où survécurent des plantes qui disparaissaient sur le continent. Huit espèces végétales spécifiques subsistent ainsi, dont de rares variétés de bois de fer et d'acajou et la tomate sauvage hautement toxique. L'isolement a en outre donné naissance à des sous-espèces animales comme le petit renard gris de Catalina. Certains des animaux domestiques des premiers colons, notamment porcs et chèvres, sont retournés à l'état sauvage. Il y a même des bisons, importés pour le tournage d'un film en 1924.

Bison sauvage de Catalina Island

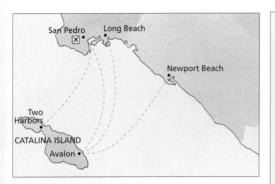

MODE D'EMPLOI

Carte routière C6. **3 000.**
Island Express Helicopter Service *(310 510-2525) de San Pedro et Long Beach à Avalon.*
Catalina Express and Cruise *(310 519-1212 ; 800-481-3470) de San Pedro à Avalon ou Two Harbors et de Long Beach à Avalon ;*
Catalina Passenger Service *(949 673- 5245) de Newport Beach à Avalon.* **1** *Green Pleasure Pier (310 510-1520).*
Catalina Arts Festival *(fin sept.).*
W *www.visitcatalina.org*

★ L'Avalon Casino
Des visites guidées permettent de découvrir ce joyau Art déco de 1929 superbement restauré.

L'Avalon Museum, installé dans le casino, retrace l'histoire de l'île qu'exploitèrent éleveurs et mineurs et qui devint une station balnéaire et un lieu de tournage de films.

LÉGENDE

▬▬	Route secondaire
▭▭	Route en mauvais état
▪▪▪	Sentier
◁◁	Cours d'eau
✕	Aéroport
🛳	Embarcadère
🛈	Information touristique
🌿	Point de vue

0   5 km

La Lovers Cove Marine Reserve protège une riche vie marine visible depuis des bateaux à fond de verre.

Les Seal Rocks sont un des sites approchés dans le cadre d'une découverte en bateau des colonies de phoques.

★ L'Avalon Bay
Près de 3 000 personnes vivent à Avalon. Elles se déplacent dans de petits véhicules électriques que les visiteurs peuvent louer.

★ Les Wrigley Memorial & Botanical Gardens
Ces 15 ha de parc renferment un imposant mémorial à William Wrigley, Jr et une collection de plantes indigènes de l'île.

À NE PAS MANQUER

★ L'Avalon Bay

★ L'Avalon Casino

★ Les Wrigley Memorial & Botanical Gardens

LE SAN DIEGO COUNTY

C'est sur une colline de la magnifique San Diego Bay que le père Junípero Serra fonda la première des 21 missions qui allaient former l'épine dorsale de la Californie moderne (p. 42-43). Jouissant d'un climat exceptionnel et d'un superbe port naturel, cette colonie est devenue la sixième ville des États-Unis. Le visiteur découvrira aussi dans le San Diego County de belles plages et forêts et de vastes parcs.

Depuis sa fondation, San Diego doit sa croissance à l'océan. Elle s'enrichit au XIXᵉ siècle grâce aux chercheurs d'or, aux marchands de fourrures et aux pêcheurs de baleines qui venaient profiter de l'abri de la San Diego Bay. Puis la marine américaine, qui s'installa en 1904, en fit le plus grand établissement militaire du monde, et croiseurs et porte-avions restent des spectacles familiers au milieu des bateaux de pêche et de plaisance.

Lors d'une première visite, c'est l'étendue de l'agglomération, étalée le long de deux baies, qui frappe tout d'abord. Puis on remarque son dynamisme dont les gratte-ciel de Downtown présentent une image étincelante en front de mer. Cette vitalité s'affirme aussi dans le domaine culturel à travers, notamment, les nombreux musées du Balboa Park. San Diego demeure toutefois surtout connue pour son zoo, l'un des plus riches de la planète, et le parc nautique de Sea World. Ville proposant de nombreuses activités sportives, elle accueillit trois fois l'Americas Cup.

Au nord, stations balnéaires huppées et réserves naturelles jalonnent la côte pacifique. À l'intérieur des terres, où de petites villes se sont développées au sein des zones cultivées, de profondes forêts et plusieurs parcs d'État offrent aux randonneurs et aux campeurs de vastes espaces qui permettent d'échapper au rythme trépidant de la vie urbaine. À l'est, le comté devient de plus en plus montagneux et les paysages prennent une aridité désertique. Au sud, la frontière et la ville mexicaine de Tijuana ne se trouvent qu'à 25 km de San Diego, une distance que l'on franchit très facilement en trolley.

Centre commercial de l'Old Town de San Diego

◁ **Les gratte-ciel de Downtown dominent le front de mer de la San Diego Bay**

À la découverte du San Diego County

D'une superficie de plus de 10 000 km², le San
Diego County s'étend de l'océan Pacifique à
l'Anza-Borrego Desert *(p. 266-267)* qui forme une
frontière naturelle à l'est. Longues plages
de sable, falaises et zones
marécageuses alternent sur le
littoral qui offre la possibilité de
pratiquer de nombreuses
activités de loisir. Plusieurs
parcs d'État, tels ceux de la
Palomar Mountain et du
Cuyamaca Rancho, protègent les
espaces sauvages de l'intérieur des
terres. Proche de la frontière
mexicaine, San Diego, la ville la plus
peuplée de Californie après Los Angeles,
entoure une baie profonde fermée par deux
péninsules.

MISSION SAN LUIS REY **8**

LEGOLAND **14**

ESCONDIDO

Lake Hodge

ENCINITAS

Santa Margarita River

Riversid

San Mateo Creek

Los Angeles

Second San Diego Aqueduct

San Dieguito River

LA JOLLA **5**

MISSION **4** **3** **2**
BAY   SEA   MISS
WORLD SAN DI
       DE ALC

SAN DIEGO **1**

CHULA VISTA
NATURE CENTER
13

TIJUAN

Dans le Cuyamaca Rancho State Park

VOIR AUSSI

• *Hébergement* p. 517-519

• *Restaurants* p. 555-557

Port de plaisance de la Shelter Island dans la San Diego Bay

0   5 km

LE SAN DIEGO COUNTY D'UN COUP D'ŒIL

Le Cabrillo National Monument de San Diego

La Swami's Beach près d'Encinitas

LÉGENDE

- Autoroute
- Route principale
- Route secondaire
- Parcours pittoresque
- Cours d'eau
- ☀ Point de vue

CIRCULER

Les principales voies de circulation courent du nord au sud. La I-5 et la ligne de chemin de fer d'Amtrak longent la côte et assurent des liaisons rapides avec Los Angeles. Les trains du Coaster traversent de beaux paysages et desservent les gares entre San Diego et Oceanside. Une voiture est pratiquement indispensable pour découvrir l'intérieur du comté. Elle restera très utile à San Diego même si la ville dispose d'un bon système de transports en commun *(p. 256)*. Les deux lignes du tramway, le San Diego Trolley, vont jusqu'à El Cajon à l'est et jusqu'à la frontière au sud.

La côte du San Diego County

Entre l'Orange County et la frontière mexicaine, le littoral du San Diego County propose plus de 110 km de magnifiques plages de sable entrecoupées de parois rocheuses, de criques et d'élégantes stations balnéaires telles que Del Mar et Mission Beach. À La Jolla, des parapentistes sautent des falaises, tandis que des nudistes font du jogging au bord de l'eau. Réserves naturelles protégeant la flore et la faune de la côte, la Batiquitos Lagoon, la Torrey Pines State Reserve et le Chula Vista Nature Center *(p. 254)* offrent plus de calme.

Panneau de la Swami's Beach

La Batiquitos Lagoon s'étend entre South Carlsbad et les Leucadia State Beaches. Nettoyée, cette lagune qui abrite de nombreux oiseaux et une riche flore devrait devenir une réserve naturelle dotée d'un sentier de découverte et d'un visitors' centre.

Le Del Mar Racetrack établit sa renommée dans les années 1930 grâce à des vedettes d'Hollywood comme le chanteur Bing Crosby. La saison des courses hippiques dure de la fin juillet à la mi-septembre. La San Diego County Fair a lieu en juin sur le champ de foire adjacent.

La Torrey Pines State Reserve et la Santa Rosa Island (p. 214) sont les deux seuls endroits du monde où survive le Torrey pine (Pinus torreyana), un vestige des forêts d'avant l'ère glaciaire.

LÉGENDE

▬▬	Autoroute
▬▬	Route principale
▬▬	Route secondaire
〰	Cours d'eau
☼	Point de vue

0   5 km

★ **San Onofre State Beach** ①

🏄 🏖 ♿ 🚻 👫 🅰 ♨

Proche de la centrale nucléaire de San Onofre et de la base militaire de Camp Pendleton, cette plage mérite surtout une visite pour admirer de bons surfers en action.

Swami's ③

🏄 🏖 ♿ 👫

Le Self-Realization Fellowship Temple domine le rivage et cette plage de surf porte le nom de son fondateur.

Cardiff State Beach ④

🏄 🏖 ♿ ♿ 👫 🅰 ♨

À la sortie sud d'Encinitas où le Restaurant Row permet de dîner en bord de mer, cette plage de sable blanc est propice à la baignade et au surf.

Torrey Pines State Beach ⑥

🏄 🏖 ♿ ♿ 👫 ♨

Au sud de cette plage appréciée des baigneurs et des pique-niqueurs, des sentiers grimpent dans les hauteurs de la Torrey Pines State Reserve et ménagent de beaux panoramas de l'océan.

Mission Beach ⑨

🏄 🏖 ♿ ♿ ♿ 👫

Voici la plage la plus animée de San Diego. Le Belmont Park *(p. 251)* propose en bord de mer des attractions foraines.

Ocean Beach ⑩

🏄 🏖 ♿ ♿ ♿ 👫

Des pélicans viennent se poser sur le ponton en forme de T d'Ocean Beach. Il ménage de belles vues du littoral.

Silver Strand Beach ⑫

🏄 🏖 ♿ ♿ ♿ 👫 🅰 ♨

Serrée entre des terrains d'entraînement de la marine, cette longue et mince bande de sable doit son nom à des coquillages argentés.

★ Oceanside ②

À sa construction en 1910, le ponton de cette plage de sable faisait près du double de ses 275 m actuels, mais il fut endommagé par une tempête. La ville abrite un intéressant musée consacré au surf.

★ Del Mar ⑤

Cette station balnéaire propose aussi courses de chevaux, montgolfières, fêtes foraines et boutiques et restaurants.

NEVADA

CALIFORNIE

Océan
Pacifique

CARTE DE SITUATION

★ La Jolla ⑦

Cette station balnéaire *(p. 251)* possède de nombreux restaurants et magasins de luxe, mais ses plages peuvent se révéler bondées en été. Protégées par une réserve naturelle, les eaux de La Jolla Cove séduiront les amateurs de plongée sous-marine.

Carlsbad

Batiquitos Lagoon

Encinitas

Del Mar
Racetrack

Torrey Pines
State Reserve

★ Pacific Beach ⑧

Long de 120 m, le Crystal Pier offre sur cette plage très fréquentée un bon endroit pour pêcher ou contempler les surfers en action.

SAN
DIEGO

Point Loma

Chula
Vista

San Diego Bay

★ Coronado Beach ⑪

L'Hotel del Coronado *(p. 245)* et la vue sur la baie font de cette large plage de sable l'une des plus romantiques de San Diego.

TIJUANA

San Diego ●

Décor du Santa Fe Depot

Protégée par la péninsule de Coronado *(p. 245)*, la San Diego Bay forme un port naturel de 57 km² autour duquel a grandi la deuxième ville de Californie. C'est l'explorateur portugais Juan Rodríguez Cabrillo qui découvrit la baie en 1542, mais sa colonisation ne commença qu'en 1769 avec l'arrivée du père Junípero Serra *(p. 42-43)*. Le fondateur des missions californiennes accompagnait une expédition militaire ayant pour objectif d'assurer le contrôle de l'Espagne sur l'Alta California (la partie de la Californie au nord de la Baja Peninsula). Elle établit sa forteresse, ou *presidio*, près de la San Diego River, là où s'étend aujourd'hui le quartier d'Old Town *(p. 244-245)*.

Boutiques du Seaport Village

À la découverte de Downtown San Diego

L'histoire du San Diego moderne débuta dans les années 1870 quand un homme d'affaires de San Francisco, Alonzo Horton, commença à aménager le front de mer et établit le quadrillage de rues du Gaslamp Quarter *(p. 242-243)* qui est devenu, avec le centre commercial de l'Horton Plaza, le pivot de la réhabilitation du quartier de Downtown. À l'extrémité ouest de Main Street se dressent les tours du **Santa Fe Depot**. Des carreaux composent un décor coloré à l'intérieur de cette gare de style Spanish Colonial construite en 1915 pour impressionner les visiteurs de la Panama-Pacific Exposition organisée dans le Balboa Park *(p. 246-247)*.

À côté, l'un des plus hauts gratte-ciel de la ville, l'**America Plaza**, abrite le Museum of Contemporary Art. En bord de mer, le **San Diego Convention Center**, qui évoque un galion, domine la San Diego Bay.

Les promenades et les quais de l'**Embarcadero** donnent une idée du rôle joué par la cité en tant que grand port commercial et militaire. Ils aboutissent au nord au Maritime Museum avec ses navires historiques. Une courte marche vers le sud conduit au **Broadway Pier** d'où partent des vedettes proposant des promenades dans le port. Depuis le **Seaport Village**, un centre commercial comptant plusieurs restaurants, on aperçoit les porte-avions de la **North Island United States Naval Air Station**.

⊞ Horton Plaza

Broadway, G St, 1st et 4th Aves.
☎ (619) 239-8180. ⬤ t.l.j.
⬤ 25 déc. Ⓦ www.westfield.com
Ce centre commercial au plan novateur a servi de catalyseur à la réhabilitation de Downtown San Diego. Plusieurs niveaux peints de tons pastel abritent 140 boutiques, magasins et cafés. Les visiteurs peuvent y faire du lèche-vitrines en soirée à proximité des restaurants du Gaslamp Quarter.

Le centre commercial de l'Horton Plaza

SAN DIEGO

🏛 Maritime Museum

1492 North Harbor Drive. 📞 *(619) 234-1412.* 🕐 *de 9 h à 20 h (21 h en été).* ♿

Les mâts élancés du *Star of India*, un navire marchand de 1863, dominent cette collection de bateaux historiques. À côté flotte le *Berkeley* (1898), un ancien ferry de la San Francisco Bay. On visite également le *Medea*, luxueux yacht à vapeur de 1904 mouillé contre son flanc.

🏛 Museum of Contemporary Art

1001 Kettner Blvd. 📞 *(619) 234-1001.* 🕐 *de 11 h à 17 h du jeu. au mar.* ● *1er jan., 25 déc.* 🌐 *www.mcasd.org*

Associé à l'établissement du même nom de La Jolla *(p. 251)*, ce musée ouvert en 1993 présente sur deux niveaux des expositions temporaires d'œuvres récentes d'artistes contemporains, ainsi qu'une sélection issue de sa riche collection permanente. Il propose aussi une librairie très bien fournie.

MODE D'EMPLOI

Carte routière D6. 🔍 *1 500 000.* ✈ *Lindbergh Field Airport, 3707 N Harbor Drive.* 🚃 *1050 Kettner Blvd.* 🚌 *120 W Broadway.* ℹ *Bayside Embarcadero, cnr Harbor Dr & W Broadway (619 236-1212).* 🎭 *Street Scene Festival (sept.).* 🌐 *www.sandiego.org*

🚏 Villa Montezuma

20 Ave & K St. 📞 *(619) 239-2211.* 🕐 *de 10 h à 16 h 30 ven., sam. et dim.* ● *1er jan., 24 déc. après-midi et 25 déc.* ♿

Édifiée en 1887 pour Jesse Shepard, un auteur et musicien originaire d'Angleterre, cette somptueuse demeure victorienne *(p. 27)* a conservé un magnifique intérieur de style Queen Anne.

Vitrail de la Villa Montezuma

🏛 Children's Museum

200 W Island Ave. 📞 *(619) 233-8792.* ● *Fermé pour rénovation jusqu'en 2006 ; renseignements par téléphone ou sur le site Internet.* ♿ 🌐 *www.sdchildrensmuseum.org*

Le musée est fermé pendant la construction de ses nouveaux locaux de Marina District. Le nouvel édifice dernier cri, conçu par Rob Wellington Quigley, devrait séduire grands et petits.

Artiste en herbe au Children's Museum

LÉGENDE

🟨	Zone militaire
✈	Aéroport
🚆	Gare
🚏	Station de trolley
—	Ligne de trolley
🚌	Gare routière
⚓	Embarcadère de ferries
ℹ	Information touristique

Une promenade dans le Gaslamp Quarter

À la fin du XIXᵉ siècle, quand San Diego connut une brusque croissance de population, les seize pâtés de maisons du Gaslamp Quarter prirent le surnom de « Stingaree », car, dans ce quartier où abondaient prostituées, cercles de jeu et débits de boissons, le client naïf courait de grands risques de se faire arnaquer *(sting)*. Malgré sa richesse architecturale, les mesures prises par la police pendant les décennies suivantes et le développement d'une communauté asiatique très unie ne lui évitèrent pas de continuer à se dégrader jusque dans les années 1970. Décrété National Historic District en 1980, le Gaslamp Quarter, réhabilité, s'est depuis imposé comme le nouveau cœur de San Diego, un endroit où l'on vient faire du lèche-vitrines, dîner, danser ou simplement admirer des bâtiments anciens allant d'une simple pâtisserie à de grands hôtels victoriens. Ses lampadaires à gaz lui donnent beaucoup de charme le soir.

Bec de gaz

Mode d'emploi

Broadway et 4th–6th Aves. **Carte routière** D6. 🚌 1. 🚆 *Bayside.* 🛈 *410 Island Ave (619 233-4692).* 🌐 *www.gaslampquarter.org*

Le Lincoln Hotel du nᵒ 635, bâti en 1913, possède une architecture influencée par la Chine.

Le Backesto Building, immeuble de bureaux au nᵒ 614, date de 1873.

Old City Hall
Cet immeuble de bureaux (1874) italianisant abrita les services municipaux.

FIFTH AVENUE WEST SIDE ➤➤➤➤➤➤➤➤➤➤➤➤➤➤➤➤➤➤➤➤➤➤➤➤➤➤➤➤➤

★ **La Louis Bank of Commerce**
Construit en 1888, le premier bâtiment en granit de la ville n'abrita la Bank of Commerce que 5 ans. Il servit aussi de bar à huîtres et de maison close.

Marston Building
Le grand magasin que George Marston, un défenseur des droits civiques, fit bâtir en 1881 à l'angle de 5th Avenue et F Street fut remanié en 1903 après un incendie.

FIFTH AVENUE EAST SIDE ➤➤➤➤➤➤➤➤➤➤➤➤➤➤➤➤➤➤➤➤➤➤➤➤➤➤➤➤➤

LÉGENDE

▶▶▶▶▶▶ Côté est, vers le nord

◀◀◀◀◀ Côté ouest, vers le sud

Le Gaslamp Quarter le soir
Les clients des nombreux bars et restaurants, et les promeneurs, entretiennent l'animation du quartier à la nuit tombée.

Llewelyn Building
Un magasin de chaussures, jusqu'en 1906, puis des hôtels occupèrent cet édifice de 1877.

0   10 m

★ Le Yuma Building
Achevé en 1882, le Yuma Building fut un des premiers édifices en brique de Downtown. En 1915, il était devenu une maison close, la première dont une descente de police entraîna la fermeture.

À NE PAS MANQUER

★ La Louis Bank

★ Le Yuma Building

Wyatt Earp
Le shérif Wyatt Earp dirigea trois maisons de jeu du quartier dans les années 1880. La réputation du « Stingaree » poussa les commerces plus respectables à déménager au nord de Market Street.

En dehors de Downtown

À 6,5 km au nord de l'actuel Downtown, certains des tout premiers édifices de San Diego ont survécu dans le quartier, connu sous le nom d'Old Town. Le Junípero Serra Museum retrace l'histoire de la région. À l'ouest d'Old Town, la côte s'étend au sud jusqu'au terme de la Point Loma Peninsula où se dresse le Cabrillo National Monument. Il offre un magnifique panorama de l'océan et du front de mer de la ville de l'autre côté de la baie. Au sud de Point Loma, Coronado jouit d'une situation privilégiée sur une péninsule partageant la San Diego Bay. De belles plages de sable et de nombreux hôtels de luxe en font un lieu animé.

Maison victorienne, Heritage Park

Intérieur de la Mason Street School d'Old Town

À la découverte d'Old Town

Jusque dans les années 1870, San Diego se serrait ici autour du Presidio, le site de la forteresse et de la première mission fondée par les Espagnols. Aujourd'hui, plus de 20 bâtiments historiques datant de cette époque ont été restaurés ou reconstruits pour former l'Old Town San Diego State Historic Park. Il s'étend autour de la Plaza où avaient lieu jadis parades et courses de taureaux. À l'extrémité ouest de l'esplanade, le **Robinson-Rose Building** abrite le siège du parc et le *visitors' centre*.

Parmi les autres édifices dignes d'intérêt figurent la **Colorado House** et la **Mason Street School** qui date de 1866. Dans l'angle nord de la Plaza, le centre commercial **Bazaar del Mundo** *(p. 256)* s'inspire d'une place de marché mexicaine.

L'Old Town ne se limite toutefois pas au parc. Élevée en 1856, la **Whaley House**, au n° 2482 San Diego Avenue, fut la première construction en brique à étage de Californie. Elle abrita un temps un tribunal.

🏛 Junípero Serra Museum

2727 Presidio Drive ☎ *(858) 297-3258.* ⏰ *de 10 h à 16 h 30 du ven. au dim.* ⬤ *Thanksgiving, 25 déc.*

Le musée dédié au fondateur de la chaîne de missions californiennes occupe au sommet du Presidio Park un bâtiment de style Mission Revival *(p. 27)* construit en 1929. Le parc lui-même domine la San Diego River et s'étend à l'emplacement où les Espagnols édifièrent une place forte et une mission en 1769. Des archéologues continuent de fouiller les ruines de la forteresse, le *presidio*, et certaines de leurs découvertes, vaisselle comme boulets de canon, sont présentées au musée. Celui-ci retrace l'histoire des occupants successifs de la région, Indiens, Espagnols, Mexicains, puis Américains. Une peinture, *La Madre Santissima de la Luz* de Luís Mena (v. 1760), possède un intérêt particulier. Elle est un des rares objets de la mission, transplantée à San Diego de Alcalá en 1774 *(p. 250)*, à avoir subsisté.

À l'étage, l'exposition évoque la première expédition espagnole en Californie, la vie quotidienne dans le *presidio* et les évolutions que connut San Diego.

🏛 Heritage Park

2455 Heritage Park Row. ☎ *(858) 565-3600.* ⏰ *t.l.j.* ⬤ *Thanksgiving, 25 déc.* 🌐 *www.sdparks.org*

Sur une colline à l'est d'Old Town, ce parc réunit une collection d'édifices victoriens remarquablement restaurés. Ils proviennent de différents quartiers de la ville.

Le Junípero Serra Museum

Casa de Estudillo

4001 Mason St. (619) 220-5422.
de 10 h à 17 h t.l.j. 1er jan.,
Thanksgiving, 25 déc. **Contribution**.

La maison bâtie en 1829 pour
le commandant du *presidio*,
José Mariá de Estudillo, est le
plus imposant des édifices
historiques en adobe et en
bois, encore préservés
aujourd'hui à l'Old Town San
Diego State Historic Park. Ses
13 pièces qui entourent une
cour intérieure ont retrouvé
leur aspect de la fin de la
période espagnole.

Seeley Stable

Calhoun et Mason Sts. (619)
220-5427. t.l.j. 1er jan.,
Thanksgiving, 25 déc. **Contribution**.
Installé dans une écurie
reconstruite, ce musée
présente une collection de
chariots et de diligences, ainsi
que d'intéressants souvenirs
de la conquête de l'Ouest.

À la découverte de Point Loma

Le parc du **Cabrillo National
Monument** occupe une
superficie de 58 ha dans la
partie sud de la Point Loma
Peninsula. Le monument rend
hommage au premier
Européen, le Portugais Juan
Rodríguez Cabrillo *(p. 42)*, qui
posa le pied en Californie en
1542. La statue de l'explorateur
commande une large vue de
l'océan et du va-et-vient des
navires dans la San Diego Bay.

Non loin, le Whale Overlook
offre un point de vue pour
observer, de fin décembre à
fin février, la migration vers le
sud des majestueuses baleines
grises. Long de 3 km, le
Bayside Trail fait le tour de la
pointe. Les visiteurs peuvent
le suivre en s'aidant d'une
brochure, avant d'explorer les
mares qui se forment à marée
basse dans les rochers de la
côte occidentale.

Cabrillo National Monument Visitor Center

1800 Cabrillo Memorial Drive.
(619) 557-5450. t.l.j.
Près de l'entrée du parc, ce
remarquable *visitors' centre*
diffuse un film racontant le
voyage de 1 300 km que fit
Juan Rodríguez Cabrillo le
long de la côte californienne.

L'Old Point Loma Lighthouse

Old Point Loma Lighthouse

1800 Cabrillo Memorial Drive.
(619) 557-5450. de 9 h
à 17 h 15 t.l.j.
À quelques pas au sud de la
statue de Cabrillo, ce phare
s'alluma pour la première fois
en 1855 et resta en service
36 ans. La tour reste
généralement fermée au
public, mais les logements
des gardiens ont gardé leur
aspect de la fin du XIXe siècle.

À la découverte de Coronado

Sur la péninsule de 1 650 ha
située au milieu de la San
Diego Bay, l'homme d'affaires
Elisha Babcock, Jr entreprit en
1885 de créer une prestigieuse
station balnéaire, et la ville de
Coronado possède
aujourd'hui les résidences, les
boutiques, les hôtels et les
restaurants les plus luxueux
de San Diego. Du côté de
l'océan s'étend une superbe
plage *(p. 239)* que domine au
sud l'historique Hotel del
Coronado.

Coronado Ferry

1050 N Harbor Drive. (619) 234-
4111. t.l.j.
Jusqu'à l'ouverture en 1969
du spectaculaire San Diego-
Coronado Bay Bridge, ce ferry
offrait le principal moyen de
circulation entre la presqu'île
et le continent. Il a repris du
service et le trajet de 15 mn
entre le Broadway Pier de
l'Embarcadero et la Ferry
Landing Marketplace ménage
un spectacle à couper le
souffle au coucher du soleil
quand s'embrasent les gratte-
ciel de Downtown. Du
débarcadère, les passagers
peuvent rejoindre en bus, ou
à pied par l'Orange Avenue,
la côte du Pacifique.

Hotel del Coronado

1500 Orange Ave, Coronado. (619)
435-6611 ; (800) 468-3533. t.l.j.
W www.hoteldel.com
Ouvert en 1888, le « Del »
(p. 517) est un exubérant
palace victorien
magnifiquement préservé. Des
architectes et des ouvriers des
voies ferrées travaillèrent à sa
construction, un héritage dont
témoigne en particulier le
plafond en coupole de la
Crown Room réalisé sans un
seul clou. La liste des hôtes
célèbres comprend tous les
présidents des États-Unis de
Franklin Roosevelt à Bill
Clinton, ainsi que de très
nombreuses stars du cinéma
et de la télévision. En 1959,
Billy Wilder y dirigea Marilyn
Monroe, Jack Lemmon et Tony
Curtis dans *Certains l'aiment
chaud*. Une visite commentée
de 35 mn permet de découvrir
le « Del » sans devoir y
prendre une chambre.

L'Hotel del Coronado, un palace de très grand luxe

Le Balboa Park et le San Diego Zoo

Statue du Cid au Balboa Park

Fondé en 1868, le Balboa Park porte le nom de l'explorateur espagnol qui posa le premier les yeux sur le Pacifique en 1513 et il doit beaucoup de sa beauté à l'horticulteur Kate Sessions. Celui-ci échangea en 1892 un espace pour installer une pépinière contre la promesse de planter des arbres sur ses 460 ha. En 1915, le parc accueillit la Panama-Pacific Exposition de San Diego (p. 339) et plusieurs des pavillons de style Spanish Colonial construits pour l'occasion bordent toujours El Prado, son artère principale. Les animaux réunis pour l'exposition formèrent le noyau à partir duquel se développa le San Diego Zoo (p. 249). Les organisateurs de la Panama-Pacific Exposition érigèrent de nouveaux édifices 20 ans plus tard autour de la Pan-American Plaza et tous ces bâtiments abritent aujourd'hui une riche concentration de musées et de salles de spectacle.

Plaza de Panama
Cette place au centre d'El Prado formait le cœur de la Panama-Pacific Exposition.

★ **Le San Diego Museum of Man**
Ce musée anthropologique occupe le California Building. Bâti dans le style Spanish Colonial en 1915, il présente en façade les statues de Californiens célèbres.

Skyfari

Old Globe Theater

El Prado

San Diego Automotive Museum

Aerospace Museum
Cet A-12 Blackbird de 1962 se trouve à côté d'un musée consacré à l'aéronautique.

À NE PAS MANQUER

★ Le California Building et le San Diego Museum of Man

★ Le San Diego Museum of Art

★ Le San Diego Zoo

Pan-American Plaza

Spreckels Organ Pavilion

Bus d'excursion

0   100 m

MODE D'EMPLOI

Park Blvd, Laurel et 6th Sts. **Carte
routière** D6. 🚌 7. **Visitors'
Center**, Plaza de Panama 📞 (619)
239-0512. ⬜ de 9 h à 16 h t.l.j.
⬤ Thanksgiving, 25 déc., 1ᵉʳ jan.
Spreckels Organ Pavilion (de juin
à sept., concerts gratuits le lun. à
19 h 30 et le dim. de 14 h à 15 h).
San Diego Zoo 📞 (619) 234-
3153. ⬜ de début sept. à juin : de
9 h à 16 h t.l.j. ; juil.-août : de 9 h
à 17 h t.l.j. 🅿️ 🅾️ 🚻 🛍️ 📷 🖥️
W www.sandiegozoo.org

Bus
d'excursion

Entrée du San
Diego Zoo

Timken
Museum

★ **Le San Diego Zoo**
*4 000 animaux, tel cet
orang-outan, vivent dans
ce magnifique parc
zoologique.*

Casa del
Prado

San Diego
Natural History
Museum

Botanical Building
*Plantes tropicales et
subtropicales emplissent ce
bâtiment construit en fines
lattes de séquoia.*

★ **Le San Diego
Museum of Art**
*Un jardin de
sculptures et un
café complètent le
principal musée
d'art du parc qui
présente des
œuvres
américaines et
européennes.*

Reuben H.
Fleet Space
Theater and
Science Center

Casa de
Balboa

a de
ma

À la découverte du Balboa Park et du San Diego Zoo

Massif sculpté à l'entrée du zoo

Outre ses treize musées et ses serres tropicales, le Balboa Park offre un vaste espace de détente en plein cœur de San Diego et, le week-end, promeneurs, coureurs, cyclistes et artistes de rue emplissent ses pelouses et ses allées interdites aux voitures. Entre deux musées, les visiteurs peuvent se restaurer sur des aires de pique-nique ombragées ou se dégourdir les jambes en jouant au ballon. Dans sa partie nord, le San Diego Zoo, l'un des plus riches parcs zoologiques du monde, reconstitue sur 40 ha paysagers les habitats naturels de 800 espèces animales.

Artistes de rue un dimanche après-midi au Balboa Park

🏛 San Diego Museum of Man

1350 El Prado. [(619) 239-2001. ◯ de 10 h à 17 h t.l.j. ● 1ᵉʳ jan., Thanksgiving, 25 déc. 📷

Pavillon de la Panama-Pacific Exposition de 1915 (p. 146), le California Building renferme un musée consacré à l'histoire de l'humanité. Installées sur deux niveaux, les expositions abordent des sujets tels que les cultures de l'Égypte ancienne et des Mayas et l'artisanat des Indiens d'Amérique du Nord.

🏛 San Diego Museum of Art

1450 El Prado. [(619) 232-7931. ◯ de 10 h à 18 h du mar. au dim. (21 h le jeu.). ● 1ᵉʳ jan., Thanksgiving, 25 déc. 📷

Ce musée possède une riche collection permanente et organise de remarquables expositions temporaires.

Le rez-de-chaussée, consacré à l'art américain et européen de 1850 au XXᵉ siècle, abrite aussi des pièces asiatiques. Les peintures de 1300 à 1850 présentées au premier étage comprennent un *Couronnement de la Vierge* (1508) de Luca Signorelli.

Portrait d'homme (1634) par Frans Hals au Timken Museum

🏛 Timken Museum of Art

1500 El Prado. [(619) 239-5548. ◯ du mar. au dim. ● 1ᵉʳ jan., 4 juil., Thanksgiving, 25 déc. 🔳 www.timkenmuseum.org

Ouvert en 1965, le Timken expose des œuvres de maîtres européens tels que Rubens (1577-1640), Frans Hals (1581/5-1666), François Boucher (1703-1770) et Paul Cézanne (1839-1906), ainsi que des peintures d'Américains du XIXᵉ siècle, dont *The Yosemite Fall* (1864) du grand paysagiste Albert Bierstadt. Superbe collection d'icônes russes.

🏛 Museum of Photographic Arts

1649 El Prado. [(619) 238-7559. ◯ t.l.j. ● 25 déc. 📷

Installé à l'étage principal de la Casa de Balboa, le musée des Arts photographiques est spécialisé dans les expositions temporaires de haute qualité. Il comprend aussi une intéressante librairie.

🏛 Museum of San Diego History

1649 El Prado. [(619) 232-6203. ◯ de 10 h à 17 h du mar. au dim. ● 1ᵉʳ jan., Thanksgiving, 24 et 25 déc. 📷

Outre un grand nombre de vieilles photos et de livres anciens plein d'intérêt, ce musée propose d'excellentes expositions sur les voitures, la literie et la quête d'eau pour alimenter la ville. « Out of Our Vaults » (Sortis de nos caves) présente des documents tirés des archives et jusqu'ici inaccessibles au public.

🏛 Reuben H. Fleet Science Center

El Prado, Plaza de Panama et Park Blvd. [(619) 238-1233. ◯ t.l.j. 📷 téléphoner pour les horaires de l'IMAX®.

La vaste coupole du cinéma IMAX, dans le Space Theater, où l'on projette sur un écran hémisphérique des films consacrés au monde qui nous entoure, constitue la principale attraction de ce complexe, mais de nombreuses animations interactives, ainsi que des séances de planétarium et de laser, permettent aussi de s'y familiariser avec les sciences. Il reste ouvert le soir et possède une boutique vendant des livres et des jeux.

Façade inspirée du style plateresque espagnol du San Diego Museum of Art

San Diego Natural History Museum

1788 El Prado, Balboa Park. (619) 232-3821. t.l.j. 1er jan., Thanksgiving, 25 déc. (gratuit le 1er mar. du mois). www.sdnhm.org

La nouvelle aile du musée accueille les expositions temporaires et des présentations régionales de la collection scientifique qui compte 7,5 millions d'objets. Tous les domaines sont représentés : baleines, minéraux, dinosaures et vie préhistorique, insectes.

San Diego Aerospace Museum

2001 Pan American Plaza. (619) 234-8291. t.l.j. 1er jan., Thanksgiving, 25 déc. www.aerospacemuseum.org

C'est à San Diego que fut construit le *Spirit of St Louis* dans lequel Charles Lindbergh réalisa en 1927 la première traversée en solitaire et sans escale de l'Atlantique, et une réplique de l'avion occupe la place d'honneur parmi une collection de plus de 60 engins volants (ou leur reproduction grandeur nature) allant de la montgolfière à un hélicoptère de combat. L'Aerospace Hall of Fame rend hommage aux héros de la conquête de l'air et de l'espace.

Tucker Torpedo de 1948 de l'Automotive Museum

San Diego Automotive Museum

2080 Pan American Plaza. (619) 231-2886. t.l.j. 1er jan., Thanksgiving, 25 déc.

Voitures et motocyclettes de rêve fabriquées au États-Unis comme en Europe étincellent dans ce musée. L'exposition réunit des véhicules pour la plupart privés et elle change donc constamment. Chromes et courbes sensuelles raviront les nostalgiques.

LE SAN DIEGO ZOO

San Diego possède l'un des plus beaux et des plus prestigieux parcs zoologiques du monde, renommé pour son programme de préservation d'espèces menacées. Quelque 4 000 animaux sont dispersés sur 40 ha, aussi le moyen le plus simple d'en avoir un aperçu général avant de se lancer dans son exploration à pied consiste-t-il à s'inscrire à la visite commentée de 35 mn en bus. Le Skyfari Tramway permet également d'en découvrir la partie sud depuis une hauteur de 55 m. Il existe en outre un Children's Zoo (zoo des enfants). En été, le zoo reste ouvert en nocturne.

Entrée principale

TROUVER LES ANIMAUX

1. Lagune des flamants
2. Maison des reptiles
3. Enclos des caresses
4. Jardin des broméliacées
5. Volière des oiseaux-mouches
6. Wegeforth Bowl
7. Mesa des reptiles
8. Rivière des tigres
9. Forêt d'Ituri
10. Koalas
11. Volière Scripps
12. Jungle des gorilles
13. Mesa des oiseaux et des primates
14. Exposition d'orchidées
15. Forêt des ours malais
16. Volière de la forêt humide
17. Ailes d'Australasie
18. Mesa des cornes et des sabots
19. Oiseaux de Paradis
20. Amphithéâtre Hunte
21. Canyon des chiens et des chats
22. Exposition African Rock Kopje
23. Mesa des éléphants
24. Canyon des ours

Jeune takin du Sichuan se reposant au San Diego Zoo

Intérieur de l'église de la Mission San Diego de Alcalá

Mission San Diego de Alcalá ❷

10818 San Diego Mission Rd, San Diego. **Carte routière** D6. ☎ *(619) 283-7319.* 🚌 *20, 13.* ☀ *t.l.j.* ⬤ *1er jan., Thanksgiving, 25 déc.* **Contribution.** 📷 *t.l.j.* ♿ W *www.missionsandiego.com*

Dédiée à un saint espagnol né en 1400 à Alcalá, près de Madrid, la première mission de la chaîne californienne *(p. 42-43)* s'éleva tout d'abord à l'emplacement du Junípero Serra Museum dans le Presidio Park *(p. 244).* Les franciscains la transplantèrent en 1774 dans la Mission Valley qui offrait des terres plus fertiles et où vivait une population indigène plus nombreuse.

Quoique aujourd'hui cernés par les autoroutes et le tissu urbain, ses harmonieux bâtiments et son jardin gardent une atmosphère paisible. Restaurés au début du siècle, ils ont retrouvé l'apparence qu'ils avaient en 1813. L'église conserve des éléments d'origine tels que les poutres au-dessus des portes, les carreaux du sol et les briques d'adobe dans le baptistère.

Dans le jardin se dressent le Campanario (clocher) et une statue de saint François. Un petit musée rend hommage au premier martyr chrétien de l'État, le padre Luís Jayme qui périt en 1775 lors d'une attaque menée contre la mission par 600 Indiens.

Sea World ❸

500 Sea World Dr. **Carte routière** D6. ☎ *(619) 226-3901.* 🚌 *9.* ☀ *t.l.j.* 📷 ♿ 🅿 W *www.seaworld.com*

Statuette à San Diego de Alcalá

Ce parc d'attractions aquatiques de 60 ha n'a cessé de s'étendre depuis son ouverture en 1964. Les visiteurs trouveront à s'y distraire pendant une journée entière.

Un bon point de départ consiste à profiter de la vue panoramique ménagée par la Skytower, haute d'une centaine de mètres. Dans l'angle nord-ouest du parc, le Bayside Skyride propose une promenade en téléphérique au-dessus des eaux de la Mission Bay.

Sea World doit son succès à ses spectacles mettant en scène des cétacés. L'un d'eux révèle l'intelligence des dauphins et des globicéphales *(pilot whales)*, un autre démontre la virtuosité des orques *(killer whales)*. Les otaries *(sea lions)* provoquent maints éclats de rire. Téléphonez à l'avance pour connaître les horaires des représentations. Des bassins et des aquariums contiennent de très nombreuses créatures marines, notamment requins, loutres et tortues. On peut toucher des raies et des étoiles de mer. les enfants adoreront le Shamu's Happy Harbor, un terrain d'aventures aquatiques, et Journey to Atlantis, une expédition étonnante qui vous fera plonger à 18 m de profondeur.

Sea World a aussi une dimension plus sérieuse. Son personnel recueille un animal malade ou abandonné chaque jour et participe à des programmes éducatifs et de préservation des espèces.

Mission Bay ❹

Carte routière D6. 🚌 *depuis Downtown San Diego.* **Visitors' Center** ☎ *(619) 276-8200.* ☀ *t.l.j.*

Les habitants de San Diego disposent avec le Mission Bay Park d'une aire de loisirs paysagère d'une superficie de 1 850 ha pour entretenir leur forme ou se détendre. L'embouchure de la San Diego

Orques exécutant des acrobaties à Sea World

En dériveur sur les eaux paisibles de la Mission Bay

River forma un marécage jusqu'à son drainage entrepris dans les années 1930. La canalisation du fleuve, vers le sud, permit la création d'un agréable complexe de plages, de centres nautiques et d'îles. Sea World constitue la principale attraction de la Mission Bay, mais on peut aussi y faire évoluer des cerfs-volants, jouer au volley-ball ou au golf et s'y promener à bicyclette. Le long des 43 km de côte, des endroits désignés offrent la possibilité de se baigner, de pêcher ou de pratiquer la voile.

À Mission Beach *(p. 238)*, l'une des plages les plus animées du San Diego County, le **Belmont Park** propose en bord de mer des attractions de fête foraine, tel le Giant Dipper datant de 1925.

Belmont Park
3146 Mission Blvd. (858) 488-0668. ○ t.l.j.

La Jolla ➎

Carte routière D6. 32 000. depuis San Diego. 1055 Wall St, Suite 110 (858 454-1444). W www. lajollabythesea.com

Le débat reste ouvert sur l'origine du nom La Jolla (qui se prononce « La Hoya »). Certains affirment qu'il dérive de *la joya*, « le joyau » en espagnol, d'autres qu'il vient d'un mot indien qui signifie « grotte ».

Située à 6 km au nord de la Mission Bay sur une côte rocheuse creusée de jolies criques *(p. 239)*, La Jolla est une élégante station balnéaire aux rues bordées de confiseries fines, de boutiques de stylistes et de succursales des grands noms de la joaillerie. Les habitants de San Diego et les touristes s'y côtoient dans de nombreuses galeries d'art et des restaurants chic promettant une vue « méditerranéenne ».

Le **Museum of Contemporary Art**, associé à celui de Downtown San Diego *(p. 241)*, occupe un site de choix sur le front de mer. Il présente les œuvres d'artistes américains (après 1950) et comprend une librairie, un café et un jardin de sculptures.

La ville renferme aussi l'University of California at San Diego et le prestigieux **Salk Institute for Biological Studies** fondé en 1960 par Jonas Salk qui mit au point le vaccin contre la poliomyélite. L'institut occupe un édifice remarquable.

Dominant la Scripps Beach, la Scripps Institution of Oceanography abrite le **Birch Aquarium at Scripps**. Expositions permanentes, animations interactives et un simulateur de plongée par grands fonds initient à l'univers de l'océanographie. La faune et la flore du Pacifique, du nord comme des tropiques, sont à l'honneur dans l'aquarium adjacent.

🏛 Museum of Contemporary Art
700 Prospect St. (858) 454-3541. ○ du lun. au mar. et du jeu. au dim. ● 1ᵉʳ jan., Thanksgiving, 25 déc.

Salk Institute for Biological Studies
10010 N Torrey Pines Rd. (858) 453-4100. ○ t.l.j. ● jours fériés. 11 h, midi. W www.salk.edu

Birch Aquarium at Scripps
2300 Expedition Way. (858) 534-3474. ○ t.l.j. ● Thanksgiving, 25 déc. W www.aquarium.ucsd.edu

Superbe côte rocheuse de la La Jolla Cove

Mémorial sur le champ de bataille de la San Pasqual Valley

San Pasqual Battlefield ❻

Carte routière D6. ☎ (760) 489-0076, 737-2201. ◐ de 10 h à 17 h les sam. et dim. ● 1ᵉʳ jan., Thanksgiving, 25 déc.

En 1846, pendant la guerre entre les États-Unis et le Mexique *(p. 43)*, l'armée américaine remporta une coûteuse victoire dans la San Pasqual Valley face aux Californios (colons mexicains entrés en rébellion). La fatigue, le froid et de la poudre humide tuèrent vingt-deux des cent soldats commandés par le général Kearny. Seize furent blessés.

Des bénévoles tiennent un **Visitors' Center** et y présentent un film sur la bataille. Une reconstitution en costumes a lieu chaque année en décembre.

ⓘ Visitors' Center
15808 San Pasqual Valley Rd. ☎ (760) 737-2201. ◐ de mai à sept. : t.l.j. ; d'oct. à avril : les sam. et dim. ● jours fériés.

San Diego Wild Animal Park ❼

Hwy 78. ☎ (760) 480-0100. 🚍 Escondido. ◐ t.l.j. 🅿️ ♿ ✔ 🆆 www.wildanimalpark.org

Ouvert en 1972, ce parc, où 3 200 animaux circulent en liberté sur 730 ha aménagés de manière à reconstituer leurs habitats naturels, possède entre autres comme objectif la préservation d'espèces menacées de disparition. Avec le San Diego Zoo *(p. 249)*, il collabore dans ce but à un programme de reproduction et d'échanges avec des institutions zoologiques du monde entier. De nombreux condors de Californie, une espèce jadis proche de l'extinction, ont ainsi pu être rendus à la vie sauvage après avoir grandi ici.

Le Wgasa Bush Line Monorail est un moyen confortable d'avoir un aperçu général du parc. Cette promenade guidée de 8 km dure 50 mn. Long de 3 km, le Kilimanjaro Safari Walk permet de découvrir des endroits que ne traverse pas le monorail et plusieurs jardins botaniques.

Si ce sont les gros animaux de la savane, éléphants, lions ou rhinocéros, qui tiennent la vedette, divers environnements, naturels recréés comme l'Australian Rainforest (forêt humide australienne) et l'Hidden Jungle (jungle cachée) présentent aussi beaucoup d'intérêt. Les enfants adorent les bébés élevés dans le Petting Kraal. Le Wild Animal Park propose également plusieurs spectacles. Pour profiter au mieux de votre visite, renseignez-vous par téléphone sur les jours et les heures où ils ont lieu. Vous pourrez également réserver une place dans un Photo Caravan Tour, parcours par petits groupes à l'arrière d'un camion qui offre la possibilité d'approcher de très près les animaux.

Reconstitution d'un village africain, le Nairobi Village regroupe sur 7 ha les lieux de spectacle et la majorité des installations du parc. Ses nombreuses boutiques vendent livres et souvenirs liés à l'Afrique.

Mission San Luis Rey ❽

Hwy 76 (Mission Ave), Rancho del Oro Drive, San Luis Rey. ☎ (760) 757-3651. 🚍 depuis San Diego. ◐ t.l.j. **Contribution.** 🆆 www.sanluisrey.org

Fondée par le père Fermín Lasuén en 1798, la Mission San Luis Rey de Francia, nommée d'après le roi français Saint Louis, devint grâce à la

Animaux en liberté au San Diego Wild Animal Park

Façade de la Mission San Luis Rey de Francia

coopération des Indiens Luiseño l'une des missions les plus importantes et des plus prospères de la chaîne californienne *(p. 42)*. Plus de 3 000 indigènes y habitèrent et y travaillèrent, s'occupant du bétail et cultivant céréales et arbres fruitiers. Le plus vieux poivrier de Californie, importé du Pérou en 1830, vit toujours.

Les bâtiments qui subsistent ont connu une longue période de restauration au début du XXᵉ siècle. Les visiteurs découvrent tout d'abord le

Statue dans l'église

Museum qui retrace l'histoire de la mission et de la région. Certains des vêtements et objets religieux exposés nous sont parvenus grâce aux Indiens convertis. Ils cachèrent en effet une partie des trésors de l'église après sa sécularisation en 1833. Leurs familles ne les rendirent que lorsque la mission abrita à nouveau un monastère franciscain en 1893.

En forme de croix latine, l'église est la seule de la chaîne à posséder une coupole en bois à la croisée du transept. Elle renferme l'autel d'origine, et des pochoirs ayant servi de support à ses décorations peintes ont été pieusement conservés. À côté s'étend un vaste cimetière.

Depuis le cloître, des marches descendent jusqu'à une *lavandaria* en partie restaurée où des sources chaudes permettaient aux Indiennes de faire la lessive.

🏛 Museum
Cloître est. ⬜ *t.l.j.* ⬤ *1ᵉʳ jan., Thanksgiving, 25 déc.* 📷 ♿

Palomar Mountain ❾

Carte routière D6. 🚌 *depuis Julian.*

La route sinueuse qui escalade les pentes boisées du mont Palomar, haut de 1 727 m, ménage de superbes panoramas du nord du San Diego County. Sillonné de sentiers de randonnée, le Palomar Mountain State Park, d'une superficie de 645 ha, offre des sites de camping et la possibilité de pêcher la truite.

La coupole blanche du **Palomar Observatory** coiffe le sommet de la montagne.

Dirigé par le California Institute of Technology, cet observatoire mondialement réputé existe depuis 1948. Il abrite un télescope piloté par ordinateur dont le miroir de 510 cm de diamètre permet d'étudier des parties de l'univers situées à plus d'un milliard d'années-lumière. Entre 1948 et 1956, l'observatoire dressa une carte photographique du ciel. Il en établit une seconde depuis 1983. La comparaison des deux séries d'images fournira de précieuses informations aux astronomes.

Les visiteurs ne sont pas autorisés à regarder à travers le télescope, qui pèse 540 tonnes, mais une aire d'exposition et une galerie de photos expliquent son fonctionnement et montrent les mondes lointains dont il nous a rapprochés.

🏛 Palomar Observatory
35899 Canfield Rd, Palomar Mountain.
⬜ *de 9 h à 16 h t.l.j.* ⬤ *24 et 25 déc.* 📞 *(760) 742-2119.* ⬜

Coucher de soleil sur la coupole du Palomar Observatory

Julian ⑩

Carte routière D6. 👥 *2 000.*
🚌 *depuis San Diego.* 🛈 *2129 Main St
(760 765-1857).* Ⓦ *www.julianca.com*

Ce pittoresque village de
montagne est un des buts
d'excursion favoris des
habitants de San Diego. Ils
viennent volontiers passer un
week-end romantique dans
l'un des nombreux hôtels et
bed-and-breakfast accueillants
(p. 518) installés en ville
comme aux alentours.

De l'or fut découvert à
Julian en 1870 et, le long de la
rue principale, des bâtiments
en bois du XIXᵉ siècle restaurés
entretiennent le souvenir de
l'époque des pionniers. Ce
sont toutefois des touristes
qui s'y pressent
aujourd'hui, en
particulier pendant les
« Apple Days ». Ces
Jours de la pomme
attirent en octobre des
centaines de visiteurs
pour la spécialité
locale, l'*apple pie*.

Curiosités et photos
évoquant l'histoire de
la région forment un
charmant fouillis au
Julian Pioneer Museum. On
peut aussi s'aventurer dans
une mine d'or aux **Eagle and
High Peak Mines**.

🏛 **Julian Pioneer Museum**
2811 Washington St. 📞 *(760)
765-0227.* 🕐 *d'avril à nov. : du ven.
au dim. ; de déc. à mars : les sam.,
dim.* 📷

⛏ **Eagle and High Peak
Mines**
C St. 📞 *(760) 765-0036.* 🕐 *t.l.j.
mais téléphoner.* ⬤ *1ᵉʳ jan., dim. de
Pâques, Thanksgiving, 25 déc.* 📷

*Enseigne à
Julian*

Cuyamaca Rancho
State Park ⑪

Carte routière D6. 🚌 🛈 *(760) 765-
0755.* 🕐 *t.l.j.* Ⓦ *www.cuyamaca
statepark.org*

À une heure seulement de
voiture à l'est de San
Diego, le Cuyamaca Rancho
State Park occupe une
superficie de 10 000 ha dont
près de la moitié forment une
zone sauvage où vivent
moufettes, lynx, cerfs à queue
noire et pumas. Dans sa partie
aménagée, il offre la possibilité
de camper, de se promener à
cheval et de faire du vélo-
cross, ainsi que 210 km de
sentiers de randonnée. Parmi
ceux-ci, le Cuyamaca Peak
Trail impose une rude
ascension le long d'une piste
de pompiers pavée, mais, du
sommet, la vue court sur les
collines boisées du nord
du San Diego County
jusqu'à la Palomar
Mountain *(p. 253)*.

À l'extrémité nord du
parc se trouvent les
ruines de la Stonewall
Gold Mine. 500
prospecteurs vécurent
jadis dans cette ville
minière qui produisit dans les
années 1880 pour 2 millions
de dollars d'or.

🛈 **Park Headquarters and
Museum**
12551 Hwy 79. 📞 *(760) 765-0755.*
🕐 *t.l.j.* ⬤ *jours fériés.*

Lake Morena
Park ⑫

Carte routière D6. 🚌 *depuis San
Diego.* 📞 *(619) 478-5473.*

Au bord du Lake Morena

Véritable oasis au sud-est du
San Diego County, ce parc
s'étend autour du vaste Lake
Morena sur 1 300 ha. On peut
louer des barques pour pêcher
ou simplement passer un
paisible après-midi sur l'eau.

Chula Vista Nature
Center ⑬

Carte routière D6. 📞 *(619) 409-5900.*
🚌 *E St, Bay.* 🕐 *de 10 h à 17 h du mar. au
dim.* ⬤ *1ᵉʳ jan., dim. de Pâques, Thanksgiving et lendemain, 27 et 31 déc.* 📷 ♿
Ⓦ *www.chulavistanaturecenter.org*

Depuis 1988, cette
remarquable réserve
naturelle offre au bord de la
San Diego Bay un refuge à la
faune des zones marécageuses.
Un bus gratuit emmène les
visiteurs jusqu'au Nature Center
où ils peuvent s'informer sur le
fragile écosystème des 130 ha
protégés. Parmi les oiseaux
vivant toute l'année dans la
réserve : le héron, le faucon
crécerelle et l'aigle pêcheur.

Legoland® ⑭

1 Legoland Drive, Carlsbad. **Carte
routière** D6. 📞 *(760) 918-5346.* 🚌
S Carlsbad. 🕐 *Consulter le site Internet.*
♿ Ⓦ *www.lego.com/legoland/california*

Ce parc d'environ 50 ha
s'adresse aux enfants de
tous âges et propose plus de
50 promenades, attractions et
spectacles familiaux. À la Fun
Town Fire Academy, les
voitures de pompiers sauvent
un édifice « en feu », tandis
que le mannequin de Marilyn
Monroe accueille le visiteur
au Lego Block of Fame.

Promenade à cheval dans le Cuyamaca Rancho State Park

Tijuana ⑮

— Frontière

— Ligne du San Diego Trolley

◻ Mexique

Oiseau en bois sculpté

Une fois à San Diego, il est difficile de résister à la tentation de pousser jusqu'en Baja California. La ville frontière mexicaine, Tijuana, ou « TJ » comme la surnomment les Américains, attire chaque année des millions de visiteurs. Ils ne viennent toutefois pas en quête d'une authenticité qu'elle ne possède pas, mais pour ses boutiques et ses bars.

À la découverte de Tijuana

Ville frontière, Tijuana n'offre qu'une pâle image du Mexique empreint de traditions mayas et espagnoles, mais l'ardeur avec laquelle ses habitants s'emploient à soutirer des dollars à leurs riches voisins ne manque pas d'un certain pittoresque.

Construit en 1982 au bord de la Tijuana River, le futuriste **Centro Cultural Tijuana** abrite un cinéma OMNIMAX dans lequel sont projetés sur un écran hémisphérique des films consacrés au Mexique. Il propose également des expositions temporaires. Sur le toit, **Mexitlán** présente en plein air des reproductions miniature des trésors architecturaux du pays.

La plupart des visiteurs ne viennent cependant pas à Tijuana pour se cultiver, mais pour faire des achats ou s'amuser. Les jeunes Américains profitent depuis longtemps de la permission d'y consommer de l'alcool à partir de 18 ans. De nombreuses boutiques bon

Bouteilles d'alcool en vente dans un magasin de Tijuana

marché bordent l'Avenida Revolución. Le marchandage est de rigueur et souvent plus agréable si l'on révèle que l'on est Français, surtout si l'on parle espagnol.

Le **Tijuana Tourist Office** fournit plans et informations.

🏛 **Centro Cultural Tijuana**
Paseo de los Héroes. 📞 (011-52-66) 84-11-11. ⏱ t.l.j. ♿

🏛 **Mexitlán**
Ave Ocampo, Calles 2-3. 📞 (011-52-66) 38-41-01. ⏱ du mer. au dim. ♿

🏨 **Tijuana Tourist Office**
Ave Revolución y Calle. 📞 (011-52-66) 88-05-55. ⏱ t.l.j.

CARNET DE ROUTE

Comment y aller : Sauf rare exception, il est interdit de se rendre au Mexique avec une voiture ou une moto de location. Il est nécessaire, en effet, de posséder une assurance mexicaine. Mais d'immenses parcs de stationnement permettent de se garer à la frontière côté américain. Pour la franchir avec un véhicule, il faut contracter une assurance supplémentaire à la douane. Le moyen le plus simple de rejoindre Tijuana consiste à prendre le trolley de San Diego (p. 256) jusqu'à San Ysidro, puis de suivre la foule jusqu'en ville. Un bus conduit également de San Ysidro jusqu'au centre de Tijuana. Les agences de voyages de San Diego proposent également des voyages organisés.
Visas : Un visa n'est pas nécessaire pour pénétrer au Mexique pour un séjour de moins de six mois ; un passeport en cours de validité suffit. Aucun contrôle n'est effectué lors du passage à pied de la frontière à Tijuana, mais les citoyens non américains sont supposés remplir une carte touristique gratuite fournie par les services d'immigration.
Il faut pouvoir présenter son passeport pour retourner aux États-Unis. Les services de l'immigration sont particulièrement stricts.
Monnaie : Vous n'aurez pas besoin de changer d'argent pour un court séjour. Les dollars et les principales cartes bancaires sont presque partout acceptés.

Façade du Centro Cultural Tijuana

RENSEIGNEMENTS PRATIQUES

Ville accueillante envers les visiteurs, San Diego dispose de transports publics propres et efficaces dans le centre. Celui-ci est en plein renouveau, après avoir connu une période de désaffection dans les années 1960, et les boutiques, les restaurants, les clubs et les boîtes de nuit du quartier de l'Horton Plaza *(p. 240)* et du Gaslamp Quarter *(p. 242-243)* offrent toutes les distractions qu'on peut attendre

Jessop's Clock, Horton Plaza

d'une grande ville californienne. Bus et trams assurent aussi des liaisons régulières entre Downtown et l'Old Town, le Balboa Park, Coronado et la frontière mexicaine. Une promenade à pied reste le meilleur moyen de découvrir le front de mer de l'Embarcadero *(p. 240)*.

Un personnel souriant et compétent répondra à vos questions aux *visitors' centres* de l'Horton Plaza, du Balboa Park et de Coronado.

Passagers embarquant dans un bus de San Diego

CIRCULER

Les deux lignes de tramway du **San Diego Trolley** relient le centre-ville à l'Old Town, à la banlieue d'El Cajon et à San Ysidro, à la frontière mexicaine. Les trams circulent tous les quarts d'heure pendant la journée et cessent leur service à 1 h du matin. Des bus desservent l'ensemble de l'agglomération. Le **San Diego-Coronado Bay Ferry** assure des navettes régulières entre l'Embarcadero et la presqu'île de Coronado *(p. 245)*. À la **Transit Store** vous pourrez vous procurer plans et horaires, ainsi qu'un forfait de un ou

quatre jours, le Day Tripper, valide sur tous ces modes de transport. **Old Town Trolley Tours** propose des visites guidées englobant tous les principaux sites touristiques.

La gare **Amtrak**, dans le superbe Santa Fe Depot, se trouve à Downtown, le **San Diego International Airport** à 5 km au nord-ouest. Pour rejoindre le centre-ville, bus, navettes *(shuttles)*, taxis et voitures de location sont disponibles à l'aéroport.

Le **Balboa Park Tram** permet de circuler gratuitement à l'intérieur du parc culturel *(p. 246-247)*. Dans la vaste aire de la Mission Bay *(p. 250-251)*, le **Water Taxi Service** conduit en bateau-taxi aux points les plus intéressants du littoral.

De nombreux magasins de location et un bon réseau de pistes cyclables font aussi de San Diego une ville agréable où se promener à vélo. La piste reliant la Mission Bay à La Jolla *(p. 251)* ménage de belles vues de l'océan sans imposer

l'ascension de trop fortes pentes. Bus et trolleys acceptent les passagers portant une bicyclette au prix d'un petit supplément.

S'aventurer à pied dans les quartiers au nord et à l'ouest de Downtown ne pose pas de

Boutique d'artisanat mexicain dans le Bazaar del Mundo

problème, même le soir. Mieux vaut toutefois éviter la nuit le sud de Downtown, et tout particulièrement l'est du Gaslamp Quarter.

FAIRE DES ACHATS

Si vous ne pouvez profiter des affaires proposées à Tijuana *(p. 255)*, vous trouverez aussi un large choix d'artisanat mexicain au Bazaar del Mundo situé dans l'Old Town *(p. 244)*.

L'**Horton Plaza** est le plus beau centre commercial de San Diego. À côté, le Paladion est renommé pour ses enseignes de grand luxe. Sur le front de mer, le Seaport Village *(p. 240)*

Le San Diego Trolley : le meilleur moyen pour rejoindre la frontière

Le centre commercial du Seaport Village sur le front de mer

offre un cadre agréable pour acheter souvenirs et cadeaux. Sur la côte, d'élégants magasins bordent Prospect Street à La Jolla. Del Mar et Carlsbad recèlent également un bel éventail de boutiques de mode, d'antiquaires et de galeries d'art.

Il existe dans le San Diego County plusieurs centres de vente directe *(outlet centres)* où se procurer des articles à prix bradés *(p. 583)*. L'un des principaux, le San Diego Factory Outlet Center, se trouve à San Ysidro juste avant la frontière mexicaine. Une feuille de coupons de réductions, disponible au comptoir de renseignement du vaste parc de stationnement, permet d'obtenir des remises supplémentaires.

Les cartes de crédit sont acceptées dans la majorité des établissements, et les magasins ouvrent pour la plupart de 10 h à 18 h, du lundi au samedi et parfois le dimanche. Les prix affichés ne comprennent pas la taxe locale de 8,5 % ajoutée au moment du règlement.

SE DISTRAIRE

Réputée pour le dynamisme de sa vie culturelle, San Diego possède un orchestre symphonique, une compagnie d'opéra et plusieurs troupes de théâtre de répertoire. Le *San Diego Union-Tribune* ainsi que divers magazines publient le programme des représentations. Distribué gratuitement dans les cafés, les bars et les librairies, l'hebdomadaire *The Reader* est une bonne source d'information sur les lectures de poésie, les concerts et les

manifestations artistiques plus marginales. Tous les billets d'entrée peuvent s'acheter à l'Horton Plaza auprès de **Times Arts Tix**.

Situé près des théâtres Lyceum et Spreckels, le Gaslamp Quarter *(p. 242-243)* est le quartier qui rassemble le plus de bons restaurants et de boîtes de nuit. Dans le Balboa Park *(p. 246-247)*, l'Old Globe Theatre aux créations primées fait partie d'un complexe de trois salles.

Les San Diegans adorent le sport. Les équipes de football américain et de base-ball, les Chargers et les Padres, possèdent chacun leur stade dans la Mission Valley.

La Mission Bay *(p. 250-251)* offre la possibilité de pratiquer de nombreux sports nautiques, ainsi que des jeux de plage comme le volley-ball. Il existe également 83 excellents terrains de golf dans le San Diego County. Hôtels et *visitors' centres* vous renseigneront à leur sujet.

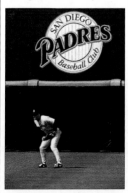
Joueur de l'équipe de base-ball de San Diego, les Padres

CARNET D'ADRESSES

CIRCULER

Amtrak
Santa Fe Depot, 1050 Kettner Blvd.
(800) 872-7245.
www.amtrak.com

Balboa Park Tram
(619) 298-8687.

Metropolitan Transit System (MTS)
1255 Imperial Ave, 1000.
(619) 233-3004.

Old Town Trolley Tours
2115 Kurtz St.
(619) 298-8687.

San Diego–Coronado Bay Ferry
1050 N Harbor Drive.
(619) 234-4111.

San Diego International Airport
Lindbergh Field.
(619) 231-2100.

San Diego Trolley
(619) 231-8549.

Transit Store
102 Broadway.
(619) 234-1060.

Water Taxi Service
(619) 235-8294.

FAIRE DES ACHATS

Horton Plaza
G St et 1st Ave.
(619) 238-1596.

SE DISTRAIRE

Times Arts Tix
Broadway Circle, Horton Plaza.
(619) 497-5000.
www.sandiegoperforms.com

INFORMATION TOURISTIQUE

Balboa Park
1549 El Prado.
(619) 239-0512.

Bayside Embarcadero
Cnr Harbor Dr & West Broadway.
(619) 232-1212.
www.sandiego.org

Coronado
1111 Orange Ave.
(619) 437-8788.

L'INLAND EMPIRE
ET LE LOW DESERT

D ans la pointe sud-est de la Californie, les paysages passent de déserts où se découpent les silhouettes de cactus et d'arbres de Josué à des montagnes boisées de pins aux sommets enneigés l'hiver. Le contraste peut être violent : pour les passagers du Palm Springs Aerial Tramway, 14 mn seulement séparent un écosystème de l'autre.

Un parc d'État protège désormais la farouche beauté de l'Anza-Borrego Desert qui, dans les années 1850, imposa de redoutables épreuves à des dizaines de milliers de colons qui rejoignirent la Côte Ouest par la terre. À la fin du XIXᵉ siècle, l'orange navel donna un formidable essor économique à la région connue sous le nom d'Inland Empire, à l'est de Los Angeles. Ce fruit brésilien à la peau fine et dépourvu de pépins voyageait bien et en vint à symboliser pour des millions d'Américains l'espoir d'une vie plus douce offert par la Californie. Sa culture rapporta des millions de dollars aux habitants de la région et nombre des demeures victoriennes que construisirent les plus fortunés se dressent toujours dans les villes de Redlands et Riverside. La plupart des orangeraies ont toutefois disparu sous le goudron et les zones résidentielles.

À deux heures de route au sud-est de Los Angeles, Palm Springs apparaît comme une immense oasis en bordure du désert avec ses hôtels de luxe, ses terrains de golf verdoyants, ses 600 courts de tennis et ses 10 000 piscines.

La nature et l'aridité reprennent leurs droits dans le Joshua Tree National Park, une terre de buissons d'amarante et de créosote où alternent journées torrides et nuits fraîches. La beauté austère de ses rochers érodés évoque des images de western : *desperados*, pionniers en chariots couverts et coureurs de plaines vêtus de cuir…

Si vous vous lassez de la chaleur du désert, des stations de montagne vous permettront d'y échapper, telles celles des San Bernardino Mountains que l'excursion du Rim of the World vous invite à découvrir en voiture.

Décor de cinéma à Pioneertown, près de Yucca Valley

◁ **Arbres de Josué dans le Joshua National Park**

À la découverte de l'Inland Empire et du Low Desert

Au nord-ouest de la région, la San Bernardino National Forest offre la fraîcheur de ses pinèdes et de magnifiques vues. Au sud, la Coachella Valley s'étend jusqu'à la Salton Sea, une mer intérieure. Importante station thermale, Palm Springs forme une véritable oasis dans la vallée entre l'aride Joshua Tree National Park et le village alpin d'Idyllwild. L'austère Anza-Borrego Desert State Park marque la frontière avec le San Diego County.

Mouflon des Rocheuses dans l'Anza-Borrego Desert

VOIR AUSSI

- *Hébergement* p. 519-521
- *Restaurants* p. 557-559

Le terrain de golf de Desert Dunes près de Palm Springs

LÉGENDE

	Autoroute
	Route principale
	Route secondaire
	Parcours pittoresque
	Cours d'eau
☼	Point de vue

D'UN COUP D'ŒIL

Anza-Borrego Desert
  State Park ❻
*Joshua Tree National
  Park p. 268-269* ❽
Palm Springs p. 264-266 ❹
Riverside ❷
Salton Sea ❼
Yucca Valley ❸

Excursions

Palms to Pines Highway ❺
Rim of the World p. 262 ❶

Éoliennes dans la Coachella Valley

CIRCULER

La voiture est le moyen le plus sûr d'explorer les déserts. Située sur la I-10, grand axe autoroutier, Palm Springs offre une bonne base d'exploration à 170 km au sud-est de Los Angeles et à 190 km au nord-est de San Diego. La ville possède une gare routière Greyhound et un aéroport. Des bus circulent régulièrement entre la gare Amtrak et la localité voisine d'Indio.

Excursion du Rim of the World ❶

C et itinéraire de promenade sinue à travers les San Bernardino Mountains et leurs forêts et passe par de superbes points de vue du désert. L'altitude provoque dans ces montagnes des saisons marquées, l'air est tiède et empreint de l'odeur des pins en été, en hiver les sentiers enneigés se prêtent aux promenades en ski de fond. Les stations entourant le Lake Arrowhead et le Big Bear Lake attirent de nombreux Angelinos qui viennent y échapper à la chaleur et à la pollution. Redlands reste marqué par le passé victorien de la région et offre aux visiteurs un plaisir rare : respirer le parfum sucré des orangeraies.

Lutin du Santa's Village

Dans les San Bernardino Mountains

Heaps Park Arboretum ④
Un sentier de découverte de 1 130 m serpente sur un flanc de colline planté notamment de cornouillers, de chênes, de *Jeffrey pines*, de pins ponderosa et de sapins blancs.

Big Bear Lake ③
Les Californiens viennent au Big Bear Lake pour se baigner, pêcher, faire de la voile et, en hiver, skier. Il existe aussi des localités dotées de commerces, Big Bear City, à l'est, et Big Bear Village, au sud.

Santa's Village ⑤
Des cabanes en rondins abritent le Père Noël, ses elfes, Rudolf le renne et des boutiques. On peut faire des promenades à poney.

Lake Arrowhead ⑥
Lake Arrowhead Village, sur la rive sud, offre restaurants, boutiques et hébergements. C'est là aussi que l'on prend l'*Arrowhead Queen* pour des promenades sur le lac. La rive nord est presque exclusivement résidentielle.

Redlands ①
Les fortunes rapportées à la fin du XIXᵉ siècle par la culture de l'orange navel (*p. 46*) financèrent à Redlands la construction de belles demeures victoriennes telles que la Kimberly Crest House, la Morey Mansion et l'Edwards Mansion.

Onyx Summit ②

'Onyx Summit (2 573 m) est la plus haute cime de cette excursion. Un point de vue proche du sommet ménage un panorama à couper le souffle. Il s'étend des montagnes de la San Bernardino National Forest au désert.

10 km

LÉGENDE

— Circuit recommandé

— Autre route

La Mission Inn de Riverside

Riverside ②

Carte routière D6. 250 000. 7920 Limonite Ave. (951 681-9242). www.riversideca.gov

Riverside devint à la fin du XIXe siècle le centre californien de l'industrie de l'orange navel. En 1905, ses habitants avaient le plus haut revenu moyen des États-Unis. Planté en 1875 par Eliza et Luther Tihbetts *(p. 46)*, l'un des deux arbres à l'origine de ce succès est toujours vivant dans un petit parc situé à l'intersection de Magnolia Avenue et d'Arlington Avenue.

Pot au Hi-Desert Nature Museum

Construite en adobe en 1880, la **Mission Inn** ne comptait à l'origine que 12 pièces. Son agrandissement au début du XXe siècle en fit un hôtel de 234 chambres *(p. 521)*. Tourelles, coupoles, arcs-boutants et grands escaliers en colimaçon lui donnent une architecture évoquant à la fois les styles mauresque et Mission Revival *(p. 27)*. Le **Riverside Municipal Museum** propose des expositions consacrées à l'histoire de la ville et à la culture indienne. La ville doit aussi sa renommée à deux grandes courses automobiles : la California 500 début septembre et la Winston 500 en janvier.

Mission Inn
3649 Mission Inn Ave. (909) 784-0300. www.missioninn.com

Riverside Municipal Museum
3720 Orange St. (951) 826-5273. t.l.j.

Yucca Valley ③

Carte routière D5. 44 000. 56711 Twenty-nine Palms Hwy, (760 365-6323). www.yuccavalley.org

Cette petite ville borde au nord le Joshua Tree National Park *(p. 268-269)*. À flanc de colline, le **Desert Christ Park** abrite 30 statues illustrant la vie du Christ sculptées par Antone Martin dans les années 1950. Le **Hi-Desert Nature Museum** est consacré à la géologie, la faune, la flore et l'artisanat de la région. À 6 km au nord-ouest de Yucca Valley on visite **Pioneertown**, un hameau édifié en 1947 pour servir de décor à un western.

Desert Christ Park
Fin du Mohawk Trail. (760) 365-6323. t.l.j.

Hi-Desert Museum
58116 Twenty-nine Palms Hwy. (760) 369-7212. de 10 h à 17 h du mar. au dim. jours fériés.

Statue du Christ par Antone Martin à Yucca Valley

Palm Springs ➍

Pop-corn au Ruddy's

Des Indiens habitent la Coachella Valley depuis 10 000 ans, mais ce n'est qu'en 1853 qu'un groupe de géographes du gouvernement découvrit par accident un bosquet de palmiers entourant dans le désert une source d'eau minérale. La construction du premier hôtel de la région s'acheva en 1886 et, au tournant du siècle, Palm Springs était devenue une station thermale animée. Dans les années 1920 et 1930, grandes fortunes et célébrités prirent l'habitude d'y séjourner l'hiver.

À la découverte de Palm Springs

Le boom immobilier qui suivit la Deuxième Guerre mondiale *(p. 50)* entraîna à Palm Springs la construction de nombreux hôtels et centres résidentiels. Leur succès incita ensuite des promoteurs à aménager de nouveaux espaces dans la Coachella Valley. Entre 1967 et 1981, Cathedral City, Rancho Mirage, Palm Desert, Indian Wells et La Quinta surgirent du désert entre Palm Springs et Indio, la capitale américaine de la datte située 35 km plus à l'est. À la même époque, les terrains de golf de luxe se multiplièrent dans la région qui en propose aujourd'hui plus de 80 *(p. 267)*.

Écrasée de chaleur en été, Palm Springs voit sa population doubler en hiver quand ses hôtels de standing, tels le Marriot et le Givenchy *(p. 521)*, s'emplissent de clients aisés venus profiter de la douceur du climat. Beaucoup de personnes célèbres habitent la ville et plusieurs sociétés proposent des visites guidées dont le trajet passe devant leurs maisons.

Terrasses de restaurants, enseignes chic et galeries d'art bordent les deux principales rues commerçantes de Downtown : Palm Canyon Drive et Indian Canyon Drive. Dans le centre, la Desert Fashion Plaza piétonnière renferme deux grands magasins et des boutiques de luxe.

Palm Springs sait entretenir son image chic jusque dans les petits détails. Les éclairages publics, par exemple, se cachent derrière des palmes ou dans des buissons pour diffuser une lueur tamisée.

Réclame des années 1930 au Ruddy's Museum du Village Green

🚋 Village Green Heritage Center

221 S Palm Canyon Drive. ☎ *(760) 323-8297.* ◯ *d'oct. à mai : du mer. au dim.* ● *jours fériés.* ▧

Cette enclave paisible au cœur du quartier commerçant réunit quatre édifices historiques. Le premier résident blanc de Palm Springs, John Guthrie McCallum, bâtit la McCallum Adobe en 1884. Située à l'origine près du village indien d'Agua Caliente, qui doit son nom (Eau Chaude) à des sources thermales, la maison occupe son emplacement actuel depuis les années 1950.

En partie construite en traverses de chemin de fer, la Cornelia White House (1893) abrite du mobilier de l'époque des pionniers. Dans l'Agua Caliente Cultural Museum, objets et photographies évoquent l'héritage des Indiens de la région, les Cahuilla. Le musée possède également une collection de paniers anciens.

Enfin, le Village Green Heritage Center comprend le Ruddy's 1930s General Store Museum, un bazar typique des années de la Grande Dépression. Il faisait aussi office de pharmacie. Des articles authentiques, des confiseries et des lacets de chaussure aux paquets de farine aux médicaments, emplissent ses présentoirs.

🌊 Knotts Soak City

1500 Gene Autry Trail. ☎ *(760) 327-0499.* ◯ *de mars à début sept. : t.l.j. ; de sept. à oct. : les sam. et dim.* ● *jours fériés.* ▧ �W *www.knotts.com*

Ce parc aquatique d'une superficie de 8,5 ha propose 13 toboggans, dont l'un d'une longueur de 20 m, ainsi qu'une « rivière » de 180 m à descendre en chambres à air. Les jeunes enfants disposent de toboggans et de piscines séparés. Dans le plus grand bassin à remous de Californie, des vagues artificielles de plus d'un mètre permettent la pratique du surf. Les planches peuvent se louer, comme les chambres à air, à l'heure ou à la journée.

L'Oasis Water Resort comprend aussi un hôtel, un centre d'escalade, un club de remise en forme et plusieurs bons restaurants.

Enfants jaillissant du Scorpion, un toboggan de de Knotts Soak City

Le Palm Springs Aerial Tramway du Mount Jacinto

🚡 Palm Springs Aerial Tramway

Tramway Rd. 📞 (760) 325-1391. 🕐 de sept. à juil. : t.l.j. 📧 W www.pstramway.com

Fabriquées en Suisse pour 80 passagers, les deux cabines de téléphérique de l'Aerial Tramway partent de la Valley Station située à 10 km au nord-ouest de Palm Springs. Longue de 4 km, l'ascension dure 14 minutes et se fait à un angle de 50° pour franchir un dénivelé de 1 790 m jusqu'à la Mountain Station située dans le Mount San Jacinto Wilderness State Park.

Du désert à une forêt alpine, les passagers traversent cinq écosystèmes distincts, un voyage équivalant à un périple qui irait du Mexique à l'Alaska. Pensez à emporter des vêtements supplémentaires ; il y a parfois un écart de températures de près de 30° C entre le sol de la vallée et le sommet où 85 km de sentiers s'offrent aux randonneurs. L'un d'eux conduit à Idyllwild (p. 266). Le parc permet aussi la pratique du ski de fond en hiver et renferme un centre de rangers, des sites de camping et des aires de pique-nique. On peut s'y inscrire à des balades à dos de mule de 20 mn.

Le point de vue aménagé sur la cime à 2 600 m d'altitude révèle un immense panorama de la Coachella Valley, de Palm Springs et des San Bernardino Mountains au nord. Par temps très clair, la vue porte jusqu'à la Salton Sea (p. 267), située à 80 km de là.

Les deux stations, celle de la vallée comme celle du sommet, possèdent des boutiques, des bars et des snacks. La Mountain Station propose en outre une cafétéria.

🏛 Palm Springs Desert Museum

101 Museum Drive. 📞 (760) 325-7186. 🕐 du mar. au dim. 🕐 jours fériés. 📧 gratuit le 1er ven. du mois. W www.psmuseum.org

Le Palm Springs Desert Museum présente une collection de peintures datant du XIXe siècle à nos jours, ainsi qu'un ensemble d'objets d'art indiens d'une rare richesse et des expositions sur l'histoire naturelle locale. Une sélection de sculptures modernes orne les patios et les jardins.

L'Annenberg Theater adjacent est une salle de spectacle ultramoderne de 450 places dont le programme de danse, de théâtre et de musique comprend aussi bien des artistes locaux que des compagnies et des orchestres en tournée. Des fontaines agrémentent le jardin magnifiquement entretenu.

Depuis le musée, deux sentiers permettent aux visiteurs de découvrir la faune et la flore de cette région désertique. Long de 3 km, pour un dénivelé de 244 m, le Museum Trail grimpe jusque dans le Mount San Jacinto State Park. Il rejoint le Lykken Trail au Desert Riders Overlook, un point de vue dominant Palm Springs et la Coachella Valley. Le Lykken Trail conduit 6 km plus loin à l'entrée du Tahquitz Canyon (p. 266).

MODE D'EMPLOI

Carte routière D6. 🚹 42 000. ✈ Palm Springs Regional Airport, 1,5 km au N.-E. de Downtown. 🚂 Indio. 🚌 3111 N Indian Ave. 🛈 2901 N. Palm Canyon Drive (800) 347-7746 ; (760) 778-8418. 🎬 Palm Springs International Film Festival (début à mi-jan.). W www.palm-springs.org

Jardin de sculptures au Palm Springs Desert Museum

PALMIERS

Il n'existe à Palm Springs qu'une seule variété de palmier indigène de la Californie, le *Washingtonia filifera*, qui prospère dans les oasis de montagne. À la différences d'autres espèces, les feuilles sèches ne tombent pas, mais forment une « jupe » offrant un abri aux animaux sauvages.

Les premiers palmiers dattiers (*Phoenix dactylifera*) furent importés d'Algérie en 1890. Aujourd'hui, 90 % des dattes consommées aux États-Unis proviennent de la Coachella Valley, un arbre parvenu à maturité pouvant produire jusqu'à 135 kg de fruits chaque année. En février à Indio, le National Date Festival célèbre la datte pendant dix jours (p. 35).

Palmeraie de dattiers dans la Coachella Valley

🌿 Indian Canyons

S Palm Canyon Drive. 📞 (760) 325-3400. ⏰ de 8 h à 16 h 30 t.l.j. 🅿️ 🌐 www.indian-canyons.com

À environ 8 km au sud de Palm Springs, quatre gorges rocheuses parcourues par des sources abritent de spectaculaires oasis naturelles. Baptisés Murray, Tahquitz, Andreas et Palm, ces canyons se trouvent sur les terres des Indiens d'Agua Caliente, les Cahuilla. On peut y voir, entre autres traces d'occupation, des dessins rupestres.

Longue de 24 km, la plus importante de ces gorges, le Palm Canyon, renferme la plus grande concentration de palmiers sauvages du monde. Une boutique vend des rafraîchissements près du parking et une courte mais abrupte descente conduit au sentier principal. Des tables de pique-nique ont été installées près d'un ruisseau à l'ombre de hauts palmiers.

Oasis de palmiers dans les Indian Canyons

🌿 Living Desert Wildlife and Botanical Park

47900 Portola Ave. 📞 (760) 346-5694. ⏰ t.l.j. 🔴 25 déc. 🅿️ 🌐 www.livingdesert.org

Ce parc s'étend sur une superficie de 485 ha, mais l'essentiel de ce qu'il propose peut se découvrir en une demi-journée. De larges sentiers et des allées pavées relient des présentations didactiques permettant de se familiariser avec la flore des dix régions désertiques d'Amérique du Nord et certaines des 130 espèces animales qui y vivent. À ne pas manquer : les aigles royaux,

Ocotillo en fleur du Living Desert Wildlife and Botanical Park

les pumas, une large sélection de créatures nocturnes et l'exposition sur le guépard. Des *roadrunners* (coucous terrestres de Californie) courent en liberté dans leur habitat naturel. Marcher dans le parc est un plaisir en hiver. La visite guidée en tram est agréable par temps chaud.

Palms to Pines Highway ❺

Carte routière D6. ℹ️ 72–990 Hwy 111, Palm Desert (760 862-9984).

L'une des plus agréables excursions en voiture de la Californie du Sud commence à Palm Desert au croisement de la Hwy 111 et de la Hwy 74. En s'élevant, celle-ci quitte progressivement le désert pour traverser des paysages de montagne où poussent pins et genévriers. D'une altitude d'un peu moins de 1 500 m, le Santa Rosa Summit ménage une vue

spectaculaire. Poursuivez au nord sur la Hwy 74 jusqu'à Mountain Center et les vertes prairies de la Garner Valley, puis prenez la Hwy 243 jusqu'à la pittoresque station de loisirs d'Idyllwild. Elle possède de nombreux restaurants, hôtels et terrains de camping. Renommée, l'Idyllwild School of Music and the Arts donne régulièrement des concerts classiques en été. Vous pourrez également emprunter l'un des sentiers de randonnée qui sillonnent les alentours en vous procurant une carte auprès de la Rangers Station. Une marche de 13 km permet de rejoindre la Mountain Station du Palm Springs Aerial Tramway (p. 265), le moyen le plus rapide de redescendre dans le désert. Des promenades à dos de mule sont proposées en été. On peut pratiquer le ski de fond en hiver.

Anza-Borrego Desert State Park ❻

Carte routière D6. 🚌 Escondido. **Visitors' Centre** 📞 (760) 767-4205. ⏰ de juin à sept. : les sam., dim et vac. scol. ; d'oct. à mai : t.l.j. 🌐 www.anzaborregostatepark.org

À l'époque de la ruée vers l'or (p. 44-45), il n'existait qu'une seule route terrestre ouverte toute l'année permettant de rejoindre la Californie : le Southern Emigrant Trail. Des dizaines de milliers d'immigrants l'empruntèrent à travers l'Anza-Borrego Desert où un parc offre aujourd'hui aux visiteurs l'occasion de

La pittoresque station de montagne d'Idyllwild

Reliefs ravinés de l'Anza-Borrego Desert State Park

découvrir un magnifique environnement désertique.

Bien équipé, le *visitors' centre* se trouve à Borrego Springs, la seule localité de quelque importance. Non loin, le Palm Canyon Nature Trail (2,5 km) conduit à une oasis où l'on aperçoit parfois des mouflons des Rocheuses, une espèce menacée.

Le Box Canyon Historical Monument, à 50 km au sud-est du *visitors' centre*, s'atteint par la County Road S2. On peut y voir la vieille route où les prospecteurs se risquèrent malgré la rigueur du climat pour gagner les mines d'or situées à 800 km au nord.

L'Anza-Borrego Desert ne présente qu'un visage austère la majeure partie de l'année, mais entre mars et mai, après les pluies d'hiver, les cactus et des plantes comme le *brittle-bush* et des variétés de pavot et de primevère adaptées au désert le parent de fleurs éclatantes. La géologie de la région est tout aussi remarquable. Un réseau de failles a soulevé et bouleversé le socle rocheux, l'érosion sculptant dans les reliefs ainsi formés de profonds ravins, des promontoires où apparaissent de multiples strates et des réseaux de canyons sauvages tels les Badlands de Borrego et de Carizzo.

Cent soixante kilomètres de routes goudronnées desservent la majeure partie du parc, notamment les terrains de camping. Mieux vaut toutefois disposer d'un véhicule tout terrain pour se risquer sur ses 800 km de pistes en terre. Les conducteurs de simples voitures de tourisme peuvent téléphoner au *visitors' centre* pour se renseigner sur l'état des voies de circulation.

Salton Sea ❼

Carte routière E6. 🚉 *Mecca.* 🚌 *Indio.* **Visitors' Centre** 📞 *(760) 393-3052.* 🕒 *t.l.j.*

C'est un accident qui provoqua la formation de la Salton Sea. En 1905, la Colorado River en crue s'engouffra dans un canal d'irrigation rejoignant l'Imperial Valley et il fallut deux ans à une équipe d'ingénieurs pour endiguer l'écoulement, assez de temps pour que se crée une mer intérieure de 55 km de long au fond du Salton Sink, à 70 m au-dessous du niveau de la mer.

Malgré un taux de salinité en hausse et des algues qui donnent une couleur brune à l'eau en été, on continue d'y pêcher des *orangemouth corvinas*, un poisson à la chère hautement appréciée, de plus de 4 kg. De nombreux oiseaux migrateurs tels que hérons et aigrettes trouvent un refuge dans les marécages en bordure de la Salton Sea.

Le plan d'eau permet de pratiquer planche à voile, navigation de plaisance et ski nautique. Sa rive nord-est recèle les endroits les plus agréables où se baigner, en particulier Mecca Beach. Sur la rive est, la State Recreation Area propose des sentiers de randonnée, des terrains de camping, un *visitors' centre* et une petite aire de jeu.

LE GOLF DANS LE DÉSERT

Grâce à l'irrigation permise par des réserves d'eau souterraines, Palm Springs est devenue la capitale du golf aux États-Unis et la région compte plus de 80 terrains. Ils appartiennent en majorité à des clubs privés ou des complexes hôteliers. Certains offrent des parcours rugueux, d'autres plus verdoyants. De grandes rencontres professionnelles ont lieu tous les ans, en particulier le Bob Hope Desert Classic en janvier et le Dinah Shore Tournament à la fin mars. Parmi les quelques terrains ouverts au public, le Desert Dunes utilise le désert pour varier les défis proposés. La chaleur qui règne en été impose de se lever tôt pour profiter des meilleures heures. Vous bénéficierez en novembre et en décembre de prix plus bas et d'un climat plus tempéré. La plupart des terrains ferment en octobre pour replanter.

La Tahquitz Creek Palm Springs Golf Resort

Le Joshua Tree National Park ❽

Panneau du parc

Ce sont des immigrants mormons qui donnèrent en 1851 son nom à l'arbre de Josué. Il évoquait en effet pour eux le passage du livre attribué à ce personnage biblique qui invite à « suivre le chemin pointé par les arbres ». De la famille des yuccas, l'arbre de Josué peut atteindre 9 m de haut et vivre jusqu'à 1 000 ans. Fondé en 1936 pour protéger les bosquets de cette essence rare qui poussent dans l'aride région montagneuse s'étendant à l'est de Palm Springs, le Joshua Tree National Park est un paradis pour les grimpeurs et les randonneurs. Il recèle mines abandonnées et oasis isolées plantées de palmiers, des rochers gris et roses y composent des paysages étonnants et des fleurs le parent de vives couleurs au printemps.

Arbres de Josué
Ils prospèrent dans la moitié occidentale du parc, plus haute, plus arrosée et un peu plus fraîche.

Hidden Valley
Les rochers qui y forment des enclos naturels ont fait de cette vallée une cachette légendaire des voleurs de bétail.

Key's View offre de son sommet un vaste panorama de la vallée, du désert et des montagnes.

Lost Horse Mine
Un sentier de 3,2 km conduit à cette ancienne mine découverte par un cow-boy qui cherchait son cheval. Les dix premières années d'exploitation produisirent plus de 270 000 $ d'or.

LÉGENDE

━━ Autoroute
━━ Route principale
━━ Route secondaire
┄┄ Piste praticable
- - - Sentier de randonnée
━━ Limite du parc
🚶 Station de rangers
💰 Péage
🅰 Camping
🏞 Aire de pique-nique
❋ Point de vue

LA FAUNE DU DÉSERT

De nombreux animaux ont réussi à s'adapter aux conditions inhospitalières qui règnent dans le désert. Le kangourou-rat tire à la fois humidité et nourriture des graines qu'il mange et ses très grandes pattes de derrière lui permettent de se déplacer sur le sable brûlant. Des pattes puissantes, plutôt que des ailes, aident aussi le *roadrunner* à survivre. Insectes et petites proies assurent ses besoins en eau. Les tons sourds du pelage du lièvre le dissimulent au regard de prédateurs comme le coyote, le lynx rufus et l'aigle.

Le rusé coyote, un des habitants du désert

MODE D'EMPLOI

Carte routière D5. ☐ *Desert Stage Lines de Palm Springs à Twentynine Palms.* ☐ **Oasis Visitors' Center** *74485 National Park Drive, Twentynine Palms.* ☎ *(760) 367-5500.* ☐ *t.l.j.* ☐ *25 déc.* ☐ *www.nps.gov/jotr*

0   10 km

Le Colorado Desert *(p. 193)* rend particulièrement inhospitalière la partie est du parc peu accessible.

PINTO MOUNTAINS

COXCOMB MOUNTAINS

PINTO BASIN

HEXIE MOUNTAINS

Pinto Basin Road

Cottonwood 🚶

Cottonwood Spring

Lost Palms Oasis

EAGLE MOUNTAIN

PALM SPRINGS

⑩ BLYTHE

Lost Palm Oasis
Un sentier de 6,5 km traverse de beaux paysages pour rejoindre le plus grand groupe de palmiers du parc dans l'un des rares endroits où l'eau affleure naturellement.

La Cottonwood Spring, proche d'un *visitors' centre*, est une oasis artificielle où palmiers et peupliers attirent les oiseaux.

Cholla Cactus Garden
Un petit parcours de découverte de la nature traverse une dense concentration de chollas, *une variété de figuiers de Barbarie aux épines acérées.*

LE DÉSERT DE MOJAVE

Peu d'endroits au monde sont aussi chauds que la Death Valley, et les visiteurs de la Californie négligent trop souvent le désert de Mojave, pressés d'échapper à la canicule quand ils le traversent sur l'Interstate Highway. Pourtant, la vie se montre étonnamment variée dans ces étendues désertiques qui deviennent d'une beauté difficile à oublier quand des fleurs sauvages apparaissent entre les rochers.

Au XIXe siècle, les trappeurs, marchands et colons partant de Santa Fe, au Nouveau-Mexique, pour rejoindre Los Angeles empruntaient l'Old Spanish Trail passant par Barstow et Tecopa. Cette voie les obligeait à affronter le désert de Mojave, mais elle restait ouverte toute l'année.

Dans les années 1870, la découverte de métaux précieux, notamment or, argent et borax, attira dans la région des centaines de mineurs et des villes comme Calico jaillirent tout à coup… Et moururent quand les filons s'épuisèrent. La population du désert de Mojave continua cependant d'augmenter grâce à l'achèvement en 1883 du Santa Fe Railroad qui permit aux localités situées le long de la voie ferrée de se développer.

Au début du XXe siècle, une nouvelle race de colons apparut, des gens qui tombaient amoureux de ces paysages sauvages, tel Jack Mitchell qui transforma dans les années 1930 les Mitchell Caverns en une populaire attraction touristique. Death Valley Scotty était un autre de ces passionnés. Il passa une grande partie de sa vie dans le château qu'il avait convaincu son ami Albert Johnson de construire près du point le plus chaud et le plus bas des États-Unis. Aujourd'hui, des milliers de visiteurs continuent malgré la chaleur de succomber chaque année aux beautés naturelles du Death Valley National Park.

Le principal centre d'intérêt de la région reste néanmoins Las Vegas, dans le Nevada. Située à 5 heures de voiture de Los Angeles, la capitale mondiale du jeu prouve, avec la foule qui s'y presse, que le fol espoir de faire fortune au cœur du désert n'a rien perdu de son actualité.

Le Scotty's Castle dans la vallée de la Mort

◁ **Buissons, dunes et sommets enneigés dans la Death Valley**

À la découverte du désert de Mojave

L a majeure partie du désert de Mojave se trouve à une altitude de plus de 600 m. Il connaît des hivers rudes et des étés torrides pendant lesquels la plupart des lacs et des rivières s'assèchent. De nombreuses espèces végétales et animales, de la tortue au renard, ont néanmoins réussi à s'adapter à ces conditions difficiles. La plus grande ville de la région, Barstow, sert d'escale sur la route de Las Vegas. Au nord, on visite le Death Valley National Park, à l'est des stations de loisir entourent le Lake Havasu.

Ancienne fonderie de minerai à Calico Ghost Town

D'UN COUP D'ŒIL

Barstow ❸
Calico Ghost Town ❹
Death Valley National Park p. 280-283 ❾
Edwards Air Force Base ❷
Kelso Dunes ❺
Lake Havasu ❼
Las Vegas ❼
Mitchell Caverns ❻
Red Rock Canyon State Park ❶

LÉGENDE

Autoroute
Route principale
Route secondaire
Parcours pittoresque
Cours d'eau
Point de vue

VOIR AUSSI

• *Hébergement* p. 522
• *Restaurants* p. 559

0   25 km

Dunes de sable au nord de Furnace Creek dans le Death Valley National Park

CIRCULER

La I-15 qui relie San Diego à Las Vegas, Nevada, via San Bernardino, traverse la région en longeant la limite nord de l'East Mojave National Preserve. La I-40 frôle au sud cette réserve naturelle. La principale route nord-sud est la Hwy 127 dont part la Hwy 190 qui dessert le Death Valley National Park. À l'ouest, la US Hwy 395 descend au sud vers Los Angeles. Dans le désert, la prudence impose aux visiteurs de respecter la signalisation et de ne pas s'écarter des routes principales. Emportez toujours de l'eau, une roue de secours et un téléphone cellulaire. En cas de panne, ne vous éloignez pas de la voiture, attendez des secours à côté. Des panneaux signalent les zones militaires dont l'accès est strictement interdit *(p. 274)*.

Strates minérales multicolores au Red Rock Canyon

Red Rock Canyon State Park ❶

Carte routière D5. 🚌 *depuis Mojave, Ridgecrest.* **Visitors' Center** 📞 *(661) 942-0662.* ◯ *t.l.j.* 🌐 *www.calparksmojave.com*

L e Red Rock Canyon a servi de décor à d'innombrables westerns, spots publicitaires et films de science-fiction et ses parois où grès et roches volcaniques forment des strates spectaculaires paraîtront étrangement familières à de nombreux visiteurs. Situé dans les El Paso Mountains, à l'extrémité sud de la Sierra Nevada, ce canyon, comme les High Sierras *(p. 468)*, est le produit des mouvements de plaques tectoniques qui soulevèrent le socle rocheux il y a environ 3 millions d'années. Son flanc occidental grimpe en pente douce, offrant un contraste marqué avec les falaises sculptées par les eaux de ruissellement et le vent qui se dressent à l'est.

Trois types d'habitats désertiques se chevauchent dans le Red Rock Canyon et une flore variée y permet la survie de nombreux animaux, depuis les reptiles comme l'iguane et le crotale jusqu'au coyote et au lynx rufus. Dans les hauteurs nichent aigles et faucons.

Edwards Air Force Base ❷

Carte routière D5. 📞 *(661) 276-3446.* 🚌 *depuis Mojave, Rosamond.* ◯ *du lun. au ven.* ◉ *jours fériés.* ♿ 📷 *sur r.-v. seulement.*

L es atterrissages de la navette spatiale ont récemment rendu célèbre dans le monde entier l'Edwards Air

Force Base, mais elle joue un rôle de premier plan dans l'histoire de l'aviation depuis 1933. L'immense piste naturelle que forme un lac asséché, le Rogers Dry Lake (168 km²), et la clarté de l'air dans le désert y ont facilité de nombreuses expériences. C'est là que fut essayé le premier avion à réaction en 1942 et que le capitaine Chuck Yeager creva le mur du son dans un Bell XS-1 en 1947. Cinquante diplômés sortent chaque année de son école de pilotes d'essai.

La base abrite aussi le

Atterrissage d'Atlantis à l'Edwards Air Force Base

Dryden Flight Research Center de la NASA. Il faut réserver sa place pour participer aux visites gratuites de l'Aeronautics Center. Elles comprennent la projection d'un film vidéo sur la recherche spatiale et la visite d'un hangar renfermant des appareils en cours d'utilisation.

Barstow ❸

Carte routière D5. 🚹 22 000. 🚌 🏠 *681 North First Ave. (760) 256-8617.*

A u XIXᵉ siècle se côtoyaient ici les fermiers des environs et les immigrants et les mineurs empruntant l'Old Spanish Trail *(p. 271)*. En 1886, l'achèvement de la voie ferrée Barstow-San Bernardino ouvrit la liaison entre Kansas City et le Pacifique. La gare construite à cette époque, la Casa del Desierto, vient d'être restaurée. De 1937 à la fin des années 1950, Barstow devint une étape importante sur la

L'ARMÉE DANS LE DÉSERT

Réservée à l'armée américaine, une grande partie du désert de Mojave est strictement interdite aux civils. Pendant la Deuxième Guerre mondiale, le Desert Training Center, d'une superficie de 45 000 km², servit à l'entraînement des troupes du général Patton. Les militaires utilisent aujourd'hui des terrains plus petits comme le China Lake Weapons Center, au nord-est de Mojave, site de bombardement et d'essais de matériel d'artillerie. Une importante base de l'US Army, le Fort Irwin National Training Center (NTC), occupe au nord de Barstow une étendue de plus de 2 500 km². Douze mille personnes, y compris des civils, vivent au NTC. Les soldats de la guerre du Golfe s'y préparèrent en 1990 et 1991, et c'est le principal champ de manœuvre de blindés des États-Unis.

Avion d'entraînement T-38 Talon à l'Edwards Air Force Base

Calico Ghost Town rassemble bâtiments restaurés et reconstruits

Route 66, l'unique voie terrestre goudronnée entre Chicago et la Côte Ouest. La ville possède aujourd'hui comme atout principal sa position sur la I-15 à mi-chemin de Los Angeles et de Las Vegas. Quarante et un millions de personnes font le trajet entre les deux villes chaque année. Beaucoup s'arrêtent aussi à Barstow pour les minéraux que recèle le désert qui l'entoure.

On peut se procurer des cartes au **California Desert Information Center** qui présente une exposition didactique sur la faune et la flore du désert de Mojave. Il possède aussi une bonne librairie et permet de se renseigner sur les hôtels et les restaurants.

🛈 **California Desert Information Center**
831 Barstow Rd, Barstow. ☎ (760) 252-6060. ◑ de 11 h à 16 h du mar. au sam. ⬤ 1ᵉʳ jan., 25 déc., jours fériés.

Calico Ghost Town ❹

Carte routière D5. ☎ (760) 254-2122. 🚌 Barstow. ◑ de 9 h à 17 h t.l.j. ⬤ 25 déc. 🏷️ ♿ 🔲 www.calicotown.com

La découverte d'argent, le 26 mars 1881, dans les Calico Mountains situées à une dizaine de km à l'est de Barstow attira bientôt des centaines de mineurs et la ville qui naquit dans le désert compta à son âge d'or 1 200 habitants… et 22 saloons. Certains des filons étaient si riches qu'ils produisaient 11 kg de métal par tonne de minerai. Le borax découvert à 5 km à l'est de la localité parut assurer la pérennité de sa prospérité. Elle ne survécut toutefois pas à l'effondrement des cours de l'argent et à l'épuisement des gisements de borax. En 1907,

Outil de l'Early Man Site

Calico n'était plus qu'une ville fantôme.

Walter Knott, le fondateur de la Knott's Berry Farm (p. 226), entreprit sa restauration dans les années 1950 et le mélange de bâtiments authentiques et de reconstructions qui se voit aujourd'hui au milieu d'un paysage dénudé possède un indéniable cachet. L'endroit est toutefois très touristique. Les visiteurs peuvent s'y promener dans un train de minerai ou découvrir les galeries de la Maggie Mine. Des duels au pistolet continuent de donner de l'animation à la rue principale.

Aux environs
À quelque 15 km à l'ouest de Calico, les archéologues ont mis au jour au **Calico Early Man Site** des milliers d'outils en pierre vieux de 100 000 ans. Les hommes qui les fabriquèrent, les premiers habitants connus de l'Amérique du Nord, vivaient alors sur les rives d'un grand lac. Le célèbre anthropologue Louis Leakey, qui donna son nom à l'*Homo habilis*, dirigea le champ de fouilles de 1964 jusqu'à sa mort en 1972.

🏛️ **Calico Early Man Site**
Aux abords de l'I-15 et Minneola Rd. ☎ (760) 254-2248. ◑ du lun. au ven. ⬤ 1ᵉʳ jan., 4 juil., 25 déc. **Contribution.** 🔲 www.calicodig.com

La Casa del Desierto, gare historique de Barstow

Plaques de boue séchée au Death Valley National Park *(p. 280-283)* ▷

Kelso Dunes ❺

Carte routière E5. 🚌 *Baker.*
📞 *Mojave National Preserve (760) 733-4040.*

Les Kelso Dunes dominent de plus de 200 m le sol de la Mojave National Preserve. D'un rose ambré, les grains de quartz qui les forment proviennent du bassin de la Mojave River qui se trouve à 55 km à l'ouest. Les grondements et bourdonnements qu'elles émettent parfois les ont fait surnommer les « dunes chantantes ». Les vibrations produites par le glissement de couches superficielles de sable seraient à l'origine de ces bruits.

Les Kelso Dunes de la Mojave National Preserve

Mitchell Caverns ❻

📞 *(760) 928-2586.* 🚌 *depuis Barstow.* 🕐 *de sept. à juin : t.l.j.* 📷
🎟 *(sam. et dim. seulement en été).*
🌐 *www.calparksmojave.com*

Il y a entre 12 et 15 millions d'années, de l'eau de pluie acide commença à se frayer un passage dans le calcaire des Providence Mountains et creusa dans leur flanc oriental ces grottes spectaculaires. Pendant environ 500 ans, jusque dans les années 1860, des Indiens les utilisèrent pour des cérémonies religieuses et comme entrepôt pour la nourriture. On y a retrouvé des pointes de flèches et des morceaux de poteries laissés par le peuple des Chemehuevi.

C'est un mineur, Jack Mitchell, qui transforma dans les années 1930 les cavernes en attraction touristique. Elles appartiennent aujourd'hui au California State Park. En coulant par nappe ou goutte à goutte, ou en suivant des parcours plus irréguliers, l'eau a créé dans les galeries des concrétions calcaires aux formes très variées. Mieux vaut s'équiper de bonnes chaussures de marche pour suivre la visite de deux heures. Elle permet entre autres de découvrir la chambre souterraine d'El Pakiva (les Piscines sacrées). Un sentier (1,5 km) remonte non loin le Crystal Spring Canyon et offre de belles vues du désert.

Le London Bridge remonté à Lake Havasu City

Lake Havasu ❼

Carte routière E5. 🚌 *Las Vegas.*
📞 *(928) 855-4115.*
🌐 *www.lakehavasu.com*

Ce lac artificiel de 74 km de long existe depuis la construction en 1938 du Parker Dam *(p. 193)*, barrage sur la Colorado River. Le millionnaire Robert McCulloch fonda dans les années 1960 la station touristique de Lake Havasu City à la frontière entre Californie et Arizona. Pour lui donner une dimension historique, il acheta le London Bridge et le remonta pierre par pierre au-dessus d'un canal creusé spécialement. Le pont domine les boutiques et restaurants britanniques de l'English Village.

Le Lake Havasu s'étend à l'intérieur d'une réserve naturelle fréquentée par les ornithologues et les pêcheurs. Terrains de camping et ports de plaisance jalonnent ses rives. On peut y louer des maisons flottantes, des bateaux et des équipements de sports nautiques et s'inscrire à plusieurs promenades sur le lac, en particulier à une excursion de trois heures jusqu'à la Topock Gorge qui s'ouvre au nord du plan d'eau.

Aux environs
À 30 km au sud de Lake Havasu City, la Hwy 95 conduit à la Colorado River Indian Reservation où on peut admirer des sculptures préhistoriques géantes taillées dans les rochers du désert. La signification de ces silhouettes humaines et animales reste un mystère.

Concrétions calcaires dans les Mitchell Caverns

Las Vegas ❽

L a légalisation du jeu par l'État du Nevada en 1931 et la construction du Hoover Dam en 1936 ont permis à une petite ville, à 60 km de la Californie, de se développer jusqu'à compter près d'un million d'habitants. Le premier grand casino, le Flamingo, ouvrit sur le boulevard appelé le « Strip » en 1946. D'autres jaillirent bientôt du sable et Las Vegas se transforma en immense salle de jeu.

L'un des néons de la ville

Le « Strip » au coucher du soleil

À la découverte de Las Vegas

Las Vegas s'efforce actuellement de changer d'image pour séduire aussi les familles et la ville offre un large éventail de distractions dans certains des plus abordables, et des plus grands, hôtels et centres de conventions du monde. Près d'un million de personnes habitent en permanence ici en plein désert et disposent de musées et d'institutions culturelles. Ce ne sont toutefois pas ces établissements qui présentent le plus d'intérêt

pour les 31 millions de visiteurs qu'attire chaque année Las Vegas, mais les gigantesques hôtels-casinos aux architectures extravagantes et souvent réussies dont les néons embrasent le boulevard appelé le « Strip » à la nuit tombée.

Ils ne proposent pas uniquement hébergement et machines à sous mais aussi d'excellentes attractions. Dans le Treasure Island Hotel and Casino, pirates et marins anglais se livrent plusieurs fois par jour en galions. À côté, le Mirage Hotel and Casino abrite la reconstitution d'une jungle tropicale où un « volcan » entre en éruption. Pyramide aux dimensions de celle de Giseh, le Luxor renferme le plus vaste atrium du monde. Il est décoré des répliques de Manhattan et du tombeau de Toutankhamon. Non loin, l'Emerald City of Oz du MGM Grand est très appréciée des enfants.

🏛 Stratosphere Tower
2000 Las Vegas Blvd S. 【 *(702) 380-7777.*
Cette tour d'observation haute de 350 m offre une vue incomparable de la ville particulièrement spectaculaire la nuit. À son sommet se trouve un restaurant tournant et un bar à cocktails. Trois chapelles permettent de s'y marier très facilement, une des spécialités de Las Vegas avec le divorce. Les plus hautes montagnes russes du monde partent d'une hauteur de 275 m à l'extérieur de la tour.

🏛 Fremont Street Experience
Bordée par Charles et Stewart Sts. 【 *(702) 678-5777.* ⬜ *t.l.j.*
La première licence de jeu fut accordée dans les années 1930 à un établissement de Fremont Street et cette partie de Downtown prit bientôt le surnom de « Glitter Gulch » (ravin des Paillettes) à cause de sa profusion d'enseignes au néon. Les cinq pâtés de maisons entre Main Street et Las Vegas Boulevard sont aujourd'hui devenus la Fremont Street Experience, une promenade piétonnière et couverte bordée de casinos. Un spectacle de son et lumière mettant en œuvre 2 millions de lampes y a lieu chaque soir.

Aux environs
Créé par la construction du Hoover Dam achevé en 1936, le Lake Mead se trouve à 40 km à l'est de Los Angeles. D'une longueur de 175 km, il possède 800 km de rives. On peut notamment y pratiquer la navigation de plaisance, le ski nautique et la pêche. Des visites quotidiennes permettent de découvrir le barrage haut de 220 m. Un *visitors' centre* propose une exposition sur l'histoire naturelle de la région. À 55 km au nord-est de Las Vegas, le Valley of Fire State Park recèle d'étonnantes formations rocheuses orange et des inscriptions rupestres. Crêtes et escarpements hauts de 900 m composent un paysage majestueux dans le Red Rock Canyon (différent du parc de la *page 274*), à 15 km à l'ouest de Las Vegas. Des sentiers pour randonneurs de tous niveaux le sillonnent.

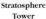

Stratosphere Tower

MODE D'EMPLOI

Carte routière E4. 🚗 *1 200 000.* ✈ *McCarran International Airport, à 6,5 km au sud de Las Vegas.* 🚌 *200 S Main St.* 🚊 *1 Main St.* ℹ *3150 Paradise Rd (702 892-0711).* 🌐 *www.vegasfreedom.com*
Treasure Island Hotel and Casino 3300 Las Vegas Blvd. 【 *(702) 894-7111.* **Mirage Hotel and Casino** 3400 Las Vegas Blvd. 【 *(702) 791-7111.* **Luxor Las Vegas Hotel and Casino** 3900 Las Vegas Blvd. 【 *(702) 262-4000.* **MGM Grand Hotel, Casino and Theme Park** 3799 Las Vegas Blvd. 【 *(702) 891-7777.*

Le Death Valley National Park ❾

Il règne en été dans la vallée de la Mort la température moyenne la plus élevée de la planète. Ce phénomène est dû aux hautes montagnes qui enserrent cet ancien lac où se trouve le point le plus bas des Amériques (- 86 m). Les cimes acérées de l'ouest, qui barrent tout accès aux influences océanes, s'élèvent jusqu'à 3 350 m. Ces conditions climatiques rendent la Death Valley inhospitalière en toute saison, mais les teintes prises par ses rochers dénudés et les paysages lunaires qu'y créent les plaques de sel, les dunes, les canyons et de délicates formations géologiques en ont fait une des grandes destinations touristiques de la Californie.

Le centre de la vallée
Furnace Creek regroupe au cœur de la Death Valley, à une courte distance de beaucoup de sites parmi les plus impressionnants du parc, des restaurants, des hôtels, un camping et un *visitors' centre*.

🦟 Salt Creek
Dans la Salt Creek vit un poisson indigène de la vallée de la Mort, le coriace *pupfish* qui peut supporter un taux de salinité quatre fois supérieur à celui de l'eau de mer et une température de 44° C. Il attire d'autres animaux tels que le grand héron. Des passerelles en bois permettent de découvrir sans le perturber son fragile habitat.

🏛 Borax Museum
Furnace Creek Ranch. 📞 *(760) 786-2345.* ⏰ *t.l.j.*
La découverte dans la Death Valley de borax, un sel de bore utilisé entre autres pour la fabrication de verre trempé

Ruines de la raffinerie de l'Harmony Borax Works

et de lessives, remonte à 1873, mais son exploitation ne commença qu'au début de la décennie suivante. Entre 1883 et 1888, le minerai, après avoir été purifié à l'Harmony Borax Works, était chargé dans des wagons qu'un attelage de 20 mules tirait pendant 265 km à travers le désert jusqu'à la gare de Mojave.

Chaque attelage devait traîner deux wagons emplis de 10 tonnes de minerai chacun.
Le Borax Museum présente des outils de mineurs et des appareils de transport. Les ruines de l'Harmony Borax Works se dressent sur la Hwy 190, à 1,5 km au nord du Death Valley Visitor Center.

🏛 Death Valley Museum and Visitor Center
Rte 190, Furnace Creek. 📞 *(760) 786-2331.* ⏰ *t.l.j.* ⚫ *1ᵉʳ jan., 25 déc., Thanksgiving.* 📷 🌐 *www.nps.gov*
D'intéressantes expositions et un montage de diapositives diffusé toutes les 30 mn expliquent l'histoire naturelle et humaine de la vallée de la Mort. Des visites guidées sont également proposées en hiver.

Furnace Creek
L'érosion a creusé ici un accès naturel à la Death Valley dans les collines qui la bordent à l'est. Les ruisseaux qui coulent à Furnace Creek y attiraient jadis en hiver les Indiens Shoshone. Ils en font aujourd'hui une oasis au cœur du désert et la principale localité de la vallée. Des palmiers y ombragent divers restaurants et motels et l'on y trouve le terrain de golf le plus bas du monde (- 65 m). La Furnace Creek Inn (p. 522), un hôtel de luxe construit dans les années 1920, occupe une situation privilégiée sur une petite mesa.

La Furnace Creek Inn

Dépôts de sel du Devil's Golf Course

Le sud de la vallée
C'est au sud de Furnace Creek que la vallée de la Mort présente certains de ses visages les plus étonnants.

Golden Canyon
À 5 km au sud de Furnace Creek sur la Hwy 178, une marche de 1 500 m conduit à ce canyon qui doit son nom à ses parois moutarde. C'est en fin d'après-midi qu'elles prennent leurs plus belles teintes. Leurs strates étaient à l'origine horizontales, mais les bouleversements géologiques leur ont fait prendre un angle de 45°. Les Indiens utilisaient l'argile rouge de l'entrée du canyon pour leurs peintures faciales.

Les vestiges d'une route pavée emportée par un orage en 1976 rappellent que si les pluies sont rares dans la Death Valley, elles se révèlent souvent très violentes.

Devil's Golf Course
Le Terrain de golf du Diable étale ses reliefs de sel à 20 km au sud de Furnace Creek près de la Hwy 178. Jusqu'à il y a environ 2 000 ans, des lacs successifs occupèrent cette dépression. L'évaporation du dernier laissa sur une superficie de 520 km² un dépôt d'au moins 300 m d'épaisseur où alternent couches de graviers et de sel. Celui-ci émet un bruit caractéristique en se dilatant et en se contractant sous l'effet des changements de température. De nouveaux cristaux, reconnaissables à leur blancheur plus marquée, se forment en permanence.

Badwater
Le point le plus bas de la vallée (86 m au-dessous du niveau de la mer) est aussi un des plus chauds. L'air peut y atteindre 50° C… et le sol une température jusqu'à une fois et demi plus élevée, assez pour faire réellement cuire un œuf sur une pierre. La pluie, extrêmement rare, tombe généralement sous forme d'orages torrentiels. Malgré tout, plusieurs insectes survivent à Badwater ainsi que l'escargot de la Death Valley, une espèce menacée.

Le nord de la vallée
Cette partie de la Death Valley renferme l'Ubehebe Crater *(p. 282)*, où peu de touristes se risquent malgré la beauté du paysage, et le Scotty's Castle, le site le plus visité du parc.

Scotty's Castle
Hwy 267. *(760) 786-2392.*
Demeure ☐ *t.l.j.* ☐ ☐ **Parc** ☐ *t.l.j.*
Albert Johnson commença la construction de son « ranch » en 1922 après avoir refusé un projet de Frank Lloyd Wright *(p. 29)*. Il fallut transporter les matériaux depuis une voie ferrée éloignée de 32 km. Quand les travaux cessèrent en 1931, la demeure occupait une surface de plus de 2 800 m². Après le décès de Johnson en 1948, « Death Valley Scotty » *(p. 282)* garda le droit de l'occuper jusqu'à sa propre mort en 1954.

L'ouest de la vallée
Des dunes de sable occupent une superficie de près de 40 km² non loin de la deuxième localité de la Death Valley : Stovepipe Wells *(p. 282)*.

Sand Dunes
Les vents qui convergent au nord de Stovepipe Wells y ont formé d'immenses dunes de sable, l'un des paysages les plus impressionnants de la vallée de la Mort. Des buissons de mesquite s'accrochent dans les parties les plus basses et leurs graines nourrissent des animaux comme le rat-kangourou. Principalement nocturne, la faune de la région comprend aussi crotales, lézards *chuckwallas* et coyotes.

Dunes de sable au nord de Stovepipe Wells

Une excursion dans la Death Valley

L a vallée que les Indiens appelaient Tomesha, « la terre où le sol est en feu », un nom approprié pour un lieu où la température atteignit 57° C à l'ombre en juillet 1913, s'étend sur 225 km entre deux chaînes de montagnes. Elle offrit longtemps un obstacle insurmontable aux voyageurs et c'est depuis qu'un groupe d'émigrants faillit y périr en 1849 qu'on lui donne le nom de « vallée de la Mort ». Devenue un parc national en 1994, la région est désormais accessible aux visiteurs qui peuvent découvrir ses splendides paysages en voiture ou en faisant de courtes marches depuis les routes principales. Elle reste néanmoins un désert dangereux.

Scotty's Castle ⑧
Ce palais incongru en plein désert coûta 2,4 millions de dollars à un milliardaire de Chicago, Albert Johnson, mais c'est un prospecteur excentrique, Walter Scott, qui s'affichait comme son propriétaire. Le krach de 1929 ne permit pas l'achèvement des travaux. Le National Park Service a acheté le bâtiment en 1970 et organise des visites guidées de l'intérieur *(p. 281)*.

Ubehebe Crater ⑦
Ce cratère volcanique vieux de 3 000 ans a une profondeur de plus de 150 m et un diamètre de plus de 800 m.

DEATH VALLEY SCOTTY

Walter Scott, prétendu prospecteur et charlatan plein de bagout qui participait parfois aux spectacles de Buffalo Bill, aimait raconter que son aisance provenait d'une mine d'or secrète. Sa « mine » était en réalité son ami Alfred Johnson, un riche assureur de Chicago tombé sous le charme de l'aventurier et de ce coin de désert, qui finança la construction du palais qu'habitait Scott. Bâti dans les années 1920 par des artisans européens et des manœuvres indiens, l'édifice mélange divers styles et présente un aspect espagnol. Bien qu'il porte toujours son nom, il n'appartint jamais à Scott dont Johnson réglait toutes les factures. « Il me rembourse en rires », disait-il.

Stovepipe Wells ⑥
La première station touristique de la vallée fut fondée en 1926 à l'endroit où, selon la légende, un bûcheron de passage aurait trouvé de l'eau et se serait installé. Un tuyau de poêle *(stovepipe)*, tels ceux qui servaient aux puits, marque le site.

LÉGENDE

▰▰▰	Circuit recommandé
══	Autres routes
ℹ	Information touristique
🚶	Station de rangers
⛽	Pompe à essence

Le grandiose Scotty's Castle

Zabriskie Point ②
Rendu célèbre par le film d'Antonioni du même nom, ce point de vue où les rochers présentent une étonnante palette de couleurs ménage un magnifique panorama des collines du Golden Canyon *(p. 281)*.

Furnace Creek ①
Les sources qui offrent ici un des rares points d'eau potable de la région sauvèrent probablement la vie de centaines de chercheurs d'or et ont permis le développement du principal centre d'accueil touristique de la vallée *(p. 280)*.

Dante's View ③
De ce promontoire haut de 1 650 m, on découvre un panorama de la vallée particulièrement beau le matin. Dans le lointain se dresse le Telescope Peak du Panamint Range.

Death Valley
Museum
and
Visitor
Center

Golden
Canyon

DEATH VALLEY
JUNCTION

(190)

Devil's
Golf Course

(178)

TECOPA
HOT SPRINGS

Artist's Palette ⑤
Ces collines formées de dépôts minéraux et de cendres volcaniques présentent un riche éventail de couleurs à découvrir en fin d'après-midi.

Badwater ④
Situé à 86 m au-dessous du niveau de la mer, l'un des lieux les plus chauds du monde est aussi le plus bas du continent américain. L'eau n'est pas toxique mais chlorures et sulfates de sodium la rendent imbuvable.

0   10 km

CARNET DE ROUTE

Itinéraire : 380 km.
Quand partir :
Mieux vaut éviter les grosses chaleurs, de mai à septembre. D'octobre à avril, la température moyenne est de 18° C. Il est conseillé de se déplacer de bonne heure, surtout à pied. N'oubliez pas chapeau et écran solaire.
Précautions :
Emportez beaucoup d'eau, une trousse de premiers secours, un téléphone cellulaire et du sérum en cas de morsure de serpent. Restez près de votre véhicule en cas de panne. Avant de vous rendre dans un endroit isolé, informez quelqu'un de votre destination et du moment auquel vous comptez rentrer. Les rochers ne se prêtent pas à l'escalade. N'approchez pas des animaux sauvages et ne mettez jamais la main dans un terrier ou un trou.
Où faire une pause :
Dans le parc, Furnace Creek, Stovepipe Wells Village (p. 522) et Panamint Springs sont les seuls lieux de restauration et d'hébergement. En dehors, Shoshone, Amargosa et Tecopa ont aussi des motels.
Urgences : Rangers au 911 ou au (760) 786-2331.
W www.nps.gov/deva

SAN FRANCISCO ET LA BAY AREA

San Francisco et la Bay Area d'un coup d'œil

San Francisco est une cité compacte dont une grande partie du centre peut se découvrir à pied, bien que ses nombreuses collines imposent de rudes ascensions. Elles aident toutefois à s'orienter et offrent de beaux points de vue. Chaque quartier possède sa personnalité que renforce la diversité culturelle de la ville. Le Bay Bridge la relie aux banlieues d'Oakland et de Berkeley, sur l'East Bay, tandis qu'au nord le Golden Gate Bridge conduit aux Marin Headlands et au Point Reyes National Seashore. Au sud, San Jose et la Silicon Valley ferment la baie et des falaises préservées bordent l'océan.

CARTE DE SITUATION

█ San Francisco et la Bay Area

Golden Gate Bridge
Ce pont vieux de plus d'un demi-siècle est devenu un des symboles de San Francisco (p. 370-371).

GOLDEN GATE PARK ET PRESIDIO
(p. 354-371)

Palace of Fine Arts
Ce monument néo-classique restauré en 1962 date de la Panama-Pacific Exposition de 1915 (p. 339).

Coit Tower
Cette tour de 1933
s'illumine la nuit (p. 333).

BAY AREA
p. 394-415

San Francisco

0   25 km

FISHERMAN'S WHARF
ET NORTH BEACH
(p. 322-333)

CHINATOWN
ET NOB HILL
(p. 314-321)

DOWNTOWN
(p. 300-313)

PACIFIC HEIGHTS
ET
CIVIC CENTER
(p. 334-343)

DE HAIGHT
ASHBURY À MISSION
(p. 344-353)

Chinatown Gateway
Ce portail marque l'entrée du quartier
chinois historique de la ville (p. 318).

City Hall
L'imposant hôtel de ville
abrite une vaste rotonde au
décor élaboré (p. 343).

0   2 km

Mission Dolores
La sixième des 21 missions
californiennes est le plus
ancien édifice de San
Francisco (p. 351).

San Francisco dans son cadre

Panneau routier de San Francisco

Célèbre par ses collines (on en compte 41) et ses brouillards, fréquents en été, San Francisco s'étend à la pointe d'une péninsule entre l'océan Pacifique, à l'ouest, et la magnifique San Francisco Bay. Au nord, le Golden Gate Bridge relie la cité aux Marin Headlands et à la réserve naturelle de la Point Reyes Peninsula. Le Diablo Coast Range, qui culmine au Mount Diablo (1 170 m), sépare les plaines agricoles de la Central Valley des villes densément peuplées de l'East Bay : Richmond, Oakland et Berkeley. Au sud, les coastal mountains enserrent la Silicon Valley, pôle mondial de l'innovation en informatique, et courent le long du littoral jusqu'à Big Sur.

Vallejo
Dans cette ville du nord de la baie, le parc zoologique et océanographique du Marine World Africa présente des spectacles de dauphins (p. 399).

Sausalito
Dans cet ancien village de pêcheurs situé de l'autre côté du Golden Gate, des maisons victoriennes bordent la baie (p. 398).

Vedettes Red & White

RICHMON
RICHMO
BRIDGE
TIBURON
MOUNT TAMALPAIS
SONOMA MOUNTAINS
101
29
37

POINT REYES
NATIONAL SEASHORE

OCÉAN PACIFIQUE

Point Reyes Peninsula
Les animaux sauvages abondent et l'élevage laitier reste une activité très productive sur cette péninsule rocheuse située sur la San Andreas Fault qui la sépare en partie du continent (p. 398).

Les Marin Headlands
font partie de la Golden Gate National Recreation Area où vertes collines et plages paisibles permettent d'échapper à la pression urbaine en se promenant, en pêchant ou en observant les oiseaux *(p. 400-401).*

Downtown
Dominé par la Transamerica Pyramid, le quartier des affaires de San Francisco, un des grands pôles financiers des États-Unis, a su garder un visage humain (p. 300-313).

Livermore
Cette communauté rurale où soufflent des vents réguliers abrite le plus grand champ d'éoliennes du monde (p. 410).

Berkeley et son université furent à la pointe de la lutte contre la guerre du Viêt-nam *(p. 402-405).*

Dans le Diablo Coast Range, entre l'East Bay et la Central Valley, le Mount Diablo offre une vue époustouflante *(p. 410).*

AY BRIDGE

SAN MATEO BRIDGE

Golden Gate Bridge

GOLDEN GATE NATIONAL RECREATION AREA

SAN BRUNO MOUNTAINS

land
e à San Francisco par le Bay Bridge, and possède une population iculturelle et a conservé un petit tier ancien (p. 406-409).

San Jose, fondée par les Espagnols, préserve son patrimoine et abrite une importante communauté hispano-américaine *(p. 412-413).*

Palo Alto
Cette ville fut fondée spécialement pour répondre aux besoins de la Stanford University créée en 1891 par le magnat du rail Leland Stanford (p. 411).

Les maisons victoriennes de San Francisco

Fenêtre Italianate

Malgré les séismes, les incendies et la création de nouvelles voies de circulation, des milliers de maisons de la fin du XIXᵉ siècle continuent de border les rues de San Francisco. Dans beaucoup de quartiers, elles restent même la forme d'habitation la plus fréquente. Possédant souvent un plan identique, ces demeures victoriennes ont en commun une ossature en bois et des décors élaborés à partir d'éléments fabriqués en série, mais elles diffèrent par l'aspect de leur façade. On distingue quatre styles principaux, mais, en pratique, de nombreux édifices en associent deux ou trois.

Détail d'un portail Queen Anne du Chateau Tivoli

GOTHIC REVIVAL (1850-1880)

Les maisons Gothic Revival présentent toujours des frontons triangulaires au-dessus des fenêtres et, parfois, des portes. Elles ont comme autres traits caractéristiques un toit à pignon et un porche courant tout le long de la façade. Les demeures les plus simples et les plus petites de ce style sont généralement peintes en blanc et non de couleurs vives comme la plupart des autres maisons victoriennes.

L'arête du toit court souvent parallèlement à la façade pour permettre l'ouverture de lucarnes.

Toit à pignon et corniches décorées sont typiques du Gothic Revival.

Détail du porche du nº 1978 Filbert Street

Le nº 1111 Oak Street est l'un des plus vieux bâtiments Gothic Revival de la ville.

Le porche s'atteint par un escalier central.

Les balustrades trahissent l'origine sudiste du style.

ITALIANATE (1850-1885)

Le style italianisant connut aux États-Unis sa plus grande popularité à San Francisco, sans doute parce qu'il se prêtait bien aux formes compactes qu'imposait aux immeubles la densité urbaine. Il a pour principale caractéristique la large corniche, reposant souvent sur des consoles ouvragées, qui couronne le sommet de la maison. Un décor élaboré entoure portes et fenêtres.

La corniche dissimule un toit à pentes.

Entrée au porche Italianate

Le nº 1913 Sacramento Street présente une façade Italianate inspiré des palazzi Renaissance. Le parement de bois prend même l'aspect de la pierre.

Des fenêtres symétriques possèdent un encadrement recherché.

L'entrée néo-classique est parfois surmontée d'un fronton.

STICK (1860-1890)

Parfois appelé Stick-Eastlake, d'après le créateur de mobilier londonien Charles Eastlake, ce style est sans doute le plus répandu parmi les maisons victoriennes de San Francisco. Visant à plus d'« honnêteté » architecturale, il met en évidence les lignes verticales de la structure en bois. Pignons décoratifs, corniches et fenêtres en saillie donnent son rythme à la façade.

Pignon percé d'une fenêtre du n° 2931 Pierce Street

De larges moulures accentuent l'apparence très géométrique de la façade.

Des pignons ornés de motifs en soleil dominent porches ou fenêtres.

Le n° 1715-1717 Capp Street montre bien l'importance donnée aux verticales sur les façades des maisons Stick-Eastlake.

Le même porche peut abriter les entrées de deux maisons adjacentes.

QUEEN ANNE (1875-1905)

Le nom « Queen Anne » ne fait pas référence à une période historique mais fut inventé par l'architecte anglais Richard Shaw pour décrire un style qui mélange des éléments architecturaux d'époques et de traditions très diverses. Tours, tourelles et richesse d'ornementation constituent ses caractéristiques les plus répandues *(p. 26-27)*.

Des fenêtres palladiennes percent souvent les pignons.

Pignon Queen Anne du n° 818 Steiner Street

Tourelle à toit en bulbe au n° 1015 Steiner Street

Rondes, carrées ou polygonales, les tourelles sont typiques du style Queen Anne.

Moulures et ornements donnent au pignon l'aspect d'un fronton.

Les fenêtres cintrées ne sont pas un trait caractéristique, mais les maisons Queen Anne empruntent souvent à d'autres styles.

Le n° 850 Steiner Street offre un bon exemple du style Queen Anne avec sa façade asymétrique et ses éléments décoratifs peints de couleurs vives.

OÙ TROUVER LES MAISONS VICTORIENNES

1715-1717 Capp St.
    Plan 10 F4.
Chateau Tivoli, 1057 Steiner St.
    Plan 4 D4.
1978 Filbert St. **Plan 4 D2.**
1111 Oak St. **Plan 9 C1.**
2931 Pierce St. **Plan 4 D3.**
1913 Sacramento St.
    Plan 4 E3.
818 Steiner St. **Plan 4 D5.**
850 Steiner St. **Plan 4 D5.**
1015 Steiner St. **Plan 4 D5.**
2527-2531 Washington St.
    Plan 4 D3.
Alamo Square *p. 343.*
Clarke's Folly *p. 353.*
Haas-Lilienthal House *p. 338.*
Liberty Street. **Plan 10 E3.**
Masonic Avenue. **Plan 3 C4.**
Octagon House *p. 341.*
Spreckels Mansion *p. 338.*

Les *cable cars* de San Francisco

C'est un accident de tramway à chevaux dans une rue pentue, la voiture s'étant mise à glisser en arrière en entraînant son attelage, qui décida Andrew Hallidie à inventer un mode de transport adapté aux collines de San Francisco. En 1873, il inaugurait un système unique au monde de traction par câble en prenant place dans le premier *cable car*. En 1889, huit lignes sillonnaient la ville. Elles nécessitaient plus de 600 voitures avant le séisme de 1906 (*p. 48-49*). Des bus faillirent remplacer les *cable cars* en 1947, mais les San-Franciscains se mobilisèrent contre ce projet et obtinrent le maintien des trois lignes actuelles, longues en tout de 25 km.

La Cable Car Barn sert de garage, d'atelier de réparation et abrite les moteurs qui entraînent les câbles (*p. 321*).

Feu de croisement des *cable cars*

Le gripman doit posséder force et réflexes. Seul un tiers des candidats réussit la formation.

Cloche

POWE[L]

Sable

LE FONCTIONNEMENT DES *CABLE CARS*

Des moteurs installés dans le dépôt central entraînent un câble sans fin que des poulies guident sous les rues de la ville. Quand le *gripman* actionne le levier de la pince, celle-ci referme ses mâchoires sur le câble qui tire alors la voiture à une vitesse régulière de 15 km/h. Pour stopper, le *gripman* ouvre la pince et freine. Dans les virages, il doit aussi ouvrir la pince, le temps de passer la poulie.

Mécanisme du levier de pince

Levier de la pince

Mâchoires qui pincent le câble

Frein de secours

Patin de frein

Câble

Levier de pince

Levier de frein

POWELL MARKET AQUATIC PARK MARITIME MUSEUM HYDE BEACH

Destination

Siège latéral

Plancher du *cable car*

Traverses en bois

Pince

Pavés

Culasse

La Hatch House, édifice de trois étages qu'il fallut déplacer d'un seul tenant en 1913, dut franchir la voie, soulevée par des vérins et des palans, sans interrompre le service.

Une fête célébra en 1984 la fin de la rénovation des cable cars. Elle avait duré deux ans. Des rails renforcés français devraient permettre au système de fonctionner pendant 100 ans.

Un concours de sonneries de cloches a lieu chaque juillet sur Union Square. Les receveurs y font entendre leurs rythmes les plus inspirés.

Sabot de frein   Patin de frein

Le premier cable car *testé par Hallidie dans Clay Street le 2 août 1873 est exposé dans la Cable Car Barn (p. 321). Le système n'a que très peu changé depuis son invention.*

La rénovation des cable cars *demanda beaucoup de soin. Ils ont le statut de monuments historiques.*

ANDREW SMITH HALLIDIE

Né à Londres en 1836 et après une formation de mécanicien, Andrew Smith s'installa à San Francisco en 1852 et y fonda une entreprise de fabrication de câbles. Il testa en 1873 le premier *cable car*. Ce mode de transport se révéla vite bénéficiaire et permit le développement des collines de la ville.

Les plus beaux musées de San Francisco

Les œuvres précolombiennes et américaines du de Young Museum, les peintures européennes de la Legion of Honor et les expositions d'art moderne et contemporain du Museum of Modern Art et du Center for the Arts des Yerba Buena Gardens témoignent de la richesse culturelle de San Francisco, qui possède aussi d'excellents musées scientifiques, notamment l'Exploratorium et la California Academy of Sciences. D'autres collections célèbrent l'histoire de la ville et son héritage indien et mexicain.

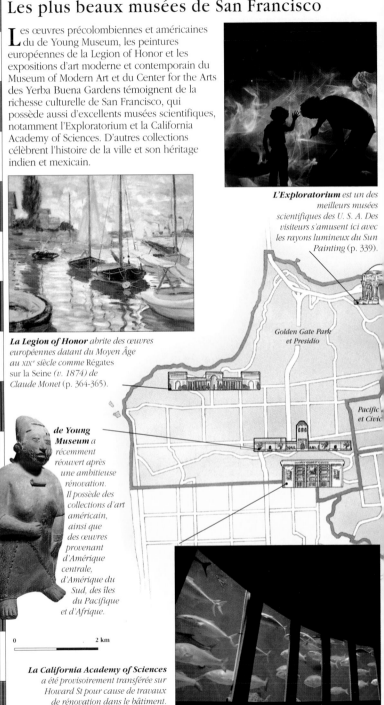

L'Exploratorium est un des meilleurs musées scientifiques des U. S. A. Des visiteurs s'amusent ici avec les rayons lumineux du Sun Painting (p. 339).

La Legion of Honor abrite des œuvres européennes datant du Moyen Âge au XIXᵉ siècle comme Régates sur la Seine (v. 1874) de Claude Monet (p. 364-365).

Golden Gate Park et Presidio

Pacific et Civic

de Young Museum a récemment réouvert après une ambitieuse rénovation. Il possède des collections d'art américain, ainsi que des œuvres provenant d'Amérique centrale, d'Amérique du Sud, des îles du Pacifique et d'Afrique.

0   2 km

La California Academy of Sciences a été provisoirement transférée sur Howard St pour cause de travaux de rénovation dans le bâtiment. Ils devraient être achevés en 2008.

La Chinese Historical Society dirige l'un des plus petits musées de San Francisco. Il retrace l'histoire des communautés chinoises qui participèrent au développement de la Californie. Cette magnifique tête de dragon fait partie des pièces exposées (p. 320).

Les musées du Fort Mason reflètent la diversité ethnique de la ville avec des œuvres comme Muto (1985) de Mimo Paladino (p. 340-341).

Le Wells Fargo History Museum évoque l'histoire remuante de la Californie depuis la ruée vers l'or. M. Casper sculpta cette diligence en bronze en 1984 (p. 304).

Fisherman's Wharf et North Beach

Chinatown et Nob Hill

Downtown

Haight Ashbury Mission

Le San Francisco Museum of Modern Art occupe depuis 1994 un édifice dessiné par Mario Botta. Ce tableau de Philip Guston, Back View (1977), montre la qualité de sa riche collection permanente (p. 308-309).

The Asian Arts Museum Ce magnifique bâtiment des Beaux Arts datant de 1917 abritait autrefois la Old San Francisco Main Library (p. 342).

Le Center for the Arts propose aux Yerba Buena Gardens d'excellentes expositions temporaires d'art contemporain (p. 312-313).

Les *murals* de San Francisco

L a fierté avec laquelle les habitants de San Francisco revendiquent leur richesse culturelle et leur cosmopolitisme s'exprime dans les *murals* qui décorent murs et espaces publics de nombreux quartiers. Beaucoup datent des années 1930 et des années 1970. Certains apparurent spontanément, d'autres sont des œuvres de commandes. L'un des plus beaux, le *Carnaval Mural*, orne 24th Street dans le Mission District *(p. 352)*. En voici d'autres exemples.

503 Law Office, Dolores et 18th streets

SCÈNES HISTORIQUES

La Coit Tower *(p. 333)* abrite certains des plus intéressants *murals* historiques de San Francisco. Financés dans le cadre du New Deal des années 1930, ils offrent une image caractéristique de cette époque. Plusieurs artistes locaux participèrent à leur réalisation, évoquant des sujets comme les luttes de la classe ouvrière et les richesses de la Californie. Trois fresques du grand artiste mexicain Diego Rivera (1886-1957) parent aussi la ville.

Détail d'un *mural* de la Coit Tower illustrant les richesses de la Californie

La réalisation d'un *mural* peinte par Diego Rivera au San Francisco Art Institute

Architecte Frank Lloyd Wright

Emmy Lou Packard, assistante de Rivera pour le *mural*

Otto Diechman, architecte

Mussolini tel qu'interprété par Jack Oakie dans *Le Dictateur*

***Mural* de la Coit Tower datant de la Grande Dépression**

***Le* mural *de Diego Rivera* du City College,** peint en 1940, prône l'unité panaméricaine. La partie représentée ici met l'accent sur l'activité créatrice aux États-Unis et le rôle joué par les artistes dans la lutte contre le fascisme.

Adolf Hitler

Benito Mussolini

Charlie Chaplin dans *Le Dictateur* (1940) où il jouait deux rôles : un barbier juif et Hitler.

Edward G Robinson

Joseph Staline

VIE MODERNE

La vie au sein d'une métropole moderne reste aujourd'hui, autant que dans les années 1930, un des principaux sujets des *murals* de San Francisco. Dans le Mission District, en particulier, tous les aspects de l'existence quotidienne, travail, jeu, famille ou activités politiques, s'affichent en couleurs vives sur les murs des banques, des écoles et des restaurants. Nombre de ces œuvres datent des années 1970 où la municipalité paya de jeunes chômeurs à embellir les lieux publics. La San Francisco Art Commission continue d'encourager cette forme d'art.

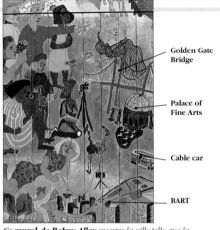

Golden Gate Bridge

Palace of Fine Arts

Cable car

BART

Ce mural de Balmy Alley montre la ville telle que la voient les touristes. Peintes, quant aux premières, par des enfants, des artistes locaux et des travailleurs sociaux des années 1970, les fresques de cette ruelle du Mission District sont devenues une grande attraction.

Le Learning Wall, Franklin St, évoque art et éducation

Positively Fourth Street, Fort Mason

LA VILLE MULTICULTURELLE

Les *murals* des différents quartiers de San Francisco reflètent sa diversité ethnique et culturelle. Dans Chinatown, des artistes sino-américains ont évoqué des souvenirs du « vieux pays ». D'inspiration politique, beaucoup de fresques du Mission District exaltent les combats et les réalisations de sa population mexicaine et latino-américaine.

Danseuse mexicaine

Percussionniste indien

Contrebassiste caucasien

Joueuse de maracas afro-américaine

Le mélange américain des cultures est célébré à la Park Branch Library de Haight Ashbury.

Images de la Chine sur un mur de Washington Street

OÙ TROUVER LES *MURALS*

Balmy Alley, 24th et 25th Sts.
City College of San Francisco
    50 Phelan Ave.
Coit Tower *p. 333.*
Dolores et 18th St. **Plan 10 E3.**
Fort Mason *p. 340-341.*
Franklin Street. **Plan 4 E1.**
Park Branch Library
    1833 Page St. **Plan 9 B1.**
San Francisco Art Institute
    p. 330-331.
Washington Street. **Plan 4 E3.**

Le 49-Mile Scenic Drive

Panneau officiel

Ce parcours touristique de 79 km permet de découvrir les quartiers les plus pittoresques et les sites et les points de vue les plus spectaculaires de San Francisco, un excellent moyen d'établir un premier contact avec la ville. Des panneaux figurant une mouette le rendent facile à suivre, bien que la végétation qui les cache parfois impose de rester attentif. Prévoyez une journée entière pour apprécier paisiblement panoramas et monuments.

Palace of Fine Arts et Exploratorium ㉔
Cet édifice néo-classique et son moderne musée des sciences se trouvent près de l'entrée du Presidio.

Stow Lake ⑤
Une cascade artificielle dévale dans ce lac pittoresque où se louent des bateaux.

Sutro Tower ⑧
On aperçoit ce pylône orange et blanc de toute la ville.

0 ———— 2 km

LÉGENDE

— 49-Mile Scenic Drive

⚡ Point de vue

Pagode de Japantown

Coit Tower ⑳
Dominant North Beach depuis Telegraph Hill, cette tour cylindrique possède de beaux murals *et une terrasse panoramique.*

Marina Green ㉓
Voici un excellent point de vue d'où photographier le Golden Gate Bridge.

Grace Cathedral ⑱
Cette cathédrale néo-gothique inspirée de Notre-Dame de Paris coiffe Nob Hill, la colline la plus pentue de la ville.

CARNET DE ROUTE

Point de départ :
N'importe où. L'itinéraire se suit dans le sens contraire des aiguilles d'une montre.

Quand partir :
Évitez les heures de pointe : 7 h-9 h, 16 h-19. Les vues sont pour la plupart aussi spectaculaires de nuit que de jour.

Stationner :
Utilisez des parkings autour du Financial District, du Civic Center, de Japantown, de Nob Hill, de Chinatown, de North Beach et du Fisherman's Wharf.

TROUVER LES SITES

DOWNTOWN SAN FRANCISCO

Aujourd'hui située au cœur du Financial District, où Bourses et banques du début du siècle subsistent dans l'ombre des gratte-ciel modernes, Montgomery Street n'était qu'une rue bordée de petites échoppes où les prospecteurs venaient faire peser leur poudre d'or jusqu'à la construction, pour

Décor de l'Union Bank

la Wells Fargo, du premier bâtiment en brique de la ville. Principal quartier commerçant de San Francisco, Union Square renferme de nombreux grands magasins. À SoMa (South of Market), devenu le quartier des artistes, d'anciens entrepôts abritent ateliers, bars et théâtres d'avant-garde.

DOWNTOWN D'UN COUP D'ŒIL

Sites et bâtiments historiques
Bank of California **6**
California Historical Society **12**
Ferry Building **10**
Jackson Square Historical District **2**
Merchant's Exchange **7**
Old United States Mint **25**
Pacific Coast Stock Exchange **8**
Powell Street Cable Car Turntable **23**

Magasins
Crocker Galleria **18**
Gump's **19**
San Francisco Center **24**
Boutiques d'Union Square **22**

Architecture moderne
Bank of America **4**
Embarcadero Center **1**
Rincon Center **11**
Transamerica Pyramid **5**
Yerba Buena Gardens p. 312-313 **14**

Théâtres
Theater District **21**

Hôtel
Sheraton Palace Hotel **16**

Musées
California Academy of Sciences **17**
Museum of Cartoon Art **15**
Museum of Modern Art p. 308-309 **13**
Wells Fargo History Museum **3**

Places
Justin Herman Plaza **9**
Union Square **20**

COMMENT Y ALLER
Depuis Market Street, d'où partent les ferries et où convergent les lignes de *cable cars*, de bus et du BART, les transports publics desservent toutes les parties du quartier.

0   400 m

LÉGENDE

▢	Plan pas à pas *Voir p. 302-303*
🚋	Terminus des *cable cars*
🄱🄾	Station BART
P	Parc de stationnement
⛴	Embarcadère de ferries

◁ **Les lumières de la ville**

Le Financial District pas à pas

Toutes les principales banques et agences de courtage ainsi que les grands cabinets d'avocats, ont leurs bureaux dans les quelques pâtés de maisons du quartier financier qui s'étend entre les tours et plazas de l'Embarcadero Center et la sobre Montgomery Street surnommée la « Wall Street de l'Ouest ». Dans le Jackson Square Historic District, au nord de Washington Street, subsistent certains des plus anciens édifices de la ville.

La Chiffonnière (1978) de Jean Dubuffet, Justin Herman Plaza

★ L'Embarcadero Center
Une galerie marchande occupe les trois premiers niveaux de ce complexe de bureaux et d'habitations ❶

Hotaling Place est un étroit passage réputé pour ses antiquaires.

Jackson Square Historical District
Aucun quartier n'évoque autant l'époque de la ruée vers l'or ❷

Le Golden Era Building, bâti pendant la ruée vers l'or, abrita le journal *Golden Era* pour lequel Mark Twain écrivit.

Arrêt de bus (n° 41)

★ La Transamerica Pyramid
Le gratte-ciel le plus haut de la ville mesure 260 m ❺

Bank of California
Des lions de pierre sculptés par Arthur Putnam gardent ce bâtiment achevé en 1908 ❻

Merchant's Exchange
Des scènes maritimes ornent les murs de cette Bourse ❼

Wells Fargo History Museum
Cette diligence fait partie des souvenirs de l'époque du Wild West exposés dans ce musée ❸

Bank of America
Le dernier étage de cette institution bancaire ménage un large panorama ❹

0   100 m

California Street, parcourue par les *cable cars*, rejoint le sommet de Nob Hill.

Justin Herman Plaza
Les jours de soleil, la place s'emplit au déjeuner ❾

Hyatt Regency Hotel *(p. 525)*

Arrêt de bus (nᵒˢ 2, 9, 42)

FISHERMAN'S WHARF ET NORTH BEACH

CHINATOWN ET NOB HILL

DOWNTOWN

CARTE DE SITUATION
Voir l'atlas des rues, plans 5 et 6

DAVIS STREET

SACRAMENTO STREET

DRUMM STREET

FRONT STREET

CALIFORNIA STREET

MARKET STREET

Le Gandhi Monument (1988), qui orne le côté est du Ferry Building, fait face au Bay Bridge. Il a été conçu par K. B. Patel et sculpté par Z. Pounov et S. Lowe. Il porte une phrase de Gandhi.

Ferry Building
Avant la construction des ponts, 100 000 personnes passaient ici chaque jour ❿

LÉGENDE

— — — Itinéraire conseillé

Pacific Coast Stock Exchange
L'ancien pôle commercial de la ville a fermé à cause du commerce électronique ❽

Les deux tours du First Interstate Center

À NE PAS MANQUER

★ **L'Embarcadero Center**

★ **La Transamerica Pyramid**

Embarcadero Center ❶

Plan 6 D3. 🚌 *1, 32, 42.*
🚋 *J, K, L, M, N.* 🚋 *California St.*
Voir **Faire des achats** *p. 376-379 et*
Hébergement *p. 504-537.*

Achevés en 1981, les travaux du plus grand projet d'aménagement urbain de San Francisco, entre la Justin Herman Plaza et Battery Street, prirent dix ans. Quatre gratte-ciel de 35 à 45 étages dominent des espaces piétonniers où employés des bureaux du complexe et clients de ses boutiques peuvent se détendre au soleil.

C'est le Hyatt Regency Hotel *(p. 526)* qui possède l'intérieur le plus intéressant de l'Embarcadero Center. Son atrium abrite une immense sculpture de Charles Perry, *Eclipse*, et des ascenseurs vitrés glissent le long d'un mur pour rejoindre l'Equinoxe, un restaurant tournant qui offre une vue panoramique. Il effectue un tour complet toutes les 40 minutes.

Atrium du Hyatt Regency Hotel de l'Embarcadero Center

Hotaling Place, Jackson Square

Jackson Square Historical District ❷

Plan 5 C3. 🚌 *12, 15, 42, 83.*

Rénové au début des années 1950, ce quartier renferme de nombreux bâtiments historiques aux façades de brique, de fonte ou de granit datant de la ruée vers l'or. Entre 1850 et 1910, ces quatre pâtés de maisons faisaient partie de la Barbary Coast où prospéraient débits de boisson, cercles de jeu et prostitution. Au n° 555 Pacific Street, des reliefs évoquent dans l'ancien théâtre de l'Hippodrome les spectacles osés qu'on y donnait. Les édifices abritent aujourd'hui des galeries d'art. Les plus intéressantes bordent Jackson Street, Gold Street, Hotaling Place et Montgomery Street.

Wells Fargo History Museum ❸

420 Montgomery St. **Plan** 5 C4.
📞 *(415) 396-2619.* 🚌 *1, 12, 15, 42.*
🚋 *Montgomery St.* 🕐 *de 9 h à 17 h du lun. au ven.* ⬤ *jours fériés.* ♿ 🏠
🌐 *www.wellsfargohistory.com*

Fondée en 1852 par Henry Wells et William Fargo, la Wells Fargo & Co devint la plus grande entreprise de banque et de transport de l'Ouest et elle joua un rôle de premier plan dans le développement de la région.

La société acheminait voyageurs et biens entre les côtes atlantique et pacifique et entre les camps de mineurs et les villes de Californie.

Black Bart, le bandit poète

Elle convoyait l'or vers l'est et délivrait le courrier. Elle prit part à l'aventure du Pony Express.

Les magnifiques diligences exposées sont entrées dans la légende, autant pour le courage de leurs conducteurs que pour l'audace des bandits qui les dévalisaient. Surnommé Black Bart, le plus célèbre laissait des poèmes sur le lieu de ses crimes. Entre 1875 et 1883, il hanta les pistes entre le Calaveras County et la frontière de l'Oregon, commettant 27 hold-up. L'oubli d'un mouchoir portant une marque de blanchisserie permit de l'identifier comme l'ingénieur des mines Charles Boles *(p. 463)*.

Les visiteurs du musée peuvent se faire une idée de ce que représentaient les voyages à l'époque – des jours à supporter les cahots – et écouter le journal enregistré d'un immigrant appelé Francis Brocklehurst. L'exposition comprend également des photos, des lettres de change, d'anciens chèques, des pépites d'or et la monnaie émise par l'Empereur Norton *(p. 45)*.

Bank of America ❹

555 California St. **Plan** 5 C4.
📞 (415) 433-7500 (Carnelian Room).
🚌 1, 15. 🚋 California St.

Inauguré en 1972, ce gratte-ciel paré de granit rouge possède 52 étages, ce qui en fait le plus important de San Francisco. Au sommet, la Carnelian Room ménage une vue extraordinaire de la ville. L'édifice abrite le siège de la Bank of America qui était à l'origine la Bank of Italy,

établissement fondé par A. P. Giannini à San Jose (p. 412-413). Cet Italien séduisit au début du XXᵉ siècle une immense clientèle en s'adressant aux immigrants et en investissant dans le développement de l'agriculture et des localités rurales. Lors du grand incendie de 1906 (p. 48-49), il sauva lui-même les dépôts en les cachant dans des caisses de fruit. Ils permirent à sa banque de participer à la reconstruction de San Francisco.

Transcendence (1972) de **Masayuki Nagari, Bank of America**

Transamerica Pyramid ❺

600 Montgomery St. **Plan** 5 C3.
🚌 1, 15, 42. ⬜ de 8 h 30 à 16 h 30 du lun. au ven. ⬤ jours fériés. ♿
🌐 www.tapyramid.com

Ce gratte-ciel de 48 étages où travaillent 1 500 employés, atteint une hauteur de 260 m. L'édifice le plus haut et le plus caractéristique de Downtown ne plut pas aux habitants de San Francisco à son inauguration en 1972, mais il fait désormais partie de l'image de la ville.

Dessinée par William Pereira & Associates, la pyramide se dresse sur un site historique. Le Montgomery Block, qui y fut bâti, était le plus grand édifice à l'ouest du Mississippi à sa construction en 1853. Il renfermait de nombreux bureaux et, en sous-sol, l'Exchange Saloon que fréquentait Mark Twain. Quand le Financial District s'étendit vers le sud dans les années 1860, de nombreux artistes et écrivains s'installèrent dans le Montgomery Block.

Dans Merchant Street, en face de la pyramide, une plaque marque l'emplacement du terminus du Pony Express.

La pointe, creuse, dépasse de 64 m le dernier étage. Elle a une fonction décorative et est éclairée de l'intérieur la nuit.

Les ailes verticales du bâtiment s'élèvent depuis le milieu du rez-de-chaussée. L'aile est contient 18 ascenseurs, celle de l'ouest une colonne d'évacuation de fumée et un escalier de secours.

La plate-forme panoramique se trouve au 27ᵉ étage. Chaque année, plus de 50 000 visiteurs viennent y admirer la vue, particulièrement magnifique vers le nord.

Les panneaux blancs d'agrégats de quartz parant l'extérieur assurent, avec des barres de renfort ancrées en quatre points à chaque étage, la protection parasismique. Du jeu entre les panneaux autorise des mouvements latéraux en cas de tremblement de terre.

La forme de l'édifice lui permet de jeter une ombre plus petite qu'un gratte-ciel classique.

Les 3 678 fenêtres prennent un mois à laver.

Les fondations reposent sur un bloc d'acier et de béton enfoui à 15,5 m dans le sol et conçu pour se déplacer avec les secousses sismiques.

Bank of California ❻

400 California St. **Plan** 5 C4. 📞 (415) 765-0400. 🚌 1, 42. 🚃 California St. **Museum of American Money** 🕐 de 10 h à 16 h du lun. au jeu., de 10 h à 17 h le ven. ⬤ jours fériés. ♿

Darius Mills fonda cette banque en 1864 avec William Ralston, millionnaire connu comme « l'homme qui construisit San Francisco ». Ayant investi à bon escient dans les mines de Comstock (p. 45), Ralston se servit de la banque et de sa fortune personnelle pour financer des réalisations telles que la compagnie des eaux de la ville, un théâtre et le Palace Hotel (p. 526). Son empire ne survécut pas à la récession économique des années 1870.

Achevé en 1908, l'édifice actuel renferme en sous-sol le Museum of American Money qui expose pièces, vieux billets et schémas des mines de Comstock.

Façade classique de la Bank of California

Merchant's Exchange ❼

465 California St. **Plan** 5 C4. 📞 (415) 421-7730. 🚌 1, 4, 10, 15. 🚃 Montgomery St. 🕐 de 8 h 30 à 18 h du lun. au ven. ; sam. et dim. sur r.d.v. seulement. ⬤ jours fériés. ♿ 🌐 www.merchantsexchangebuilding.com

Dessinée en 1903 par Willis Polk, cette Bourse ne souffrit pas trop du grand incendie de 1906 (p. 48-49). À l'intérieur, des peintures de l'artiste irlandais William Coulter ornent les murs.

Le Merchant's Exchange était au cœur des échanges commerciaux de San Francisco au début du xxᵉ siècle, avant l'édification des gratte-ciel. Elle surveillait l'arrivée des navires au long cours.

Pacific Coast Stock Exchange ❽

301 Pine St. **Plan** 5 C4. 📞 (415) 393-4000. 🚌 3, 4, 15, 42. ⬤ au public sauf sur accord préalable. 🌐 www.pacificex.com

Fondée en 1882, la Pacific Coast Stock Exchange était autrefois la plus importante bourse des États-Unis après New York. Elle occupe les bâtiments de l'ancien Trésor américain qui furent modifiés en 1930 par Miller et Pfluege. Les imposantes statues de granit qui bordent l'entrée sur Pine Street, œuvre du sculpteur Ralph Stackpole, datent également de 1930. La Bourse est maintenant silencieuse ; elle n'a pas survécu à l'émergence de l'électronique et d'Internet.

Justin Herman Plaza ❾

Plan 6 D3. 🚌 nombreux bus. 🚃 F, J, K, L, M, N. 🚃 California St.

Appréciée à l'heure du déjeuner par les employés de l'Embarcadero Center (p. 304) voisin, cette esplanade est surtout connue pour la Vaillancourt Fountain, assemblage d'énormes blocs de béton construit par le Canadien Armand Vaillancourt en 1971. Certaines personnes la trouvent horrible, surtout lorsque l'eau cesse de couler en période de sécheresse, mais on peut s'y amuser, grimper sur les fûts parallélipipédiques ou s'asperger dans les bassins, et c'est, lorsqu'elle fonctionne, une œuvre d'art vivante qui intrigue ceux qui la regardent.

Des musiciens louent souvent l'emplacement à midi. Le groupe de rock U2 y donna un concert en 1987…

La Vaillancourt Fountain de la Justin Herman Plaza

puis se précipita sur la fontaine avec des bombes de peinture.

Ferry Building ❿

Embarcadero à la hauteur de Market St. **Plan** 6 E3. 🚌 nombreux bus. 🚃 J, K, L, M, N. 🚃 California St.

Construit entre 1896 et 1903, le Ferry Building dut à l'intervention de bateaux-pompes de survivre à l'incendie de 1906. Haute de 71 m, sa tour de l'horloge s'inspire du clocher mauresque de la cathédrale de Séville. Au début des années 1930, plus de 50 millions de passagers transitaient ici chaque année. Beaucoup gagnaient ou quittaient le terminus de la voie ferrée transcontinentale situé à Oakland, les autres étaient des habitants de la région dépendant des 170 liaisons quotidiennes en transbordeurs pour rentrer chez eux. Après l'ouverture du Bay Bridge en 1936 (p. 406-407), le Ferry Building cessa d'être le principal point d'entrée en ville et commença à se détériorer. Quelques ferries traversent toujours la baie, desservant Tiburon et Sausalito dans le Marin County (p. 398-399) et Oakland dans l'East Bay (p. 406-407).

Tour de l'horloge du Ferry Building

Mural de la Rincon Annex représentant la découverte de San Francisco

Rincon Center ⓫

Plan 6 E4. 14. *Voir* **Faire des achats** p. 376-379.

Ce centre commercial à l'atrium élancé orné d'une fontaine de 27 m complète depuis 1989 le Rincon Annex Post Office Building construit en 1940 et célèbre par ses *murals* peints par l'artiste d'origine russe Anton Refregier. Ils représentent des événements et des personnages marquants de l'histoire de San Francisco, parfois avec une dureté qui provoqua de nombreuses controverses.

California Historical Society ⓬

678 Mission St. **Plan** 6 D5. (415) 357-1848. montgomery St. de 12 h à 16 h 30 du mer. au sam. (bibliothèque fermée le sam.). www.calhist.org

La California Historical Society se consacre à la sauvegarde et à l'interprétation de la culture californienne. Elle possède une bibliothèque d'ouvrages de référence et de recherche, un musée et une librairie. Elle propose une impressionnante collection de photos, plus de 900 peintures à l'huile et aquarelles d'artistes américains, une exposition d'arts décoratifs et une collection de costumes unique.

Museum of Modern Art ⓭

Voir p. 308-309.

Yerba Buena Gardens ⓮

Voir p. 312-313.

Hommage philatélique à la B. D.

Museum of Cartoon Art ⓯

655 Mission St. (415) 227-8666. de 11 h à 17 h du mar. au dim. www.cartoonart.org

Fondé en 1984, ce musée consacré à l'art de la bande dessinée possède une collection de 10 000 pièces du XVIIIe siècle à nos jours où figurent des planches et des dessins originaux de personnages aussi connus que Popeye, Charlie Brown, Batman ou Andy Capp. L'exposition, présentée dans un cadre lumineux, change tous les quatre mois. Le musée comprend aussi une aire pour les enfants et une galerie de CD-ROM.

Sheraton Palace Hotel ⓰

2 New Montgomery St. **Plan** 5 C4. (415) 512-1111. 7, 8, 9, 21, 31, 66, 71. J, K, L, M, N. *Voir* **Hébergement** p. 526. www.sfpalace.com

Ouvert en 1875 par William Ralston, l'un des financiers les plus célèbres de San Francisco, le Palace Hotel d'origine était l'un des hôtels les plus luxueux de la ville avec ses 7 étages, ses 700 fenêtres, sa cour intérieure et un décor exotique aux influences multiples. Il reçut entre autres personnages célèbres l'actrice Sarah Bernhardt et les écrivains Oscar Wilde et Rudyard Kipling. Le chanteur d'opéra Enrico Caruso y résidait quand le feu ravagea le palace, comme une grande partie de la cité, lors du tremblement de terre de 1906.

Reconstruit peu après sous la direction de l'architecte George Kelham, l'établissement rouvrit en 1909. Sa rénovation en 1988 coûta 100 millions de dollars. Mais 1 000 personnes peuvent prendre place sous les 20 lustres en cristal de la salle à manger du Garden Court.

Le Garden Court du Sheraton Palace Hotel

Le San Francisco Museum of Modern Art ⑬

Créé en 1935, ce musée consacré à l'art moderne et contemporain occupe depuis 1995 un édifice dessiné par l'architecte suisse Mario Botta. Au-dessus d'une façade en brique s'élève une verrière cylindrique haute de 38 m qui laisse pénétrer la lumière jusque dans l'atrium du rez-de-chaussée. Présentée sur plus de 4 000 m², la collection permanente, d'une richesse exceptionnelle, compte plus de 23 000 œuvres illustrant des mouvements artistiques très variés. Le SFMOMA propose aussi de grandes expositions temporaires.

Zip Light (1990) de Sigmar Willnauer

Les Valeurs personnelles
Le surréaliste belge René Magritte a réalisé cette œuvre en 1952. Les objets quotidiens sont représentés dans un décor étrange et peints avec réalisme.

SUIVEZ LE GUIDE !

Le rez-de-chaussée abrite la boutique, l'auditorium et le café, le premier étage des pièces issues de la collection permanente de peinture, de sculpture, d'architecture et de design, et le deuxième étage les photographies et les expositions temporaires. Aux quatrième et cinquième étages sont présentées des créations audiovisuelles et des travaux contemporains, ainsi que des expositions temporaires et des dons et achats récents. Les œuvres exposées changent régulièrement. Une terrasse abrite des sculptures.

★ **No. 14, 1960**
Cette toile est l'œuvre de Mark Rothko, figure importante de l'art abstrait. Il s'agit de l'une de ses peintures les plus belles et les plus fascinantes.

The Nest
Louise Bourgeois a réalisé cette sculpture en 1994, à l'âge de 83 ans. Les formes étirées sont caractéristiques de ses œuvres.

LÉGENDE DU PLAN

☐ Collection de peintures et sculptures
☐ Architecture et design
☐ Photographies et œuvres sur papier
☐ Arts audiovisuels
☐ Koret Visitor Education Center
☐ Expositions temporaires
☐ Circulation et services

Verrière haute de 38 m

2ᵉ étage

Auditorium

Rez-de-chaussée

Entrée principale

Escalier de secours

★ **Art californien**
Melodious Double Stops *(1980) de Richard Shaw est un des fleurons de cette collection.*

5ᵉ étage

4ᵉ étage

Terrasse

3ᵉ étage

Atrium

MODE D'EMPLOI

151 3rd St. **Plan** 11 C1. 357-4000. 5, 9, 14, 15, 30, 38, 45. J, K, L, M, N. P près de Yerba Buena Gardens. de 11 h à 21 h jeu., de 11 h à 18 h du ven. au mar. *Appeler pour confirmer les horaires.* mer., 1ᵉʳ janv., Thanksgiving, 25 déc. gratuit le 1ᵉʳ mar. du mois ; demi-tarif le jeu. de 18 h à 21 h. *Événements exceptionnels, séminaires, présentations de films, programmes éducatifs* W www.sfmoma.org

★ **Le Porteur de fleurs**
Diego Rivera représenta avec une puissante ironie le prix de la beauté et du luxe dans cette peinture de 1935.

Koret Visitor Education Center
Les visiteurs y découvriront des expositions temporaires et des animations interactives, dont certaines sont réservées aux enfants.

Country Dog Gentlemen
Artiste de la Bay Area, Roy De Forest peignit cet univers étrange en 1972.

À NE PAS MANQUER

★ **Le Porteur de fleurs**

★ **No. 14, 1960**

★ **L'art californien**

Atrium central de la Crocker Galleria

California Academy of Sciences ⑰

875 Howard St, près de Fifth St. 📞 750 7145. 🚌 5, 9. 🚋 J, K, L. 🕐 se renseigner par téléphone. 🌐 www.calacademy.org

Le siège étant en cours de rénovation jusqu'en 2008, l'académie a été transférée dans un site provisoire sur Howard Street, où la présentation des sciences naturelles se poursuit.

Crocker Galleria ⑱

Entre Post, Kearny, Sutter et Montgomery St. **Plan** 5 C4. 🚌 2, 3, 4. 🚋 J, K, L, M, N. Voir **Faire des achats** p. 376-379.

Construite en 1982, cette galerie marchande s'inspire de la Galleria Vittorio Emanuele II de Milan et possède comme elle une place centrale éclairée par une verrière. Elle renferme plus de 50 restaurants et boutiques. On peut y admirer les créations de grands stylistes européens et américains.

Gump's ⑲

135 Post St. **Plan** 5 C4. 📞 (415) 982-1616. 🚌 2, 3, 4, 30, 38, 45. 🚋 J, K, L, M, N. 🚋 Powell – Mason, Powell – Hyde. 🕐 de 10 h à 18 h du lun. au sam. ♿ Voir **Faire des achats** p. 376-379.

Fondé en 1861 à San Francisco par des immigrants allemands qui vendaient des miroirs et des cadres, ce grand magasin est devenu une institution locale.

Gump's propose le plus beau choix de porcelaine, de cristal et de verrerie des États-Unis, diffusant des marques prestigieuses. Il est en outre réputé pour sa sélection de meubles et d'objets d'art, en particulier orientaux. La collection de jades jouit d'une renommée internationale. L'établissement offrit en 1949 le grand Bouddha de bronze qui orne le Japanese Tea Garden (p. 356-357).

Son atmosphère raffinée valent au Gump's de compter dans sa clientèle grandes fortunes et célébrités.

Union Square ⑳

Plan 5 C5. 🚌 2, 3, 4, 30, 38, 45. 🚋 J, K, L, M, N. 🚋 Powell–Mason, Powell–Hyde.

Cette vaste place plantée de palmiers en bordure du Theater District doit son nom aux grandes manifestations en faveur de l'Union qui s'y déroulèrent pendant la guerre de Sécession (1861-1865). Ces démonstrations populaires conduisirent à l'entrée de la Californie dans le conflit.

Des magasins ont peu à peu pris le pas sur les églises, les clubs de gentlemen et la synagogue qui bordaient à l'origine Union Square, constituant le cœur du quartier commerçant. Sur le côté ouest s'élève le luxueux Westin St Francis Hotel (p. 526) édifié en 1904 et devenu un monument historique. Au centre de la place, une Victoire en bronze sculptée célèbre la victoire navale de l'amiral Dewey dans la baie de Manille pendant la guerre hispano-américaine de 1898.

Union Square possède aussi le premier parking souterrain à plusieurs niveaux jamais construit. Il date de 1942.

Theater District ㉑

Plan 5 B5. 🚌 2, 3, 4, 38. 🚋 Powell–Mason, Powell–Hyde. Voir **Se distraire** p. 372-375.

Six pâtés de maisons proches d'Union Square forment le quartier des théâtres de San Francisco. Les deux salles les plus importantes bordent Geary Boulevard. Dessiné en 1922 par Alfred Henry D. Jacobs, le Curran Theater accueille les spectacles de Broadway. Le Geary Theater à la façade edwardienne est le siège de l'American Conservatory Theater (ACT). Le Theater on the Square propose des créations d'avant-garde. Une plaque signale au n° 501 Taylor Street l'endroit où naquit Isadora Duncan (1878-1927), danseuse qui s'affranchit des règles de l'académisme pour ouvrir de nouvelles voies à la danse.

Boutiques d'Union Square ㉒

Plan 5 C5. 🚌 2, 3, 4, 30, 38, 45. 🚋 J, K, L, M, N. 🚋 Powell – Mason, Powell – Hyde. Voir **Faire des achats** p. 376-379.

Nombre des plus prestigieux grands magasins de San Francisco, tels Macy's, Saks Fifth Avenue et

Grands magasins dominant Union Square

Un *cable car* sur la plaque tournante de Powell Street

San Francisco Center ㉔

Market St et Powell St. **Plan** 5 C5.
📞 *(415) 512-6776.* 🚌 *5, 7, 8, 9, 14, 21, 71.* 🚋 *J, K, L, M, N.* 🚋 *Powell – Mason, Powell – Hyde.* ⏰ *de 9 h 30 à 20 h du lun. au sam., de 11 h à 18 h le dim. Voir* **Faire des achats** *p. 376-379.*

D es escaliers roulants en demi-hélice relient les neuf niveaux de ce centre commercial couronné par une coupole escamotable ouverte les jours de beau temps. Les niveaux en sous-sol offrent accès à la Powell Street Station. Nordstrom propose aux quatre étages supérieurs un vaste choix de prêt-à-porter. L'Emporium, un grand magasin renommé pour sa rotonde classique, s'atteint depuis ceux du dessous.

Old United States Mint ㉕

Fifth St et Mission St. **Plan** 5 C5.
🚌 *14, 14L, 26, 27.* 🚋 *J, K, L, M, N.* ⬤ *au public.*

L 'ancienne Monnaie de San Francisco fabriqua ses dernières pièces en 1937. Cet édifice de style néo-classique construit en granit par A. B. Mullet entre 1869 et 1874, d'où son surnom de « Granite Lady », abritait dans ses caves des chambres fortes imprenables et il est un des rares bâtiments à avoir survécu au tremblement de terre de 1906 *(p. 48-49)*.

Transformée en musée de 1973 à 1994, l'Old Mint ne répond plus aux normes parasismiques actuelles.

Gump's, se trouvent ici. La construction du Nieman-Marcus entraîna de vives polémiques car elle impliquait la démolition, en 1982, du City of Paris, l'une des plus élégantes enseignes de San Francisco à la fin du xixᵉ siècle. L'architecte, Philip Johnson, incorpora au nouveau bâtiment la rotonde et la verrière de l'ancien.

Le quartier abrite aussi de nombreuses boutiques, notamment de livres anciens. Une galerie d'art contemporain occupe, au nᵒ 140 Maiden Lane, le Circle Gallery Building. Dessiné en 1947 par Frank Lloyd Wright *(p. 29)*, il servit de prototype au Guggenheim Museum de New York.

Powell Street Cable Car Turntable ㉓

Hallidie Plaza, Powell St à la hauteur de Market St. **Plan** 5 C5. 🚌 *nombreux bus.* 🚋 *J, K, M, N.* 🚋 *Powell – Mason, Powell – Hyde.*

L es lignes de *cable cars* de Powell-Hyde et de Powell-Mason sont les plus spectaculaires de San Francisco. Elles desservent Nob Hill, Chinatown et le Fisherman's Wharf au départ de l'angle de Powell Street et de Market Street. Contrairement aux voitures de la ligne de California Street, celles de Powell Street ne peuvent circuler que dans une seule direction, d'où la nécessité d'une plaque tournante à chaque terminus.

Ce sont le receveur et le *gripman* qui poussent le *cable-car* vide pour lui faire effectuer son demi-tour. Pendant la manœuvre, des artistes de rue et le spectacle offert par la procession de promeneurs distraient les personnes attendant d'embarquer.

L'Old Mint surnommée « Granite Lady »

Les Yerba Buena Center ⓮

Les jardins de Yerba Buena s'étendent au-dessus du Moscone Center, le plus grand centre de conventions de San Francisco. Sa création dans un quartier en déclin donna son élan à un ambitieux projet d'aménagement urbain. Immeubles, musées, galeries d'art, boutiques et restaurants suivirent. Le complexe est presque terminé, à l'exception des aménagements du nouveau Moscone Convention sur Fourth & Howard Streets.

★ **Yerba Buena Center for the Arts**
Ce forum dédié aux arts abrite des galeries et propose des projections d'œuvres contemporaines.

Esplanade Gardens
Des bancs permettent de s'y détendre en cours de promenade.

Le Martin Luther King, Jr Memorial
prône la paix en plusieurs langues.

Zeum est situé au Yerba Buena Rooftop. Il propose un calendrier de manifestations et permet aux jeunes et aux artistes de participer à la conception et création d'œuvres variées : immeubles futuristes, mosaïques, sculptures…

À NE PAS MANQUER

★ **Yerba Buena Center for the Arts**

★ **SF Museum of Modern Art**

MOSCONE CENTER

L'ingénieur T. Y. Lin trouva un moyen astucieux de soutenir, sans aucun pilier, les jardins aménagés sur le toit de cette vaste halle souterraine. Les huit arches en acier sont reliées à leurs bases par des câbles dissimulés sous le sol. Leur tension permet à la voûte de supporter un poids énorme sans exercer de poussées latérales.

Yerba Buena Center for the Arts Theatre
Des performances reflétant la diversité culturelle de San Francisco sont présentées dans une salle de 755 places ou sur une scène en plein air.

MODE D'EMPLOI

Mission, 3rd, Folsom et 4th Sts.
Plan 5 C5. ☎ (415) 978-2787.
🚌 9, 14, 15, 30, 45, 76. 🚇 J, K, L, M, N. **Zeum** ☎ 777-2800.
○ de 11 h à 17 h sam. et dim.
● 25 déc. 🅿 ♿ 📷 🛍 ○ de 11 h à 17 h 30 tous les jours. 🅿 **Yerba Buena Center for the Arts** ○ de 11 h à 17 h mar. à dim. (20 h le premier jeu. du mois). ● jours fériés. 🎟 (gratuit le premier jeu. du mois). 🚫 ♿ 🛍 **SF Museum of Modern Art** (voir p. 116-119).
🌐 www.yerbabuenaarts.org

Entrée nord du Moscone Center

East Garden

★ **Le San Francisco Museum of Modern Art**
C'est le mécénat privé qui finance ce musée prestigieux où l'on peut voir Orange Sweater (1955) *d'Elmer Bischoff.*

Entrée sud du Moscone Center

La Moscone Ballroom fait partie des facilités offertes par le grand centre de conventions de San Francisco.

L'aire de jeux pour enfants encourage les jeux créatifs.

Jardin en terrasses

Patinoire

Hall d'entrée
Salle de bal
Hall d'exposition
Niveau du sol
Base de l'arc de soutien

CHINATOWN ET NOB HILL

Les Chinois commencèrent à s'installer dans les années 1850 autour de Stockton Street car les habitants plus aisés de la ville préféraient quitter ce quartier. Surnommé un temps le « Ghetto doré » parce que l'insalubrité, la surpopulation et la misère s'y cachaient derrière des façades colorées, Chinatown possède aujourd'hui une atmosphère qui reste très proche de celle d'une ville du sud de la Chine, bien que l'architecture et le mode de vie y aient une dimension indiscutablement américaine.

Symbole chinois ornant la Bank of America

Nob Hill, la colline la plus chic de San Francisco, est célèbre par ses *cable cars*, ses palaces et les panoramas qu'elle offre. Les membres du gratin californien, tels les « Quatre Grands » de la première voie ferrée transcontinentale, y firent construire au XIXᵉ siècle de somptueuses demeures. Une seule a survécu au tremblement de terre et à l'incendie de 1906 (*p. 48-49*), mais les hôtels de luxe du quartier entretiennent toujours le souvenir de son opulence à l'époque victorienne (*p. 523*).

CHINATOWN ET NOB HILL D'UN COUP D'ŒIL

Rues et sites historiques
Chinatown Alleys ❺
Chinatown Gateway ❶
Grant Avenue ❻
Nob Hill ❿

Musées
Cable Car Barn ⓫
Chinese Historical Society ❾
Pacific Heritage Museum ❽

Églises et temples
Grace Cathedral ⓬
Kong Chow Temple ❸
Old St Mary's Church ❷
Tin How Temple ❹

Place
Portsmouth Plaza ❼

LÉGENDE

Plan pas à pas
Voir p. 316-317

Plaque tournante des *cable cars*

P Parc de stationnement

0 ———— 500 m

COMMENT Y ALLER
Toutes les lignes de *cable cars* desservent Nob Hill et Chinatown. Les visiteurs arrivent parfois à se garer sous la Portsmouth Plaza, sur St Mary's Square ou dans les garages d'hôtels de Nob Hill.

◁ **Façades colorées dans une rue de Chinatown**

Chinatown pas à pas

Grant Avenue est le Chinatown des touristes avec ses lampadaires décorés de dragons, ses toits incurvés et ses bazars vendant de tout, des cerfs-volants aux ustensiles de cuisine. Les habitants du quartier, eux, font leur course à Stockton Street où des étals de légumes, de poisson et d'épices débordent sur les trottoirs. Les ruelles qui les séparent recèlent temples, laveries et restaurants familiaux.

Lampadaire de Chinatown

★ Les Chinatown Alleys
L'Asie reste vivante dans ces ruelles pittoresques ❺

Ross Alley

JACKSON STREET

Vers le bus n° 83

WASHINGTON STREET

La Fortune Cookie Factory permet aux visiteurs d'assister à la fabrication des « gâteaux de la chance », une création locale *(p. 378-379).*

Kong Chow Temple
De belles sculptures sur bois cantonaises ornent ce temple ❸

La Bank of Canton occupe l'ancien Telephone Exchange où les opérateurs parlaient cinq dialectes chinois.

Tin How Temple
Des marins le fondèrent en 1852 pour rendre grâce de leur arrivée à San Francisco ❹

SACRAMENTO STREET

CALIFORNIA STREET

GRANT

POWELL STREET

STOCKTON ST

BUSH ST

Des *cable cars* circulent de deux côtés de Chinatown, desservi par les trois lignes. Ils font partie du décor et de l'ambiance.

0   100 m

À NE PAS MANQUER

★ **Les Chinatown Alleys**

★ **Le Chinatown Gateway**

★ **Grant Avenue**

Portsmouth Plaza
Joueurs de cartes et de mah-jong se retrouvent sur l'ancienne grand-place du village de Yerba Buena percée en 1839 **7**

★ **Grant Avenue**
La principale artère de Yerba Buena est devenue le pôle commercial de Chinatown **6**

FISHERMAN'S WHARF ET NORTH BEACH

CHINATOWN ET NOB HILL

PACIFIC HEIGHTS ET CIVIC CENTER   DOWNTOWN

LÉGENDE

- - - Itinéraire conseillé

Le Chinese Cultural Center abrite une galerie d'art et un petit magasin d'artisanat et subventionne des conférences et des séminaires.

Chinese Historical Society
Son exposition évoque la vie des immigrants chinois et leur rôle dans le développement de l'État **9**

Pacific Heritage Museum
Ce petit musée propose sous la Bank of Canton de belles expositions d'art asiatique régulièrement renouvelées **8**

KEARNY STREET

CLAY STREET

Old St Mary's Church
La tour de la première cathédrale de San Francisco porte une inscription impérieuse **2**

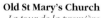

SON.OBSERVE THE TIME AND FLY FROM EVIL. ECC.IV.23.

NE STREET

St Mary's Square offre un havre où se reposer.

Vers les bus nᵒˢ 31, 38

★ **Le Chinatown Gateway**
Aussi appelé « Dragons' Gate », il marque l'entrée sud du quartier **1**

Chinatown Gateway ❶

Grant Ave à la hauteur de Bush St.
Plan 5 C4. 🚌 2, 3, 4, 15, 30, 45.

Inauguré en 1970, ce portail dessiné par Clayton Lee s'inspire des entrées cérémonielles des villages traditionnels chinois avec ses toits de tuile verte décorés d'animaux en céramique vernissée qui sont supposés attirer la faveur des divinités. C'est une institution américaine, le Chinatown Cultural Development Committee, qui finança sa construction. Taiwan fit don des matériaux. Deux lions de pierre tenant leurs petits entre leurs griffes, comme le veut la tradition, l'encadrent.

Le Chinatown Gateway donne sur Grant Avenue, la principale artère de Chinatown. Les restaurants et les boutiques d'antiquités et de souvenirs qui la bordent visent une clientèle touristique.

Lion de pierre décorant le Chinatown Gateway

Old St Mary's Church ❷

660 California St. **Plan** 5 C4. 🕿 (415) 288–3800. 🚌 1, 15, 30, 45. 🚋 California St. 🕔 7 h 30, midi t.l.j., 17 h le sam., 8 h 30 et 11 h le dim. 🚻

Le manque de matériaux disponibles sur place obligea à faire venir de la Côte Est les briques et l'acier nécessaires à l'édification de la première cathédrale de San Francisco. Consacrée le jour de Noël 1854, elle resta le siège de l'épiscopat catholique de la côte pacifique et le principal lieu de culte de la communauté irlandaise de la ville jusqu'à la construction en 1891 d'une nouvelle St Mary's Cathedral sur Van Ness Avenue.

Les pierres des fondations, en granit, de l'Old St Mary's proviennent de Chine, et elle fut l'un des rares bâtiments qui résista sans graves dommages au tremblement de terre de 1906. Des vitraux éclairent l'intérieur, achevé en 1909.

Le verset de l'Ecclésiastique affiché sous l'horloge du clocher, « Mon fils, ménage le temps et évite le mal », s'adressait, paraît-il, aux clients et aux tenanciers des maisons closes qui bordaient l'autre côté de la rue pendant la ruée vers l'or.

Un verset de l'Ecclésiastique domine l'entrée de l'Old Mary's Church

Kong Chow Temple ❸

3ᵉ étage, 855 Stockton St. **Plan** 5 B4. 🕿 (415) 788-1339. 🚌 30, 45. 🕙 de 10 h à 16 h t.l.j. **Contribution**. 🚻

Depuis le dernier étage du bâtiment abritant le bureau de poste du quartier, le Kong Chow Temple donne vue sur Chinatown et le Financial District. Bien que l'édifice lui-même ne date que de 1977, l'ensemble de son mobilier formerait le plus vieux sanctuaire chinois des États-Unis. Comme l'autel principal, sculpté à Guangzhou (Canton), la statue en bois du dieu Kuan Di date du XIXᵉ siècle.

Cette divinité, très vénérée dans la région du Guangdong, se remarque souvent dans les restaurants de Chinatown. Ses représentations tiennent en

Statue de Kuan Di dans le Kong Chow Temple

général un livre dans une main et une grande épée dans l'autre. Car Kuan Di est un dieu de la guerre, celui qui détermine le vainqueur en cas de conflit entre les hommes. Grand érudit capable de prédire l'avenir, il ne recourt toutefois à la force que lorsque la diplomatie a échoué.

Tin How Temple ❹

Dernier étage, 125 Waverly Pl. **Plan** 5 C3. 🚌 *1, 15, 30, 45.* ☐ *de 10 h à 17 h t.l.j.* **Contribution**.

Il faut gravir trois raides volées de marches pour atteindre ce sanctuaire volontairement placé le plus près possible du ciel. Fondé en 1852 par un groupe de marins désireux de rendre grâce de leur arrivée sains et saufs à San Francisco après la traversée du Pacifique, il est considéré comme le plus ancien lieu de culte chinois en activité aux États-Unis.

Exigu, l'intérieur est envahi par la fumée dégagée par de l'encens et des papiers votifs et décoré de centaines de lanternes rouge et or. Des ampoules électriques colorées et des mèches flottant sur de l'huile y créent une lumière chaude. Des offrandes de fruits couvrent l'autel sculpté devant la statue en bois de la déesse dont le temple porte le nom : Tin How (Tien Hau), la reine du ciel et la protectrice des visiteurs et de ceux qui voyagent en mer.

Grant Avenue, l'artère principale de Chinatown

Le Tin How Temple domine Waverly Place

Chinatown Alleys ❺

Plan 5 B3. 🚌 *1, 30, 45.*

Situées entre Grant Avenue et Stockton Street, ces quatre ruelles donnent dans Washington Street à un demi-pâté de maisons les unes des autres. La plus large, Waverly Place, porte le surnom de « rue des Balcons peints ». On l'appelle aussi « 15 Cents Street » d'après le prix que demandaient pour une coupe de cheveux les coiffeurs chinois qui y travaillaient au tournant du siècle. Sun Yat-sen, le fondateur du Guomindang, vécut plusieurs années en exil au n° 36 Spofford Alley.

Les Chinatown Alleys renferment de nombreux bâtiments anciens, ainsi que des magasins traditionnels, telles des herboristeries proposant en vitrine, entre autres remèdes exotiques, cornes d'élan, hippocampes séchés ou serpents trempant dans du vin. De petits restaurants, dont l'entrée s'ouvre parfois au-dessous du niveau de la rue, servent une cuisine délicieuse et bon marché.

Grant Avenue ❻

Plan 5 C4. 🚌 *1, 30, 45.* 🚋 *California St.*

Grant Avenue fut la première rue de Yerba Buena, le village à l'origine de San Francisco, et une plaque marque au n° 823 l'emplacement de la première habitation, une tente en toile dressée le 25 juin 1835. Une construction en bois la remplaça en 1836, puis céda la place à une maison en adobe l'année suivante. La rue prit alors le nom de Calle de la Fundacíon.

On estime à 25 000 le nombre de Chinois qui arrivèrent à San Francisco pendant la ruée vers l'or *(p. 44-45)*. Ils s'installèrent sur les contreforts orientaux de Nob Hill, peu appréciés car trop pentus. En 1885, l'avenue prit le nom du président Grant mort cette année-là.

D'une architecture mariant Occident et Asie, la plupart des bâtiments qui bordent ses trottoirs datent d'après le tremblement de terre de 1906. Magasins et restaurants font de Grant Avenue le pôle touristique de Chinatown.

Portsmouth Plaza, un des pôles de la vie sociale de Chinatown

Portsmouth Plaza ❼

Plan 5 C3. 🚌 1, 15.

Aménagée en 1839, la plus ancienne place de San Francisco était à l'origine le pôle de la vie sociale du village de Yerba Buena. Le 9 juillet 1846, quelques jours après que des rebelles eurent déclaré à Sonoma la Californie indépendante du Mexique *(p. 448-449)*, des soldats américains prirent officiellement le contrôle du port en hissant ici le drapeau des États-Unis. Deux ans plus tard, Sam Brannan annonçait au même endroit la découverte d'or dans la Sierra Nevada *(p. 44-45)*. Les années 1860 virent toutefois le quartier des affaires se déplacer vers des terrains plats gagnés sur la mer et Portsmouth Plaza perdre de son importance.

Aujourd'hui, les habitants de Chinatown viennent y pratiquer le *t'ai chi* le matin et jouer aux cartes et au mah-jong de midi jusqu'au soir.

Pacific Heritage Museum ❽

608 Commercial St. **Plan** 5 C3. 📞 *(415) 399-1124.* 🚌 1, 15. ◯ *de 10 h à 16 h du mar. au sam., sauf les jours fériés.* ♿

Ce musée présente des expositions temporaires d'art asiatique dans un bâtiment élégant, synthèse de deux édifices. Construit en 1984, le siège de la Bank of Canton, haut de 17 étages, incorpore en effet la façade et

le sous-sol, où subsistent des chambres fortes, de l'US Sub-Treasury édifié en 1875-1877 par l'architecte William Appleton Potter sur le site du premier hôtel de la Monnaie de San Francisco.

Chinese Historical Society ❾

965 Clay St. **Plan** 5 C3. 📞 *(415) 391-1188.* 🚌 1, 30, 45. 🚃 *Powell St.* ◯ *de 11 h à 16 h du mar. au ven. et dim.* ● *jours fériés.* **Contribution** *(gratuit le 1ᵉʳ mar. du mois).* 📷 🚫 🌐 *www.chsa.org*

Parmi les objets exotiques entassés dans ce musée en sous-sol, récemment rénové, figurent un costume cérémoniel de dragon, le personnage principal des processions fêtant le nouvel an chinois, et une « fourche du tigre ». Ce trident servit lors d'une des batailles qui ponctuèrent la « guerre des Tongs » à la fin du XIXᵉ siècle. Ces clans rivaux se disputaient le contrôle de la prostitution et du jeu. Des photographies et des documents, tel le premier annuaire de Chinatown, écrit à la main, évoquent la vie quotidienne des immigrants chinois de San Francisco.

Leur contribution au développement de la Californie fut d'une grande importance malgré l'hostilité et les pratiques discriminatoires

Tête de dragon de l'Historical Society

qu'ils durent affronter. Outre leur participation bien connue à la construction de la voie ferrée transcontinentale *(p. 46-47)*, ils travaillèrent aussi à l'édification de digues dans le delta de la Sacramento River, jouèrent un rôle de pionniers dans l'industrie de la pêche et plantèrent les premiers plants de vigne de nombre des plus anciens domaines viticoles de la région.

Nob Hill ❿

Plan 5 B4.

Le sommet de la plus haute colline du centre-ville s'élève à 103 m au-dessus de la baie. L'ouverture de la ligne de *cable cars* de California Street y attira à partir de 1878 de riches citoyens qui édifièrent de somptueuses demeures. La contraction de leur sobriquet, les « nababs » (*nabob* en anglais), aurait donné son nom à Nob Hill. Toutes leurs villas brûlèrent toutefois pendant l'incendie que déclencha le tremblement de terre de 1906 *(p. 48-49)*, à l'exception de celle de James C. Flood bâtie en grès. Elle abrite le très fermé Pacific Union Club. Nob Hill attire toujours les grandes fortunes qui viennent séjourner dans ses hôtels de luxe offrant, tels l'Huntington et le Fairmont *(p. 523)*, de magnifiques vues de la cité.

San Francisco vu de la terrasse d'un bar sur un toit de Nob Hill

Cable Car Barn ⓫

1201 Mason St. **Plan** 5 B3. (415) 474-1887. 1, 12, 30, 45, 83. Powell – Mason, Powell – Hyde. de 10 h à 18 h t.l.j. (de 10 h à 17 h en hiver). 1er jan., Thanksgiving, 25 déc. galerie seulement. **Projection vidéo**. W www.cablecarmuseum.com

Ce bâtiment en brique édifié en 1909 abrite à la fois un musée et la salle des machines du réseau de *cable cars* (p. 292-293), un système de transport public unique au monde. Une galerie permet d'observer les moteurs qui entraînent les câbles circulant sous les rues, et de comprendre le mécanisme général.

Le musée présente également une voiture ancienne et divers souvenirs, ainsi que des spécimens des mécanismes permettant de contrôler les mouvements des *cable cars*.

Entrée du Cable Car Barn Museum

Grace Cathedral ⓬

1100 California St. **Plan** 5 B4. (415) 749-6300. 1. California St. Office du soir choral 17 h 15 le jeu., 15 h le dim. ; Eucharistie chorale 6 h, 7 h 30, 8 h 15, 11 h le dim. de 12 h 30 à 4 h le dim. ; de 13 h à 15 h du lun. au ven. ; de 11 h 30 à 13 h 30 le sam.

L'architecte Lewis P. Hobart s'inspira de Notre-Dame de Paris pour dresser les plans de la principale église épiscopale de San Francisco. Les travaux préparatoires débutèrent en février 1927 et l'édifice commença à s'élever en septembre 1928, mais il ne fut achevé qu'en 1964. Les constructeurs utilisèrent des matériaux traditionnels et du marbre pare partout l'intérieur.

Charles Connick dessina certains de ses vitraux, puisant son inspiration dans le verre bleu de Chartres. Henry Willet et Gabriel Loire exécutèrent les autres, notamment

Ornement de l'entrée principale

ceux d'Albert Einstein et de l'astronaute John Glenn. La nuit, un éclairage intérieur met en valeur la grande rose.

La Grace Cathedral renferme un crucifix catalan du XIIIe siècle et une tapisserie bruxelloise du XVIe siècle. Des moulages des « Portes du Paradis » sculptées par Lorenzo Ghiberti pour le baptistère de Florence ornent les vantaux de l'entrée.

La New Testament Window (1931), œuvre de Charles Connick, éclaire le sud du transept.

La rose fut exécutée à Chartres en 1964 par Gabriel Loire.

La Carillon Tower abrite 44 cloches fondues en Angleterre en 1938.

La Chapel of Grace renferme un retable français du XVe siècle.

Les Portes du Paradis présentent dix magnifiques scènes bibliques en relief.

Entrées

LE FISHERMAN'S WHARF ET NORTH BEACH

L es marins génois et siciliens qui s'installèrent aux alentours du Fisherman's Wharf à la fin du XIXᵉ siècle fondèrent l'industrie de la pêche de San Francisco et, malgré la vocation de plus en plus touristique du quartier, chaque matin de bonne heure, des bateaux peints de couleurs vives partent toujours en quête de poisson.

Panneau du Fisherman's Wharf

Au sud du quai s'étend North Beach, parfois appelé « Little Italy ». De nombreuses familles italiennes et chinoises habitent cette partie de la ville animée, en particulier la nuit, où abondent *delicatessen*, cafés et boulangeries. Les écrivains de la beat generation y trouvèrent dans les années 1950 leur premier éditeur, la librairie City Lights *(p. 22-23)*.

LE FISHERMAN'S WHARF ET NORTH BEACH D'UN COUP D'ŒIL

Musées
North Beach Museum **13**
Ripley's Believe It Or Not! Museum **5**
San Francisco Art Institute **10**
San Francisco National Maritime Museum **8**
USS Pampanito **3**
Wax Museum **4**

Rues et bâtiments historiques
Alcatraz Island p. 328-329 **1**
Lombard Street **9**
Pier 39 **2**
Vallejo Street Stairway **11**

Galeries marchandes
The Cannery **6**
Ghirardelli Square **7**

Cabaret
Club Fugazi **12**

Parcs et places
Levi's Plaza **17**
Telegraph Hill **16**
Washington Square **14**

Églises
Saints Peter and Paul Church **15**

LÉGENDE

Plan pas à pas
Voir p. 324-325

Plaque tournante des *cable cars*

Embarcadère de ferries

P   Parc de stationnement

Historical trolley line

0   500 m

COMMENT Y ALLER
La ligne de *cable cars* Powell-Hyde dessert Ghirardelli Square et Russian Hill. La ligne Powell-Mason traverse North Beach jusqu'au Fisherman's Wharf. De nombreux bus circulent dans le quartier.

◁ **Vue du Fisherman's Wharf et de l'île d'Alcatraz depuis la ligne de *cable cars* Powell-Hyde**

Le Fisherman's Wharf pas à pas

L es restaurants de poisson italiens ont remplacé la pêche en tant qu'élément moteur de la vie et de l'économie du quai du Pêcheur. Tous, des plus chic aux plus simples, servent en saison, de novembre à juin, du crabe Dungeness, particulièrement renommé à San Francisco. Le quartier offre aussi aux visiteurs de nombreuses boutiques, des musées, les attractions du Pier 39 et même un véritable sous-marin.

★ L'USS Pampanito
Une visite guidée permet de découvrir ce sous-marin de la Deuxième Guerre mondiale ❸

Fisherman's and Seaman's Chapel

Le Fisherman's Wharf est désormais bordé de restaurants.

Dans Fish Alley a lieu la vente de la pêche du matin.

Le Museum of the City of San Francisco évoque le passé animé de la ville.

TAYLOR STREET

JEFFERSON

JONES STREET

LEAVENWORTH STREET

The Cannery
Cette ancienne conserverie abrite des restaurants, des boutiques, des galeries d'art et un musée ❻

Vers la plaque tournante de Powell-Hyde (1 pâté de maisons) ▬

Les otaries qui arrivent en janvier au Pier 39 ravissent les touristes, mais pas les propriétaires de bateaux.

0   100 m

San Francisco Bay

FISHERMAN'S WHARF ET NORTH BEACH

CHINATOWN ET NOB HILL

DOWNTOWN

CARTE DE SITUATION
Voir l'atlas des rues, plan 5

Wax Museum
Ses mannequins de cire, près de 300, représentent des personnalités historiques ou actuelles ❹

Billetterie de la Red and White Fleet et du ferry pour Alcatraz *(p. 383)*

Billetterie de la Blue and Gold Fleet *(p. 383)*

EMBARCADERO

POWELL STREET

MASON STREET

FLEET

Arrêt de bus (n° 32)

L'**Historic Trolley Line** présente des tramways colorés qui circulaient dans les villes américaines à partir des années 1930.

Ripley's Believe It Or Not! Museum
Des centaines d'objets ou faits étranges collectionnés par un dessinateur ❺

★ **Le Pier 39**
Ses attractions et des dizaines de boutiques et de restaurants ont fait du quai 39 un des hauts lieux touristiques de San Francisco ❷

LÉGENDE

– – – Itinéraire conseillé

À NE PAS MANQUER

★ **Le Pier 39**

★ **Le USS Pampanito**

Alcatraz Island ❶

Voir p. 328-329.

Pier 39 ❷

Plan 5 B1. 🚌 *25.*
*Voir **Faire des achats** p. 376-379.*

Depuis sa restauration en 1978, cet ancien quai de déchargement de marchandises construit en 1905 a pris l'apparence d'un pastiche de village de pêcheurs en bois. Il abrite aujourd'hui sur deux niveaux de très nombreux magasins et restaurants.

Artistes de rue et attractions y créent une ambiance très agréable en famille. On peut y faire un tour de carrousel ou se risquer dans le Turbo Ride, un simulateur de montagnes russes. Un excellent spectacle multimédia appelé The San Francisco Experience propose aux spectateurs un survol de l'histoire de la ville. Il ne manque même pas un tremblement de terre.

Salle des torpilles du *Pampanito*

USS *Pampanito* ❸

Pier 45. **Plan** 4 F1. 🔲 *(415) 775-1943.* 🚌 *47.* ◯ *de mai à oct. : de 9 h à 21 h du dim. au jeu., de 9 h à 20 h les ven. et sam.* 🎫 📷 W *www. maritime.org*

Ce sous-marin combattit dans le Pacifique pendant la Deuxième Guerre mondiale. Il coula six navires ennemis et en endommagea gravement plusieurs autres. Deux de ses cibles transportaient malheureusement des prisonniers australiens et britanniques. Le *Pampanito* réussit à en sauver 73 et à les ramener aux États-Unis.

La visite guidée de l'intérieur du bâtiment, de la poupe à la proue, permet notamment de découvrir la salle des torpilles, la minuscule cambuse et les quartiers des officiers. Ils étaient au nombre de 10 et commandaient 70 marins.

Wax Museum ❹

145 Jefferson St. **Plan** 5 B1. 🔲 *(800) 439-4305.* 🚌 *32.* 🚋 F. ◯ *de 10 h à 21 h du lun. au ven. (18 h le mer.) ; de 9 h à 21 h les sam. et dim.* 🎫 📷 ♿ *limité.* W *www.waxmuseum.com*

Ce musée abrite une collection de près de 300 mannequins de cire où des personnages de fiction côtoient des célébrités historiques, dont 14 présidents des États-Unis, des membres de la famille royale britannique, Sir Winston Churchill, Napoléon, William Shakespeare, Mozart, Mark Twain, Elvis Presley, Marilyn Monroe et Al Capone. Un tableau de la Cène domine le Hall of Religions, tandis que dans le Hall of Living Art, on admire des portraits comme celui de la Joconde.

Le Wax Museum propose aussi une reconstitution du tombeau de Toutankhamon et une Chamber of Horrors pleine de démons terrifiants, de monstres mythiques et d'assassins.

Ripley's Believe It Or Not! Museum ❺

175 Jefferson St. **Plan** 4 F1. 🔲 *(415) 771-6188.* 🚌 *32.* 🚋 F. ◯ *de 9 h à 23 h du dim. au jeu., de 9 h à minuit ven. et sam.* 🎫 ♿ W *www.ripleysf.com*

Né en Californie en 1893, l'illustrateur Robert L. Ripley devint célèbre dans tout le pays grâce à sa bande dessinée intitulée « Ripley's Believe It Or Not! » (Croyez le ou non !) qu'inspiraient des informations insolites. Il collectionna un grand nombre d'objets curieux. Le musée en possède 350, dont un *cable car* fait de 275 000 allumettes, des pierres tombales aux épitaphes ironiques et la réplique grandeur nature d'un homme possédant deux pupilles à chaque œil.

Le Venetian Carousel du Pier 39

The Cannery ❻

2801 Leavenworth St. **Plan** 4 F1.
🚌 19, 30. 🚋 Powell – Hyde. ◯ de
10 h à 16 h du mer. au dim. ♿ Voir
Faire des achats p. 376-379.

Avec ses passerelles, ses recoins et ses patios
ensoleillés, cette ancienne
usine d'emballage de fruits
bâtie en 1909 est devenue
depuis sa réhabilitation dans
les années 1960 un agréable
centre commercial. Il
comprend plusieurs restaurants
et des boutiques de mode, de
poupées de collection ou
d'artisanat indien.
   The Cannery abrite aussi le
Treasure Island Museum. On y
découvre des souvenirs de
l'Exposition internationale de
1939 consacrée à l'unité des
cultures du Pacifique. Les
collections comportent les
China Clippers, hydravions
argentés qui assuraient la
liaison entre Treasure Island et
l'Extrême-Orient pendant la
Seconde Guerre mondiale.

Ghirardelli Square

Ghirardelli Square ❼

900 North Point St. **Plan** 4 F1. 🚌 19,
30, 47, 49. 🚋 Powell – Hyde. Voir
Faire des achats p. 376-379.

Cette ancienne
chocolaterie, qui a
conservé sa tour de l'horloge
et son enseigne d'origine,
offre un exemple

particulièrement réussi de
réhabilitation et abrite
cinémas, boutiques et
restaurants chic. La galerie
marchande a pour cœur la
Fountain Plaza où la
Ghiradelli Chocolate
Manufactory renferme
toujours de vieilles machines
servant à la fabrication du
chocolat. Les tablettes qu'elle
vend sont toutefois produites
aujourd'hui à San Leandro.

San Francisco National Maritime Museum ❽

900 Beach St. **Plan** 4 F1. **Museum** 📞
(415) 561-7100. ◯ de 10 h à 17 h t.l.j.
Hyde Street Pier 📞 447-5000.
🚌 19, 30, 32. 🚋 Powell – Hyde. ◯
de mi-mai à mi-sept. : de 9 h à 17 h 30
t.l.j. ; de mi-sept. à mi-mai : de 9 h 30
à 17 h t.l.j. 🎫 quai. ♿ quai et musée.
🎤 **Conférences, démonstrations,
activités.** 📧 🌐 www.maritime.org

Dans un édifice de 1939
dont la forme évoque un
paquebot en cale sèche, ce
musée expose depuis
1951 une collection
de maquettes,
d'instruments
anciens et de
peintures et
photographies

Hyde Street Pier

illustrant l'histoire navale
locale. Des bateaux du
XIXᵉ siècle sont amarrés
au Hyde Street Pier
voisin, dont le *C. A.*

Thayer, un schooner construit
en 1896 qui servit au transport
de bois le long de la côte de
la Californie du Nord, puis à
la pêche en Alaska. Datant de
1890, le ferry à aubes *Eureka*
transportait, avant l'ouverture
du Golden Gate Bridge,
wagons de train et passagers
entre l'Hyde Street Pier et les
comtés du nord de la baie. Il
pouvait contenir 120 voitures
et 2 300 personnes, ce qui en
faisait à l'époque le plus
grand transbordeur du
monde.

Grand mât

BALCLUTHA
*Ce trois-mâts lancé en 1886
faisait deux fois par an le
voyage entre la
Grande-Bretagne et
la Californie,
échangeant du
blé contre du
charbon.*

Mât d'artimon

Plage arrière

**Mât de
misaine**

Beaupré

Alcatraz Island ❶

Alcatraz signifie « pélican » en espagnol et fait référence aux premiers habitants de ce rocher exposés aux vents qui occupe une position stratégique à 5 km à l'est du Golden Gate. En 1859, l'armée américaine y établit un fort qui garda l'entrée de la baie jusqu'en 1907 où il devint une prison militaire. Il servit ensuite, de 1934 à 1963, de pénitencier fédéral de haute sécurité. De 1969 à 1971, des militants indiens du Native American Movement (p. 52) occupèrent l'île qu'ils revendiquaient comme leur terre. Elle fait maintenant partie de la Golden Gate National Recreation Area.

Blason à l'entrée d'une cellule

★ **Le bloc des cellules**
Le bâtiment de détention, qui reposait sur les fondations du fort, contenait quatre blocs de cellules. Aucune ne possédait un mur ou un plafond donnant sur l'extérieur.

Alcatraz vue du ferry
« The Rock » n'a pas de sol naturel et il fallut apporter de la terre pour créer les jardins des gardiens.

Site des quartiers des officiers

Aire des parades militaires

Caserne

La Warden's House brûla pendant le siège de 1969-1971.

0 ——————— 75 m

LÉGENDE

– – –   Itinéraire conseillé

À NE PAS MANQUER

★ Le bloc des cellules

★ La cour

Débarcadère
Sur le seul quai de l'île, les visiteurs mettent aujourd'hui leurs pas dans ceux des prisonniers.

★ **La cour**
*Les repas
et les promenades
offraient aux
prisonniers leurs
principales distractions.
La cour d'Alcatraz
apparut dans de
nombreux films.*

**Des détecteurs de
métal** étaient installés
entre les cellules et la
salle à manger et la cour.

**La morgue
militaire**,
minuscule, n'est
pas ouverte au
public.

**Château
d'eau**

**Ateliers de
la prison**

**Le Visitors'
Center** se trouve
dans l'ancienne
caserne.

**Le dortoir
militaire** date
de 1933.

Le club des officiers, qui date
de l'époque du fort Alcatraz, était
un magasin militaire qui servait
aussi de lieu de détente.

DÉTENUS CÉLÈBRES

Al Capone
Scarface, le plus redoutable
gangster de la prohibition,
condamné en 1931 pour
fraude fiscale,
passa l'essentiel
de ses 5 ans à
Alcatraz en
quartier de
haute sécurité.
Rongé par la
syphilis, il
souffrait de troubles
mentaux à son départ.

Robert Stroud
Le véritable
*Prisonnier
d'Alcatraz* (1962)
vécut isolé durant
la majeure
partie de ses
17 ans sur l'île.

**Carnes, Thompson et
Schockley**
En mai 1946, des prisonniers
conduits par Clarence Carnes,
Marion Thompson et Sam
Shockley maîtrisèrent des
gardiens et s'emparèrent de
leurs armes. Ils ne réussirent
pas à sortir du pénitencier,
mais trois détenus et deux
policiers périrent au cours de
ce qui devint la « Bataille
d'Alcatraz ». Carnes encourut

une condamnation à
perpétuité. Shockley et
Thompson furent exécutés à
la prison de San Quentin.

Les frères Anglin
Frank Morris et John et
Clarence Anglin creusèrent
des trous dans les murs de
leurs cellules qu'ils cachèrent
avec des cartons. Laissant de
fausses têtes
dans leurs
lits, ils
fabri-
quèrent un
radeau pour
s'enfuir et ne
furent jamais
retrouvés. Leur
histoire inspira le film
Les Évadés d'Alcatraz
(1979) dans lequel joue Clint
Eastwood.

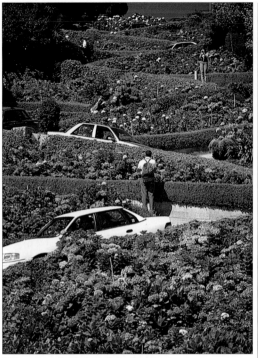

Voitures descendant les lacets de Lombard Street

Lombard Street ⑨

Plan 5 A2. 🚃 *45.* 🚋 *Powell – Hyde.*

Pour permettre aux véhicules de négocier une pente de 27 % dans la partie la plus élevée de Russian Hill, on dota Lombard Street de huit virages en épingle à cheveux dans les années 1920. Ils lui valent aujourd'hui le surnom de « rue la plus tordue du monde ».

Les voitures ne peuvent la descendre qu'à une vitesse de 8 km/h (5 m.p.h.). Les piétons empruntent des escaliers. Le haut de la colline offre une vue magnifique.

San Francisco Art Institute ⑩

800 Chestnut St. **Plan** 4 F2. 📞 *(415) 771-7021.* 🚃 *30.* **Diego Rivera Gallery** ◯ *de 8 h à 21 h t.l.j.* ● *jours fériés.* ♿ *partiel.* 📷 ▯

Cette école d'art fondée en 1871 occupa un temps l'immense demeure en bois bâtie sur Nob Hill *(p. 320)* pour la famille du magnat du

Une demi-heure dans North Beach

Les Chiliens puis les Italiens qui s'installèrent à North Beach donnèrent au quartier une riche vie nocturne. Son atmosphère décontractée et ses cafés attirèrent dans les années 1950 la bohème littéraire qui allait donner naissance à la beat generation *(p. 22-23)*.

Le quartier beat
Cette promenade ne pourrait commencer ailleurs qu'à la City Lights Boookstore ① située à l'angle de Broadway et de Columbus Avenue. Propriété du poète Ferlinghetti, cette librairie, la première des États-Unis à ne vendre que des livres de poche, fut le point de ralliement d'auteurs comme Jack Kerouac et Allen Ginsberg.

La bohème du quartier appréciait, et apprécie toujours, le bar Vesuvio ②, de l'autre côté de Jack Kerouac Alley. Il eut comme client le poète gallois Dylan Thomas.

Jack Kerouac

De là, continuez vers le sud jusqu'à Pacific Avenue, traversez Columbus Avenue et revenez sur vos pas vers Broadway. Des peintures murales ornent le café Tosca ③ où un juke-box propose une sélection d'extraits d'opéras italiens. Quelques pas plus loin s'ouvre l'Adler Alley. Au n° 12, Specs ④ est un bar animé empli de souvenir des années beat. De retour sur Columbus Avenue, tournez à droite dans Broadway. À l'angle de Kearny Street, traversez pour rejoindre l'Enrico's Sidewalk Café ⑤.

Le Columbus Café ⑪

Le Strip
La terrasse du Enrico's offre le meilleur poste d'observation de la portion de Broadway appelée le Strip ⑥ où se sont multipliés les clubs « pour adultes seulement ». Au carrefour de Broadway et de Grant Avenue se dresse l'ancien Condor Club ⑦ qui présentait des spectacles topless dès 1964.

rail Mark Hopkins. L'incendie de 1906 la détruisit. C'est aujourd'hui un édifice de style Spanish Colonial datant de 1926 qui l'abrite. Galeries, cour intérieure ornée d'une fontaine et clocher lui donnent un aspect monastique. Le bâtiment reçut en 1969 une extension moderne située à l'arrière.

La Diego Rivera Gallery, nommée d'après le grand muraliste mexicain *(p. 396-397)* dont l'art marie modernisme et primitivisme, se trouve à droite de l'entrée principale. Le San Francisco Art Institute organise régulièrement des expositions d'œuvres d'étudiants.

Making of a Mural (1931) de
Diego Rivera au SF Art Institute

Vallejo Street Stairway ⑪

Mason St et Jones St. **Plan** 5 B3.
🚌 30, 45. 🚋 *Powell – Mason.*

La rude ascension entre Little Italy et le sommet de Russian Hill ménage certaines des plus belles vues de Telegraph Hill, de North Beach et de la baie. À Mason Street, la rue cède la place à un escalier qui traverse l'Ina Coolbrith Park. Plusieurs maisons victoriennes *(p. 290-291)* bordent les allées situées au-dessus de Taylor Street. Au sommet de la colline s'étend une des rares parties de la ville qu'épargnèrent le séisme et l'incendie de 1906.

Club Fugazi ⑫

678 Green St. **Plan** 5 B3. 📞 *(415) 421-4222.* 🚌 *15, 30, 45.* 🕐 *du mer. au dim. Voir* ***Se distraire*** *p. 372-375.*

Dans un édifice construit en 1912, ce cabaret présente *Beach Blanket Babylon*, un spectacle musical et

humoristique devenu une véritable institution à San Francisco. Constamment renouvelé, il met en scène des personnages aussi divers que Louis XIV et Tina Turner et fait salle comble depuis plus de 20 ans. Les nombreux cafés et restaurants de North Beach permettent de dîner avant ou après la représentation.

North Beach Museum ⑬

1435 Stockton St. **Plan** 5 B3. 📞 *(415) 566-4497.* 🚌 *15, 30, 45.* 🕐 *de 9 h à 17 h du lun. au jeu., de 9 h à 18 h le ven., de 9 h à 13 h le sam.* 🔴 *jours fériés.*

Dans ce petit musée installé au premier étage de l'Eureka Bank, des expositions de vieilles photos évoquent l'histoire de North Beach et de Chinatown. Elles célèbrent l'héritage des immigrants chiliens, irlandais, italiens et chinois qui s'installèrent dans ces quartiers à la fin du XIXᵉ siècle et évoquent la communauté bohème de North Beach.

Upper Grant Avenue
En tournant à droite dans Grant Avenue, vous trouverez à droite le Saloon ⑧ qui a conservé son comptoir de 1861. À l'angle de Vallejo Street, le Caffè Trieste ⑨, le plus ancien café

de San Francisco, est un authentique rendez-vous beat depuis 1956. Il propose des spectacles d'opéra les samedis après-midi. Plus au nord sur Grant Avenue, le Lost and Found Saloon ⑩, un club de blues, occupe l'emplacement du Coffee Gallery que fréquentait la bohème littéraire de North Beach. Tournez à gauche

Le Vesuvio, un bar beat ②

dans Green Street. De beaux *murals* décorent le Columbus Café ⑪. Prenez à gauche Columbus Avenue, bordée de nombreux autres cafés italiens. Elle vous ramènera à votre point de départ.

CARNET DE ROUTE

Point de départ : *Angle de Broadway et de Columbus Ave.*
Itinéraire : *1,6 km.*
Comment y aller : *Le bus nº 15 suit Columbus Avenue.*
Où faire une pause : *Tous les établissements cités méritent une visite. Les enfants ne sont généralement pas admis dans les bars.*

LÉGENDE

••• Itinéraire

0   200 m

Façade de la Saints Peter and Paul Church, Washington Square

Washington Square ⓵

Plan 5 B2. 🚌 15, 30, 39, 45.

Les tours jumelles de la Saints Peter and Paul Church dominent Washington Square où arbres et bancs entourent des pelouses et dont l'atmosphère presque méditerranéenne convient parfaitement à la « grand-place » de Little Italy. Près du centre se dresse une statue de Benjamin Franklin. Une capsule temporelle *(p. 102)* enterrée dessous en 1979 doit être rouverte en 2079. Elle contiendrait une paire de Levi's, une bouteille de vin et un poème de Lawrence Ferlinghetti, célèbre membre du mouvement beat et propriétaire de City Lights *(p. 330).*

Saints Peter and Paul Church ⓵

666 Filbert St. **Plan** 5 B2. 📞 (415) 421-0809. 🚌 15, 30, 39, 45.
✝ messe et chœur en italien 11 h 45 dim. ; tél. pour les autres messes. ♿

Pour beaucoup d'habitants de San Francisco, cette grande église au cœur de North Beach reste l'« Italian Cathedral », le pôle de la vie sociale et religieuse de la communauté italienne. En 1957, le jour de son mariage, et bien que la cérémonie nuptiale ait eu lieu ailleurs, le joueur de base-ball Joe Di Maggio tint à se faire photographier devant son portail avec sa nouvelle épouse : Marilyn Monroe.

Pendant la construction du sanctuaire, qui s'acheva en 1924, Cecil B. De Mille vint

filmer les ouvriers travaillant aux fondations. Il utilisa la scène pour représenter la construction du temple de Jérusalem dans sa première version, muette, des *Dix Commandements* (1923).

Structure d'acier et de béton dessinée par Charles Fantoni, la Saints Peter and Paul Church possède une façade italianisante et son intérieur complexe, rythmé par de nombreuses colonnes, abrite un autel très ouvragé. Des vitraux éclairent statues et mosaïques.

Les immigrants italiens de San Francisco firent souvent de la pêche leur gagne-pain et l'église reste parfois appelée la Fishermen's Church. La bénédiction de la flotte en octobre donne toujours lieu à une messe et à une procession de Columbus Avenue au Fisherman's Wharf. Certaines messes sont dites en italien ou en cantonais.

Telegraph Hill ⓵

Plan 5 C2. **Coit Tower** Telegraph Hill Blvd. 📞 (415) 362-0808. 🚌 39. 🕙 de 10 h à 18 h (19 h 30 en été) t.l.j. 🚫 ♿ murals seul. 🚻

Baptisée Alta Loma (haute colline) par les Mexicains, puis appelée Goat Hill (colline des chèvres) à cause des animaux qui broutaient sur ses pentes, Telegraph Hill prit son nom actuel en 1850 lorsqu'on installa un sémaphore sur sa crête. Il servait à avertir les négociants de la ville de l'arrivée des bateaux

Le Fisherman's Wharf dans les années 1930, *mural* de la Coit Tower

Au pied de Filbert Street sur le versant est de Telegraph Hill

franchissant le Golden Gate.

Le versant oriental de Telegraph Hill servit de carrière jusqu'en 1914. Creusé à coups de dynamite pour fournir remblais et pierres de construction, il forme une pente raide où sinuent des chemins abrupts entre des jardins verdoyants. Le côté ouest descend plus doucement jusque dans le quartier entourant Washington Square. Celui-ci reste surnommé « Little Italy » bien que la population italienne de San Francisco ait commencé ces dernières années à s'installer dans le Marina District. Les pittoresques maisons en bardeaux qui s'accrochent à la colline abritaient jadis des immigrants de fraîche date ou des artistes fauchés qui appréciaient le panorama. Elles sont devenues des résidences très prisées.

Des fonds donnés à la ville par une excentrique philanthrope, Lillie Hitchcock Coit, permirent en 1933 l'édification au sommet de Telegraph Hill (86 m) de la Coit Tower dédiée aux pompiers volontaires. Dessinée par l'architecte Arthur Brown, cette tour en béton armé haute de 64 m possède un éclairage intérieur qui la rend visible la nuit de la majeure partie de la moitié orientale de San Francisco. Un ascenseur conduit à sa plate-forme panoramique qui offre une superbe vue de la baie.

Un programme gouvernemental finança en 1934 l'exécution des *murals*

qui ornent le hall *(p. 296-297)*. Vingt-cinq artistes collaborèrent pour dresser un portrait plein de vie de la Californie de l'époque. D'innombrables détails tels qu'un accident de voiture, une famille d'immigrants campant près d'une rivière, des manchettes de journaux ou des couvertures de magazines ajoutent une dimension très humaine à l'intérêt documentaire de peintures où apparaissent usines, docks et champs de blé de la Central Valley. Une certaine ironie marque ces tableaux d'une Amérique qui peinait à sortir de la Grande Dépression. Dans les rues du Financial District, un vol est en cours. Le réalisme des personnages vient entre autres de ce que les peintres leur donnèrent leurs propres traits, ceux d'amis ou ceux de figures locales comme le colonel William Brady, le gardien de la Coit Tower.

Sur le flanc est de la colline,

les rues se transforment en raides volées de marches. Descendant de Telegraph Hill Boulevard, Filbert Street est un charmant escalier de bois, de brique et de béton où abondent rhododendrons, fuchsias, bougainvillées, fenouil et mûres.

Levi's Plaza ⓱

Plan 5 C2. 42.

Lawrence Halprin aménagea en 1982 la place qui s'étend devant le siège de Levi Strauss & Co, le célèbre fabricant de blue-jeans, avec l'intention de rappeler la longue histoire de la compagnie en Californie. Des blocs de granit et de l'eau courante y simulent les paysages de la Sierra Nevada où travaillaient les mineurs qui portèrent les premiers les fameux pantalons de toile. À l'arrière-plan, Telegraph Hill offre une image montagnarde plus naturelle.

LEVI STRAUSS ET SES JEANS

Le pantalon sans doute le plus porté au monde est né à San Francisco pendant la ruée vers l'or *(p. 44-45)*. Son histoire commença en 1853 après qu'un immigrant juif originaire de Bavière, Levi Strauss, arrivé aux États-Unis en 1847, eut décidé de quitter New York pour créer sur la Côte Ouest avec son beau-frère un commerce de tissus. Sa toile de tente fabriquée à Nîmes (d'où le nom de *denim*) et

Levi Strauss

importée du port de Gênes (d'où le mot *jeans*) ne trouvant pas acquéreur, il eut l'idée dans les années 1860 d'en faire des pantalons de travail qu'il vendait directement aux mineurs. Sa production ne rencontra toutefois un réel succès qu'au cours des années 1870 quand il se mit à renforcer les points faibles du vêtement avec des rivets métalliques (ceux des poches arrière disparurent en 1937 parce qu'ils rayaient les bancs d'école).

La société Levi Strauss & Co ne cessa plus alors de se développer et elle s'installa au début du xxᵉ siècle au nº 250 Valencia Street, dans le Mission District. L'usine de confection, toujours en activité, abrite aujourd'hui un musée.

Mineurs de la Last Chance Mine vêtus de leur Levis en 1882

PACIFIC HEIGHTS ET LE CIVIC CENTER

Sur une colline haute de 90 m, Pacific Heights est un quartier résidentiel huppé depuis les années 1880 et sa liaison par *cable cars* avec le centre-ville, et d'élégantes maisons victoriennes bordent ses rues. Au nord de Broadway, celles-ci descendent en pente raide jusqu'au Marina District qui renferme des boutiques de luxe, des cafés en vogue et deux prestigieux yacht-clubs. Au sud de Pacific Heights, le Civic Center, bâti après le tremblement de terre de 1906, réunit un magnifique ensemble d'édifices Beaux-Arts, une architecture qui marie des éléments appartenant à divers styles historiques européens comme le classicisme et le baroque.

Logo du Fort Mason

PACIFIC HEIGHTS ET LE CIVIC CENTER

Sites et bâtiments historiques
Alamo Square ⑱
Bill Graham Civic Auditorium ⑮
City Hall ⑯
Cow Hollow ⑨
Fort Mason ⑦
Haas-Lilienthal House ①
Octagon House ⑩
Palace of Fine Arts et Exploratorium ⑤
Asian Art Museum ⑭
Spreckels Mansion ②
University of San Francisco ⑲

Quartiers commerçants
Chestnut Street ⑧
Fillmore Street ⑪
Hayes Valley ⑰

LÉGENDE
Plan pas à pas
Voir p. 336-337
Terminus des *cable cars*
Station BART
Parc de stationnement
Terminus des tramways

Architecture moderne
Japan Center ⑫

Église
St Mary's Cathedral ⑬

Parcs et jardins
Alta Plaza ④
Lafayette Park ③
Marina Green ⑥

COMMENT Y ALLER
Les bus Muni 1 et 12 et les *cable cars* de California Street desservent Pacific Heights. La station Civic Center (BART et trams) se trouve dans Market Street à quelques pas à l'est du City Hall. Les bus 5, 8 et 19 circulent dans le Civic Center.

0   500 m

◁ **Le Financial District vu depuis Alamo Square**

Pacific Heights pas à pas

Les pâtés de maisons situés entre le Lafayette Park et l'Alta Plaza forment le cœur de Pacific Heights. Pentues, les rues sont ici paisibles et propres, bordées de petits immeubles d'appartements et de riches demeures victoriennes. Certaines survécurent au tremblement de terre de 1906 et datent de la fin du XIXᵉ siècle. Plus au nord, les rues dévalent la colline jusqu'au quartier résidentiel du Marina District d'où s'offrent de superbes vues de la San Francisco Bay. Après vous être promené dans les deux vastes parcs et avoir admiré les somptueuses maisons qui les séparent, vous pourrez vous restaurer ou boire un verre dans l'un des nombreux cafés et restaurants élégants de Fillmore Street (p. 565-566).

Les maisons du Webster Street Row, construites pour des membres de la classe moyenne en 1878, ont le statut de monuments historiques.

Washington Street, à l'est de l'Alta Plaza, est bordée de maisons victoriennes de styles variés.

★ L'Alta Plaza
Ce parc au sommet de la colline renferme une aire de jeux et des courts de tennis. Il ménage un beau panorama de San Francisco ❹

Vers le bus nº 12

0   100 m

LÉGENDE

– – –   Itinéraire conseillé

À NE PAS MANQUER

★ **L'Alta Plaza**

★ **La Spreckels Mansion**

Haas-Lilienthal House
Siège de l'Architectural Heritage Foundation, elle abrite du mobilier victorien ❶

CARTE DE SITUATION
Voir l'atlas des rues, plans 3, 4

Vers les bus
nᵒˢ 47, 76

Au nᵒ 2151 Sacramento Street, l'écrivain Arthur Conan Doyle occupa en 1923 une demeure de style français.

Mansions Hotel
(p. 527)

Lafayette Park
Des demeures victoriennes entourent ce parc paisible ❸

★ **La Spreckels Mansion**
L'auteur de best-sellers Danielle Steele habite depuis 1990 cette résidence en pierre de taille construite en 1912 et inspirée du baroque français ❷

Le nᵒ 2004 Gough Street date de 1889.

La Haas-Lilenthal House, demeure Queen Anne de 1886

Haas-Lilienthal House ❶

2007 Franklin St. **Plan** 4 E3. ☏ *(415) 441-3004.* 🚌 *1, 19, 27, 47, 49, 83.* ⭕ *de 12 h à 15 h les mer et sam., de 11 h à 16 h le dim.* 🏛 📷 🖥 *www.sfheritage.org*

Un riche marchand, William Haas, commanda en 1886 la construction de cette grande maison victorienne et sa fille, Alice Lilienthal, l'habita jusqu'en 1972 avant de la céder à la Foundation for San Francisco's Architectural Heritage. Caractéristique du style Queen Anne *(p. 291)* avec ses pignons ouvragés, sa tour d'angle cylindrique et son ornementation exubérante, c'est la seule demeure privée de l'époque aujourd'hui ouverte au public. Transformée en musée, elle a conservé tout son mobilier d'origine.

Au sous-sol, une exposition de photographies illustre l'histoire de l'édifice et révèle que ce bel exemple de manoir victorien n'était qu'une modeste résidence en comparaison de certaines des villas détruites par l'incendie de 1906 *(p. 48-49)*.

Spreckels Mansion ❷

2080 Washington St. **Plan** 4 E3. 🚌 *1, 47, 49.* ⭕ *au public.*

Parfois appelé le « Parthénon de l'Ouest », ce palais imposant édifié en pierre de taille pour l'impétueuse Alma

de Bretteville Spreckels et son mari Adolph, héritier du magnat du sucre Claus Spreckels, domine depuis 1912 le nord du Lafayette Park. La maison possède 26 salles de bains et une grande piscine où Alma Spreckels nagea tous les jours jusqu'à l'âge de 80 ans.

C'est son amour de l'architecture française qui inspira le dessin du bâtiment. L'architecte, George Applegarth, réalisera aussi en 1916 le California Palace of the Legion of Honor du Lincoln Park *(p. 364-365)* dont la famille Spreckels fera don à la ville en 1924.

Résidence privée, la Spreckels Mansion occupe tout un pâté de maisons d'Octavia Street, rue pavée et paysagère offrant un aspect comparable à celui de la sinueuse Lombard Street *(p. 330)*.

Façade néo-baroque de la Spreckels Mansion

Lafayette Park ❸

Plan 4 E3. 🚌 *1, 12.*

L'un des plus gracieux espaces verts aménagés sur les collines de San Francisco offre un havre de paix où l'on se détend à l'ombre de pins et d'eucalyptus ; mais il a connu une histoire plus mouvementée que ne laisse paraître sa tranquillité actuelle. Comme l'Alta Plaza et l'Alamo Square *(p. 343)*, il s'étend en effet sur un site réservé en 1855 par la municipalité à un usage collectif, mais des squatters, dont un ancien procureur, affirmèrent avoir des droits dessus et commencèrent à y bâtir des maisons. La plus importante se dressa au centre du parc jusqu'en 1936 et, pour la démolir, les autorités durent obtenir de son occupant qu'il accepte de l'échanger contre un terrain sur Gough Street. De raides escaliers conduisent aujourd'hui jusqu'au sommet du Lafayette Park d'où se déploie une belle vue.

De luxueuses demeures victoriennes bordent les rues alentour, en particulier Broadway, Jackson Street et Pacific Avenue, d'est en ouest, et Gough, Octavia et Laguna streets, du nord au sud.

Alta Plaza ❹

Plan 4 D3. 🚌 *1, 3, 22, 24.*

Au cœur de Pacific Heights, cet espace vert fréquenté par la haute bourgeoisie de San Francisco recèle des courts de tennis et une aire de jeux. L'escalier de pierre qui grimpe depuis Clay Street rappellera peut-être aux cinéphiles le film *On s'fait la valise, docteur ?* où Barbra Streisand le dévale en voiture. Il ménage une belle vue de Haight Ashbury *(p. 344-353)* et des quartiers de Fillmore et de Twin Peaks *(p. 353)*.

Depuis la partie nord de l'Alta Plaza s'aperçoivent de superbes maisons victoriennes, notamment la Gibbs House bâtie par Willis Polk en 1894 au n° 2622 Jackson Street. Au n° 2600 de

Moment de détente dans le parc paisible de l'Alta Plaza

la même rue, la Smith House fut à la fin du siècle dernier l'une des premières résidences alimentées en électricité.

Palace of Fine Arts et Exploratorium ❺

3601 Lyon St. **Plan** 3 C2. 🕾 *(415) 561 0360.* 🚌 *22, 28, 29, 30, 43, 45, 47, 49.* ⏰ *de 10 h à 17 h du mar. au dim.* ⬤ *jours fériés.* 🎟 & **Tactile Dome** 🕾 *(415) 561 0362 (réservations).* 🖳 *www.exploratorium.com*

Unique survivant des pavillons grandioses construits en 1915 pour la Panama Pacific Exposition,

le palais des Beaux-Arts dresse au sein d'agréables jardins sa silhouette évoquant une vision romantique d'une ruine romaine. Pour dessiner ce monument néo-classique, son architecte, Bernard R. Maybeck, s'inspira des gravures de l'Italien Piranèse (1720-1778) et d'un tableau du peintre suisse Arnold Böcklin (1827-1901), *L'Isle des Morts.*

Bâti à l'origine en bois et en plâtre, le Palace of Fine Arts ne tarda pas à se détériorer et c'est un particulier qui rassembla des fonds pour le reconstruire en 1959. Il fut encore restauré, en renforcé de béton, en 1962 et en 1975. Sa rotonde domine une lagune aux rives paysagères où nagent des cygnes. Les peintures allégoriques qui décorent sa coupole ont toutes pour sujet la défense de l'art face au matérialisme. La tête penchée des nymphes portées par les nombreuses colonnes corinthiennes symbolise la « mélancolie d'une vie sans art ».

La salle de spectacle peut accueillir 1 000 spectateurs. Au printemps s'y déroule le May Film Festival qui présente des œuvres de réalisateurs peu connus, notamment du Tiers Monde.

Un long bâtiment industriel abrite l'Exploratorium Museum, l'un des plus distrayants

musées des sciences des États-Unis. Fondé en 1969 par le physicien Frank Oppenheimer (le frère de Jacob Robert, le directeur du laboratoire qui mit au point la bombe atomique) il propose aux visiteurs plus de 650 expériences permettant de mieux comprendre les grands principes scientifiques. Divisées par thèmes en treize secteurs qui possèdent chacun un code de couleur, les installations occupent deux niveaux. Les sujets abordés vont de l'électricité aux illusions d'optique dont le département Vision, Colour and Light dévoile les secrets.

Le Tactile Dome invite à une exploration sensorielle dans l'obscurité la plus totale.

Installations ouvrant le monde des sciences à l'Exploratorium

LA PANAMA-PACIFIC EXPOSITION

Sous prétexte de célébrer l'ouverture du canal de Panama, San Francisco fêta en 1915 son rétablissement après le tremblement de terre et l'incendie de 1906 en organisant une grande exposition internationale. Elle se devait d'être la plus importante manifestation de ce genre jamais proposée et un visiteur enthousiaste décrivit le champ de foire comme une « Constantinople miniature ».

Offerts par tous les États de l'Union et 25 pays étrangers, les pavillons se dressaient sur un terrain gagné sur la baie à l'emplacement de l'actuel Marina District. L'imitation d'une mosquée turque y côtoyait un édifice inspiré d'un temple bouddhique de Kyoto. Les bâtiments bordaient une artère longue de 1,6 km au centre de laquelle s'élevait la Tower of Jewels, tour incrustée de perles de verre et éclairée par des projecteurs. À l'ouest, pour rejoindre le Palace of Fine Arts, on traversait en gondole la lagune où se mire le monument.

Rotonde classique du Palace of Fine Arts

Marina Green ⑥

Plan 4 D1. 🚌 22, 28, 30.

Des cerfs-volants planent souvent au-dessus de cette bande de pelouse courant sur toute la longueur du Marina District et très appréciée des pique-niqueurs, en particulier le 4 juillet pour le plus beau feu d'artifice de la ville. Les allées qui bordent le front de mer offrent un cadre agréable pour faire du jogging, du vélo ou du patin à roulettes. À l'ouest, on peut aller écouter les sons étranges émis par le Wave Organ au bout de la jetée du port ou prendre la Golden Gate Promenade qui conduit à Fort Point.

Chestnut Street ⑧

Plan 4 D1. 🚌 22, 28, 30, 43.

Cinémas, magasins, marchés et restaurants visant plus une clientèle locale que touristique font de Chestnut Street, sur quelques pâtés de maisons entre Fillmore Street et Divisadero Street, le principal quartier commerçant et le centre de la vie nocturne du Marina District.

Cow Hollow ⑨

Plan 4 D2. 🚌 22, 41, 45.

Ce quartier commerçant entourant Union Street, que bordent plus de 300 boutiques, doit son nom de « creux des vaches » au bétail qui y brouta jusque dans les années 1860, avant que le développement urbain ne transforme les pâturages en zone résidentielle. Celle-ci devint recherchée dans les années 1950 et des boutiques de luxe, des antiquaires et des galeries d'art remplacèrent les anciens magasins de proximité. Beaucoup occupent des édifices du XIXᵉ siècle restaurés dont l'aspect offre un contraste frappant avec la sophistication des marchandises présentées en vitrine. Des marchés d'art et d'artisanat ont régulièrement lieu dans le quartier.

Le Cow Hollow vu de Fillmore Street

Fort Mason ⑦

Plan 4 E1. 🛈 (415) 441-3400.
Événements : 441-3400. 🚌 22, 28, 30, 42, 43. 🚹 partiel.
🌐 www.fortmason.org

L'armée s'installa sur ce terrain en bord de baie pendant la guerre de Sécession (1861-1865), le gouvernement fédéral confisquant les résidences privées qui y avait été bâties à la fin des années 1850. Le fort resta un poste de commandement militaire jusqu'à la fin du XIXᵉ siècle, puis il servit de centre d'accueil de réfugiés dont le tremblement de terre de 1906 avait détruit les logements. Pendant la Deuxième Guerre mondiale, près d'un million et demi de soldats y embarquèrent.

Le Fort Mason a retrouvé un usage civil en 1972, mais certains de ses bâtiments du milieu du XIXᵉ siècle logent encore du personnel militaire : la caserne et l'ancien hôpital, par exemple, abritent un *visitors' center* et le siège de la Golden Gate National

Herbst Pavilion
Festival Pavilion
Oceanic Societ Expeditions
Museo ItaloAmericano
Magic Theater
Restaurant Greens
Craft and Folk Art Museum
City College of San Francisco Art Campus
African-American Historical and Cultural Society
Entrée
Young Performers Theater
Maritime Library
Great Meadow

Octagon House ⑩

2645 Gough St. **Plan** 4 E2. ☎ *(415) 441-7512.* 🚌 *41, 42, 45, 47, 49.* ⭕ *de 12 h à 15 h le 2ᵉ dim. et les 2ᵉ et 4ᵉ jeu. du mois sauf en jan.* **Contribution.** Ø ♿ *limité.*

S iège de la National Society of Colonial Dames of America, cette maison construite en 1861 offre un exemple rare et superbement préservé d'un style de construction qui connut une grande popularité dans tous les États-Unis car il permettait de profiter au mieux de l'ensoleillement. Le rez-de-chaussée, transformé en une unique pièce, et le premier étage abritent une petite exposition d'arts décoratifs et de documents historiques. Les objets présentés comprennent des meubles, des peintures, de la porcelaine, de l'argenterie, des étains, des modèles de broderie, des cartes à jouer datant de la révolution américaine et les signatures de 54 des 56 signataires de la déclaration d'Indépendance.

La coupole de l'Octagon House donne de la lumière à toutes les pièces

Fillmore Street ⑪

Plan 4 D4. 🚌 *1, 2, 3, 4, 22, 24.*

L e séisme et l'incendie de 1906 laissèrent Fillmore Street pratiquement intacte et la rue devint pendant la reconstruction le centre névralgique de la cité en ruine, administrations et entreprises privées se réfugiant dans les magasins, les maisons, les appartements et même les églises de la rue. Elle forme aujourd'hui le cœur du quartier commerçant situé entre Pacific Heights et le Civic Center qui s'étend, autour de Bush Street, de Jackson Street aux abords du Japan Center *(p. 342).* Il renferme belles librairies, restaurants élégants et boutiques de luxe.

Recreation Area (GGNRA). Le site n'offre pas qu'un intérêt historique et culturel. Il ménage aussi certaines des plus belles vues de la baie, du Golden Gate Bridge *(p. 370-371)* et de l'Alcatraz Island *(p. 328-329).* Depuis le portail ouest, la Golden Gate Promenade conduit à l'est à l'Aquatic Park puis au Fisherman's Wharf *(p. 324-325).*

Aubrge de jeunesse

Fort Mason Officers' Club

Chapelle

Visitors' Center

Siège de la Golden Gate National Recreation Area

Meta III (1985) d'Italo Scanga à la Museo ItaloAmericano Chapel

Fort Mason Center
L'un des plus importants complexes artistiques de San Francisco occupe aujourd'hui une partie du Fort Mason. Environ 50 organisations culturelles y proposent galeries d'art, musées et théâtres, comme le Cowell Dance Theater et le Bayfront Improv. Des artistes italiens et italo-américains exposent leurs œuvres au Museo Italo-Americano. Le Magic Theater

suit une démarche expérimentale, tandis que le Young Performers Theater permet à des enfants de monter sur scène. La Maritime Library abrite une magnifique collection de livres et des plans de navire. Le Maritime Museum est situé près du Fishermans Wharf *(p. 327).*

Le Fort Mason Center publie un programme mensuel des manifestations. Pour plus d'informations : appeler la Events Line ou consulter le site web.

Le SS *Balclutha*, à Hyde Street Pier, **Maritime Museum**

La pagode de la Peace Plaza du Japan Center

Japan Center ⑫

Post St et Buchanan St. **Plan** 4 E4. ⬛ *2, 3, 4, 22, 38.* ⭕ *de 10 h à 18 h t.l.j.*

Cœur de la communauté japonaise depuis environ 75 ans, le Fillmore District fut l'objet d'un ambitieux projet d'aménagement urbain dans les années 1960. La démolition de plusieurs pâtés de maisons victoriennes décrépites permit la construction de la Geary Expressway et du vaste centre commercial du Japan Center. Chaque année en avril, le Cherry Blossom Festival donne lieu à des spectacles de danses et de percussions *(p. 32)* sur la Peace Plaza. Au centre du complexe s'élève une pagode en béton de 22 m de haut dessinée d'après un plan traditionnel du VIIIᵉ siècle. Autour, 2 ha de galeries marchandes abritent boutiques, bars à sushi, galeries d'art et bains japonais, ainsi que le meilleur cinéma de la ville : l'AMC Kabuki *(p. 374-375)*.

De l'autre côté de Post Street, deux sculptures en acier par Ruth Asawa encadrent un centre commercial en plein air aux commerces plus authentiques.

St Mary's Cathedral ⑬

1111 Gough St. **Plan** 4 E4. ☎ *(415) 567-2020.* ⬛ *38.* ⭕ *de 8 h 30 à 16 h 30 du lun. au ven. ; de 9 h à 17 h 30 le sam. ; de 9 h à 18 h 30 le dim.* ✝ *6 h 45, 8 h, 22 h du lun. au sam., 7 h 30, 9 h, 11 h, 13 h le dim.* 🚫 *pendant les offices.* ♿

L'un des plus beaux monuments de San Francisco couronne le sommet de Cathedral Hill. Dessinée par Pietro Belluschi et Pier Luigi Nervi et achevée en 1971, la St Mary's Cathedral dessine sur l'horizon, avec ses quatre voûtes en béton paré de travertin, la silhouette d'un bateau aux voiles blanches. Haute de 60 m, cette structure aérienne semble porter sans effort au-dessus de la nef une croix décorée de vitraux représentant les quatre éléments. Un baldaquin en aluminium scintille au-dessus du maître-autel en pierre.

Asian Art Museum ⑭

Larkin at Grove St. **Plan** 4 F5. ☎ *(415) 581-3500.* ⬛ *5, 8, 19, 21, 26, 47, 49.* 🚇 *F, K, L, M, N.* ⭕ *de 9 h à 17 h du mar. au dim. (21 h le jeu.).* ⬤ *jours fériés* 🎫 *(gratuit 1ᵉʳ mar. du mois).* ♿ 🛍 📷 📱 🌐 *www.asianart.org*

Le nouvel Asian Art Museum est situé sur la Civic Center Plaza, dans un magnifique bâtiment des beaux-arts. L'ancienne Main Library, construite en 1917, a subi un renforcement des travaux antisismiques. L'espace initial a été réutilisé pour créer le plus grand musée – hors d'Asie – exclusivement consacré à l'art asiatique. Les nouvelles expositions mettent en valeur 12 000 objets d'art retraçant 6 000 ans d'histoire et représentant plus de 40 nations.

La terrasse du musée donne sur le Civic Center et la rue piétionnière Fulton Street.

Bill Graham Civic Auditorium ⑮

99 Grove St. **Plan** 4 F5. ☎ *(415) 974-4060.* ⬛ *5, 8, 19, 21, 26, 47, 49.* 🚇 🚉 *J, K, L, M, N.*

Dessiné dans le style Beaux-Arts par l'architecte John Galen Howard, le Civic Auditorium de San Francisco ouvrit en 1915 et est resté depuis l'une des principales salles de spectacle de la ville. C'est le pianiste et compositeur français Camille Saint-Saëns qui donna le concert d'inauguration. Construite, avec le Brooks Exhibit Hall adjacent, sous la Civic Center Plaza, la salle fut achevée en même temps que le City Hall dans le cadre de la grande renaissance architecturale qui suivit le tremblement de terre de 1906 *(p. 48-49)*. D'une capacité de 7 000 places, elle a pris en 1964 le nom de Bill Graham *(p. 349)*, impréssario dont la personnalité marqua la scène musicale de la Côte Ouest à la grande époque hippie de San Francisco.

Splendide escalier dans l'Asian Art Museum

L'imposante façade de City Hall, au San Francisco Civic Center

City Hall ⑯

400 Van Ness Ave. **Plan** 4 F5. ☎ (415) 554-4000. 🚌 5, 8, 19, 21, 26, 47, 49. 🚋 J, K, L, M, N. ⬜ de 8 h à 17 h du lun. au ven. ♿ 📞 Téléphoner (415) 554-6023. 🌐 www.sfgov.org

Dessiné par l'architecte Arthur Brown alors au sommet de sa carrière et terminé en 1915 juste à temps pour la Panama-Pacific Exposition (p. 339), l'imposant City Hall possède une grande coupole baroque copiée sur celle de la basilique Saint-Pierre de Rome. Elle dépasse en hauteur de quelques centimètres celle du Capitole de Washington.

Cœur du Civic Center, le monument, récemment rénové, présente au fronton de l'entrée principale, sur Polk Street, des figures allégoriques évoquant l'époque de la ruée vers l'or. Derrière s'ouvre la rotonde au sol dallé de marbre, l'un des espaces intérieurs les plus majestueux de San Francisco.

Hayes Valley ⑰

Plan 4 E5. 🚌 21, 22.

À l'ouest du City Hall, Hayes Street est devenue sur quelques pâtés de maisons l'une des rues commerçantes les plus en vogue de San Francisco. Un développement récent, la US 101 Highway tenait auparavant à l'écart de la Hayes Valley les décideurs politiques et les amateurs de théâtre qui fréquentaient le Civic Center, et seuls quelques cafés et restaurants précurseurs tels que l'Ivy's et le Mad Magda's Russian Tea Room avaient osé s'installer dans un quartier de magasins de meubles d'occasion et d'articles de deuxième main. Depuis la démolition de la route après le tremblement de terre de Loma Prieta survenu en 1989 (p. 489), galeries d'art, décorateurs et boutiques de luxe l'ont rendu beaucoup plus élégant.

Maisons victoriennes et gratte-ciel vus de l'Alamo Square

Alamo Square ⑱

Plan 4 D5. 🚌 21, 22.

Le rang de maisons victoriennes le plus photographié de San Francisco borde cette place verdoyante qui offre, à 68 m au-dessus du Civic Center, une vue panoramique du City Hall et des gratte-ciel de Downtown. Si l'aménagement de l'Alamo Square se fit en même temps que celui des espaces verts de Pacific Heights, ses environs ne devinrent résidentiels que plus tard. Des spéculateurs bâtirent alors des demeures presque identiques.

Dans un quartier aujourd'hui déclaré historique, les « Six Sœurs » de style Queen Anne qui apparaissent sur tant de cartes postales de la ville se dressent depuis 1895 aux nᵒˢ 710-720 Steiner Street.

University of San Francisco ⑲

2130 Fulton St. **Plan** 3 B5. ☎ (415) 422-5555. 🚌 5, 31, 33, 38, 43. ⬜ de 8 h à 17 h du lun. au ven. 🌐 www.usfca.edu

L'University of San Francisco (USF) a pour origine le St Ignatius College fondé en 1855 et elle reste dirigée par des jésuites bien que les cours y soient maintenant mixtes et laïques. La St Ignatius Church, achevée en 1914, possède deux tours jumelles que leur éclairage rend particulièrement visibles la nuit depuis la moitié ouest de la ville. Le campus et son quartier résidentiel s'étendent sur la Lone Mountain et ses alentours, jadis le principal lieu de sépulture de San Francisco.

DE HAIGHT ASHBURY À MISSION

Au nord de deux collines s'élevant à 274 m au-dessus de la ville, les Twin Peaks, Haight Ashbury abonde en maisons victoriennes *(p. 290-291)*. Les milliers de hippies qui les habitaient à la fin des années 1960 *(p. 349)* ont cédé la place à une population en majorité aisée. À l'est, le Castro District demeure le pivot de la communauté homosexuelle de San Francisco. Réputé pour l'intensité de sa vie nocturne dans les années 1970, ce quartier a retrouvé beaucoup plus de calme. Encore plus à l'est, les nombreux Latino-Américains qui y vivent donnent son atmosphère colorée au Mission District fondé par des moines espagnols *(p. 42-43)*.

Statue de la Mission Dolores

DE HAIGHT ASHBURY À MISSION D'UN COUP D'ŒIL

Rues et bâtiments historiques
Castro Street **8**
Clarke's Folly **15**
Dolores Street **10**
Haight Ashbury **2**
Quartier du
    Lower Haight **5**
Noe Valley **14**
(Richard) Spreckels
    Mansion **3**

Église
Mission Dolores
p. 351 **9**

Point de repère
Sutro Tower **18**

Parcs et jardins
Buena Vista Park **4**
Corona Heights Park **6**
Dolores Park **11**
Golden Gate Park
    Panhandle **1**
Twin Peaks **16**
Vulcan Street Steps **17**

Musées
Carnaval Mural **13**
Mission Cultural Center for
    the Latino Arts **12**

Théâtre
Castro Theater **7**

LÉGENDE

Plan pas à pas
Voir p. 346-347

Station BART

Terminus des tramways

0   750 m

COMMENT Y ALLER
La ligne N des trams Muni dessert Haight Ashbury, la ligne J le Mission District et toutes les autres lignes s'arrêtent à Castro Street. Le bus 33 relie les 3 quartiers.

◁ **Scène de rue à Haight Ashbury**

Haight Ashbury pas à pas

S'étendant entre le Buena Vista Park et le Golden Gate Park, le quartier de Haight Ashbury offrit dans les années 1880 un espace aéré qui permettait d'échapper au centre-ville et devint résidentiel. Des Noirs s'y installèrent après la Deuxième Guerre mondiale sans provoquer de rejet de la population blanche. Cette atmosphère tolérante attira dans les années 1960 toute la bohème hippie. Haight Ashbury s'est depuis beaucoup embourgeoisé, mais il garde une pointe d'excentricité avec ses boutiques originales, ses magasins de disques et ses cafés animés.

Haight Ashbury
Ancien lieu de rendez-vous des hippies, ce carrefour donne son nom au quartier ❷

Golden Gate Park Panhandle
Cette bande de verdure rejoint à l'ouest le cœur du Golden Gate Park ❶

Le Cha Cha Cha, qui sert une cuisine latino-américaine, est l'un des restaurants les plus amusants de San Francisco (*p. 564*).

**Vers les bus
nᵒˢ 7, 33**

À NE PAS MANQUER

★ Le Buena Vista Park

★ La (Richard)
 Spreckels Mansion

**Le Red Victorian
Hotel** propose à
une clientèle New
Age une cuisine
diététique et des
chambres à thèmes
transcendantaux
(*p. 527*).

Le n° 1220 Masonic Avenue est l'une des nombreuses maisons Queen Anne bâties à flanc de colline entre le Golden Gate Park Panhandle et Haight Street.

CARTE DE SITUATION
Voir l'atlas des rues, plan 10

LÉGENDE

--- Itinéraire conseillé

★ **La (Richard) Spreckels Mansion**
Cette maison, au n° 737 Buena Vista Avenue, date de 1897 ❸

★ **Le Buena Vista Park**
Dans le fouillis d'arbres de ce parc spectaculaire s'ouvrent des vues superbes de la ville ❹

0   100 m

Vers le bus n° 37

Golden Gate Park Panhandle ❶

Plan 9 C1. 🚌 6, 7, 21, 43, 66, 71.

D e la largeur d'un pâté de maisons et de la longueur de huit, cette bande de verdure forme l'étroite « queue » de la gigantesque poêle rectangulaire dont le Golden Gate Park *(p. 356-359)* offre l'image. Première partie du parc gagnée sur les dunes de sable qui s'étendaient dans la partie occidentale de San Francisco, elle renferme certains des plus vieux et des plus gros eucalyptus de la ville.

Percées dans les années 1870, ses premières chaussées et pistes cavalières attirèrent des membres de la haute bourgeoisie qui venaient se promener à pied ou à cheval. Nombre des somptueuses demeures qu'ils construisirent à la périphérie du Panhandle, le quartier servit de refuge en 1906 à des familles dont le tremblement de terre avait détruit les logements, subsistent toujours. Aujourd'hui, joggers et cyclistes envahissent par beau temps les vieilles chaussées et les sentiers. Célèbre dans les années 1960 par les concerts gratuits qu'y donnaient les groupes psychédéliques de Haight Ashbury, le parc reste un lieu de rendez-vous des musiciens de rue.

Au croisement de Haight et Ashbury

Haight Ashbury ❷

Plan 9 C1. 🚌 6, 7, 33, 37, 43, 66, 71. 🚋 N.

N ommé d'après le carrefour de deux grandes artères, Haight et Ashbury, ce quartier garde une ambiance qui éveillera bien des souvenirs chez tous ceux qui ont grandi dans les années 1960 et 1970.

L'aménagement du Golden Gate Park *(p. 356-359)* et l'ouverture d'un vaste parc d'attractions appelé The Chutes donna son essor à la fin du siècle dernier à une nouvelle zone résidentielle où des membres des classes moyennes construisirent des dizaines de demeures Queen Anne *(p. 290-291)*. Le tremblement de terre et l'incendie de 1906 *(p. 48-49)* les épargnèrent.

L'achèvement en 1928 du tunnel de tramway sous le Buena Vista Park incita les habitants les plus aisés de Haight Ashbury à déménager dans les banlieues du Sunset et, après la Deuxième Guerre mondiale, les grandes maisons victoriennes furent divisées en appartements. La modicité des loyers attira une population mélangée, Noirs et Blancs vivant en bonne entente.

Ce climat tolérant et le bas prix des logements séduisirent dans les années 1960 une jeunesse bohème dont les idées utopistes nourrissaient l'inspiration de groupes de rock tels que le Grateful Dead. En 1967, le « Summer of Love », monté en épingle par les médias, fit converger à Haight Ashbury plus de 100 000 adolescents en quête d'amour libre, de musique et de drogues. San Francisco était devenue la capitale de la culture hippie. S'il connaît aujourd'hui des problèmes de délinquance, le quartier conserve avec ses boutiques et ses cafés excentriques une atmosphère unique.

Maison Queen Anne bâtie pour Richard Spreckels

(Richard) Spreckels Mansion ❸

737 Buena Vista West. **Plan** 9 C2. 🚌 6, 7, 37, 43, 66, 71. ⬤ au public.

I l ne faut pas confondre cette demeure avec la Spreckels Mansion située dans Washington Street *(p. 338)*. Elle fut cependant, elle aussi, bâtie par le millionnaire Claus Spreckels pour un de ses nombreux enfants. Édifiée en 1897 dans le style Queen Anne *(p. 291)*, elle offre un exemple typique des maisons de Haight Ashbury datant de la fin de l'ère victorienne. Elle abrita un temps une pension de famille où résidèrent entre autres le journaliste et auteur fantastique Ambrose Bierce et Jack London qui y écrivit *Croc-Blanc* en 1906.

C'est aujourd'hui une résidence privée.

Buena Vista Park ❹

Plan 9 C1. 🚌 6, 7, 37, 43, 66, 71.

D epuis Haight Street, plusieurs sentiers sinuent sous une dense végétation jusqu'au sommet de ce parc (créé en 1894) qu'il vaut mieux éviter la nuit. Au haut d'une colline dominant de 174 m le centre géographique de San Francisco, il ménage un large panorama de la Bay Area. Il existe aussi une route pavée partant de Buena Vista Avenue.

Quartier du Lower Haight ❺

Plan 10 D1. 🚌 *6, 7, 22, 66, 71.* 🚋 *K, L, M.*

Situé à mi-chemin du City Hall et de Haight Ashbury, le Lower Haight est, en bordure du Fillmore District habité en majorité par des Noirs, un quartier de transition où ont commencé à ouvrir au milieu des années 1980 des galeries d'art et des boutiques originales, telle la Used Rubber USA qui vend des vêtements et des accessoires entièrement fabriqués à partir de caoutchouc recyclé.

Le Lower Haight abritait déjà de nombreux bars et restaurants bon marché ainsi qu'une population bohème. Il est devenu un des endroits les plus vivants de San Francisco.

Quoique resté plus populaire que l'Alamo Square *(p. 343)* voisin, il renferme lui aussi des dizaines de maisons victoriennes *(p. 290-291)* construites entre les années 1850 et le tournant du siècle, notamment des cottages pittoresques tels que la Nightingale House du n° 201 Buchanan Street.

À l'instar de l'Alamo Square, le Lower Haight, sûr pendant la journée, prend un visage plus inquiétant la nuit.

Enseigne du Cha Cha Cha sur Haight Street *(p. 564)*

Corona Heights Park ❻

Plan 9 D2. 📞 *(415) 554-9600.* 🚌 *24, 37.* **Randall Museum** ⏰ *de 10 h à 17 h du mar. au sam.* ⭕ *jours fériés.* ♿ *limité.* 🌐 *www.randallmuseum.org*

Colline rocheuse qui servit au XIXᵉ siècle de carrière à des fabricants de briques, Corona Heights est restée à l'état vierge. Rien ne limite le

Le Mission District et Downtown vus de Corona Heights

panorama de la ville qui s'offre de son sommet. On aperçoit notamment les rues sinueuses des Twin Peaks *(p. 353)*.

Sur un versant s'accroche au n° 199 Museum Way un musée pour enfants inhabituel. Le Randall Museum possède en effet une riche ménagerie dont les jeunes visiteurs peuvent manipuler et caresser une grande partie des animaux. Elle comprend entre autres des ratons laveurs, des hiboux et des serpents. Le musée propose aussi expositions interactives et ateliers. Les rochers du parc offrent en outre un bel espace de jeu.

LE SON DE LA CÔTE OUEST

À la fin des années 1960, et tout particulièrement pendant le « Summer of Love » de 1967, des jeunes gens de tous les États-Unis convergèrent vers Haight Ashbury en rêvant d'un monde où régneraient amour et paix. Ils venaient entre autres écouter des groupes de rock partageant la même utopie, tels que le Grateful Dead, le Jefferson Airplane ou la Janis Joplin's Big Brother and the Holding Company. De nouvelles salles permirent à ces musiciens de conquérir une audience mondiale.

Les salles de concert
Dirigé par Chet Helms et le collectif baptisé Family Dog, l'Avalon Ballroom, devenu le théâtre Regency II sur Van Ness Avenue, joua un rôle de pionnier. Les affiches créées pour ses concerts par des artistes tels que Stantley Mouse et Alton Kelly *(p. 424-425)* jetèrent les bases du style graphique appelé « psychédélique ». En 1965, l'impresario Bill

Graham, dont le Civic Auditorium *(p. 342)* porte le nom, commença à organiser des concerts au Fillmore Auditorium situé en face du Japan Center *(p. 342)*, n'hésitant pas à proposer le même soir des musiciens aussi différents que Miles Davis et le Grateful Dead et invitant tous les grands noms du rock de l'époque, de Jimi Hendrix à The Who. Endommagé par le séisme de 1989, le Fillmore Auditorium vient de rouvrir.

Janis Joplin (1943-1970), une des plus belles voix des années 1960

Castro Theater ❼

429 Castro St. **Plan** 10 D2. ☎ 621-6120. 🚌 8, 24, 33, 35, 37. 🚊 F, K, L, M. Voir **Se distraire** p. 374-375.

Achevé en 1922, le mieux préservé des somptueux cinémas de quartier construits à San Francisco pendant l'âge d'or d'Hollywood éclaire Castro Street de ses néons. Première commande de l'architecte Timothy Pflueger, il possède un intérieur digne des Mille et Une Nuits où ne manque même pas un grand orgue Wurlitzer qui s'élève du sol entre les projections. Au plafond de la salle, bandes de tissus, cordes et glands en stuc imitent l'intérieur d'une tente. Un décor qui justifie le prix du billet.

D'une capacité de 1 500 places, le Castro Theater propose surtout des reprises de grands classiques. Il accueille en juin le Gay and Lesbian Film Festival.

Castro Street ❽

Plan 10 D2. 🚌 8, 24, 33, 35, 37. 🚊 F, K, L, M.

Entre les Twin Peaks et le Mission District s'étend le quartier gay de San Francisco. Il a pour centre l'intersection de Castro Street et de 18th Street. Les drapeaux arc-en-ciel qui flottent aux fenêtres et les milliers de personnes qui participent en juin à la Gay and Lesbian Freedom Day Parade révèlent qu'elle n'a

L'exubérant Castro Theater

en rien renoncé à défendre son identité.

Les premiers gays qui s'installèrent à Castro, où prédominait une population ouvrière, étaient issus de la génération du Flower Power. Ils commencèrent à restaurer des maisons victoriennes et à créer des boutiques telles que la librairie A Different Light au nº 489 Castro Street. Ils ouvrirent aussi des bars comme le Twin Peaks à l'angle de Castro Street et de 17th Street. Restaurants et magasins insolites se sont depuis multipliés et attirent une clientèle très variée.

Devant l'arrêt Muni de Market Street, une plaque rend hommage à Harvey Milk. Élu conseiller municipal, ce politicien, le premier de San Francisco à afficher ouvertement son

homosexualité, était surnommé le maire de Castro Street avant son assassinat, avec le maire George Moscone, le 28 novembre 1978. La clémence de la condamnation infligée à leur meurtrier, un ancien policier, provoqua de véritables émeutes dans la ville. Tous les ans, en son honneur, une procession aux flambeaux rejoint le City Hall depuis Castro Street. Chaque année en octobre, des milliers de personnes viennent à Castro Street pour la Castro Street Fair. Au programme : musique, manifestations artistiques et autres animations, avec repas et boissons. Les recettes sont destinées à aider la communauté locale.

L'AIDS Memorial Quilt exposé à Washington en 1992

THE NAMES PROJECT

L'AIDS Memorial Quilt du NAMES Project a été initié par Cleve Jones, militant pour les droits des homosexuels, qui a organisé, en 1985, la première marche dans Castro Street en hommage Harvey Milk. Pendant le défilé, Jones et les autres marcheurs ont brandi des banderoles portant les noms de leurs amis morts du Sida, qu'ils ont ensuite accrochées au San Francisco Federal Building. C'est le résultat de ce « patchwork quilt » qui a incité Jones à créer l'AIDS Memorial Quilt en 1987. Ce *quilt* est aujourd'hui composé de plus de 60 000 morceaux d'étoffe, réalisés par des personnes du monde entier, notamment celles qui ont perdu un proche à cause de la maladie. Tous les panneaux possèdent les mêmes dimensions (90 x 180 cm), mais sont différents les uns des autres. Chacun, de par sa décoration et ses matériaux, reflète la personnalité et la vie de la personne à qui il est rendu hommage. En 2002, le Memorial Quilt a été transféré à Atlanta (Géorgie).

Mission Dolores ⑨

16th St et Dolores St. **Plan** 10 F3.
📞 *621-8203.* 🚌 *22.* 🚋 *J.* 🕐 *de 8 h 30 à 12 h et de 13 h à 17 h t.l.j.* ⬤ *Thanks-giving, 25 déc.* 📷 📷
♿ 🚻 🌐 *www.missiondolores.com*

Fondée par le père Junípero Serra, et restée intacte depuis sa construction en 1791, la Mission Dolores est le plus vieil édifice de la ville. Elle s'appelait à l'origine Mission San Francisco de Asis, et c'est à la proximité du *Laguna de los Dolores* (lac de Notre Dame des Douleurs), un ancien marais infesté d'insectes, qu'elle doit son nom actuel. Le bâtiment est de taille modeste pour une mission californienne, mais ses murs de plus d'un mètre d'épaisseur lui permirent de résister aux tremblements de terre qui frappèrent la région.

Des Indiens exécutèrent les peintures du plafond. Un retable baroque orne l'autel et un petit musée abrite des documents historiques. Le plus souvent, les services religieux ont désormais lieu dans la basilique

Statue de saint de la mission

élevée en 1918 à côté de la mission. Le cimetière renferme les tombes de certains des premiers habitants de San Francisco. Il ne subsiste que le piédestal de la statue, dérobée, qui marquait la fosse commune où reposent 5 000 Indiens. La plupart succombèrent aux épidémies de rougeole de 1804 et 1826.

Le retable baroque *fut importé du Mexique en 1780.*

La statue du père Junípero Serra est une copie d'une sculpture d'Arthur Putnam.

La céramique murale est une œuvre de Guillermo Granizo, né à San Francisco.

Musée

Les peintures du plafond reproduisent les motifs ohlones d'origine.

Entrée pour handicapés

Dans le cimetière, jadis beaucoup plus vaste, les croix en bois des tombes les plus anciennes ont disparu, mais la grotte de Lourdes commémore les morts oubliés.

Statue de Notre-Dame du Carmel

Entrée et boutique

En façade, quatre colonnes soutiennent des niches où trois cloches portent gravés leur nom et leur date de fabrication.

Monument aux soldats de la guerre hispano-américaine

Dolores Street ⑩

Plan 10 E2. 🚌 8, 22, 33, 48. 🚃 J.

Bordée de maisons de la fin de l'ère victorienne (p. 290-291) entretenues avec amour, l'une des plus agréables rues de San Francisco court parallèlement à Mission Street et marque la frontière occidentale du Mission District. Entre Market Street, où l'US Mint domine un monument aux soldats de la guerre hispano-américaine de 1898, et le quartier de Noe Valley, elle longe la Mission Dolores (p. 351) et le Dolores Park planté de palmiers.

Avec ses murs blanchis et son toit de tuiles rouges, la Mission High School offre un exemple typique du style Mission (p. 26).

Dolores Park ⑪

Plan 10 E3. 🚌 22, 33. 🚃 J.

Sur le site où s'étendait jadis le plus important cimetière juif de San Francisco, ce parc aménagé en 1905 est un des rares espaces verts du Mission District. Bordé par Dolores Street, Church Street, 18th Street et 20th Street, il offre depuis une position élevée sur une colline une belle vue du centre-ville.

Si on y vient pendant la journée pour jouer au tennis, prendre le soleil ou promener son chien, il s'emplit la nuit de trafiquants de drogue.

Au sud et à l'ouest, les rues sont si raides que beaucoup se transforment en escaliers. Cette partie de la ville renferme certaines des plus élégantes maisons victoriennes de San Francisco.

Mission Cultural Center for the Latino Arts ⑫

2868 Mission St. **Plan** 10 F4. ☎ (415) 821-1155. 🚌 14, 26, 48, 49. 🚃 J. **Galerie** ◯ de 10 h à 17 h du mar. au ven. ; de 10 h à 18 h le sam. ♿ ⓦ www.missionculturalcenter.org

En partie financé par la ville, ce centre culturel propose à la population principalement latino-américaine du quartier un programme de manifestations, notamment en novembre pour le *Dia de los Muertos* (p. 34).

Détail du Carnaval Mural

Carnaval Mural ⑬

24th St et South Van Ness Ave. **Plan** 10 F4. 🚌 12, 14, 48, 49, 67. 🚃 J.

L'un des plus beaux des nombreux *murals* dont les couleurs vives animent les murs de Mission District célèbre l'ambiance de fête qui règne en mai pour le carnaval (p. 32). D'autres ont des thèmes plus politiques ou liés à la vie quotidienne à San Francisco. Des associations proposent des promenades guidées permettant de découvrir ces œuvres d'art ornant les rues, notamment Balmy Alley (p. 297).

Noe Valley ⑭

🚌 24, 35, 48. 🚃 J.

Les habitants de ce quartier expriment souvent leur détermination à ne pas le voir se transformer en attraction touristique en le surnommant « Noewhere Valley » (nowhere = nulle part). Bordées de vieilles maisons en bois, ses rues calmes et propres où règne une atmosphère rassurante paraissent presque déplacées au milieu du Mission District densément peuplé.

La Noe Valley tire son nom du propriétaire de la concession originelle, José Noe, le dernier *alcade* (maire) du village mexicain de Yerba Buena qui précéda San Francisco.

Les premières constructions s'élevèrent dans la vallée après l'achèvement, dans les années 1880, d'une ligne de *cable cars* franchissant le Castro Hill. La modicité des loyers attira des familles ouvrières, souvent des Irlandais. Comme beaucoup d'autres parties de la ville, le quartier s'est toutefois embourgeoisé dans les années 1970 comme le révèlent les boutiques, les bars et les restaurants qui s'y sont ouverts. Au n° 1021 Sanchez Street, le Noe Valley Ministry, une ancienne église presbytérienne, présente une façade caractéristique du style Stick (p. 291), le plus répandu dans la ville.

Façade victorienne du Noe Valley Ministry dans Sanchez Street

La Nobby Clarke's Folly

Clarke's Folly **⓯**

250 Douglas St. **Plan** 10 D3. 🚌 *8, 33, 35, 37, 48.* ⬤ *au public.*

Un vaste jardin entourait cette superbe demeure blanche au moment de sa construction en 1892. Elle aurait coûté 100 000 dollars, une somme énorme à la fin du XIXᵉ siècle, à Alfred Clarke, surnommé Nobby, qui travaillait au San Francisco Police Department en 1851, à l'époque où des citoyens durent former le Comité de Vigilance pour tenter de mettre un terme à la corruption et au déni des lois régnant en ville *(p. 44-45)*.

Quoiqu'aujourd'hui divisée en appartements et cernée d'autres édifices, la Clarke's Folly n'en offre pas moins un bel exemple d'architecture résidentielle victorienne. Elle associe des éléments caractéristiques du style Queen Anne, tels que tourelles et pignon ouvragé, à des murs en bardeaux et un porche plus proches du style Stick-Eastlake *(p. 291)*.

Twin Peaks **⓰**

Plan 9 C4. 🚌 *33, 36, 37.*

Les Espagnols baptisèrent El Pecho de la Chola (la Poitrine de l'Indienne) ces deux collines jumelles qui atteignent au centre de San Francisco une altitude de 275 m.

Le Twin Peaks Boulevard en fait le tour près du sommet et un parc de stationnement offre un beau point de vue. Les visiteurs prêts à gravir le sentier abrupt qui grimpe plus haut jouiront d'un panorama sans équivalent de la cité et de sa baie… à condition que la brume, qui monte si souvent de l'océan en été, ne voile pas tout.

Coiffées d'étendues herbeuses, les Twin Peaks sont les seules collines de la ville restées dans leur état originel. Très en vogue, les zones résidentielles qui s'étagent sur le bas des pentes possèdent des rues curvilignes épousant les contours du relief au lieu d'obéir au système de quadrillage habituel à San Francisco.

Vulcan Street Steps **⓱**

Vulcan St. **Plan** 9 C2. 🚌 *37.*

Hormis, sur une boîte aux lettres, une minuscule effigie de Monsieur Spock, le célèbre Vulcain de *Star Trek*, cette volée de marches située entre Orb Street et Levant Street n'entretient pas de rapport avec la série télévisée de science-fiction. Elle paraît néanmoins à des années-lumière du Castro District qu'elle domine. De petits jardins pittoresques à la végétation débordante entourent l'escalier et un dais de pins assourdit les bruits émis par la circulation. Le Vulcan Step ménage une vue magnifique du Mission District et du front de mer.

Sutro Tower **⓲**

Plan 9 B3. 🚌 *36, 37.* ⬤ *au public.*

Érigé en 1973, ce pylône haut de 295 m porte les antennes qui diffusent la plupart des chaînes de télévision hertziennes et des stations de radio de San Francisco. Visible de toute la Bay Area, il paraît parfois flotter au-dessus du brouillard qui monte de l'océan en été.

Au nord se trouvent d'épais bosquets d'eucalyptus dont les plus anciens furent plantés dans les années 1880 par Adolph Sutro, philanthrope et propriétaire foncier dont la tour et la colline sur laquelle elle s'élève portent le nom.

En regardant vers Downtown depuis le sommet des Twin Peaks

LE GOLDEN GATE PARK
ET LE PRESIDIO

ménagé à la fin du siècle dernier sur des dunes de sable, le magnifique Golden Gate Park, l'un des plus vastes parcs urbains du monde, renferme trois musées et un large éventail d'équipements sportifs. Il donne accès au Land's End, site le plus sauvage de San Francisco et lieu de nombreux naufrages. Au nord du Golden Gate Park, le Presidio domine la baie. Les Espagnols y établirent une forteresse en 1776 et le domaine resta une base militaire pendant de nombreuses années. Transformé en National Park en 1993, il offre désormais à la promenade des hectares de forêts.

Canon du Presidio

LE GOLDEN GATE PARK ET LE PRESIDIO D'UN COUP D'ŒIL

Rue et bâtiments historiques
Clement Street ⑫
Golden Gate Bridge p. 370-371 ⑰
Presidio Officers' Club ⑭

Parcs et jardins
Buffalo Paddock ⑧
Conservatory of Flowers ⑤
Japanese Tea Garden ③
Queen Wilhelmina Tulip Garden ⑨
Shakespeare Garden ②
Stow Lake ⑦
Strybing Arboretum ⑥

Musées
California Academy of Sciences (fermé jusqu'en 2008, localisation temporaire, p. 310) ①
de Young Museum ④
Fort Point ⑯
Legion of Honor p. 364-365 ⑩
Presidio Visitor Center ⑮

Église et synagogue
Holy Virgin Cathedral ⑪
Temple Emanu-El ⑬

0 ——————— 1 km

Plan pas à pas
Voir p. 356-357

Presidio
Voir p. 366-367

P Parc de stationnement

COMMENT Y ALLER
Les bus 5, 7, 21, 71 et 73 et le tram N conduisent au Golden Gate Park. Mieux vaut avoir une voiture pour le Presidio, mais le bus 43 dessert sa partie est, le 28 sa bordure nord et le 29 les sites principaux.

LÉGENDE

◁ **Le Golden Gate Bridge vu de Fort Point**

Le Golden Gate Park pas à pas

Long de 5 km et large d'environ 1,5 km, le Golden Gate Park s'étend des rives du Pacifique au centre de San Francisco et forme une oasis de paix et de verdure qui permet d'échapper à l'agitation de la vie urbaine. Trois musées entourent l'esplanade agrémentée de bancs et de fontaines qui entoure le Music Concourse, la partie du parc la plus fréquentée. Des concerts gratuits y ont lieu le dimanche au Spreckels Temple of Music. Le Japanese Tea Garden et le Shakespeare Garden ne se trouvent qu'à quelques pas. Le Golden Gate Park permet en outre de pratiquer des activités sportives telles que l'équitation, le canotage ou la bicyclette.

Lampe du Japanese Tea Garden

★ de Young Museum
Récemment réouvert, ce musée présente des collections venues du monde entier. On peut y voir cette commode en acajou, fabriquée à Philadelphia en 1780 ❹

Le Grand Bouddha mesure près de trois mètres.

★ Japanese Tea Garden
Le jardin de thé japonais offre, avec son lac et ses massifs soigneusement entretenus, un lieu de promenade très agréable ❸

HAGIWARA T

MARTIN LUTHER KING DRI

LÉGENDE

— — — Itinéraire conseillé

0   80 m

À NE PAS MANQUER

★ de Young Museum

★ Japanese Tea Garden

Shakespeare Garden
Ce petit jardin abrite plus de 150 espèces végétales mentionnées dans les œuvres de Shakespeare ❷

L'*Apple Cider Press* de Thomas Shields-Clarke est un des rares monuments de la California Midwinter Fair de 1894 à avoir subsisté.

CARTE DE SITUATION
Voir l'atlas des rues, plans 7 et 8

DEN DRIVE

Le Music Concourse
accueille des concerts en été.

California Academy of Sciences
Ce complexe est fermé pour rénovation jusqu'en 2008. Un site temporaire est ouvert à la visite (voir p. 310) ❶

California Academy of Sciences ❶

Voir p. 310 et p. 360-361.

Shakespeare Garden ❷

Music Concourse, Golden Gate Park.
Plan 8 F2. 🚌 44.

L es jardiniers se sont efforcés de cultiver ici toutes les plantes mentionnées dans les œuvres de Shakespeare. Des citations sont scellées dans le mur du fond du jardin. Une boîte renferme un buste du dramaturge datant du XIXᵉ siècle, mais elle n'est ouverte que de temps à autre. Renseignez-vous à la Lodge.

Japanese Tea Garden ❸

Music Concourse, Golden Gate Park.
Plan 8 F2. 🚌 44. ⬤ *de nov. à fév. : de 8 h 30 à 17 h t.l.j. ; de mars à oct. : de 8 h 30 à 18 h t.l.j.* 🖼 ☐ ☐

C réé par un Australien à l'initiative du marchand d'art George Turner Marsh pour la California Midwinter Fair de 1894, ce magnifique jardin doit beaucoup à un Japonais, Makota Hagiwara, et à sa famille, qui l'entretinrent et l'agrandirent jusqu'à leur internement en 1942. C'est en avril, quand les cerisiers fleurissent, qu'il présente le visage le plus spectaculaire.

de Young Museum ❹

50 Tea Garden Dr, Golden Gate Park.
Plan 8 F2. ☎ 863-3330. ⬤ *de 9 h 30 à 17 h 15 (jusqu'à 20 h 45 le ven.) t.l.j.* 🖼 *(gratuit le 1ᵉʳ mar. du mois)* ♿ 🌐 *www.thinker.org*

F ondé en 1895, le de Young Museum est l'un des meilleurs musées de San Francisco. Endommagé par un séisme en 1989, le bâtiment a fermé de 2000 à 2005. Dans le nouveau musée, dont les plans ont été primés, la surface d'exposition est doublée par rapport à l'ancien édifice.

Conservatory of Flowers ❺

John F Kennedy Drive, Golden Gate Park. **Plan** 9 A1. █ *(415) 666-7001.* ▦ *33, 44.* ◯ *de 9 h à 16 h 30 du mar. au dim.* ▨ *(gratuit le 1ᵉʳ mar. du mois).* ▨ ▣ ▨ *limité.* █

Le plus vieil édifice du parc s'inspire d'une des serres des Kew Gardens de Londres. Le promoteur, James Lick, qui importa d'Irlande sa structure métallique n'eut pas l'occasion de l'admirer ; il mourut avant son érection en 1879. Après avoir abrité pendant plus d'un siècle fougères, palmiers et orchidées, les verrières du Conservatory of Flowers subirent de graves dommages quand une tornade frappa San Francisco en 1995.

Strybing Arboretum ❻

9th Ave à la hauteur de Lincoln Way, Golden Gate Park. **Plan** 8 F2. █ *661-1316.* ▦ *44, 71.* ◯ *de 8 h à 16 h 30 du lun. au ven., de 10 h à 17 h les week-ends et les jours fériés.* ▣ ▨ ▨ ▨ W *www.strybing.org*

Plus de 7 500 variétés de plantes, d'arbres et d'arbustes du monde entier poussent au Strybing Arboretum et il renferme des jardins mexicain, africain, sud-

Le Garden of Fragrance du Strybing Arboretum

américain et australien. Un autre est entièrement consacré aux espèces végétales indigènes de la Californie.

L'enchanteur Moon-Viewing Garden mérite aussi une visite. Des plantes extrême-orientales y créent un cadre qui, contrairement à celui du Japanese Tea Garden *(p. 357),* se veut naturaliste plutôt que formel. Des herbes médicinales et culinaires embaument le Garden of Fragrance spécifiquement conçu pour les aveugles car ses parterres flattent avant tout le goût, le toucher et l'odorat. Les espèces végétales y sont identifiées en braille.

Ailleurs, des séquoias entre lesquels sinue un ruisseau recréent l'atmosphère d'une forêt côtière californienne. Il existe également une New

World Cloud Forest dont la flore provient d'Amérique centrale. Curieusement, toutes ces plantes d'origines très diverses résistent aux brouillards de San Francisco.

L'Arboretum possède une petite boutique vendant graines et livres et il abrite l'Helen Crocker Horticultural Library, une bibliothèque ouverte au public. Une exposition florale a lieu en été.

Stow Lake ❼

Stow Lake Drive, Golden Gate Park. **Plan** 8 E2. ▦ *28, 29.* ▣ ▨

W. W. Stow, président de la Park Commission, décida en 1895 la création de ce lac artificiel, le plus vaste du parc, autour du Strawberry Hill dont le sommet forme désormais une île. Deux ponts parés de pierre permettent d'y accéder. On peut louer des canots et, si la forme annulaire du Stow Lake se prête bien à des courses à la rame, l'atmosphère paisible du lieu invite tout autant à se laisser dériver en rêvant.

Offert par Taipei, capitale de Taiwan avec laquelle San Francisco est jumelée, le pavillon chinois qui se dresse sur la rive de l'île arriva en Californie sous forme de 6 000 pièces détachées.

Le magnat du rail Collis Porter Huntington *(p. 46-47)*

Le pavillon chinois du Stow Lake

finança en 1894 la construction du réservoir qui alimente la cascade, baptisée Huntington Falls, tombant dans le lac. Endommagée par le tremblement de terre de 1906, elle a été entièrement restaurée dans les années 1980.

Buffalo Paddock **8**

John F Kennedy Drive, Golden Gate Park. **Plan** 7 C2. 🚌 *5, 29.*

L eurs courtes cornes et la bosse qui courbe leur dos au-dessus du poitrail rendent immédiatement reconnaissables les bisons hirsutes broutant dans cet enclos. Intimement liés à la légende de l'Ouest, les plus grands animaux terrestres de l'Amérique du Nord faillirent disparaître pendant la conquête des Grandes Plaines et le Buffalo Paddock fut créé en 1892 dans le but de protéger l'espèce alors menacée d'extinction.

Une épidémie de tuberculose décima toutefois entièrement le premier troupeau, importé du Wyoming, qui l'occupa. En 1902, William Cody, plus connu sous le nom de Buffalo Bill, échangea un de ses bisons contre l'un de ceux du parc. Il pensait se débarrasser ainsi d'une bête agressive, mais son nouveau pensionnaire réussit à s'échapper et selon un journal de l'époque, le *San Francisco Call*, 80 hommes durent unir leurs efforts pour le reprendre.

Bison du Buffalo Paddock

Le Queen Wilhelmina Tulip Garden et le Dutch Windmill

Queen Wilhelmina Tulip Garden **9**

Plan 7 A2. 🚌 *5, 18.* **Moulin** ♿

C e jardin dont les fleurs forment des tapis multicolores au printemps porte le nom de Wilhelmine, reine des Pays-Bas de 1890 à 1948, et l'association néerlandaise des cultivateurs de bulbes lui fait don chaque année de centaines d'oignons de tulipes. Le Dutch Windmill se dresse près de l'angle nord-ouest du Golden Gate Park depuis 1903. Ce moulin à vent, ainsi que le Murphy Windmill construit en 1905 dans l'angle sud-ouest du parc, servaient à pomper de l'eau d'irrigation dans une source souterraine. L'augmentation des besoins, estimés aujourd'hui à 230 millions de litres par jour, les rendit bientôt dépassés et ils ont cessé de fonctionner.

JOHN MCLAREN

Plus que William Hammond Hall qui le dessina, c'est son successeur, John McLaren, qui donna au Golden Gate Park le visage que nous lui connaissons aujourd'hui.

Né en Écosse en 1846, McLaren fit des études de botanique avant d'émigrer en Californie dans les années 1870. Il devint l'administrateur du parc en 1887 et il lui consacra le reste de sa vie. Il réussit en particulier à acclimater des espèces végétales du monde entier et à obtenir qu'elles prospèrent malgré la pauvreté du sol et la fraîcheur des brumes. Il planta des milliers d'arbres et sélectionna les plantes florales de manière à ce qu'elles s'épanouissent tout au long de l'année.

Villa en grès construite à son intention en 1896, la John Mc Laren Lodge se trouve dans la partie orientale du parc. Alors qu'alité, il y attendait la mort en 1943, il demanda qu'on illumine de guirlandes de Noël le cyprès qui se dresse devant la maison et les autorités répondirent à son vœu malgré le black-out imposé à la ville en cette période de guerre. L'arbre reste surnommé l'« Uncle John's Christmas Tree » et brille de dizaines d'ampoules chaque Noël. John McLaren repose dans le San Francisco City Hall et le Golden Gate Park demeure un lieu où l'on peut échapper à la pression de la vie citadine.

La California Academy of Sciences ❶

L e complexe permanent étant fermé pour rénovation jusqu'en 2008, les collections sont exposées sur un site provisoire *(p. 310)*. Bien que bâti en plusieurs étapes entre 1916 et 1968, le site permanent du Golden Gate Park présente une grande homogénéité autour d'une cour centrale. Le

Pingouin du Steinhart Aquarium

musée des sciences d'origine, au centre-ville, a été gravement endommagé par le séisme de 1906, mais les objets exposés dans deux salles ayant été épargnés, ils ont servi de point de départ à la nouvelle collection, qui est excellente.

Façade de la California Academy of Sciences

SUIVEZ LE GUIDE !

Très variées, les collections sont organisées par sujets et présentées au rez-de-chaussée autour de la cour centrale. De vastes espaces accueillent des expositions temporaires. L'Academy Store, qui vend livres et cadeaux, a une boutique dans le Covell Hall et une autre près de l'auditorium. La bibliothèque, située au premier étage, possède 70 000 livres.

Reptiles et amphibiens

Poissons

Wattis Gallery

Far Side of Science Gallery

Elkus Collection

Auditorium

LÉGENDE DU PLAN

- ☐ African Hall
- ☐ Earth and Space
- ☐ Wallis Hall
- ☐ Life Through Time
- ☐ Steinhart Aquarium
- ☐ Gem and Mineral Hall
- ☐ Wild California
- ☐ Expositions temporaires
- ☐ Circulations et services

★ EarthQuake !
Sentir le sol trembler permet de mieux percevoir la puissance destructrice des séismes.

★ Le Steinhart Aquarium
Cet aquarium ouvert en 1923, l'un des plus diversifié du monde, abrite plus de 8 000 espèces aquatiques et marines.

MODE D'EMPLOI

Le siège de la California Academy of Sciences est fermé jusqu'en 2008. L'Académie est installée provisoirement au 875 Howard St. près de Frith St. (p. 310). Renseignements sur le site Internet W *www.calacademy.org*

Requins tropicaux

Fish Roundabout

Gem and Mineral Hall
Ce cristal de quartz de 612 kg provenant d'Arkansas fait partie des minéraux exposés.

Wild California

Biodiversity Resource Center

Escalier

Insectes

Ascenseur du café

Entrée

Squelette de
Tyrannosaurus rex
Ce gigantesque prédateur fut le plus grand carnivore qui foula jamais le sol de la Terre.

African Hall
Des dioramas offrent un aperçu de la faune et de la flore des jungles et savanes africaines.

À NE PAS MANQUER

★ EarthQuake !

★ Le Steinhart Aquarium

Golden Gate Bridge depuis le Lincoln Park golf course ▷

Le Legion of Honor ❿

Alma de Bretteville Spreckels s'inspira du palais de la Légion d'Honneur de Paris pour faire construire dans les années 1920 par l'architecte George Applegarth ce musée destiné à promouvoir l'art français. Il présente des œuvres européennes de ces huit derniers siècles, en particulier des peintures de Rubens, Rembrandt et Monet et plus de 70 sculptures de Rodin. Il abrite également l'Achenbach Foundation, une célèbre collection d'arts graphiques.

Paysanne
Georges de La Tour peignit ce portrait vers 1618.

Florence Gould Theater

La Porcelain Gallery
expose figurines et vaisselle produites au XVIIᵉ siècle.

Escaliers vers le rez-de-chaussée

Vierge à l'Enfant
Ce panneau peint par le Flamand Dierick Bouts au XVᵉ siècle fait partie d'une série de quatre illustrant la Vie de la Vierge.

À NE PAS MANQUER

★ **Le Penseur**

★ **Nymphéas**

MODE D'EMPLOI

34th Ave et Clement, Lincoln Park.
Plan 1 B5. (415) 750-3600.
(415) 863-3330. 18. de 9 h
30 à 17 h du mar. au dim. ; de 10 h à
20 h 45 le 1er sam. du mois. jours
fériés. gratuit le 2e mer. du mois.
W www.thinker.org

Le Tribut *(1612)*
*L'utilisation de couleurs primaires
est typique de la patte du
Flamand Peter Paul Rubens.*

L'Imprésario *(v. 1877)*
*Edgar Degas accentue
la taille de son sujet en
le faisant paraître trop
grand pour le cadre.*

Entrée

★ Nymphéas
*Claude Monet (1840-1926)
chercha à la fin de sa vie à
saisir dans quelques reflets
de lumière « un instant de
la conscience du monde ».*

SUIVEZ LE GUIDE !
*La présentation de la
collection permanente d'art
européen du musée, dans
les salles du rez-de-chaussée,
suit l'ordre chronologique
en partant du Moyen Âge à
gauche de l'entrée principale.
Le niveau inférieur abrite
les expositions temporaires
et les collections d'arts
graphiques et de porcelaine.*

★ Le Penseur *(1904)*
*Un bronze original de la statue
de Rodin, l'un des onze
exposés au monde, orne le
centre de la Court of Honor.*

LÉGENDE DU PLAN

- ☐ Collection permanente
- ☐ Achenbach Foundation Library
- ☐ Porcelain gallery
- ☐ Magasins du théâtre
- ☐ Expositions temporaires
- ☐ Circulations et services

Le Presidio

Panneau du parc

L e terrain à l'entrée de la baie de San Francisco où les Espagnols établirent une place forte en 1776 est devenu un parc où sentiers de randonnée et pistes cyclables sinuent au milieu de la verdure. De nombreux édifices : casernes, plates-formes d'artillerie ou musée, entretiennent cependant le souvenir du long passé militaire d'un site où la 6e armée avait encore récemment son quartier général. Très populaire, la promenade côtière attire marcheurs et pique-niqueurs. À l'angle nord-ouest du Presidio, l'élégant Golden Gate Bridge enjambe la Porte d'or jusqu'au Marin County. Au sud s'étend la Baker Beach.

Fort Point
Cette imposante forteresse de brique gardait le Golden Gate pendant la guerre de Sécession (1861-1865) 🅰

★ **Le Golden Gate Bridge**
Ouvert en 1937, ce pont suspendu a une longueur de 2,7 km 🅱

Le Moutain Lake, alimenté par une source, offre un cadre agréable pour un pique-nique près de l'endroit où le Presidio gardait la baie et la Mission Dolores *(p. 351)*.

Le Crissy Field, gagné sur un marécage pour la Panama-Pacific Exposition de 1915 *(p. 341)*, servit de piste d'atterrissage entre 1916 et 1936. Il a récemment été restauré.

CARTE DE SITUATION
Voir l'atlas des rues, plans 2 et 3

Le Military Cemetery
abrite les tombes de
15 000 soldats tombés au
cours de plusieurs guerres.

Le Tidal Marsh fait
partie du programme
de restauration du Presidio.

Arguello Gate
*Ce portail ouvragé
marque l'entrée
de l'ancienne base
militaire aujourd'hui
ouverte au public.*

★ **Le Presidio
Visitor Center**
*Le Visitor Center
est situé dans
Montgomery
Street.*

À NE PAS MANQER

★ **Golden Gate Bridge**

★ **Presidio Visitor Center**

0   500 m

Holy Virgin Cathedral ⓫

6210 Geary Blvd. **Plan** 8 D1. 221-3255. 2, 29, 38. 8 h, 18 h t.l.j., offices supplémentaires 8 h, 9 h 45 le dim.

Les coupoles en bulbe dorées de l'Holy Virgin Cathedral, sanctuaire de l'Église orthodoxe russe en exil, brillent au-dessus du Richmond District, quartier résidentiel situé entre le Presidio et le Golden Gate Park. Construite au début des années 1960, l'église n'ouvre généralement ses portes que pour les offices. Elle ne renferme aucun siège, la congrégation restant debout pendant le service religieux.

La cathédrale se trouve au cœur de la communauté russe de San Francisco (p. 31) qui possède ses propres commerces et restaurants, tel le Russian Renaissance. Cette communauté est une des plus anciennes de la région puisqu'elle existe depuis les années 1820. Elle connut un premier grand afflux d'immigrants après la révolution de 1917, puis deux autres à la fin des années 1950 et des années 1980.

Clement Street ⓬

Plan 1 C5. 2, 28, 29, 44.

Une artère principale du Richmond District part de l'Arguello Boulevard, à l'est, coupe les rues connues sous le nom générique de « The Avenues » et s'achève près du California Palace of the Legion of Honor (p. 364-365). Librairies et petites boutiques bordent ses trottoirs et son animation tranche sur l'atmosphère plutôt somnolente des environs. Les habitants se retrouvent dans des bars, des fast-foods et des restaurants ethniques peu fréquentés par les touristes.

Les alentours de Clement Street ont pris le surnom de New Chinatown car plus du tiers de la population chinoise de San Francisco y vit. Sans surprise, les restaurants proposent pour la plupart de la cuisine orientale et comprennent certaines des meilleures tables chinoises de la ville. Le choix offert ne s'arrête toutefois pas là et le visiteur pourra aussi déguster dans le quartier des spécialités danoises, péruviennes ou françaises.

L'Arche d'alliance du Temple Emanu-El

Temple Emanu-El ⓭

Lake St et Arguello Blvd. **Plan** 3 A4. 751-2535. de 8 h 30 à 17 h 30 du lun. au jeu., de 8 h 30 à 17 h le ven. (de 8 h 30 à 19 h 30 le 1er ven. du mois). 17 h 30 le ven., 10 h 30 le sam. pendant les offices.

Après la Première Guerre mondiale, des centaines de juifs venant de Russie et d'Europe de l'Est s'installèrent dans le Richmond District et y bâtirent d'importants lieux de culte. Construit en 1925 par Arthur Brown, architecte qui dessina aussi le City Hall (p. 342), le Temple Emanu-El est l'un de ces sanctuaires.

L'édifice, dont la coupole s'inspire de l'église Sainte-Sophie érigée au VIe siècle à Constantinople sur l'ordre de l'empereur Justinien, associe des éléments du style Mission (p. 26), une ornementation byzantine et des arcades en plein cintre. L'intérieur, qui peut accueillir près de 2 000 fidèles, prend toute sa splendeur quand le soleil brille à travers les vitraux.

Presidio Officers' Club ⓮

50 Moraga Ave. **Plan** 3 A2. (415) 561-2582. 29. de 9 h à 17 h t.l.j. Certains jours fériés.

Ayant vue sur les casernements en bois du XIXe siècle et l'esplanade où se déroulaient les parades militaires, l'ancien club des officiers du Presidio, de style Mission (p. 26), date des

L'Holy Virgin Cathedral, une église orthodoxe russe

années 1930 mais fut construit autour des vestiges en briques d'adobe du fort fondé par les Espagnols au XVIIIᵉ siècle.

Il abrite parfois des manifestations privées et des expositions publiques.

Presidio Visitor Center ⓯

Provisoirement transféré au Presidio Officers' Club. 50 Moraga Ave. **Plan** 3 A2. ☎ *(415) 561-4323.* ⓦ *www.presidiotrust.gov*

A brité jadis dans un bâtiment blanc en bois des années 1860 qui servait d'hôpital, le Presidio Museum fait aujourd'hui partie du nouveau Mott Visitor Center. Installé dans une caserne de brique sur Infantry Row, le centre abrite expositions et objets associés à la longue histoire du Presidio. Les récits de témoins oculaires sur l'évolution de la ville de San Francisco, du modeste avant-poste frontière des années 1770 à la grande métropole actuelle, constituent le thème central des collections. Uniformes, armes et articles de presse sur le séisme et l'incendie de 1906 sont présentés dans d'autres bâtiments du Presidio.

Deux petites cabanes derrière l'Old Post Hospital *(p. 367)* rappellent les centaines d'abris de fortune dressés ici après le grand séisme de 1906 *(p. 48-49).*

Canon près du Old Post Hospital, dans l'enceinte du Presidio

Le Golden Gate Bridge vu du Fort Point

Fort Point ⓰

Marine Drive. **Plan** 2 E1. ☎ *556-1693.* ◯ *de 10 h à 17 h t.l.j..* ◻ ♿ *partiel.*

A chevée par l'armée américaine en 1861, la plus importante des nombreuses fortifications érigées sur le littoral pacifique avait à l'origine deux fonctions : défendre la San Francisco Bay d'une éventuelle attaque militaire et protéger les bateaux qui transportaient l'or extrait des mines californiennes *(p. 44-45).* Le Fort Point offre un exemple caractéristique des forteresses construites en brique et en granit avant la guerre de Sécession. L'augmentation de la puissance de feu des armes modernes le rendit cependant vite dépassé malgré ses murs de 3 m d'épaisseur et il fut désaffecté en 1900 sans avoir jamais subi d'assaut.

À défaut de pouvoir résister aux obus, il se montra assez solide pour survivre au tremblement de terre de 1906 *(p. 48-49)*, mais faillit être démoli dans les années 1930 pour laisser la place au Golden Gate Bridge dont il ménage aujourd'hui une superbe vue.

Restauré dans les années 1970, il abrite désormais un musée présentant des uniformes et des armes. Des *rangers* vêtus de costumes de l'époque de la guerre de Sécession commentent des visites guidées.

HISTOIRE DU PRESIDIO

En 1776, José Joaquin Moraga, l'un des premiers colons espagnols, fonda sur cet emplacement stratégique une place forte en adobe, ou *presidio*, dans le but de contrôler l'accès de la baie et de

Le Presidio au XIXᵉ siècle

défendre la Mission Dolores *(p. 351).* Quand le Mexique eut son indépendance en 1821, le fort resta sous le contrôle de l'éphémère république jusqu'à ce que les États-Unis s'en emparent en 1847. L'armée américaine l'occupa jusqu'en 1990.

Entre les années 1850 et les années 1930, des casernements en bois, tout d'abord, puis des cottages en béton de styles Mission et Georgian destinés aux officiers et à leurs familles remplacèrent les constructions en adobe. Ces bâtiments existent toujours.

Déclaré site historique, le parc du Presidio occupe une superficie de 567 ha. Planté de forêts d'eucalyptus et de cyprès, il fait désormais partie de la Golden Gate National Recreation Area (GGNRA).

Le Golden Gate Bridge ⑰

L e célèbre ouvrage d'art qui franchit l'entrée de la San Francisco Bay, baptisée « Porte d'or » en 1844 par John Fremont, ouvrit en 1937. Il rejoint le Marin County. Sa construction coûta 35 millions de dollars et dura quatre ans. Il était à son inauguration le plus long et le plus haut pont suspendu du monde et seuls deux ponts comme lui d'une seule travée le dépassent encore par la taille. Les piétons peuvent l'emprunter gratuitement. Les véhicules entrant en ville doivent acquitter un péage.

Ouvrier du Golden Gate Bridge

Les tours jumelles, structures creuses en acier, s'élèvent à une hauteur de 227 m au-dessus de l'eau.

Fondations
Les fondations des tours demandèrent d'immenses travaux. Située à 343 m au large, la pile sud s'enfonce de 30 m dans le lit de l'océan.

La route domine de 67 m une eau profonde de 97 m.

Rivetage
Les riveurs travaillaient en équipes de quatre. Un ouvrier chauffait les rivets, un autre les attrapait dans un seau et les deux derniers les plaçaient.

Base de la pile (20 m de diamètre)
Bouclier (47 m de haut)
Renfort en acier

Bouclier en béton
Pendant sa construction, la base de la pile sud fut protégée des vagues et de la marée par un cylindre en béton. On pompa l'eau pour créer un compartiment étanche.

THE GOLDEN GATE BRIDGE
AT SAN FRANCISCO

La longueur du pont est de 2,7 km et son enjambement de 1 280 m. 67 m séparent la route de la surface de l'eau.

Tablier
La construction du tablier se fit parallèlement de part et d'autre des tours de manière à équilibrer la tension sur les câbles de suspension.

MODE D'EMPLOI

Hwy 101, Presidio. **Plan** 2 E1. 📞 (415) 923-2000. 🚌 2, 4, 8, 10, 18, 20, 50, 72, 80. **Piétons et cyclistes** de 5 h à 21 h t.l.j., sur le trottoir est seulement. **Péage** sur la Hwy 101, seulement vers le sud. 📷 ♿ Plate-forme panoramique seulement. 🚻

Joseph Strauss
Officiellement crédité de la conception du pont, le Chicagoan Joseph Strauss dirigea l'inauguration en avril 1937. Il avait pour assistants Leon Moisseiff et Charles Ellis, et comme architecte conseil Irving F. Morrow.

LE GOLDEN GATE BRIDGE EN CHIFFRES

- Tous les ans, plus de 40 millions de véhicules franchissent le pont, soit près de 118 000 chaque jour.
- La couche originelle de peinture ne nécessita que des retouches pendant 27 ans. Une équipe la décape depuis 1965 pour en appliquer une plus durable.
- Longs de 2 330 m et épais de plus d'un mètre, les deux grands câbles se composent d'assez de fil d'acier, près de 130 000 km, pour faire trois fois le tour de la Terre.
- Le volume de béton coulé dans les piles et les ancrages suffirait à couvrir un trottoir de 1,5 m de large reliant San Francisco à New York, une distance de plus de 4 000 km.
- Le pont peut résister à des vents de 160 km/h.
- Chaque pile, qui supporte une tour en acier de 44 000 tonnes, doit résister à un flux de marée d'une vitesse de plus de 100 km/h.

Peintres à l'ouvrage

Vue de Vista Point
Depuis le Marin County, San Francisco se dessine à l'arrière-plan derrière le pont.

SE DISTRAIRE
À SAN FRANCISCO

Depuis le début de sa prospérité au milieu du siècle dernier, San Francisco revendique le rôle de capitale culturelle de la Côte Ouest et elle s'efforce de le conserver malgré la concurrence de Los Angeles *(p. 162-165)*. Elle possède ainsi les meilleures compagnies de ballet et d'opéra de Californie et un orchestre symphonique de grande renommée. Le Center for the Arts Theater des Yerba Buena Gardens accueille de nombreuses troupes internationales en tournée. Les amateurs de

Beach Blanket Babylon
(p. 331)

cinéma jouiront d'un vaste choix, de grands films classiques aux dernières productions hollywoodiennes, mais le théâtre reste un des points faibles de la ville en dehors de quelques petites compagnies novatrices. Les musiciens de jazz et de blues y abondent en revanche et vous pourrez écouter d'excellents groupes pour le prix d'une consommation ou à l'occasion des fêtes et des festivals organisés pendant l'été. Des parcs et des ports bien équipés permettent de pratiquer la bicyclette, le golf, le tennis et la navigation.

SOURCES D'INFORMATION

Deux quotidiens, le *San Francisco Chronicle* et l'*Examiner*, donnent une liste complète des spectacles et des films. L'édition du dimanche du *Chronicle's* est très utile. Des hebdomadaires gratuits tels que le *San Francisco Weekly* (distribué dans les bars et les cafés) et le *San Francisco Bay Guardian* offrent aussi de riches sources d'information, entre autres sur les boîtes de nuit.
Le **San Francisco Convention and Visitors' Bureau** publie deux fois par an le *San Francisco Book* très pratique pour organiser un long séjour. Il est disponible gratuitement au **Visitors' Information Center** avec

d'autres brochures destinées aux touristes telles que *Key This Week San Francisco* et *Where San Francisco*.
Pour des renseignements en français, contactez l'**Alliance française** ou essayez l'Events Line du Visitors' Bureau, un service téléphonique vocal.

ACHETER SA PLACE

Le Ticketmaster jouit pratiquement d'un monopole sur la vente des places de concert, de théâtre et de rencontres sportives. Il permet, avec une carte bancaire, de réserver par téléphone et possède des comptoirs dans les magasins de disques Tower Records et Wherehouse *(p. 584-585)* de toute la Californie du Nord.

Vitrine d'une agence de location de San Francisco

Il prélève une commission d'un montant d'environ 4 $ par billet. Vous pouvez éviter ce surcoût en vous adressant directement aux billetteries, mais beaucoup ouvrent peu de temps avant le spectacle.
Assister aux représentations de l'orchestre philharmonique et des compagnies de ballet et d'opéra de San Francisco impose de s'y prendre à l'avance. Toutes ces institutions possèdent des systèmes d'abonnement qui se révéleront utiles lors d'un séjour de longue durée.
Répertoriées dans les pages jaunes de l'annuaire, les quelques autres *ticket agencies* de San Francisco sont principalement spécialisées dans les places de choix, et chères. Toutes les grandes manifestations à guichet fermé donnent lieu à un marché noir, des vendeurs à la sauvette proposant à l'entrée des billets aux tarifs surévalués. Marchander, au risque de manquer le début, peut les faire baisser.

Entrée principale du War Memorial Opera House

Joueur d'échecs sur la
Porthsmouth Plaza de Chinatown

LES TARIFS RÉDUITS

Depuis un kiosque situé sur le côté oriental d'Union Square *(p. 310)*, le **TIX Bay Area** vend à partir de 11 h des billets demi-tarif pour certaines manifestations se déroulant le jour même. Il est aussi parfois possible d'y acquérir le week-end des places à prix réduit pour le dimanche ou le lundi suivant. Tous ces tickets se règlent en liquide.

Le TIX Bay Area fait également office de succursale du Ticketmaster et propose des billets plein tarif pour des spectacles pouvant avoir lieu plusieurs jours plus tard.

Il est ouvert les mardis, mercredis et jeudis de 11 h à 18 h, les vendredis et samedis de 11 h à 19 h et le dimanche de 11 h à 15 h.

LES SPECTACLES GRATUITS

Les nombreux concerts et spectacles gratuits organisés régulièrement partout dans la ville ont lieu pour la plupart dans la journée et en plein air pendant l'été.

Le Symphony Orchestra *(p. 374-375)* donne ainsi une série de représentations les dimanches de fin d'été au Stern Grove, un site au sud du Sunset District qui accueille également des ballets.

Au Cobb's Comedy Club *(p. 374-375)* se déroule en août et en septembre la San Francisco International Comedy Competition.

Dans le cadre du programme « Brown Bags Opera », des chanteurs du San Francisco Opera *(p. 374-375)* viennent à la rencontre des auditeurs dans des endroits tels que des centres commerciaux ou l'aéroport. L'« Opera in the Park » attire chaque année des milliers de personnes dans le Golden Gate Park. Ce parc sert aussi en été de cadre au Shakespeare Festival, au Comedy Celebration Day et à des spectacles de la San Francisco Mime Troup.

Toujours en été, une série de concerts appelée « Music in the Park » est donnée les vendredis midis dans le bosquet de séquoias situé derrière la Transamerica Pyramid *(p. 305)*. La chorale de la Grace Cathedral chante le jeudi à 17 h 15 lors de l'office du soir.

SPECTATEURS HANDICAPÉS

La plupart des théâtres et des lieux de spectacle de San Francisco offrent un accès aisé en fauteuil roulant, mais quelques salles parmi les plus petites imposent parfois de passer par une entrée spéciale ou de prendre un ascenseur pour atteindre les rangs les plus élevés. De nombreux cinémas proposent des casques amplificateurs. Mieux vaut toujours se renseigner par téléphone avant de se déplacer.

Le cinéma Presidio

CARNET D'ADRESSES

ADRESSES UTILES

San Francisco Convention and Visitors' Bureau
Suite 900, 201 3rd St.
℡ *(415) 974-6900.*

Information Center
900 Market St, Hallidie Plaza.
℡ *(415) 391-2000.*
Ⓦ *www.sfvisitor.org*

Events Line (24h/24)
🄵 *(415) 391-2003 (français).*

Alliance française
1345 Bush St. ℡ *(415) 775-7755.*

AGENCES DE LOCATION

Ticketmaster
Réservations par téléphone.
℡ *(415) 421-8497.*

TIX Bay Area
Union Sq, Powell St.
℡ *(415) 433-7827.*
Ⓦ *www.theatrebayarea.org
ou www.tickets.com*

Parc Bell Park stade des San Francisco Giants *(p. 374-375)*

Les lieux de spectacle

Malgré la création du Center for the Arts Theater des Yerba Buena Gardens, le Civic Center, situé en face du City Hall, reste à San Francisco le haut lieu du ballet, de l'opéra et de la musique classique. La plupart des théâtres se trouvent dans le Theater District autour d'Union Square. Le SoMa (South of Market) est devenu un des grands pôles de la vie nocturne, mais de nombreux quartiers renferment night-clubs et boîtes de rock ou de jazz. Les parcs permettent de pratiquer des sports variés.

CINÉMA ET THÉÂTRE

Un des meilleurs cinéma de San Francisco, l'**AMC Kabuki**, un complexe de huit salles situé dans le Japan Center *(p. 342)*, accueille en mai le **San Francisco International Film Festival**. L'**Opera Plaza** programme de nombreux films étrangers en première exclusivité. Le magnifique **Castro** *(p. 350)* présente des classiques renouvelés tous les jours.

Le Theater District *(p. 310)* regroupe les théâtres proposant les plus grandes productions. La compagnie de la ville la plus réputée, l'**American Conservatory Theater (ACT)**, qui se produit de septembre à mai, a aussi son siège dans ce quartier. Parmi les salles plus petites, la meilleure est le **The Marsh**.

Le Geary Theater *(p. 310)*

OPÉRA, MUSIQUE CLASSIQUE ET DANSE

Les billets peuvent coûter plus de 100 $ pendant la principale saison de la **San Francisco Opera**

Le Louise M. Davies Symphony Hall

Association, de septembre à décembre, mais elle propose également une saison d'été aux places moins chères.

Le **Louise M. Davies Symphony Hall** fait aussi partie du Civic Center sur Van Ness Avenue. L'orchestre symphonique y donne jusqu'à cinq concerts par semaine.

Le **San Francisco Ballet** propose œuvres classiques et créations récentes de février à avril. Le Center for the Arts *(p. 312-313)* abrite le **LINES Contemporary Ballet**.

ROCK, JAZZ ET BLUES

L'un des meilleurs clubs de rock, le **Slim's** est situé en plein cœur du SoMa (South of Market). Entré dans la légende du rock pendant les années 1960 *(p. 349)*, le **Fillmore Auditorium** vient de rouvrir.

Dans de nombreux lieux accueillant des groupes de jazz, tel **Jazz at Pearl's**, le spectacle est généralement gratuit si vous dînez ou prenez des consommations.

Des joueurs de blues se produisent dans des bars comme **The Saloon**, **Biscuits and Blues** et **Boom Boom**

Bannière du Jazz Festival *(p. 34)*

Room. Chaque année, le San Francisco Blues Festival *(p. 34)* offre l'occasion d'écouter des maîtres du genre.

CLUBS

Le **Bambuddha Lounge** accueille les meilleurs DJ de San Francisco, tout en proposant une cuisine de qualité. Si vous voulez danser toute la nuit, vous pouvez également aller au **Suede**. Certains des night-clubs les plus populaires sont principalement (mais rarement exclusivement) gay. Ils incluent l'**Endup** et le **Rawhide II** qui propose tous les soirs du *square dancing* (quadrille américain).

L'un des plus agréables piano-bars, le superbe **Top of the Mark** de style Art déco, domine la ville depuis le sommet du Mark Hopkins InterContinental Hotel *(p. 523)*. Au **Julie's Supper Club**, jazz et Rythm and Blues de qualité ajoutent au plaisir de déguster de la cuisine cajun. Le **Tommy T's Comedy House** et le **Cobb's Comedy Club** sont réputés pour leurs spectacles de cabaret.

SPORTS ET ACTIVITÉS DE PLEIN AIR

Obtenir une place pour un match des **San Francisco 49ers** dans leur stade du 3 Com Park coûte cher et se révèle difficile. Les **Oakland Riders** jouent au **Network Associates Coliseum**, à Oakland. L'**University of California** *(p. 402)* et la **Stanford University** *(p. 411)* possèdent leur équipe de football américain. En base-ball, les deux équipes de la Bay Area concourent l'une en National League **(San Francisco Giants)**, l'autre en American League **(Oakland Athletics)**. Les Giants jouent au **Pacific Bell Park**, tandis que les Athletics ont leurs quartiers au Network Associates Coliseum.

La ville compte plusieurs terrains de golf, dont un municipal dans le **Lincoln**

Park, mais la majorité des piscines publiques se trouvent à la périphérie. Pour tout renseignement, contactez le **San Francisco Recreation and Parks Department**. Il n'existe qu'une plage sûre sur le Pacifique, la China Beach située près de la Baker Beach *(p. 366-369)*.

Le Golden Gate Park *(p. 356-359)* abrite de nombreux courts de tennis. Le **Claremont Resort Spa and Tennis Club** *(p. 402)*, à Berkeley, permet de jouer sans limite de temps dans un cadre idéal.

Le terrain de golf du Lincoln Park a vue sur le Golden Gate Bridge

FAIRE DES ACHATS À SAN FRANCISCO

S'adonner au lèche-vitrines à San Francisco présente plus d'intérêt que l'assouvissement d'un simple plaisir de consommer. La diversité de la cité se reflète dans les devantures de ses magasins qui donnent une image concrète de la personnalité de chaque quartier. L'éventail d'objets et de produits proposés est immense et vous aurez tout intérêt à ne pas précipiter

Horloge de l'entrée de Tiffany's

vos achats. En général, les vendeurs se montrent accueillants avec les flâneurs, les laissant prendre leur temps, en particulier dans les très nombreuses boutiques spécialisées de la ville. Les grands magasins, situés pour la plupart autour d'Union Square, et les galeries marchandes où vous trouverez également cafés et restaurants, réunissent un vaste choix dans un espace réduit.

CENTRES COMMERCIAUX ET GALERIES MARCHANDES

Contrairement aux centres commerciaux de banlieue, ceux de San Francisco ont de la personnalité et certains présentent même un réel intérêt architectural. L'Embarcadero Center *(p. 304)* regroupe 125 magasins sur l'équivalent de huit pâtés de maisons. Installé dans une ancienne chocolaterie fondée en 1893, le Ghirardelli Square *(p. 327)* possède beaucoup de caractère. Il propose plus de 70 boutiques et plusieurs restaurants dominant la baie. Au San Francisco Center *(p. 311)*, plus de 100 commerces occupent 9 étages. Un carrousel et des artistes de rue créent une ambiance de fête très appréciée des enfants au Pier 39, ponton réputé pour ses boutiques originales et ses restaurants au bord de l'eau. The Cannery *(p. 327)*, sur le Fisherman's Wharf, abrite de charmants petits magasins très variés. La Crocker Galleria

Emporio Armani

(p. 310), l'une des plus spectaculaires galeries marchandes de la ville, s'ordonne sur trois niveaux autour d'une place centrale éclairée par une verrière. Le Japan Center *(p. 342)*, orné en son centre d'une pagode, offre maisons de thé, cuisine exotique, bains traditionnels japonais et objets d'Extrême-Orient. Le style Art déco domine au Rincon Center *(p. 307)* dont une colonne d'eau de 27 m décore l'atrium.

GRANDS MAGASINS

La plupart des grands magasins les plus prestigieux de San Francisco se trouvent sur Union Square ou autour. Bien qu'ils offrent tous un immense choix, chacun possède sa propre identité.
Macy's s'étend sur deux pâtés de maisons et il propose des services tels qu'un bureau de change et des interprètes. La présentation y est toujours soignée et le personnel s'y montre empressé. Le département de mode masculine se révèle particulièrement riche.
Neiman Marcus occupe un édifice moderne dont la construction en 1982 provoqua un véritable tollé car il remplaçait un bâtiment de la fin du siècle dernier. Il en a toutefois conservé la superbe verrière en vitraux qui éclaire le Rotunda Restaurant.
Nordstrom, réputé pour le prêt-à-porter et les chaussures, doit à sa situation aux derniers étages du San Francisco Center d'être surnommé « the store-in-the-sky » (le magasin dans le ciel).

Drapeaux flottant sur la pagode, au Japan Center

UNION SQUARE

Entre Market Street et Sutter Street, Union Square et ses alentours constituent le principal quartier commerçant de San Francisco. Outre plusieurs grands magasins, il renferme de nombreuses boutiques de toutes sortes proposant aussi bien literie de stylistes que chiens de race ou souvenirs. Hôtels de luxe, restaurants élégants et étals de fleurs colorés ajoutent au plaisir du lèche-vitrines.

ACHATS POUR UNE BONNE CAUSE

Plusieurs magasins permettent de donner une dimension altruiste à ses achats. La **Planetweavers Treasure Store** propose de l'artisanat et des vêtements produits dans les pays en voie de développement, ainsi que des jouets éducatifs du monde entier. L'UNICEF

Étal de fleurs d'Union Square

(Fonds des Nations unies pour l'enfance) perçoit 25 % des bénéfices. Le **Golden Gate National Park Store** propose cadeaux et souvenirs à profusion. Tous les profits réalisés par **Under One Roof** vont à des organismes de lutte contre le sida. La **Greenpeace Store** vend bijoux, affiches et cadeaux divers pour la célèbre organisation de défense de la nature.

SOUVENIRS

Only **San Francisco** et la **Cable Car Store** offrent un large éventail de T-shirts, porte-clés et autres souvenirs évoquant San Francisco. Des casquettes de toutes tailles, couleurs et motifs sont disponibles à **Krazy Kaps**, tandis que des paniers emplis de cadeaux bon marché marquent l'entrée des boutiques de Grant Avenue *(p. 319)* et du Fisherman's Wharf *(p. 324-325)*.

BONNES AFFAIRES

Les gourmands apprécieront à San Francisco les produits de la mer, les spécialités exotiques et les vins de la Napa Valley *(p. 446-447)*. La ville permet aussi de faire de bonnes affaires en matière de blue-jeans, de vêtements anciens ou d'occasion, d'art ethnique et de disques.

SHOPPING GUIDÉ

Pour simplifier les recherches des visiteurs, des compagnies comme **Shopper Stopper Shopping Tours** organisent des promenades où un guide conduit dans des magasins sélectionnés.

MUSÉES

Vous trouverez dans les boutiques de musées, entre autres à l'**Academy Store** de la California Academy of Sciences *(p. 310)*, à la **Museum Store** de la Legion of Honor *(p. 364-365)*, à la **San Francisco MOMA Museum Store** *(p. 308-309)* et au **Asian Art Museum** (p. 342) des cadeaux originaux et de bon goût à des prix adaptés à tous les budgets.

Grant Avenue, Chinatown

CARNET D'ADRESSES

Academy Store
California Academy of Sciences, Provisoirement situé au 875 Howard St. **Plan** 6 D 5.
📞 *(415) 750-7330.*

Asian Art Museum
200 Larkin St. **Plan** 4 F5.
📞 *(415) 379-8000.*
🆆 *www. asianart.org*

Cable Car Store
Pier 39. **Plan** 5 B1.
📞 *(415) 989-2040.*

Greenpeace Store
900 North Point. **Plan** 4 F1.
📞 *(415) 512-9025.*

Golden Gate National Park Store
Embarcadero Center. **Plan** 6 D3
📞 *(415) 984-0640.*

Krazy Kaps
Pier 39.
Plan 5 B1.
📞 *(415) 296-8930.*

Macy's
Stockton et O'Farrell Sts.
Plan 5 C5.
📞 *(415) 397-3333.*

Museum Store
Legion of Honor,
Golden Gate Park. **Plan** 1 B5.
📞 *(415) 750-3600.*

Neiman Marcus
150 Stockton St. **Plan** 5 C5.
📞 *(415) 362-3900.*

Nordstrom
San Francisco Shopping Center,
865 Market St. **Plan** 5 C5.
📞 *(415) 243-8500.*

Only in San Francisco
Pier 39. **Plan** 5 B1.
📞 *(415) 397-0122.*

Planetweavers Treasure Store
1573 Haight St. **Plan** 9 C1.
📞 *(415) 864-4415.*

San Francisco MOMA Museum Store
Museum of Modern Art.
Plan 6 D5.
📞 *(415) 357-4035.*

Shopping Stopper Shopping Tours
📞 *(707) 829-1597.*

Under One Roof
549 Castro St. **Plan** 10 D3.
📞 *(415) 252-9430.*

Les boutiques de San Francisco

La longue tradition culturelle de San Francisco et son humeur non conformiste, associées à l'esprit d'entreprise américain, expliquent la richesse et la variété de ses boutiques. Elles font du lèche-vitrines un plaisir constamment renouvelé. Qu'ils recherchent un petit souvenir, du prêt-à-porter, des œuvres d'art, des disques ou des antiquités, les visiteurs n'ont que l'embarras du choix. Les gourmets apprécieront notamment les vins fins et les spécialités de tous pays vendus dans des magasins d'alimentation où, souvent, odeurs et présentation mettent dès l'entrée en appétit.

BOUTIQUES SPÉCIALISÉES

Créés dans certains cas par des artistes de la Bay Area, les vêtements et les objets vendus à **Smile-A Gallery with Tongue in Chic** n'ont qu'une prétention, faire sourire. **Malm Luggage** propose bagages et articles de cuir depuis la ruée vers l'or. Du pire au meilleur, les cartes postales exposées à **Flax Art and Design**, une maison qui existe depuis plus de soixante ans, offrent un reflet ludique des États-Unis. Le principal magasin de jouets, **Comix Experience**, propose des exemplaires de BD en édition spéciale.

L'extérieur coloré du Flax Art and Design à Market Street

MODE

En mode féminine, San Francisco compte quelques stylistes réputés tels que **Diana Slavin** à l'élégance classique, **Joanie Char** pour les tenues de sport et **Wilkes Bashford** pour le quotidien. Pour les hommes, la coupe des chemises et des complets de **Brooks Brothers** justifie sa notoriété, tandis qu'**Eddie Bauer** propose des habits de ville à la mode. Vous trouverez des vêtements dégriffés dans le quartier à SoMa (South of Market). Les créations en coton pour

enfants de **Small Frys**, connaissent un grand succès. **Nike Town** est un supermarché de la chaussure de sport. L'usine de la **Original Levi's Store** fabrique depuis 1853 les célèbres jeans Levis *(p. 333)*, ainsi qu'une large gamme de vêtements.

LIVRES, DISQUES, ART ET ANTIQUITÉS

C'est l'**European Book Company** qui propose le plus de publications en français. Devenue une véritable institution, la **City Lights Bookstore** *(p. 330-331)* où se retrouvaient les auteurs de la beat generation reste ouverte en nocturne. Les succursales de **Tower Records** et **Virgin Megastore** offrent un très large choix de disques. **Recycled Records** est spécialisé dans les disques d'occasion et les enregistrements rares. Parmi les centaines de galeries d'art de San Francisco, la **John Berggruen Gallery** abrite la plus riche collection d'œuvres

d'artistes établis ou en passe de le devenir. La **Simmons Gallery** vend des éditions limitées de gravures de maîtres modernes comme Picasso, Matisse et Miró. Objets et peintures Art nouveau et des débuts de la Californie se trouvent à la **SF Artisan's Gallery**. Le quartier de Jackson Square *(p. 304)* est celui qui recèle le plus d'antiquaires.

À la Golden Gate Fortune Cookie Factory

À BOIRE ET À MANGER

Des oreilles de mer aux courgettes, et des produits frais de Californie aux spécialités importées, les gourmets n'ont que l'embarras du choix chez **Whole Foods**. Les confitures et les moutardes, entre autres, de **Williams-Sonoma** peuvent faire de délicieux cadeaux, tandis que ses raviolis et tortellini frais valent à **Molinari Delicatessen** une réputation méritée.

La City Lights Bookstore *(p. 330)* sur Columbus Avenue

Ses spécialités extrême-orientales justifient presque à elles seules une visite de Chinatown (*p. 316-317*). Ouverts tous les jours, les magasins d'alimentation du quartier lui donnent une atmosphère de marché fermier exotique. La **Golden Gate Fortune Cookie Company** (*p. 316*) entretient la tradition des « gâteaux de la chance ».

Vous trouverez les ingrédients qui font le piment de la cuisine latino-américaine au **Casa Lucas Market**. Les baguettes au levain de la **Boudins Bakery** et les chocolats de **Ghirardelli's**, une maison fondée à l'époque de la ruée vers l'or séduiront les gourmets.

Les habitants de San Francisco sont de grands connaisseurs dans le domaine du café. Le **Caffè Trieste**, le plus ancien café de la ville, propose une sélection de mélanges spécialement torréfiés, ainsi que des machines à café. Le **Napa Valley Winery Exchange** permet de découvrir les crus de nombreux domaines viticoles californiens.

Les maraîchers de la région viennent vendre directement au cœur de la cité leurs légumes et fruits frais lors de marchés fermiers. Le **Heart of the City** a lieu les mercredis et dimanches de 7 h à 17 h et le **Ferry Plaza Farmers' Market** les samedis de 9 h à 14 h.

Le Ghirardelli Square est réputé pour son chocolatier

CARNET D'ADRESSES

BOUTIQUES SPÉCIALISÉES

Comix Experience
305 Divisadero St.
Plan 10 D1.
(415) 863-9258.

Flax Art and Design
1699 Market St.
Plan 10 F1.
(415) 522-2355.

Malm Luggage
222 Grant Ave.
Plan 5 C4.
(415) 392-0417.

Smile – A Gallery with Tongue in Chic
500 Sutter St.
Plan 5 B4.
(415) 362-3437.

MODE

Brooks Brothers
201 Post St.
Plan 5 C4.
(415) 397-4500.

Diana Slavin
3 Claude Lane.
Plan 5 C4.
(415) 677-9939.

Eddie Bauer
3251 20th Ave.
Plan 8 E2.
(415) 664-9262.

Joanie Char
285A Sutter St.
Plan 5 C4.
(415) 399-9867.

Nike Town
278 Post St.
Plan 5 C4.
(415) 392-6453.

Original Levi's Store
Union Square.
Plan 5 C5.
(415) 501-0100.

Small Frys
4066 24th St.
Plan 10 D4.
(415) 648-3954.

Wilkes Bashford
375 Sutter St. Plan 5 C4.
(415) 986-4380.

LIVRES, DISQUES, ART ET ANTIQUITÉS

SF Artisan's Gallery
78 E Blithedale, Mill Valley.
(415) 388-2044.
www.artisangallery.org

City Lights Bookstore
261 Columbus Ave.
Plan 5 C3.
(415) 362-8193.

A Clean Well-Lighted Place for Books
601 Van Ness Ave.
Plan 4 F5.
(415) 441-6670.

John Berggruen Gallery
228 Grant Ave.
Plan 5 C4.
(415) 781-4629.

Recycled Records
1377 Haight St. Plan 9 C1.
(415) 626-4075.

The Simmons
540 Sutter St. Plan 5 B4.
(415) 986-2244.

Tower Records
Columbus Ave et Bay St.
Plan 5 A2.
(415) 885-0500.
Plusieurs succursales.

Virgin Megastore
Stockton St et Market St.
Plan 5 C5.
(415) 397-4525.
Plusieurs succursales.

À BOIRE ET À MANGER

Boudins Bakery
4 Embarcadero Center.
Plan 6 D3.
(415) 362-3330.

Caffè Trieste
601 Vallejo St.
Plan 5 C3.
(415) 982-2605.

Casa Lucas Market
2934 24th St.
Plan 9 C3.
(415) 826-4334.

Ferry Plaza Farmers' Market
Début de Market St sur l'Embarcadero. Plan 6 D3.
(415) 291-3276.
www.ferryplaza farmersmarket.com

Ghirardelli's
Ghirardelli Square. Plan 4 F1. (415) 474-3938.

44 Stockton St. Plan 5 C1.
(415) 397-3030.

Golden Gate Fortune Cookie Company
56 Ross Alley. Plan 5 C3.
(415) 781-3956.

Heart of the City Farmers' Market
United Nations Plaza.
Plan 10 A1.
(415) 558-9455.

Molinari Delicatessen
373 Columbus Ave. Plan 5 C3. (415) 421-2337.

Napa Valley Winery Exchange
415 Taylor St. Plan 5 B5.
(415) 771-2887.
www.napavalleywinery ex.com

Whole Foods
1765 California St. Plan 4 F4. (415) 674-0500.

Williams-Sonoma
340 Post St. Plan 5 C4.
(415) 362-9450.

CIRCULER
À SAN FRANCISCO

Cernée par la mer, la plus euro- péenne des villes américaines est restée peu étendue, ce qui rend sa visite aisée et agréable, de nombreux sites se trouvant à courte distance les uns des autres. Elle possède en outre un sys- tème de transports en commun très pra- tique. Les *cable cars* sont devenus de véritables attractions touristiques, des bus sillonnent tout le centre et les trams et les trains du Muni Metro et du BART desser- vent la périphérie. Abordables mais rares, les taxis offrent un moyen sûr de se dé- placer la nuit. Des transbordeurs assurent toujours des navettes à travers la baie. En voiture, une réglementation particulière de stationnement s'applique dans les rues pentues des collines *(p. 603)*.

Des injonctions à respecter sous peine d'amende

À PIED

San Francisco est une ville à découvrir à pied, seulement 15 à 20 minutes de marche à une vitesse moyenne séparant les principaux quartiers touristiques. Gravir les collines s'avère parfois fatigant, mais les vues offertes de la baie et de la cité récompensent de l'effort exigé par l'ascension.

À la plupart des carrefours, des panneaux verts et blancs indiquent les noms des artères qui se croisent. Ces noms sont parfois inscrits sur le trottoir. En traversant, n'oubliez pas que le code de la route autorise les véhicules à tourner à droite à un feu rouge ; ne vous fiez donc pas uniquement aux panneaux lumineux des passages protégés. Bien que les San-Franciscains ne se gênent pas pour le faire, traverser hors de ces passages, ou quand le signal indique « Don't Walk », est passible d'une amende d'un minimum de 50 $.

EN TAXI

Des taxis circulent à San Francisco 24 h/24. Pour en obtenir un, vous pouvez soit téléphoner, soit attendre à une station, soit en arrêter un dont la lanterne, sur le toit, est allumée. Un forfait d'environ 2 $ s'applique pour le premier mile (1,6 km). Le prix de la course augmente de la même somme à chaque nouveau mile ou de 35 cents par minute. N'oubliez pas le pourboire, approximativement 15 % de la course.

À BICYCLETTE

Circuler à vélo à San Francisco n'impose pas toujours d'affronter les collines, en particulier sur le front de mer. Le tarif de location d'une bicyclette se monte à environ 25 $ la journée et 125 $ la semaine. Certains bus sont dotés de porte-vélos sur les flancs. **Bay City Bike** et **Start to Finish** vous indiqueront des itinéraires pittoresques.

AUTRES MODES DE TRANSPORT

Cyclo-pousses *(pedicabs)* et calèches proposent des promenades sur l'Embarcadero, notamment près du Fisherman's Wharf *(p. 324-325)*. Vous pouvez aussi profiter de visites guidées en *cable cars* motorisés (les passagers peuvent monter et descendre où ils veulent) ou en autocars.

Promenade en cyclo-pousse, un mode de transport très à la mode

---

CARNET D'ADRESSES

COMPAGNIES DE TAXIS

City Cab
📞 *(415) 920-0700.*

De Soto Cab
📞 *(415) 970-1300.*

Veteran's Cab
📞 *(415) 552-1300.*

Yellow Cab
📞 *(415) 626-2345.*

LOCATION DE BICYCLETTES

Bay City Bike
2661 Taylor St,
Fisherman's Wharf.
Plan 4 F1.
📞 *(415) 346-2453.*
W *www.baycitybike.com*

Start to Finish
2530 Lombard St.
Plan 3 C2.
📞 *(415) 202-9830.*

Attendez que l'indication « Walk » s'affiche avant de traverser

Circuler en bus et en tram

Le San Francisco Municipal Railway, ou Muni, la régie des transports publics de la ville, propose des forfaits qui permettent de circuler librement sur tous ses bus, les *streetcars* (trams électriques) du Muni Metro et les trois lignes de *cable cars*. Très pratique, ce réseau dessert la majorité des sites touristiques et tous les quartiers de San Francisco.

TICKETS ET TARIFS

Les tickets de bus et de tram coûtent 1,25 $ par trajet. En payant son ticket, on peut demander un transfert (gratuit) qui donne droit à un changement dans les 90 minutes qui suivent. Il existe des tarifs réduits pour les personnes âgées de plus de 65 ans et les enfants de 5 à 17 ans. Ceux de moins de 5 ans voyagent gratuitement.

Le Muni Passport, valable 1, 3 ou 7 jours, permet de circuler librement par les bus, les trams et les *cable cars*. Ce forfait est en vente aux kiosques d'information de l'aéroport international de San Francisco, au **Visitors' Information Center** devant la station BART/Metro de Powell Street, et au kiosque à tickets du *cable car* à l'angle de Powell & Market et de Hyde & Beach.

Wagons rouge et argent typiques du tram du Muni Metro

Muni Passports

EN BUS ET EN TRAM

Les bus ne s'arrêtent qu'aux arrêts situés tous les deux ou trois pâtés de maisons. Leur destination et le numéro de la ligne figurent à l'avant et sur les côtés. Le numéro suivi d'une lettre (L, EX, A, etc.) indique un service express ou des arrêts limités.

En montant, glissez la somme exacte ou des jetons dans la boîte prévue à cet effet ou présentez votre Muni Passport au conducteur. Pour demander un arrêt, tirez le câble qui court le long des fenêtres ou avisez le conducteur. Le signal « Stop Requested » s'allumera au-dessus du pare-brise. Chaque arrêt de bus porte le logo Muni. Sur les parois de l'abri sont affichés les numéros des lignes qui le desservent, ainsi que les itinéraires et les horaires.

Les trams du Muni Metro et les trains du BART *(p. 382)* partagent sur Market Street quatre des sept stations souterraines, indiquées par des signes lumineux orange, jaune et blanc. Une fois à l'intérieur, cherchez l'accès marqué « Muni ».

Pour aller vers l'ouest de la ville, suivez « Outbound » ; pour aller vers l'est, suivez « Downtown ». Des panneaux électroniques annoncent le prochain tram. Les portes s'ouvrent automatiquement à la montée ; si elles ne s'ouvrent pas, poussez la barre du bas près de la sortie. Un drapeau orange et brun ou un poteau portant une bande jaune marquée « Muni » ou « Car Stop » signale les arrêts en surface.

VISITER EN BUS

Les lignes les plus utilisées portent les numéros 15, 30, 39, 45 et 47. La 38 grimpe sur les collines dominant Ocean Beach. Les 5, 21, 71 et N passent par le Golden Gate Park *(p. 356-359)*. Pour Chinatown *(p. 314-321)*, prenez la 30 ou la 45 ; Nob Hill se trouve sur la ligne 1, celle du *cable car* de California Street ; pour Haight Ashbury *(p. 344-353)*, prenez la 6, la 7 ou la 71 ; Mission District se trouve sur la ligne 14. Il faut 30 à 45 minutes pour atteindre la Bay Area *(p. 394-415)*.

Les abris de bus Muni sont équipés de téléphones publics

CARNET D'ADRESSES

MUNI INFORMATION

(415) 673-6864.
www.sfmuni.com

MUNI PASSPORTS

Visitors' Information Center
Hallidie Plaza. **Plan** 5 C5.
(415) 391-2000.
www.transitinfo.org

Le numéro de la ligne figure à l'avant et sur les côtés du bus

Circuler en *cable car*, en train BART et en ferry

Un séjour à San Francisco ne saurait être complet sans prendre au moins une fois les célèbres *cable cars*. Long de 114 km, le réseau du BART (Bay Area Rapid Transit) dessert la péninsule et l'East Bay. Rapides et confortables, ses trains sont tous accessibles en fauteuil roulant. Des transbordeurs continuent d'assurer le transport de passagers à travers la baie. Elle peut aussi se découvrir lors de promenades en vedettes.

Nob Hill, à l'intersection des lignes Powell et California

Descente vertigineuse sur la ligne Powell-Hyde

PRENDRE LES *CABLE CARS*

Les voitures se succèdent tous les quarts d'heure de 6 h 30 à minuit et demi tous les jours, avec des variations le week-end (pour toute information, renseignements sur *www.transitinfo.org*). Le prix du ticket est de 3 $ pour un trajet simple. Mieux vaut éviter les heures de pointe ; les employés de bureau apprécient aussi, pour rentrer chez eux, ce mode de transport devenu le seul monument historique mobile du monde.

Le réseau comprend trois lignes, chaque voiture portant le nom de sa ligne à l'avant, à l'arrière et sur les côtés. La ligne Powell-Hyde, la plus fréquentée, part de la plaque tournante au croisement de Powell et Market *(p. 311)* et finit dans Hyde Street près de l'Aquatic Park. La ligne Powell-Mason possède le même point de départ et s'achève à Bay Street. Sur ces deux lignes, vous découvrirez les plus beaux sites en vous asseyant face à l'est.

La ligne de California Street, entre le début de Market Street et Van Ness Avenue, traverse une partie du Financial District et de Chinatown.

Des panneaux bordeaux où se détache en blanc la silhouette d'un *cable car*, ou une ligne jaune peinte sur la chaussée perpendiculairement aux rails, signalent les arrêts. Préparez-vous à ne pas perdre de temps pour grimper à bord car les cable-cars sont prompts à démarrer. Si vous n'avez pas acquis de forfait *(p. 381)*, vous pouvez payer au receveur une fois à l'intérieur. Il existe aussi des tickets-souvenirs vendus en distributeurs automatiques, aux stands des terminus, dans des boutiques sur le trajet, aux kiosques Muni et au Visitors' Information Center *(p. 381)*.

VISITER EN *CABLE CAR*

Largement ouverts sur l'extérieur, les *cable cars* offrent par beau temps un moyen amusant et agréable de circuler au cœur de San Francisco. La ligne la plus touristique est Powell-Hyde qui gravit les collines de Russian Hill et de Nob Hill et finit par une superbe descente vers la baie et le Fisherman's Wharf. Certains receveurs font aussi partie du folklore.

PRENDRE UN *CABLE CAR* EN TOUTE SÉCURITÉ

À moins d'être bondé, un *cable car* permet aux passagers de choisir entre rester à l'intérieur, s'asseoir sur les sièges latéraux ou se tenir sur le marchepied. Mieux vaut bien s'accrocher et se souvenir que les *cable cars* passent très près l'un de l'autre quand ils se croisent. Soyez notamment particulièrement vigilant si vous prenez le cable-car avec des enfants. Ces derniers sont toujours prêts à se pencher pour regarder l'autre voiture approcher. Des marques jaunes sur le sol délimitent l'espace réservé au *gripman* pour qu'il puisse manipuler son levier.

Attention en descendant, les arrêts se trouvant souvent au milieu de carrefours.

NUMÉROS UTILES

Cable Car Barn
1201 Mason St. **Plan** 5 B3.
Musée 🄲 *(415) 474-1887.*

Muni Information
🄲 *(415) 673-6864. Renseignements sur les cable cars, les tarifs et les Muni Passports.*

Cloche   Nom de la ligne

Siège latéral   Marchepied   Portillon

Un *cable car* de San Francisco

CIRCULER EN **BART**

Logo du BART

PLAN DU BART

Propres et confortables, les trains du Bay Area Rapid Transit roulent à plus de 100 km/h et circulent tous les jours du petit matin jusqu'à minuit, et à un rythme plus rapide aux heures de pointe, de 7 h à 9 h et de 16 h à 18 h 30.

S'ils traversent en surface la majorité des quartiers périphériques, ils desservent dans le centre-ville cinq stations souterraines toutes situées au-dessous de Market Street : Van Ness, Civic Center, Powell, Montgomery et Embarcadero. De là, vous pouvez prendre un train direct pour l'aéroport.

Un tunnel sous-marin de 5,5 km de long rejoint les banlieues de l'East Bay, notamment Oakland et Berkeley. Les correspondances les plus pratiques se trouvent à MacArthur et Oakland City. Les prix des tickets varient selon la distance parcourue. Le personnel du BART est à votre disposition dans chacune des stations.

LÉGENDE

— Ligne Richmond–Daly City

— Ligne Millbrae–Bay Point

— Ligne Fremont–Daly City

— Ligne Fremont–Richmond

— Ligne Pleasanton–SF Airport

— Ligne Millbrae–SF Airport

TRANSBORDEURS ET VEDETTES DE PROMENADE

Des transbordeurs, tels ceux des **Golden Gate Ferries**, continuent d'assurer des navettes régulières entre le Ferry Building (p. 306) et le Marin County ou Oakland et ils restent utilisés par de nombreux habitants de la Bay Area pour rentrer chez eux ou aller travailler. Ils offrent aux touristes un moyen plus économique d'avoir un aperçu de la San Francisco Bay que les promenades guidées.

Celles-ci, proposées par la **Blue & Gold Fleet** et la **Red & White Fleet**, partent du Fisherman's Wharf. Parmi les destinations figurent l'Angel Island, Alcatraz (p. 328-329) et les villes de la côte nord de la baie (p. 398-399). Il existe aussi des liaisons bateau-bus jusqu'au Six Flags Marine World et jusqu'aux Muir Woods (p. 398).

Si vous désirez prendre un repas tout en vous promenant sur l'eau, les **Hornblower Dining Yachts** servent à déjeuner le vendredi, des brunchs le week-end et à dîner tous les jours. À terre, la vue sur le front de mer est également spectaculaire. L'**Oceanic Society** propose des croisières accompagnées par un naturaliste aux Farallon Islands situées à 40 km au large de San Francisco (p. 396). Vous pouvez

également y observer les baleines (p. 580).

Vedette de la Red & White Fleet

CARNET D'ADRESSES

TRANSBORDEURS

Blue & Gold Fleet
Pier 39 et 41. **Plan** 5 B1.
(415) 773-1188.
www.blueandgoldfleet.com

Golden Gate Ferries
(415) 923-2000.

PROMENADES DANS LA BAIE

Hornblower Dining Yachts
Pier 33. **Plan** 5 C1.
(415) 394-8900, poste 7.

Oceanic Society Expeditions
(415) 441-1104.
www.oceanicsociety.org

Red & White Fleet
Pier 43½. **Plan** 5 B1. (415) 447-0597. www.redandwhite.com

ATLAS DES RUES DE SAN FRANCISCO

L es références cartographiques données dans les pages de ce guide, pour les sites de visite comme pour les salles de spectacle *(p. 375)*, les commerces *(p. 377 et 379)*, les hôtels *(p. 523-527)* et les restaurants *(p. 560-566)*, renvoient aux plans de cet atlas où apparaissent les principaux édifices et des adresses utiles telles que bureaux de poste ou services d'urgence.

La légende ci-dessous indique le symboles utilisés. À côté, une cart d'ensemble précise la zone couvert par chaque plan de l'atlas et le quartiers qui la composent. Les plan 5 et 6 offrent une image à plus grand échelle du centre-ville.

LÉGENDE DE L'ATLAS DES RUES	
	Site exceptionnel
	Site intéressant
	Gare CalTrain
	Station BART
	Dépot d'autocars
	Terminus de trams
	Terminus de bus
	Terminus de *cable cars*
	Embarcadère de ferries
	Information touristique
	Hôpital de garde
	Poste de police
	Église
	Synagogue
C	Mosquée
	Temple bouddhique
	Temple hindou
⊠	Poste
	Terrain de golf
=	Voie ferrée
	Autoroute
	Rue à sens unique
<<665	Numéro (rue principale)

ÉCHELLE DES PLANS 1-4 ET 7-11

0 ————————— 500 m

ÉCHELLE DES PLANS 5 ET 6

0 ————————— 500 m

Golden Gate Park et Presidio

PACIFIC OCEAN

Land's End

LINCOLN

EL CAMINO DEL MAR

Legion of Honor

LINCOLN PARK MUNICIPAL GOLF COURSE

PARK

CLEMENT STREET

Municipal Pier

Hyde Street Pier

USS Pampanito

Pier 47   Pier 45

organ

1

Ripley's Believe It Or Not Museum

JEFFERSON STREET

The Cannery

San Francisco National Maritime Museum

BEACH STREET

FISHERMAN'S WHARF

FORT MASON (GOLDEN GATE NATIONAL RECREATION AREA)

Ghirardelli Square

POINT STREET

BERGEN PL

BAY STREET

5

MARINA BOULEVARD

FILLMORE STREET

McArthur AVENUE

NORTH

RUSSIAN HILL PARK

San Francisco Art Institute

GREEN DRIVE

JEFFERSON STREET

BEACH STREET

NORTH POINT STREET

BUCHANAN STREET

OCTAVIA STREET

GOUGH STREET

LAGUNA STREET

BAY STREET

<<1400

POLK STREET

LARKIN STREET

HYDE STREET

LEAVENWORTH STREET

JONES STREET

BOULEVARD

BAY STREET

GEORGE R MOSCONE RECREATION CENTER

CHESTNUT STREET

LOMBARD STREET

MONTCLAIR TER

SOUTHARD PL

GREENWICH ST

2

MAGNOLIA STREET

GREENWICH STREET

FILBERT STREET

BLACK PL

ALLORCA WAY

LOMBARD STREET

MOULTON STREET

COW HOLLOW

FILBERT STREET

ALLEN ST

EASTMAN ST

UNION STREET

MACONDRAY LN

WICH STREET

PIXLEY STREET

UNION STREET

GREEN STREET

Octagon House

ALLYNE PARK

GREEN STREET

BONITA ST

RUSSIAN HILL

Church of St Mary the Virgin

WEBSTER STREET

BUCHANAN STREET

LAGUNA STREET

OCTAVIA STREET

VALLEJO STREET

<<1400

GLOVER ST

BROADWAY

BROADWAY TUNNEL

LYNCH ST

S

<<2400

BROADWAY

CHARLTON

PACIFIC STREET

BROADWAY

AVENUE

MORRELL ST

LEAVENWORTH STREET

3

PACIFIC AVENUE

<<2800

BROMLEY PL

PACIFIC

Spreckels Mansion

JACKSON

Haas-Lilienthal House

REED ST

TROY AL

<<1200

STREET

ALTA PLAZA

JACKSON STREET

LAFAYETTE PARK

WASHINGTON

CLAY STREET

CLAY STREET

SACRAMENTO STREET

<<1500

HYDE STREET

CALIFORNIA STREET

SACRAMENTO STREET

PERINE PL

CALIFORNIA STREET

<<2100

PINE STREET

AUSTIN

P NORRIS ST

EUREKA PL

4

CALIFORNIA STREET

PINE STREET

WILMOT STREET

COTTAGE ROW

BUSH STREET

BUSH STREET

O'FARRELL STREET

SCOTT STREET

PIERCE STREET

STEINER STREET

SUTTER STREET

SUTTER STREET

FERN STREET

HEMLOCK

POST STREET

CEDAR STREET

GEARY STREET

SGT JOHN McAULEY PARK

POST STREET

Japan Center

<<1600

PETER YORK ST

STARLING WAY

MYRTLE STREET

GEARY STREET

GEARY BOULEVARD

AVERY ST

St Mary's Cathedral

CLEARY CT

OLIVE STREET

5

WESTERN ADDITION

HOLLIS ST

WEBSTER STREET

ELLIS STREET

WILLOW STREET

EDDY STREET

LARCH ST

BEIDEMAN ST

ELLIS STREET

JEFFERSON SQ

TURK STREET

ELM ST

EDDY STREET

HAYWARD PLGD

GATE

REDWOOD STREET

AVENUE

Asian Arts Museum

5

TURK STREET

GOLDEN GATE

McALLISTER STREET

CIVIC CENTER

SF New Main Public Library

SEYMOUR ST

GOLDEN GATE AVENUE

<<600

Veteran's Building

City Hall

McALLISTER STREET

War Memorial Opera House

SF Arts Commission Gallery

Bill Graham Civic Auditorium

FULTON STREET

STREET

BIRCH ST

Louise M Davies Symphony Hall

ALAMO SQUARE

GROVE STREET

HAYES VALLEY

HAYES STREET

LINDEN STREET

OCTAVIA ST

JESSIE ST

1

*Alcatraz
Island*

2

*San Francisco
Bay*

23

Pier 19

Pier 17

Pier 15

Pier 9

Pier
7

Pier 5

Pier 3

Pier 1

3

DAVIS STREET

THE EMBARCADERO

INGTON STREET

DRUM STREET

EMBARCADERO
PLAZA PARK

JUSTIN
HERMAN
PLAZA

World Trade Center
Pier 2

Ferry Building

RITIME
PLAZA

barcadero Center

Hyatt Regency
Hotel

ENTO
STREET

STREET

DAVIS STREET

STEUART STREET

SPEAR STREET

Embarcadero
Station

oast
ange

*Rincon
Center*

MISSION STREET

MAIN STREET

BEALE STREET

STREET

4

Amtrak
Terminal
Ticket

FREMONT STREET

HOWARD STREET

Folsom
Station

Pier 24

SAN FRANCISCO OAKLAND BAY BRIDGE

Greyhound
Bus Depot

1ST STREET

*Transbay
Terminal*

FOLSOM STREET

STREET

ELKHART ST

Pier 26

MINNA STREET 1000>

NATOMA STREET

TEHAMA STREET

CLEMENTINA ST

FOLSOM STREET

GUY PL

LANDING

Pier 28

THE EMBARCADERO

Pier 30

eum of
ern Art

HAWTHORNE STREET

MALDEN ST

ESSEX ST

STREET

1ST STREET

2ND STREET

Pier 32

Brannan
Station

Pier 34

5

DOW PL

HAMPTON
PL

VERONICA
PL

HARRISON STREET

BRYANT ST

RINCON
ST

BRANNAN STREET

Pier 36

DE BOOM ST

STILLMAN ST

Pier 38

LA BAY AREA

L a plupart des localités entourant la baie de San Francisco se sont développées autour de stations de villégiature d'été jusqu'à devenir de vastes banlieues ou des villes autonomes et dynamiques. Les plus petites, comme Tiburon, Pescadero et Sausalito, ont néanmoins conservé une atmosphère villageoise. Dans l'East Bay, ce sont le port et le musée d'Oakland, ainsi que Berkeley, cité réputée pour son animation, son université et ses jardins, qui attirent le

Détail du Sather Gate, Berkeley

plus de visiteurs. Plus au sud, au fond de la baie, San Jose, fondée par les Espagnols, s'affirme comme le nouveau pôle commercial de la région grâce à la Silicon Valley et abrite l'étrange Winchester Mystery House.

Le littoral offre de magnifiques paysages préservés au milieu d'une faune abondante comme sur la presqu'île de Point Reyes ou dans les Marin Headlands. Dans les Muir Woods, une forêt de séquoias géants, certains arbres ont plus de mille ans.

LA BAY AREA D'UN COUP D'ŒIL

Localités historiques
Benicia **8**
Berkeley p. 402-405 **9**
Livermore **13**
Oakland p. 406-409 **10**
Pescadero **16**
San Jose p. 412-415 **17**
Sausalito **5**
Tiburon **6**

Parc à thèmes
Six Flags
 Marine World **7**

Édifices historiques
Filoli **15**
Stanford University **14**
Tao House **11**

Parcs et plages
John Muir National Historic
 Site **2**
Marin Headlands p. 400-401 **4**
Mount Diablo State Park **12**
Muir Woods and Beach **3**
Point Reyes National
 Seashore **1**

0   25 km

LÉGENDE

	Centre de San Francisco
	Zone urbaine
✈	Aéroport
	Gare Amtrak
	Route principale
	Route secondaire

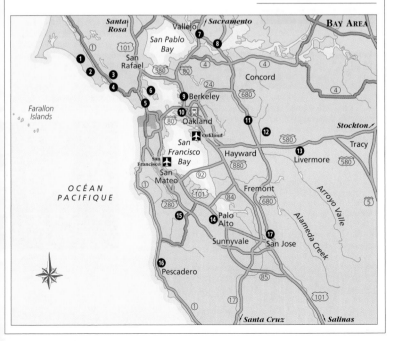

La côte de la Bay Area

De part et d'autre de San Francisco, falaises escarpées et étendues sablonneuses donnent au littoral pacifique des visages variés. L'océan conserve toute l'année une température d'environ 15° C et il faut une combinaison pour se baigner ou pratiquer le surf, mais les plages permettent de se promener ou de prendre le soleil dans des cadres superbes. Des parcs d'État ou nationaux comme la Point Reyes National Seashore *(p. 398)* ou les Marin Headlands de la Golden Gate National Recreation Area *(p. 400-401)* protègent une grande partie de la côte.

Pacifica, jadis liée à la Mission Dolores (p. 351)*, propose dans la Sanchez Adobe un musée consacré au matériel agricole du XIXᵉ siècle.*

★ Point Reyes National Seashore ①

360 espèces d'oiseaux et plusieurs écosystèmes cohabitent sur cette presqu'île protégée *(p. 398)*.

★ Farallon Islands ⑫

À 44 km à l'ouest du Point Bonita, oiseaux marins et éléphants de mer viennent se reproduire sur ces îles interdites au public qui constituent également une étape essentielle pour les espèces migratrices.

Bolinas ②

Lieu d'hivernage de papillons Monarch, la ville a conservé quelques édifices victoriens bâtis peu après la ruée vers l'or *(p. 44-45)* à l'époque où de riches San-Franciscains venaient y passer l'été.

Marin Headlands ④

Cet espace protégé ménage de superbes vues de San Francisco et abrite une riche faune, notamment de nombreux oiseaux *(p. 400-401)*.

Treasure Island ⑥

Au centre du Bay Bridge *(p. 406-407)* et non loin de Yerba Buena Island, cette île, qui appartient à la marine américaine, accueillit la World's Fair de 1939.

Fort Funston ⑦

Professionnels et amateurs de parapente s'élancent du promontoire qui domine la plage. Il offre aussi un large panorama.

Colma ⑧

Cette curieuse ville se compose presque exclusivement de cimetières, interdits dans les limites de San Francisco. Ils renferment les tombes d'anciens habitants de toute la région.

Pillar Point Harbour ⑨

Le seul port naturel abrité situé entre San Francisco et Santa Cruz servait à la fin du XIXᵉ siècle de base d'opération à une flotte de baleiniers.

Le Muir Woods National Monument est la dernière forêt de la Bay Area où des séquoias géants ont échappé aux bûcherons du XIXᵉ siècle (p. 398).

Le Mount Tamalpais, riche en plantes et animaux sauvages, tel le discret puma, culmine à 794 m. Le Mountain Theater étage ses gradins dans une cuvette naturelle dominant la baie.

Carte de situation

★ **Muir Beach** ③

Saumons et écrevisses peuplent la Redwood Creek qui dévale le Mount Tamalpais jusqu'à la Muir Beach. Au sud de la plage, le Potato Patch Shoal est à marée basse une zone de turbulences et de vagues erratiques.

★ **Point Bonita** ⑤

Le phare du Point Bonita, qui s'atteint par un tunnel ou un pont battu par les vagues, fut le dernier de Californie à devenir automatisé en 1980.

★ **Half Moon Bay** ⑩

Dans une région où le sol se prête bien aux cultures potagères, la plus ancienne ville du San Mateo County organise chaque année en octobre un festival du potiron *(p. 34)*.

★ **Pigeon Point** ⑪

De nombreux naufrages, dont celui du *Carrier Pigeon* qui donna son nom au site, entraînèrent la construction en 1872 d'un phare de 37 m. Des otaries s'aperçoivent souvent au large.

Légende

~~	Autoroute
▬▬	Route principale
▭▭	Route secondaire
~~	Cours d'eau
☀	Point de vue

0   10 km

Exploitation laitière de Point Reyes

Point Reyes National Seashore ❶

Carte routière A3. 🚌 *depuis le San Rafael Center (week-ends seul.).* **Bear Valley Visitors' Center** *Bear Valley Rd, entrée principale de la National Seashore, Point Reyes.* 📞 *(415) 464-5100.* ⏰ *de 9 h à 17 h t.l.j.*

L a faille de San Andreas éloigne chaque année d'une moyenne de 5 cm la presqu'île triangulaire de Point Reyes du continent. Le mouvement des plaques tectoniques l'entraîne aussi vers le nord depuis plus de six millions d'années *(p. 18-21).* Ce glissement connaît de brusques à-coups comme lors du tremblement de terre de 1906 *(p. 48-49)* où la péninsule se déplaça en une seule fois de six mètres. Une barrière décalée offre une image concrète de l'événement sur l'Earthquake Trail près du Bear Valley Visitors' Center. Le centre lui-même abrite une exposition sur la géologie et la géographie locales et propose des cartes d'itinéraires de randonnée.

Un littoral protégé

Renommée pour la richesse de sa faune, dont un troupeau de wapitis, et ses exploitations laitières, la région ne compte que trois petites villes : Point Reyes Station, Olema et Inverness.

Sir Francis Drake aurait jeté l'ancre en 1579 dans la Drake's Bay, revendiquant la terre de « Nova Albion » au nom de l'Angleterre *(p. 42).*

John Muir National Historic Site ❷

4202 Alhambra Ave, Martinez. 📞 *(925) 228-8860.* ⏰ *de 10 h à 17 h du mer. au dim.* ⏰ *1er jan., Thanksgiving, 25 déc.* 🏷 ♿ *rez-de-chaussée et jardin seul.* 🌐 *www.nps.gov/jomu*

S itué dans la banlieue de Martinez, le John Muir National Historic Site occupe la maison où vécut John Muir de 1890 jusqu'à sa mort en 1914. De style Italianate *(p. 290),* la demeure de 17 pièces offre un bon exemple d'une habitation de la haute bourgeoisie de la fin de l'ère victorienne, mais ne révèle rien de la simplicité du naturaliste. Seule la bibliothèque reflète la personnalité de l'homme. Il ne reste que peu de chose du verger de mille hectares qui entourait sa résidence, mais, en saison, les visiteurs peuvent en goûter les fruits cueillis par les rangers.

John Muir (1838-1914)

Muir Woods and Beach ❸

📷 *Mill Valley.* **Visitors' Center** *Hwy 1, Mill Valley.* 📞 *(415) 388-2595.* ⏰ *de 8 h à 17 h t.l.j.*

A u pied du Mount Tamalpais *(p. 396-397),* la dernière forêt primitive de séquoias géants de la Bay Area porte le nom du naturaliste dont le combat et les écrits suscitèrent les premières mesures de protection de l'environnement aux États-Unis, notamment la création du Yosemite National Park *(p. 472-475).* Ces arbres, dont certains sont vieux de plus de mille ans, couvraient tout le littoral californien avant le développement de l'industrie forestière au XIXe siècle.

Au sortir des bois, la Red Wood Creek descend se jeter dans l'océan à la Muir Beach, plage qui offre un cadre agréable à un pique-nique ou une rêverie au bord de l'eau *(p. 396-397).* La route qui y conduit passe devant la Pelican Inn. Cet établissement évoquant une auberge anglaise du XVIe siècle réserve un accueil chaleureux à ses hôtes *(p. 529).*

Il y a souvent foule sur la Muir Beach le week-end, en particulier l'été, mais il suffit d'être prêt à marcher un quart d'heure sur le sable pour réussir, généralement, à retrouver le calme.

Marin Headlands ❹

Voir p. 400-401.

Sausalito ❺

Carte routière, encadré B. 🚶 *7 300.* 🚏🚌⛴👤 *777 Bridgeway Ave, 3e étage (415 332-0505).*

D ans cet ancien village de pêcheurs qui s'emplit de San-Franciscains pendant les week-ends, des bungalows victoriens s'accrochent aux collines abruptes qui tombent dans la baie. Bordée de boutiques et de restaurants, la Bridgeway Avenue, parallèle au front de mer, fait office de promenade. Le **Bay Model Visitor Center** est une et magasins élégants bordent la rue principale. Certains occupent des « *arks* », anciennes maisons flottantes du début du xxᵉ siècle tirées à terre et aménagées avec goût. Ces constructions sans équivalent forment l'« Ark Row ». De beaux panoramas s'offrent depuis les parcs aménagés en front de mer. Des lumières scintillantes donnent au port un aspect féerique la nuit.

Sur le port de Sausalito

maquette hydraulique unique en son genre. Elle simule les mouvements d'eau provoqués dans la baie et le delta de San Francisco par les courants et les marées.

⚐ Bay Model Visitor Center
2100 Bridgeway Ave. 【 (415) 332-3871. ◯ de sept. à mai : du mar. au ven. ; de juin à août : du mar. au dim. ◯ jours fériés. Ⓦ www.spn.usace. army.mil/bmvc

Tiburon ❻

Carte routière, encadré B. 🕴 8 200. 🚆 🚌 ⛴ 🚹 96B Main St (415 435-5633).

Comme Sausalito, Tiburon fait face à la baie, mais elle offre un cadre plus calme à une promenade. Restaurants

Six Flags Marine World ❼

Carte routière, encadré B. 【 (707) 643-6722. 🚗 🚌 🚆 🚆 ⛴ depuis San Francisco. ◯ de juin à août : de 10 h à 20 h du dim. au ven., de 10 h à 19 h le sam. ; de mars. à mai : de 10 h à 19 h du mer. au dim. ◯ Thanksgiving, 25 déc. 🏷 🕭 ☑ Ⓦ www.sixflags.com

Le long de la I-80 et de la Hwy 37, ce parc zoologique et océanographique occupe à la périphérie de Vallejo un site de 65 ha et il reçoit chaque année 1,6 million de visiteurs. Bien qu'il accorde une place aussi importante à

Logo du Marine World

l'éducation qu'aux loisirs, les principales attractions demeurent les spectacles mettant en scène des mammifères marins tels que dauphins, otaries et orques.

La Shark Experience permet, grâce à un tunnel transparent, de se promener au milieu de requins et de poissons tropicaux.

La faune terrestre n'est pas oubliée avec, entre autres, des numéros de dressage de tigres du Bengale et de babouins, une volière d'oiseaux exotiques et des papillons multicolores.

Benicia ❽

Carte routière, encadré B. 🕴 24 400. 🚆 🚆 🚌 🚹 Benicia Chamber of Commerce, 601 1st St (707 745-2120).

Sur la rive nord des Carquinez Straits, l'étroit chenal qu'empruntent les eaux drainées de la Sierra Nevada par la Sacramento River et la San Joaquin River pour rejoindre la San Francisco Bay, Benicia fut capitale de la Californie de février 1853 à février 1854. Restauré, l'édifice de style Greek Revival construit pour accueillir le gouvernement renferme toujours une grande partie de ses meubles et de ses ornements d'origine. Il fait partie, avec la Fisher-Hanlon House voisine, un ancien hôtel de l'époque de la ruée vers l'or entièrement rénové, du **Benicia State Historic Park**.

Main Street le relie au front de mer d'où des transbordeurs assuraient jadis des navettes régulières avec Port Roca. Désaffecté dans les années 1950 après un siècle de service, le Benicia Arsenal abrite aujourd'hui des ateliers mis à disposition des artistes et artisans locaux.

⚐ Benicia State Historic Park
1st et G Sts. 【 (707) 745-3385. ◯ de 10 h à 17 h du mer. au dim. ◯ 1ᵉʳ jan., Thanksgiving, 25 déc. 🏷

La rue principale de Tiburon

Une heure et demie dans les Marin Headlands ❹

L e Golden Gate Bridge s'ancre au nord dans les collines verdoyantes des Marin Headlands, une zone sauvage de crêtes battues par les vents, de vallées abritées et de plages désertes. Cet ancien terrain militaire à l'entrée de la baie, d'où plusieurs points de vue ménagent de superbes panoramas de San Francisco et de l'océan, fait aujourd'hui partie de la Golden Gate National Recreation Area. En automne, on peut apercevoir balbuzards et aigles migrateurs au-dessus du Hawk Hill.

Écoliers aux Marin Headlands

Rodeo Beach ③

Du Visitors' Center à la Rodeo Beach

Avant de vous mettre en marche, prenez le temps d'entrer dans le Visitors' Center ① qui occupe l'ancienne chapelle du Fort Cronkhite. Transformée en musée et en centre d'information, elle comprend une librairie spécialisée dans l'histoire naturelle, et plus particulièrement les oiseaux. On peut également voir un abri des Indiens Miwoks qui

habitaient jadis cette partie du littoral.

La promenade fait le tour de la Rodeo Lagoon ② et commence à la porte ouest (côté océan) du parc de stationnement. Prenez à gauche le sentier qui conduit à la mer. Il traverse une dense végétation. Attention aux propriétés irritantes du *poison ivy* (sumac vénéneux). Le bord de la lagune abrite pélicans bruns, aigrettes et canards colvert. Quinze minutes de marche conduisent à la Rodeo Beach ③. Cette plage de sable venteuse reste peu

MARIN HEADLANDS
STATE PARK
(GOLDEN GATE NATION.
RECREATION AREA)

⑥ MITCHELL ROAD

Épervier de Cooper

⑤

R o d
L a g

Grande aigrette

C O

③
Rodeo Beach

Goéland argenté

Urubu à tête rouge

④

Bird Island

M E N D E

LÉGENDE

 Sentier pédestre

 Point de vue

🅿 Parc de stationnement

Rodeo Lagoon ②

Otarie au Marine Mammal Center ⑦

Visitors' Center ①

restant sur le sentier, puis prenez à gauche la route qui grimpe jusqu'au California Marine Mammal Center ⑦. Sur un site occupé par des missiles de défense pendant la guerre froide, des bénévoles soignent aujourd'hui des

barrière de sécurité, un chemin ⑨ plonge à droite dans les fourrés. De là, remontez de nouveau sur la colline grâce à des marches qui vous mèneront au bout du parc de stationnement du Visitors' Center. Traversez le parking et grimpez encore jusqu'à un édifice en bois possédant deux étages. Bâti au tournant du siècle, il figure sur le National Historic Registry et servit de quartier général des officiers, d'hôpital et de centre de contrôle de

missiles. Il abrite aujourd'hui une auberge de jeunesse, la Golden Gate Hostel ⑩.

Les visiteurs peuvent suivre dans les Marin Headlands plusieurs autres itinéraires de promenade plus longs et plus exigeants. La Wolf Ridge et le Bobcat Trail font partie des plus appréciés.

fréquentée hormis par les groupes d'écoliers qui participent aux programmes d'initiation à l'écologie proposés par le Headlands Institute installé non loin dans des baraquements militaires. La plage ménage une vue qui porte au sud jusqu'à la Bird Island ④.

Des baraquements au California Marine Mammal Center

Depuis la plage, dirigez-vous vers l'intérieur des terres pour franchir la pointe de la lagune sur un pont piétonnier en bois ⑤. Vous trouverez de l'autre côté des toilettes et les baraquements qui abritent différents organismes comme le Headlands District Office et le Raptor Observatory ⑥. Longez les bâtiments en

mammifères marins blessés ou malades, notamment des otaries et des éléphants de mer. Une fois rétablis, ils sont relâchés. On peut regarder les vétérinaires au travail et approcher des animaux, souvent des orphelins.

De la lagune à la Golden Gate Hostel

Redescendez la colline pour rejoindre la route revêtue qui longe la Rodeo Lagoon ⑧. Un sentier aménagé pour les randonneurs court parallèlement, mais il faut franchir une barrière de sécurité pour l'atteindre. Juste avant que la route emprunte un pont, un large banc permet de se reposer en regardant les oiseaux. Ne restez pas sur la chaussée pour traverser le pont, mais prenez le sentier parallèle. Avant la fin de la

Horse Trail

Bike Trail

Panneaux de signalisation

Berkeley 🔟

S iège d'une prestigieuse université depuis 1868, Berkeley prit son essor après le séisme de 1906 *(p. 48-49)* quand de nombreux San-Franciscains fuirent leur cité en ruine pour s'installer sur la rive orientale de la baie. Sa personnalité ne s'affirma toutefois que dans les années 1960 quand elle devint après la naissance du Free Speech Movement un des principaux pôles de la lutte contre la guerre du Viêt-nam. L'esprit de cette époque non conformiste reste vivant sur Telegraph Avenue où une foule bigarrée se presse entre éventaires, boutiques et cafés, mais le cadre verdoyant des collines de Berkeley attire de plus en plus une population aisée. D'excellents restaurants en ont fait un des hauts lieux de la gastronomie de la Bay Area.

Le Claremont Resort Hotel

🏛 University of California at Berkeley

🔲 *(510) 642-6000.* **Hearst Museum of Anthropology** 🔲 *(510) 643-7648.* ⬤ *de 10 h à 16 h 30 du mer. au sam. ; de 12 h à 16 h 30 le dim.* ⬤ *jours fériés.*
Berkeley Art Museum and Pacific Film Archive 🔲 *(510) 642-0808.* ⬤ *de 11 h à 19 h du mer. au dim.* ⬤ *jours fériés.* 🏷 ♿ w *www.berkeley.org*

La réputation contestataire de l'université de Berkeley éclipse parfois le renom scientifique d'un centre d'enseignement supérieur fondé en 1868 et qui compte au moins dix prix Nobel parmi ses professeurs et ses chercheurs.

Dessiné par l'architecte Frederick Law Olmsted, le campus *(p. 404-405)* accueille aujourd'hui plus de 30 000 étudiants et renferme de nombreux musées et édifices dignes d'intérêt, entre autres l'University Art Museum *(p. 405)* aux collections principalement modernes, l'Hearst Museum of Anthropology et la Sather Tower.

Modèle de molécule d'ADN au Lawrence Hall of Science

🏛 Lawrence Hall of Science

Centennial Drive, UC Berkeley. 🔲 *(510) 642-5132.* ⬤ *de 10 h à 17 h t.l.j.* ♿ 🏷 w *www.lawrencehallofscience.org*

La science devient amusante ici grâce à des installations interactives qui permettent de manipuler des hologrammes, de surveiller l'activité sismique ou de situer des étoiles dans le planétarium.

Vu de l'esplanade, le nord de la baie ménage la nuit un spectacle extraordinaire.

🔆 Claremont Resort Spa and Tennis Club

41 Tunnel Rd, Oakland.
🔲 *(510) 843-3000.* ♿

L'hôtel le plus luxueux de la Bay Area dresse sa silhouette de château de conte de fées contre les collines de Berkeley. Il offre un cadre pittoresque où l'on peut prendre un verre en jouissant du panorama.

Sa construction commença en 1906 et s'acheva en 1915, mais l'établissement connut un démarrage difficile, en partie à cause d'une loi qui interdisait la vente d'alcool dans un rayon d'un mile (1,6 km) autour du campus de l'université. En 1937, un étudiant entrepreneur s'aperçut que le cercle ainsi défini traversait le *centre* de l'édifice. Le Terrace Bar put ouvrir au-delà de cette ligne.

🌿 University of California Botanical Garden

Centennial Drive, Berkeley Hills. 🔲 *(510) 643-2755.* ⬤ *de 9 h à 17 h t.l.j.* ⬤ *1ᵉʳ mar. du mois, 25 déc.* ♿ *limité.*

Plus de 12 000 espèces végétales du monde entier prospèrent dans le Strawberry Canyon de Berkeley. Quoique destinées avant tout à la recherche, elles sont organisées en jardins thématiques reliés par des sentiers et consacrés, par exemple, à l'Asie, à l'Afrique, à l'Amérique du Sud, à l'Europe, à la Californie, à la pharmacopée traditionnelle chinoise, aux cactus ou aux plantes carnivores. Il y a aussi une serre d'orchidées.

Le Wellman Hall, campus de l'University of California

🍁 Tilden Park

📞 (510) 843-2137. **Trains à vapeur** de 11 h à 17 h les sam. et dim. et t.l.j. en été. 🎠 **Carrousel** 🕐 de 10 h à 17 h les sam. et dim., de 11 h à 17 h t.l.j. en été. 🌿 **Jardin botanique** de 8 h 30 à 17 h t.l.j. ♿ limité. 🌐 www.ebparks.org

Ce parc garde dans sa majeure partie l'aspect d'un espace naturel, mais il renferme de nombreuses attractions. Il existe notamment pour les enfants un carrousel et une ferme et un train à vapeur miniature.

Dans le jardin botanique, spécialisé dans les espèces californiennes, un vallon planté de séquoias conduit de prairies alpines à des plantations de cactées.

Robe cérémonielle juive (XIXᵉ s.), Judah L. Magnes Museum

🏛 Judah L. Magnes Museum

2911 Russell St, Berkeley. 📞 (510) 549-6950. 🕐 téléphoner. ⚫ ven., sam., jours fériés et fêtes juives. 🚫 ♿ téléphoner. 🌐 www.magnes.org

Une vieille demeure pleine de recoins abrite la plus riche collection de Californie d'objets d'art et historiques illustrant la culture juive de l'antiquité à nos jours. Elle comprend des trésors provenant d'Europe, de Turquie et d'Inde et les œuvres d'artistes tels que Marc Chagall et Max Liebermann, ainsi que des souvenirs de la tragédie de l'Holocauste, tel un rouleau de la Torah sauvé des flammes dans une synagogue allemande.

Le musée propose également des conférences, des projections vidéo et des expositions temporaires.

🚇 Telegraph Avenue

De l'aube à la nuit, une foule colorée d'étudiants, de vendeurs de rue, de musiciens et de personnages excentriques fait de Telegraph Avenue, entre Dwight Way et l'université, l'artère la plus vivante de Berkeley. Centre de la contestation dans les années 1960, elle recèle une des plus fortes concentrations de librairies du pays, ainsi qu'un grand nombre de magasins de disques, de boutiques de fripes, de cafés et de lieux de restauration bon marché.

🚇 Fourth Street

Le quartier chic situé au nord d'University Avenue renferme des commerces de bon ton vendant aussi bien vitraux et mobilier que légumes biologiques ou ustensiles de jardins dessinés par des stylistes. Il abrite également quelques restaurants gastronomiques (p. 566).

MODE D'EMPLOI

Carte routière, encadré B.
🏙 104 900. ✈ Oakland, 19 km au S.-O. de Berkeley. 🚌 🚐 2160 Shattuck Ave. ℹ 1834 University Ave (510 549-7040, 800 847-4823). 🎆 Feux d'artifice du 4 juillet ; Farmers' Market Grand Opening & Parade (2ᵉ dim. de juil.) ; Telegraph Ave Book Fair (fin juil.). 🌐 www.visitberkeley.com

BERKELEY : LE CENTRE-VILLE

0   500 m

LÉGENDE

ℹ Information touristique

Une heure et demie sur le campus de l'université de Berkeley

Cette promenade sur le campus d'une des plus célèbres universités du monde vous permettra d'en découvrir les divers bâtiments (le plus ancien date de 1873) et d'avoir un aperçu de l'atmosphère qui règne dans un des grands centres intellectuels américains.

De l'entrée ouest à la Sather Tower

Depuis University Avenue ①, traversez Oxford Street, puis prenez University Drive, dépassant le Valley Life Sciences Building ②. Après avoir tourné à droite pour longer le California Hall ③, on peut apercevoir le Wellman Hall sur le bras nord de la Strawberry Creek. Tournez à gauche sur Cross Campus Road ④. Le Wheeler Hall se dresse à droite tandis qu'en face de vous s'élève la Sather Tower (94 m) ⑤. Bâtie en 1914 par John Galen Howard, elle s'inspire du campanile de la place Saint-Marc de Venise.

Avant de la visiter, allez à la Doe Library ⑥, puis à l'A. F. Morrison Memorial Library ⑦ située dans l'aile nord. Une autre bibliothèque, la Bancroft Library adjacente, abrite la plaque qu'aurait laissée Sir Francis Drake en 1579 *(p. 42)*.

Continuez jusqu'à la Sather Tower, ouverte de 10 h à 15 h 30 du lundi au samedi. Son sommet ménage une belle vue de la baie. En face, le South Hall ⑧ est le plus vieil édifice du campus.

De l'Hearst Mining Building au Greek Theater

Poursuivez vers le nord, dépassez le LeConte Hall, puis traversez University Drive jusqu'au Mining Circle que borde l'Hearst Mining Building ⑨ construit par Howard en 1907. Il abrite des échantillons de minerais et des documents sur les anciennes techniques d'extraction. De retour sur University Drive, prenez à gauche à l'East Gate

Le Wheeler Hall domine Cross Campus Road ④

La Sather Tower ⑤

pour rejoindre l'Hearst Greek Theater ⑩, un lieu de concerts.

Du Faculty Club au bosquet d'eucalyptus

Suivez Gayley Road, qui franchit une importante faille tectonique, et prenez le premier chemin à droite après

LÉGENDE

••• Itinéraire

bb Station BART

P Parc de stationnement

0 ___ 250 m

le Lewis Hall. Longez l'Hildebrand Hall, puis tournez à gauche pour emprunter un pont piétonnier. L'allée passe entre une maison en rondins et le Faculty Club ⑪, édifice rustique de 1903 en partie dessiné par Bernard Maybeck. En face, la Faculty Glade ⑫ offre aux étudiants comme aux visiteurs un lieu où se détendre ou pique-niquer.

Le chemin tourne à droite, puis à gauche. Jetez un coup d'œil au Hertz Hall ⑬, puis suivez l'allée en diagonale qui longe le Wurster Hall jusqu'au Kroeber Hall où vous pourrez visiter l'Hearst Museum of Anthropology *(p. 402)*. Une partie de l'exposition est consacrée à Ishi, le dernier des Indiens Yahi qui vécut sur le campus de 1911 jusqu'à sa mort en 1916. Traversez Bancroft Way vers le Caffè Strada ⑭, puis poursuivez vers l'University Art Museum ⑮ qui possède une belle collection d'art moderne et ancien et accueille des expositions temporaires d'œuvres contemporaines *(p. 402)*. Restez sur Bancroft Way jusqu'à Telegraph Avenue ⑯, la rue la plus animée de la ville *(p. 403)*. L'entrée de l'université qui lui fait face donne sur la Sproul Plaza ⑰ qu'animent souvent des

Within (1969) par A. Lieberman à l'UCB Art Museum

musiciens de rue. Passez dans la cour inférieure où se dresse le moderne Zellerbach Hall ⑱, remarquez l'Harmon Gym en face de vous, dépassez l'Alumni House et tournez à droite. Franchissez le bras sud de la Strawberry Creek au Bay Tree Bridge et prenez à gauche vers le bosquet où s'élèvent certains des plus hauts eucalyptus du monde ⑲. La promenade s'achève à Oxford Street près de son point de départ.

Le Hearst Mining Building sur Mining Circle ⑨

CARNET DE ROUTE

Point de départ :
West Gate à l'angle d'University Avenue et d'Oxford Street.
Itinéraire :
4 km.
Comment y aller :
Prendre le Bay Bridge et la Hwy 80 vers le nord jusqu'à la sortie University Avenue. En BART, arrêt Berkeley.
Où faire une pause :
Chic, le Caffè Strada, sur Bancroft Way, est toujours bondé d'étudiants en train de déguster cappuccinos ou pâtisseries. Quelques pas plus loin, dans l'University Art Museum, le Café Grace donne sur le jardin de sculptures. La plupart des librairies de Telegraph Avenue permettent aussi de boire un verre ou un café. Des stands variés encombrent l'entrée de la Sproul Plaza. Vous pourrez y acheter un « smoothie » (mélange de fruit et de glace) ou un snack mexicain. Plusieurs cafés bon marché bordent sa partie basse envahie par des percussionnistes.

Oakland ⓾

Cette ancienne petite banlieue ouvrière de San Francisco acquit son autonomie et prit son essor économique quand elle devint le terminus sur la Côte Ouest de la ligne de chemin de fer transcontinentale. Des Noirs employés à la construction de la voie s'y installèrent en grand nombre : les Afro-Américains représentent toujours environ 40 % de la population d'une ville où cohabitent de nombreuses communautés. Cité industrielle, Oakland possède l'un des plus grands ports de conteneurs des États-Unis. Jack London y vécut à son retour d'Alaska et son souvenir reste très présent dans le centre-ville qui occupe un superbe site entre la baie et le Lake Merritt.

Mode d'emploi

Carte routière, encadré B. 🏙 387 000. ✈ Oakland, 8 km au s.-o. d'Oakland. 🚉 1245 Broadway St. 🛈 475 14th St (510 874-4800). 🎪 Festival at the Lake (fin juin). 🌐 www.oaklandchamber.com

Façade et jardin du Mormon Temple

🏛 Mormon Temple

4770 Lincoln Ave.
📞 (510) 531-1475. 🚇 Fruitvale, puis AC Transit bus 46. **Visitors' Center** ◷ de 9 h à 21 h t.l.j. **Temple** ♿ 📷 🚫

Paré de marbre blanc et couronné de flèches dorées, l'unique temple mormon de la Californie du Nord, construit en 1963, se détache contre le ciel au sommet d'une colline. Brillamment éclairé, on l'aperçoit la nuit jusque de San Francisco. Le sanctuaire ménage une belle vue de la baie. Il a pour nom complet : Oakland Temple of the Church of Jesus Christ of Latter Day Saints (temple d'Oakland de l'Église de Jésus-Christ des saints du Jugement Dernier).

🏞 Lake Merritt

Le dragage et l'endiguement partiel d'un estuaire de marée permirent au siècle dernier la création du Lake Merritt qui devint en 1870 la première réserve de chasse d'État des États-Unis. De nombreux oiseaux migrateurs continuent d'y faire étape et le plan d'eau et le parc qui l'entoure forment une oasis reposante au cœur du tissu urbain. Promeneurs et cyclistes viennent s'y détendre sur la piste de 5 km qui longe le lac et on peut louer des bateaux sur les rives ouest et nord. Au nord, le Lakeside Park propose également une volière, des promenades à dos de poney et des spectacles pour enfants.

🏛 Jack London Square

Dans un quartier en front de mer que fréquenta l'écrivain Jack London (p. 22-23), qui vécut à Oakland dans une cabane en bois rapportée d'Alaska et devint célèbre pour ses

🏛 Bay Bridge

Plan 6 E4.

Dessiné par Charles H. Purcell, le pont reliant San Francisco à Oakland se compose de deux structures distinctes qui se rejoignent au centre de la baie sur la Yerba Buena Island. De rive à rive, l'ouvrage d'art franchit une distance de 7,2 km. Son achèvement en 1936 mit fin à l'âge d'or des ferries en ouvrant une liaison ferroviaire et routière directe entre la cité isolée sur sa péninsule et la ville du « continent » où convergeaient les voies de circulation terrestres.

Deux cent cinquante mille véhicules empruntent chaque jour le pont, large de cinq voies, dont les rails furent démontés dans les années 1950. Le trafic vers San Francisco se fait sur le tablier supérieur, celui vers Oakland sur celui du dessous. Ils restèrent fermés un mois en 1989 après que le séisme de Loma Prieta (p. 489) eut provoqué le décrochement d'un tronçon de 50 m de long.

La partie orientale du Bay Bridge repose sur plus de 20 piliers qui montent jusqu'à 58 m de hauteur. Dans la West Bay, deux travées suspendues

16 km de câble supportent les tabliers

704 m

Le Bay Bridge dans la West Bay

OAKLAND : LE CENTRE-VILLE

Jack London Square ②
Lake Merritt ④
Oakland Museum of California ③
Old Oakland ①

LÉGENDE

🚉	Gare Amtrak
🚋	Arrêt de trams
✈	Embarcadère de ferries
ℹ	Information touristique
Ⓜ	Bart Station

0   500 m

---

romans d'aventures (*L'Appel de la forêt, Croc-Blanc*), boutiques et restaurants bordent une élégante promenade où mouillent des bateaux de plaisance. Le souvenir de l'écrivain reste présent au First and Last Chance Saloon dont il fut client.

🏛 **Old Oakland**
Farmers' Market 📞 *(510) 745-7100.*
🕐 *de 8 h à 14 h le ven.*
Connus aussi sous le nom de Victorian Row, ces deux pâtés de maisons rénovés dans les années 1980 datent des années 1860 à 1880. Le Farmers' Market a lieu tous les vendredis, à l'angle de Clay St et de 9th St et propose un large éventail de produits frais et de plats cuisinés.

Rattos, un établissement vieux de plus de cent ans sis au n° 827 Washington St, est renommé pour les sérénades données lors des « Pasta Operas » qui ont lieu les vendredi et samedi soirs.

---

prennent appui sur le point d'ancrage central qui s'enfonce plus profondément dans l'eau que celui d'aucun autre pont. Aujourd'hui, des plans permettent de reconstruire complètement East Bay Crossing. Treasure Island, où se tint l'exposition internationale de 1939, est désormais une petite île abritant des parcs. L'endroit est fréquenté par les classes aisées.

Le pont dans l'East Bay

Point d'ancrage central   **Double chaussée de 5 voies**   **Pilier soutenant les deux tabliers**

122 m   704 m

L'Oakland Museum of California

Banjo d'un
chercheur
d'or

Ouvert en 1969, le seul musée entièrement consacré à la Californie occupe un édifice de trois étages, dessiné par l'architecte Kevin Roche, qu'animent jardins, terrasses et cours intérieures. L'exposition sur les sciences naturelles, installée au rez-de-chaussée, comprend, dans le Hall of California Ecology, certains des dioramas les plus réussis des États-Unis. Au premier étage, le Cowell Hall of California History retrace l'histoire de l'État de manière imagée. La Gallery of California Art qui s'étend au-dessus est réputée pour ses tableaux anciens de San Francisco et des montagnes de Yosemite.

Welcome to California
Cette exposition célèbre passé et présent de l'État.

Toit et jardins

Le Great Hall accueille des expositions temporaires.

Gallery of California Art
Les peintures modernes comprennent Ocean Park n° 107 *(1978) par Richard Diebenkorn.*

2ᵉ étage

1ᵉʳ étage

Entrée sur
10th Street

★ Dream on Wheels
Ce diorama rassemble les symboles du rêve californien des années 1950.

LES ÉTAGES DE L'OAKLAND MUSEUM

☐ Galerie d'art ☐ Histoire ☐ Sciences naturelles

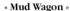

MODE D'EMPLOI

Oak et 10th Sts. **Carte routière,**
encadré B. ☎ (510) 238-2200. 🚆
Lake Merritt. ◻ 10 h-17 h mer.-sam.
(21 h 1er ven. du mois) ; 12 h-17 h
dim. ◻ 1er jan., Thnksg, 25 déc. 🅿
(gratuit dim. 16 h-19 h). 🅿♿🍴
📷📹Ⓦ www.museumca.org

« Mud Wagon »
*Ce véhicule mis au point en zone
rurale au milieu du XIXe siècle se
transformait, au gré des besoins,
de charrette agricole en calèche.*

Food Chain Diorama
*Sur le diorama
illustrant la chaîne
alimentaire apparaît
un puma et sa proie.*

SUIVEZ LE GUIDE !
*Le rez-de-chaussée abrite le Hall of
Ecology et la boutique. Au premier
étage, qui renferme la cafétéria,
l'exposition sur l'histoire de la
Californie du Cowell Hall suit l'ordre
chronologique. Les collections d'art se
trouvent au 2e étage.*

Rez-de-chaussée

**La Great
Court** est une aire
de pique-nique et de
festivals en plein air.

À NE PAS MANQUER

★ **Le Delta Waters
Diorama**

★ **Dream on
Wheels**

★ **Le Delta Waters Diorama**
*Un diorama de l'Aquatic California
Gallery montre la faune et la flore
du delta marécageux de la
Sacramento River.*

La superbe Tao House d'Eugene O'Neill à Danville

Tao House ⓫

Carte routière, encadré B. ☎ (925) 838-0249. ○ de 8 h à 16 h 30 t.l.j., sur réservation seul. ♿ 🚍 obligatoire : 10 h et 12 h 30. ⓦ www.nps.gov/evon

Quand le dramaturge américain Eugene O'Neill (1888-1953) reçut le prix Nobel de littérature en 1936, il utilisa l'argent de la récompense à se faire bâtir une maison au pied du Mount Diablo dans la San Ramon Valley alors rurale. La Tao House associe style Spanish Colonial (p. 28) et éléments orientaux. Sa construction s'acheva en 1937 et, les six années suivantes, l'auteur y travailla aux tragédies en partie autobiographiques aujourd'hui considérées comme ses meilleures œuvres, notamment *Voilà le marchand de glace (The Iceman Cometh)*, *Une Lune pour les déshérités (A Moon for the Misbegotten)* et *Long voyage vers la nuit (Long Day's Journey Into Night)*.

Atteint de la maladie de Parkinson en 1944, il dut toutefois quitter cette résidence trop isolée dans une région qui, en pleine guerre, manquait de personnel infirmier. Il mourut dans un hôtel de Boston en 1953.

Quoiqu'aujourd'hui cernés par des banlieues de San Francisco, la Tao House et son magnifique parc, gérés par le National Park Service, ont gardé l'aspect qu'ils avaient quand Eugene O'Neill en partit.

Masque utilisé dans les pièces d'O'Neill

Mount Diablo State Park ⓬

Carte routière, encadré B. 🚍 Walnut Creek. 🏬 Walnut Creek (925 837-2525). ☎ (925) 837-6119. ○ de 11 h à 17 h du mer. au dim (de 10 h à 16 h l'hiver).

La silhouette massive du Mount Diablo, haut de 1 173 m, domine les agglomérations urbaines de l'East Bay. Une route tortueuse au bord de laquelle s'installent souvent des pique-niqueurs conduit à 15 m du sommet où un parc d'État d'une superficie de près de 8 000 ha propose de nombreux sentiers de randonnée. Un Visitors' Center offre une introduction aux riches faune et flore de la montagne, entre autres à ses denses forêts de chênes et aux fleurs sauvages qui couvrent ses flancs au printemps.

Le sommet du Mount Diablo ménage un des panoramas les plus extraordinaires de l'Amérique du Nord. Par temps clair, la vue porte jusqu'à 320 km dans toutes les directions, du Mount Lassen (p. 437) et des Cascade Mountains au nord jusqu'au Mount Hamilton au sud, et des crêtes de la Sierra Nevada à l'est jusqu'à l'archipel des Farallon Islands (p. 396-397) battu par l'océan Pacifique.

Livermore ⓭

Carte routière, encadré B. 👥 67 000. 🚍 🚍 🏬 2157 First St (925 447-1606). ⓦ www.livermorechamber.org

Le développement urbain a transformé cette ancienne communauté d'éleveurs de bétail et de viticulteurs fondée dans les années 1870 en une banlieue éloignée de San Francisco. Elle conserve néanmoins une atmosphère rurale et quelques ranchs et vignobles.

Livermore doit surtout sa renommée au Lawrence Livermore National Laboratory. Dirigé par l'University of California pour l'United States Department of Energy, ce centre de recherche joua un rôle essentiel pendant la guerre froide dans la mise au point de l'arsenal nucléaire américain. Les coupes apportées aux budgets militaires l'ont conduit à se tourner vers des activités plus pacifiques.

À l'est de Livermore, la I-580 qui franchit l'Altamont Pass traverse de véritables champs d'éoliennes. Au nombre de plusieurs centaines, installées et gérées par des particuliers sans subvention publique, elles utilisent les vents réguliers qui soufflent dans la région pour produire de l'électricité sans

Champ d'éoliennes à Livermore

polluer. Deux techniques prédominent : les éoliennes à hélice traditionnelles et les éoliennes à axe vertical. Plus inhabituelles, ces dernières ressemblent à de gigantesques fouets de cuisine.

Stanford University ⓮

Junípero Serra St. **Carte routière,** encadré B. 📞 *(650) 723-2053.* **Visitors' Centre** 📞 *(650) 723-2560* ● *vac. univ., téléphoner.* Ⓦ *www.stanford.edu*

L'une des plus agréables villes résidentielles de la Bay Area, Palo Alto, doit son essor à la Stanford University, l'un des grands centres de recherche et d'éducation supérieure des États-Unis.

Fondée par le magnat du rail Leland Stanford *(p. 46-47)* à la mémoire de son fils mort en 1885 à l'âge de 16 ans, cette université privée accueillit ses premiers étudiants en 1891. Ils sont 12 000 aujourd'hui.

À l'emplacement de l'ancienne ferme des Stanford, le campus occupe au pied des montagnes côtières une superficie de 3 300 ha, plus importante que l'étendue de Downtown San Francisco. L'architecte Frederick Law Olmsted dessina ses premiers bâtiments, construits en grès. Ils associent les styles néo-roman et Mission

(p. 26-27), et possèdent de nombreuses arcades et des toits de tuile rouge. Ils s'ordonnent autour du Main Quadrangle où s'élève la Memorial Church ornée d'une mosaïque. Le Stanford Museum of Art, qui abrite l'une des plus riches collections de sculptures d'Auguste Rodin, dont la célèbre *Porte de l'Enfer,* est petit mais très intéressant.

Filoli ⓯

Canada Rd. **Carte routière,** encadré B. 📞 *(650) 364-2880.* ● *de 9 h à 16 h du lun. au ven.* ● *jours fériés et vac. scol.* 🈂️ 🅿️ 📷

C et ancien domaine du millionnaire William Bourn, propriétaire d'une mine d'or, l'Empire Gold Mine *(p. 454),* a pour nom l'acronyme de la devise irlandaise : « Fight for a just cause, Love your fellow man, Live a good life » (Combats pour une juste cause, aime ton prochain, vis dans le bien).

Dessiné en 1916 dans le style palladien par Willis Polk, c'est la plus impressionnante des résidences privées de cette époque ouvertes au public en Californie du Nord.

Derrière des murs en brique rouge, deux niveaux entièrement meublés offrent à l'intérieur une surface habitable de plus de 1 600 m². Un jardin à la française de

6,5 ha entoure la maison. Tulipes et jonquilles au printemps, roses en été et feuilles d'érables virant au rouge en automne lui donnent des couleurs changeantes selon les saisons.

Église badigeonnée de blanc du petit village de Pescadero

Pescadero ⓰

Carte routière, encadré B. 🚶 *360.* ℹ️ *520 Kelley Ave, Half Moon Bay (650 726-5202).* Ⓦ *www.halfmoonchamber.org*

U ne demi-heure de voiture seulement sépare San Francisco, au nord, et la Silicon Valley *(p. 412),* au sud, du minuscule village de Pescadero, mais il paraît à des années-lumière du monde moderne.

Cette paisible petite communauté agricole produit en abondance des légumes tels qu'asperges, potirons et choux de Bruxelles et ne présente guère le long de ses deux rues principales qu'une église (la plus ancienne du comté), un bazar, un bureau de poste et la pittoresque Duarte's Tavern *(p. 567).* La tradition d'y badigeonner les bâtiments en blanc remonte au XIXe siècle. Elle a pour origine la récupération d'une cargaison de peinture à la suite d'un naufrage.

À 13 km au sud du village, le Pigeon Point Lighthouse *(p. 397)* mérite une visite. Ce phare fait aussi office d'auberge de jeunesse.

Façade de la Memorial Church de la Stanford University

San Jose ⓱

Fondée en 1777 par Felipe de Neve, la seule ville de Californie, avec Los Angeles *(p. 54-183)*, créée par les colonisateurs espagnols est devenue la troisième cité de l'État, sa population dépassant celle de San Francisco. Centre commercial et culturel du sud de la baie, et principale zone résidentielle de la Silicon Valley, San Jose ne se préoccupe que depuis peu de son patrimoine historique et des gratte-ciel de bureaux et des usines de haute technologie s'élèvent aujourd'hui sur ce qui resta des terres agricoles jusque dans les années 1950. Plusieurs musées et la Winchester Mystery House rendent néanmoins sa visite digne d'intérêt.

**Sphinx de l'Egyptian
Museum and Planetarium**

À la découverte de San Jose

Le pueblo à l'origine de San Jose s'étendait à l'emplacement du Plaza Park de Market Street. En 1849-1850, le premier State Capitol de Californie occupait un hôtel qui se dressait à l'est de la place, sur le site de l'actuel Fairmont Hotel *(p. 529)*. Dans Market Street se trouvent également le Museum of Art et le lieu de naissance d'Amadeo P. Giannini *(p. 305)*. Il faut gagner la périphérie pour visiter la Winchester Mystery House *(p. 414-415)*.

🏠 Peralta Adobe

175 W St John St. ☎ *(408) 993-8182.* ◯ *de 12 h à 17 h les sam. et dim.* ● *jours fériés.* 📷 🚻 🚻 🚻 ♿ *rez-de-chaussée seul.*

À un pâté de maisons à gauche de Market Street, dans un quartier de bars et de cafés chic, le plus vieil édifice de San Jose, la Peralta Adobe bâtie en 1797, est le seul vestige du *pueblo* espagnol.

🔒 Mission Santa Clara de Asis

500 El Camino Real. ☎ *(408) 947-3600.* ◯ *t.l.j.*

Sur le campus de l'université jésuite Santa Clara, à 8 km au nord-ouest de Downtown, cette église est une réplique moderne du sanctuaire en adobe édifié en 1777 et reconstruit bien des fois depuis. Les reliques exposées comprennent les cloches offertes aux missionnaires par la royauté espagnole. Soigneusement entretenus, les jardins adjacents à l'église ont conservé leur splendeur originelle.

**Détail de la Mission
Santa Clara**

🏛 Rosicrucian Egyptian Museum and Planetarium

Naglee et Park Aves. ☎ *(408) 947-3600.* ◯ *de 10 h à 17 h du mar. au ven. ; de 11 h à 18 h les sam. et dim.* ● *1ᵉʳ jan., dim. de Pâques, Thnksg, 25 déc.* 📷

Ce vaste musée dirigé par l'ordre rosicrucien, une organisation qui se propose d'associer science moderne et anciens savoirs à des fins spirituelles, abrite la plus riche collection d'antiquités égyptiennes à l'ouest du Mississippi. Installées dans un ensemble de bâtiments de styles égyptien et mauresque, les salles d'exposition illustrent divers aspects de la puissante culture de la vallée du Nil à travers des objets variés : momies, tombeaux et canopes, mais aussi ustensiles domestiques et jouets. Certains datent de 1500 av. J.-C.

À voir également : les répliques du sarcophage de Toutankhamon et de la pierre de Rosette.

🏛 Tech Museum of Innovation

201 S Market St. ☎ *(408) 795-6100.* ◯ *de 10 h à 17 h du mar. au dim.* ● *1ᵉʳ jan., Pâques, Thanksgiving, 25 déc.* 📷 Ⓦ *www.thetech.org*

Ce musée scientifique a beau se trouver au cœur du San Jose historique, il est résolument tourné vers l'avenir. Les visiteurs de tous âges y disposent d'installations interactives pour s'initier à des technologies récentes, et en particulier au fonctionnement des ordinateurs et des programmes informatiques. L'Imax Dome Theater mérite également une visite.

LA SILICON VALLEY

Le célèbre pôle mondial de l'innovation en matière d'informatique s'étend sur une superficie d'environ 250 km² entre Palo Alto et San Jose. Le terme de Silicon Valley (la vallée du Silicium, d'après le composant servant à la fabrication des semi-conducteurs) s'applique toutefois plus à une myriade d'entreprises qu'à un véritable site géographique. Il est utilisé depuis le début des années 1970, période où l'industrie du logiciel et du matériel commença à se développer dans la région, mais les graines de cette révolution technologique avaient commencé à germer dix ans plus tôt à la Stanford University, au Xerox Palo Alto Research Center et dans les garages de pionniers tels que William Hewlett et David Packard et, plus tard, Steve Jobs et Stephen Wozniak.

Circuits imprimés

🏛 San Jose Museum of Art

110 S Market St. 📞 *(408) 271-6840.*
⭕ *du mar. au dim.* ⬤ *1ᵉʳ jan.,
Thanksgiving, 25 déc.* 📷
🌐 *www.sjmusart.org*
Ce petit musée possède une
collection permanente riche en
créations d'artistes californiens
contemporains réputés.

🏛 Children's Discovery Museum of San Jose

180 Woz Way. 📞 *(408) 298-5437.*
⭕ *de 10 h à 17 h du mar. au sam. ;
de 12 h à 17 h le dim.* ⬤ *1ᵉʳ janv.,
25 déc.* 📷 🌐 *www.cdm.org*
Cet imposant bâtiment couleur
pourpre a été conçu par
l'architecte Ricardo Legoretta.
Consacré aux arts et à la
technologie, le musée qu'il
abrite propose des expositions
et des activités interactives à
toute la famille dans une
ambiance chaleureuse.

🏛 De Saisset Museum

500 El Camino Real. 📞 *(408) 554-
4528.* ⭕ *du mar. au dim.* ⬤ *1ᵉʳ jan.,
Thanksgiving, 25 déc.* **Contribution.**
À côté de la Santa Clara
Mission, ce musée expose
des objets liés à l'histoire de
la Californie – provenant
notamment de la Mission –
une collection de peintures, de
gravures et de photos.

**Voiture de tramway au San Jose
Historical Museum**

🏛 San Jose Historical Museum

1650 Senter Rd. 📞 *(408) 287-2290.*
⭕ *de 12 h à 16 h du mar. au dim.*
⬤ *Thanksgiving, 25 déc.* 📷 📷
À 1,5 km au sud-est de
Downtown, dans le Kelley
Park, ce musée en plein air
réunit plus de deux douzaines
de constructions et d'objets
historiques. Il compte, parmi
ses fleurons, une voiture de
tramway, une station-service
des années 1920 et plusieurs
locaux commerciaux du
XIXᵉ siècle tels qu'un cabinet
médical, un hôtel et le siège
d'origine de la Bank of Italy.
En 2001, 75 édifices devraient
donner une image plus
complète du San Jose de jadis.

🎢 Paramount's Great America Amusement Park

2401 Agnew Rd. 📞 *(408) 988-1776.*
⭕ *de mi-mars à juin : les sam. et
dim. ; de juil. à oct. : t.l.j.* 📷
Divisé en sections, tels Orleans
Place ou Yukon Territory,
évoquant diverses régions des
États-Unis, le meilleur parc de
loisirs de la Californie du Nord
propose un large éventail
d'attractions sur un site d'une
superficie de 40 ha.
À côté de montagnes russes
comme le Demon et la Tidal
Wave, nombre d'entre elles
prennent pour thème des films
et des séries télévisées à
succès produites par les
Paramount Studios, entre
autres *Top Gun* et *Star Trek*.
Le parc renferme aussi un
vaste amphithéâtre où se
déroulent souvent les soirs
d'été des concerts de variétés
en plein air.

SAN JOSE : LE CENTRE-VILLE

De Saisset Museum ①
Mission Santa Clara de Asis ②
Rosicrucian Egyptian Museum
 and Planetarium ③

San Jose Museum of Art ④
Tech Museum of Innovation ⑤
Winchester Mystery House
 p. 414-415 ⑥
Children's Discovery
 Museum ⑦

LÉGENDE

🚆 Gare Amtrak

🚌 Arrêt de bus

🛈 Information touristique

San Jose : Winchester Mystery House

Décor d'une fontaine

Cette immense demeure emplie de répliques de meubles du XIXe siècle a une histoire aussi extravagante que son plan intérieur. En 1884, Sarah Winchester, héritière de l'inventeur de la carabine Winchester, s'installe dans une petite ferme de San Jose. Un médium la persuade qu'il n'existe pour elle qu'un moyen de se protéger des esprits des victimes de l'arme : ne jamais cesser d'agrandir la maison. Des ouvriers y travaillent donc 24 h sur 24 et 7 jours sur 7 jusqu'à la mort de la propriétaire en 1922, créant un dédale étrange de 160 pièces où des escaliers ne mènent nulle part. Il coûta 5,5 millions de dollars.

★ La chambre principale
Sarah Winchester mourut dans cette luxueuse chambre au parquet anglais à chevrons. Le soir, elle jouait de l'harmonium situé en face du lit lourdement sculpté.

La serre possède 13 coupoles vitrées.

Vitrail Tiffany
Cette belle fenêtre aurait plus d'éclat si elle n'était pas percée dans un mur intérieur.

FAITS ET CHIFFRES

- La maison possède 2 000 portes, 10 000 fenêtres et 47 cheminées.
- Le nombre 13 guida toute sa conception : 13 salles de bains, 13 fenêtres dans une pièce, 13 lampes par lustre…
- Quand le sommet de la demeure s'écroula lors du séisme de 1906, la construction se poursuivit latéralement plutôt qu'en hauteur.
- La taille de Sarah Winchester (147 cm) explique des couloirs larges de 60 cm et des portes de 152 cm de haut.
- Mrs Winchester trompait les esprits en choisissant chaque soir une nouvelle chambre (parmi 40).

★ La Grand Ballroom
Vitraux, plafond à caissons et boiseries sculptées ornent la grande salle de bal qui abrite cet orgue.

Escalier en zigzag

On suppose que c'est à cause de l'arthrite de Sarah Winchester que cet escalier, d'une hauteur totale de 2,7 m, compte 44 marches hautes chacune de 6 cm.

MODE D'EMPLOI

525 S Winchester Blvd.
Carte routière, encadré B.
(408) 247-2000.
25, 60, 85. de fin avr.
à mi-juin : de 9 h à 17 h du dim.
au jeu., de 9 h à 19 h les ven.
et sam. ; de mi-juin à fin avr. :
de 9 h à 17 h du dim. au jeu.
25 déc.
jardins seul.
www.winchestermystery
house.com

Début de la visite

★ Le Winchester Firearms Museum

Cette petite exposition comprend notamment la carabine Winchester à répétition et le modèle de 1873 qui fut surnommé l'« arme qui conquit l'Ouest ». Parmi les fusils commémoratifs figurent le Theodore Roosevelt et le John Wayne.

Le Winchester Products Museum présente d'autres articles fabriqués par l'entreprise tels que patins à roulettes ou fers à repasser.

À NE PAS MANQUER

★ La Grand Ballroom

★ La chambre principale

★ Le Winchester Firearms Museum

Escalier menant au plafond

Il ne s'agit là que d'une des nombreuses bizarreries de la maison.

LA CALIFORNIE
DU NORD

La Californie du Nord d'un coup d'œil

Entre la frontière avec l'Oregon et ses reliefs peu peuplés et les zones urbaines sophistiquées qui marquent le début de la Californie du Sud, la Californie du Nord, longue de plus de 800 km, conserve de vastes espaces sauvages que préservent plusieurs parcs nationaux : massifs volcaniques, épaisses forêts, montagnes creusées par des glaciers et côtes découpées. Depuis l'installation du premier colon européen à Monterey jusqu'à la célèbre ruée vers l'or de 1849, la région eut une riche histoire : de pittoresques villages et la capitale de l'État, Sacramento en ont gardé l'empreinte.

LE NORD
(voir p. 426-437)

WINE COUNTRY
(voir p. 438-449)

Dans le Redwood National Park (p. 434), *une région de denses forêts de séquoias, se dresse l'arbre le plus haut du monde (112 m). Pêcheurs, randonneurs, ornithologues et campeurs fréquentent le parc toute l'année.*

Sonoma (p. 448-449) *entretient le souvenir de la Bear Flag Revolt qui vit en 1846 des fermiers américains se rebeller contre le pouvoir mexicain et instaurer une éphémère république. Les vignobles du Sonoma County et de la Napa Valley (p. 446-447) produisent des crus de réputation internationale.*

La Carmel Mission *(p. 496-497), fondée en 1777 par Junípero Serra, devint la plus importante des 21 missions et joua le rôle de centre administratif de la Californie du Nord. Restaurée, elle est considérée comme la plus belle église de l'État.*

0   50 km

Le Lassen National Volcanic Park *(p. 437) prit son visage actuel en 1914 quand plus de 300 éruptions bouleversèrent le paysage. Le Mount Lassen, qui fait partie du Cascade Mountain Range, reste considéré comme actif.*

Sacramento *(p. 456-459), capitale de la Californie depuis 1854, possède avec son Capitol l'un des plus beaux édifices de l'État. Dans le quartier ancien, des bâtiments des années 1860 et 1870 rappellent que la ville était alors le terminus de la ligne transcontinentale.*

Le Yosemite National Park *(p. 472-475), qui devint en 1864 la première réserve naturelle des U. S. A., offre aux visiteurs forêts, prairies de montagne, cascades magnifiques et massifs granitiques imposants .*

LD COUNTRY
T CENTRAL
VALLEY
r p. 450-465)

HIGH SIERRAS
(voir p. 466-481)

DE SANTA CRUZ
À FRESNO
(voir p. 482-501)

Le Columbia State Historic Park *(p. 464-465), jadis deuxième ville de Californie, est le mieux conservé des centres miniers de la ruée vers l'or.*

La nature et la faune

Il y a des millions d'années, les forces géologiques qui soulevèrent le sol de la Central Valley, alors recouvert d'eau, modelèrent les montagnes, canyons et caps rocheux du nord de la Californie, permettant à divers écosystèmes de se développer. Une flore unique pousse ici, tels les séquoias géants des High Sierras (*p. 480-481*) et les cyprès de Monterey (*p. 495*). Des ours noirs hantent les forêts les plus reculées et des faucons planent au-dessus de la Yosemite Valley (*p. 472-475*). Selon la légende, Bigfoot, le cousin américain du Yéti, aurait même établi ses quartiers dans la région. Toujours actif, le Sierra Club commença dès 1892 à se battre pour défendre ces espaces naturels.

Au Prairie Creek State Park, une harde de cerfs de Roosevelt parcourt les dunes de la Gold Bluff Beach.

Six Rivers National Forest

Klam National

Trinity National Forest

Clair Eagle Lake

Shas Natior Fores

•Eureka

Black Butte River

Klamath River

Shas •Re Sa

LE NORD

Sinkyone Wilderness

Eel River

Le Redwood National Park (*p. 432-433*) *renferme le plus haut séquoia du monde (112 m). Ces arbres à aiguilles persistantes absorbent les eaux des pluies d'hiver et profitent en été de l'humidité des brouillards venus de l'océan. Sous leur couvert vivent piverts, chouettes tachetées, écureuils et cerfs à queue noire.*

Les Sacramento National Wildlife Refuges offrent des étapes sûres aux oiseaux migrateurs.

Mendocino National Forest

Mendocino

Clear Lake

Sutter Wildlif Cach

WINE COUNTRY

Lake Sohoma

Li Barr

La Point Reyes Peninsula (*p. 398*), *presque entièrement détachée du continent par la faille de San Andreas, possède une côte rocheuse où prospèrent des crustacés comme le crabe de roche du Pacifique.*

Sonoma

San Francisco •

BAY

San Jose

Les Farallon Islands (*p. 396*) *interdites au public sont un important lieu de reproduction pour les éléphants de mer et des oiseaux tels que les macareux.*

Bl Re Sta

Dans l'Año Nuevo State Reserve (*p. 488*) viennent chaque hiver se reproduire des centaines d'éléphants de mer.

Point P

LÉGENDE

Parc national
Parc d'État
Forêt nationale
Réserve naturelle
Cours d'eau

Sur la Monterey Peninsula (*p. 494-495*), on peut admirer en hiver des papillons migrateurs Monarch.

0   25 km

Le Tule Lake Wildlife Refuge
(p. 436-437), *où nichent des pyrargues
à tête blanche, est un des meilleurs
endroits pour l'observation des oiseaux.*

*La Lava Beds Wilderness habitée
par des serpents à sonnettes et des
rongeurs fait partie du Lava Beds
National Monument (p. 437).*

*La Biscar Wildlife Area,
zone désertique du Great
Basin à la frontière avec le
Nevada, abrite lynx rufus,
blaireaux et antilopes.*

Le Yosemite National Park
(p. 472-475) *protège
une spectaculaire région
montagneuse aux cimes
granitiques sculptées par
des glaciers.*

**La John Muir
Wilderness** est le
plus vaste espace
sauvage de l'État.

*Clear Lake National
Wildlife Refuge*

*Modoc
National
Forest*

Pit River

*assen-
ational
orest*

*Volcanic
nal Park*

*Honey
Lake*

Plumas National Forest

*Tahoe
National
Forest*

*Lake
Tahoe*

*Folsom
Lake*

ramento

**HIGH
SIERRAS**

osumnes River

*Calaveras
Big Trees
State
Park*

*Mono
Lake*

**LD COUNTRY
ET
NTRAL VALLEY**

erch Hetchy Aqueduct

*Yosemite
National
Park*

Owens River

*Inyo
National
Forest*

San Joaquin River

*ed
nal
ife
ge*

California Aqueduct

Fresno River

• *Fresno*

*Kings
Canyon
National Park*

Independence •

**DE SANTA CRUZ
À FRESNO**

*Sequoia
National
Park*

*res
onal
st*

Tulare Lake

*Sequoia
National
Forest*

*Les Sequoia et Kings Canyon
National Parks (p. 480-481)
renferment à eux deux plus de
75 futaies de séquoias géants. Cet
arbre ne pousse naturellement
qu'en Californie et en Oregon.*

La Ventana Wilderness de Big
Sur *(p. 498-499)* où règne le
chaparral, une forme de maquis,
recèle 900 espèces végétales et
une riche faune.

Le vin de la Californie du Nord

Avec plus de 130 000 ha plantés de vignes, la Californie produit 90 % du vin américain. Les meilleurs crus portent souvent le nom du cépage dont ils sont issus.

Les terres fertiles de l'intérieur, en particulier celles de la région bordée au nord par la Sacramento Valley et au sud par la San Joaquin Valley, fournissent la moitié des quantités récoltées. Les vignobles de la côte nord représentent en surface moins d'un quart des zones viticoles de l'État, mais nombre des meilleurs chardonnays, sauvignons blancs, cabernets sauvignons et merlots en proviennent. C'est aussi là que se trouve la majorité des 800 caves californiennes.

Dans la région littorale du centre, entre San Francisco et Santa Barbara, sont surtout cultivés le chardonnay et le pinot noir.

CARTE DE SITUATION

▢ *Région viticole de la Californie du Nord*

Vendanges à la V. Sattui Winery, près de St Helena, Napa Valley

*Le **Late Harvest Zinfandel** de la Hop Kiln Winery est un rouge de vendange tardive qui se boit au dessert. La cave occupe un séchoir à houblon historique.*

• Fort Bragg

Ukiah •

Healdsburg •

• Sant

L'HISTOIRE DU ZINFANDEL

L'histoire du Zinfandel reste un des grands succès de la Californie viticole. Introduit dès les années 1850, ce cépage importé, pense-t-on, de la côte dalmate n'a acquis sa popularité que depuis peu. Aujourd'hui très demandés, en particulier ceux de la Dry Creek Valley ou de la Russian River Valley, les rouges ont, les uns, une saveur boisée ou, les autres, des arômes fruités. Les viticulteurs créèrent le White Zinfandel, de couleur rosée, pour utiliser leurs surplus de raisin noir.

Le Vin Gris de Saintsbury produit à partir de pinot noir s'inspire des rosés de Bourgogne.

Oa
SAN FRANCISCO •

LÉGENDE

▢ Lake County	▢ Carneros Valley
▢ Anderson Valley	▢ Santa Cruz Mountains
▢ Alexander Valley	▢ Livermore Valley
▢ Dry Creek Valley	▢ Lodi Valley
▢ Russian River Valley	▢ El Dorado Valley
▢ Napa Valley	▢ Redwood–Ukiah Valley
▢ Sonoma Valley	▢ San Joaquin Valley

CE QU'IL FAUT SAVOIR SUR LES VINS CALIFORNIENS

Sol et climat

La latitude de la Californie du Nord, la proximité de l'océan, des vallées abritées et des sols fertiles assurent dans de nombreuses régions des conditions favorables à la viticulture, en particulier des hivers doux et une longue saison de maturation rafraîchie par des brumes.

Cépages

La variété la plus plantée en Californie, le **chardonnay**, produit des blancs secs bien équilibrés en arômes, en acidité et en texture. Les autres cépages de blancs comprennent le **sauvignon blanc (ou fumé blanc)**, le **chenin blanc**, le **pinot blanc**, le **gewürztraminer** et le **johannisberg riesling**. En rouges, le **cabernet sauvignon**, le **merlot**, le **petit sirah**, le **pinot noir** et le **zinfandel** donnent des vins généralement secs et charpentés.

Producteurs

Chardonnay : Acacia, Byron, Château Montelena, Ferrari-Carano, Kendall-Jackson, Kistler, Kunde Estate, Sonoma-Cutrer. *Cabernet sauvignon* : Beaulieu, Beringer, Grgich Hills, Heitz, The Hess Collection, Jordan, Joseph Phelps, Silver Oak, Robert Mondavi, Stag's Leap, Wente, Whitehall Lane. *Merlot* : Clos du Bois, Duckhorn, Frog's Leap, Silverado, Sterling. *Pinot noir* : Dehlinger, Etude, Gary Farrell, Saintsbury, Sanford. *Sauvignon blanc* : Duckhorn, Glen Ellen, Kenwood, Matanzas Creek, J. Rochioli. *Zinfandel* : Dry Creek, Lake Sonoma, De Loach, Hop Kiln, Ridge, Rosenblum, Sebastiani.

Bons millésimes

(Rouges) 1994, 1993, 1992, 1991, 1990, 1987, 1986, 1985, 1984. *(Blancs)* 1997, 1994, 1992, 1991, 1990, 1988, 1987, 1986, 1985.

Private Reserve du Beaulieu Vineyard
Produit depuis 1936, ce cabernet sauvignon équilibré, aux arômes de cerise mûre et de cassis, fut le premier vin américain appelé « réserve privée ».

Le cabernet sauvignon du Wente Vineyard, *ample en tanin, est issu d'un cépage importé de France au XIXᵉ siècle.*

Les cuves *des Sterling Vineyards offrent l'exemple de la modernité des équipements.*

Les extravagances du Nord

Sans doute parce qu'elle a connu pendant la ruée vers l'or *(p. 44-45)* un brusque afflux à la fois d'immigrants très divers et de richesses, la Californie du Nord a toujours eu tendance à se montrer non conformiste, tolérante et assez hédoniste. Cette ouverture d'esprit n'a pas eu que des avantages, car elle a permis l'installation d'illuminés plus ou moins dangereux, mais elle a certainement contribué à entretenir l'animation de la région. À la fin du XIXᵉ siècle, cercles de jeu, fumeries d'opium et maisons closes faisaient de la Barbary Coast de San Francisco *(p. 304)* un monde à part. Des communautés utopistes défendaient déjà à l'époque des principes religieux ou philosophiques hétéroclites. Dans les années 1960, le mouvement psychédélique imposa ses rêves et ses délires jusque sur les routes et dans les rues, et il existe toujours des communautés hippies dans les montagnes.

Le spiritisme devint à la mode au milieu du siècle dernier et San Francisco attira de nombreux médiums qui tenaient régulièrement des séances. Quelques églises spirites restent en activité dans la Bay Area.

Sally Stanford, née en 1903, fut traitée en véritable paria par les habitants de Sausalito quand elle reprit en 1950 le plus ancien restaurant de la ville : le Valhalla (aujourd'hui le Chart House). Ils désapprouvaient ses anciennes fonctions à la tête d'un lupanar de San Francisco. Ils finirent néanmoins par l'élire maire en 1976. Sally mourut en 1982.

COMMUNAUTÉS UTOPISTES

Entre les années 1850 et 1950, la Californie du Nord vit s'installer plus de sectes et de groupes aux idées extrêmes que toute autre région des États-Unis. En 1875, un mystique de New York, Thomas Lake Harris, créa Fountain Grove au nord de Santa Rosa. Harris affirmait que Dieu était bisexuel et le Christ le divin Androgyne. Accusé d'abus sexuels et de malversations financières, il dut dissoudre la communauté en 1892.

Raciste tenant des discours apocalyptiques, William Riker fonda sa « Ville sainte » en 1918 dans les Santa Cruz Mountains. C'est le célibat qui finit par entraîner la disparition de ce qu'il appelait le « quartier général d'un parfait gouvernement du monde ».

William Riker

Les générations se mêlaient dans les communautés.

Couleurs éclatantes et formes enchevêtrées évoquaient les visions provoquées par le L. S. D.

*Les **affiches psychédéliques** des années 1960 possèdent une typographie caractéristique créée par l'artiste Wes Wilson.*

Hippies

JIM JONES ET LE PEOPLE'S TEMPLE

Dans les années 1970, le révérend Jim Jones (1931-1978) connut un certain succès en tant que prédicateur dans la Bay Area. Se présentant tour à tour comme un fondamentaliste capable de « soigner » par apposition des mains et comme un prêtre moderne aux services rythmés par de la musique et des danses, il mêlait dans ses prêches visions apocalyptiques et défense de la liberté sexuelle et de l'égalité raciale et religieuse. Il se prétendait aussi messie. En 1978, 20 000 personnes fréquentaient son « temple du Peuple » et il décida de s'installer avec un millier d'entre elles en Guyana. Quand des rumeurs d'abus sexuels et de caches d'armes attirèrent l'attention des autorités sur la colonie, Jones ordonna un suicide collectif. Les enquêteurs découvrirent dans la forêt les corps de centaines de disciples empoisonnés par un jus de fruit au cyanure. Jones avait reçu une balle dans la tête.

Jim Jones

PSYCHÉDÉLISME

Le terme « psychédélique » s'applique en psychiatrie à l'état psychique induit par les drogues hallucinogènes. Mais après 1966 et l'ouverture à San Francisco de la Psychedelic Shop sur Haight Street *(p. 348)*, il s'est mis à décrire toutes les formes d'expression de ceux qu'on appellera les « hippies ». En rupture avec le matérialisme, ils prônaient la paix, l'amour universel et le bouleversement des modes de vie et de pensée, entre autres à l'aide de stupéfiants. Le livre de Tom Wolfe, *Acid Test*, décrit bien l'intensité utopique de ce mouvement.

*L'**Esalen Institute** (p. 499) doit sa renommée, acquise dans les années 1960, au « mouvement du potentiel humain », une démarche philosophique insistant sur la responsabilité individuelle dans tous les événements de la vie, bons ou mauvais. Cette luxueuse retraite reçoit aujourd'hui anciens hippies et cadres supérieurs stressés qui discutent spiritualité dans des bassins d'eau chaude dominant l'océan.*

LE NORD

D epuis des plages désertes où viennent s'échouer d'énormes troncs jusqu'à d'épaisses forêts au pied de cimes enneigées, la partie la plus septentrionale de la Californie offre un visage particulièrement sauvage. Futaies de séquoias, volcans des Cascade Mountains, plaines arides en bordure du Great Basin, les paysages y sont sur une superficie réduite d'une variété digne d'un continent.

Peu peuplé, le nord de la Californie ne compte que quelques petites villes telles Ferndale et Eureka et ce sont ses vastes espaces préservés qui présentent le plus d'intérêt pour les visiteurs comme pour ses habitants.

Les Indiens qui s'y installèrent vers 10 000 av. J.-C. vivaient en bonne entente entre eux et avec la nature et ils n'ont guère laissé d'autres traces de leur existence que des coquillages sur le littoral et quelques pictogrammes dans des grottes.

Les premiers Européens qui arrivèrent dans la région étaient des trappeurs venus chasser des animaux à fourrure tels que loutres de mer et castors. Des prospecteurs suivirent peu après, fouillant le lit des rivières en quête de richesses comparables à celles découvertes dans la Sierra Nevada *(p. 44-45)*. Ils trouvèrent un peu d'or, mais la principale ressource de ces terres sauvages poussait au-dessus du sol. Commencée à la fin du XIXe siècle, l'exploitation des forêts de séquoias géants, de la variété *sempervirens* propre au littoral, faillit entraîner leur destruction. La création de parcs nationaux et d'État comme le Redwood National Park permit de sauver les plus belles forêts, riches en arbres centenaires. À l'intérieur des terres, c'est un spectacle très différent qu'offrent le Mount Lassen et le Lava Beds National Monument façonnés par des millions d'années d'activité volcanique.

La Lost Creek dans le Redwood National Park

◁ Le Mount Shasta haut de 4 316 m

À la découverte du Nord

Accidentée, sauvage et peu peuplée, cette région présente plus de traits communs avec les États voisins de Washington et de l'Oregon qu'avec le reste de la Californie. De denses forêts de pins, de sapins et de séquoias couvrent plus de la moitié du territoire et deux massifs montagneux parallèles, le Coast Range et le Cascade Range, la divisent en trois parties. Au bord du Pacifique, Cape Mendocino offre une bonne base pour explorer les plages souvent désertes et les futaies de séquoias géants du littoral. À l'intérieur des terres, on peut atteindre le magnifique Mount Shasta et les paysages volcaniques du Lassen Volcanic National Park et du Lava Beds National Monument depuis la Sacramento Valley.

LE NORD D'UN COUP D'ŒIL

Dans le Patrick's Point State Park de l'Humboldt County

CIRCULER

Il faut une voiture pour visiter le nord de la Californie. Deux autoroutes courent parallèlement du nord au sud, la I-5 qui emprunte la Sacramento Valley et, plus à l'ouest, la US Hwy 101 qui suit les vallées verdoyantes de la Russian River et de l'Eel River. Une seule route confortable franchit les montagnes d'est en ouest : la Hwy 299. Les transports en commun se résument à des liaisons en cars Greyhound le long des deux principaux axes routiers et à un train de nuit entre Sacramento et Seattle.

LÉGENDE

- Autoroute
- Route principale
- Route secondaire
- Parcours pittoresque
- Cours d'eau
- ☆ Point de vue

VOIR AUSSI

- **Hébergement** p. 530-531
- **Restaurants** p. 568-569

Le majestueux Mount Shasta

fford **Klamath Falls**

KLAMATH NATIONAL FOREST

TULE LAKE NATIONAL WILDLIFE REFUGE ⓭

Clear Lake Reservoir

Goose Lake   **Lakeview**

⓮ **LAVA BEDS NATIONAL MONUMENT**

MODOC NATIONAL FOREST

{139}

{395}

{299}

MOUNT SHASTA ⓬

D

☆

{89}

ALTURAS ●

{139} {299}

ADIN ●

Sacramento River

Pit River

{299}

{139}

{130}

☆ **BURNEY**

{89}

STA DAM

{44} {89}

{44}

Eagle Lake

{395}

REDDING ●

{44}

⓯ **LASSEN VOLCANIC NATIONAL PARK**

{36}

{139} **SUSANVILLE** ●

{36}

D BLUFF

{32}

Lake Almanor

Honey Lake (dry)   {320}

Sacramento River

{70}

Chico

cramento

QUINCY ●

PLUMAS NATIONAL FOREST

{70}

{395}

Reno

0   25 km

Redwood National Park ❶

Voir p. 432-433.

Arcata ❷

Carte routière A2. 🏛 *16 400.* 🚌
✈ *Arcata/Eureka Airport, 13 km au nord d'Arcata.* 🛈 *62 G St (707 822-3619).* Ⓦ *www.arcatachamber.com*

Cette petite ville offre une base agréable pour explorer la région des séquoias. Sa vie tourne autour de la Humboldt State University installée sur les collines qui la dominent, et cafés et librairies bordent la grand-place agrémentée de palmiers et d'une statue du président McKinley (1843-1901).

Bigfoot, le cousin américain du Yéti, hante, dit-on, les forêts situées à l'ouest. Personne n'a jamais prouvé son existence malgré la découverte d'empreintes plus grandes que celles d'un ours.

Eureka ❸

Carte routière A2. 🏛 *27 600.* 🚌
✈ *Arcata/Eureka Airport, 24 km au nord d'Eureka.* 🛈 *2112 Broadway (707 442-3738).* Ⓦ *www.eurekachamber.com*

Eureka doit sa fondation à des prospecteurs qui découvrirent de l'or à proximité en 1850 et n'hésitèrent pas, dans leur joie, à lui donner pour nom la célèbre exclamation grecque signifiant « J'ai trouvé ! » Elle est depuis devenue le principal centre industriel de la côte nord et les installations d'entreprises de pêche et de commerce du bois entourent son port naturel protégé.

À l'ouest de l'US 101, entre E Street et M Street sur le front de mer, le quartier ancien renferme des édifices du XIXᵉ siècle possédant souvent des façades en fonte. Ils abritent bars, cafés et restaurants. À l'angle de M Street et de Second Street se dresse l'extravagante Carson Mansion victorienne *(p. 27)* bâtie pour le millionnaire William Carson, un magnat de l'exploitation forestière, en 1885. Construite en séquoia, mais peinte à l'imitation de la pierre, matériau plus coûteux à l'époque, elle est occupée par un club privé et malheureusement fermée au public.

La Carson Mansion d'Eureka

LES SÉQUOIAS ET LEUR EXPLOITATION

L'arbre le plus haut du monde, le *Sequoia sempervirens*, ne pousse que dans le nord de la Californie et dans le sud de l'Oregon bien qu'il appartienne à la même famille que le séquoia géant *(Sequoiadendron gigantea)* des High Sierras et que les *Metasequoia glyptostrobiodes* originaires de Chine. Les séquoias peuvent vivre jusqu'à 2 000 ans et atteindre une hauteur de plus de 100 m malgré des racines qui ne s'enfoncent dans le sol que de un ou deux mètres.

La croissance rapide de cet arbre et sa résistance aux maladies le rendent idéal pour le commerce. En 1918, l'abattage avait déjà détruit 90 % des forêts quand se créa la Save the Redwoods League, association vouée à leur défense. Certaines restent la propriété de compagnies forestières et leur avenir est un enjeu national.

Billes de séquoia

Samoa Cookhouse ❹

79 Cookhouse Ln & Samoa Rd, Eureka.
Carte routière A2. 📞 *(707) 442-1659.* ◯ *t.l.j.* ● *25 déc., Thnksg* ♿

Édifiée en 1900 pour servir de cantine aux employés de la fabrique de pâte à papier de la Louisiana Pacific, l'une des nombreuses usines d'exploitation du bois installées sur l'étroite Samoa Peninsula, la Samoa Cookhouse ouvrit au public dans les années 1960 quand l'automatisation réduisit les besoins en main-d'œuvre. Le restaurant a conservé son décor rustique et sert toujours d'énormes portions de plats traditionnels américains comme le poulet frit. De vieilles photographies ajoutent à l'atmosphère.

Ferndale ❺

Carte routière A2. 🏛 *1 400.*
✈ *Arcata/Eureka Airport, 64 km au nord de Ferndale.* 🛈 *PO Box 325, Ferndale (707 786-4477).*

Dans une plaine alluviale, ce village a gardé près de l'embouchure de l'Eel River un aspect champêtre reposant. Les immigrants danois, portugais et suisses italiens qui le fondèrent en 1852 y développèrent une prospère industrie laitière. Ferndale subit en 1992 le plus violent des séismes récents en Californie (7,1 sur l'échelle de Richter), mais il ne causa que des dommages limités. Le **Ferndale Museum** retrace l'histoire de la localité.

Celle-ci doit sans doute son plus grand renom à la Kinetic Sculpture Race. Dans des véhicules de leur création, les concurrents de cette course partent d'Arcata et arrivent à la Centerville County Beach à la sortie de Ferndale.

🏛 **Ferndale Museum**
Shaw et 3rd St. 📞 *(707) 786-4466.*
⭘ *de fév. à mai et d'oct à déc. :
de 11 h à 16 h du mer. au sam.,
de 13 h à 16 h le dim. ; de juin à sept. :
de 11 h à 16 h du mar. au sam. ;
de 13 h à 16 h le dim.* ⬤ *Janv.*
🆆 *www.ferndalemuseum.org*

La Gingerbread Mansion, demeure victorienne de Ferndale

Scotia ➏

Carte routière A2. 🏘 *2 500.* 🚌
✈ *Arcata/Eureka Airport, 64 km au nord de Scotia.* 🚇 *715 Wildwood Ave (707 764-3436).*

Une imposante fabrique de bois d'œuvre domine le sud de Scotia, village construit en 1887 pour loger les ouvriers de cette usine qui appartient à la **Pacific Lumber Company**. Plus connue sous le diminutif de Palco, cette société créée en 1869 possède et exploite près de 80 000 ha de forêts de séquoias le long de l'Eel River et de ses affluents. Avec ses deux scieries, son école, ses cliniques et les logements de quelque 300 employés et leurs familles, Scotia reste la

Le *visitors' centre* de la Palco à Scotia

dernière véritable communauté de bûcherons existant en Californie.

Un petit musée retrace son histoire et celle de l'exploitation forestière dans la région. Il fournit aussi des laissez-passer permettant de visiter l'usine. On y découvre par soi-même tout le processus : de puissants jets d'eau écorcent les énormes troncs que des scies guidées par un rayon laser débitent ensuite en bois d'œuvre, entreposé, après séchage, sur des aires d'expédition.

🚂 **Pacific Lumber Company**
125 Main St. 📞 *(707) 764-2222.* ⭘ *du lun. au ven.* 🅿 🆆 *www.palco.com*

Avenue of the Giants ➐

🚌 *Garberville.* 🚇 *Weott (de nov. à avr. : de 10 h à 16 h t.l.j. ; de mai à oct. : de 9 h à 17 h t.l.j.) (707 946-2263).*
🆆 *www.hamboldtredwoods.org*

Les plus vastes forêts primitives de séquoias *sempervirens* bordent l'Eel River à l'intérieur de l'Humboldt Redwoods State Park d'une superficie de

20 000 ha. Longue de 53 km et parallèle à l'US 101, une route panoramique, l'Avenue of the Giants, traverse le parc à l'ombre de ces arbres millénaires dont l'espèce, la plus vieille du monde, existe depuis trente millions d'années. Profiter des nombreuses aires de stationnement pour se promener entre leurs troncs permet de mieux apprécier l'atmosphère hors du temps qui règne sous leur feuillage.

Une tempête a déraciné en 1991 le plus haut spécimen : le Dyersville Giant (110 m). Couché sur le flanc dans la Founder's Grove, à l'extrémité nord du parc, il paraît toutefois d'une taille encore plus étonnante. Les plus grands arbres se dressent actuellement dans la Rockefeller Forest au-dessus de la rive ouest du fleuve.

Le *visitors' center* borde l'US 101 et abrite une exposition sur l'histoire naturelle de ces très anciennes futaies. Vous pourrez aussi y obtenir des cartes des sentiers de randonnée et des renseignements sur les installations de camping à l'intérieur de l'Humboldt Park.

Au cœur de l'Humboldt Redwoods State Park sur l'Avenue of the Giants

Excursion dans le Redwood National Park ❶

L a création en 1968 par le président Johnson de ce parc national de 22 500 ha marquait l'aboutissement d'une lutte pour la défense des séquoias *sempervirens* du nord de la Californie menée depuis le début du siècle et il incorpore des parcs d'État fondés antérieurement. Il protège de magnifiques forêts millénaires dont la découverte demande au moins un jour. Deux jours sont nécessaires pour pouvoir prendre le temps de s'écarter à pied des routes.

Séquoias *sempervirens*

Del Norte Coast Redwood State Park ③
Dans cette zone protégée dès 1926, un tronçon de l'ancienne Redwood Highway sert de sentier de randonnée. Les collines se couvrent de fleurs au printemps.

Trees of Mystery ④
L'un des principaux sites touristiques de la région renferme des statues géantes en fibre de verre du bûcheron Paul Bunyan et de son bœuf Babe dont le voyage du Maine en Californie inspira de nombreuses histoires au début du siècle.

Tall Trees Grove ⑤
À la pointe sud du parc, où vivent certaines des dernières hardes de cerfs de Roosevelt, la bien nommée futaie des Hauts Arbres comprend l'arbre le plus haut du monde (112 m) : Howard Libby.

Gold Bluffs Beach ⑥
Beaucoup considèrent cette plage de 18 km comme la plus belle de la Californie du Nord.

Humboldt Lagoons State Park ⑦
Ce parc protège la Big Lagoon, un lac d'eau douce de 5 km de long, et deux autres estuaires.

Patrick's Point State Park ⑧
Ce cap où se forment à marée basse de nombreuses mares offre en hiver un bon poste d'observation des baleines grises en migration.

Jedediah Smith Redwoods State Park ①

Ce parc de 3 200 ha renferme les séquoias du littoral les plus impressionnants. Il porte le nom du premier Blanc qui atteignit la Californie par la Sierra Nevada *(p. 42)*. Ce trappeur explora la région en 1828.

Crescent City ②

Cette ville située au nord du Redwood National Park en abrite le siège et le principal centre d'information.

ÉGENDE

■ Circuit recommandé

□ Autres routes

CARNET DE ROUTE

Itinéraire : 125 km séparent Arcata de Crescent City. L'US 101 est la route la plus rapide.

Durée : Il est possible d'effectuer le trajet dans un sens en moins de deux heures, mais pour profiter pleinement de la visite mieux vaut s'accorder au moins une journée.

Quand partir : Septembre et octobre, les mois les plus ensoleillés, forment la période idéale où faire cette excursion. Souvent brumeux, le printemps et l'été sont aussi les saisons où fleurissent le plus de plantes. Même en été, l'époque la plus touristique, cette région isolée connaît rarement une trop grande affluence. L'hiver permet d'observer la migration des baleines grises.

Hébergement et restaurants : Hors de Crescent City (p. 530 et 558), au nord du parc, et Arcata (p. 430, 530 et 568), au sud, les établissements touristiques restent relativement rares et éloignés les uns des autres dans cette région. Orick et Klamath proposent cependant quelques restaurants et motels.

Informations touristiques : Redwood Information Center, Hwy 101, Orick. ○ de 9 h à 17 h t.l.j. ● 1ᵉʳ janv., Thanksgiving, 25 déc. ((707) 464-6101. ⟩ www.nationalpark.com/redwood/

La Lost Coast, près de Crescent City

Lost Coast ❽

Carte routière A2. 🚌 *Garberville.* 🛈 *Shelter Cove (707) 923-2613.* ⟩ *www.garberville.com*

Longue d'une soixantaine de kilomètres, la Côte perdue est si accidentée et sauvage qu'elle interdit pratiquement toute construction de route. Protégée par le gouvernement à l'intérieur du Sinkyone Wilderness State Park et de la King Range National Conservation Area, elle constitue la plus vaste zone littorale préservée de la Californie.

On ne peut atteindre Shelter Cove, au milieu de la Lost Coast, que par une route sinueuse mais bien entretenue. Ce village de pêcheurs de saumons se niche dans une baie minuscule. Son isolement a limité son développement et il offre une bonne base aux amoureux de la nature. 25 km de sentiers de randonnée jalonnés de sites de camping gratuits courent au sommet des falaises où ne vivent que des animaux sauvages tels qu'ours noirs, cerfs, visons et pyrargues à tête blanche.

Un bon moyen d'apprécier la beauté de la région consiste à prendre la Hwy 211 à l'ouest de la US 101, puis de suivre la route panoramique entre l'Humboldt Redwoods State Park et Ferndale *(p. 430-431)*. Ce magnifique parcours de 80 km fait le tour du Cape Mendocino, la pointe la plus occidentale de la côte californienne.

Weaverville ❾

Carte routière A2. 🏚 *3 500.* ✈ *Redding Municipal Airport, 64 km à l'est de Weaverville.* 🛈 *317 Main St (530 623-6101).* ⟩ *www.trinitycounty.com*

Dans une région isolée entre les montagnes du littoral et la Central Valley, le village rural de Weaverville a peu changé depuis sa fondation, il y a 150 ans, par des chercheurs d'or.

Au centre du petit quartier commerçant, qui abrite le plus vieux drugstore de l'État, se trouve le **Jake Jackson Museum**. Son exposition retrace à la fois l'histoire de Weaverville et celles de l'extraction d'or et de l'exploitation forestière dans la région. À côté du musée s'élève le Joss House State Historic Site, le plus ancien et le mieux préservé des temples chinois du pays. Construit en 1874, il rappelle que les immigrants chinois jouèrent un grand rôle dans le développement de la Californie en participant notamment à la construction de la voie ferrée transcontinentale *(p. 46-47)*.

Au nord de Weaverville, les Trinity Alps, dans le Salmon Mountain Range, se dressent au cœur de superbes paysages. Elles attirent randonneurs aux beaux jours et adeptes du ski de fond en hiver.

🏛 **Jake Jackson Museum**
508 Main St. (*(530) 623-5211.* ○ *d'avril à nov. : de 12 h à 16 h t.l.j. ; de déc. à mars : de 12 h à 16 les mar. et sam. seulement.* **Contribution**.

Au pied des séquoias dans le Redwood National Park ▷

Le Shasta Dam assure l'alimentation en eau du Nord

Shasta Dam ⑩

🚆 *Redding.* **Visitors' Center** 📞 *(530) 225-4100.* 🌐 *www.visitredding.org*

Pendant la Grande Dépression des années 1930, le gouvernement décida de financer le Central Valley Project afin d'assurer une alimentation régulière en eau aux agriculteurs, de fournir aux industriels une source d'électricité bon marché et d'offrir du travail aux chômeurs laissés sans emploi par la baisse de l'activité minière. Ce réseau de canaux et de lacs artificiels a pour pôle principal le Shasta Dam, barrage haut de 183 m et long de 1 055 m. Avec un déversoir qui fait trois fois la hauteur des chutes du Niagara, cet ouvrage d'art achevé en 1945 reste un des plus impressionnants des États-Unis.

Shasta State Historic Park ⑪

Carte routière A2. 🚆 *Redding.* **Visitors' Center** 📞 *(530) 225-2065.* ⏲ *de 10 h à 17 h du mer. au dim.* 🌐 *www.parks.ca.gov*

Au milieu du siècle dernier, l'un des plus grands camps de chercheurs d'or de la Californie naquit à proximité de la Sacramento River, de la Trinity River, de la McCloud River et de la Pit River, puis se vida à mesure que les ressources s'épuisaient. Le détournement de la voie ferrée vers Redding, à 5 km à l'est, lui porta un coup fatal.

Shasta devint une ville fantôme, mais le gouvernement de la Californie prit conscience au début des années 1920 de son importance historique. Il maintint de nombreux édifices de brique en état de « délabrement arrêté » et rendit à l'ancien tribunal, le **Shasta Courthouse**, son aspect d'origine. Un petit *visitors' centre* abrite une exposition sur l'histoire de la ville.

À 1,5 km à l'ouest, les alentours du Lake Whiskeytown forment la plus petite section de la Shasta-Whiskeytown-Trinity National Recreation Area qui protège les forêts bordant trois lacs artificiels. Le plus grand est le Shasta Lake. Le Trinity Lake porte aussi le nom de Clair Engle Lake en l'honneur d'un politicien local. Appréciés des pêcheurs, tous trois permettent de pratiquer de nombreuses activités de loisirs telles que le ski nautique.

🏛 Shasta Courthouse et Visitors' Center
Main St. 📞 *(530) 243-8194.* ⏲ *de 10 h à 17 h du mer. au dim.*

Mount Shasta ⑫

Carte routière B1. 🚆 *Dunsmuir.* 🚌 *Siskiyou.* 🚆 *Shasta.* **Visitors' Center** 📞 *(530) 926-4865.* ⏲ *t.l.j.* 🌐 *www.mtshastachamber.com*

Après le Mount Rainier (4 392 m) situé dans l'État de Washington, le Mount Shasta, d'une hauteur de 4 316 m, est le deuxième sommet des Cascade Mountains. Cinq glaciers descendent de la cime enneigée de cet ancien volcan visible à plus de 160 km.

Le Mount Shasta domine la ville fantôme de Shasta

Tule Lake National Wildlife Refuges ⑬

Carte routière B1. 🚌 *Klamath Falls.* **Visitors' Center** 📞 *(530) 667-2231.*

Autour du Tule Lake et de la Lower Klamath River, six réserves naturelles situées de part et d'autre de la frontière entre Californie et

L'intérieur restauré du Shasta Courthouse

Oregon forment un des lieux les plus propices à l'observation des oiseaux dans l'ouest des États-Unis.

En automne, ils sont des centaines de milliers à y faire étape dans leur migration depuis le Canada vers la Central Valley et au-delà. En hiver, le Tule Lake abrite une population de pygargues à tête blanche, une espèce relativement rare en Californie, pouvant compter jusqu'à mille membres.

Lava Beds National Monument ⑭

Carte routière B1. 🚌 Klamath Falls. **Visitors' Center** 📞 (530) 667-2282. ⏰ t.l.j. 🌐 www.nps.gov/labe

Sur le Modoc Plateau, vaste plateau volcanique au nord-est de la Californie, ce parc de 186 km² protège une région inhospitalière où cônes de cendres et coulées de lave composent des paysages étranges. Plus de 200 galeries souterraines creusent le sol et les parois basaltiques.

On découvre la plus grande concentration de ces grottes en empruntant la Cave Loop Road, à 3 km au sud du *visitors' centre*. De là, un court sentier descend jusque dans la Mushpot Cave, la seule à être éclairée et pavée. Son nom, marmite à bouillie, lui vient d'éclaboussures de lave trouvées près de l'entrée.

D'autres grottes le long du chemin doivent aussi leur nom à une caractéristique : la Crystal Cave renferme ainsi d'étincelants cristaux, tandis que la Catacombs Cave impose de franchir en rampant ses passages tortueux. Pour se risquer dans ces souterrains, mieux vaut avoir de bonnes chaussures et une torche électrique et consulter auparavant le *visitors' centre*.

C'est sur le territoire du Lava Beds National Monument que se déroula en 1872-1873 la seule grande guerre indienne de Californie. Un groupe de Modocs, une tribu déplacée dans une réserve en Oregon, revint dans la région conduit par le chef Kientpoos surnommé Captain Jack. Les

Le Captain Jack's Stronghold du Lava Beds National Monument

Indiens résistèrent pendant six mois à la cavalerie américaine jusqu'à la capture, et la pendaison, de leur commandant, puis furent renvoyés dans une réserve en Oklahoma. Le Captain Jack's Stronghold (Forteresse du Captain Jack) se trouve à la frontière nord du parc.

Lassen Volcanic National Park ⑮

Carte routière B2. 🚌 Chester, Red Bluff. **Visitors' Center** 📞 (530) 595-4444. ⏰ t.l.j.

Volcan le plus méridional des Cascade Mountains, et le dernier à être entré en éruption aux États-Unis avant le Mount St Helens en 1980, le Lassen Peak haut de 3 187 m dévasta entre 1914 et 1917 une zone de plus de 400 km². Elle devint un parc national en 1916.

Quoiqu'en sommeil, le Lassen Peak reste considéré comme actif et de nombreux secteurs sur ses flancs révèlent la persistance d'une activité tellurique. À 8 km au sud-est de la Southwest Entrance Station,

sur la Hwy 89, Bumpass Hell fait partie des plus intéressants. Un chemin en planches permet de découvrir mares d'eau sulfureuse bouillonnante et geysers de boue. Le guide qui donna son nom au site, Kendall Bumpass, perdit une jambe dans l'un d'eux en 1865.

En hiver, l'enneigement rend impraticable la Hwy 89 qui traverse le Lassen Volcanic National Park. En été, cette route panoramique qui monte jusqu'à près de 2 600 m d'altitude permet d'atteindre le Summit Lake. Elle continue ensuite à travers la Devastated Area, grise étendue de coulées volcaniques où la forêt, détruite en 1915, commence à renaître. Elle s'achève au Manzanita Lake, dans l'angle nord-ouest du parc. Là, le **Loomis Museum** expose des photographies des nombreuses éruptions du Lassen Peak.

Plus de 240 km de sentiers s'offrent au randonneur. Très raide et long de 4 km, l'un d'eux conduit au sommet du Lassen Peak.

🏛 Loomis Museum
Lassen Park Rd, entrée nord.
📞 (530) 595-4444. ⏰ de fin juin à mi-sept. : t.l.j.

Fumeroles au Lassen Volcanic National Park

LE WINE COUNTRY

Les crus produits dans les vallées situées au nord de San Francisco sont appréciés jusqu'en France. L'intérieur de la région jouit d'un climat tempéré et de belles caves jalonnent ses coteaux plantés de vigne. À l'ouest s'étendent les spectaculaires côtes rocheuses de Sonoma et de Mendocino. Bonne cuisine et, bien entendu, bon vins font du Wine Country un endroit idéal pour se détendre.

C'est dans la petite Sonoma Valley, en forme de croissant, que les franciscains commencèrent en 1824 à cultiver de la vigne en Californie pour fabriquer leur vin de messe. En 1857, un entreprenant comte hongrois, Agoston Haraszthy, créa le premier grand domaine viticole de l'État, la Buena Vista Winery *(p. 449)*, en important des cépages européens. Haraszthy ne contribua pas ainsi à sa seule gloire (il reste connu comme le « père du vin californien »), mais établit la réputation d'une région vinicole jusque-là ignorée.

Depuis le XIXᵉ siècle, de nombreux producteurs, y compris français, ont imité l'exemple du comte, jetant pour la plupart leur dévolu sur les sols fertiles de la Napa Valley où des centaines de *wineries* s'étendent aujourd'hui côte à côte. Elles proposent presque toutes des visites de leurs installations et des dégustations. Beaucoup possèdent en outre des bâtiments présentant un intérêt architectural, tels, parmi les fleurons, la Robert Mondavi Winery de style Mission et les Sterling Vineyards dont la silhouette blanche évoquant un village méditerranéen couronne un promontoire volcanique. Non loin, colonnes et tours ocre parent l'élégant Clos Pegase postmoderne.

Célèbre par ses geysers et les vertus curatives de ses bains de boue et d'eau minérale, la petite ville de Calistoga se niche à l'extrémité nord de la Napa Valley. À l'ouest de la vallée, la Russian River rejoint l'océan Pacifique, dont le littoral offre de vastes étendues désertes où l'on peut observer oiseaux de mer et baleines grises ou simplement se promener.

La Goat Rock Beach à l'embouchure de la Russian River

◁ **Moutarde poussant dans les vignobles de la Napa Valley au printemps**

À la découverte du Wine Country

L es vallées abritées qui creusent les
Coastal Ranges au nord de San
Francisco, en particulier celles de la
Russian River, de Sonoma et de Napa,
jouissent d'un climat idéal pour la culture de la
vigne. À l'ouest de cette région viticole aux crus
réputés, de superbes plages et des rochers à
explorer à marée basse entourent de pittoresques
villages côtiers tels que Mendocino, Jenner et
Bodega Bay. À l'intérieur des terres, des forêts de
séquoias se visitent à pied, à cheval ou en train.
On peut également découvrir la région depuis les
airs en s'envolant au-dessus des vignobles à bord
d'une montgolfière. Plusieurs parcs d'État recèlent
bâtiments historiques et sites naturels protégés.
Deux grands lacs, le Clear Lake et le Lake
Berryessa, offrent la possibilité de pratiquer
de nombreux sports nautiques.

La Gerstle Cove, réserve marine du Salt Point Park

CIRCULER

En dehors de circuits en
autocar depuis San Francisco et
des promenades en train
proposées dans la Napa Valley
(p. 446-447) et les forêts de
séquoias du nord (p. 443), le
Wine Country et son littoral
n'offrent guère d'autre moyen
de se déplacer que la voiture.
La Hwy 1 longe la côte et la
Hwy 101 traverse le centre de
la région du nord au sud
jusque dans l'Humboldt
County. La Route 20 qui relie
Nevada City au Wine Country
rejoint la Hwy 101 au nord du
Lake Mendocino.
Les plus proches aéroports
internationaux se trouvent à
San Francisco et Oakland
(p. 598-599).

VOIR AUSSI

• **Hébergement** p. 531-533

• **Restaurants** p. 569-571

LÉGENDE

- Autoroute
- Route principale
- Route secondaire
- Parcours pittoresque
- Cours d'eau
- Point de vue

L'une des nombreuses *wineries* de la Napa Valley

LE WINE COUNTRY D'UN COUP D'ŒIL

Le village de Mendocino perché
sur les Mendocino Headlands

Leggett Valley ❶

Carte routière A2. 🚌 *jusqu'à Leggett.* 🛈 *70400 Hwy 101.*

Cette vallée verdoyante séparée de l'océan Pacifique par le King Mountain Range est célèbre en Californie par ses séquoias d'une telle taille qu'on put percer dans le tronc de l'un d'eux, le Chandelier Tree haut de 103 m, un passage suffisant pour une voiture.

Sillonnées de sentiers de randonnée, les forêts de la Leggett Valley et de la région servirent par endroits de décor à George Lucas lors du tournage de sa saga de la *Guerre des étoiles*. Elles abritent, entre autres animaux sauvages, ratons laveurs et cerfs. Des aigles royaux planent souvent au-dessus des frondaisons en quête d'une proie.

La South Fork Eel River, où abondent saumons et truites arc-en-ciel, attire échassiers, pêcheurs et baigneurs, en été.

Mendocino ❷

Carte routière A3. 🏔 *1 200.* 🚌 🛈 *332 N Main St, Fort Bragg (707) 961-6300 ; 800 726-2780).* 🌐 *www.mendocinocoast.com*

Les fondateurs de ce village côtier venaient en 1852 de Nouvelle-Angleterre et ils construisirent des maisons ressemblant à celles qu'ils avaient quittées sur la Côte Est. Ces demeures caractéristiques, avec leurs pignons pointus et leurs boiseries décoratives, valent d'ailleurs à cette portion du littoral le surnom de « California's New England Coast ».

Perché sur un promontoire rocheux au-dessus du Pacifique, Mendocino a conservé le charme suranné de l'époque où il vivait de la pêche et de l'exploitation forestière. Le tourisme est devenu sa principale ressource, mais il reste de qualité, de nombreux artistes et écrivains ayant décidé de s'installer dans cette localité isolée. Boutiques d'antiquités, galeries d'art, librairies et cafés bordent rues et places, et les falaises couvertes de bruyères ménagent de beaux panoramas de l'océan où des baleines passent au large lors de leurs migrations.

Des fougères géantes bordent le superbe Fern Canyon Trail dans le Van Damme State Park

Van Damme State Park ❸

Comptche Ukiah Rd. 📞 *(707) 937-5804.* 🛈 *(707) 937-4016.* 🚌 *depuis Point Arena.* 🕐 *t.l.j. ; d'avr. à oct. : camping sur réservation seul.* 📷 ♿

Cette superbe réserve naturelle de 890 ha abrite des pistes cyclables et certains des plus beaux sentiers forestiers de la Californie, tel le Fern Canyon Trail. Les visiteurs s'y promènent le long de ruisseaux sinueux à l'ombre d'immenses séquoias et de fougères géantes. Sur la frange littorale du parc viennent plonger des pêcheurs d'oreilles-de-mer.

À 5 km au nord du Van Damme State Park, une curiosité végétale, la Pigmy Forest, peut s'atteindre à pied comme en voiture. Cette forêt naine se compose de vieux arbres rabougris qui doivent à la pauvreté d'un sol mal drainé de ne pas dépasser une hauteur d'environ un mètre.

Point Arena Lighthouse ❹

Carte routière A3. 📞 *(707) 882-2777.* 🚌 *depuis Point Arena.* **Phare et musée** 🕐 *de mai à sept. : de 10 h à 16 h 30 t.l.j. ; d'oct. à avr. : de 10 h à 15 h 30 t.l.j.* 📷 ♿ *musée seul.* 📷 🌐 *www.pointarenalighthouse.com*

Ce phare haut de 35 m dresse sa silhouette élancée à 1,5 km au nord du village de pêcheurs de Point Arena. Bâti en brique en 1870, il ne résista pas au tremblement de terre de 1906 et dut être remplacé par la tour en béton actuelle coulée à San Francisco par la Concrete Chimney Company.

Il faut gravir 145 marches pour atteindre son sommet, un effort récompensé par un panorama exceptionnel… du moins un jour sans brume. La visite du phare, possible toute

Mendocino domine l'océan depuis un promontoire rocheux

l'année, permet de découvrir les larges lentilles de Fresnel. Fabriquées en France, elles mesurent près de deux mètres de diamètre, pèsent plus de deux tonnes et flottent dans un bassin de mercure.

Le bâtiment adjacent, édifié en 1869 pour prévenir les bateaux de la présence du promontoire par temps de brouillard, abrite désormais un musée. Son exposition comprend plusieurs sirènes de brume et retrace l'histoire du phare, notamment à travers de vieilles photographies.

Le Point Arena Lighthouse, colonne de béton haute de 35 m

Russian River Valley ❺

🚌 *depuis Healdsburg.* 🛈 *16209 First St, Guerneville (707 869-9000).* 🌐 *www.russianriverchamber.com*

A rrosée par la Russian River et ses affluents, la vaste région connue sous le nom de Russian River Valley englobe en fait plusieurs vallées plus petites, certaines dominées par des coteaux plantés de vigne et des champs de pommiers, d'autres jalonnées de futaies de séquoias, d'exploitations agricoles familiales et de plages de sable au bord de cours d'eau. Plus de 60 *wineries* sont dispersées dans ces paysages.

Au centre de la vallée, la petite ville de Healdsburg s'ordonne autour d'une belle place de style espagnol bordée de boutiques, de cafés et de restaurants. De nombreux habitants de San Francisco et

LE SKUNK TRAIN

Depuis 1885, ce train part de Fort Bragg, une ville forestière au nord de Mendocino, pour s'enfoncer dans les forêts de séquoias. C'est l'odeur dégagée par le mélange de gazole et d'essence alimentant sa locomotive qui lui valut le surnom de train Mouffette. Les passionnés de chemin de fer peuvent choisir aujourd'hui entre des motrices diesel, électrique ou à vapeur pour une promenade d'une demi-journée ou d'un jour entier.

Le pittoresque Skunk Train

de la Bay Area viennent se détendre en été dans le village hospitalier de Guerneville, au sud-ouest d'Healdsburg. Il accueille chaque année en septembre sur la Johnson's Beach le très populaire Russian River Jazz Festival. La Johnson's Beach offre aussi un bon point de départ à une descente en canoé ou en canot pneumatique *(raft)* du cours paisible de la Russian River.

Non loin s'étend l'**Armstrong Redwoods State Reserve** de 330 ha qui contient certaines des dernières forêts primitives de séquoias de la Californie. Elle renferme un géant ; vieux de 1 400 ans, cet arbre baptisé Colonel Armstrong mesure 94 m de hauteur.

🌿 Armstrong Redwoods State Reserve

17000 Armstrong Woods Rd, Guerneville. 📞 *(707) 869-2015, 865-2391.* 🕒 *t.l.j.*

Salt Point State Park ❻

Carte routière A3. 📞 *(707) 847-3221, 847-3465.* 🚌 *depuis Santa Rosa.* 🕒 *t.l.j.* 🅿️ ♿

B ordant le littoral, ce parc naturel de 2 400 ha recèle plusieurs criques rocheuses appréciées des pêcheurs. Il comprend en outre la Gerstle Cove Marine Reserve où les plongeurs peuvent venir admirer des fonds marins protégés où prospèrent poissons divers et anémones et étoiles de mer.

De nombreux sentiers de randonnée et pistes cavalières sinuent entre pins, séquoias et prairies fleuries. L'itinéraire le plus apprécié en avril et en mai traverse la Kruse Rhododendron State Reserve de 130 ha où les rhododendrons peuvent atteindre une hauteur de 9 m.

La Gerstle Cove du Salt Point State Park

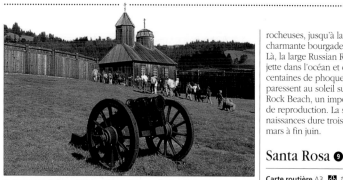

Canon exposé devant la chapelle orthodoxe du Fort Ross

Fort Ross State Historic Park ❼

Carte routière A3. 📞 *(707) 847-3286.* 🚌 *depuis Point Arena.* 🕐 *du lever au coucher du soleil t.l.j.* ⬤ *Thanksgiving, 25 déc.* 🅿️ ♿

S ur un promontoire rocheux battu par les vents à 19 km au nord de Jenner se dresse l'ancien comptoir commercial fondé par les Russes en 1812. Ils l'occupèrent jusqu'en 1841 et son nom, « Ross », dérive de « Rossya » qui signifie Russie.

Les Russes furent les premiers Européens à s'installer dans la région, étendant leur zone d'influence depuis l'Alaska. C'est leur présence qui incita l'Espagne à entreprendre la colonisation de l'Alta California à partir de 1769, mais ils ne cherchèrent jamais à asseoir leur pouvoir sur ces terres vierges, se contentant d'y chasser les animaux à fourrure et de commercer. Après trente ans d'échanges pacifiques, ils vendirent en 1841 le fort à John Sutter, un immigrant suisse *(p. 459)*.

Construite en 1836, la maison du dernier directeur du comptoir, Alexander Rotchev, est restée intacte, mais plusieurs autres bâtiments ont dû être reconstruits à l'intérieur de la palissade en bois. Le plus intéressant, la chapelle orthodoxe bâtie en séquoia, date de 1824.

Un petit *visitors' centre* propose des brochures d'information. Tous les ans, le dernier samedi de juillet, plus de 200 participants en costume recréent pendant une journée la vie au fort au début du XIXᵉ siècle.

Bodega Bay ❽

Carte routière A3. 🏙 *1 300.* 🚌 🛈 *850 Hwy 1 (707 875-3866).* 🌐 *www.bodegabay.com*

A britée par une petite péninsule qui offre un des meilleurs postes d'observation des baleines de Californie, Bodega Bay servit avec ses maisons blanches de décor à une œuvre célèbre d'Alfred Hitchcock, *Les Oiseaux* (1963). La Potter Schoolhouse, dont les élèves subissent l'attaque de corbeaux dans le film, existe toujours dans le minuscule village voisin de Bodega.

Parmi les distractions que propose Bodega Bay figurent le golf, l'étude des oiseaux, la recherche de coquillages et la pêche en haute mer. Le soir, les bateaux de pêche déchargent leurs prises du jour au Tides Wharf, un quai sur la Hwy 1.

Au nord de Bodega Bay, la Sonoma Coast State Beach s'étale sur 16 km dix plages séparées par des avancées

rocheuses, jusqu'à la charmante bourgade de Jenner. Là, la large Russian River se jette dans l'océan et des centaines de phoques gris paressent au soleil sur la Goat Rock Beach, un important lieu de reproduction. La saison des naissances dure trois mois de mars à fin juin.

Santa Rosa ❾

Carte routière A3. 🏙 *136 000.* ✈ *Sonoma County Airport, 10 km au nord de Santa Rosa.* 🚌 🛈 *9 4th St (707 577-8674 ; 800 404-7673).* 🌐 *www.visitsantarosa.com*

M algré l'une des plus fortes croissances démographiques de Californie, Santa Rosa reste surtout connue par les célébrités qui y vécurent ou y résident encore.

L'horticulteur Luther Burbank (1849-1926), créateur de plus de 800 variétés de fruits, de légumes et de fleurs ornementales, y habita pendant plus de 50 ans. D'une superficie d'un demi hectare, les **Luther Burbank Home and Gardens** comprennent une roseraie et un verger. Le jardin victorien réunit les plantes les plus appréciées autour des maisons à la fin du siècle dernier.

À l'intérieur d'un bureau de poste restauré datant de 1909, le **Sonoma County Museum** se propose d'illustrer, au travers de photographies inédites, de documents et d'objets, les péripéties historiques de la région.

Phoque sur la Goat Rock Beach

Bateaux de pêche dans la North Beach Jetty Marina de Bodega Bay

Parterres fleuris aux Luther Burbank Home and Gardens

Santa Rosa comptait parmi ses habitants un dessinateur encore plus connu : Charles Schulz, l'auteur de la série « Peanuts ». Il n'existe nulle part au monde un plus vaste choix de produits dérivés du personnage de Snoopy qu'à la **Snoopy's Gallery and Gift Shop**.

❦ **Luther Burbank Home and Gardens**
204 Santa Rosa Ave. ☎ (707) 524-5445. **Jardins** ⬭ t.l.j. **Maison** ⬭ d'avril à oct. : de 10 h à 16 h du mar. au dim. 📷 🌐 www.lutherburbank.org
🏛 **Sonoma County Museum**
415 7th St. ☎ (707) 519-1500. ⬭ de 11 h à 16 h du mer. au dim. 🌐 www.sonomacountymuseum.com
🎁 **Snoopy's Gallery and Gift Shop**
1665 Steele Lane. ☎ (707) 546-3385. ⬭ t.l.j. ⬤ jours fériés. 🌐 www.snoopydist.com

Calistoga ⓾

Carte routière A3. 🚉 4 715. 🚌
ℹ 1458 Lincoln Ave (707 942-6333). 🌐 www.calistogachamber.org

Fondée au milieu du XIXᵉ siècle par Sam Brannan (1819-1889), le premier millionnaire de Californie, cette petite station thermale attire toujours de nombreux visiteurs. Ils n'y viennent pas tous dans le seul but de profiter des vertus curatives de bains de boue, entre autres traitements, mais aussi pour apprécier la bonne cuisine du Wine Country et le calme d'une ville riche en boutiques proposant aussi bien savons artisanaux que mobilier européen.

À 3 km au nord de Calistoga, l'**Old Faithful Geyser** perd parfois de sa régularité, mais il projette dans le ciel une colonne d'eau bouillante toutes les 40 mn. À l'ouest s'étend la **Petrified Forest** où, il y a des millions d'années, une éruption volcanique recouvrit de cendres d'immenses séquoias (p. 446).

À l'est, le Robert Louis Stevenson State Park, d'une superficie de 2 000 ha, permet de se promener au milieu d'arbres encore vivants. L'auteur de L'Île au trésor passa ici en 1880 sa lune de miel avec Fanny Osbourne. Au bout des 8 km qui séparent le parc du sommet du Mount St Helena (1 324 m), le plus haut relief du Wine Country, offre une vue à couper le souffle sur les vignobles. Il existe un moyen moins fatigant de les découvrir d'en haut : monter dans une montgolfière au gliderport proche de Calistoga.

🚁 **Old Faithful Geyser**
1299 Tubbs Lane. ☎ (707) 942-6463. ⬭ t.l.j. 📷 🌐 www.oldfaithful geyser.com
🌲 **Petrified Forest**
4100 Petrified Forest Rd. ☎ (707) 942-6667. ⬭ t.l.j. ⬤ 25 déc. 📷 ♿ limité. 🌐 www.petrified forest.org

Jack London State Historic Park ⓫

Carte routière A3. ☎ (707) 938-5216. **Parc et musée** ⬭ t.l.j. ⬤ 1ᵉʳ jan., Thanksgiving, 25 déc. 📷 ♿ musée seul. 📷 🌐 www.jacklondonpark.com

En 1905, le célèbre auteur de L'Appel de la forêt, Croc-Blanc et Le Loup des mers, parmi plus de 50 livres, abandonna sa vie de vagabondages pour s'installer dans ce domaine de 350 ha où poussent chênes, marronniers de Californie et séquoias. Jack London (1876-1916) lui donna le nom mérité de Beauty Ranch. Il renferme toujours ses écuries, ses vignobles et le cottage où il travailla et mourut à l'âge de 40 ans. On y voit également les ruines de la Wolf House où l'écrivain comptait fonder une communauté utopique et qu'un incendie ravagea.

Sa deuxième épouse, Charmian Kittredge (1871-1955), édifia en 1919 une magnifique maison, la House of Happy Walls, qui abrite aujourd'hui un musée. Les souvenirs de Jack London exposés comprennent son bureau, des notes, diverses éditions de ses œuvres, ainsi que sa collection d'objets d'art provenant du Pacifique Sud.

L'Old Faithful Geyser

Excursion dans la Napa Valley ⑫

L'étroite vallée arrosée par la Napa River a établi, par la qualité de ses crus, la réputation des vins californiens. Longue de 55 km, elle abrite plus de 250 caves, les plus anciennes datant du XIXᵉ siècle et possédant souvent d'intéressantes architectures. La plupart bordent le Silverado Trail et la Hwy 29 qui traversent les villes de Yountville, Oakville, Rutherford, St Helena et Calistoga *(p. 445)*.

Beaucoup de ces *wineries* proposent des visites gratuites de leurs installations, mais les dégustations y sont parfois payantes. Vous les apprécierez plus tranquillement en semaine, surtout en été.

Statue du Clos Pegase

Sterling Vineyards ⑦
Perchée sur une colline dominant la vallée et ses vignobles, cette grande cave blanche de style méditerranéen est accessible en téléphérique.

Clos Pegase ⑥
L'architecte Michael Graves dessina cette *winery* post-moderne réputée pour sa collection d'art et ses vins.

Petrified Forest ⑤
Elle comprend les plus grands arbres pétrifiés du monde *(p. 445)*.

Bale Grist Waterwheel ④
Ce moulin à aubes de 1846 fonctionne encore le week-end.

GASTRONOMIE ET VINS FINS DANS LA NAPA VALLEY

Le Wine Country n'est pas seulement réputé en Californie pour ses crus, mais également pour la qualité de ses productions maraîchères. Le long des routes de la vallée, des étals et des marchés fermiers vendent des légumes et des fruits biologiques, ainsi que des jus fraîchement pressés. Les restaurants dans les petites villes servent souvent une excellente cuisine. Parmi les spécialités locales figurent le gigot d'agneau *(leg of lamb)* à la menthe fraîche, le risotto aux cœurs d'artichauts et aux tomates séchées, le sauté de champignons *(wild mushrooms)* en croustade et le saumon de Sterling à la sauce au pinot noir.

Robert Mondavi Winery ③
Peintures et sculptures ornent cette immense cave de style Mission qui se visite toute l'année.

Repas à la terrasse au Domaine Chandon de Yountville

LÉGENDE

▬ Circuit recommandé

═ Autre route

☼ Point de vue

Couleurs d'automne dans la Napa Valley

CARNET DE ROUTE

Itinéraire :
64 km y compris le détour par la
Petrified Forest.
Où faire une pause :
St Helena et Calistoga possèdent
plusieurs hôtels et Bed-and-
Breakfast. Pour un excellent
repas, essayez le Domaine
Chandon ou le Mustards Grill de
Yountville ; le Tra Vigne ou
le Brava Terrace de St Helena ;
le Silverado de Calistoga
(p. 570-571).

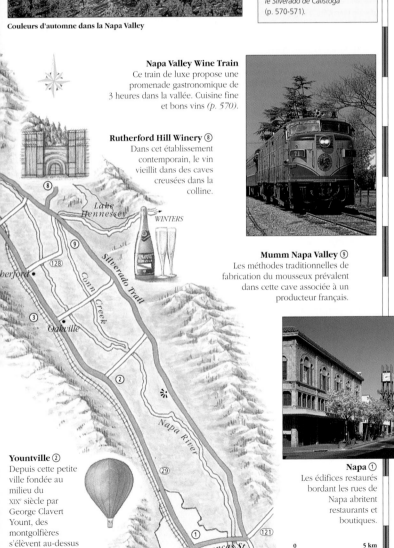

Napa Valley Wine Train
Ce train de luxe propose une
promenade gastronomique de
3 heures dans la vallée. Cuisine fine
et bons vins *(p. 570)*.

Rutherford Hill Winery ⑧
Dans cet établissement
contemporain, le vin
vieillit dans des caves
creusées dans la
colline.

Mumm Napa Valley ⑨
Les méthodes traditionnelles de
fabrication du mousseux prévalent
dans cette cave associée à un
producteur français.

Napa ①
Les édifices restaurés
bordant les rues de
Napa abritent
restaurants et
boutiques.

Yountville ②
Depuis cette petite
ville fondée au
milieu du
XIXᵉ siècle par
George Clavert
Yount, des
montgolfières
s'élèvent au-dessus
du Wine Country.

0   5 km

Sonoma et la Sonoma Valley

S errée entre les Mayacama Mountains à l'est et les Sonoma Mountains à l'ouest, l'étroite Sonoma Valley, longue de 27 km, renferme 2 400 ha de vignobles. À l'entrée de la vallée, la petite ville de Sonoma s'étend autour d'une place de 3 ha dessinée en 1835 par le général mexicain Mariano Vallejo (1808-1890). Au début des années 1840, les colons américains qui arrivèrent dans la région découvrirent que la propriété de la terre était réservée aux citoyens de nationalité mexicaine. Le 14 juin 1846, environ 30 d'entre eux firent prisonnier le général Vallejo et ses hommes, prirent le contrôle de Sonoma et déclarèrent la Californie république indépendante. Ils ornèrent leur drapeau d'une étoile et d'une bande rouges et du dessin grossier d'un ours *(bear)*. En annexant la Californie 25 jours plus tard, les États-Unis abolirent cette république, mais le Bear Flag devint le drapeau officiel de l'État en 1911.

Bear Flag Monument

Le Sonoma City Hall au centre de la Sonoma Plaza

À la découverte de Sonoma

Sonoma offre pour principaux centres d'intérêt ses caves réputées et le quartier agréable qui entoure la **Sonoma Plaza** de style espagnol. Des dizaines de sites historiques méticuleusement préservés bordent cette place ombragée où de nombreux bâtiments en adobe abritent des marchands de vins, de charmantes boutiques et des restaurants chic servant une cuisine californienne recherchée. Au centre de la place se dresse le **Sonoma City Hall**, édifice en pierre de style Mission Revival *(p. 27)* dessiné en 1908 par l'architecte san-franciscain A. C. Lutgens. Près de l'angle nord-ouest de la place, le **Bear Flag Monument** commémore la révolte de 1846 qui fit se dresser des fermiers américains contre le gouvernement mexicain.

🏠 Vasquez House

414 1st St East, El Paseo. 📞 (707) 938-0510. 🕐 de 13 h 30 à 16 h 30 du mer. au dim. 🈲 🚫
Cette maison à pignons bâtie en 1855 appartint à « Fighting Joe » Hooker, un héros de la guerre de Sécession, qui la vendit à Pedro et Catherine Vasquez. Elle est devenue le siège de la Sonoma League for Historic Preservation qui abrite une exposition historique et fournit des renseignements sur des promenades guidées dans Sonoma.

🏠 Toscano Hotel

20 E Spain St. 📞 (707) 938-0510. 🕐 de 13 h à 16 h. du sam. au lun. 🈲 🚫 obligatoire.
Situé sur le côté nord de la plaza, le Toscano Hotel, édifice en bois restauré, bénéficie du

SONOMA : LE CENTRE-VILLE

Bear Flag Monument ③
City Hall ②
Lachryma Montis ⑨
Mission San Francisco Solano de Sonoma ⑤
Sonoma Barracks ⑥
Sonoma Cheese Factory ⑧
Sonoma Plaza ①
Toscano Hotel ⑦
Vasquez House ④

0   250 m

LÉGENDE

ℹ️ Information touristique

statut de monument historique. Occupé à l'origine par un bazar et une bibliothèque, il date des années 1850. Transformé en hôtel pour chercheurs d'or en 1886, il appartient désormais à l'État.

🏛 Sonoma Cheese Factory
2 W Spain St. ☎ (707) 996-1931. ○ t.l.j. ● 1ᵉʳ jan., Thanksgiving, 25 déc. 🖳 www.sonomajack.com
Une large baie vitrée permet dans cette fromagerie en activité depuis 1931 d'assister au processus de fabrication. La boutique vend le produit fini, une pâte cuite aromatisée de diverses manières.

🏛 Lachryma Montis
W Spain et W 3rd Sts. ☎ (707) 938-9559. ○ t.l.j. ● 1ᵉʳ jan., Thanksgiving, 25 déc. 🖳
Maison jaune et blanche de style Gothic Revival construite en séquoia en 1852, l'ancienne demeure du général mexicain Mariano Vallejo offre un aperçu du luxueux train de vie qu'il menait. Elle abrite une collection éclectique de souvenirs, depuis ses épaulettes en argent et un fer à marquer le bétail jusqu'à ses livres et photographies préférés. Son nom, qui signifie en latin « larme de la montagne », fait référence à une source coulant sur la propriété.

Lachryma Montis, l'ancienne demeure du général Mariano Vallejo

🏛 Mission San Francisco Solano de Sonoma
E Spain St. ☎ (707) 938-9560. ○ t.l.j. ● 1ᵉʳ jan., Thanksgiving, 25 déc. 🖳
Fondée en 1823 par un franciscain espagnol, le père José Altimira, à une époque où la Californie était sous gouvernement mexicain, la dernière des 21 missions

Façade de la Mission San Francisco Solano de Sonoma

californiennes (p. 42) porte le nom d'un saint péruvien. On l'appelle aussi plus simplement la Sonoma Mission. Superbement restaurée, elle ne conserve des bâtiments d'origine que le corridor des quartiers du père Altimira. Le général Vallejo fit construire la chapelle en adobe en 1840 pour les soldats et les familles de la ville.

(p. 42)

MODE D'EMPLOI
Carte routière A3. 🏠 8 600. ✈ Sonoma County Airport, 10 km au nord de Santa Rosa. 🚌 90 Broadway et W Napa Sts, Sonoma Plaza. 🛈 453 1st St E (707 996-1090). 🎉 Valley of the Moon Vintage Festival (fin sept.).

🏛 Sonoma Barracks
E Spain St. ☎ (707) 938-1519. ○ t.l.j. ● 1ᵉʳ jan., Thanksgiving, 25 déc. 🖳
C'est une main-d'œuvre indienne qui bâtit entre 1836 et 1840 ce bâtiment en adobe qui servit de quartier général au général Vallejo et à ses troupes. Après la Bear Flag Revolt de 1846, l'armée américaine l'utilisa comme avant-poste pendant une dizaine d'années. Rachetée par l'État à la fin des années 1950, la caserne, restaurée, est désormais un California Historical Landmark.

LES CAVES DE LA SONOMA VALLEY

Armoiries des Sebastiani Vineyards

Qualité du sol, pluviométrie et ensoleillement rendent la Sonoma Valley particulièrement propice à la culture de la vigne. Le père José Altimira planta les premiers pieds en 1824 pour en tirer le vin de messe nécessaire aux services célébrés dans la Mission San Francisco Solano de Sonoma. Quand, en 1834, le gouvernement mexicain sécularisa la mission, le général Vallejo replanta les vignes sur sa propriété et vendit leur production à des marchands de San Francisco. En 1857, le comte hongrois Agoston Haraszthy (p. 439) importait les premières variétés européennes et créait la Buena Vista Winery, qui reste un des grands vignobles de cette région réputée.

(p. 439)

Celle-ci comprend trois zones viticoles : la Sonoma Valley, Carneros et la Sonoma Mountain. De subtiles différences de climat leur donnent des environnements particuliers plus ou moins adaptés à des cépages comme le cabernet sauvignon et le chardonnay. Plus de 35 caves y produisent chaque année un total de 5,4 millions de caisses. Parmi les plus remarquables figurent les Sebastiani Vineyards aux crus maintes fois primés, la Glen Ellen Winery, la Gundlach-Bundschu Winery et le Château St Jean. La plupart des *wineries* proposent des aires de pique-nique, des visites guidées et des dégustations gratuites.

Vignobles dans la Sonoma Valley

LE GOLD COUNTRY
ET LA CENTRAL VALLEY

*S*itué au cœur géographique de la Californie, le Gold Country est aussi au cœur de son histoire puisque c'est l'or qu'on y découvrit, et la ruée qu'il provoqua, qui entraîna la première grande vague d'immigration. Il reste également au centre de sa vie politique actuelle puisqu'il renferme la capitale de l'État, Sacramento.

S'il fut le creuset de la Californie moderne où convergèrent du monde entier des milliers de pionniers en 1849, le Gold Country n'en présente pas moins aujourd'hui un visage principalement rural. Même sa ville principale, Sacramento, pourtant siège du gouvernement de l'État, vit surtout du commerce agricole.

Avant l'arrivée des prospecteurs, ces territoires situés aux confins de l'empire colonial espagnol restaient peuplés de tribus Miwoks et Maidus dispersées. La découverte de pépites d'or en janvier 1848 les transformèrent brutalement en un champ de foire sans foi ni loi. On estime qu'en 1852, 200 000 hommes de toutes nationalités travaillaient dans les mines du Gold Country. En 1860, les filons épuisés, il se vida à nouveau, au profit des grandes cités de la côte (*p. 44-45*), malgré l'activité éphémère créée par la construction, à travers les montagnes de la Sierra Nevada, de la voie ferrée transcontinentale dont Sacramento devint le terminus.

S'étendant sur plus de 160 km du nord au sud, le Gold Country offre un cadre idéal à de reposantes promenades et à des pique-niques en pleine nature. Il possède l'une des plus belles routes de la Californie : la Hwy 49. Elle traverse de calmes paysages pastoraux, suit crêtes et arêtes rocheuses, longe des forêts, franchit des torrents et relie des villages pittoresques, tel Sutter Creek, qui ont gardé l'aspect qu'ils avaient à l'époque de la ruée vers l'or.

Le Malakoff Diggins State Park protège des paysages façonnés par la ruée vers l'or

◁ **Le California State Capitol de Sacramento**

À la découverte du Gold Country

Depuis la Central Valley où la I-5 dessert de charmantes communautés agricoles, le Gold Country escalade les contreforts creusés par les torrents des Sierra Navada Mountains. Principale ville de la région et siège du gouvernement de la Californie, Sacramento renferme la plus grande concentration de monuments et de sites touristiques. Ce sont toutefois les routes pittoresques qui présentent le plus d'intérêt. Des villages historiques jalonnent les paysages ruraux. Certains restent vivants et dynamiques, d'autres sont plus fantomatiques. Les bourgades les plus importantes, telles Nevada City et Sutter Creek, offrent de bonnes bases pour explorer une région très accueillante.

Le Capitol de Sacramento, siège du gouvernement de l'État

Le New Melones Lake que franchit le Parrots Ferry Bridge le long de la Hwy 49 dans le Tuolumne County

LE GOLD COUNTRY D'UN COUP D'ŒIL

MALAKOFF DIGGINS STATE PARK **1**
4 NEVADA CITY
GRASS VALLEY *Reno*
3 EMPIRE MINE STATE HISTORIC PARK
ALL GOLD OVERY PARK **6**
SOM **8** PLACERVILLE
VOLCANO **10**
TTER **9** REEK
12 JACKSON
11 CHAW'SE INDIAN GRINDING ROCK STATE PARK
13 MOKELUMNE HILL
AN ANDREAS **14** **15** MURPHYS
ANGELS CAMP **16** *New Melones Lake*
17 MOANING CAVERN
19 COLUMBIA STATE HISTORIC PARK
18 SONORA
20 JAMESTOWN
Stanislaus River
Don Pedro Reservoir *Yosemite*
Hetchy Aqueduct
ESTO *Tuolumne River* *Lake McClure*
MARIPOSA
MERCED
San Joaquin River
Monterey   Fresno

Répliques de huttes indiennes du Chaw'se Indian Grinding Rock State Park

VOIR AUSSI
• *Hébergement* p. 533-534
• *Restaurants* p. 571-572

CIRCULER
Il faut une voiture pour découvrir le Gold Country. La plupart des sites se trouvent le long de la Hwy 49, ou Gold Rush Highway, qui relie les localités les plus intéressantes. Les transports publics sont extrêmement limités. Des liaisons longue distance en autocar empruntent les deux principales autoroutes, la I-80 et la US 50, et des trains franchissent les montagnes au départ de Sacramento, ville desservie par des lignes aériennes intérieures. L'aéroport international le plus proche est celui de San Francisco.

LÉGENDE
Autoroute
Route principale
Route secondaire
Parcours pittoresque
Cours d'eau
Point de vue

0   25 km

Canyon résultant de l'abattage hydraulique aux Malakoff Diggins

Malakoff Diggins State Park **❶**

Carte routière B3. **⚡** (530) 265-2740. **🚌** depuis Nevada City. **⚪** t.l.j. **Musée :** de 10 h à 16 h les sam. et dim. **⚫** Bâtiments : d'oct. à avril **♿ ♿ 📷**

À la fin des années 1850, les techniques classiques d'extraction d'or commencèrent à ne plus suffire et les mineurs eurent recours à de nouveaux moyens pour atteindre le précieux minerai. Quand les filons en surface s'épuisèrent, ils utilisèrent de puissants jets d'eau pour désagréger les dépôts alluvionnaires, un procédé connu sous le nom d'abattage hydraulique. Ces jets crachaient plus de 115 m³/h et ils ravagèrent des flancs de collines entiers.

Pépite d'or prise dans du quartz

La législation californienne interdit en 1884 le déversement de graviers dans les cours d'eau, mais de vastes espaces avaient déjà été dévastés et plusieurs rivières obstruées. Dans les montagnes dominant Nevada City, à 45 km au nord-est de la Hwy 49, l'une des plus importantes de ces exploitations par abattage hydraulique a creusé aux Malakoff Diggins un canyon qui offre aujourd'hui un paysage d'une étrange beauté. Dans le parc qui le protège subsistent des bâtiments de North Bloomfield, une ville minière des années 1870.

Grass Valley **❷**

Carte routière B3. **🏘** 9 000. **🚌** **ℹ** 248 Mill St (530 273-4667). **W** www.grassvalleychamber.org

L'Empire Mine, entre autres, fit de Grass Valley l'une des villes les plus animées du nord du Gold Country. Dans les années 1870 et 1880, des ouvriers anglais des mines d'étain des Cornouailles vinrent y travailler. Ils prirent le surnom affectueux de « Cousin Jacks ». Leur expérience permit de tirer parti des filons en profondeur et aux exploitations de rester en activité après que le reste de la région fut tombé en déclin (p. 44-45).

Grass Valley abrite un musée très intéressant consacré aux techniques d'extraction. Installé dans la salle des machines de l'ancienne North Star Mine, le **North Star Mining Museum** présente notamment un pilon qui servait à broyer le minerai, une pompe servant au filtrage des eaux souterraines, ainsi que divers objets liés aux origines cornouaillaises de la main-d'œuvre locale. Les grandes roues Pelton qui encadrent l'entrée du musée augmentèrent considérablement la productivité de la mine.

🏛 North Star Mining Museum
Mill St à la hauteur de Allison Ranch Rd. **⚡** (530) 273-4255. **⚪** d'avr. à oct. : t.l.j. **Contribution**.

Empire Mine State Historic Park **❸**

Carte routière B3. **⚡** (530) 273-8522. **🚌** depuis Nevada City. **⚪** t.l.j. **⚫** 1er jan., Thanksgiving, 25 déc. **📷** **♿** Empire Cottage et ses jardins. **📷** **W** www.powermine.org

L'Empire Mine, l'une des mines les plus lucratives de la Californie, resta en activité jusqu'en 1956. Rachetée par l'État, elles est désormais protégée par un parc historique.

L'exploitation commença en surface dans les années 1850, puis se poursuivit jusqu'à 1 000 m de profondeur grâce à près de 600 km de galeries. On estime à 165 tonnes le poids d'or pur arraché au quartz qui l'emprisonnait.

Plus que le matériel dispersé sur les 318 ha du parc, c'est l'Empire Cottage qui donne une image claire de la fortune tirée ici du sous-sol. Dessiné en 1897 pour le propriétaire de la mine, William Bourn, par l'architecte san-franciscain Willis Polk, il offre de l'extérieur, avec son parement de granit et de brique rouge, l'aspect d'un manoir anglais. À l'intérieur, les boiseries en séquoia évoquent une aisance décontractée. Les jardins renferment près de 1 000 rosiers et une grande serre.

Le *visitors' centre* abrite une exposition consacrée à l'histoire de l'Empire Mine et aux techniques d'extraction. Elle comprend des échantillons du précieux métal.

Pilon utilisé au concassage du minerai à l'Empire Mine

Gracieuse façade du Firehouse Number 1 Museum

Nevada City ❹

Carte routière B3. 🏙 *2 855.* 🚗 🚌
ℹ *132 Main St (530 265-2692).*
W *www.nevadacitychamber.com*

L es nombreux immeubles commerciaux et d'habitation victoriens qui bordent ses rues pentues justifient la réputation de « Reine des mines du nord » dont jouit Nevada City. Fondée à l'extrémité septentrionale du célèbre Mother Lode *(p. 44)*, la ville prospéra jusque dans les années 1860, puis tomba dans l'oubli avec l'épuisement du gisement. Le tourisme permit sa renaissance un siècle plus tard, et l'époque de la ruée vers l'or donne le ton de ses boutiques, restaurants et lieux d'hébergement.

En entrant dans Nevada City, la Hwy 49 conduit les visiteurs au bas de Broad Street. Le grand bâtiment sur la gauche en regardant vers la rue est le **National Hotel** ouvert en 1855 *(p. 534)*. À un pâté de maisons à l'est de l'hôtel se dresse une des façades les plus photographiées de la région, celle du **Firehouse Number 1 Museum**. Sa petite exposition comprend de l'artisanat des Indiens Maidus, l'autel d'un temple chinois datant de la ruée vers l'or et des souvenirs de l'époque des pionniers, dont certains liés à la tragique Donner Party *(p. 470)*. Le parc situé de l'autre côté de la rue abrite du matériel qui servit à l'extraction et plusieurs plaques commémorent des événements passés.

De nouveau dans Broad Street, le **Nevada Theater** à la façade en brique accueille des spectacles depuis 1865. À quelques pas au sud se trouve la **Miner's Foundry**, l'ancienne fonderie où fut conçue la roue Pelton très utilisée dans la production d'hydro-électricité. À un pâté de maisons au nord, le **County Courthouse**, l'un des rares édifices du XXᵉ siècle, présente une façade Art déco.

🏛 Firehouse Number 1 Museum
214 Main St. 📞 *(530) 265-5468.*
⭘ *de 11 h 30 à 16 h du jeu. au dim.*
Contribution.

Le Nevada Theater ouvert en 1865

NEVADA CITY : LE CENTRE-VILLE

County Courthouse ③
Firehouse Number 1 ②
First Methodist
   Church ④
National
   Hotel ①

BIRCHVILLE
Malakoff Diggins
State Park

TRUCKEE

LÉGENDE

ℹ Information touristique

GRASS VALLEY
Empire Mine
State Historic Park

0   100 m

Old Sacramento pas à pas ❺

Logo ferroviaire

Entre la rive du fleuve et la cité moderne, six pâtés de maisons conservent à Sacramento des bâtiments anciens dans un quartier de boutiques, de restaurants et de musées. Certains de ces édifices protégés remontent à la ruée vers l'or (*p. 44-45*), mais la plupart datent des années 1860 et 1870, époque où la capitale de l'État affirma son rôle d'intermédiaire entre la Californie rurale et les pôles commerciaux de la côte. Les coursiers du Pony Express et la voie ferrée transcontinentale n'allaient pas plus loin à l'ouest et des bateaux à aubes assuraient la correspondance avec San Francisco. Quelques musées retracent l'histoire du quartier, qui, au bord de l'eau, offre un cadre agréable à des promenades à pied ou à vélo.

Delta King Riverboat
L'un des derniers vapeurs à aubes du Sacramento Delta abrite un restaurant et un hôtel.

L'ancien dépôt *servait au chargement des marchandises à destination de San Francisco.*

Old Schoolhouse
Ne comportant qu'une classe, elle offre un exemple typique des écoles californiennes du XIXᵉ siècle.

0   5 km

Theodore Judah Monument
Ce bas-relief rend hommage à l'ingénieur qui dessina le tracé de la ligne transcontinentale (p. 46-47).

FRONT STREET

L STREET

À NE PAS MANQUER

★ **Le B. F. Hastings Building**

★ **Le California State Railroad Museum**

LÉGENDE

– – – Itinéraire conseillé

Le Discovery Museum évoque l'âge d'or d'Old Sacramento au XIXᵉ siècle.

★ **Le California State Railroad Museum**
Il présente une collection de locomotives et de voitures superbement restaurées.

Eagle Theatre
Il s'agit de la reconstruction d'un théâtre bâti en 1849, mais dévasté par une crue en 1850.

Visitors' Center

Pony Express Monument
Les coursiers du Pony Express avalaient en 10 jours les 3 163 km entre Sacramento et St Joseph au Missouri.

CA Military Museum

L'ancienne caserne de pompiers date de 1853.

★ **Le B. F. Hastings Building**
Au-dessus d'un bazar, les salles restaurées de la Supreme Court originelle évoquent le fonctionnement de la justice aux premiers temps de la Californie.

Sacramento : le California State Capitol

Au centre d'un parc de 16 ha, ce majestueux monument témoigne par ses dimensions de l'ambition des habitants d'un État qui commençait tout juste à se constituer lorsqu'ils édifièrent le siège de son gouvernement. De style néo-Renaissance, le Capitole de Sacramento présente en façade un portique corinthien que domine une coupole haute de 38 m. Entrepris en 1861 sur des plans de l'architecte Miner F. Butler et achevé en 1874, il coûta 2,5 millions de dollars. Agrandi dans les années 1950, il connut une complète, et onéreuse, rénovation dans les années 1970.

Le Capitole abrite les bureaux du gouverneur et le parlement de l'État dont les sessions sont ouvertes au public. Il fait aussi office de musée de l'histoire politique de la Californie.

Statuaire d'origine (1860)

★ La rotonde
Sa restauration a rendu en 1975 à la rotonde du Capitole, couronnée d'une coupole plaquée or, sa splendeur du XIXᵉ siècle.

Entrée

Les Historic Offices du rez-de-chaussée ont retrouvé leur aspect du tournant du siècle.

★ La State Senate Chamber
La galerie du parlement de Californie reste ouverte toute l'année, mais c'est pendant les sessions que la visite prend tout son intérêt.

Un portrait de George Washington, le premier président américain, occupe la place d'honneur au parlement.

À NE PAS MANQUER

★ La rotonde

★ La State Senate Chamber

🏛 Crocker Art Museum

216 O St. 📞 (916) 264-5423. ⏰ de 10 h à 17 h du mar. au dim. (jusqu'à 21 h le jeu.). ⬤ 1ᵉʳ jan., 4 juil., Thanks-giving, 25 déc. 📷 📷
🌐 www.crockerartmuseum.org

Fondé en 1873, le plus ancien musée public à l'ouest du Mississippi possède une intéressante collection de peintures et de sculptures victoriennes d'Europe et des États-Unis. Ses points forts restent la photographie et l'art californiens, ainsi que les expositions temporaires.

Dessiné par Seth Babson, l'édifice de style Italianate (p. 290) qu'il occupe ajoute à l'intérêt de la visite. Autour d'un gracieux escalier, boiseries aux sculptures délicates et dallages polychromes ornent cette ancienne demeure construite en 1869 pour le frère de Charles Crocker, l'un des « Quatre Grands » magnats du rail (p. 46).

Entrée du Crocker Art Museum

🚩 Sutter's Fort

2701 L St. 📞 (916) 324-0539. ⏰ t.l.j. ⬤ 1ᵉʳ jan., Thanksgiving, 25 déc. 📷

Bien qu'il soit aujourd'hui quelque peu isolé au milieu d'un réseau de rues résidentielles de la ville moderne, le Sutter's Fort fut au début de l'histoire de la Californie un des rares sites habités par les Blancs au sein d'une nature alors sauvage.

Fondé en 1839 par John Sutter, il devint le pôle culturel et économique du nord de l'État pendant les années qui précédèrent la ruée vers l'or. En terre mexicaine, il était en effet la seule colonie d'Européens du Nord hors des 21 missions espagnoles du littoral. Tout au long des années 1840, il constitua une étape essentielle pour les nouveaux immigrants venant de l'est qui empruntaient les difficiles voies terrestres. Ils y

Réplique d'une cuisine du XIXᵉ siècle au Sutter's Fort

trouvaient en particulier un maréchal-ferrant et des vivres.

Il ne subsiste du fort originel que le bâtiment central ; le reste est une reconstruction. Entourée d'une palissade haute de 5,5 m, la cour intérieure abrite notamment une prison, une boulangerie et une forge. Le Sutter's Fort demeure l'un des rares sites officiels de Californie où flotte le drapeau mexicain.

🏛 California State Indian Museum

2618 K St. 📞 (916) 324-0539. ⏰ t.l.j. ⬤ 1ᵉʳ jan., Thanksgiving, 25 déc. 📷

Dans une région jadis habitée par les Maidus, ce petit musée installé dans un parc adjacent au Sutter's Fort évoque les différentes cultures indiennes qui existaient en Californie avant l'arrivée des premiers Européens au XVIᵉ siècle.

L'exposition d'artisanat est particulièrement riche en paniers tressés. Ils avaient pour leurs utilisateurs à la fois une utilité pratique et une valeur spirituelle. Des dioramas restituent l'ambiance des réserves. Des projections de diapositives, des enregistrements et des films illustrent d'autres aspects de la vie des tribus, depuis le langage jusqu'aux pratiques agricoles.

Proposés généralement le week-end, des programmes spéciaux abordent des questions plus contemporaines.

JOHN SUTTER

L'histoire d'une des premières grandes figures de la Côte Ouest pourrait servir de trame à une tragédie classique. Après avoir fait faillite dans son pays natal, la Suisse, John Sutter émigra en Californie en 1839. Un an après son arrivée, il obtenait une concession de 20 000 ha du gouvernement mexicain. Fidèle à ses racines, il nomma son nouveau territoire New Helvetia. En 1843, il achetait le Fort Ross (p. 444) et, pendant les cinq années suivantes, s'imposa pratiquement comme le maître de la Californie du Nord.

Ce fut toutefois la découverte de ce qui allait donner son essor à l'État qui causa la chute de son empire. En trouvant de l'or en 1848 dans le cours d'une rivière sur laquelle Sutter construisait une scierie, son employé James Marshall provoqua l'arrivée de milliers de prospecteurs qui s'emparèrent de la terre. Sutter passa le reste de sa vie à Washington dans l'espoir d'un dédommagement du gouvernement américain. Il y mourut quasiment sans le sou en 1880.

John Sutter (1802-1880)

Reconstruction de la Sutter's Mill où furent trouvées les premières pépites d'or

Marshall Gold Discovery State Park ❻

Carte routière B3. **(** (530) 622-3470. 🚌 *depuis Placerville.* ⭕ *de 8 h à 17 h t.l.j.* ● *1ᵉʳ jan., Thanksgiving, 25 déc.* 🅿️ 🔋 Ⓦ *www.parks.ca.gov*

D'une superficie de 100 ha, ce parc paisible protège au bord de l'American River le site où, le 24 janvier 1848, James Marshall remarqua des paillettes étincelantes dans le cours du canal destiné à actionner la scierie qu'il construisait, avec d'autres ouvriers, pour John Sutter (*p. 459*). L'événement entra dans l'histoire.

En l'espace d'une année, 10 000 mineurs avaient transformé Coloma en une ville animée, mais l'annonce de l'existence, ailleurs, d'autres filons encore plus riches lui fit perdre sa vogue aussi vite qu'elle l'avait acquise.

Une reproduction grandeur nature a remplacé sur son site d'origine la scierie de Sutter. Sur une colline voisine, une statue de James Marshall marque l'endroit de sa tombe. Le *visitors' centre* comprend un petit musée, le **Gold Country Museum**, qui présente de l'artisanat indien, des souvenirs liés à Marshall et des films et des documents sur la découverte d'or.

🏛 Gold Country Museum
1273 High St, Auburn. **(** (530) 889-6500. ⭕ *de 11 h à 16 h du mar. au dim.* ● *1ᵉʳ jan., Thanksgiving, 25 déc.* 🅿️

Folsom ❼

Carte routière B3. 🏠 46 000. 🚌 🛈 200 Wool St (916 985-2698). Ⓦ *www.folsomchamber.com*

Bien qu'elle abrite un pénitencier rendu célèbre par une chanson de Johnny Cash, « Folsom Prison Blues », Folsom est aujourd'hui une agréable banlieue de Sacramento. Ancien relais de poste du Pony Express et gare importante sur la ligne de chemin de fer transcontinentale, elle reste marquée par son passé ferroviaire qu'évoque le **Folsom History Museum**. Dans le quartier commerçant, des boutiques d'antiquités bordent Sutter Street, une rue d'aspect très Far West.

Au bas de Riley Street, derrière le Folsom Dam, un vaste lac attire en été pêcheurs et plaisanciers.

🏛 Folsom History Museum
823 Sutter St. **(** (916) 985-2707. ⭕ *de 11 h à 16 h du mer. au dim.* ● *jours fériés.* **Contribution.**

Placerville ❽

Carte routière B3. 🏠 15 000. 🚌 🛈 542 Main St (530 621-5885). Ⓦ *www.eldoradocounty.org*

Pendant la ruée vers l'or, cette bourgade située à la limite du gisement du Mother Lode fonda sa prospérité en assurant le ravitaillement des camps de mineurs. Occupant une position privilégiée sur la principale voie de circulation rejoignant Sacramento, l'US 50, elle est restée un important centre de transport, voitures et camions ayant remplacé les diligences.

Quelques bâtiments historiques subsistent dans le quartier des affaires, mais c'est l'**El Dorado County Historical Museum**, installé sur un champ de foire au nord de la US 50, qui offre le meilleur aperçu du Placerville de jadis. Entre autres témoignages du passé, il renferme de vieilles locomotives à vapeur, du matériel d'extraction et la réplique d'un bazar du XIXᵉ siècle.

🏛 El Dorado County Historical Museum
104 Placerville Dr. **(** (530) 621-5865. ⭕ *de 10 h à 16 h du mer. au sam., de 12 h à 16 h le dim.* ● *jours fériés.* **Contribution.**

Bazar du temps de la ruée vers l'or à Placerville

Sutter Creek ❾

Carte routière B3. 🏠 2 000. 🚌 🛈 125 Peek St, Jackson (209 223-0350). Ⓦ *www.amadorcountychamber.com*

Nommée d'après John Sutter (*p. 459*), cette petite localité où abondent magasins d'antiquités et auberges est une des plus jolies villes du Gold Country. Elle naquit vers 1860 pendant l'exploitation de l'Old Eureka Mine, propriété d'Hetty Green surnommée la « femme la plus riche du monde ». Leland Stanford, l'un des

« Quatre Grands » du rail
(p. 46), fit fortune à Sutter
Creek en investissant 5 000 $
dans la Lincoln Mine qui en
rapporta des millions. Ses gains
lui permirent de se lancer dans
l'aventure du Central Pacific
Railroad, puis de devenir
gouverneur de l'État.

Bordée de vestiges
d'installations minières, la
Sutter Creek Road qui rejoint
Volcano offre un beau
parcours de promenade.

Volcano ➓

Carte routière B3. 🏚 *150.* 🚌 🛈
125 Peek St, Jackson (209 223-0350).
🌐 *www.amadorcountychamber.com*

Riche en sites historiques,
ce pittoresque fantôme de
ville minière permet de
retrouver l'atmosphère de la
ruée vers l'or sans excès
d'exploitation touristique.

Volcano avait à l'époque une
réputation de sophistication
inhabituelle et ses habitants
créèrent la première
bibliothèque et le premier
observatoire astronomique de
l'État. Parmi les témoignages
du passé visibles dans ce
village de 4 pâtés de maisons
figurent la prison, le bureau de
la diligence, une brasserie et
un canon de la guerre de
Sécession. De la vigne vierge
recouvre le bâtiment victorien
le plus intéressant, l'ancien
St George Hotel.

Au printemps, ne manquez
pas de suivre les panneaux
menant au Daffodil Hill situé
à 5 km au nord de Volcano.

Plus de 300 000 jonquilles
fleurissent à flanc de colline.

🏨 **St George Hotel**
16104 Main St, sur Volcano Rd. 📞 *(209)
296-4458.* 🕐 *de mi-fév. à déc. : du mer.
au dim.* 🌐 *www.stgeorgehotel.com*

Chaw'se Indian Grinding Rock State Historic Park ⓫

Carte routière B3. 🚌 *depuis
Sacramento.* 🚌 *depuis Sacramento.*
🚌 *depuis Jackson.* 📞 *(209) 296-
7488.* **Jackson Visitors' Center**
🕐 *t.l.j.* 📞 *(209) 223-0350.*

Sur les collines plantées de
chênes qui dominent
Jackson, ce parc de 55 ha
comprenant des aires de
pique-nique et de camping
protège les vestiges d'un
village indien reconstitué.
Les Miwoks qui l'habitèrent
creusèrent, génération après
génération, des centaines de
mortiers dans le calcaire. Ils
servaient à préparer les glands
utilisés comme nourriture.

Le Chaw'se State Park a
pour vocation de favoriser la
connaissance et la
compréhension des cultures
indiennes, en particulier celles
de Californie, et il propose
également une exposition qui
comprend paniers, tenues de
danse et outils. Parmi les
répliques d'abris miwoks, on
remarquera une hutte
cérémonielle. Le parc
renferme aussi de nombreux
rochers sculptés.

La St Savia's Serbian Orthodox Church près de Jackson

Jackson ⓬

Carte routière B3. 🏚 *3 500.* 🚌
🛈 *125 Peek St (209 223-0350).*
🌐 *www.amadorcountychamber.com*

Ville minière animée située
au croisement de deux
grandes pistes pendant la
ruée vers l'or, Jackson sut se
convertir à partir de 1850 à
l'exploitation forestière.

Le centre-ville conserve
quelques édifices anciens,
mais c'est l'**Amador County
Museum**, installé sur une
colline au-dessus, qui présente
le plus d'intérêt. Les visiteurs
peuvent y voir en action des
maquettes de pilons *(p. 454)*
et d'autres appareils utilisés
par les mineurs de l'époque.

Au nord de Jackson, un
petit parc accessible par la
Hwy 49 renferme les roues de
18 m de diamètre qui
servaient à l'évacuation des
débris de minerai après
extraction de l'or à la
Kennedy Mine, l'une des
mines les plus profondes des
États-Unis. Ce parc abrite
également la petite St Sava's
Serbian Orthodox Church
construite en 1894. Entourée
de son cimetière, elle rappelle
que l'identité du Gold
Country et de la Californie
s'est forgée à partir d'un riche
patchwork de cultures.

🏛 **Amador County Museum**
225 Church St, Jackson. 📞 *(209) 223-
6386.* 🕐 *de 10 h à 16 h du mer. au
dim.* ⚫ *jours fériés.* **Contribution**.

Réplique de hutte cérémonielle miwok au Chaw'se State Park

Pierre tombale de « Moke Hill »

Mokelumne Hill ⓭

Carte routière B3. 🏠 *1 200.*
🛈 *1211 S Main St, Angels Camp (209 736-0049 ; 800 225-3764).*
ⓦ *www.gocalaveras.com*

Contourné par la Hwy 49, l'un des villages les plus curieux du Gold Country conserve quelques vieux bâtiments, notamment l'Hotel Leger et l'ancien relais de diligences de la Wells Fargo. L'atmosphère assoupie qui règne à Mokelumne Hill, appelé plus couramment « Moke Hill » (colline des Bourricots), ne révèle rien de la brutalité de son passé.

Les mineurs qui se pressaient au temps de la ruée vers l'or dans ses hôtels et ses saloons déclenchaient si souvent des bagarres d'ivrognes qu'on enregistrait en moyenne une mort violente par semaine. Nombre des victimes finirent dans le Protestant Cemetery qui s'étend à courte distance à l'ouest de la ville. Les épitaphes des pierres tombales rappellent que c'est une population d'une grande diversité qui vint jadis ici dans l'espoir de faire fortune.

San Andreas ⓮

Carte routière B3. 🏠 *1 500.*
🛈 *1211 S Main St, Angels Camp (209 736-0049).* ⓦ *www.gocalaveras.com*

Devenue une petite ville animée, siège de l'administration du Calaveras County, San Andreas n'était

pendant la ruée vers l'or qu'un camp de mineurs fondé par des Mexicains que des Blancs contraignirent au départ après la découverte de riches filons. En 1883, c'est là qu'on captura Black Bart, le légendaire voleur de grand chemin.

Il ne reste que peu de chose de cette époque, bien que San Andreas possède l'un des meilleurs musées de la région, le **Calaveras County Historical Museum**, installé dans l'ancien tribunal situé un peu au nord de la Hwy 49. Son exposition retrace l'histoire des mines d'or de 1848 aux années 1930 et comprend de l'artisanat miwok et la salle d'audience où eut lieu le procès du voleur Black Bart.

Derrière le musée, un agréable jardin de plantes et d'arbres indigènes de la région entoure la cellule qu'occupa le bandit en attendant de connaître la sentence.

🏛 Calaveras County Historical Museum
30 N Main St. ☎ *(530) 233-6328.*
◯ *t.l.j.* ● *1ᵉʳ jan., Thanksgiving, 25 déc.* ♿

Murphys ⓯

Carte routière B3. 🏠 *2 000.*
🛈 *1211 S Main St, Angels Camp (209 736-0049).*

Avec ses rues paisibles plantées de sycomores, d'ormes et de robiniers, l'un des plus jolis villages du sud du Gold Country permet d'échapper le temps d'une étape reposante à la frénésie touristique qui règne dans de

nombreuses autres localités du Mother Lode.

Au centre, le Murphys Hotel, restauré, date de 1885. Il accueillit des célébrités telles qu'Ulysse S. Grant, Mark Twain et Will Rogers. En face, l'**Old-Timers' Museum** abrite une amusante collection de souvenirs de la ruée vers l'or. Sur son mur extérieur, une série de plaques humoristiques évoque le passé de la ville.

🏛 Old-Timers' Museum
450 Main St. ☎ *(209) 728-1160.*
◯ *de 11 h à 16 h du ven. au dim.*
● *1ᵉʳ jan., Thanksgiving, 25 déc.* ♿

Angel Camps ⓰

Carte routière B3. 🏠 *3 000.*
🛈 *1211 S Main St (209 736-0049).*

L'ancienne ville minière d'Angel Camps doit surtout d'être connue à Mark Twain qui y trouva l'inspiration d'une des nouvelles qui lança sa carrière littéraire : *La Célèbre grenouille sauteuse (p. 22)*. Elle fait aujourd'hui office de pôle commercial pour la région environnante.

Quelques édifices historiques, tel l'Angels Hotel où Mark Twain entendit l'anecdote de la grenouille sauteuse, bordent toujours les rues pentues du centre qu'anime chaque année en mai la reconstitution du seul concours de saut de batraciens entré dans les annales.

Deux énormes locomotives du XIXᵉ siècle se dressent sur la Hwy 49 devant l'**Angels**

La pittoresque rue principale d'Angels Camp

Camp Museum qui propose l'éventail du matériel minier, ainsi qu'une belle collection d'objets indiens et des documents sur Mark Twain.

🏛 **Angels Camp Museum**
753 S Main St. 📞 *(209) 736-2963.*
⬜ *de mars à nov. : de 10 h à 15 h t.l.j. ; en janv. et fév. : de 10 h à 15 h les sam. et dim.* ⚫ *Thanksgiving, déc.* 🅿

Moaning Cavern ⓱

Carte routière B3. 📞 *(209) 736-2708.*
⬜ *t.l.j.* 🅿 Ⓦ *www.caverntours.com*

L'une des plus vastes grottes du Gold Country doit son nom de Caverne gémissante au grondement qu'émettait le vent en s'engouffrant dans son entrée. Malheureusement, le bruit disparut quand on agrandit la galerie pour faciliter l'accès du public. La visite guidée, d'environ une heure, permet surtout de découvrir la salle principale large d'une cinquantaine de mètres. On s'enfonce sous terre en prenant un escalier en colimaçon ou, pour les plus audacieux, en rappel.

En rappel dans la Moaning Cavern

Sonora ⓲

Carte routière B3. 🏚 *5 000.* 🚌
ℹ *55 W Stockton St (209 533-4420).*
Ⓦ *www.tcvb.com*

C hef-lieu du Tuolomne County, titre pour lequel elle entra en concurrence avec Columbia *(p. 464-465)* pendant la ruée vers l'or, Sonora vit aujourd'hui de l'exploitation forestière. Sa rue assoupie laisse difficilement imaginer sa réputation de violence pendant la deuxième moitié du XIXᵉ siècle.

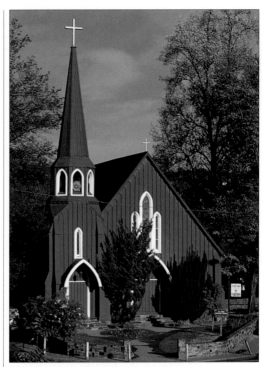

La St James Episcopal Church (XIXᵉ siècle) de Sonora

Sonora a conservé nombre de ses édifices historiques, en particulier d'intéressantes maisons victoriennes et la petite St James Episcopal Church située en haut de Washington Street. Construite en 1857 et restaurée après un incendie en 1886, l'ancienne prison abrite désormais le **Tuolomne County Museum and History Center** qui présente des souvenirs de la ruée vers l'or, notamment des pépites, et d'anciennes photographies.

🏛 **Tuolumne County Museum and History Center**
158 W Bradford St. 📞 *(209) 532-1317.* ⬜ *t.l.j.* ⚫ *1ᵉʳ jan., 25 déc.*

BLACK BART

Célèbre par sa politesse envers ses victimes et les poèmes burlesques qu'il laissait sur le lieu de ses crimes, le bandit de grand chemin connu sous le surnom affectueux de Black Bart (Baronnet noir) est devenu une des légendes de la Californie. Après avoir dévalisé 27 diligences entre 1877 et 1883, il dut sa capture à une marque de blanchisserie sur un mouchoir qui permit de l'identifier comme l'ingénieur des mines Charles Boles. Jugé et condamné à San Andreas, il passa cinq années dans la prison de San Quentin. Il disparut de la scène publique après sa libération en 1888.

Le bandit Black Bart

Le Columbia State Historic Park pas à pas ❶⓭

Horaire de diligence

D evenue pendant la ruée vers l'or l'une des plus grandes villes du Gold Country, Columbia, surnommée le « Joyau des mines du sud », resta active après l'épuisement des filons à la fin des années 1850, contrairement à la plupart des camps de prospecteurs de Californie qui n'y résistèrent pas. Ses habitants la gardèrent fièrement intacte jusqu'en 1945 où le gouvernement décida de la transformer dans son intégralité en parc historique. Quelques édifices sont des reconstructions, mais la plupart ont résisté aux ravages du temps et conservé leur aspect d'origine.

La Chinese Herb Shop renferme des remèdes traditionnels apportés par les immigrants chinois.

City Hotel

Johnson Livery Stable
Elle abrite plusieurs voitures anciennes.

Ancienne prison

Musée

★ **Le Wells Fargo Express Office**
Ce bureau est resté tel qu'à la grande époque des diligences.

Matelot Gulch Miners Supply
Les visiteurs achètent ici des batées d'alluvions pour tester leurs talents d'orpailleurs.

L'Emporium sur Main Street, à Jamestown

Jamestown ⑳

Carte routière B3. 🚶 *2 300.* 🚐
🛈 *55 W Stockton St, Sonora (209
532-4212).* W *www.pcchamber.com*

Au sud de Jamestown reste
visible sur la Hwy 49 une
mine d'or qui ne ferma qu'en
1993. Malgré l'incendie qui
ravagea en 1966 le quartier
historique, Main Street
conserve de nombreux
bâtiments pittoresques. Au
nord du centre, le **Railtown
1897 State Historic Park**
présente les locomotives à
vapeur et les voitures du
Sierra Railroad et propose des
promenades le week-end.

🏛 Railtown 1897 State Historic Park

5th Ave et Reservoir Rd. 📞 *(209)
984-3953.* ⬤ *t.l.j.* ⬤ *1ᵉʳ jan.,
Thanksgiving, 25 déc.* **Contribution.**

Stockton ㉑

Carte routière B3. 🚶 *250 000.* 🚐 🛈
445 W Weber Ave, Suite 220 📞 *(209)
547-2770.* W *www.visitstockton.org*

Port fluvial où transitent les
produits agricoles de la
Central Valley, Stockton se
trouve sur la rive est du delta
au confluent de la Sacramento
River, de l'American River et
de la San Joaquin River.
L'Haggin Museum rassemble
artisanat indien, devantures du
XIXᵉ siècle et œuvres de Renoir.
Il retrace l'histoire de la ville
ainsi que la conception par un
inventeur local de la chenille
qui équipe bulldozers et tanks.

🏛 Haggin Museum

1201 N Pershing Ave. 📞 *(209) 462-
4116.* ⬤ *de 13 h 30 à 17 h du mar.
au dim.* ⬤ *23-25, 30 et 31 déc.,
1ᵉʳ janv.* ♿

★ **La Columbia Schoolhouse**
*Des fonds collectés par des
élèves californiens permirent
en 1960 de restaurer cette
école désaffectée en 1937.*

```
0                    100 m
```

LÉGENDE

- - -   Itinéraire conseillé

À NE PAS MANQUER

★ **La Columbia
Schoolhouse**

★ **Le Wells Fargo
Express Office**

JOAQUIN MURIETA, BANDIT CALIFORNIEN

Il existe peu de véritables preuves de l'existence de Joaquin
Murieta, le criminel décrit aussi bien comme un Robin des
Bois du Gold Country que comme un meurtrier sans scrupules.
On peut toutefois remonter la piste de sa légende jusqu'à
l'écrivain John Rollins Ridge qui publia en 1854 un roman
intitulé *The Life and
Adventures of Joaquin Murieta,
Celebrated California Bandit.*
Ridge s'inspira des méfaits de
cinq hors-la-loi baptisés
Joaquin. Le gouvernement de
Californie avait offert une
récompense de 1 000 $ pour
la capture de n'importe lequel
d'entre eux et, en 1853, un
certain Harry Love apporta
dans un bocal la tête d'un
dénommé Joaquin Murieta. Le
livre de Ridge parut l'année
suivante. Le mythe était né.

LES HIGH SIERRAS

Immense barrière qui s'élève à l'est de la Californie centrale, les Sierra Nevada Mountains aux flancs densément boisés recèlent dans leur partie la plus élevée des cimes qui font partie des plus spectaculaires des États-Unis. Connus sous le nom de High Sierras, ces hauts reliefs protégés par de magnifiques parcs nationaux forment une des zones de loisirs les plus appréciées de l'État.

Destination la plus populaire des High Sierras, le Yosemite National Park offre des paysages naturels d'une rare beauté qui attirent alpinistes, photographes ou simples visiteurs du monde entier. Depuis de délicates cascades jusqu'à des torrents impétueux, de nombreuses chutes d'eau dévalent les parois granitiques d'une ample vallée creusée par un glacier. Au sud de Yosemite, les parcs nationaux de Sequoia et de Kings Canyon ont permis de préserver une faune et une flore d'une grande richesse, en particulier des forêts de séquoias géants. À l'est se dresse le plus haut sommet des États-Unis (hors Alaska), le Mount Whitney (4 418 m).

Au nord de Yosemite, le Lake Tahoe possède une eau particulièrement limpide et a donné naissance à une zone de villégiature où l'on vient faire des randonnées, camper ou pratiquer des sports nautiques. La région compte plusieurs stations olympiques et se transforme l'hiver en paradis des skieurs.

Moins visitée, la partie orientale de la Sierra Nevada présente autant d'intérêt. La ville fantôme de Bodie n'a pas changé depuis son abandon en 1882. Non loin, d'étranges concrétions calcaires composent au Mono Lake un décor bizarre. Un arbre des White Mountains, le Bristlecone Pine, peut atteindre plus de 4 000 ans.

Le Bodie State Historic Park, une ville fantôme dans l'est des Sierras

◁ **L'Half Dome, imposant pic granitique du Yosemite National Park**

À la découverte des High Sierras

Les Sierra Nevada recèlent les plus hauts sommets, les plus grands arbres et certains des plus beaux paysages naturels des États-Unis. Le Yosemite National Park, premier parc national créé aux États-Unis, protège une superbe région façonnée par les glaciers. Au nord, le vaste Lake Tahoe s'inscrit dans une vallée située à près de 2 000 m d'altitude, tandis qu'au sud les Sequoia et Kings Canyon National Parks offrent des centaines de kilomètres de sentiers au sein des futaies de séquoias géants.

En dehors des stations de villégiature bordant le Lake Tahoe, il n'existe pas de véritables agglomérations urbaines dans les High Sierras, mais à l'est des montagnes, près de l'étrange Lake Mono, la ville fantôme de Bodie, remarquablement conservée, donne l'impression de remonter dans le temps.

LES HIGH SIERRAS D'UN COUP D'ŒIL

Bodie State Historic Park **5**
Devil's Postpile National Monument **7**
Donner Memorial State Park **1**
Mono Lake **6**
Mount Whitney **10**
Owens Valley **9**

Sequoia et Kings Canyon National Parks p. 480-481 **11**
Truckee **2**
White Mountains **8**
Yosemite National Park p. 472-475 **4**

Excursion
Lake Tahoe **3**

LA FORMATION DES SIERRAS

La formation des sierras se produisit il y trois millions d'années quand un gigantesque batholithe de granit enfoui à environ 10 km de profondeur souleva les couches en surface et les fit basculer le long d'une « charnière » tectonique située sous la Central Valley. Les effets de ce phénomène géologique apparaissent plus clairement sur l'abrupt versant oriental. À l'ouest, un mélange de roches sédimentaires, volcaniques et métamorphiques forme des pentes plus douces.

Pics granitiques des High Sierras

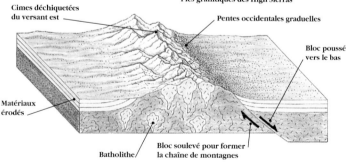

Cimes déchiquetées du versant est
Pentes occidentales graduelles
Bloc poussé vers le bas
Matériaux érodés
Batholithe
Bloc soulevé pour former la chaîne de montagnes

La Yosemite Valley dans le Yosemite National Park

CIRCULER

Mieux vaut étudier soigneusement une carte avant de partir à l'aventure en voiture, car, sur 240 km entre Yosemite et Kings Canyon, aucune route ne franchit les montagnes. La plupart des visiteurs abordent la Sierra Nevada par l'ouest depuis la San Joaquin Valley. Sur le versant oriental, la Hwy 395, qui emprunte l'Owens Valley, dessert Bodie et le Mono Lake. Les transports publics sont très limités, mais on peut rejoindre en bus le Yosemite Park depuis Merced.

Le Delta Riverboat sur le Lake Tahoe

VOIR AUSSI

- *Hébergement* p. 535-536
- *Restaurants* p. 573-574

LÉGENDE

━━ Autoroute

━━ Route principale

━━ Route secondaire

━━ Parcours pittoresque

〜 Cours d'eau

☆ Point de vue

0   25 km

Donner Memorial State Park ❶

☎ *(530) 582-7892.* 🚉 *Truckee.*
🚌 *Truckee.*

Ce parc paisible de 140 ha, au sud de la I-80, s'étend autour du col où se déroula un des épisodes les plus dramatiques de la conquête de l'Ouest.

Au cours de l'hiver 1846-1847, un groupe d'immigrants partis d'Independence, dans le Missouri, pour tenter leur chance en Californie s'y retrouvèrent bloqués par la neige. La Donner Party, du nom de deux des familles qui la composaient, était l'un de ces nombreux convois de chariots bâchés qui empruntèrent l'Oregon Trail en direction de la Côte Ouest. À mi-chemin, les familles Donner, et une troisième famille conduite par James Reed, résolurent de quitter la piste habituelle pour essayer un raccourci recommandé par l'aventurier Lansford Hastings. Ce nouvel itinéraire se révéla en fait beaucoup plus difficile et rallongea de trois semaines un voyage déjà pénible. Quand les pionniers atteignirent enfin le pied des Sierra Nevada Mountains en octobre 1846, ils avaient perdu la majorité de leur bétail et de leurs biens.

Après avoirs pris une semaine de repos, ils furent surpris par une précoce tempête de neige à l'est de Truckee. Quelques membres de l'expédition décidèrent de partir à pied chercher du secours au Sutter's Fort *(p. 459)*. Le temps que ceux-ci arrivent à la mi-février 1847, il ne restait que 42 immigrants sur un total de 89. Et ils avaient dû recourir au cannibalisme pour survivre.

Sur le site de leur calvaire, une statue se dresse sur un piédestal de 6,7 m indiquant la hauteur de la couche de neige qui les arrêta. Le musée du parc, l'**Emigrant Trail Museum**, retrace en détail la tragédie de la Donner Party et décrit l'histoire naturelle des High Sierras.

🏛 **Emigrant Trail Museum**
12593 Donner Pass Rd. ☎ *(530) 582-7892.* ○ *de 9 h à 16 h t.l.j.*
● *1ᵉʳ jan., Thanksgiving, 25 déc.*

Dans la station d'Alpine Meadows au-dessus du Lake Tahoe

Truckee ❷

Carte routière B3. 🏠 *13 000.*
🚉 🚌 ℹ *10065 Donner Pass Road*
☎ *(530) 546-5253 Urgence hiver.*
ⓦ *www.truckee.com*

L'une des villes les plus hautes et les plus froides de Californie tirerait son nom de la salutation que prononça un Indien Païute à l'arrivée des premiers blancs : « Trokay », qui signifie « paix ».

Située sur la principale autoroute (I-80) et la voie de chemin de fer traversant les Sierra Nevada Mountains, Truckee devint en 1863 un poste de relève pour les équipes de cheminots de la ligne transcontinentale *(p. 46-47)*, et le Southern Pacific Depot fait toujours office de gare et de gare routière. Il abrite également un *visitors' centre*.

Truckee a gardé de nombreux témoignages du temps où elle vivait de l'exploitation forestière, en particulier le long de Commercial Row où de vieux édifices de brique et de bois se dressent face aux rails. Boutiques, restaurants et cafés en occupent désormais la majorité.

Autre souvenir évocateur de l'époque de la conquête de l'Ouest, l'**Old Truckee Jail**, l'ancienne prison construite en 1875, a été transformée en un petit musée illustrant les aspects les plus tumultueux du Wild West. À 40 km du Lake Tahoe, Truckee attire aussi de nombreux skieurs en hiver et des randonneurs en été.

🏛 **Old Truckee Jail**
Jibboom et Spring Sts. ☎ *(530) 582-0893.* ○ *de mai à sept. : de 11 h à 16 h les sam. et dim.* ● *jours fériés.* 🌐

SKIER AUTOUR DU LAKE TAHOE

Dans une région où tombe chaque hiver jusqu'à 3 m de neige, les montagnes dominant le Lake Tahoe, en particulier du côté californien, offrent un magnifique domaine skiable. Les stations d'Alpine Meadows et de Squaw Valley accueillirent les Jeux olympiques d'hiver de 1960. La plus importante des autres stations, Heavenly Valley, se trouve au-dessus de la ville de South Lake Tahoe, mais il en existe également plusieurs aux alentours du lac et du Donner Pass, à l'ouest de Truckee sur la I-80. Des pistes entretenues permettent aussi de pratiquer le ski de fond.

Dans la station d'Alpine Meadows au-dessus du Lake Tahoe

Excursion au Lake Tahoe ❸

Entouré de montagnes boisées, le plus beau plan d'eau des États-Unis, long de 35 km et profond de 501 m, devint un lieu de villégiature recherché après que la construction de la première route en 1915 l'eut rendu plus accessible. L'ouverture dans les années 1930 de casinos à la frontière du Nevada et les Jeux olympiques d'hiver de 1960 accrurent encore sa popularité.

Le Lake Tahoe vu d'Heavenly Valley

Ponderosa Ranch ④
Près de la rive nord-est du lac, ce parc d'attractions ouvert en été a pour thème la série télévisée *Bonanza*.

Cave Rock et Cave Rock Tunnel ⑤
Sur l'abrupte rive orientale, une partie de la route est creusée dans le granit.

Stateline ⑥
Située à la frontière entre Californie et Nevada, Stateline est le principal centre de jeu du Lake Tahoe.

D. L. Bliss State Park et Ehrman Mansion ③
Une aire de pique-nique entoure le *visitors' centre* installé dans l'Ehrman Mansion bâtie en 1903.

South Lake Tahoe ①
La plus grande ville de la région sert de base à de nombreux joueurs des casinos du Nevada.

Emerald Bay State Park et Vikingsholm ②
Très photographiée, la superbe Emerald Bay abrite le Vikingsholm, résidence d'été construite en 1920 à l'image d'un château nordique.

0   10 km

LÉGENDE

▦ Circuit recommandé

═ Autre route

☆ Point de vue

CARNET DE ROUTE

Itinéraire : 105 km.

Comment y aller : La I-80 et la US 50 restent ouvertes toute l'année. Les trains Amtrak s'arrêtent à Truckee. Les cars Greyhound et quelques vols depuis San Francisco et Oakland desservent South Lake Tahoe.

Quand partir : Certains établissements ferment au printemps ou en automne, les saisons les plus calmes.

Hébergement et restaurants : Contactez la Lake Tahoe Visitors' Authority.

Information touristique : Lake Tahoe Visitors' Authority, South Lake Tahoe. 📞 (800) 288-2463.

Le Yosemite National Park ❹

D'une superficie de plus de 3 000 km², le plus ancien parc national américain, fondé par un décret d'Abraham Lincoln en 1864, protège entre 600 et 3 900 m d'altitude un magnifique espace naturel où forêts de séquoias, cascades, prairies de montagne, parois de granit et gorges encaissées composent des paysages d'une grande variété. La plupart ne sont accessibles qu'à pied ou à cheval malgré les 320 km de routes revêtues qui sillonnent le parc depuis la Yosemite Valley, large vallée en auge creusée par un glacier.

Yosemite Museum
Ce musée retrace l'histoire des Miwoks et des Païutes et présente les œuvres d'artistes locaux.

Valley
Visitor Center

Vers les Upper
Yosemite Falls

Yosemite Creek

Yosemite Falls Trail

Yosemite
Village

Lower Yosemite Falls
La Yosemite Creek tombe de 740 m, formant la plus haute cascade des États-Unis (p. 474).

Sunnyside

Yosemite
Lodge

Northside Drive

Lower River

Upper

Merced River

Southside Drive

Sentinel Creek

Four-Mile Trail

Staircase
Falls

SENTINEL ROCK
2 145 m

Sentinel
Falls

Ahwahnee Hotel
Architecture rustique, décor élégant et beau panorama ont établi la réputation de l'hôtel le plus chic de la région (p. 475).

Yosemite Chapel *(1879)*
Il ne reste que cette minuscule chapelle en bois d'un village du XIXᵉ siècle.

Le Sentinel Dome est accessible à pied depuis la vallée par un sentier qui continue jusqu'à Glacier Point.

Mirror Meadow
Depuis que les rangers laissent faire la nature en ne draguant plus le lac, le limon qui s'accumule au pied du Half Dome commence à former une prairie.

Washington Column

MODE D'EMPLOI

Carte routière C3. PO Box 577, Yosemite. (209) 372-0200. depuis Merced. Yosemite Valley. depuis Merced. t.l.j. www.nps.gov/yose

LÉGENDE

Route principale

Route secondaire

- - Sentier

- - Navettes en bus

Piste cyclable

Cours d'eau

P Parc de stationnement

Station-service

Camping

Aire de pique-nique

Information touristique

Point de vue

NORTH PINES

Tenaya Creek

LOWER PINES

P

UPPER PINES

Half Dome
Un sentier abrupt grimpe jusqu'au sommet de cette haute falaise (p. 474).

Vernal Fall
La Merced River se déverse dans son canyon d'une hauteur de 97 m.

Merced River

Merced River
Le Mist Trail et le Panorama Trail longent tous deux cette superbe rivière appréciée des pêcheurs de truites.

0   1000 m

À la découverte du Yosemite National Park

L e parc national de Yosemite reçoit chaque année 3,5 millions de visiteurs. Ils viennent admirer les somptueux décors qu'ont sculptés dans le granit des millions d'années d'activité glaciaire. Chaque saison apporte une dimension particulière aux paysages, depuis le gonflement des chutes d'eau au printemps jusqu'aux couleurs chaudes de l'automne. La neige bloque en hiver de nombreuses voies de circulation, l'été est la saison de plus grande affluence. Navettes en bus, routes, pistes cyclables entretenues et sentiers de randonnée conduisent partout d'un site spectaculaire à un autre. Une riche faune prospère dans cet immense espace de nature préservée.

Les Upper Yosemite Falls au printemps

☵ Half Dome
Extrémité est de la Yosemite Valley.
◖ *t.l.j.*
Dominant de plus de 1 500 m le fond de la vallée, la silhouette caractéristique du demi-dôme est devenue un symbole du parc.

Les géologues estiment que cette immense masse de granit qui paraît tranchée net a conservé plutôt les trois quarts de sa taille originelle que la moitié évoquée. L'érosion glaciaire aurait emporté le reste pour le déposer en aval.

À une altitude de 2 695 m, le sommet du Half Dome ménage une vue sans égale de la Yosemite Valley. Pour l'atteindre, suivez le sentier de 14 km qui part des Happy Isles.

☵ Yosemite Falls
Nord de la Yosemite Valley. ◖ *t.l.j.*
Cette cascade, la plus haute d'Amérique du Nord, dévale une pente de 740 m en deux grands bonds, les Upper Yosemite Falls et les Lower Yosemite Falls. On aperçoit l'élégant panache d'écume qu'elle dessine de toute la vallée. Le sommet des Upper Yosemite Falls, de loin la plus belle et la plus longue des deux chutes d'eau, est accessible par un sentier ardu de 11 km. Les Lower Falls sont d'accès plus aisé grâce à un court chemin qui part de la Yosemite Lodge. Comme toutes les cascades du parc, les Yosemite Falls ont leur plus gros débit en mai et juin quand la fonte des neiges gonfle la rivière qui les alimente. En septembre, nombre de ces chutes d'eau s'amenuisent et tarissent même parfois complètement, ne laissant comme seule trace de leur existence qu'une traînée sombre sur la paroi granitique.

☵ Vernal et Nevada Falls
Extrémité est de la Yosemite Valley.
◖ *t.l.j.*
Promenade en boucle demandant une demi-journée de marche, le Mist Trail, long de 11 km, est un des itinéraires de randonnée les plus populaires du parc. Haute de 95 m, une première cascade, la Vernal Fall, asperge le sentier qui conduit 3 km plus loin au sommet des Nevada Falls, chute d'eau longue de 180 m. Là, le Mist Trail rejoint le John Muir Trail qui contourne l'arrière de l'Half Dome et continue bien plus au sud jusqu'au Mount Whitney *(p. 479)* à la limite orientale du Sequoia National Park.

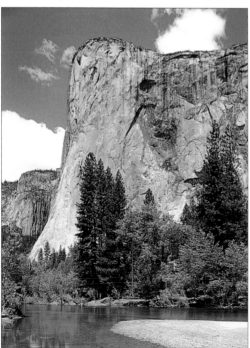

El Capitán, immense monolithe de granit

🎢 Glacier Point

Glacier Point Rd. ⬤ *t.l.j. de mai à oct.*

Depuis un rebord rocheux situé à 980 m au-dessus du fond de la vallée, le Glacier Point ménage un panorama exceptionnel de la Yosemite Valley où le Half Dome impose sa présence majestueuse. On aperçoit notamment la plupart des cascades qui se jettent des parois granitiques, ainsi que les cimes et les prairies des montagnes environnantes.

Toutefois on ne peut atteindre en voiture ce point de vue qu'à la belle saison, la neige bloquant en hiver le Badger Pass où fut créée en 1935 la première station de ski commerciale de Californie. En été, on peut également emprunter un sentier, le Four-Mile Trail, qui part du côté ouest de la vallée. Les bus desservant le Glacier Point en été laissent la liberté de descendre à pied.

🎢 Mariposa Grove

Visitors' Center Hwy 41, entrée sud. ⬤ *de mi-mai à oct. : t.l.j.*

Cette magnifique forêt située à l'entrée sud du parc fut une des principales raisons de sa création. Elle renferme plus de 500 séquoias géants, certains vieux de plus de 2 000 ans, hauts de plus de 75 m et larges à leur base de plus de 9 m. Plusieurs sentiers la sillonnent et un petit train découvert suit un circuit de 8 km.

La Yosemite Valley vue de Tunnel View

🎢 Tunnel View

Hwy 41 au-dessus de la Yosemite Valley. ⬤ *t.l.j.*

À l'extrémité occidentale de la vallée, ce point de vue offre un des panoramas les plus photographiés du parc. Malgré son nom, dû au tunnel routier qui conduit à la Glacier Point Road, le spectacle est époustouflant avec El Capitán sur la gauche, la Bridalveil Fall à droite et le Half Dome au centre. Une table d'orientation vous aidera à les reconnaître.

🎢 El Capitán

Extrémité nord-ouest de la Yosemite Valley. ⬤ *t.l.j.*

Montant la garde à l'entrée ouest de la Yosemite Valley, le plus grand monolithe de granit du monde dresse deux parois verticales hautes de 1 386 m. Elles forment un angle droit et le défi qu'elles représentent conduit de nombreux alpinistes chevronnés à passer des journées à essayer d'atteindre le sommet. Les visiteurs moins audacieux se retrouvent au pied dans une prairie pour observer leurs efforts à la jumelle.

El Capitán doit son nom espagnol à des soldats américains, les premiers Blancs qui explorèrent la vallée en 1851.

🎢 Tuolomne Meadows

Hwy 120, Tioga Rd. ⬤ *de juin à sept. : t.l.j.*

En été, quand la neige a fondu et que les fleurs sauvages s'épanouissent, il existe peu d'endroits permettant mieux de prendre la mesure de la beauté du Yosemite Park que ce plateau subalpin bordant la Tuolomne River. Accessibles à 88 km de la vallée par la Tioga Pass Road, les Tuolomne Meadows servent aussi de base aux randonneurs s'élançant sur les nombreux sentiers des alentours.

Cerfs à queue noire broutant en paix dans le parc

🏨 Ahwahnee Hotel

Yosemite Valley. 📞 *(209) 372-1407.* ⬤ *t.l.j. Voir* **Hébergement** *p. 536.*

Construit en 1927 pour un coût de 1,5 million de dollars, l'Ahwahnee Hotel doit à Gilbert Stanley Underwood son esthétique en harmonie avec le paysage au sein duquel il s'insère.

L'architecte utilisa de gros blocs de granit et des poutres massives pour lui donner une élégance rustique en accord avec les parois rocheuses qui dominent la vallée. La décoration intérieure s'inspire de motifs indiens et quelques objets artisanaux ornent les salles communes. L'hôtel possède en outre le meilleur restaurant du Yosemite National Park *(p. 574)*.

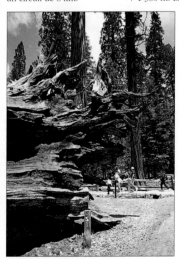

Séquoias géants de la Mariposa Grove

Dans la Sierra Nevada près de Lone Pine ▷

Bâtiments abandonnés du Bodie State National Park

Bodie State Historic Park ❺

Carte routière C3. 🚶 10. 🚌 depuis Bridgeport. ℹ️ Fin de l'Hwy 270 (760 647-6445). ⏰ t.l.j.

Les contreforts du versant oriental de la Sierra Nevada recèlent la plus grande ville fantôme de Californie.

Aujourd'hui protégée par un parc d'État, Bodie fut pendant la seconde moitié du XIXᵉ siècle une cité minière animée qui compta jusqu'à 8 000 habitants en 1880. Elle porte le nom du prospecteur Waterman S. Bodie qui découvrit ici en 1859 un filon d'or en surface *(placer)*, mais elle dut son véritable essor à l'exploitation de gisements en sous-sol. Leur épuisement en 1882 puis plusieurs incendies mirent un terme à sa prospérité et seule la Standard Mine demeura en activité. Elle dut fermer à cause de la guerre en 1942.

Depuis leur acquisition en 1962, le gouvernement californien a maintenu les 170 bâtiments en état de « délabrement arrêté ». Les rues désertes et les bâtiments en bois abandonnés laissent une impression assez saisissante. Le Miners' Union Hall abrite un *visitors' centre* et un musée.

Mono Lake ❻

Carte routière C3. 📞 (760) 647-3044. 🚏 Merced. 🌐 www.monolake.org

L'un des sites les plus étranges des États-Unis et sans doute l'un des lacs les plus vieux du monde, le Mono Lake s'étend au pied du versant oriental de la Sierra Nevada entre deux montagnes volcaniques. Vestige d'une ancienne mer intérieure, il ne possède pas d'émissaire naturel, mais, après le détournement de plusieurs cours d'eau qui l'alimentaient, l'évaporation lui a fait perdre les quatre cinquièmes de sa taille originelle. Cette baisse de niveau a entraîné une concentration en sels minéraux trois fois plus élevée que celle de la mer et a mis au jour d'insolites colonnes de tuf. Ces concrétions calcaires se forment sous la surface quand le calcium de sources souterraines entre en contact avec les carbonates dissous dans le lac.

Ces dernières années, le Mono Lake s'est retrouvé au centre d'une controverse politique et écologique, nouvel épisode de la bataille de l'eau qui déchire la Californie. En 1905, la ville de Los Angeles a acquis de vastes terrains à l'est des Sierras et dans l'Owens Valley, puis, à partir de 1941, a commencé à assurer une partie de son alimentation en eau en puisant dans les rivières qui se jetaient dans le lac, entraînant la disparition des micro-organismes et mettant en danger la faune locale, en particulier les mouettes qui viennent se reproduire sur ses îles *(p. 192-193)*. En 1994, le gouvernement californien a décidé que Los Angeles devait maintenir le niveau du Mono Lake à 1 950 m au-dessus de celui de la mer.

Concrétions de tuf mises à nu par la baisse du Mono Lake

Devil's Postpile National Monument **❼**

Carte routière C4. **☎** (760) 934-2289. **🚌** navette depuis la Mammoth Mountain Inn. **☐** de mi-juin à sept. : t.l.j. 🖼 **👤** 🚻 **W** www.nps.gov/depo

S itué à l'ouest de la crête de la Sierra Nevada, mais plus aisément accessible depuis Mammoth Lakes, station de ski du contrefort oriental, le Devil's Postpile National Monument protège l'une des plus remarquables formations géologiques de la Californie.

Un mur de colonnes de basalte, de sections géométriques diverses, mais principalement pentagonales et hexagonales, couvre une superficie de 650 m². Hautes de plus de 18 m, elles atteignent une altitude de 2 320 m. Au cœur d'un parc de 320 ha, elles ressemblent d'en haut à un sol carrelé. La neige bloquant l'accès le reste de l'année, elles ne sont accessibles qu'en bus, l'été.

À 3 km de là, les Rainbow Falls doivent leur nom de cascades de l'Arc-en-ciel aux jeux de lumière que crée la réfraction des rayons du soleil dans leurs gouttelettes.

White Mountains **❽**

🚹 798 N Main St, Bishop (760) 873-2500).

M assif montagneux parallèle à la Sierra Nevada, les White Mountains atteignent une altitude presque égale (3 650 m contre 3 950 m), mais privées des influences océanes par la chaîne voisine, elles possèdent un climat beaucoup plus aride. Cette pénurie d'eau a laissé leurs flancs quasiment dépourvus de végétation, mais les rares arbres qui s'y accrochent, les Bristlecone Pines (Pinus aristata), sont les plus vieux de la planète.

Ces pins noueux, tordus par la rigueur de leur environnement, ne poussent que dans la partie la plus basse des White Mountains et de quelques reliefs proches du Nevada. D'une croissance

Bristlecone Pines sur les flancs des White Mountains

extrêmement lente, ils dépassent rarement 15 m de hauteur malgré une longévité de 4 000 ans, 1 000 ans de plus que les plus anciens séquoias (p. 480-481).

Owens Valley **❾**

🚏 Lone Pine. **🚹** 126 S Main St, Lone Pine (760 876-4444). **W** www.lonepinechamber.org

C ette vallée enserrée entre les White Mountains et la Sierra Nevada ressemble plus au Nevada qu'au reste de la Californie. Peu peuplée, elle possède une beauté austère.

Ranchs et fermes la couvraient jadis, mais des intermédiaires achetèrent à partir de 1905 les terrains bordant l'Owens River pour le compte de la municipalité de Los Angeles prête à tout pour assurer l'alimentation en eau

de la ville (p. 192-193). Les aqueducs qui continuent de vider l'Owens Lake détruisirent l'agriculture locale.

En 1942, on parqua dans un camp de détention à Manzanar 10 000 Nippo-Américains considérés comme une menace pendant la Deuxième Guerre mondiale. Dans la ville d'Independence, l'**Eastern California Museum** évoque ce tragique épisode ainsi que d'autres aspects de l'histoire de la région.

🏛 **Eastern California Museum**

155 Grant St, Independence. **☎** (760) 878-0364. **☐** de 10 h à 16 h du mer. au lun. **⬤** 1ᵉʳ jan., dim. de Pâques, Thanksgiving, 25 déc. **Contribution.**

Mount Whitney **❿**

☎ (760) 876-6200. **🚏** Merced.

N ommée d'après le géologue Josiah Whitney, la plus haute montagne des États-Unis (hors Alaska), d'une altitude de 4 418 m, domine abruptement la ville de Lone Pine. Depuis la Whitney Portal Road, un sentier raide de 18 km conduit au sommet, atteint pour la première fois en 1873, d'où s'offre un vaste panorama des High Sierras. Il faut demander une autorisation pour l'emprunter.

Le Mount Whitney borde le superbe Sequoia National Park (p. 480-481) et les prairies alpines qui l'entourent offrent en été un cadre idéal à des randonnées.

L'Owens Valley au pied des White Mountains

Les Sequoia et Kings Canyon National Parks ⓫

Panneau du Sequoia National Park

Ces deux parcs contigus, beaucoup moins fréquentés que Yosemite (*p. 472-475*), protègent au cœur de la Sierra Nevada une faune d'une richesse exceptionnelle et 34 forêts distinctes de séquoias géants. La nature y réserve aux visiteurs d'autres merveilles, telles les gorges les plus profondes d'Amérique à l'endroit où le bras sud de la Kings River s'enfonce de 2 500 m dans le Kings Canyon.

Des routes desservent la partie occidentale des parcs. L'est, où le Mount Whitney (*p. 479*) s'élève en bordure du Sequoia National Park, est uniquement accessible à pied ou en convoi de chevaux ou de mules. Des pistes de ski de fond balisées sont ouvertes en hiver.

« Tunnel » creusé dans le tronc d'un séquoia géant tombé dans le Sequoia National Park

General Grant Tree
Le 3ᵉ séquoia par la taille porte le surnom d'« Arbre de Noël de la nation ».

Wilsonia •

180

Cedar Brook

Redwood Mountain Grove

North Fork Kaweah River

Redwood Creek

198

M465

SEQUOIA NATIONAL PARK

Yucca Creek

Légende

▬	Route principale
▭	Route secondaire
- - -	Sentier
⸻	Limite des parcs
∿	Cours d'eau
🎿	Ski
🅰	Camping
⛱	Aire de pique-nique
ℹ	Information touristique
👁	Point de vue

Souches
Le séquoia résiste au pourrissement comme le prouve cette souche laissée par des bûcherons dans les années 1880.

Moro Rock
Des marches taillées dans le rocher mènent au sommet de ce monolithe de granit qui offre une vue circulaire des High Sierras et de la Central Valley.

MODE D'EMPLOI

Ash Mountain, Three Rivers.
Carte routière C4. ☎ (559) 565-3341. ◯ t.l.j. 🅿 ◻ ♿ téléphoner. ◻ ✔ été seulement. 🍴 ◻ Ⓦ www.nps.gov/seki

General Sherman's Tree
La plus volumineuse forme vivante du monde mesure 84 m de haut et 11 m à sa base, et continue de pousser d'un centimètre tous les dix ans.

Le Tharp's Log au tronc creusé servit de hutte à Hale Tharp, fermier du XIXᵉ siècle qui découvrit la région grâce aux Indiens.

Crescent Meadow
Une rangée de séquoias borde cette prairie trop marécageuse en son centre pour que les arbres y survivent.

Crystal Cavern, verte au public, abrite de mbreuses stalactites et stalagmites.

La Giant Forest est l'une des plus grandes forêts de séquoias du monde.

0   2 km

DE SANTA CRUZ À FRESNO

*C*ette région qui s'étend d'un littoral mouvementé aux riches terres agricoles de la San Joaquin Valley marque, avec ses forêts côtières, la transition entre le nord et le sud de l'État. *Plages de sable et criques, étendues sauvages, champs à perte de vue, les paysages offrent un vaste choix aux visiteurs. Longtemps capitale de la Californie, Monterey est devenue une station balnéaire appréciée.*

Sa beauté naturelle et l'empreinte laissée par une riche histoire font de cette partie de la Californie l'une des plus agréables de l'État. On peut y visiter le plus grand aquarium des États-Unis, monter en bord de mer sur des montagnes russes devenues monument historique, profiter de terrains de golf de réputation internationale, se promener dans de nombreux parcs protégeant des sites exceptionnels ou découvrir des lieux évoqués dans les récits d'auteurs majeurs.

Au débouché d'une des deux grandes zones agricoles de la région se situe la vallée de Salinas enserrée entre deux massifs côtiers. C'est le 3 juin 1770 que les Espagnols fondèrent une colonie dans la baie de Monterey et cette ville resta la capitale de l'Alta California jusqu'en 1848. Au sud s'étend le magnifique littoral rocheux de Big Sur. Il séduisit notamment l'écrivain Henry Miller qui s'y retira après la guerre. Romancier célèbre et prix Nobel, John Steinbeck naquit à Salinas et trouva dans la vie de sa région natale la principale source d'inspiration de son œuvre. De grands photographes, tels Ansel Adams et Edward Weston, choisirent eux aussi de s'installer ici à la charnière entre Californie du Nord et du Sud.

La maison de John Steinbeck à Salinas

◁ Le Bixby Creek Bridge de la Coastal Hwy 1 dans les collines de Big Sur

À la découverte de la région

L a Monterey Bay forme le cœur de ce vaste territoire aux visages variés. Au sud de l'ancienne capitale coloniale de la Californie, une superbe péninsule recèle de somptueuses propriétés et de petites stations de villégiature telles que Pacific Grove et Carmel, avant la portion de littoral la plus sauvage de l'État : Big Sur. Au nord de la baie, des montagnes densément boisées encadrent la ville balnéaire animée de Santa Cruz. À l'intérieur des terres s'étendent les vallées agricoles de la Salinas River et de la San Joaquin River.

Dans le Pfeiffer Burns State Park de Big Sur

San Francisco

1 BIG BASIN REDWOODS STATE PARK

2 AÑO NUEVO STATE RESERVE

3 ROARING CAMP & BIG TREES NARROW GAUGE RAILWAY

4 SANTA CRUZ

San Francisco San Jose (152)

San Luis Reservoir

LOS BANO

(152)

(156)

5 SAN JUAN BAUTISTA

(25)

Delta

(156)

PACIFIC GROVE

(101)

9 SALINAS

Salinas River

J1

J1

6 MONTEREY

7 CARMEL MISSION

(101)

SOLEDAD

San Benito River

10 PINNACLES NATIONAL MONUMENT

(1)

8 BIG SUR

(101)

KING CITY

(25)

(1)

(198)

San Antonio River

(G14)

San Antonio Reservoir

Salinas River

(1)

(101)

San Lu Obispe

La côte déchiquetée de Big Sur vue de la Hwy 1

CIRCULER

La Hwy 1 qui longe l'océan au sud de Monterey en s'accrochant aux reliefs de Big Sur offre un des plus beaux parcours des États-Unis. Malgré un maigre réseau de bus rayonnant depuis Monterey, une voiture ou un vélo et de bonnes jambes restent les meilleurs moyens de se déplacer.

La Hwy 101 et la I-5 traversent du nord au sud les vallées agricoles de l'intérieur, mais peu de routes les relient au littoral.

LA RÉGION D'UN COUP D'ŒIL

Año Nuevo State Reserve **2**

Big Basin Redwoods State Park **1**

Big Sur p. 498-499 **8**

Carmel Mission p. 496-497 **7**

Fresno **11**

Hanford **12**

Monterey p. 492-495 **6**

Pinnacles National Monument **10**

Roaring Camp and Big Trees Narrow Gauge Railroad **3**

Salinas **9**

San Juan Bautista **5**

Santa Cruz p. 490-491 **4**

Éléphants de mer dans l'Año Nuevo State Reserve

LÉGENDE

	Autoroute
	Route principale
	Route secondaire
	Parcours pittoresque
	Cours d'eau
☼	Point de vue

VOIR AUSSI

• *Hébergement* p. 536-537

• *Restaurants* p. 574-575

0   20 km

La côte de la Monterey Bay

Cette longue portion de littoral offre aussi bien de belles étendues sablonneuses que des criques minuscules nichées au pied de promontoires rocheux. En été, amateurs de bains de soleil et joueurs de volley-ball se retrouvent sur le sable et, si l'eau reste généralement trop froide pour nager, les surfers enfilent des combinaisons pour affronter les vagues. Le tourisme n'a pas défiguré la côte et vous pourrez y faire de paisibles promenades et observer de nombreux animaux marins, depuis les crustacés cachés dans les trous de rochers et les oiseaux qui s'en nourrissent jusqu'aux éléphants de mer et aux baleines.

SAN FRANCISCO
PACIFICA

Boulder Creek

Scott Valle

Wilder Ranch State Park

Moss Landing, port d'attache de la plupart des bateaux de pêche de la Monterey Bay, abrite de nombreux restaurants de poisson le long de ses quais.

0   5 km

★ Santa Cruz Beach ③

Le Boardwalk Amusement Park *(p. 490)*, des terrains de volley-ball et des barbecues d'usage gratuit font de cette large plage de sable la plus populaire de la région.

Waddell Creek Beach ①

Cette longue plage appréciée des pique-niqueurs, des pêcheurs et des véliplanchistes fait partie du Big Basin Redwoods State Park *(p. 488)*.

Lighthouse Field State Beach ②

Cette bande littorale de 14 ha hérissée de rochers sculptés par l'érosion se prête bien à la pratique du surf et permet souvent d'apercevoir des loutres de mer, des pélicans bruns de Californie et, en saison, des baleines.

Capitola Beach ④

Près d'une plage de sable où un petit cours d'eau vient se jeter dans l'océan, restaurants, boutiques et plates-formes panoramiques bordent le Capitola Wharf. Aux Capitola Bluffs, un important site paléontologique, des coquillages fossiles apparaissent à marée basse.

Marina State Beach ⑤

Ces dunes appartenaient à une base de l'U.S. Army et font aujourd'hui partie d'un campus universitaire.

LÉGENDE

▬	Autoroute
▬	Route principale
▬	Route secondaire
∼	Cours d'eau
☆	Point de vue

Le Wilder Ranch State Park, à la sortie nord de Santa Cruz, est une exploitation laitière de la fin du siècle dernier entièrement préservée.

CARTE DE SITUATION

NEVADA

CALIFORNIE

Océan Pacifique

AN JOSE

Aptos

Capitola

④

①

Watsonville

①

Dans l'Elkhorn Slough, au centre de la Monterey Bay, vivent des centaines d'espèces d'oiseaux.

Moss Landing • Elkhorn Slough

★ **Asilomar State Beach** ⑦

Cette plage rocheuse ménage un bon point de vue pour observer les baleines grises passant au large en hiver pendant leur migration.

SALINAS

• Marina

⑤

Ⓖ17

★ **Lovers' Point** ⑥

Ces rochers, appelés à l'origine Lovers of Jesus Point, forment un amphithéâtre naturel autour d'une des rares plages de sable du nord de la péninsule. Elle servit à des réunions religieuses dans les années 1880.

⑥

⑦ • Seaside

Monterey •

Ⓖ18

68

68   68

★ **Carmel City Beach** ⑧

Sable blanc et eau d'un bleu cristallin caractérisent la longue plage qui s'étend au pied du quartier commerçant très fréquenté situé au centre de Carmel (*p. 494*).

Carmel •

⑧

Ⓖ16

①

Éléphants de mer à l'Año Nuevo State Reserve

Big Basin Redwoods State Park ❶

Santa Cruz, Boulder Creek Golf Course. **Visitors' Center** (831) 338-8860. www.bigbasin.org

Un groupe de défenseurs de la nature fonda en 1900 le Sempervirens Club dans le but de s'opposer à l'abattage des séquoias et il obtint en 1902 la création du Big Basin Redwoods State Park, le plus ancien parc d'État de Californie. D'une superficie de 6 800 ha, riche en animaux tels que cerfs à queue noire et pumas, il protège sur le littoral les plus méridionales des futaies de séquoias *sempervirens (p. 430)*, ainsi que des forêts de sapins de Douglas et d'autres conifères.

Des chemins forestiers conduisent à de nombreuses cascades, notamment les populaires Berry Creek Falls, et il existe en tout plus de 160 km de sentiers, dont le Skyline-to-Sea Trail qui dévale d'une crête jusqu'à l'océan à la Waddell Creek *(p. 486)*.

Le *visitors' centre* propose une exposition sur l'histoire du parc.

Año Nuevo State Reserve ❷

Carte routière B4. Santa Cruz, Waddell Creek. (650) 879-2025. t.l.j.

Située à une centaine de kilomètres au nord de Monterey, cette réserve naturelle présente pour principal intérêt de servir de site de reproduction à une importante colonie d'éléphants de mer. Chaque hiver, des centaines de ces énormes mammifères convergent de tout le Pacifique pour s'accoupler et mettre bas sur une courte plage de sable et une petite île.

L'épaisse couche de graisse qui les protège du froid faillit entraîner leur extinction au XIXe siècle en attisant la convoitise des chasseurs. Quelques survivants trouvèrent refuge au large du Mexique et l'espèce ne réapparut en Californie qu'au cours des années 1950. Les premiers petits naquirent à Año Nuevo en 1975 et quelque 120 000 éléphants de mer peuplent aujourd'hui les eaux de l'État. Ces phoques doivent leur nom à la lèvre supérieure pendante des mâles. Ceux-ci peuvent atteindre 6 m de long et peser jusqu'à deux tonnes. Patauds à terre, ils se révèlent beaucoup plus agiles dans l'eau où ils peuvent rester 20 mn sous la surface et plonger jusqu'à 1 200 m de profondeur.

Ce sont les mâles qui arrivent les premiers à la réserve, en décembre. Commencent alors les combats pour la prépondérance. Seuls les individus les plus puissants pourront se reproduire, certains fécondant jusqu'à 50 femelles en une saison. Celles-ci arrivent en janvier pour donner naissance aux jeunes conçus l'hiver précédent. L'accouplement suit peu après, mais la conception ne se fait qu'ultérieurement, parfois quatre mois plus tard.

C'est l'explorateur Sebastián Vizcaíno qui donna le nom d'Año Nuevo à l'île alors qu'il croisait dans la région le 1er janvier 1603 *(p. 42)*. Le parc reste ouvert toute l'année, mais en hiver il faut obligatoirement s'inscrire à une visite guidée. Les tickets peuvent se prendre auprès du service de réservation des California State Parks : DestiNet *(p. 576)*.

Roaring Camp and Big Trees Narrow Gauge Railroad ❸

(831) 335-4400. Santa Cruz. de jan. à mars : les sam. et dim. jours fériés. 11 h, 12 h 15, 14 h. **Santa Cruz Big Trees Railroad** (831) 335-4400. téléphoner pour les horaires. www.roaringcamp.com

Dans les Santa Cruz Mountains, près de la ville de Felton, deux lignes de chemin de fer utilisées jadis pour le transport du bois restent en service dans le

Roaring Camp and Big Trees Railroad

Façade de la Mission San Juan Bautista

cadre d'un parc qui a pour thème l'industrie forestière au tournant du siècle.

Entre décembre et mars, un train à voie étroite suit le week-end un circuit de 10 km dans les futaies voisines de l'Henry Cowell Redwoods State Park. D'avril à novembre, le Big Trees, Santa Cruz and Pacific Railroad à voie normale part de Roaring Camp pour un trajet d'une heure à travers les montagnes jusqu'à Santa Cruz *(p. 490-491)*.

Un arrêt de trois heures permet aux passagers de profiter de la plage et des attractions du Boardwalk Amusement Park avant d'embarquer pour le retour. Ce périple peut aussi s'effectuer au départ de la ville de Santa Cruz.

Santa Cruz ❹

Voir p. 490-491.

San Juan Bautista ❺

Carte routière B4. 🚶 1 650. 🚌 *depuis Hollister.* 🛈 *402 3rd St (831 623-2454).* W *www.san-juan-bautista.ca.us*

Moins de 50 km séparent cette petite ville du cœur de la Silicon Valley, pôle mondial de la haute technologie *(p. 412)*, mais elle a conservé son caractère rural.

Sa principale attraction se dresse à l'ouest de la plaza centrale. Fondée en 1797, la Mission San Juan Bautista est le plus grand des établissements religieux qui servirent de support à la colonisation espagnole et le seul à posséder une église à trois nefs. Alfred Hitchcock utilisa sa façade pour la dernière scène de *Sueurs froides*. Le monastère adjacent abrite désormais un musée

ORIGINAL ROUTE
EL CAMINO REAL
Panneau signalant El Camino Real

historique qui présente des objets de la mission et des photographies montrant la ville à divers stades de son développement.

Le long du cimetière bordant l'église au nord, un sentier peu marqué correspond à l'ancienne route royale, El Camino Real, longue de 1 000 km, qui reliait les 21 missions californiennes *(p. 42-43)*. Une coïncidence veut que ce sentier suive aussi la faille de San Andreas à l'origine des tremblements de terre de la Californie *(p. 20-21)*.

Un petit sismographe enregistre en bordure de la grand-place les mouvements de cette zone agitée de l'écorce terrestre. Sur les côtés est et sud de la place, trois édifices anciens font partie du San Juan Bautista Historic Park. Le Plaza Hotel englobe une partie de la caserne espagnole construite en 1813. Dans les écuries municipales sont garés aujourd'hui de vieux chariots et diligences. La Castro House appartint un temps à Patrick Breen, l'un des survivants de la Donner Party *(p. 470)*.

LE SÉISME DE LOMA PRIETA

Le puissant tremblement de terre qui frappa le centre de la Californie le 17 octobre 1989 avait son épicentre sous Loma Prieta, une colline entre Santa Cruz et San Juan Bautista. Les médias s'intéressèrent surtout aux conséquences de la secousse à San Francisco et à sa périphérie, mais les pires dégâts survinrent à Santa Cruz et dans les localités voisines. Environ 40 entreprises durent s'installer dans des abris de fortune occupant l'équivalent de trois pâtés de maisons et le quartier des affaires de Santa Cruz resta un vaste chantier jusqu'à la fin de 1994. La majorité des bâtiments endommagés ont été désormais réparés ou remplacés, mais il reste quelques lots vides pour rappeler aux habitants de la région qu'ils vivent, et construisent, sur un sol instable.

Dommages causés pas le séisme de Loma Prieta

Santa Cruz ❹

Reconstruction de la Mission
Santa Cruz

Station balnéaire d'environ 50 000 habitants située à la pointe nord de la Monterey Bay, Santa Cruz garde une atmosphère plus rurale que réellement urbaine et reste entourée d'une large ceinture de terres cultivées entre la baie et les Santa Cruz Mountains densément boisées qui s'élèvent à l'est. Ces montagnes séparent la ville de la Silicon Valley *(p. 412)* et permettent, en complément du littoral, un accès aisé à des espaces naturels. Un excellent musée historique illustre le passé de la région depuis la fondation de la mission dont une réplique se dresse au sein d'un parc. Le vaste campus de l'University of California, fréquenté par des étudiants et des professeurs du monde entier, apporte à Santa Cruz une dimension cosmopolite qui ajoute à son charme.

À la découverte de Santa Cruz

À 800 m de l'océan, le quartier commerçant a pour pôle Pacific Avenue. Le séisme de Loma Prieta *(p. 489)* causa beaucoup de dommages, mais la ville récupéra rapidement et de nombreux cafés, magasins et galeries d'art bordent les rues. La Mission Santa Cruz fondée en 1791 couronnait une colline située au nord-est. Le front de mer offre une belle plage de sable, un parc d'attractions, le Boardwalk Amusement Park, et une route panoramique, la Cliff Drive.

Enseigne de montagnes russes

🎡 Santa Cruz Beach Boardwalk
400 Beach St. ☎ (831) 423-5590.
◯ téléphoner pour les horaires.
Comme dans une fête foraine, les visiteurs peuvent se promener librement et choisir celles des distractions qui les intéressent dans le dernier parc de loisirs à l'ancienne de la Côte Ouest. Le Santa Cruz Beach Boardwalk propose en front de mer de nombreux jeux et 27 manèges modernes autour du Giant Dipper, montagnes russes construites en 1924 par Arthur Looff et devenues un National Historic Landmark. Sur un circuit en bois de 1,6 km de long, les wagonnets atteignent une vitesse de 88 km/h. Charles Looff, le père d'Arthur, sculpta en 1911 les chevaux et les chariots du carrousel. Ils tournent au son d'un orgue centenaire. Le parc possède aussi une salle de danse Art déco.

⛪ Mission Santa Cruz
Emmet et High Sts. ☎ (831) 426-5686.
◯ de 10 h à 16 h du mar. au sam. ; de 10 h à 14 h le dim. **Contribution**.
C'est sur une colline dominant la ville moderne que le père Lasuén fonda le 25 septembre 1791 la 12ᵉ mission franciscaine de Californie. Sa construction s'acheva trois ans plus tard, mais les tremblements de terre, un climat peu clément et une situation isolée ne permirent jamais à la Mission Santa Cruz de connaître un réel succès et il ne reste rien aujourd'hui des bâtiments d'origine.

Sur leur emplacement, un parc renferme une reconstruction de la mission datant de 1931. À l'intérieur, un petit musée présente des reliques du XVIIIᵉ siècle et une exposition historique.

🏛 Museum of Art and History at the McPherson Center
705 Front St. ☎ (831) 429-1964.
◯ de 11 h à 17 h du mar. au dim. (jusqu'à 19 h le jeu.). ● 1ᵉʳ jan., Thanksgiving, 25 déc.
W www.santacruzmah.org
Le tremblement de terre de 1989 eut une conséquence heureuse : la création de ce centre culturel de 1 850 m² qui ouvrit en 1993.

L'Art Gallery expose principalement des paysages peints par des artistes locaux. L'History Gallery retrace le développement du Santa Cruz County depuis l'époque précoloniale jusqu'à nos jours. L'exposition met en relief les héritages agricole et industriel de la ville, bien illustrés par des photos prises à la fin du XIXᵉ siècle et au début du XXᵉ siècle dans des fermes et des exploitations forestières.

Intégrée au musée, l'Octogon Gallery adjacente fut achevée en 1882 pour accueillir les County Hall Records (Archives de l'hôtel du comté).

Le Giant Dipper du Boardwalk Amusement Park

Arche creusée par les vagues à la Natural Bridges State Beach

MODE D'EMPLOI

Carte routière B4. 252 000.
San Jose International
Airport. Monterey Peninsula
Airport. 920 Pacific Ave.
701 Front St (831 425-1234).
Santa Cruz Fungus Fair (jan.) ;
Clam Chowder Cook-Off (fév.).

🪶 Natural Bridges State Beach

2531 W Cliff Dr. (831) 423-4609.
t.l.j. **Visitors' Center** fin de
W Cliff Drive. de 10 h à 16 h t.l.j.
La plage des Ponts naturels
doit son nom à des arches
creusées par les vagues dans
les falaises. Après
l'effondrement de deux
d'entre elles, il n'en reste plus
qu'une. Elle s'ouvre sur une
petite crique sablonneuse. Le
parc renferme également une
forêt d'eucalyptus et un
sentier de découverte
présentant tout le cycle de vie
du superbe papillon Monarch.

🏛 Santa Cruz Surfing Museum

Lighthouse Point, W Cliff Drive.
(831) 420-6289. de 12 h
à 16 h du jeu. au lun. 1ᵉʳ jan.,
Thanksgiving, 25 déc. **Contribution**.
Dans un phare dominant la
portion de littoral la plus
appréciée des surfers de la
région, ce musée évoque
toute l'histoire du surf, rite
religieux hawaïen introduit
sous forme de sport en

Californie pour promouvoir le
tourisme et auquel les Beach
Boys donnèrent dans les
années 1960 un renom
national (p. 188-189). Taillées
au début dans du séquoia, les
planches profitent aujourd'hui
des progrès de la technologie.

🪶 Mystery Spot

465 Mystery Spot Rd. (831) 423-
8897. t.l.j.
www.mysteryspot.com
À 3 km à l'est de Santa Cruz,
une forêt de séquoias attire les
curieux depuis des dizaines
d'années. Une cavité de 46 m
de diamètre, le Mystery Spot, y
possède d'étranges propriétés
antigravitationnelles qui font
pousser les arbres en oblique
et rouler les balles vers le haut.

SANTA CRUZ : LE CENTRE-VILLE

0   250 m

Mission Santa Cruz ⑤
Museum of Art and History at the
    McPherson Center ④
Natural Bridges State Beach ①
Santa Cruz Beach Boardwalk ③
Santa Cruz Surfing Museum ②

LÉGENDE

Arrêt de bus

Information touristique

Monterey pas à pas ❻

L'explorateur espagnol Sebastián Vizcaíno qui mouille dans la baie en 1602 lui donne le nom du vice-roi du Mexique, le comte de Monterey. En 1770, le capitaine Gaspar de Portolá (1717-1784) et le père Junípero Serra *(p. 42-43)* fondent un *presidio* et une mission, et cette colonie devient la capitale de la Californie en 1775. Elle le reste, passant sous gouvernement mexicain puis américain, jusqu'en 1848. La ruée vers l'or lui fait perdre de son importance face à San Francisco, mais la pêche, le commerce et une base militaire entretiennent son dynamisme. Station balnéaire élégante, elle accueille aujourd'hui de nombreux visiteurs, notamment pendant son célèbre festival de jazz.

California's First Theater
Ouvert en 1848 dans une hôtellerie bâtie l'année précédente, ce théâtre propose toujours des pièces victoriennes.

★ Le Colton Hall
Dans l'édifice où fut signée la première constitution de la Californie en 1849, un musée commémore l'événement.

Larkin House
La demeure bâtie en 1832 par Thomas Larkin, un marchand de la Côte Est, est devenue représentative du style Monterey (p. 26).

Les Sherman Quarters servirent de base au général Sherman de 1847 à 1849.

Le Cooper-Molera Complex comprend un jardin et une exposition de voitures à cheval et présente des souvenirs de la famille Cooper qui bâtit la maison entre 1827 et 1900.

À NE PAS MANQUER

★ Le Colton Hall

★ Le Fisherman's Wharf

0   100 m

LÉGENDE

– – – Itinéraire conseillé

MODE D'EMPLOI

Carte routière B4. 🚶 *35 000.* ✈
Monterey Peninsula Airport. 🚌
Tyler, Pearl et Munras Sts, (831) 899-2555. ℹ *401 Camino el Estero (831 648-5350).* 🎷 *Monterey Blues Festival (juil.) ; Monterey Jazz Festival (sept.) ; Laguna Seca Races (de mai à oct.).* Ⓦ *www.mpcc.com*

★ Le Fisherman's Wharf
Le ponton où accostaient pêcheurs de sardines et de baleines renferme désormais boutiques et restaurants de poisson.

Custom House
Ce vieux bâtiment gouvernemental possède son aspect des années 1830.

Old Whaling Station
Cette maison au pavage extérieur fait en os de baleines abrite une exposition évoquant l'industrie baleinière à Monterey.

Stevenson House
Robert Louis Stevenson habita en 1879 cette maison transformée en musée.

La Royal Presidio Chapel,
le plus vieil édifice de la ville, date de 1794.

À la découverte de la Monterey Peninsula

É crivains et artistes vantent depuis longtemps la beauté de la péninsule de Monterey et de ses criques et éperons sculptés dans le granit par l'océan. Les bois de cyprès et de pins qui en couvrent l'intérieur se remplissent en hiver de papillons Monarch. Otaries et loutres de mer prospèrent au large dans les forêts de varech. Trois villes jalonnent le littoral : Monterey, jadis capitale de la Californie espagnole *(p. 492-493)* ; Pacific Grove, une ancienne communauté religieuse ; et la pittoresque station balnéaire de Carmel-by-the-Sea.

Oiseau de mer au Monterey Bay Aquarium

⚓ Monterey Bay Aquarium

886 Cannery Row. 📞 *(831) 648-4888.* ◯ *t.l.j.* ● *25 déc.* 📠
W *www.montereybayaquarium.org*
Le plus grand aquarium des États-Unis abrite plus de 570 espèces animales et végétales offrant un riche aperçu de l'environnement marin de la Monterey Bay, entre autres des forêts de varech où les algues atteignent jusqu'à 30 m de hauteur.

Un bassin de 4 500 m³ reconstitue les conditions régnant dans l'habitat naturel d'espèces telles qu'albacore, poisson lune, tortues marines et barracudas. Dans une piscine reliée à l'océan s'ébattent de jeunes loutres. Grâce au Research Institute, les visiteurs peuvent voir les scientifiques au travail. Un espace spécialement aménagé pour les enfants, le Splash Zone, permet aux petits de se familiariser avec le monde marin.

🏠 Cannery Row

David Ave et Coastguard Pier.
📞 *(831) 649-6695.* ◯ *t.l.j.*
W *www.canneryrow.com*
Les romans de John Steinbeck *Rue de la Sardine* et *Tendre jeudi* évoquent l'atmosphère qui régnait dans ce quartier de six pâtés de maisons où plus de 20 conserveries traitaient jadis les sardines pêchées dans la Monterey Bay. Leur activité périclita à partir de 1947 quand les bancs de poissons disparurent brutalement, conséquence probable d'une exploitation trop intensive (les prises se montèrent à 235 000 tonnes en 1945). Restaurés, les conserveries et entrepôts qui survécurent à l'abandon abritent aujourd'hui boutiques d'artisanat, galeries d'art et restaurants. Au n° 800, l'ancien laboratoire de « Doc » Ricketts, spécialiste de la biologie marine, buveur de bière et grand ami de Steinbeck, est devenu un club privé.

🏠 Pacific Grove

Forest et Central Aves. 📞 *(831) 373-3304.* ◯ *t.l.j.* ● *1er jan., Thanksgiving, 25 déc.* W *www.pacificgrove.org*
Cette paisible localité a pour origine une communauté religieuse fondée en 1889 qui interdisait l'alcool, la danse et même les éditions du dimanche des quotidiens. Elle est plus connue aujourd'hui pour ses maisons de bois souvent transformées en auberges, ses superbes parcs côtiers et les papillons Monarch qui viennent s'y poser entre octobre et avril *(p. 209)*. Une parade célèbre chaque année l'arrivée de ces superbes lépidoptères et un décret municipal leur assure une très stricte protection.

Construit en 1852, le Point Pinos Lighthouse est le plus ancien phare en service de Californie.

🏠 Carmel-by-the-Sea

San Carlos, 5th et 6th Sts. 📞 *(831) 624-2522.* ◯ *du lun. au sam.* ●
1er jan., Thanksgiving, 25 déc.
Des résidences de styles très divers s'étagent sur les collines dominant l'océan de cette curieuse et opulente petite station balnéaire. Ses habitants ont décidé de se passer de lampadaires, de numéros de rues et même de trottoirs (sauf dans le centre), mais subventionnent de nombreuses expositions.

Panneau de Cannery Row

Boutiques et galeries d'art abondent le long d'Ocean Avenue.

🏖 Carmel River State Beach

Carmelo et Scenic Rds.
Ce parc de 43 ha à l'embouchure de la Carmel River protège une lagune et des marécages où vivent de très nombreux oiseaux. On peut pêcher sur la plage, un lieu de pique-nique très apprécié, mais courants et fraîcheur de l'eau rendent la baignade déconseillée.

Le Point Pinos Lighthouse de Pacific Grove

Le 17-Mile Drive

Une route à péage, le 17-Mile Drive, permet de découvrir en voiture les splendides paysages de la Monterey Peninsula. Phoques et otaries viennent mettre bas au printemps sur la côte rocheuse. Dans la forêt Del Monte, pins et cyprès ombragent les somptueuses propriétés de riches privilégiés. Les terrains de golf de Pebble Beach ont acquis une réputation internationale.

Spanish Bay ①
Cette crique à la pointe sud de Pacific Grove offre un site de pique-nique très apprécié.

Spyglass Hill ⑥
Ce terrain de golf a pris le nom d'un lieu cité dans *L'Île au trésor* de Stevenson. L'auteur utilisa souvent les paysages de la région dans ses romans.

Huckleberry Hill ②
La colline des Myrtilles se trouve au cœur de la forêt Del Monte.

Lone Cypress ⑤
L'arbre sans doute le plus photographié du monde pousse sur un rocher dominant l'océan.

Tor House ④
Le poète Robinson Jeffers construisit cette étonnante maison entre 1919 et 1957.

Carmel Mission ③
Cette superbe mission fut un temps le centre administratif de la Californie du Nord *(p. 496-497)*.

CARNET DE ROUTE

Itinéraire : 3 heures.
Accès : Il est payant pour les voitures, mais pas pour les vélos.
Comment y aller : Il existe 4 péages : 17-Mile Drive, San Antonio Ave, Hwy 1 et SFB Morse Ave. Des lignes rouges et jaunes marquent l'itinéraire.
Quand y aller : Mieux vaut éviter l'été et, en toute saison, le week-end.
Hébergement et restaurants : Carmel, Pacific Grove et Monterey offrent un vaste choix (p. 537 et 574-575).
Information touristique : Monterey Peninsula Chamber of Commerce, 380 Alvarado St, Monterey. ☎ (831) 649-1770.

LÉGENDE

━━ Circuit recommandé
┅┅ Autre route
▢ Terrain de golf

0   500 m

La Carmel Mission ⓐ

Ornement mural

C onstruite en adobe par des
Indiens, la Carmel Mission fondée
en 1770 par le père Junípero Serra
(1713-1784), qui y résida jusqu'à sa
mort et repose au pied de l'autel, fit
office de centre administratif de toutes
les missions de la Californie du Nord.
Elle tomba toutefois en décrépitude
après sa sécularisation et son abandon
en 1834. Sa restauration, à partir des plans
originaux, commença en 1924. Les corps
d'habitation offrent un aperçu du mode de vie des
missionnaires franciscains. L'église est de nouveau
consacrée au rite catholique.

Le sarcophage représente le père
Junípero en gisant entouré de trois
pères en prière.

Cuisine
*Restaurée, elle montre
le matériel dont
disposaient les pères, y
compris un four
apporté du Mexique.
Une partie du vieux
mur d'adobe subsiste.*

Clocher

Salle à manger

Statue de Junípero Serra
*Dans la cour, elle fait face à
l'église que son modèle
fonda.*

★ **La Serra's Cell**
*Cette cellule meublée en tout
et pour tout d'une banquette, d'une
chaise, d'une petite table et d'un
bougeoir montre bien l'austérité
dans laquelle vivait le fondateur des
missions. Il y mourut en 1784.*

Façade de l'église et cour intérieure de la mission

MODE D'EMPLOI

3080 Rio Rd, Carmel. **Carte
routière** B4. ☎ *(831) 624-3600.*
◯ *de 9 h 30 à 16 h 30 du lun. au
sam. ; de 10 h 30 à 16 h 30 le dim.*
● *Thanksgiving, 25 déc.* 🎟
✝ *le dim. : 7 h, 8 h, 9 h 30, 11 h,
12 h 30, 17 h 30.* 📷 ♿ 🏠

Une plaque
indique le lieu
de sépulture
du père Serra.

**La fenêtre de la
chapelle** porte encore
des peintures d'origine.

Le cimetière
contient les
tombes des
franciscains.

Musée
*Il renferme, dans
d'anciens quartiers
d'habitation, plusieurs reliques
ayant appartenu au père Serra.*

À NE PAS MANQUER

★ Le maître-autel

★ La Serra's Cell

★ **Le maître-autel**
*Sa voûte en ogive ne se
retrouve dans aucune
autre des 21 missions
franciscaines de
Californie.*

Le Big Sur ❽

À la fin du XVIIIᵉ siècle, des colons espagnols de
Carmel appelèrent El Pais Grande del Sur, le grand
pays du sud, cette région où la rencontre du Santa Lucia
Range et de l'océan offre sur 160 km des paysages de
falaises, de criques et de reliefs boisés d'une beauté à
couper le souffle. En dehors de la Hwy 1 construite
dans les années 1930, la première route touristique de
Californie, la civilisation n'a pratiquement pas marqué
de son empreinte ces espaces sauvages exempts de
localités importantes et où plusieurs parcs sillonnés de
sentiers protègent la majeure partie du littoral. Ce calme
séduisit Henry Miller qui y écrivit *Big Sur et les oranges
de Jérôme Bosch*. Épaisses forêts, larges rivières et
plages où déferlent les vagues du Pacifique sont
accessibles à pied depuis la route.

**La côte de Big Sur : des montagnes
tombant dans l'océan**

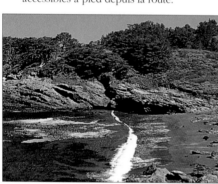

**Point Lobos State
Reserve**
*Les cyprès de Monterey
qui poussent ici, aux
branches tordues par les
vents, doivent résister
au mélange de brume
et d'embruns salés qui
monte de l'océan.*

Bixby Creek Bridge
*Haut de 79 m et long de
213, cet ouvrage d'art
photogénique bâti en
1932 resta longtemps le
plus grand pont d'une
seule arche du monde.
C'est là qu'en 1966, la
Hwy 1 fut déclarée
première* scenic
highway *de l'État.*

**Le Point Sur
Lighthouse**,
phare perché
sur un cône
volcanique, est
automatisé
depuis 1974.

Le Nepenthe,
restaurant
caché de la
route par des
chênes, occupe
une maison qui
appartint à Rita
Hayworth.

LÉGENDE

══	Route secondaire
▬▬	Parcours pittoresque
▪ ▪ ▪	Sentier de randonnée
──	Limite de parc
≈≈	Cours d'eau ou lac
Ⓐ	Camping
☆	Point de vue

**Andrew
Molera
State Park**
*Ce parc créé en
1972 renferme
16 km de
sentiers et 4 km
de plage de
sable.*

Julia Pfeiffer Burns State Park
*Un tunnel piétonnier sous la Hwy 1
conduit à la falaise haute de 30 m d'où
la McWay Creek se jette dans le Pacifique.*

L'Esalen Institute créé
dans les années 1960
propose des bains alimentés
par des sources chaudes que
connaissaient déjà les
Indiens *(p. 425).*

Ventana Wilderness
*Dans la Los Padres
National Forest, ce parc
propose dans ses zones les
plus basses plusieurs sites de
camping. Nombre de ses
reliefs exigent une bonne
expérience de la randonnée.*

Jade Cove
*Un abrupt sentier à flanc de
falaise conduit à cette
magnifique crique où il
est interdit de prélever
du jade au-dessus de la
ligne de marée haute.*

San Simeon Point
est un port naturel
qu'utilisa William
R. Hearst pendant
la construction du
Hearst Castle
(p. 202-205).

VENTANA
WILDERNESS

Tassajara Creek

Age Road

Big Creek

LOS PADRES

NATIONAL FOREST

Lucia

Nacimiento Fergusson Rd

Antonio River

Lake San
Antonio

Plaskett

Los Burros Rd

Plaskett Creek

Nacimiento River

Alder Creek

Lake Nacimiento

0   10 km

San Simeon

MODE D'EMPLOI

Carte routière B4. 🚗 *1 500.*
🚌 *Nepenthe Park.* ℹ️ *(831) 667-
2100.* 🌐 *www.bigsurcalifornia.org*

L'écrivain John Steinbeck (1902-1968), né à Salinas

Salinas **9**

Carte routière B4. 🚊 *128 343.* 🚆
💺 🛈 *119 E Alisal St (831 424-7611).*
🌐 *www.salinaschamber.com*

Entre le Santa Lucia Range bordant l'océan et le Diablo Range, la Salinas Valley s'étend sur plus de 80 km de la Monterey Bay à San Luis Obispo. Les laitues qu'on y cultive, à côté d'autres grandes productions comme les tomates et l'ail, lui valent le surnom de « saladier de la nation ». Son principal centre urbain, Salinas, se trouve à son extrémité nord. Les usines de conditionnement de primeurs et les conserveries qui y bordent grandes routes et rails de chemin de fer laissent peu de doute sur sa vocation agricole.

C'est toutefois à la littérature que Salinas doit son renom, car John Steinbeck y vit le jour en 1902 et évoqua sa ville dans nombre de ses romans. Une salle spéciale de la **John Steinbeck Library** abrite une exposition permanente de livres, manuscrits, photographies et souvenirs de l'écrivain. La bibliothèque fournit aussi des renseignements sur des lieux de la région liés à son œuvre ou sa vie, ainsi que sur le Steinbeck Festival organisé en août.

Hat in Three Stages of Landing, une grande sculpture en acier peinte en jaune vif de Claes Oldenburg, un maître du pop' art, se dresse en face de l'entrée du California State Rodeo. Chaque année, le 4 juillet, à l'occasion de la fête nationale américaine, cavaliers et troupeaux y convergent pour l'un des plus grands rodéos du monde.

🏛 **John Steinbeck Library**
350 Lincoln Ave. 📞 *(831) 758-7311.*
🕐 *du lun. au sam.* ⬤ *jours fériés.* ♿

Pinnacles National Monument **10**

Carte routière B4. 📞 *(831) 389-4485.* 🚆 *King City et Soledad.* 🕐
t.l.j. 🅿️ ♿ *certains sentiers.* 🎫

Dans les hautes collines dominant la Salinas Valley, à 20 km à l'est de la ville de Soledad sur la US-101, cette réserve naturelle protège 6 500 ha de paysages volcaniques où vivent entre autres pumas, coyotes et aigles.

Au centre du parc court la crête créée par une prodigieuse coulée de lave qui forme par endroits des falaises hautes de plus de 150 m. Des millions d'années d'érosion ont sculpté dans le rocher d'étranges flèches et escarpements. Aucune route ne traverse le Pinnacles National Monument, mais de nombreux sentiers bien entretenus le sillonnent.

Long de 2,5 km, l'un des plus aisés conduit à la formation dite des Balconies (balcons). Ces magnifiques parois rouges et or séduisent aussi bien alpinistes que photographes et ornithologues. À leur pied, d'énormes rochers pris dans d'étroites gorges ont formé de sombre cavernes. Elles auraient jadis servi de repaires à des bandits de grand chemin.

Douceur de l'air et fleurs sauvages font du printemps la meilleure saison pour visiter le parc.

Falaise volcanique dans le Pinnacles National Monument

Fresno **11**

Carte routière C4. 🚊 *411 600.*
✈ *Fresno Air Terminal.* 🚆 🚌
🛈 *2331 Fresno St (559 495-4800).*
🌐 *www.fresnochamber.com*

La huitième ville de Californie se trouve dans la San Joaquin Valley, au centre géographique de l'État. Centre commercial à l'influence grandissante, Fresno est souvent appelée la « capitale mondiale du raisin sec », une

Cueillette dans la Salinas Valley

importante production de la région. Cité paisible, elle offre une bonne base pour découvrir les High Sierras, les parcs nationaux de Kings Canyon, Sequoia et Yosemite *(p. 466-481).*

🏛 Fresno Metropolitan Museum
1515 Van Ness. **[** *(559) 441-1144.* **○** *de 11 h à 17 h mar.-dim.* 📷
W *www.fresnomet.org*

La spécialité de Fresno

Aux environs
À 10 km à l'ouest de Fresno, dans le Kearney Park, la **Kearney Mansion** édifiée en 1903 dans le style de la Renaissance française par Theodore Kearney, un agronome qui favorisa l'industrie du fruit sec, est devenue un musée.

🏛 Kearney Mansion
7160W. Kearney Blvd, Hwy 99. **[** *(559) 441-0862.* **○** *du ven. au dim.* 📷 ✓

Le colonel Allen Allensworth, un militant de la cause noire

Hanford 12

Carte routière C4. 🏘 40 000. 🚉 🚌
ℹ *200 Santa Fe Ave, Suite D (559 582-0483).* **W** *www.hanfordchamber.com*

Hanford ne serait qu'une ville agricole de taille moyenne comme il en existe tant dans la région sans le quartier de China Alley qu'habita jadis l'une des plus importantes communautés chinoises de Californie. Situé à l'est du centre, il entoure le **Taoist Temple** élevé en 1893. Le temple servait aussi d'école et de lieu d'hébergement pour les immigrants de fraîche date.

Ceux-ci venaient pour la plupart travailler à la construction de la voie ferrée transcontinentale *(p. 46-47).*
Le centre de Hanford, autour de la Courthouse Square, renferme un superbe carrousel ancien et d'élégants édifices dont certains datent de la fin du siècle dernier. Magasins et restaurants les occupent aujourd'hui.

卍 Taoist Temple
China Alley. **[** *(559) 582-4508.*
○ *sur r.-v. seulement.* 📷 📷

Aux environs
À 50 km au sud d'Hanford, le **Colonel Allensworth State Historic Park** porte le nom d'un aumônier noir qui pensait que les Afro-Américains pouvaient combattre le racisme en prenant en main leur propre destin. Il fonda en 1908 avec quelques familles une communauté rurale dont une exposition, dans les anciens bâtiments agricoles, retrace l'histoire.

🏛 Colonel Allensworth State Historic Park
Hwy 99, puis County Rd J22, Earlimart. **[** *(661) 849-3433 ou 634-3795.* **○** *t.l.j.* 📷

JOHN STEINBECK

Fils d'un trésorier municipal et d'une institutrice, mais appartenant à une famille d'éleveurs et d'agriculteurs, John Steinbeck (1902-1968) passa son enfance et son adolescence dans la vallée de Salinas. Après avoir suivi des cours de biologie à la Stanford University *(p. 411)* et pratiqué divers métiers, notamment dans les montagnes du Lake Tahoe *(p. 470-471)* où il écrivit son premier roman, un récit historique intitulé *La Coupe d'or* (1929), il se fixe en 1930 à Pacific Grove. Il y fait la connaissance de son ami Edward Ricketts *(p. 494)* et connaît enfin le succès avec la publication de *Tortilla Flat* en 1935. Ses plus grandes œuvres, tels *Des souris et des hommes* (1937), *Rue de la Sardine* (1945) et *À l'est d'Éden* (1952) continueront de s'inspirer de la vie des gens simples rencontrés dans sa région natale et les alentours de Monterey. Il en va de même pour son livre le plus célèbre, *Les Raisins de la colère* (1939), qui relate l'exploitation subie par les fermiers de l'Oklahoma contraints d'émigrer en Californie pendant la Grande Dépression. Immédiat best-seller, le livre lui vaut le prix Pulitzer, mais aussi de sérieuses inimitiés. Correspondant de guerre en Afrique du Nord à partir de 1943, Steinbeck, à son retour aux États-Unis à la fin de la guerre, s'installe sur la Côte Est à Long Island. Il reçoit le prix Nobel de littérature en 1962, devenant le seul Américain récompensé à la fois par le Pulitzer et le Nobel.
Mort à New York le 20 décembre 1968, John Steinbeck repose dans sa ville natale, dans le Garden of Memories, au nº 768 Abbott Street.

Premières éditions de *Rue de la Sardine* et des *Raisins de la colère*

LES BONNES
ADRESSES

HÉBERGEMENT

La Californie est une des grandes destinations touristiques mondiales et elle offre aux visiteurs un vaste choix de formules d'hébergement, de la cabane en rondins au palace. Dans la même catégorie de prix, le choix est important. Ainsi, le haut de gamme comprend aussi bien des hôtels à la somptuosité hollywoodienne que des complexes ultramodernes destinés aux hommes d'affaires ou des *resorts* proposant activités sportives et soins de beauté. Les catégories plus accessibles s'étendent des motels de chaîne à des auberges historiques.

Portier

Sauf exception, les chambres sont partout spacieuses et dotées de lits doubles et d'une salle de bains. Il existe également de nombreux campings.

Vous trouverez sur les aires de repos des autoroutes et chez les loueurs de voitures des magazines gratuits contenant toutes sortes de coupons de réduction. En basse saison, n'hésitez pas à marchander les tarifs, en particulier si vous réservez à l'avance par téléphone. Les pages 508 à 537 proposent une sélection d'hébergements pour tous budgets et dans toute la Californie.

LE CLASSEMENT DES HÔTELS

Le mode de classement le plus pratique pour les visiteurs est celui de la California State Automobile Association. Il attribue aux établissements, du simple motel au plus coûteux palace, de un à quatre diamants selon la qualité du service offert, la propreté des lieux et l'éventail de prestations proposées.

Vous pouvez également vous fier à l'organisation française Relais et Châteaux. Sur les 26 domaines des États-Unis admis dans ses rangs, sept se trouvent en Californie.

LES HÔTELS

Se loger à l'hôtel revient cher aux États-Unis. Les tarifs les plus bas vont de 75 $ à 175 $ pour une chambre ; celle-ci possédera presque toujours un téléviseur. Ils passent de 175 $ à 275 $ dans les établissements de standing. Certains hôtels de

luxe demandent 185 $ pour la plus petite de leurs chambres en basse saison et leurs prix peuvent monter jusqu'à 500 $ pour une nuitée.

Les taxes, à ajouter, varient entre 11 % à San Francisco et 14 % à Los Angeles. Les places de stationnement donnent lieu à supplément. Téléphoner de sa chambre coûtera toujours plus cher que depuis un publiphone.

L'histoire et le dynamisme des Californiens se reflètent dans certains de leurs hôtels. Construits pour impressionner les banquiers de la Côte Est, des établissements de prestige tels que le Sheraton Palace de San Francisco *(p. 526)*, le Biltmore de Los Angeles *(p. 509)* et l'Ahwahnee du Yosemite National Park *(p. 536)* rappellent que l'État commençait tout juste à se développer au début du siècle. L'esthétique très moderne, et même contemporaine, du Triton Hotel de San Francisco

Le *lounge bar* du très chic Beverly Wilshire Hotel *(p. 508)*

(p. 523) et du Mondrian de West Hollywood *(p. 513)* témoigne du chemin parcouru.

Il existe des hôtels inscrits dans de magnifiques parcs, d'autres très fonctionnels. Dans ceux proposant un *spa*, sauna, bains, soins de la peau et massages permettent d'entretenir sa forme et son aspect physiques. Un « *boutique hotel* » compte moins de cent chambres et possède l'ambiance intime d'un Bed-and-Breakfast.

Quelle que soit sa taille, un hôtel comprend presque toujours un *foyer* spacieux, un restaurant ou un café et offre des services tels que le blanchissage. S'il ne possède pas une piscine ou une salle d'exercice, ses clients peuvent le plus souvent profiter des prestations d'un club de remise

Le Biltmore Hotel à Los Angeles

en forme voisin pour 8 à 12 $
par jour. Des chambres non-
fumeurs, parfois même des
étages entiers, sont toujours
disponibles.

LES HÔTELS D'AFFAIRES

Ces établissements
proposent aux voyageurs
en déplacement professionnel
des tarifs hebdomadaires ou
mensuels. Ils mettent à leur
disposition un large éventail
de services tels que fax, salles
de conférences et même,
parfois, centres informatiques.
Certains ne louent que des
suites.

LES HÔTELS DE CHAÎNE

Pour un prix modéré, vous
jouirez dans les hôtels de
grandes chaînes telles que
**Westin, Hilton,
Sheraton, Marriott,
Ramada, Hyatt** et
Holyday Inn
d'un service de
qualité et de
chambres
confortables.
Certaines de ces
sociétés possèdent
parfois plus d'un
établissement dans
une même ville. Elles en
désignent alors un comme
enseigne principale et tendent
à y pratiquer des tarifs plus
élevés pour les meilleures
chambres. Un numéro d'appel
gratuit permet de se renseigner,
avant de réserver, sur les prix
et les prestations disponibles.

**Enseigne d'un hôtel
de chaîne**

Le Chateau Marmont sur Sunset Boulevard *(p. 513)*

LES POURBOIRES

Si le portier porte vos
bagages dans votre
chambre, ou jusqu'à votre
voiture à votre départ, l'usage
est de lui donner de 1 $ à
2 $ par bagage. Quand
un voiturier gare
votre véhicule, le
pourboire, versé en
partant, est de 15 à
20 % du prix du
stationnement. La
même proportion
s'applique pour les
services en chambre.
Laissez de 2 $ à 5 $ à
la femme de chambre, surtout
après un long séjour.

LES *RESORTS*

Ces centres de villégiature
offrent toutes les
prestations d'un hôtel, mais
dans un bien plus vaste

espace. Ils peuvent proposer
jusqu'à 300 chambres dans des
bungalows ou des villas
toujours aménagés de manière
à préserver l'intimité des hôtes.
Leur intérêt dépend des
services disponibles, qu'il
s'agisse de courts de tennis, de
terrains de golf, de piscines
olympiques, de centres
d'équitation, de clubs de remise
en forme, de cours de yoga ou
de restaurants gastronomiques.
Le prix du séjour est élevé,
surtout si vous ne cherchez
qu'un endroit où vous loger
dans le cadre d'un voyage
touristique. Il devient toutefois
justifié si vous voulez passer
quelques jours à vous détendre
ou à pratiquer un sport.
La liste des pages 508 à 537
vous aidera à trouver une
resort dans un environnement
conforme à vos goûts, région
viticole, bord de mer ou
montagne.

Le San Diego Marriott and Marina Hotel, dans la San Diego Bay

Le Mendocino Hotel *(p. 532)*

LES MOTELS

L es motels se sont multipliés au bord des routes californiennes dans les années 1950 quand l'automobile a commencé à prendre de plus en plus d'importance. Peu coûteux, ils offrent un service minimal : lits doubles de plus ou moins grande taille, télévision, téléphone, salle de bains, thé et café. Il y a toujours de la place où se garer et, souvent, une piscine, un luxe presque nécessaire quand on se déplace en été. Certains permettent de cuisiner, la plupart proposent des chambres non-fumeurs. Tous n'acceptent pas les animaux.

Plusieurs chaînes, notamment **Best Western, Quality Inn, Motel 6** et **Travelodge** ont fondé leur réputation sur la propreté des chambres, la qualité du service et les prix bon marché. Les tarifs varient de 30 $ à 65 $ la nuitée.

LES AUBERGES HISTORIQUES

C es auberges sont souvent les seuls édifices de la fin du XIXᵉ siècle à subsister dans beaucoup de petites villes californiennes. Qu'il s'agisse d'anciens pavillons de chasse ou de pêche, de lieux ayant jadis servi de refuge à des vedettes d'Hollywood, de résidences victoriennes ou même d'un bateau à aubes, elles gardent chacune vivante une tranche d'histoire. Construites en majorité pendant la période d'expansion qu'entraîna le développement des liaisons ferroviaires, elles jouissent fréquemment d'un statut protégé qui interdit de les démolir ou de modifier leur architecture

Plus grandes que des Bed-and-Breakfast, elles comptent de 20 à 100 chambres, mais ces auberges historiques possèdent une atmosphère similaire. La plupart servent des petits déjeuners continentaux et des en-cas ou des pâtisseries l'après-midi. Pour plus de renseignements, contactez **California Historic Country Inns**.

D'autres logements plus petits ont aussi parfois une dimension historique, notamment des bungalows individuels *(cabins)* dotés d'une cuisine. Ils sont généralement éparpillés sur un domaine qui en renferme au moins une dizaine. Il n'existe que très rarement un restaurant ou un café sur place, mais il est souvent possible de profiter d'une piscine ou de courts de tennis. Fumer est parfois interdit.

LES BED-AND-BREAKFAST

P resque toujours tenus par leur propriétaire et installés dans d'anciennes résidences privées, ces établissements où les hôtes peuvent profiter, selon les cas, d'une bibliothèque, d'un salon, d'un jardin ou d'une piscine, offrent des conditions d'hébergement plus conviviales que l'hôtel. Certaines chambres ne possèdent toutefois pas leur propre salle de bains.

On peut en général y prendre un petit déjeuner continental, un en-cas l'après-midi ou un verre le soir. Une nuitée coûte de 60 $ à 175 $. Un séjour minimum de deux jours est parfois imposé, surtout en haute saison. Pour tous renseignements, adressez-vous à la **California Association of Bed-and-Breakfast Inns**.

Le Bed-and-Breakfast Casa Laguna, Laguna Beach *(p. 517)*

SÉJOURS INDÉPENDANTS

R ien n'égale un séjour dans une résidence privée pour pleinement apprécier la réalité d'une ville. Il existe deux manières de trouver un tel type d'hébergement.

La Deetjen's Big Sur Inn *(p. 536)*

La Big Bear Log Cabin, près du Lake Arrowhead

La première consiste à louer un appartement ou une maison auprès d'une agence immobilière *(real estate agency)*. Chaque ville de Californie en compte au moins une spécialisée dans les locations de vacances. Les chambres de commerce en fournissent la liste. Les tarifs s'appliquent à la nuit, à la semaine ou au mois. Pour une semaine, ils varient de 300 $ à 3 000 $ selon la situation, le standing et la taille du logement. Il vous faudra verser une caution, remboursable à votre départ. Réserver au moins un mois à l'avance accroîtra vos possibilités de choix.

L'autre solution est d'échanger votre propre appartement ou maison avec un Californien. **Intervac** fait partie d'un réseau mondial d'échange de logements entre particuliers. Les frais d'inscription (750 FF) donnent droit à la publication d'une annonce dans l'un des quatre catalogues édités chaque année entre décembre et juin et à la possibilité de consulter les annonces des quatre catalogues. Les accords se concluent directement entre particuliers.

LES AUBERGES DE JEUNESSE

Voici la forme d'hébergement la moins coûteuse en Californie. Propres, modernes, souvent situées dans des cadres pittoresques (y compris dans des phares ou des parcs nationaux), les auberges de jeunesse proposent des lits en dortoir non mixtes et certaines possèdent quelques chambres accessibles aux couples mariés. Contrairement à ce que leur nom pourrait laisser croire, elles n'imposent pas de limite d'âge. La plupart permettent de faire sa propre cuisine. Pour tous renseignement, et réservations, contactez la **Fédération unie des auberges de jeunesse (FUAJ)**.

CAMPING ET CARAVANING

La plupart des parcs nationaux et d'État de Californie *(p. 576)* renferment des terrains de camping ouverts aussi aux caravanes. Plus chers, les campings privés proposent en général des services plus étendus, tels que branchement électrique, alimentation en eau courante, barbecues ou magasins d'alimentation.

Camping dans le Yosemite National Park *(p. 472-475)*

Choisir un hôtel

Nous avons sélectionné ces établissements, dans une large gamme de prix, pour leur emplacement ou la qualité de leurs prestations. Beaucoup comportent un restaurant. En commençant par Los Angeles, ils sont présentés par régions, et les onglets de couleur correspondent à ceux du corps du guide. Pour les restaurants, consultez les pages 544 à 575.

LOS ANGELES

	NOMBRE DE CHAMBRES	RESTAURANT	ÉQUIPEMENTS ENFANTS	JARDIN OU TERRASSE	PISCINE
AÉROPORT : *Los Angeles Airport Hilton and Towers* ⓦ www.hilton.com $$$$ 5711 W Century Blvd, CA 90045. **Carte routière**, encadré A. ⓒ *(310) 410-4000 ; (800) 445-8667.* FAX *(310) 410-6250.* Cet immense hôtel s'adresse surtout à qui voyage pour affaires. Excellentes prestations. 🛏 24 TV & P 🍴 ✉	1 234	●	■	●	■
AÉROPORT : *Sheraton Los Angeles Airport Hotel* ⓦ www.sheraton.com $$$$ 6101 W Century Blvd, CA 90045. **Carte routière**, encadré A. ⓒ *(310) 642-1111 ; (800) 445-7999.* FAX *(310) 645-1414.* Cet hôtel d'affaires propose des week-ends à prix réduit. Navette gratuite toutes les 5 mn pour l'aéroport. 🛏 24 TV & P 🍴 ✉	802	●	■		■
AÉROPORT : *Radisson Hotel at Los Angeles Airport* ⓦ www.radison.com $$$$ 6225 West Century Blvd, CA 90045. **Carte routière**, encadré A. ⓒ *(310) 670-9000 ; (800) 327-8321.* FAX *(310) 337-6555.* Un luxueux hôtel d'affaires aux chambres confortables et insonorisées. Service remarquable. 🛏 TV & P 🍴 ✉	580	●	■		■
BEL AIR : *Luxe Hotel* ⓦ www.luxehotels.com $$$$ 11461 Sunset Blvd, CA 90049. **Carte routière**, encadré A. ⓒ *(310) 476-6571 ; (800) 468-3541.* FAX *(310) 440-3090.* Cet hôtel de type *resort* au sein d'un parc loue des chambres spacieuses. Tennis, *spa (p. 504).* 🛏 TV & P 🍴 ✉	160	●	■	●	■
BEL AIR : *Hotel Bel-Air* ⓦ www.hotelbelair.com $$$$$ 701 Stone Canyon Rd, CA 90077. **Plan 4 A2.** ⓒ *(310) 472-1211 ; (800) 648-4097* FAX *(310) 476-5890.* Dans un parc verdoyant *(p. 91)*, de luxueuses villas abritent des chambres dont certaines sont dotées de cheminées. 🛏 24 TV & P ✉	92	●	■	●	■
BEVERLY HILLS : *Avalon Hotel* ⓦ www.avalonbeverlyhills.com $$$$ 9400 W Olympic Blvd, CA 90212. **Plan 5 F4.** ⓒ *(310) 277-5221; (800) 535-4715.* FAX *(310) 277-4928.* Cet hôtel Art déco des années 1940 agréablement meublé propose près de Rodeo Drive *(p. 90)* des chambres équipées de larges lits. Rénovation en cours. 🛏 TV & P ✉	87	●	■	●	■
BEVERLY HILLS : *Luxe Hotel Rodeo Drive* ⓦ www.luxehotels.com $$$ 360 N Rodeo Drive, CA 90210. **Plan 5 F3.** ⓒ *(310) 273-0300 ; (800) 468-3541.* FAX *(310) 859-8730.* Un hôtel joliment meublé, clair et ensoleillé. Les hôtes peuvent profiter des installations du Summit Hotel Bel-Air. 🛏 TV & P ✉	86	●	■	●	
BEVERLY HILLS : *Beverly Hilton* ⓦ www.beverlyhilton.com $$$$ 9876 Wilshire Blvd, CA 90210. **Plan 5 E4.** ⓒ *(310) 274-7777 ;* FAX *(310) 285-1313.* Dans ce grand hôtel d'affaires, les chambres, spacieuses, offrent de belles vues. Beaucoup ont un patio. 🛏 24 TV & P 🍴 ✉	581	●	■	●	■
BEVERLY HILLS : *Beverly Hills Hotel* $$$$$ 9641 Sunset Blvd, CA 90210. **Plan 5 D2.** ⓒ *(310) 276-2251; (800) 283-8885.* FAX *(310) 887-2887.* Au milieu de jardins tropicaux *(p. 91)*, certaines chambres possèdent une cuisine et une terrasse. 🛏 24 TV & P ✉	203	●	■	●	■
BEVERLY HILLS : *Peninsula Beverly Hills* ⓦ www.peninsula.com $$$$$ 9882 South Santa Monica Blvd, CA 90212. **Plan 5 E4.** ⓒ *(310) 551-2888 ; (800) 462-7899.* FAX *(310) 788-2319.* Des célébrités viennent se faire choyer dans cet hôtel de grand luxe proposant chambres, suites et villas. 🛏 24 TV & P ✉	196	●	■	●	■
BEVERLY HILLS : *Regent Beverly Wilshire* ⓦ www.regenthotels.com $$$$$ 9500 Wilshire Blvd, CA 90212. **Plan 5 F4.** ⓒ *(310) 275-5200 ; (800) 421-4354.* FAX *(310) 274-2851.* La somptuosité de ce célèbre palace *(p. 87)* proche de Rodeo Drive attire de nombreuses stars. Les chambres et les salles de bains sont immenses. 🛏 24 TV & P ✉	398	●	■		■
BEVERLY HILLS : *The Crescent* ⓦ www.crescentbh.com $$$$ 403 N Crescent Dr, CA 90210. **Plan 5 E2.** ⓒ *(310) 247-0505.* FAX *(310) 247-9053.* Cette hôtel modeste et chaleureux n'a pas deux chambres identiques. Il popose un accès libre à Internet et un large choix de cd et dvd. 🛏 TV & P ✉	35	●			

Les prix correspondent à une nuit en chambre double, service et taxes compris.

- $ moins de 100 $
- $$ de 100 à 150 $
- $$$ de 150 à 200 $
- $$$$ de 200 à 250 $
- $$$$$ plus de 250 $

RESTAURANT
Sauf indication contraire, le restaurant ou la salle à manger accueille d'autres clients que les hôtes.

ÉQUIPEMENTS ENFANTS
Berceaux, lits d'enfants et baby-sitting disponibles. Certains établissements proposent des menus pour enfants et possèdent des chaises hautes.

JARDIN OU TERRASSE
Hôtel possédant un jardin, une cour intérieure ou une terrasse. Souvent, possibilité de manger dehors.

PISCINE
Hôtel doté d'une piscine couverte ou à ciel ouvert.

	NOMBRE DE CHAMBRES	RESTAURANT	ÉQUIPEMENTS ENFANTS	JARDIN OU TERRASSE	PISCINE
CENTURY CITY : *Century Plaza Hotel and Spa* $$$$ 2025 Ave of the Stars, CA 90067. **Plan** 5 D5. (310) 277-2000 ; (800) 228-3000. FAX (310) 551-7532. Dans les deux bâtiments de ce grand hôtel élégant, des chambres ménagent des vues panoramiques. Service souriant.	724	●			●
CENTURY CITY : *Park Hyatt Los Angeles* W www.hyatt.com $$$$$ 2151 Ave of the Stars, CA 90067. **Plan** 5 E5. (310) 277-1234. FAX (310) 785-9240. Cet hôtel d'affaires offre de bonnes prestations et des vues sur la ville. Possibilité de louer des limousines.	357	●			●
DOWNTOWN : *Best Western Dragon Gate Inn* W www.dragongateinn.com $ 818 N Hill St, CA 90012. **Plan** 11 F2. (213) 617-3077 ; (800) 528-1234. FAX (213) 680-3753. Cet hôtel simple et confortable de Chinatown a une clientèle d'affaires en semaine et familiale le week-end.	50				
DOWNTOWN : *Figueroa Hotel* W www.figueroahotel.com $$ 939 S Figueroa St, CA 90015. **Plan** 10 C5. (213) 627-8971 ; (800) 421-9092. FAX (213) 689-0305. Cet établissement accueillant aux chambres de tailles variées décorées dans le style Spanish Colonial se trouve près du centre de conventions. Beau jardin planté d'arbres fruitiers et de cactus.	285	●		●	●
DOWNTOWN : *Miyako Inn and Spa* W www.miyakola.com $$ 328 E 1st St, CA 90012. **Plan** 11 F4. (213) 617-2000 ; (800) 228-6596. FAX (213) 617-2700. Dans Little Tokyo, des chambres spacieuses meublées à l'américaine. Les enfants de moins de 12 ans ne payent pas. Bar de karaoké. Saunas et bains séparés pour les hommes et les femmes.	174	●			
DOWNTOWN : *The Inn at 657* W www.patsysinn657.com $$ 657 W 23rd St, CA 90007. **Carte routière**, encadré A. (213) 741-2200 ; (800) 347-7512. Ses suites d'une ou deux chambres (non-fumeur et avec cuisine) ouvrent sur un jardin ou un balcon. Petit-déjeuner et appels téléphoniques locaux gratuits.	11			●	
DOWNTOWN : *The Mayfair Hotel* W www.mayfairla.com $$ 1256 W 7th St, CA 90017. **Plan** 10 C4. (213) 484-9789 ; (800) 821-8682. FAX (213) 484-2769. Chambres, suites et services bien adaptés aux personnes voyageant pour affaires dans un hôtel élégant et amical.	295	●		●	
DOWNTOWN : *Los Angeles Athletic Club* W www.laac.com $$$ 431 W 7th St, CA 90014. **Plan** 11 D5. (213) 625-2211 ; (800) 421-8777. FAX (213) 689-1194. Dans un édifice de 1904, de luxueuses chambres de style victorien et des courts de *racquetball*.	72	●			●
DOWNTOWN : *Standard Downtown* W www.standardhotel.com $$$ 550 S Flower St, CA 90071. **Plan** 11 D4. (213) 892-8080. FAX (213) 892-8686. Construit en 1955, cet hôtel doit son originalité à son architecture extérieure, tandis que l'intérieur est d'aspect tout à fait moderne. Les chambres sont décorées dans le style années 1960.	207	●			●
DOWNTOWN : *Downtown Marriott* W www.marriott.com $$$$ 333 S Figueroa St, CA 90071. **Plan** 11 D4. (213) 617-1133 ; (800) 228-9290. FAX (213) 613-0291. L'hôtel très luxueux offre tout le confort et est très bien situé.	469	●	●	●	●
DOWNTOWN : *Hilton Checkers Hotel* W www.hiltoncheckers.com $$$$ 535 Grand Ave, CA 90071. **Plan** 11 4D. (213) 624-0000 ; (800) 996-3426. FAX (213) 626-9906. Cet hôtel extrêmement luxueux où le marbre donne le ton des salles de bains possède un *spa (p. 504)* et offre un service de limousines gratuit dans Downtown.	173	●		●	●
DOWNTOWN : *Hyatt Regency* W www.hyatt.com $$$$ 711 S Hope St, CA 90017. **Plan** 11 D4. (213) 683-1234 ; (800) 233-1234. FAX (213) 629-3230. D'immenses fenêtres offrent de belles vues depuis les chambres confortables de cet hôtel de la Broadway Plaza.	485	●	●		

Légende des symboles, voir rabat de couverture

	Nombre de chambres	Restaurant	Équipements enfants	Jardin ou terrasse	Piscine
Les prix correspondent à une nuit en chambre double, service et taxes compris. **⑤** moins de 100 \$ **⑤⑤** de 100 à 150 \$ **⑤⑤⑤** de 150 à 200 \$ **⑤⑤⑤⑤** de 200 à 250 \$ **⑤⑤⑤⑤⑤** plus de 250 \$	**RESTAURANT** Sauf indication contraire, le restaurant ou la salle à manger accueille d'autres clients que les hôtes. **ÉQUIPEMENTS ENFANTS** Berceaux, lits d'enfants et baby-sitting disponibles. Certains établissements proposent des menus pour enfants et possèdent des chaises hautes. **JARDIN OU TERRASSE** Hôtel possédant un jardin, une cour intérieure ou une terrasse. Souvent, possibilité de manger dehors. **PISCINE** Hôtel doté d'une piscine couverte ou à ciel ouvert.				
DOWNTOWN : *Millennium Biltmore* w www.millenniumhotels.com ⑤⑤⑤⑤ 506 S Grand Ave, CA 90071. **Plan** 11 D4. 📞 *(213) 624-1011 ; (800) 245-8673.* 📠 *(213) 612-1546.* Les chambres et suites du Biltmore *(p. 118)* sont aussi somptueuses que l'entrée. Un *spa (p. 504)* permet de garder la forme. 🛏 24 TV ⚄ P 🍴 🌿	683	●	■		■
DOWNTOWN : *New Otani Hotel and Garden* w www.newotani.com ⑤⑤⑤⑤ 120 S Los Angeles St, CA 90012. **Plan** 11 E4. 📞 *(213) 629-1200 ; (800) 273-2294.* 📠 *(213) 622-0980.* Certaines chambres de cet établissement de luxe ont un mobilier traditionnel japonais. Sauna et bains. 🛏 24 TV ⚄ P 🌿	434	●	■	●	
DOWNTOWN : *Westin Bonaventure Hotel and Suites* ⑤⑤⑤⑤ 404 S Figueroa St, CA 90071. **Plan** 10 C5. 📞 *(213) 624-1000 ; (800) 228-3000.* 📠 *(213) 612-4800.* Les chambres sont vastes et confortables dans cet hôtel composé de 5 tours de verre entourant un atrium *(p. 118)*. L'hôtel a été entièrement rénové. Prestations de standing. 🛏 24 TV ⚄ P 🌿	1325	●		●	■
GLENDALE : *Chariot Inn Motel* ⑤⑤ 1118 E Colorado St, CA 91205. **Carte routière**, encadré A. 📞 *(818) 507-9600 ; (800) 458-4080.* 📠 *(818) 507-9774.* Chambres spacieuses, certaines sont dotées de bains à remous. Petit-déjeuner continental compris dans le prix. 🛏 TV ⚄ P 🌿	30				■
GLENDALE : *Hilton Glendale Hotel* w www.hilton.com ⑤⑤ 100 W Glenoaks Blvd, CA 91202. **Carte routière**, encadré A. 📞 *(818) 956-5466.* 📠 *(818) 956-5490.* Situé en plein cœur de Glendale, à seulement 6 km au nord du centre-ville de Los Angeles. Mobilier en meurisier. 🛏 24 TV ⚄ P 🍴 🌿	351	●	■		■
HOLLYWOOD : *Best Western Hollywood Plaza Inn* ⑤ 2011 N Highland Ave, CA 90068. **Plan** 2 B4. 📞 *(323) 851-1800 ; (800) 232-4353.* 📠 *(323) 851-1836.* w www.bestwestern.com Près d'Hollywood Boulevard, les chambres confortables de cet hôtel de chaîne possèdent un réfrigérateur. 🛏 TV ⚄ P 🌿	82	●		●	■
HOLLYWOOD : *Hollywood Orchid Suites* w www.orchidsuites.com ⑤ 1753 Orchid Ave, CA 90028. **Plan** 2 B4. 📞 *(323) 874-9678 ; (800) 537-3052.* 📠 *(323) 874-9931.* Dans un ancien immeuble d'appartements, les chambres très spacieuses ont dans certains cas une cuisine. 🛏 TV ⚄ P 🌿	40			●	■
HOLLYWOOD : *Beverly Garland's Holiday Inn* w www.beverlygarland.com ⑤⑤ 4222 Vineland Ave, CA 91602. **Carte routière**, encadré A. 📞 *(818) 980-8000 ; (800) 238-3759.* 📠 *(818) 766-5230.* Chambres confortables dotées de balcons ou de patios. *Spa (p. 504)*, courts de tennis et blanchisserie. 🛏 TV ⚄ P 🌿	255	●		●	■
HOLLYWOOD : *The Ramada Hollywood* w www.hollywoodhotel.net ⑤⑤ 1160 N Vermont, CA 90029. **Carte routière**, encadré A. 📞 *(323) 660-1788 ; (800) 272-6232.* 📠 *(323) 660-8069.* Un hôtel bien tenu près des Universal Studios. Chambres et suites. Jacuzzi. Internet. 🛏 TV ⚄ P 🍴 🌿	127		■		■
HOLLYWOOD : *Hollywood Roosevelt Hotel* w www.hollywoodroosevelt.com ⑤⑤⑤ 7000 Hollywood Blvd, CA 90028. **Plan** 2 B4. 📞 *(323) 466-7000 ; (800) 950-7667.* 📠 *(323) 462-8056.* Récemment restauré, ce magnifique édifice en briques accueille souvent de fastueuses réceptions. 🛏 TV ⚄ P 🍴 🌿	300	●	■		■
HOLLYWOOD : *Renaissance Hollywood Hotel* ⑤⑤⑤ 2619 Wilshire Blvd, CA 90057. **Plan** 10 A3. 📞 *(323) 856-1200.* 📠 *(323) 491-1343.* w www.renaissancehollywood.com Cet hôtel de grand standing offre une vue à couper le souffle sur Los Angeles. Il est situé à proximité du centre commercial Hollywood & Highland, ainsi que de Hollywood Blvd et des attractions touristiques. 🛏 TV ⚄ P 🍴 🌿	637	●	■		
INGLEWOOD : *Los Angeles Adventura Hotel* ⑤ 4200 W Century Blvd, CA 90304. **Carte routière**, encadré A. 📞 *(310) 419-0999 ; (800) 852-0011.* 📠 *(310) 412-9100.* Un hôtel accueillant aux chambres confortables. Petit-déjeuner compris. Transport assuré jusqu'à l'aéroport, Venice Beach, les boutiques, les casinos et les terrains de golf. 🛏 TV P 🌿	150	●	■	●	■

LONG BEACH : *Inn of Long Beach* w www.innoflongbeach.com ⓢ 46
185 Atlantic Ave, CA 90802. **Carte routière**, encadré A. ((562) 435-3791 ; (800) 230-7500. FAX (562) 436-7510. Un motel plaisant aux chambres confortables. *Spa (p. 504).* Petit-déjeuner continental compris dans le prix. ⬚ TV & P ⬚

LONG BEACH : *Super 8 Motel* w www.super8motel.com ⓢ 48
4201 E Pacific Hwy, CA 90804. **Carte routière**, encadré A. ((562) 597-7701 ; (800) 800-8000. FAX (562) 494-7373. Ce motel propose des lits *king-size* et des demi-suites avec cuisine. Petit-déjeuner compris dans le prix. ⬚ TV & P ⬚

LONG BEACH : *Best Western Golden Sails* w www.bestwesterngoldsails.com ⓢⓢ 175
6285 E Pacific Coast Hwy, CA 90803. **Carte routière**, encadré A. ((562) 596-1631 ; (800) 762-5333. FAX (562) 594-0623. Cet hôtel domine le port de plaisance. Bains à remous. Golf gratuit. Petit-déjeuner et dîner compris dans le prix. ⬚ TV P ⬚

LONG BEACH : *Lord Mayor's Inn* w www.lordmayors.com ⓢⓢ 12
435 Cedar Ave, CA 90802. **Carte routière**, encadré A. (et FAX (562) 436-0324. Ce Bed-and-Breakfast occupe une maison édouardienne, 2 villas de 1908 et une écurie rénovés proches du centre de Long Beach. Antiquités dans les chambres. ⬚ P ⬚

LONG BEACH : *Hotel Queen Mary* w www.queenmary.com ⓢⓢⓢ 365
1126 Queen's Hwy, CA 90802. **Carte routière**, encadré A. ((562) 435-3511 ; (800) 437-2934. FAX (562) 437-4531. Les premières classes du célèbre paquebot ont été modernisées et restaurées *(p. 133).* Petit-déjeuner compris. ⬚ TV & P ⬚

LONG BEACH : *Hyatt Regency Long Beach* w www.hyatt.com ⓢⓢⓢ 522
200 S Pine Ave, CA 90802. **Carte routière**, encadré A. ((562) 491-1234 ; (800) 233-1234. FAX (562) 432-1972. Les chambres d'affaires *(p. 129)* donnent sur le port de Long Beach. Tarifs réduits le week-end. ⬚ TV & P ⬚

LONG BEACH : *Renaissance Long Beach Hotel* w www.renaissancehotels.com ⓢⓢⓢ 374
111 E Ocean Blvd, CA 90802. **Carte routière**, encadré A. ((562) 437-5900 ; (808) 228-9898 ; (800) 228-9898. FAX (562) 499-2509. Hôtel de luxe dans le quartier des affaires. Chambres spacieuses, certaines avec vue sur l'océan. ⬚ TV & P ⬚ ⬚

MALIBU : *Casa Malibu Inn on the Beach* ⓢⓢ 21
22752 Pacific Coast Highway, CA 90265. **Carte routière**, encadré A. ((310) 456-2219 ; (800) 831-0858. FAX (310) 456-5418. Sur une plage privée, balcon, cheminée, magnétoscope et cuisine dans certaines chambres. ⬚ TV P ⬚

MALIBU : *Malibu Beach Inn* w www.malibubeachinn.com ⓢⓢⓢ 47
22878 Pacific Coast Hwy, CA 90265. **Carte routière**, encadré A. ((310) 456-6444 ; (800) 462-5428. FAX (310) 456-1999. Toutes les chambres ont un balcon donnant sur la plage dans cet hôtel de luxe aux sols en carrelage mexicain. ⬚ 24 TV & P ⬚

MARINA DEL REY : *Marina del Rey Hotel* w www.marinadelreyhotel.com ⓢⓢ 161
13534 Bali Way, CA 90292. **Carte routière**, encadré A. ((310) 301-1000 ; (800) 882-4000. FAX (310) 301-8167. La plupart des chambres de cet hôtel de style *resort* dominent la marina. Navettes pour l'aéroport gratuites. ⬚ TV & P ⬚

MARINA DEL REY : *The Inn at Venice Beach* w www.innatvenicebeach.com ⓢⓢ 43
327 Washington Blvd, CA 90291. **Carte routière**, encadré A. ((310) 821-2557 ; (800) 828-0688. FAX (310) 827-0289. Près de la plage, à la limite de Venice, chambres au décor rustique et petit-déjeuner continental compris. ⬚ TV & P ⬚

MONROVIA : *Holiday Inn at Monrovia* w www.ichotelsgroup.com ⓢⓢ 170
924 W Huntington Drive, CA 91016. **Carte routière**, encadré A. ((626) 357-1900 ; (800) 465-4329. FAX (626) 359-1386. Sites et boutiques à proximité. Chambres spacieuses. Café et muffins gratuits le matin. ⬚ TV & P ⬚

NAPLES/SEAL BEACH : *Seal Beach Inn* w www.sealbeachinn.com ⓢⓢⓢ 23
212 5th St, CA 90740. **Carte routière**, encadré A. ((562) 493-2416 ; (800) 443-3292. FAX (562) 799-0483. Des antiquités ornent toutes les chambres de cette auberge luxueuse proche de la plage. Petit-déjeuner compris. ⬚ TV & P ⬚

PASADENA : *Comfort Inn Eagle Rock* w www.confortinn-er.com ⓢ 58
2300 W Colorado Blvd, CA 90041. **Carte routière**, encadré A. ((323) 256-1199 ; (888) 202-2939. FAX (323) 255-7768. Confort de base près du Rose Bowl *(p. 148).* Petit-déjeuner continental. Jacuzzi. Réductions pour les personnes âgées. ⬚ TV P ⬚

PASADENA : *Artist's Inn* w www.artistsinn.com ⓢⓢ 10
1038 Magnolia St, CA 91030. **Carte routière**, encadré A. ((626) 799-5668. FAX (626) 799-3678. Un artiste a inspiré le décor de chaque chambre de ce Bed-and-Breakfast. La Van Gogh Room est la plus réussie. ⬚ TV & P ⬚

Légende des symboles, voir rabat de couverture

Les prix correspondent à une nuit en chambre double, service et taxes compris.

- $ moins de 100 $
- $$ de 100 à 150 $
- $$$ de 150 à 200 $
- $$$$ de 200 à 250 $
- $$$$$ plus de 250 $

RESTAURANT
Sauf indication contraire, le restaurant ou la salle à manger accueille d'autres clients que les hôtes.

ÉQUIPEMENTS ENFANTS
Berceaux, lits d'enfants et baby-sitting disponibles. Certains établissements proposent des menus pour enfants et possèdent des chaises hautes.

JARDIN OU TERRASSE
Hôtel possédant un jardin, une cour intérieure ou une terrasse. Souvent, possibilité de manger dehors.

PISCINE
Hôtel doté d'une piscine couverte ou à ciel ouvert.

	NOMBRE DE CHAMBRES	RESTAURANT	ÉQUIPEMENTS ENFANTS	JARDIN OU TERRASSE	PISCINE
PASADENA : *The Bissell House Bed and Breakfast* W www.bissellhouse.com $$$ 201 Orange Grove Ave, CA 91030. **Carte routière**, encadré A. (626) 441-3535. FAX (626) 441-3671. Dans cette maison bâtie en 1887, les chambres sont de style victorien et les baignoires à pieds de griffon.	6			●	
PASADENA : *Ritz Carlton Huntingdon Hotel* W www.ritzcarlton.com $$$$ 1401 S Oak Knoll Ave, CA 91106. **Carte routière**, encadré A. (626) 568-3900 ; (800) 241-3333. FAX (626) 568-3700. Situé dans un quartier résidentiel, cet hôtel de luxe date de 1907. Le pont de bois reliant les deux ailes domine le jardin japonais de la cour intérieure.	392	●	■	●	■
PASADENA : *Sheraton Pasadena* W www.sheratonpasadena.com $$$$ 303 S East Cordovia St, CA 99101. **Carte routière**, encadré A. (626) 449-4000 ; (800) 325-3535. FAX (626) 584-1390. Cet hôtel récemment rénové est situé dans le centre-ville de Pasadena et relié au Pasadena Convention Center. Grand confort. Deux courts de tennis éclairés.	317	●		●	■
SANTA MONICA : *Best Western Gateway Hotel* W www.gatewayhotel.com $$ 1920 Santa Monica Blvd, CA 90404. **Carte routière**, encadré A. (310) 829-9100 ; (800) 528-1234. FAX (310) 829-9211. Dans le centre, chambres spacieuses, navettes gratuites pour l'aéroport, solariums. Excellent rapport qualité-prix.	122	●			
SANTA MONICA : *Hotel Carmel by the Sea* W www.hotelcarmel.com $$ 201 Broadway, CA 90401. **Carte routière**, encadré A. (310) 451-2469 ; (800) 445-8695. FAX (310) 393-4180. Cet hôtel des années 1920 a des chambres et des suites ayant vue sur l'océan. Gratuit jusqu'à 17 ans.	90				
SANTA MONICA : *Huntley Santa Monica Beach Hotel* $$ 1111 2nd St, CA 90403. **Carte routière**, encadré A. (310) 394-5454 ; (800) 333-3333. FAX (310) 458-9776. À un pâté de maisons de la plage. Chambres spacieuses, belles vues et services d'affaires.	218	●	■		
SANTA MONICA : *Fairmont Miramar Hotel* W www.fairmont.com $$$ 101 Wilshire Blvd, CA 90401. **Carte routière**, encadré A. (310) 576-7777 ; (800) 325-3535. FAX (310) 458-7912. C'est dans cet hôtel chic dominant l'océan depuis une falaise que fut découverte Betty Grable ; elle chantait au bar. Nombreuses prestations, dont un centre de remise en forme.	302	●	■	●	■
SANTA MONICA : *Hotel California* W www.hotelca.com $$$ 1670 Ocean Ave, CA 90401. **Carte routière**, encadré A. (310) 393-2363 ; (866) 571-0000. FAX (310) 393-1063. Ce petit hôtel sur la plage, récemment rénové, est entièrement non-fumeur. Belle vue sur l'océan depuis certaines chambres.	26			●	
SANTA MONICA : *Sheraton Delfina* W www.sheraton.com $$$ 530 W Pico Blvd, CA 90405. **Carte routière**, encadré A. (310) 399-9344 ; (800) 325-3535. FAX (310) 399-2504. À cinq minutes de la plage. Chambres luxueuses récemment relookées, souvent dotées de balcons. Deux piscines chauffées et un jacuzzi. Visites des sites locaux.	314	●	■		■
SANTA MONICA : *Doubletree Guest Suites* W www.hilton.com $$$$ 1707 4th St, CA 90401. **Carte routière**, encadré A. (310) 395-3332 ; (800) 424-2900. FAX (310) 452-7399. Les vastes suites de cet hôtel de luxe proche de la plage ménagent des vues superbes. Salle de jeux.	253	●	■	●	■
SANTA MONICA : *The Georgian* W www.georgianhotel.com $$$$ 1415 Ocean Ave, CA 90401. **Carte routière**, encadré A. (310) 395-9945 ; (800) 538-8147. FAX (310) 451-3374. Sur la plage près du Palisades Park, cet hôtel quatre diamants fondé en 1931 offre de vastes chambres et suites.	84	●	■		
SANTA MONICA : *Loews Santa Monica Beach Hotel* $$$$$ 1700 Ocean Ave, CA 90401. **Carte routière**, encadré A. (310) 458-6700. FAX (310) 458-6761. Cet établissement de standing borde la plage à courte distance du Santa Monica Pier. Superbes vues de l'océan.	343	●	■		■

SANTA MONICA : *Shutters on the Beach* $$$$$ | 198
1 Pico Blvd, CA 90405. **Carte routière**, encadré A. [*(310) 458-0030 ; (800) 334-9000.* FAX
(310) 458-4589. W www.shuttersonthebeach.com Cet hôtel de grand luxe, sur la plage,
propose des chambres spacieuses souvent dotées de balcons. ▪ 24 TV & P ⛾ 🍽

UNIVERSAL CITY : *Hilton Universal* W www.hilton.com $$$ | 453
555 Universal Terrace Parkway, CA 91608. **Carte routière**, encadré A. [*(818) 506-2500 ;*
(800) 445-8667. FAX *(818) 509-2058.* Ce gratte-ciel domine les Universal Studios.
Chambres spacieuses. Réserver à l'avance en été. ▪ 24 TV & P 🍽 ⛾

UNIVERSAL CITY : *Sheraton Universal* W www.sheraton.com $$$$$ | 336
333 Universal Terrace Parkway, CA 91608. **Carte routière**, encadré A. [*(818) 980-*
1212 ; (800) 325-3535. FAX *(818) 985-4980.* Hôtel d'affaires récemment rénové.
Navettes gratuites pour les Universal Studios et City Walk. ▪ TV & P 🍽 ⛾

VAN NUYS : *Travelodge* W www.travelodge.com $ | 74
6909 Sepulveda Blvd, CA 91405. **Carte routière**, encadré A. [*(818) 787-5400 ; (800) 578-*
7878. FAX *(818) 782-0239.* Un motel deux diamants de la San Fernando Valley.
Grandes chambres et petit-déjeuner. Gratuit jusqu'à 12 ans. ▪ TV P ⛾

VENICE BEACH : *The Cadillac* W www.thecadillachotel.com $ | 41
8 Dudley Ave, CA 90291. **Carte routière**, encadré A. [*(310) 399-8876.* FAX *(310) 399-*
4536. Ce splendide hôtel Art déco bâti sur la plage attire une clientèle jeune et
élégante. Sauna, billards et solarium. ▪ TV & P 🍽 ⛾

VENICE BEACH : *The Venice Beach House* W www.venicebeachhouse.com $$ | 9
15 30th Ave, CA 90291. **Carte routière**, encadré A. [*(310) 823-1966.* FAX *(310) 823-*
1842. Des meubles anciens donnent son cachet à ce charmant Bed-and-
Breakfast situé à quelques pas de la plage. TV P ⛾

WEST HOLLYWOOD : *San Vicente Inn Resort* W www.gayresort.com $ | 26
845 N San Vincente Blvd, CA 90069. **Plan 6 B1.** [*(310) 854-6915.* Ce petit hôtel-motel
pour hommes est situé à côté de tous les sites majeurs d'Hollywood, notamment
de Santa Monica Blvd et de Melrose Av. Nombreuses prestations. & P ⛾

WEST HOLLYWOOD : *Best Western Sunset Plaza* $$$ | 100
8400 Sunset Blvd, CA 90069. **Plan 6 C1.** [*(323) 654-0750 ; (800) 421-3652.* FAX *(323) 650-*
6146. W www.sunsetplazahotel.com Cet élégant hôtel de chaîne occupe une situation
idéale sur Sunset Boulevard. Chambres agréables et piscine isolée. ▪ TV & P ⛾

WEST HOLLYWOOD : *Hyatt West Hollywood* W www.hyatt.com $$$ | 262
8401 Sunset Blvd, CA 90069. **Plan 6 C1.** [*(323) 656-1234.* FAX *(323) 650-7024.* Proche
de la House of Blues *(p. 459),* cet hôtel de chaîne loue des chambres
modernes et propres. Piscine sur le toit. ▪ TV & P ⛾

WEST HOLLYWOOD : *Chateau Marmont* W www.chateaumarmont.com $$$$ | 62
8221 Sunset Blvd, CA 90046. **Plan 1 B5.** [*(323) 656-1010 ; (800) 242-8328.* FAX *(323)*
655-5311. L'hôtel des vedettes avec ses chambres, suites et cottages décorés
dans le style des années 1940 *(p. 100).* ▪ 24 TV & P ⛾

WEST HOLLYWOOD : *Mondrian Hotel* W www.morganshotelgroup.com $$$$ | 237
8440 Sunset Blvd, CA 90069. **Plan 6 C1.** [*(323) 650-8999 ; (800) 525-8029.* FAX *(323)*
650-5215. L'élégance contemporaine *(p. 99)* du Mondrian est appréciée des
musiciens. Belles vues de la ville. ▪ 24 TV & P 🍽 ⛾

WEST HOLLYWOOD : *Argyle Hotel* W www.argylehotel.com $$$$$ | 64
8358 Sunset Blvd, CA 90069. **Plan 6 C1.** [*(323) 654-7100 ; (800) 225-2637.* FAX *(323)*
654-1004. Dans d'anciens appartements *(p. 99),* le décor des chambres s'inspire
de l'Art déco italien. ▪ 24 TV & P ⛾

WESTWOOD : *Hilgard House Hotel* W www.hilgardhousehotel.com $ | 47
927 Hilgard Ave, CA 90024. **Plan 4 A4.** [*(310) 208-3945 ; (800) 826-3934.* FAX *(310)*
208-1972. Cet hôtel proche du campus de l'UCLA possède un décor européen.
Petit-déjeuner et tarifs d'affaires. ▪ TV & P ⛾

WESTWOOD : *Doubletree Hotel Westwood* $$$ | 296
10740 Wilshire Blvd, CA 90024. **Plan 4 B4.** [*(310) 475-8711 ; (800) 472-8556.*
FAX *(310) 475-5220.* Des jacuzzis équipent les chambres de style victorien. Les
enfants disposent d'une salle de jeux. ▪ TV & P 🍽 ⛾

WESTWOOD : *W Los Angeles* W www.whotels.com $$$$$ | 258
930 Hilgard Ave, CA 90024. **Plan 4 A4.** [*(310) 208-8765 ; (800) 421-2317.* FAX *(310)*
824-0355. Les chambres de cet établissement de standing sont parfaitement
équipées. Petit-déjeuner compris dans le prix. ▪ 24 TV & P 🍽 ⛾

Légende des symboles, voir rabat de couverture

	NOMBRE DE CHAMBRES	RESTAURANT	ÉQUIPEMENTS ENFANTS	JARDIN OU TERRASSE	PISCINE
Les prix correspondent à une nuit en chambre double, service et taxes compris. $ moins de 100 $ $$ de 100 à 150 $ $$$ de 150 à 200 $ $$$$ de 200 à 250 $ $$$$$ plus de 250 $	**RESTAURANT** Sauf indication contraire, le restaurant ou la salle à manger accueille d'autres clients que les hôtes. **ÉQUIPEMENTS ENFANTS** Berceaux, lits d'enfants et baby-sitting disponibles. Certains établissements proposent des menus pour enfants et possèdent des chaises hautes. **JARDIN OU TERRASSE** Hôtel possédant un jardin, une cour intérieure ou une terrasse. Souvent, possibilité de manger dehors. **PISCINE** Hôtel doté d'une piscine couverte ou à ciel ouvert.				
DE CAMBRIA À SANTA BARBARA					
BAKERSFIELD : *Courtyard by Marriott* Ⓦ www.marriott.com $ 3601 Marriott Drive, CA 93308. **Carte routière** C5. ☎ *(661) 324-6660 ; (800) 321-2211.* ℻ *(661) 324-1185.* Cet hôtel de chaîne moderne, bien adapté aux personnes voyageant pour affaires, offre un excellent service. 🛏 📺 🅿 🍽 🏊	146	●	▦	●	▦
CAMBRIA : *Best Western Fireside Inn* Ⓦ www.bestwestern.com $ 6700 Moonstone Beach Drive, CA 93428. **Carte routière** B5. ☎ *(805) 927-8661 ; (800) 528-1234.* ℻ *(805) 927-8584.* Sur le front de mer. Grandes chambres, larges lits, cheminées à gaz et petit-déjeuner continental. 🛏 📺 ♿ 🏊	46		▦		▦
CAMBRIA : *Burton Drive Inn (Silvia's)* Ⓦ www.burtondriveinn.com $$ 4022 Burton Drive, CA 93428. **Carte routière** B5. ☎ *(805) 927-5125.* Des Anglais accueillants tiennent cette auberge moderne bordant une rue animée du centre. Vastes suites. Petit-déjeuner servi en chambre. 🛏 📺 ♿ 🅿 🏊	8			●	
CAMBRIA : *Blue Whale Inn* Ⓦ www.bluewhaleinn.com $$$ 6736 Moonstone Beach Drive, CA 93428. **Carte routière** B5. ☎ *(805) 927-4647 ; (800) 753-9000.* ℻ *(805) 927-3852.* Toutes les chambres de ce Bed-and-Breakfast de standing bâti sur un promontoire ont vue sur l'océan. Un télescope permet d'observer phoques et baleines grises. 🛏 📺 ♿ 🅿 🏊	6			●	
MONTECITO : *Montecito Inn* Ⓦ www.montecitoinn.com $$$$ 1295 Coast Village Rd, CA 93108. **Carte routière** C5. ☎ *(805) 969-7854 ; (800) 843-2017.* ℻ *(805) 969-0623.* Charlie Chaplin fit construire en 1928 cet hôtel de style méditerranéen proche de la plage. 🛏 📺 ♿ 🅿 🏊	60	●	▦		▦
MONTECITO : *San Ysidro Ranch* Ⓦ www.sanysidroranch.com $$$$$ 900 San Ysidro Lane, CA 93108. **Carte routière** C5. ☎ *(805) 969-5046 ; (800) 368-6788.* ℻ *(805) 565-1995.* L'endroit idéal pour faire une retraite. Des cottages luxueux, tous équipés d'un poêle à bois ou d'une cheminée, se nichent hors de vue dans un paysage de montagne. 🛏 24 📺 ♿ 🅿 🏊	38	●	▦	●	▦
MORRO BAY : *Blue Sail Inn* Ⓦ www.bluesailinn.com $ 851 Market Ave, CA 93442. **Carte routière** B5. ☎ *(805) 772-2766 .* ℻ *(805) 772-8406.* Même le prix des plus belles chambres reste une affaire. On peut observer les bateaux passant au large depuis une plate-forme. 🛏 📺 ♿ 🅿 🏊	48		▦	●	
MORRO BAY : *Embarcadero Inn* Ⓦ www.embarcaderoinn.com $$ 456 Embarcadero, CA 93442. **Carte routière** B5. ☎ *(805) 772-2700 ; (800) 292-7625.* ℻ *(805) 772-6897.* Les chambres de cet hôtel moderne, souvent avec balcon, donnent sur la baie. Petit-déjeuner continental compris. 📺 ♿ 🅿 🏊	32		▦		
MORRO BAY : *Inn at Morro Bay* Ⓦ www.innatmorrobay.com $$$ 60 State Park Rd, CA 93442. **Carte routière** B5. ☎ *(805) 772-5651 ; (800) 321-9566.* ℻ *(805) 772-4779.* Cet établissement propose des chambres luxueuses de style rustique dotées de cheminées et de balcons. 🛏 📺 ♿ 🅿 🏊	90	●	▦		▦
PASO ROBLES : *Paso Robles Inn* Ⓦ www.pasoroblesinn.com $$ 1103 Spring St, CA 93446. **Carte routière** B5. ☎ *(805) 238-2660.* ℻ *(805) 238-4770.* Ce petit hôtel récemment rénové occupe une position idéale à mi-chemin de Los Angeles et de San Francisco. 🛏 📺 ♿ 🅿 🏊	100	●		●	▦
SAN LUIS OBISPO : *Lamplighter Inn* Ⓦ www.lamplighterinn.com $ 1604 Monterey St, CA 93401. **Carte routière** B5. ☎ *(805) 547-7777.* ℻ *(805) 547-7787.* Ce motel loue entre autres un cottage et des suites destinées aux familles, certaines dotées d'une cuisine complète. 🛏 📺 ♿ 🅿 🏊	40				▦
SAN LUIS OBISPO : *Garden Street Inn* Ⓦ www.gardenstreetinn.com $$ 1212 Garden St, CA 93401. **Carte routière** B5. ☎ *(805) 545-9802.* ℻ *(805) 545-9403* Des antiquités meublent cette maison victorienne (1860) restaurée. Certaines chambres ont jacuzzi et cheminée. 🛏 ♿ 🅿 🏊	13			●	

SAN LUIS OBISPO : *The Madonna Inn* w www.madonnainn.com $$$ | 109
100 Madonna Rd, CA 93405. **Carte routière** B5. (*(805) 543-3000 ; (800) 543-9666.*
FAX *(805) 543-1800.* Toutes les chambres, telle la Caveman Room entièrement en
pierre, obéissent à un thème. Réserver à l'avance. 🛏 TV 👤 P 🗺

SANTA BARBARA : *Inn at the Harbor* w www.sbhotels.com $ | 42
433 W Montecito St, CA 93101. **Carte routière** C5. (*(805) 963-7851 ; (800) 626-1986.*
FAX *(805) 962-9428.* À deux pâtés de maisons de la plage, les chambres de cet
hôtel de style rustique entourent un jardin tropical. 🛏 TV P 🗺

SANTA BARBARA : *Glenborough Inn* w www.glenboroughinn.com $$ | 11
1327 Bath St, CA 93101. **Carte routière** C5. (*(805) 966-0589 ; (800) 962-0589.*
FAX *(805) 564-8610.* Ce Bed-and-Breakfast très romantique occupe trois maisons
victoriennes près de Downtown. Chambres personnalisées. P 🗺

SANTA BARBARA : *The Hotel Santa Barbara* w www.hotelsantabarbara.com $$ | 75
533 State St, CA 93101. **Carte routière** C5. (*(805) 957-9300 ; (888) 259-7700.*
FAX *(805) 962-2412.* À cinq pâtés de maisons de la plage, cet hôtel de 1926
a gardé son ascenseur d'origine. Petit-déjeuner compris. TV 👤 P 🗺

SANTA BARBARA : *El Encanto Hotel and Garden Villas* $$$ | 84
1900 Lasuen Rd, CA 93103. **Carte routière** C5. (*(805) 687-5000 ; (800) 346-7039.* FAX *(805)
687-3903.* w www.elencantohotel.com Cet hôtel ancien dans les collines offre une vue
splendide de l'océan. Bungalows et cottages abritent les chambres. 🛏 TV 👤 P 🗺

SANTA BARBARA : *Tiffany Inn* w www.tiffanycountryhouse.com $$$ | 7
1323 De La Vina St, CA 93101. **Carte routière** C5. (*(805) 963-2283 ; (800) 999-5672.*
FAX *(805) 962-0994.* Cette maison de 1898 meublée d'antiquités offre de jolies
vues. Petit-déjeuner compris. 🛏 P 🗺

SANTA BARBARA : *Upham Hotel* w www.uphamhotel.com $$$ | 50
1404 De La Vina St, CA 93101. **Carte routière** C5. (*(805) 962-0058 ; (800) 727-0876.*
FAX *(805) 963-2825.* Cet hôtel de Downtown bâti en 1871 propose des chambres
au décor victorien et un bon restaurant (*p. 552*). 🛏 TV P 🗺

SANTA BARBARA : *Four Seasons Biltmore* w www.fshr.com $$$$$ | 213
1260 Channel Drive, CA 93108. **Carte routière** C5. (*(805) 969-2261 ; (800) 332-3442.*
FAX *(805) 565-8323.* Luxueux établissement des années 1920 aux chambres, suites
et cottages disséminés dans des jardins. 🛏 24 TV P 🍴 🗺

SANTA BARBARA : *Orchard Inn of Santa Barbara* $$$$ | 8
420 N Montecito St, CA 93101. **Carte routière** C5. (*(805) 965-2333.* FAX *(805) 962-4907.*
w www.orchardinnatsb.com Un B&B calme et romantique dans une maison de style
victorien. Certaines chambres pour 5 personnes. Vin et fromage. 🛏 TV P 🗺

SANTA PAULA : *Santa Paula Inn* w www.santapaulainn.com $$ | 18
111 North 8th St, CA 93060. **Carte routière** C5. (*(805) 933-0011.* FAX *(805) 497-9211.*
Niché au milieu des citronniers de Ojai et de Heritage Valley, à seulement
10 minutes des plages de Ventura, un lieu calme et reposant. 🛏 P 🗺

SIMI VALLEY : *Simi Valley Holiday Inn* w www.ichotelsgroup.com $ | 96
2550 Erringer Rd, CA 93065. **Carte routière** C5. (*(805) 584-6006.* FAX *(805) 527-5629.*
Une affaire. Télévision par câble dans toutes les chambres. Sauna. Gratuit
jusqu'à 17 ans. 🛏 TV 👤 P 🗺

SIMI VALLEY : *Posada Royale* w www.posadaroyale.com $$$ | 120
1775 Madera Rd, CA 93065. **Carte routière** C5. (*(805) 584-6300 ; (800) 994-4884.*
FAX *(805) 581-5353.* Le service est attentif dans cet hôtel accueillant. Petit-déjeuner
continental, tarifs spéciaux et réductions. 🛏 TV 👤 P 🗺

SOLVANG : *Royal Copenhagen Inn* w www.royalcopenhageninn.com $ | 48
1579 Mission Drive, CA 93463. **Carte routière** C5. (*(805) 688-5561 ; (800) 624-6604.*
FAX *(805) 688-7029.* Aménagées dans le style traditionnel danois, les chambres
dominent le pastiche d'une place de village nordique. 🛏 TV 👤 P 🗺

SOLVANG : *Storybook Inn* w www.solvangstorybook.com $$ | 9
409 1st St, CA 93463. **Carte routière** C5. (*(805) 688-1703 ; (800) 786-7925.* FAX *(805)
688-0953.* Les chambres de ce joli Bed-and-Breakfast portent des noms issus
des contes d'Andersen. Le prix comprend le petit-déjeuner. 🛏 👤 P 🗺

SOLVANG : *Petersen Village Inn* w www.peterseninn.com $$$ | 40
1576 Mission Drive, CA 93463. **Carte routière** C5. (*(805) 688-3121 ; (800) 321-8985.*
FAX *(805) 688-5732.* Lits à baldaquin et meubles anciens créent dans cette auberge
familiale le cadre idéal pour une escapade romantique. 🛏 TV 👤 P 🗺

Légende des symboles, voir rabat de couverture

<table>
<tr><td>

Les prix correspondent à une nuit en chambre double, service et taxes compris.

$ moins de 100 $
$$ de 100 à 150 $
$$$ de 150 à 200 $
$$$$ de 200 à 250 $
$$$$$ plus de 250 $

</td><td>

RESTAURANT
Sauf indication contraire, le restaurant ou la salle à manger accueille d'autres clients que les hôtes.
ÉQUIPEMENTS ENFANTS
Berceaux, lits d'enfants et baby-sitting disponibles. Certains établissements proposent des menus pour enfants et possèdent des chaises hautes.
JARDIN OU TERRASSE
Hôtel possédant un jardin, une cour intérieure ou une terrasse. Souvent, possibilité de manger dehors.
PISCINE
Hôtel doté d'une piscine couverte ou à ciel ouvert.

</td></tr>
</table>

ORANGE COUNTY

	NOMBRE DE CHAMBRES	RESTAURANT	ÉQUIPEMENTS ENFANTS	JARDIN OU TERRASSE	PISCINE
ANAHEIM : *Castle Inn and Suites* W www.castleinn.com $ 1734 S Harbour Blvd, CA 92802. **Carte routière** D6. ((714) 774-8111 ; (800) 227-8530. FAX (714) 956-4736. Ce pastiche de château abrite en face de Disneyland *(p. 222-225)* des chambres confortables mais ordinaires. ⌂ TV & ✉	200		▨	●	▨
ANAHEIM : *Hawthorn Suites Hotel* W www.hawthorn.com $ 1752 S Clementine St, CA 92802. **Carte routière** D6. ((714) 535-7773 ; (800) 527-1133 FAX (714) 776-9073. Les enfants de moins de 3 ans ne payent pas. Petit-déjeuner et entrées pour Disneyland. ⌂ TV & P ✉	129		▨	●	▨
ANAHEIM : *Anaheim Marriott Hotel* W www.marriott.com $$$ 700 W Convention Way, CA 92802. **Carte routière** D6. ((714) 750-8000 ; (800) 228-9290. FAX (714) 750-9100. Les enfants sont les bienvenus dans ce gratte-ciel proche de Disneyland. Jeux vidéo, sauna et laverie. ⌂ TV & P 🍴 ✉	1033	●	▨	●	▨
ANAHEIM : *Disneyland Hotel* W www.disneyland.com $$$$ 1150 W Cerritos, CA 92802. **Carte routière** D6. ((714) 778-6600. FAX (714) 956-6597. Ce très grand établissement où les hôtes peuvent opter pour des cottages propose de nombreuses distractions. Un monorail le relie à Disneyland. Six restaurants. ⌂ TV & P 🍴 ✉	990	●	▨	●	▨
AVALON : *Hotel Metropole* W www.hotel-metropole.com $$$ Metropole Market Place, Crescent Ave, Catalina Island, CA 90704. **Carte routière** C6. ((310) 510-1884 ; (800) 541-8528. FAX (310) 510-2534. Sur la plage, un hôtel de style méditerranéen aux chambres spacieuses. Petit-déjeuner. ⌂ 24 TV & ✉	48		▨		
AVALON : *Hotel Vista Del Mar* W www.hotel-vistadelmar.com $$$ 417 Crescent Ave, Catalina Island, CA 90704. **Carte routière** C6. ((310) 510-1452 ; (800) 601-3836. FAX (310) 510-2917. Cet hôtel de luxe aux chambres dotées de réfrigérateurs et de cheminées domine la baie. Petit-déjeuner compris. ⌂ TV ✉	15		▨	●	
COSTA MESA : *Sandpiper Motel* W www.sandpipermotel.net $ 1967 Newport Blvd, CA 92627. **Carte routière** D6. ((949) 645-9137 ; (800) 648-9137. FAX (949) 650-1702. Excellent rapport qualité-prix près de Disneyland. Grandes chambres, petit-déjeuner continental, tarifs à la semaine. ⌂ TV & P ✉	44				
COSTA MESA : *Wyndham Orange County Airport* W www.windham.com $ 3350 Ave of the Arts, CA 92626. **Carte routière** D6. ((714) 751-5100 ; (800) 996-3426. FAX (714) 751-0129. Cet hôtel confortable se trouve près de plages, de Disneyland et, bien évidemment, de l'Orange County Airport. ⌂ TV & P 🍴 ✉	203	●	▨	●	▨
COSTA MESA : *Residence Inn* W www.costamesaresidenceinn.com $$ 881 W Baker St, CA 92626. **Carte routière** D6. ((714) 241-8800 ; (800) 331-3131. FAX (714) 546-4308. Les suites ont une cuisine, une entrée privée et un balcon ou un patio. Petit-déjeuner continental compris. ⌂ TV & P ✉	144		▨		▨
COSTA MESA : *Country Side Inn and Suites* $$$ 325 Bristol St, CA 92626. **Carte routière** D6. ((714) 549-0300 ; (800) 322-9992. FAX (714) 662-0828. W www.ayreshotelcostamesa.com Des antiquités décorent les chambres de cet hôtel de style européen proche de Disneyland. ⌂ TV & P 🍴 ✉	288	●	▨	●	▨
DANA POINT : *Blue Lantern Inn* W www.foursisters.com $$$ 34343 Street of the Blue Lantern, CA 92629. **Carte routière** D6. ((949) 661-1304 ; (800) 950-1236. FAX (949) 496-1483. Les chambres ont cheminée et jacuzzi, parfois une terrasse, dans ce Bed-and-Breakfast romantique perché sur une falaise dominant le port. Renseignez-vous sur les forfaits. ⌂ TV & P ✉	29		▨	●	
DANA POINT : *Ritz-Carlton Laguna Niguel* W www.ritzcarlton.com $$$$ 1 Ritz-Carlton Drive, CA 92629. **Carte routière** D6. ((949) 240-2000 ; (800) 241-3333. FAX (949) 240-0829. De bon goût, les chambres de ce grand hôtel de luxe ont vue sur la côte. Un sentier conduit à l'océan. ⌂ 24 TV & P 🍴 ✉	393	●	▨	●	▨

HUNTINGTON BEACH : *Best Western Inn* 🅦 www.bestwestern.com $$(\$)(\$)$$ — 50
800 Pacific Coast Hwy, CA 92648. **Carte routière D6.** 📞 *(714) 536-7500 ; (800) 528-1234.* 🆃🅰🆇 *(714) 536-6846.* Hôtel sans cachet mais magnifiques couchers de soleil. Suites sur le front de mer. Petit-déjeuner. 📺 ♿ 🅿 🍽

HUNTINGTON BEACH : *The Waterfront Hilton Beach Resort* $$(\$)(\$)(\$)(\$)$$ — 290
21100 Pacific Coast Hwy, CA 92648. **Carte routière D6.** 📞 *(714) 960-7873 ; (800) 822-7873.* 🆃🅰🆇 *(714) 845-8424.* Les chambres spacieuses de cette *resort* quatre diamants possèdent des balcons donnant sur l'océan. 🍴 📺 ♿ 🅿 🍽

LAGUNA BEACH : *Casa Laguna Inn* 🅦 www.casalaguna.com $$(\$)(\$)$$ — 20
2510 S Coast Hwy, CA 92651. **Carte routière D6.** 📞 *(949) 494-2996 ; (800) 233-0449.* 🆃🅰🆇 *(714) 494-5009.* Ce Bed-and-Breakfast de style Mission borde le front de mer. Les chambres ont un patio. Il y a même une volière. 🍴 📺 🅿 🍽

LAGUNA BEACH : *Hotel Laguna* 🅦 www.hotellaguna.com $$(\$)(\$)$$ — 65
425 S Coast Hwy, CA 92651. **Carte routière D6.** 📞 *(949) 494-1151 ; (800) 524-2927.* 🆃🅰🆇 *(949) 497-2163.* Le plus vieil hôtel de la ville borde la plage. Chambres plus petites qu'à l'ordinaire, mais service excellent et belles vues. 🍴 📺 ♿ 🅿 🍽

LAGUNA BEACH : *Surf and Sand Resort* $$(\$)(\$)(\$)(\$)$$ — 150
1555 S Coast Hwy, CA 92651. **Carte routière D6.** 📞 *(949) 497-4477 ; (800) 524-8621.* 🆃🅰🆇 *(949) 494-2897.* 🅦 www.surfandsandresort.com Dotées de bains à remous et de balcons, les chambres, suites et suites avec terrasse *(penthouses)* de cet hôtel sur la plage ont vue sur l'océan. Superbe restaurant. 🍴 📺 ♿ 🅿 🍽

NEWPORT BEACH : *The Sutton Place Hotel* 🅦 www.suttonplace.com $$(\$)(\$)(\$)$$ — 435
4500 MacArthur Blvd, CA 92660. **Carte routière D6.** 📞 *(949) 476-2001 ; (800) 243-4141.* 🆃🅰🆇 *(949) 476-0153.* Cet hôtel met l'accent sur le luxe. Certaines chambres ont des balcons et offrent une vue sur l'océan. 🍴 🕘 📺 ♿ 🅿 🍽

NEWPORT BEACH : *Four Seasons Hotel* 🅦 www.fourseasons.com $$(\$)(\$)(\$)(\$)$$ — 285
690 Newport Beach Center Drive, CA 92660. **Carte routière D6.** 📞 *(949) 759-0808 ; (800) 332-3442.* 🆃🅰🆇 *(949) 759-0568 ; 759-0568.* Dans cet hôtel cinq diamants, certaines chambres ont une terrasse et vue sur l'océan. Des courts de tennis et des terrains de golf se trouvent non loin. 🍴 🕘 📺 ♿ 🅿 🍽

SUNSET BEACH : *Harbor Inn* 🅦 www.harborinn.net $$(\$)$$ — 25
16912 Pacific Coast Hwy, CA 90742. **Carte routière D6.** 📞 *(562) 592-4770 ; (800) 546-4770.* 🆃🅰🆇 *(562) 592-3547.* Ce Bed-and-Breakfast propose des chambres de grande taille et des réductions pour les longs séjours. 🍴 📺 ♿ 🅿 🍽

TWO HARBORS : *Banning House Lodge* 🅦 www.scico.com $$(\$)(\$)$$ — 11
Two Harbors, Catalina Island, CA 90704. **Carte routière C6.** 📞 *(310) 510-2800.* 🆃🅰🆇 *(310) 510-0244.* Antiquités et parquet ornent les chambres d'un ancien pavillon de chasse. Des annexes abritent des chambres modernes plus spacieuses et percées de grandes fenêtres. Petit-déjeuner compris. 🍴 ♿ 🍽

SAN DIEGO COUNTY

CARLSBAD : *Best Western Beach Terrace Inn* 🅦 www.beachterraceinn.com $$(\$)(\$)$$ — 49
2775 Ocean St, CA 92008. **Carte routière D6.** 📞 *(760) 729-5951 ; (800) 433-5415.* 🆃🅰🆇 *(760) 729-1078.* À quelques minutes de la plage, les chambres possèdent cuisine et terrasse ou balcon donnant sur l'océan. 🍴 📺 🍽

CARLSBAD : *Pelican Cove Inn* 🅦 www.pelican-cove.com $$(\$)(\$)$$ — 8
320 Walnut Ave, CA 92008. **Carte routière D6.** 📞 *(760) 434-5995 ; (888) 735-2683.* 🆃🅰🆇 *(760) 434-7649.* Ce B&B évoquant la Nouvelle-Angleterre est près de la plage. Les chambres, décorées d'antiquités, ont une entrée indépendante. 🍴 📺 ♿ 🅿 🍽

CORONADO : *Loews Coronado Bay Resort* 🅦 www.loweshotel.com $$(\$)(\$)(\$)(\$)$$ — 440
4000 Coronado Bay Rd, CA 92118. **Carte routière D6.** 📞 *(619) 424-4000 ; (800) 815-6397.* 🆃🅰🆇 *(619) 424-4400.* Sur une péninsule, les chambres de cette luxueuse *resort* ont vue sur la baie. Courts de tennis et marina. 🍴 🕘 📺 ♿ 🅿 🍽

CORONADO : *Coronado Island Marriott Resort* $$(\$)(\$)(\$)(\$)(\$)$$ — 300
2000 2nd St, CA 92118. **Carte routière D6.** 📞 *(619) 435-3000 ; (800) 228-9290.* 🆃🅰🆇 *(619) 435-3032.* 🅦 www.marriott.com Établissement de standing en bord de mer. Chambres modernes et installations de remise en forme. 🍴 🕘 📺 ♿ 🅿 🍽

CORONADO : *Hotel del Coronado* 🅦 www.hoteldel.com $$(\$)(\$)(\$)(\$)(\$)$$ — 700
1500 Orange Ave, CA 92118. **Carte routière D6.** 📞 *(619) 435-6611 ; (800) 468-3533.* 🆃🅰🆇 *(619) 522-8238.* Ce prestigieux hôtel victorien *(p. 245)* sur la plage possède désormais des annexes modernes et un *spa (p. 504).* 🍴 🕘 📺 ♿ 🅿 🍽

Les prix correspondent à une nuit en chambre double, service et taxes compris.

$ moins de 100 $
$$ de 100 à 150 $
$$$ de 150 à 200 $
$$$$ de 200 à 250 $
$$$$$ plus de 250 $

RESTAURANT
Sauf indication contraire, le restaurant ou la salle à manger accueille d'autres clients que les hôtes.

ÉQUIPEMENTS ENFANTS
Berceaux, lits d'enfants et baby-sitting disponibles. Certains établissements proposent des menus pour enfants et possèdent des chaises hautes.

JARDIN OU TERRASSE
Hôtel possédant un jardin, une cour intérieure ou une terrasse. Souvent, possibilité de manger dehors.

PISCINE
Hôtel doté d'une piscine couverte ou à ciel ouvert.

	NOMBRE DE CHAMBRES	RESTAURANT	ÉQUIPEMENTS ENFANTS	JARDIN OU TERRASSE	PISCINE
DEL MAR : *Del Mar Hilton* Ⓦ www.sandiegodelmarhilton.com $ 15575 Jimmy Durante Blvd, CA 92014. **Carte routière** D6. ☎ *(858) 792-5200 ; (800) 445-8667.* FAX *(858) 792-9538.* Un établissement de style Tudor près du champ de courses. Tennis, golf et jacuzzi.	245	●			●
DEL MAR : *Clarion Carriage House Del Mar Inn* Ⓦ www.delmarinn.com $$ 720 Camino Del Mar, CA 92014. **Carte routière** D6. ☎ *(858) 755-9765 ; (800) 451-4515.* FAX *(858) 792-8196.* Cet hôtel paisible domine l'océan. Jolies chambres et jardins à l'anglaise.	81		●	●	●
DEL MAR : *L'Auberge Del Mar Resort and Spa* $$$ 1540 Camino Del Mar, CA 92014. **Carte routière** D6. ☎ *(858) 259-1515 ; (800) 553-1336.* FAX *(858) 755-4940.* Ⓦ www.laubergedelmar.com En bord de mer, ambiance Nouvelle-Angleterre. Couchers de soleil, tennis et *spa (p. 504).*	120	●	●	●	●
ENCINITAS : *Best Western* Ⓦ www.bestwestern.com $$ 85 Encinitas Blvd, CA 92024. **Carte routière** D6. ☎ *(760) 942-7455 ; (800) 528-1234.* FAX *(760) 632-9481.* Les chambres, avec balcon, donnent soit sur la ville, soit sur l'océan. Petit-déjeuner continental compris dans le prix.	89	●	●		●
JULIAN : *Julian Hotel* Ⓦ www.julianhotel.com $ 2032 Main St, CA 92036. **Carte routière** D6. ☎ *(760) 765-0201 ; (800) 734-5854.* FAX *(760) 765-0327.* Cette auberge victorienne est le plus vieil hôtel en activité de Californie. Le prix comprend le petit-déjeuner complet et le thé.	15			●	
LA JOLLA : *Marriot San Diego/La Jolla* Ⓦ www.marriott.com $$ 4240 La Jolla Village Drive, CA 92037. **Carte routière** D6. ☎ *(858) 587-1414 ; (800) 228-9290.* FAX *(858) 546-8518.* Ce gratte-ciel se trouve à 3 km de la mer et près de nombreux sites de Downtown.	360	●	●	●	●
LA JOLLA : *Embassy Suites Hotel* Ⓦ www.embassysuites.com $$$ 4550 La Jolla Village Drive, CA 92122. **Carte routière** D6. ☎ *(858) 453-0400 ; (800) 362-2779.* FAX *(858) 453-4226.* Les familles apprécieront les suites de deux pièces de cet hôtel moderne. Petit-déjeuner et salle de jeux.	335	●	●		●
LA JOLLA : *La Jolla Beach and Tennis Club* Ⓦ www.ljbtc.com $$$ 2000 Spindrift Drive, CA 92037. **Carte routière** D6. ☎ *(858) 454-7126 ; (800) 624-2582.* FAX *(858) 456-3805.* Cette petite *resort* de style méditerranéen date des années 1920. Certaines chambres ont un balcon. Plage privée, courts de tennis et terrains de golf et de croquet.	90	●	●	●	●
LA JOLLA : *La Valencia Hotel* Ⓦ www.lavalencia.com $$$ 1132 Prospect St, CA 92037. **Carte routière** D6. ☎ *(858) 454-0771 ; (800) 451-0772.* FAX *(858) 456-3921.* Proche de la plage et de nombreuses galeries d'art, ce luxueux hôtel de style espagnol possède une magnifique terrasse et des chambres somptueuses.	100	●	●	●	●
LA JOLLA : *The Bed and Breakfast Inn at La Jolla* $$$ 7753 Draper Avenue, CA 92037. **Carte routière** D6. ☎ *(858) 456-2066 ; (800) 582-2466.* FAX *(858) 456-1510.* Ⓦ www.innlajolla.com Dans un édifice dessiné en 1913 par Irving Gill et classé site historique, des chambres au mobilier élégant dont certaines ont vue sur l'océan.	15			●	
RANCHO SANTA FE : *Rancho Valencia Resort* $$$$$ Box 9126, 5921 Valencia Circle, CA 92067. **Carte routière** D6. ☎ *(858) 756-1123.* FAX *(858) 756-0165.* Ⓦ www.ranchovalencia.com Près du champ de courses, cette fastueuse *resort* propose 4 terrains de golf, des courts de tennis, des sentiers de randonnée et des équipements de remise en forme.	43	●	●	●	●
SAN DIEGO : *Beach Cottages* Ⓦ www.beachcottages.com $ 4255 Ocean Blvd, CA 92109. **Carte routière** D6. ☎ *(858) 483-7440.* FAX *(858) 273-9365.* Beaucoup de chambres ont une cuisine dans cet hôtel familial qui loue aussi des cottages, des appartements et des suites.	78		●	●	

SAN DIEGO : *Beach Haven Inn* [w] www.beachhaveninn.com ⑤ | 23
4740 Mission Blvd, CA 92109. **Carte routière** D6. [] *(858) 272-3812 ; (800) 831-6323.*
[FAX] *(858) 272-3532.* Établissement moderne près de la plage et de Sea World
(p. 250). Suites avec cuisinette et télé par câble. 🛏 📺 ⚡ 🅿 🌊

SAN DIEGO : *Holiday Inn Mission Bay Sea World* [w] www.ichotelsgroup.com ⑤ | 307
3350 Kemper St, CA 92110. **Carte routière** D6. [] *(619) 881-6100 ; (800) 219-6824.*
[FAX] *(619) 224-9248.* Cet hôtel de chaîne offre notamment un solarium. Les
chambres sont spacieuses ; certaines ont des balcons. 🛏 📺 ⚡ 🅿 🍽 🌊

SAN DIEGO : *Comfort Inn and Suites Hotel Circle* ⑤ | 200
2201 Hotel Circle South, CA 92108. **Carte routière** D6. [] *(619) 291-2711.* [FAX] *(619) 542-*
1227. [w] www.comfortinnhotelcircle.com Ce motel familial est proche de tous les sites.
Solarium. Cuisine dans certaines des suites. 🛏 📺 ⚡ 🅿 🌊

SAN DIEGO : *Prime Hotel & Suites* [w] www.primehotelsandresorts.com ⑤ | 180
5975 Lusk Blvd, CA 92121. **Carte routière** D6. [] *(858) 558-1818 ; (866) 870-2885.*
[FAX] *(858) 558-0421.* Qui voyage pour affaires avec un budget serré appréciera cet
hôtel au nord de Downtown. Petit-déjeuner compris. 🛏 📺 ⚡ 🅿 🍽 🌊

SAN DIEGO : *Keating House* [w] www.keatinghouse.com ⑤⑤ | 9
2331 2nd Ave, CA 92101. **Carte routière** D6. [] *(619) 239-8585 ; (800) 995-8644.*
[FAX] *(619) 239-5774.* Ce Bed-and-Breakfast traditionnel, entouré d'un jardin tropical
luxuriant, a conservé son élégance victorienne. Situation très agréable. 🛏 🌊

SAN DIEGO : *San Diego Mission Valley Hilton* [w] www.hilton.com ⑤⑤ | 350
901 Camino Del Rio South, CA 92108. **Carte routière** D6. [] *(619) 543-9000 ; (800) 733-*
2332. [FAX] *(619) 296-9561.* Cet immeuble moderne de 13 étages abrite près de
Downtown des chambres confortables et bien équipées. 🛏 📺 ⚡ 🅿 🍽 🌊

SAN DIEGO : *Heritage Park Bed and Breakfast Inn* ⑤⑤⑤ | 10
2470 Heritage Park Row, Old Town, CA 92110. **Carte routière** D6. [] *(619) 299-6832.* [FAX]
(619) 299-9465. [w] www.heritageparkinn.com Deux maisons victoriennes avec
chambres au mobilier d'époque. Classiques du cinéma au salon. 🛏 ⚡ 🅿 🌊

SAN DIEGO : *Manchester Grand Hyatt* [w] www.hyatt.com ⑤⑤⑤ | 1685
1 Market Place, CA 92101. **Carte routière** D6. [] *(619) 232-1234 ; (800) 233-1234.*
[FAX] *(619) 233-6464.* Moderne, le plus haut édifice de la ville ménage de son
sommet de magnifiques panoramas. 🛏 🈯 📺 ⚡ 🅿 🌊

SAN DIEGO : *The Rancho Bernardo Inn* [w] www.ranchobernardoinn.com ⑤⑤⑤ | 287
17550 Bernardo Oaks Drive, CA 92128. **Carte routière** D6. [] *(858) 487-1611 ; (800)*
770-7530. [FAX] *(858) 675-8501.* Cet hôtel de standing de style hacienda propose
golf, tennis, *spa (p. 504),* sept jacuzzis en plein air, des forfaits divers et le
restaurant réputé El Bizocho *(p. 556).* 🛏 📺 ⚡ 🅿 🌊

SAN DIEGO : *US Grant Hotel* [w] www.usgrant.net ⑤⑤⑤ | 280
326 Broadway, CA 92101. **Carte routière** D6. [] *(619) 232-3121.* [FAX] *(619) 232-3626.*
Des reproductions d'antiquités meublent cet hôtel quatre diamants de
Downtown construit en 1910 par les fils d'Ulysse Grant. Les animaux
domestiques sont les bienvenus. 🛏 🈯 📺 ⚡ 🅿 🍽 🌊

SAN DIEGO : *San Diego Marriott and Marina Hotel* ⑤⑤⑤⑤ | 1362
333 W Harbor Drive, CA 92101. **Carte routière** D6. [] *(619) 234-1500 ; (800) 228-9290.*
[FAX] *(619) 234-8678.* [w] www.marriott.com Un hôtel de luxe de 25 étages proche de
la San Diego Bay. Prestations exceptionnelles. 🛏 🈯 📺 ⚡ 🅿 🍽 🌊

TIJUANA : *Grand Hotel Tijuana* [w] www.grandhoteltijuana.com ⑤⑤ | 423
4500 Blvd Agua Caliente, C.P. 22420. **Carte routière** D6. [] *(011-52-66) 81-70-00.*
[FAX] *(011-52-66) 81-70-16.* Ce grand complexe hôtelier propose notamment courts
de tennis et jacuzzis. 🛏 🈯 📺 ⚡ 🅿 🍽 🌊

INLAND EMPIRE ET LOW DESERT

BIG BEAR LAKE : *Grey Squirrel Resort* [w] www.greysquirrel.com ⑤ | 17
39372 Big Bear Blvd (PO Box 1711), CA 92315. **Carte routière** D5. [] *(909) 866-4335 ;*
(800) 831-5569. [FAX] *(909) 866-6271.* De charmants cottages de une à trois chambres
dans un paysage montagneux près d'un lac. Ouvert toute l'année. 🛏 📺 🅿 🌊

BIG BEAR LAKE : *Hillcrest Lodge* [w] www.hillcrestlodge.com ⑤ | 12
40241 Big Bear Blvd (PO Box 3945), CA 92315. **Carte routière** D5. [] *(909) 866-7330 ;*
(800) 843-4449. [FAX] *(909) 866-1171.* En montagne, près de Big Bear Village
(p. 262-263), ce motel loue petits chalets *(cabins),* suites et chambres,
certaines avec jacuzzi et cheminée. 🛏 📺 ⚡ 🅿 🌊

Légende des symboles, voir rabat de couverture

Les prix correspondent à une nuit en chambre double, service et taxes compris.

$ moins de 100 $
$$ de 100 à 150 $
$$$ de 150 à 200 $
$$$$ de 200 à 250 $
$$$$$ plus de 250 $

RESTAURANT
Sauf indication contraire, le restaurant ou la salle à manger accueille d'autres clients que les hôtes.
ÉQUIPEMENTS ENFANTS
Berceaux, lits d'enfants et baby-sitting disponibles. Certains établissements proposent des menus pour enfants et possèdent des chaises hautes.
JARDIN OU TERRASSE
Hôtel possédant un jardin, une cour intérieure ou une terrasse. Souvent, possibilité de manger dehors.
PISCINE
Hôtel doté d'une piscine couverte ou à ciel ouvert.

	NOMBRE DE CHAMBRES	RESTAURANT	ÉQUIPEMENTS ENFANTS	JARDIN OU TERRASSE	PISCINE
BIG BEAR LAKE : *Apples Bed & Breakfast* $$$ 42430 Moonridge Rd, CA 92315. **Carte routière** D5. (909) 866-0903. FAX (909) 866-6524. W www.applesbedandbreakfast.com Dans cette auberge luxueuse entourée de pins, les chambres de style victorien portent des noms de pommes.	13	●	■	●	■
BIG BEAR LAKE : *Windy Point Inn* W www.windypointinn.com $$$ 39015 N Shore Drive (PO Box 375), Fawnskin, CA 92333. **Carte routière** D5. (909) 866-2746. FAX (909) 866-1593. Cette auberge intime à l'architecture contemporaine primée offre de superbes vues sur les pistes de ski et des chambres avec cheminée. Réductions en semaine.	5			●	
BORREGO SPRINGS : *Palms at Indian Head* $$ 2220 Hoberg Rd, CA 92004. **Carte routière** D6. (760) 767-7788 ; (800) 519-2624. FAX (760) 767-9717. Cet ancien refuge de l'élite d'Hollywood se trouve au pied des Indian Head Mountains près de sentiers de randonnée.	12	●	■	●	■
BORREGO SPRINGS : *La Casa Del Zorro* W www.lacasadelzorro.com $$$ 3845 Yaqui Pass Rd (PO Box 127), CA 92004. **Carte routière** D6. (760) 767-5323 ; (800) 824-1884. FAX (760) 767-4782. Cette oasis romantique au sein de l'Anza-Borrego Desert State Park *(p. 266)* propose jusqu'à des cottages de 4 chambres. Cheminée dans la plupart des logements.	77	●	■	●	■
DESERT HOT SPRINGS : *Two Bunch Palms* W www.twobunchpalms.com $$$ 67425 Two Bunch Palms Trail, CA 92240. **Carte routière** D6. (760) 329-8791 ; (800) 472-4334. FAX (760) 329-1317. Al Capone résida dans cette *resort* somptueuse, aux bungalows isolés au milieu de palmiers et de bassins d'eau minérale. Interdit aux moins de 18 ans. Fermé en août.	45	●		●	■
IDYLLWILD : *Fern Valley Inn* W www.fernvalleyinn.com $ 25240 Fern Valley Rd (PO Box 116), CA 92549-0116. **Carte routière** D6. (951) 659-2205 ; (800) 659-7775. FAX (951) 659-2630. Antiquités et literie cousue main ornent les chambres de cette charmante retraite au sein d'un vaste parc.	11			●	●
IDYLLWILD : *Idyllwild Inn* W www.idyllwildinn.com $ 54300 Village Center Drive (PO Box 515), CA 92549. **Carte routière** D6. (951) 659-2552 ; (888) 659-2552. La plus ancienne et la plus grande des auberges d'Idyllwild date de 1904. Excellent service. Randonnées.	28		■	●	
IDYLLWILD : *Creekstone Inn* W www.creekstoneinn.com $$ 54950 Pine Crest Ave (PO Box 1897), CA 92549. **Carte routière** D6. (951) 659-3342 ; (800) 409-2127. Un ancien bazar abrite les chambres agréables et rustiques de la Creekstone Inn. La plupart ont une cheminée.	9			●	
INDIAN WELLS : *Indian Wells Resort Hotel* W www.indianwellsresort.com $$$ 76–661 Hwy 111, CA 92210. **Carte routière** D6. (760) 345-6466 ; (800) 248-3220. FAX (760) 772-5083. Au pied des Santa Rosa Mountains, près d'un golf. Vues spectaculaires. Les chambres ont une note orientale. Grandes baignoires encastrées dans les suites de deux pièces.	155	●	■	●	■
INDIAN WELLS : *Hyatt Grand Champions Resort* W www.hyatt.com $$$$ 44600 Indian Wells Lane, CA 92210. **Carte routière** D6. (760) 341-1000 ; (760) 233-1234. FAX (760) 568-2236. Cette *resort* luxueuse offre l'accès à deux célèbres terrains de golf de championnat.	336	●	■	●	■
INDIO : *Best Western Indio Date Tree Hotel* W www.bestwestern.com $ 81909 Indio Blvd, CA 92201. **Carte routière** D6. (760) 347-3421 ; (800) 292-5599. FAX (760) 347-3421. Le pop-corn est gratuit dans cet hôtel au parc planté de cactus et de palmiers. Petit-déjeuner continental compris.	119		■	●	■
LAKE ARROWHEAD : *Eagle's Landing Bed & Breakfast* $$ 27406 Cedarwood & Blue Jay 92317, Lake Arrowhead, CA 92352. **Carte routière** D5. (909) 336-2642 ; (800) 835-5085. Un Bed-and-Breakfast chaleureux. Vitraux, hauts plafonds, immenses fenêtres et vues panoramiques.	4			●	

PALM DESERT : *Shadow Mountain Resort and Racquet Club* $$$	167	●	▨	●	▨

PALM DESERT : *Shadow Mountain Resort and Racquet Club* $$$ — 167
45-750 San Luis Rey, CA 92260. **Carte routière** D6. ((760) 346-6123. FAX (760) 346-6518. W www.shadowmountain.com Cet hôtel accueillant propose aussi des villas. Jacuzzis, saunas et 16 courts de tennis.

PALM DESERT : *Marriott Desert Springs Resort and Spa* $$$$ — 884
74855 Country Club Drive, CA 92260. **Carte routière** D6. ((760) 341-2211 ; (800) 331-3112. FAX (760) 341-1739. W www.marriott.com Chambres avec vues magnifiques sur les montagnes. Deux terrains de golf, tennis, *spa (p. 504)*.

PALM SPRINGS : *Desert Lodge* W www.desertlodge.com $ — 50
1177 S Palm Canyon Drive, CA 92264. **Carte routière** D6. ((760) 325-1356 ; (800) 385-6343. FAX (760) 325-7124. Une excellente affaire. Belles vues, jacuzzi, films et petit-déjeuner continental fait maison.

PALM SPRINGS : *Palm Springs Super 8 Lodge* W www.super8.com $ — 65
1900 N Palm Canyon Drive, CA 92262. **Carte routière** D6. ((760) 322-3757 ; (800) 800-8000. FAX (760) 323-5290. Proche de Downtown mais calme, un bon choix pour les budgets serrés. Petit-déjeuner compris.

PALM SPRINGS : *Spa Resort and Casino* W www.sparesortcasino.com $$ — 228
100 N Indian Canyon Drive, CA 92262. **Carte routière** D6. ((760) 325-1461 ; (800) 854-1279. FAX (760) 325-3344. Cet hôtel de Downtown dispose d'une source d'eau chaude naturelle et d'un casino ouvert 24 h sur 24.

PALM SPRINGS : *Terra Cotta Inn* W www.sunnyfun.com $$ — 17
2388 E Racquet Club Rd, CA 92262. **Carte routière** D6. ((760) 322-6057 ; (800) 786-6938. FAX (760) 322-4169. Les vêtements sont facultatifs dans cet hôtel au décor tropical. Jacuzzi, massages, vidéothèque. Petit-déjeuner compris.

PALM SPRINGS : *Desert Shadows Inn* W www.desertshadows.com $$ — 92
1533 Chaparral Rd, CA 92262. **Carte routière** D6. ((760) 325-6410 ; (800) 292-9298. FAX (760) 327-7500. Une luxueuse *resort* naturiste. Certaines chambres ont balcons et patios. Courts de tennis, jacuzzis.

PALM SPRINGS : *Hyatt Regency* W www.hyatt.com $$$ — 193
285 N Palm Canyon Drive, CA 92262. **Carte routière** D6. ((760) 322-9000 ; (800) 233-1234. FAX (760) 322-6009. Ce luxueux hôtel de Downtown propose tennis gratuit et golf dans une *resort* proche.

PALM SPRINGS : *Villa Royale* W www.villaroyale.com $$$ — 31
1620 Indian Trail, CA 92264. **Carte routière** D6. ((760) 327-2314. FAX (760) 322-3794. Cette retraite romantique n'accepte pas les enfants. Le décor de chaque chambre s'inspire d'un pays européen différent.

PALM SPRINGS : *Palm Springs Hilton Resort* W www.hilton.com $$$ — 260
400 E Tahquitz Canyon Way, CA 92262. **Carte routière** D6. ((760) 320-6868 ; (800) 522-6900. FAX (760) 320-2126. Près de Downtown, cet hôtel possède des courts de tennis et donne accès à des terrains de golf.

PALM SPRINGS : *The Parker Palm Springs* $$$$$ — 98
4200 E Palm Canyon Drive, CA 92264. **Carte routière** D6. ((760) 770-5000. FAX (760) 324-2188. W www.theparkerpalmsprings.com Ce modèle d'élégance discrète possède terrain de golf, courts de tennis et *spa (p. 504)*.

RANCHO MIRAGE : *The Lodge at Rancho Mirage* W www.rockresorts.com $$$ — 241
68-900 Frank Sinatra Drive, CA 92270. **Carte routière** D6. ((760) 321-8282 ; (877) 770-7625. FAX (760) 321-6928. Sur un plateau dans les montagnes, cet hôtel moderne de style *resort* propose des chambres spacieuses.

RANCHO MIRAGE : *Rancho Las Palmas Marriott Resort* $$$ — 450
41000 Bob Hope Drive, CA 92270. **Carte routière** D6. ((760) 568-2727 ; (800) 458-8786. FAX (760) 568-5845. W www.marriott.com Les joueurs de golf et de tennis apprécieront cette *resort* de luxe. On y parle français.

RIVERSIDE : *Historic Mission Inn* W www.missioninn.com $$ — 233
3649 Mission Inn Ave, CA 92501. **Carte routière** D6. ((909) 784-0300 ; (800) 843-7755. FAX (909) 683-1342. Dans cet hôtel élégant aux styles variés construit en 1888 *(p. 263)*, certaines chambres gardent leur mobilier d'origine.

TWENTYNINE PALMS : *Best Western Gardens Inn and Suites* $ — 84
71487 Twenty Nine Palms Highway, CA 92277. **Carte routière** D5. ((760) 367-9141. FAX (760) 367-2584. Cet hôtel récemment rénové est entouré d'un jardin paysagé. Chambres spacieuses équipées d'un réfrigérateur.

Les prix correspondent à une nuit en chambre double, service et taxes compris.

$ moins de 100 $
$$ de 100 à 150 $
$$$ de 150 à 200 $
$$$$ de 200 à 250 $
$$$$$ plus de 250 $

RESTAURANT
Sauf indication contraire, le restaurant ou la salle à manger accueille d'autres clients que les hôtes.
ÉQUIPEMENTS ENFANTS
Berceaux, lits d'enfants et baby-sitting disponibles. Certains établissements proposent des menus pour enfants et possèdent des chaises hautes.
JARDIN OU TERRASSE
Hôtel possédant un jardin, une cour intérieure ou une terrasse. Souvent, possibilité de manger dehors.
PISCINE
Hôtel doté d'une piscine couverte ou à ciel ouvert.

DÉSERT DE MOJAVE

	NOMBRE DE CHAMBRES	RESTAURANT	ÉQUIPEMENTS ENFANTS	JARDIN OU TERRASSE	PISCINE
BARSTOW : *Best Western Desert Villa Motel* W www.bestwestern.com $ 1984 E Main St, CA 92311. **Carte routière** D5. (760) 256-1781. FAX (760) 256-9265. 18 « mini-suites » (dont 9 avec bain à remous) offrent ici un cadre idéal pour un séjour prolongé dans le désert.	95	●	■		■
BARSTOW : *El Rancho Motor Court* $ 112 E Main St, CA 92311. **Carte routière** D5. (760) 256-2401. FAX (760) 256-7421. Cet hôtel entièrement construit, en 1947, avec des traverses de chemin de fer est un arrêt obligatoire sur la célèbre Route 66. Des peintures murales évoquent cette *highway* mythique et le désert qu'elle traverse.	100			●	■
BARSTOW : *Ramada Inn* W www.ramada.com $ 1511 E Main St, CA 92311. **Carte routière** D5. (760) 256-5673. FAX (760) 256-5917. Un hôtel de chaîne bien tenu aux chambres équipées de lits *queen-size* ; certaines disposent de bains à remous. Journaux gratuits.	148	●	■		■
DEATH VALLEY : *Amargosa Hotel and Opera House* $ Death Valley Junction, CA 92328. **Carte routière** D4. (760) 852-4441. FAX (760) 852-4138. W www.amargosaoperahouse.com Une ancienne ballerine, Marta Becket, a rénové cet hôtel des années 1920 d'une ancienne ville minière et y donne des spectacles de cabaret. Chambres climatisées. Plats et boissons.	14		■		
DEATH VALLEY : *Delight's Hot Spa* W www.delightshotspringsresort.com $ 368 Tecopa Hot Springs Rd, Tecopa, CA 92389. **Carte routière** D4. (760) 852-4343. FAX (760) 852-4301. Ces *cabins (p. 506)* propres et dotées de cuisinettes restent imprégnées de l'atmosphère des années 1940. Bains d'eau minérale.	9				■
DEATH VALLEY : *Shoshone Inn* W www.shoshonevillage.com $ Jonction de SR127 et de SR178, Shoshone, CA 92384. **Carte routière** D4. (760) 852-4335. FAX (760) 852-4250. Ce motel en briques à la limite du Death Valley Park *(p. 280-283)* date des années 1950. Grottes à proximité.	16	●		●	■
DEATH VALLEY : *Stove Pipe Wells Village* W www.stovepipewells.com $ Stove Pipe Wells, CA 92328. **Carte routière** D4. (760) 786-2387. FAX (760) 786-2389. Pas de téléphone dans cette *resort* rustique ouverte toute l'année près des dunes de la Death Valley *(p. 281)*.	83	●	■		■
DEATH VALLEY : *Furnace Creek Inn and Ranch Resort* $$$$ 1 Main St, CA 92328. **Carte routière** D4. (760) 786-2345. FAX (760) 786-2514. W www.furnacecreekresort.com Cette *resort* historique est l'une des plus élégantes du désert. Piscines alimentées par une source, tennis, golf.	68	●	■	●	■
EST DU MOJAVE : *Hotel Nipton* W www.nipton.com $ 107355 Nipton Rd (HCL Box #357), CA 92364. **Carte routière** E5. (760) 856-2335. FAX (760) 856-2352. Cet hôtel rustique du tournant du siècle se trouve à Nipton, un village de 40 habitants datant de la ruée vers l'or.	4			●	
LAKE HAVASU : *Hidden Palms Allsuite Inn* W www.hiddenpalms.com $ 2100 Swanson Ave, AZ 86403. **Carte routière** E5. (928) 855-7144 ; (800) 254-5611. FAX (928) 855-2620. Près du Lake Havasu *(p. 278)*, 4 adultes peuvent occuper les suites à une chambre de cette auberge paisible.	22		■	●	■
LAKE HAVASU : *London Bridge Resort* W www.londonbridgeresort.com $$ 1477 Queens Bay, AZ 86403. **Carte routière** E5. (928) 855-0888. FAX (928) 855-2414. Cette *resort* a vue sur le London Bridge *(p. 278)*. Animation musicale dans le bar. Location de bateaux et de jet-skis.	150		■	●	■
LAKE HAVASU : *The Nautical Inn Resort* W www.nauticalinn.com $$$ 1000 McCulloch Blvd, AZ 86403. **Carte routière** E5. (928) 855-2141. FAX (925) 453-5808. Un lieu de villégiature où vous pourrez amarrer votre bateau devant votre suite. Sports nautiques, piscine, terrain de golf.	139	●		●	■

SAN FRANCISCO

CHINATOWN ET NOB HILL : *Hotel Astoria* W www.hotelastoria/sf.com ⑤ | 80
510 Bush St, CA 94108. **Plan 5 C4.** ((415) 434-8889 ; (800) 666-6696. FAX (415) 434-8919. Cet hôtel modeste est bien situé entre Chinatown et Union Square. Chambres pour une personne à prix abordables. 🛏 TV 🖼

CHINATOWN ET NOB HILL : *Holiday Inn, Chinatown* ⑤⑤⑤ | 565
750 Kearny St, CA 94108. **Plan 5 C3.** ((415) 433-6600 ; (800) 465-4329. FAX (415) 765-7891. W www.holiday-inn.com Cet hôtel de chaîne est proche de Portsmouth Plaza et des lignes de *cable cars*. Gratuit jusqu'à 19 ans. 🛏 TV 🖼 P 🖼

CHINATOWN ET NOB HILL : *Huntington Hotel and Nob Hill Spa* ⑤⑤⑤ | 135
1075 California St, CA 94108. **Plan 5 B4.** ((415) 474-5400 ; (800) 652-1539. FAX (415) 474-6227. W www.huntingtonhotel.com Dans d'anciens appartements de luxe (1922) sur Nob Hill, les chambres et suites offrent de superbes vues. 🛏 TV 🖼 limité. P 🖼 🖼

CHINATOWN ET NOB HILL : *Mark Hopkins Inter-Continental* ⑤⑤⑤ | 380
999 California St, CA 94108. **Plan 5 B4.** ((415) 392-3434 ; (800) 327-0200. FAX (415) 421-3302. W www.markhopkins.net Cet hôtel de Nob Hill est réputé pour son superbe bar Art déco sur le toit et le panorama de la ville qu'il ménage. 🛏 TV 🖼 P 🖼

CHINATOWN ET NOB HILL : *The Ritz-Carlton, San Francisco* ⑤⑤⑤ | 336
600 Stockton St, CA 94108. **Plan 5 C4.** ((415) 296-7465 ; (800) 241-3333. FAX (415) 291-0288. W www.ritzcarlton.com Confort et service exceptionnels dans un hôtel historique proche du sommet de Nob Hill. 🛏 24 TV 🖼 P 🖼 🖼

CHINATOWN ET NOB HILL : *Fairmont Hotel* W www.fairmont.com ⑤⑤⑤⑤ | 591
950 Mason St, CA 94108. **Plan 5 B4.** ((415) 772-5000 ; (800) 527-4727. FAX (415) 781-3929. Le plus imposant des hôtels de Nob Hill possède un magnifique *foyer*. Vues panoramiques sans égales. 🛏 24 TV 🖼 P 🖼 🖼

CHINATOWN ET NOB HILL : *Hotel Triton* W www.hoteltriton.com ⑤⑤⑤⑤ | 140
342 Grant Ave, CA 94108. **Plan 5 C4.** ((415) 394-0500 ; (800) 433-6611. FAX (415) 394-0555. Petit mais stylé, c'est le dernier hôtel à la mode. On y croise parfois une ou deux stars du rock. 🛏 TV 🖼 🖼

CHINATOWN ET NOB HILL : *Renaissance Stanford Court* ⑤⑤⑤⑤ | 392
905 California St, CA 94108. **Plan 5 B4.** ((415) 989-3500 ; (800) 622-0957. FAX (415) 391-0513. W www.marriott.com Ce luxueux établissement de Nob Hill attire une clientèle d'affaires. Chambres somptueuses et limousines. 🛏 24 TV 🖼 P 🖼 🖼

CIVIC CENTER : *Alamo Square Inn* W www.alamoinn.com ⑤⑤ | 14
719 Scott St, CA 94117. **Plan 4 D5.** ((415) 922-2055 ; (800) 345-9888. FAX (415) 931-1304. Dans ces deux édifices historiques superbement restaurés, le petit-déjeuner est compris et fumer interdit. 🛏 TV P 🖼

CIVIC CENTER : *Edwardian Inn San Francisco* ⑤⑤ | 40
1668 Market St, CA 94102. **Plan 10 F1.** ((415) 864-1271. FAX (415) 861-8116. W www.edwardiansfhotel.com Ce petit hôtel bon marché proche de transports en commun, de restaurants et de clubs borde une portion calme de Market Street. 🖼

CIVIC CENTER : *Phoenix Hotel* W www.jdvhospitality.com ⑤⑤ | 44
601 Eddy St, CA 94109. **Plan 4 F4.** ((415) 776-1380 ; (800) 248-9466. FAX (415) 885-3109. Ce motel classique des années 1950 est toujours à conseiller. Les chambres du premier étage ouvrent sur la cour intérieure, celles du second étage ont des balcons. 🛏 TV 🖼 P 🖼

CIVIC CENTER : *Archbishop's Mansion Inn* ⑤⑤⑤ | 15
1000 Fulton St, CA 94117. **Plan 4 D5.** ((415) 563-7872 ; (800) 543-5820. FAX (415) 885-3193 W www.archbishopsmansioninn.com. Un imposant manoir bâti en 1904 abrite des chambres luxueuses dont l'opéra a inspiré l'aménagement. Beaucoup ont une cheminée au manteau sculpté. Réserver très à l'avance. 🛏 TV P 🖼

CIVIC CENTER : *Best Western Carriage Inn* W www.bestwestern.com ⑤⑤⑤⑤ | 48
140 7th St, CA 94103. **Plan 11 A1.** ((415) 552-8600. FAX (415) 863-2529. Chambres spacieuses, certaines avec cheminée. Le transport jusqu'à la gare, les bus et Union Square est gratuit. 🛏 24 TV 🖼 limité. P 🖼

DOWNTOWN : *Aida Hotel* ⑤ | 162
1087 Market St, CA 94103. **Plan 5 B5.** ((415) 863-4141 ; (800) 863-2432. FAX (415) 863-5151. Cet hôtel offre un confort des plus élémentaires dans une partie animée de Downtown. Le décor est plutôt démodé, mais les chambres sont propres et confortables. TV 🖼

Légende des symboles, voir rabat de couverture

Les prix correspondent à une nuit en chambre double, service et taxes compris.

$ moins de 100 $
$$ de 100 à 150 $
$$$ de 150 à 200 $
$$$$ de 200 à 250 $
$$$$$ plus de 250 $

RESTAURANT
Sauf indication contraire, le restaurant ou la salle à manger accueille d'autres clients que les hôtes.
ÉQUIPEMENTS ENFANTS
Berceaux, lits d'enfants et baby-sitting disponibles. Certains établissements proposent des menus pour enfants et possèdent des chaises hautes.
JARDIN OU TERRASSE
Hôtel possédant un jardin, une cour intérieure ou une terrasse. Souvent, possibilité de manger dehors.
PISCINE
Hôtel doté d'une piscine couverte ou à ciel ouvert.

	NOMBRE DE CHAMBRES	RESTAURANT	ÉQUIPEMENTS ENFANTS	JARDIN OU TERRASSE	PISCINE
DOWNTOWN : *Golden Gate Hotel* W www.goldengatehotel.com $ 775 Bush St, CA 94108. **Plan 5 B4.** (415) 392-3702 ; (800) 835-1118. FAX (415) 392-6202. Des antiquités meublent les chambres de style européen de ce charmant hôtel familial proche d'Union Square sur Nob Hill. TV P	25				
DOWNTOWN : *Adelaide Inn* W www.adelaidehostel.com $$ 5 Isadora Duncan Place (sur Taylor St), CA 94102. **Plan 5 B5.** (415) 441-2261 ; (877) 359-1915. FAX (415) 441-0161. Cette auberge paisible propose des chambres simples et des salles de bains communes à l'instar d'une pension européenne. TV	18				
DOWNTOWN : *Andrews Hotel* W www.andrewshotel.com $$ 624 Post St, CA 94109. **Plan 5 B5.** (415) 563-6877 ; (800) 926-3739. FAX (415) 928-6919. Ce petit hôtel familial se trouve près d'Union Square. Chambres confortables. Petit-déjeuner continental compris. TV	48	●	■		
DOWNTOWN : *Chancellor Hotel* W www.chancellorhotel.com $$ 433 Powell St, CA 94102. **Plan 5 B4.** (415) 362-2004 ; (800) 428-4748. FAX (415) 395-9476. Ce petit hôtel du quartier des théâtres date de 1911. Lits et équipements de salle de bains édouardiens. TV	136	●			
DOWNTOWN : *Monticello Inn* W www.monticelloinn.com $$ 127 Ellis St, CA 94102. **Plan 5 B5.** (415) 392-8800 ; (800) 669-7777. FAX (415) 398-2650. Cet hôtel intime récemment rénové et meublé de répliques de style colonial porte le nom de la maison de Thomas Jefferson. TV P	91	●	■		
DOWNTOWN : *Sheehan Hotel* W www.sheehanhotel.com $$ 620 Sutter St, CA 94102. **Plan 5 B4.** (415) 775-6500 ; (800) 848-1529. FAX (415) 775-3271. Une ancienne auberge de jeunesse. Chambres austères, mais personnel amical. La plus grande piscine couverte de la ville. TV P	63		■		■
DOWNTOWN : *Commodore Hotel* W www.jdvhospitality.com $$$ 825 Sutter St, CA 94109. **Plan 5 B5.** (415) 923-6800 ; (800) 338-6848. FAX (415) 923-6804. Proche d'Union Square, cet hôtel Art déco présente un intérieur de style moderne. TV P	113	●			
DOWNTOWN : *Crowne Plaza Union Square* W www.crowneplaza.com $$$ 480 Sutter St, CA 94108. **Plan 5 B4.** (415) 398-8900 ; (888) 218-0808. FAX (415) 989-8823. Sur la ligne de *cable cars* de Powell Street, cet hôtel offre des vues magnifiques de Nob Hill et du Golden Gate Bridge. TV P	400	●	■		
DOWNTOWN : *Harbor Court Hotel* W www.kimptongroup.com $$$$ 165 Steuart St, CA 94105. **Plan 6 E4.** (415) 882-1300 ; (800) 346-0555. FAX (415) 882-1313. Les chambres du seul hôtel de la ville en front de mer sont petites, mais certaines jouissent d'une belle vue. Piscine.	150	●			■
DOWNTOWN : *Hotel Griffon* W www.hotelgriffon.com $$$ 155 Steuart St, CA 94105. **Plan 6 E4.** (415) 495-2100 ; (800) 321-2201. FAX (415) 495-3522. Un hôtel élégant apprécié des personnes voyageant pour affaires. Certaines chambres donnent sur le Golden Gate Bridge. TV P	62	●			
DOWNTOWN : *Kensington Park Hotel* W www.personalityhotels.com $$$ 450 Post St, CA 94102. **Plan 5 B5.** (415) 788-6400 ; (800) 553-1900. FAX (415) 399-9484. Près d'Union Square, cet hôtel Spanish-Revival a des chambres spacieuses et dispose d'un beau hall. Petit-déjeuner continental. TV limité. P	86		■		
DOWNTOWN : *Maxwell Hotel* W www.maxwellhotel.com $$$ 386 Geary St, CA 94102. **Plan 5 B5.** (415) 986-2000 ; (888) 734-6299. FAX (415) 397-2447. Au cœur du Theater District *(p. 310)*, l'ancien Raphael Hotel est spacieux et ensoleillé. Belles vues. TV	152	●	■		

Downtown : *Hotel Rex* W www.thehotelrex.com $$$ — 94
562 Sutter St, CA 94102. **Plan 5 B4.** (415) 433-4434 ; (800) 433-3695. FAX (415) 433-3695. Cet hôtel de style européen a connu une récente rénovation. Chambres calmes et confortables et personnel serviable. TV limité.

Downtown : *San Francisco Marriott* W www.sfmarriott.com $$$ — 1500
55 4th St, CA 94103. **Plan 5 C5.** (415) 896-1600 ; (800) 228-9290. FAX (415) 486-8101. Cette tour futuriste de 39 étages accueille de nombreuses conventions. Gratuit jusqu'à 18 ans. TV P

Downtown : *White Swan Inn* W www.whiteswaninnsf.com $$$ — 26
845 Bush St, CA 94108. **Plan 5 B4.** (415) 775-1755 ; (800) 999-9570. FAX (415) 775-5717. Le charme d'un Bed-and-Breakfast. Meubles anciens, décor et petit-déjeuner anglais compris dans le prix. TV

Downtown : *York Hotel* W www.yorkhotel.com $$$ — 96
940 Sutter St, CA 94109. **Plan 5 A4.** (415) 885-6800 ; (800) 808-9675. FAX (415) 885-2115. Les chambres sont confortables et calmes. Spectacle de cabaret réputé dans le bar. L'escalier apparaît dans *Sueurs froides* d'Alfred Hitchcock. TV limité.

Downtown : *Argent Hotel* W www.argenthotel.com $$$$ — 667
50 3rd St, CA 94103. **Plan 5 C5.** (415) 974-6400 ; (800) 434-7347. FAX (415) 543-8268. Dans cet hôtel de luxe, des murs de vitres ménagent des vues à couper le souffle. Tarifs intéressants le week-end. TV P

Downtown : *Campton Place Hotel* W www.camptonplace.com $$$$ — 110
340 Stockton St, CA 94108. **Plan 5 C4.** (415) 781-5555 ; (800) 235-4300. FAX (415) 955-5536. Un petit hôtel élégant à deux pas d'Union Square. Chambres et pièces communes somptueuses. Bon service. 24 TV P

Downtown : *Grand Hyatt San Francisco* W www.hyatt.com $$$$ — 685
345 Stockton St, CA 94108. **Plan 5 C4.** (415) 398-1234 ; (800) 233-1234. FAX (415) 391-1780. Les chambres de cette tour de 36 étages d'Union Square offrent de belles vues. Bar à cocktails sur le toit. TV P

Downtown : *Prescott Hotel* W www.prescotthotel.com $$$$ — 164
545 Post St, CA 94102. **Plan 5 B5.** (415) 563-0303 ; (800) 283-7322. FAX (415) 563-6831. Les boiseries sombres de cet hôtel de luxe évoquent un club anglais. Les clients voyageant pour affaires prédominent. TV

Downtown : *Renaissance Parc Fifty Five* W www.parc55hotel.com $$$$ — 1010
55 Cyril Magnin Street, CA 94102. **Plan 5 C5.** (415) 392-8000 ; (800) 650-7272. FAX (415) 403-6602. Cet immense hôtel manque de style pour le prix, mais propose des tarifs dignes d'intérêt le week-end. TV P

Downtown : *San Francisco Hilton* W www.sanfranciscohilton.com $$$$ — 1900
333 O'Farrell St, CA 94102. **Plan 5 B5.** (415) 771-1400 ; (800) 445-8667. FAX (415) 771-6807. Le plus grand hôtel de la ville occupe une tour de 46 étages. Panorama, service efficace et nombreuses prestations. TV P

Downtown : *Sir Francis Drake Hotel* W www.sirfrancisdrake.com $$$$ — 400
450 Powell St, CA 94102. **Plan 5 B4.** (415) 392-7755 ; (800) 227-5480. FAX (415) 391-8719. Cet hôtel d'Union Square célèbre par ses portiers en uniforme et son bar sur le toit a retrouvé sa splendeur Art déco. TV

Downtown : *The Savoy Hotel* W www.thesavoyhotel.com $$$$ — 83
580 Geary St, CA 94102. **Plan 5 B5.** (415) 441-2700 ; (800) 227-4223. FAX (415) 441-0124. Malgré des prix modérés comprenant un petit-déjeuner continental et le thé l'après-midi, cet hôtel élégant offre service attentif et literie de plumes dans toutes les chambres. TV

Downtown : *Westin St Francis* W www.westin.com $$$$ — 1200
335 Powell St, CA 94102. **Plan 5 B4.** (415) 397-7000 ; (800) 228-3000. FAX (415) 774-0124. Les trois tours du Westin dominent Union Square depuis 1904. 24 TV P

Downtown : *Clift Hotel* W www.morganshotelgroup.com $$$$$ — 365
495 Geary St, CA 94102. **Plan 5 B5.** (415) 775-4700 ; (800) 652-5438. FAX (415) 931-7417. Ce bel hôtel possède un charme suranné, mais des chambres bien équipées. Service attentif. 24 TV P

Downtown : *Hotel Nikko* W www.hotelnikkosf.com $$$$$ — 532
222 Mason St, CA 94102. **Plan 5 B5.** (415) 394-1111 ; (800) NIKKO-US. FAX (415) 394-1106. Cet hôtel ultramoderne compte beaucoup de Japonais dans sa clientèle d'affaires. Prestations de haut niveau. 24 TV P

Légende des symboles, voir rabat de couverture

Les prix correspondent à une nuit en chambre double, service et taxes compris.

$ moins de 100 $
$$ de 100 à 150 $
$$$ de 150 à 200 $
$$$$ de 200 à 250 $
$$$$$ plus de 250 $

RESTAURANT
Sauf indication contraire, le restaurant ou la salle à manger accueille d'autres clients que les hôtes.

ÉQUIPEMENTS ENFANTS
Berceaux, lits d'enfants et baby-sitting disponibles. Certains établissements proposent des menus pour enfants et possèdent des chaises hautes.

JARDIN OU TERRASSE
Hôtel possédant un jardin, une cour intérieure ou une terrasse. Souvent, possibilité de manger dehors.

PISCINE
Hôtel doté d'une piscine couverte ou à ciel ouvert.

	NOMBRE DE CHAMBRES	RESTAURANT	ÉQUIPEMENTS ENFANTS	JARDIN OU TERRASSE	PISCINE
DOWNTOWN : *Hyatt Regency San Francisco* W www.hyatt.com $$$$$ 5 Embarcadero Center, CA 94111. **Plan** 6 D3. (*(415) 788-1234 ; (800) 233-1234.* FAX *(415) 398-2567.* Une récente rénovation a modernisé l'aménagement des chambres de cet hôtel de chaîne prestigieux construit sur 15 étages autour d'un atrium.	805	●	▦		
DOWNTOWN : *Mandarin Oriental* W www.mandarinoriental.com $$$$$ 222 Sansome St, CA 94104. **Plan** 5 C4. (*(415) 276-9888 ; (800) 622-0404.* FAX *(415) 276-9637.* Au sommet du First Interstate Center (48 étages), cet hôtel de luxe ménage de magnifiques vues.	158	●	▦		
DOWNTOWN : *Pan Pacific* W www.panpacific.com $$$$$ 500 Post St, CA 94102. **Plan** 5 B5. (*(415) 771-8600 ; (800) 533-6465.* FAX *(415) 398-0267.* Cet hôtel moderne possède un atrium de 17 étages, de superbes espaces publics et des chambres élégantes.	300	●	▦		
DOWNTOWN : *Park Hyatt San Francisco* W www.parkhyatt.com $$$$$ 333 Battery St, CA 94111. **Plan** 6 D3. (*(415) 392-1234 ; (800) 233-1234.* FAX *(415) 421-2433.* Près de l'Embarcadero Center *(p. 304)*, le plus luxueux des Hyatt de San Francisco propose le week-end des tarifs d'un excellent rapport qualité-prix.	360	●	▦		
DOWNTOWN : *Sheraton Palace Hotel* W www.sfpalace.com $$$$$ 2 New Montgomery St, CA 94105. **Plan** 5 C4. (*(415) 392-8600 ; (800) 325-3535.* FAX *(415) 543-0671.* Construit en 1909, le Palace était au début du siècle un des hôtels les plus prestigieux du monde. Ses hôtes apprécient tout particulièrement le Garden Court.	552	●	▦	●	▦
FISHERMAN'S WHARF : *San Remo Hotel* W www.sanremohotel.com $ 2237 Mason St, CA 94133. **Plan** 5 B2. (*(415) 776-8688 ; (800) 352-REMO.* FAX *(415) 776-2811.* Chaleureux, le seul hôtel bon marché du quartier n'a que des salles de bains communes, sauf dans l'Honeymoon Suite.	64				
FISHERMAN'S WHARF : *Hyatt at Fisherman's Wharf* $$$ 555 North Point, CA 94133. **Plan** 5 A1. (*(415) 563-1234 ; (800) 233-1234.* FAX *(415) 749-6122.* Le Hyatt de la ville le plus ouvert aux familles leur propose une deuxième chambre à tarif réduit.	313	●	▦		▦
FISHERMAN'S WHARF : *Sheraton at Fisherman's Wharf* $$$ 2500 Mason St, CA 94133. **Plan** 5 B1. (*(415) 362-5500 ; (800) 325-3535.* FAX *(415) 956-5275.* Familles et personnes voyageant pour affaires apprécient cet hôtel offrant un accès aisé à de nombreuses attractions.	525	●	▦		▦
FISHERMAN'S WHARF : *Suites at Fisherman's Wharf* $$$ 2655 Hyde St, CA 94109. **Plan** 5 A2. (*(415) 771-0200 ; (800) 227-3608.* FAX *(415) 346-8058.* W www.thesuitesatfishermanswharf.com Cet hôtel agréable loue des suites où quatre personnes en séjour indépendant peuvent confortablement dormir, cuisiner et manger. *limité.*	24		▦		
FISHERMAN'S WHARF : *Tuscan Inn* W www.tuscaninn.com $$$ 425 North Point St, CA 94133. **Plan** 5 B1. (*(415) 561-1100 ; (800) 648-4626.* FAX *(415) 561-1199.* Un établissement spacieux et élégant. Grandes chambres. Limousines. Gratuit jusqu'à 18 ans.	221	●	▦		
HAIGHT ASHBURY : *Beck's Motor Lodge* $$ 2222 Market St, CA 94114. **Plan** 10 E1. (*(415) 621-8212 ; (800) 227-4360.* FAX *(415) 241-0435.* Ce motel standard des années 1960 est proche des quartiers de Castro et Mission. Bas tarifs hors saison.	57				
HAIGHT ASHBURY : *Red Victorian Bed and Breakfast* W www.redvic.com $$ 1665 Haight St, CA 94117. **Plan** 9 B1. (*(415) 864-1978 ; (800) 435-1967.* FAX *(415) 863-3293.* Cet hôtel « New Age » propose des chambres à thèmes comme la Flower Child Suite. Non-fumeur. Ni radio ni télévision.	18				

HAIGHT ASHBURY : *Inn 1890*   ⑤⑤⑤   16
1890 Page St, CA 94117. **Plan 9 B1.** ((415) 386-0486. FAX (415) 386-3626. Ce bâtiment Queen Ann des années 1890 s'enorgueillit de ses beaux parquets et de ses baies vitrées. Ordinateurs et blanchisserie.

HAIGHT ASHBURY : *Stanyan Park Hotel* W www.stanyanpark.com   ⑤⑤⑤   36
750 Stanyan St, CA 94117. **Plan 9 B2.** ((415) 751-1000. FAX (415) 668-5454. Cet hôtel confortable domine le Golden Gate Park. Mobilier ancien et cheminées. Petit-déjeuner compris. *limité.*

NORTH BEACH : *Washington Square Inn* W www.wsisf.com   ⑤⑤   15
1660 Stockton St, CA 94133. **Plan 5 B2.** ((415) 981-4220 ; (800) 388-0220. FAX (415) 397-7242. On ne fume pas dans cette auberge qui donne sur le Washington Square Park. Gratuit jusqu'à 5 ans.

PACIFIC HEIGHTS : *Motel Capri* W www.motelcapri.com   ⑤   46
2015 Greenwich St, CA 94123. **Plan 4 D2.** ((415) 346-4667. FAX (415) 346-3256. Ce motel familial borde une rue calme au centre du quartier de Marina. Une bonne adresse pour les budgets serrés.

PACIFIC HEIGHTS : *Pacific Heights Inn* W www.pacificheightsinn.com   ⑤   40
1555 Union St, CA 94123. **Plan 4 E2.** ((415) 776-3310. FAX (415) 776-8176. Dans une rue calme proche de transports en commun, cet agréable motel des années 1960 sert des petits-déjeuners continentaux. *limité.*

PACIFIC HEIGHTS : *Travel Lodge by the Bay* W www.traveloge.com   ⑤   79
1450 Lombard St, CA 94109. **Plan 4 F2.** ((415) 673-0691 ; (800) 578-7878. FAX (415) 673-3232. Des chambres de motel chassique dans un bâtiment des années 1950. Assez bruyant mais pratique en terme de transports en commun.

PACIFIC HEIGHTS : *Chateau Tivoli* W www.chateautivoli.com   ⑤⑤   8
1057 Steiner St, CA 94115. **Plan 4 D4.** ((415) 776-5462 ; (800) 228-1647. FAX (415) 776-0505. Cette chaleureuse maison victorienne meublée d'antiquités authentiques offre un aperçu du San Francisco du XIXe siècle.

PACIFIC HEIGHTS : *Holiday Inn, Golden Gateway*   ⑤⑤   498
1500 Van Ness Ave, CA 94109. **Plan 4 F4.** ((415) 441-4000 ; (800) HOLIDAY. FAX (415) 776-7155. W www.ichotelsgroup.com Appréciée des groupes, cette tour moderne de 26 étages offre un accès aisé au reste de la ville. *limité.*

PACIFIC HEIGHTS : *Marina Inn* W www.marinainn.com   ⑤⑤   40
3110 Octavia St, CA 94123. **Plan 4 E2.** ((415) 928-1000 ; (800) 346-6118. FAX (415) 928-5909. Bien situé près du Fort Mason et d'Union Street, mais le bruit de la circulation peut se révéler gênant. *limité.*

PACIFIC HEIGHTS : *Edward II Inn and Suites* W www.edwardii.com   ⑤⑤⑤   39
3155 Scott St sur Lombard, CA 94123. **Plan 4 D2.** ((415) 922-3000 ; (800) 473-2846. FAX (415) 931-5784. Proche du Yacht Harbor, ce petit hôtel tranquille à 3 étages date de 1949. Il propose le petit-déjeuner gratuit et un digestif le soir.

PACIFIC HEIGHTS : *Laurel Inn* W www.thelaurelinn.com   ⑤⑤⑤   49
444 Presido Ave, CA 94115. **Plan 3 C4.** ((413) 567-8467. FAX (415) 928-1866. Un hôtel calme et convivial. Chambres modernes et confortables.

PACIFIC HEIGHTS : *Majestic Hotel* W www.thehotelmajestic.com   ⑤⑤⑤   57
1500 Sutter St, CA 94109. **Plan 4 E4.** ((415) 441-1100 ; (800) 869-8966. FAX (415) 673-7331. Dans un quartier tranquille. La plupart des chambres possèdent lit à baldaquin, cheminée et antiquités. *limité.*

PACIFIC HEIGHTS : *Marina Motel* W www.marinamotel.com   ⑤⑤⑤   30
2576 Lombard St, CA 94123. **Plan 3 C2.** ((415) 921-9406. FAX (415) 921-0364. Situé à l'écart dans une cour fleurie, ce motel est une oasis de paix à l'intérieur de Marina District. Chambres claires et aérées. Les animaux domestiques sont les bienvenus.

PACIFIC HEIGHTS : *Hotel Drisco*   ⑤⑤⑤⑤   48
2091 Pacific Ave, CA 94115. **Plan 3 C3.** ((415) 346-2880. FAX (415) 567-5537. Construit en 1903, cet hôtel a été entièrement rénové. Proche des boutiques et des restaurants. Accès à une salle de gym voisine.

PACIFIC HEIGHTS : *Radisson Miyako Hotel* W www.miyako.com   ⑤⑤⑤⑤   218
1625 Post St, CA 94115. **Plan 4 E4.** ((415) 922-3200 ; (800) 333-3333. FAX (415) 921-0417. Un hôtel stylé situé dans le Japan Center. Tatamis dans certaines chambres. Gratuit jusqu'à 12 ans.

Légende des symboles, voir rabat de couverture

Les prix correspondent à une nuit en chambre double, service et taxes compris.

$ moins de 100 $
$$ de 100 à 150 $
$$$ de 150 à 200 $
$$$$ de 200 à 250 $
$$$$$ plus de 250 $

RESTAURANT
Sauf indication contraire, le restaurant ou la salle à manger accueille d'autres clients que les hôtes.

ÉQUIPEMENTS ENFANTS
Berceaux, lits d'enfants et baby-sitting disponibles. Certains établissements proposent des menus pour enfants et possèdent des chaises hautes.

JARDIN OU TERRASSE
Hôtel possédant un jardin, une cour intérieure ou une terrasse. Souvent, possibilité de manger dehors.

PISCINE
Hôtel doté d'une piscine couverte ou à ciel ouvert.

BAY AREA

	NOMBRE DE CHAMBRES	RESTAURANT	ÉQUIPEMENTS ENFANTS	JARDIN OU TERRASSE	PISCINE
BENICIA : *Jeffersen Street Mansion* W www.jeffersenstreetmansion.com $$ 1063 Jeffersen St, CA 94510. **Carte routière**, encadré B. ((707) 746-0684. FAX (707) 746-1639. Cette auberge Bed-and-Breakfast proche de l'océan est l'une des trois meilleures des U. S. A. selon le magazine *Better Homes & Gardens*.	5			●	
BENICIA : *Union Hotel* W www.unionhotelbenicia.com $$ 401 1st St, CA 94510. **Carte routière**, encadré B. ((707) 746-0110. FAX (707) 745-3032. Certaines chambres donnent sur les quais, d'autres sur un jardin. Toutes sont décorées d'antiquités.	22	●		●	
BERKELEY : *Bancroft Hotel* W www.bancrofthotel.com $ 2680 Bancroft Way, CA 94704. **Carte routière**, encadré B. ((510) 549-1000 ; (800) 549-1002. FAX (510) 549-1070. Cet hôtel Arts and Crafts des années 1920 propose en face de l'université des chambres spacieuses, certaines avec balcon et vue sur les collines et la baie.	22		■	●	
BERKELEY : *Rose Garden Inn* W www.rosegardeninn.com $$ 2740 Telegraph Ave, CA 94705. **Carte routière**, encadré B. ((510) 549-2145 ; (800) 992-9005. FAX (510) 549-1085. Certaines chambres de cette splendide demeure victorienne possèdent balcon et cheminée. Petit-déjeuner compris.	40	●	■	●	
BERKELEY : *Hotel Durant* W www.hoteldurant.com $$ 2600 Durant Ave, CA 94704. **Carte routière**, encadré B. ((510) 845-8981 ; (800) 238-7268. FAX (510) 486-8336. Malgré sa taille, cet hôtel central n'est pas impersonnel. Chambres spacieuses, certaines avec vue sur la baie.	153	●	■		
BERKELEY : *Claremont Resort, Spa and Tennis Club* $$$$ 41 Tunnel Rd, Oakland, CA 94623. **Carte routière**, encadré B. ((510) 843-3000 ; (800) 551-7266. FAX (510) 843-3229. W www.claremontresort.com Au pied des Berkeley Hills, un clocher Spanish Revival domine le splendide édifice qui abrite le plus luxueux des hôtels du quartier *(p. 402)*. Vues magnifiques.	279	●	■	●	■
BOLINAS : *Smiley's Schooner Saloon and Hotel* W www.smileys.com $ 41 Wharf Rd, CA 94924. **Carte routière**, encadré B. ((415) 868-1311. FAX (415) 868-0502. Accueillant et confortable, le Smiley's paraît sorti d'un western. Le bar, sous les chambres, est bruyant le soir.	5			●	
HALF MOON BAY : *Zaballa House* W www.zaballahouse.net $$ 324 Main St, CA 94019. **Carte routière**, encadré B. ((650) 726-9123. FAX (760) 726-3921. Cette ancienne ferme entourée de jardins verdoyants propose un hébergement rustique. Le prix comprend un petit-déjeuner américain.	20			●	
HALF MOON BAY : *Mill Rose Inn* W www.millroseinn.com $$$ 615 Mill St, CA 94019. **Carte routière**, encadré B. ((650) 726-8750 ; (800) 900-7673. FAX (650) 726-3031. Les chambres possèdent magnétoscope et cheminée. Réductions en semaine. Pas d'enfants de moins de 10 ans.	6			●	
INVERNESS : *Manka's Inverness Lodge* W www.mankas.com $$ Angle de Argyle et de Callendar, CA 94937. **Carte routière** A3. ((415) 669-1034 ; (800) 585-6343. FAX (415) 669-1598. Les chambres et les *cabins (p. 506)* de cette retraite romantique offrent cheminées, balcons et vues de la Tomales Bay.	14	●	■		
LAFAYETTE : *Lafayette Park Hotel and spa* $$$ 3287 Mount Diablo Blvd, CA 94549. **Carte routière**, encadré B. ((925) 283-3700 ; (800) 368-2468. FAX (925) 284-1621. W www.lafayetteparkhotel.com Juste à l'est de Berkeley. Excellents bar et restaurant. Bain à remous et sauna.	139	●		●	■
MENLO PARK : *Mermaid Inn* W www.mermaid-inn.com $ 727 El Camino Real, CA 94025. **Carte routière**, encadré B. ((650) 323-9481 ; (800) 237-4622. FAX (650) 323-0662. Cet hôtel familial simple et moderne permet un accès aisé à Palo Alto et la Stanford University.	39		■	●	

MENLO PARK : *Stanford Park Hotel* W www.stanfordparkhotel.com $$$$$ | 163
100 El Camino Real, CA 94025. **Carte routière**, encadré B. (*(650) 322-1234 ; (800) 368-2488*. FAX *(650) 322-0975*. Chambres élégantes près de la Stanford University. Beaucoup ont une cheminée et un coin salon séparé.

MILL VALLEY : *Travelodge* W www.travelodge.com $ | 50
707 Redwood Hwy, CA 94941. **Carte routière**, encadré B. (*(415) 383-0340 ; (800) 578-7878*. FAX *(415) 383-0312*. Juste à l'ouest de Tiburon, ce motel est proche des Muir Woods et de la ville. Jacuzzi dans certaines chambres.

MOSS BEACH : *Seal Cove Inn* W www.sealcove.com $$$ | 10
221 Cypress Ave, CA 94038. **Carte routière**. (*(650) 728-7325 ; (800) 995-9987*. FAX *(650) 728-4116*. Cette charmante auberge aux chambres dotées de cheminées domine l'océan depuis une hauteur. Vidéothèque.

MUIR BEACH : *The Pelican Inn* W www.pelicaninn.com $$$ | 7
10 Pacifica Way, CA 94965. **Carte routière**, encadré B. (*(415) 383-6000*. FAX *(415) 383-3424*. À courte distance des Muir Woods, feu dans la cheminée, bières anglaises et chambres superbes, certaines avec lit à baldaquin.

OAKLAND : *Waterfront Plaza Hotel* W www.waterfrontplazahotel.com $$$$ | 144
10 Washington St, CA 94607. **Carte routière**, encadré B. (*(510) 836-3800*. FAX *(510) 832-5695*. En bordure du Jack London Square, cet hôtel bien aménagé possède de nombreuses chambres avec cheminée et vue sur la baie.

PRINCETON-BY-THE-SEA : *Pillar Point Inn* W www.pillar-pointinn.com $$$ | 11
380 Capistrano Rd, CA 94018. **Carte routière**, encadré B. (*(650) 728-7377*. FAX *(650) 728-8345*. Cette auberge romantique offre vue sur l'océan, cheminées, matelas de plumes et magnétoscopes. Service d'affaires.

SAN JOSE : *Fairmont Hotel San Jose* W www.fairmont.com $$$ | 805
Fairmont Plaza, 170 S Market St, CA 95113. **Carte routière**, encadré B. (*(408) 998-1900 ; (800) 527-4727*. FAX *(408) 287-1648*. Un hôtel de luxe plutôt impersonnel, mais excellentes prestations d'affaires et de loisirs.

SAN JOSE : *San Jose Hilton and Towers Hotel* W www.hilton.com $$$ | 354
300 Almaden Blvd, CA 95110. **Carte routière**, encadré B. (*(408) 287-2100 ; (800) 445-8667*. FAX *(408) 947-4489*. Cet hôtel de chaîne est bien adapté aux besoins des personnes voyageant pour affaires. Chaque étage a son gardien.

SAN JOSE : *Hotel De Anza* W www.hoteldeanza.com $$$$$ | 100
233 West Santa Clara St, CA 95113. **Carte routière**, encadré B. (*(408) 286-1000 ; (800) 843-3700*. FAX *(408) 286-0500*. Près du centre de conventions, ce luxueux hôtel Art déco met l'accent sur la qualité du service.

SAN RAFAEL : *Panama Hotel* W www.panamahotel.com $ | 15
4 Bayview, CA 94901. **Carte routière**, encadré B. (*(415) 457-3993 ; (800) 899-3993*. FAX *(415) 457-6240*. Antiquités et meubles d'occasion donnent à chaque chambre sa propre personnalité.

SAN RAFAEL : *Embassy Suites Hotel and Conference Center* $$ | 235
101 McInnis Parkway, CA 94903. **Carte routière**, encadré B. (*(415) 499-9222 ; (800) 362-2779*. FAX *(415) 499-9268*. W www.embassysuites.com Grand hôtel de chaîne doté d'un centre d'affaires. Accès 24 h/24 à des équipements de loisir.

SAUSALITO : *Hotel Alta Mira* W www.sausalitoaltamira.com $$ | 27
125 Bulkley Ave (PO Box 706), CA 94966. **Carte routière**, encadré B. (*(415) 332-1350*. FAX *(415) 331-3862*. Panoramas exceptionnels de la baie depuis une colline. Chambres confortablement meublées. Personnel accueillant.

SAUSALITO : *Casa Madrona Hotel* W www.casamadronahotel.com $$$ | 65
801 Bridgeway, CA 94965. **Carte routière**, encadré B. (*(415) 332-0502*. FAX *(415) 332-2537*. Cet hôtel charmant s'étage sur une colline depuis le front de mer. Une vieille maison et des cottages abritent les chambres.

SAUSALITO : *The Inn Above Tide* W www.innabovetide.com $$$ | 29
30 El Portal, CA 94965. **Carte routière**, encadré B. (*(415) 332-9535 ; (800) 893-8433*. FAX *(415) 332-6714*. Sur le port, les chambres ont des cheminées et des balcons ouverts sur la baie, certaines un jacuzzi.

WALNUT CREEK : *Marriott Hotel* W www.marriott.com $$ | 338
2355 N Main St, CA 94596. **Carte routière**, encadré B. (*(925) 934-2000 ; (800) 228-9290*. FAX *(925) 934-6374*. Bien aménagé pour les personnes voyageant pour affaires, le Marriott possède salles et équipements de conférences.

Légende des symboles, voir rabat de couverture

Les prix correspondent à une nuit en chambre double, service et taxes compris. $ moins de 100 $ $$ de 100 à 150 $ $$$ de 150 à 200 $ $$$$ de 200 à 250 $ $$$$$ plus de 250 $	**RESTAURANT** Sauf indication contraire, le restaurant ou la salle à manger accueille d'autres clients que les hôtes. **ÉQUIPEMENTS ENFANTS** Berceaux, lits d'enfants et baby-sitting disponibles. Certains établissements proposent des menus pour enfants et possèdent des chaises hautes. **JARDIN OU TERRASSE** Hôtel possédant un jardin, une cour intérieure ou une terrasse. Souvent, possibilité de manger dehors. **PISCINE** Hôtel doté d'une piscine couverte ou à ciel ouvert.			

	NOMBRE DE CHAMBRES	RESTAURANT	ÉQUIPEMENTS ENFANTS	JARDIN OU TERRASSE	PISCINE
LE NORD					
ARCATA : *Fairwinds Motel* W www.fairwindshotel.com $ 1674 G St, CA 95521. **Carte routière** A2. (*(707) 822-4824.* FAX *(707) 822-0568.* Ce petit établissement familial proche de l'Humbolt University d'Arcata n'offre qu'un confort de base mais à des prix raisonnables. 🛏 TV ⚠ *limité.* P 🌿	27		■		
ARCATA : *Hotel Arcata* W www.hotelarcata.com $$ 708 9th St, CA 95521. **Carte routière** A2. (*(707) 826-0217 ; (800) 344-1221.* FAX *(707) 826-1737.* Cet hôtel modernisé sur la place centrale propose une grande variété de chambres, certaines avec coin salon séparé. 🛏 TV 🌿	32	●	■		
CRESCENT CITY : *Curly Redwood Lodge* W www.curlyredwoodlodge.com $ 701 S Redwood Hwy, CA 95531. **Carte routière** A1. (*(707) 464-2137.* FAX *(707) 464-1655.* Un seul séquoia suffit à la construction de ce motel rustique situé en face de la zone portuaire. 🛏 TV P 🌿	36		■		
DUNSMUIR : *Caboose Motel* W www.rrpark.com $ 100 Railroad Park Rd, CA 96025. **Carte routière** B2. (*(530) 235-4440.* FAX *(530) 235-4470.* Des fourgons de chefs de train rénovés abritent des chambres originales. Cadre agréable et vue splendide sur les cimes voisines. 🛏 TV P 🌿	27	●	■	●	■
EUREKA : *Best Western Humboldt Bay Inn* W www.bestwestern.com $ 232 W 5th St, CA 95501. **Carte routière** A2. (*(707) 443-2234 ; (800) 521-6996.* FAX *(707) 443-3489.* Ce motel de chaîne plutôt anodin se trouve à 15 mn en voiture de magnifiques plages et forêts de séquoias. 🛏 TV ⚠ P 🌿	114	●	■		■
EUREKA : *Quality Inn* W www.qualityinneureka.com $ 1209 4th St, CA 95501. **Carte routière** A2. (*(707) 443-1601 ; (800) 772-7622.* FAX *(707) 444-8365.* Cet hôtel possède des chambres et des suites spacieuses au cœur de la vieille ville d'Eureka. Sauna et jacuzzi. 🛏 TV P 🌿	60	●	■		
EUREKA : *Abigail's Elegant Victorian Mansion* $$$ 1406 C St, CA 95501. **Carte routière** A2. (*(707) 444-3144.* W www.eureka-california.com Située près de Redwood Park, cette maison bâtie en 1888 est meublée d'antiquités et décorée de peintures de grands maîtres européens. Projection d'œuvres du cinéma muet en soirée. 🛏 🌿	3			●	
EUREKA : *Carter House Inn* W www.carterhouse.com $$$ 301 L St, CA 95501. **Carte routière** A2. (*(707) 444-8062 ; (800) 404-1390.* FAX *(707) 444-8067.* Les chambres de cet hôtel victorien de la vieille ville abritent du mobilier contemporain. Forêts et plages proches. 🛏 TV ⚠ P 🌿	24	●		●	
FERNDALE : *Gingerbread Mansion* W www.gingerbreadmansion.com $$ 400 Berding St, CA 95536. **Carte routière** A2. (*(707) 786-4000 ; (800) 952-4136.* FAX *(707) 786-4381.* D'agréables jardins entourent cette auberge bâtie en 1899. Chambres luxueusement aménagées. Somptueux petit-déjeuner compris. 🛏 P 🌿	11		■	●	
GARBERVILLE : *Best Western Humboldt House Inn* $ 701 Redwood Drive, CA 95542. **Carte routière** A2. (*(707) 923-2771 ; (800) 862-7756.* FAX *(707) 923-4259.* Le motel le plus confortable de la région possède de vastes chambres, souvent avec balcons. Petit-déjeuner continental compris. 🛏 TV P 🌿	76		■	●	■
GARBERVILLE : *Benbow Inn* W www.benbowinn.com $$$ 445 Lake Benbow Drive, CA 95542. **Carte routière** A2. (*(707) 923-2124 ; (800) 355-3301.* FAX *(707) 923-2122.* Construite en 1924, cette auberge ressemble à une maison de campagne anglaise parmi des bosquets de séquoias. Beau restaurant. Terrasse ensoleillée. Fermé de janvier à mars. 🛏 TV P 🌿	55	●	■	●	
MCCLOUD : *McCloud Guest House* W www.themccloudguesthouse.com $$ 606 W Colombero Drive, CA 96057. **Carte routière** B1. (*(530) 964-3160.* FAX *(530) 964-3202.* On joue au billard sur une table ancienne dans cette vieille demeure où les fenêtres des chambres ont des banquettes pour contempler la forêt. 🛏 TV P 🌿	5	●		●	

MOUNT LASSEN : *Mineral Lodge* W www.minerallodge.com ⓢ 20
PO Box 160 Mineral, CA 96063. **Carte routière B2.** (*(530) 595-4422.* FAX *(530) 595-4452.* À la lisière sud du Lassen Volcanic National Park *(p. 437)*, cet établissement rustique apprécié des chasseurs et des randonneurs propose des chambres de style motel, une taverne et un bazar. 🛏 TV P 🐾

MOUNT SHASTA : *Best Western Tree House Inn* W www.bestwestern.com ⓢ 98
111 Morgan Way, CA 96067. **Carte routière A2.** (*(530) 926-3101 ; (800) 528-1234.* FAX *(530) 926-3542.* Des meubles en séquoia ajoutent à l'atmosphère chaleureuse de cet hôtel moderne. Préférez une chambre avec vue. 🛏 TV P 🐾

MOUNT SHASTA : *Mount Shasta Ranch Bed and Breakfast* ⓢ 8
1008 W A Barr Rd, CA 96067. **Carte routière A2.** (*(530) 926-3870.* FAX *(530) 926-6882.* Cette retraite rustique a vue sur le Mount Shasta *(p. 436)*. La maison principale abrite la moitié des chambres. Les autres, dans un bâtiment plus petit, ont des salles de bains communes. Solide petit-déjeuner compris. TV P 🐾

MOUNT SHASTA : *Mountain Air Lodge* ⓢ 30
1121 S Mount Shasta Blvd, CA 96067. **Carte routière A2.** (*(530) 926-3411 ; (800) 727-3704.* FAX *(530) 926-0842.* Un établissement sans prétention dans un cadre magnifique. Ski et sports nautiques à quelques kilomètres. TV P 🐾

MOUNT SHASTA : *Strawberry Valley Inn* ⓢ 15
1142 S Mount Shasta Blvd, CA 96067. **Carte routière A2.** (*(530) 926-2052.* FAX *(530) 926-0842.* Chaque chambre obéit à un thème dans cette auberge paisible appréciée des skieurs. Vues du Mount Shasta. Réservation recommandée. 🛏 TV 🛗 P 🐾

SHELTER COVE : *The Ashbrook Inn* W www.ashbrookinn.com ⓢⓢⓢ 3
578 Hillside Dr, CA 95589. **Carte routière A2.** (*(707) 986-7109.* Situé à flanc de colline avec vue sur le Pacifique, ce Bead-and-Breakfast offre un panorama splendide. Accès Internet, kitchenette et délicieux petit-déjeuner. Service de massage. 🛏 🐾

WEAVERVILLE : *Best Western Victorian Inn* W www.bestwestern.com ⓢ 61
1709 Main St, CA 96093. **Carte routière A2.** (*(530) 623-4432 ; (800) 528-1234.* FAX *(530) 623-4264.* Situé en bordure d'une ville de montagne historique *(p. 433)*, ce motel propose des chambres spacieuses et modernes. 🛏 TV P 🐾

WEAVERVILLE : *Motel Trinity* ⓢ 25
1112 Main St, CA 96093. **Carte routière A2.** (*(530) 623-2129.* FAX *(530) 623-6007.* Le choix s'étend ici de la chambre pour une personne à des suites de deux chambres et cuisinette. Jacuzzi dans certaines chambres. 🛏 TV

WEAVERVILLE : *Weaverville Hotel* W www.weavervillehotel.com ⓢ 8
201 Main St, CA 96093. **Carte routière A2.** (*(530) 623-2222.* FAX *(530) 623-3330.* Une nuit dans cet hôtel désuet et bon marché occupant les étages supérieurs d'un bâtiment historique offre un aperçu du Weaverville d'antan. 🛏 TV P 🐾

WINE COUNTRY

BODEGA BAY : *Bodega Coast Inn* ⓢⓢⓢ 44
521 Hwy 1 (PO Box 55), CA 94923. **Carte routière A3.** (*(707) 875-2217 ; (800) 346-6999.* FAX *(707) 875-2964.* Un hôtel moderne à un jet de pierre de la plage. Spa *(p. 504)*. Vue spectaculaire et cheminée dans certaines chambres. 🛏 TV 🛗 P 🐾

BOYES HOT SPRINGS : *Fairmont Sonoma Mission Inn & Spa* ⓢⓢⓢ 226
18140 Sonoma Hwy 12, CA 95476. **Carte routière A3.** (*(707) 938-9000 ; (800) 862-4945.* FAX *(707) 938-4250* W www.fairmont.com/sonoma Cette auberge du XIXᵉ s. offre des chambres luxueuses, souvent avec cheminée. Courts de tennis. 🛏 TV 🛗 P 🐾

CALISTOGA : *Calistoga Spa Hot Springs Resort Motel* ⓢⓢ 57
1006 Washington St, CA 94515. **Carte routière A3.** (*(707) 942-6269.* FAX *(707) 942-4214.* W www.calistogaspa.com Ce motel accueillant offre aux familles un hébergement idéal. Spa, bains de boue et massages. 🛏 TV 🛗 P 🍴 🐾

CALISTOGA : *Comfort Inn* W www.comfortinn.com ⓢⓢ 55
1865 Lincoln Ave, CA 94515. **Carte routière A3.** (*(707) 942-9400 ; (800) 228-5150.* FAX *(707) 942-5262.* Cet hôtel agréable propose bassin d'eau minéral, bain à remous, steam room et sauna. 🛏 TV 🛗 P 🐾

GEYSERVILLE : *Geyserville Inn* W www.geyserville.com ⓢⓢ 38
21714 Geyserville Ave, CA 95441. **Carte routière A3.** (*(707) 857-4343 ; (877) 857-4343* FAX *(707) 857-4411.* Entouré de vignes, cet hôtel est doté d'un spa et d'un centre de congrès. Excellent petit-déjeuner continental. 🛏 TV P 🐾

Légende des symboles, voir rabat de couverture

Les prix correspondent à une nuit en chambre double, service et taxes compris.

- $ moins de 100 $
- $$ de 100 à 150 $
- $$$ de 150 à 200 $
- $$$$ de 200 à 250 $
- $$$$$ plus de 250 $

RESTAURANT
Sauf indication contraire, le restaurant ou la salle à manger accueille d'autres clients que les hôtes.

ÉQUIPEMENTS ENFANTS
Berceaux, lits d'enfants et baby-sitting disponibles. Certains établissements proposent des menus pour enfants et possèdent des chaises hautes.

JARDIN OU TERRASSE
Hôtel possédant un jardin, une cour intérieure ou une terrasse. Souvent, possibilité de manger dehors.

PISCINE
Hôtel doté d'une piscine couverte ou à ciel ouvert.

	NOMBRE DE CHAMBRES	RESTAURANT	ÉQUIPEMENTS ENFANTS	JARDIN OU TERRASSE	PISCINE
GUALALA : *Whale Watch Inn* W www.whalewatchinn.com $$$ 535100 Hwy 1, CA 95445. **Carte routière** A3. (707) 884-3667. FAX (707) 884-4815. Depuis un promontoire au-dessus de l'océan, toutes les chambres ménagent une vue spectaculaire et ont balcon et cheminée ; certaines disposent d'un bain à remous. Ni téléphone ni télévision. Petit-déjeuner compris.	18			●	
HEALDSBURG : *Best Western Dry Creek Inn* W www.bestwestern.com $ 198 Dry Creek Rd, CA 95448. **Carte routière** A3. (707) 433-0300 ; (800) 222-5784. FAX (707) 433-1129. Proche de caves viticoles, cet hôtel de la chaîne Best Western offre des chambres spacieuses et un *spa (p. 504)*.	103	●			●
HEALDSBURG : *Camellia Inn* W www.camelliainn.com $$ 211 North St, CA 95448. **Carte routière** A3. (707) 433-8182 ; (800) 727-8182. FAX (707) 433-8130. Dans cette délicieuse auberge victorienne, certaines chambres possèdent une cheminée et un bain à remous.	9	●	●	●	
HEALDSBURG : *Madrona Manor* W www.madronamanor.com $$$ 1001 Westside Rd, CA 95448. **Carte routière** A3. (707) 433-4231 ; (800) 258-4003. FAX (707) 433-0703. Caves et vignobles entourent cette demeure victorienne. Certaines chambres ont une cheminée, une baignoire ancienne ou un jacuzzi, ainsi qu'une terrasse ou un balcon.	21	●		●	●
MENDOCINO : *Mendocino Hotel* W www.mendocinohotel.com $$ 45080 Main St (PO Box 587), CA 95460. **Carte routière** A3. (707) 937-0511 ; (800) 548-0513. FAX (707) 937-0513. Cet hôtel victorien accueillant domine la côte et propose aussi des chambres dans le jardin.	51	●		●	
MENDOCINO : *MacCallum House* W www.maccallumhouse.com $$$ 45020 Albion St (PO Box 206), CA 95460. **Carte routière** A3. (707) 937-0289 ; (800) 609-0492. FAX (707) 937-2243. Auberge du XIXᵉ s. Certaines chambres n'ont pas de salle de bains. Préférez celles des annexes, souvent avec cheminée.	19	●		●	
NAPA : *The Chateau Hotel* W www.thechateauhotel.com $$ 4195 Solano Ave, CA 94558. **Carte routière** B3. (707) 253-9300 ; (800) 253-6272. FAX (707) 253-0906. Cet hôtel de style européen vise une clientèle d'affaires avec des chambres confortables et un *spa (p. 504)*.	115	●		●	●
NAPA : *Best Western The Elm House* W www.bestwestern.com $$$ 800 California Blvd, CA 94559. **Carte routière** B3. (707) 255-1831 ; (800) 849-1997. FAX (707) 255-8609. Certaines chambres de cette auberge sont dotées d'une cheminée. Réserver tôt en été. Caves à proximité.	16	●		●	
NAPA : *Silverado Country Club Resort* W www.silveradoresort.com $$$$ 1600 Atlas Peak Rd, CA 94558. **Carte routière** B3. (707) 257-0200 ; (800) 532-0500. FAX (707) 257-5425. Des bungalows luxueux entourent une vieille demeure sur 485 ha. Fabuleux équipements de loisir.	280	●		●	●
RUTHERFORD : *Rancho Caymus* W www.ranchocaymus.com $$$ 1140 Rutherford Rd (PO Box 78), CA 94573. **Carte routière** A3. (707) 963-1777 ; (800) 845-1777. FAX (707) 963-5387. Cet hôtel de style hacienda aux salles de bains ornées de carreaux mexicains est construit autour d'une jolie cour intérieure. Balcon et jacuzzi dans certaines chambres.	26	●		●	
RUTHERFORD : *Auberge du Soleil* W www.aubergedusoleil.com $$$$$ 180 Rutherford Hill Rd, CA 94573. **Carte routière** A3. (707) 963-1211 ; (800) 348-5406. FAX (707) 963-8764. Les cottages luxueux de cette *spa resort (p. 504-505)* possèdent cheminées et bars et ont vue sur la Napa Valley *(p. 446-447)*. Intéressant jardin de sculptures.	50	●	●	●	●
ST HELENA : *White Sulphur Springs Resort and Spa* $$ 3100 White Sulphur Springs Rd, CA 94574. **Carte routière** A3. (707) 963-8588. FAX (707) 963-2890. W www.whitesulphursprings.com Une retraite rustique avec de minuscules cabanes en rondins. Sources chaudes d'eau sulfureuse.	37	●	●	●	●

St Helena : *Inn At Southbridge* W www.innatsouthbridge.com ⑤⑤⑤⑤⑤ | 21
1020 Main St, CA 94574. **Carte routière** A3. (*(707) 967-9400 ; (800) 520-6800.*
FAX *(707) 967-9486.* Toutes les chambres de cet établissement moderne possèdent des plafonds voûtés, des cheminées et des portes-fenêtres ouvrant sur des balcons.

St Helena : *Meadowood Resort Hotel* W www.meadowood.com ⑤⑤⑤⑤⑤ | 86
900 Meadowood Lane, CA 94574. **Carte routière** A3. (*(707) 963-3646 ; (800) 458-8080.*
FAX *(707) 963-3532.* Certains des logements offerts par cette retraite romantique ont des cheminées en pierre, des balcons et des terrasses. Équipements de remise en forme, golf, tennis et croquet *(p. 571).*

Santa Rosa : *Hotel La Rose* W www.hotellarose.com ⑤⑤ | 49
308 Wilson St, CA 95401. **Carte routière** A3. (*(707) 579-3200 ; (800) 527-6738.*
FAX *(707) 579-3247.* Décor rustique et service souriant donnent à cet hôtel de Railroad Square l'ambiance d'un Bed-and-Breakfast.

Sonoma : *Victorian Garden Inn* W www.victoriangardeninn.com ⑤⑤⑤ | 5
316 E Napa St, CA 95476. **Carte routière** A3. (*(707) 996-5339.* FAX *(707) 996-1689.*
Cette ferme paisible de style Greek Revival est un lieu idéal pour se détendre. Petit-déjeuner compris.

Sonoma : *Best Western Sonoma Valley Inn* W www.bestwestern.com ⑤⑤⑤⑤ | 75
550 2nd St, CA 95476. **Carte routière** A3. (*(707) 938-9200 ; (800) 334-5784.* FAX *(707) 938-0935.* De style Mission, cet hôtel a des chambres avec balcon donnant sur une cour intérieure. Petit-déjeuner continental.

Yountville : *Napa Valley Lodge* W www.napavalleylodge.com ⑤⑤⑤⑤⑤ | 55
2230 Madison St, CA 94599. **Carte routière** B3. (*(707) 944-2468 ; (800) 368-2468.*
FAX *(707) 944-9362.* Cet hôtel propose entre autres un bain à remous et un sauna. Certaines chambres ont cheminée et balcon.

Yountville : *Vintage Inn* W www.vintageinn.com ⑤⑤⑤⑤⑤ | 80
6541 Washington St, CA 94599. **Carte routière** B3. (*(707) 944-1112 ; (800) 351-1133.*
FAX *(707) 944-1617.* Récemment rénové, cet hôtel est doté de jardins magnifiques. Bicyclettes et terrain de golf disponibles à proximité.

GOLD COUNTRY ET CENTRAL VALLEY

Amador City : *Imperial Hotel* ⑤⑤ | 7
14202 Hwy 49, CA 95601. **Carte routière** B3. (*(209) 267-9172.* FAX *(209) 267-9249.*
Ce charmant édifice du XIXᵉ siècle proche de Sutter Street a été bien modernisé. Petit-déjeuner compris.

Auburn : *Best Western Golden Key* W www.bestwestern.com ⑤ | 68
13450 Lincoln Way, CA 95603. **Carte routière** B3. (*(530) 885-8611 ; (800) 528-1234.*
FAX *(530) 888-0319.* Un hôtel simple à quelques kilomètres au nord-est de Sacramento. Petit-déjeuner continental. Animaux acceptés.

Grass Valley : *Best Western Gold Country* W www.bestwestern.com ⑤⑤ | 85
11972 Sutton Way, CA 95945. **Carte routière** B3. (*(530) 273-1393 ; (800) 247-6590.*
FAX *(530) 273-4229.* Cet hôtel entouré de pins offre confort de base et petit-déjeuner continental compris dans le prix.

Grass Valley : *Holbrooke Hotel and Restaurant* W www.holbrooke.com ⑤⑤ | 27
212 West Main St, CA 95945. **Carte routière** B3. (*(530) 273-1353 ; (800) 933-7077.*
FAX *(530) 273-0434.* Les chambres de cet hôtel historique du centre portent les noms d'hôtes célèbres.

Murphys : *Murphys Historic Hotel and Lodge* W www.murphyshotel.com ⑤ | 35
457 Main St, CA 95247. **Carte routière** B3. (*(209) 728-3444 ; (800) 532-7684.* FAX *(209) 728-1590.* Avec des impacts de balles dans la porte d'entrée et un fabuleux « saloon », ce monument historique fait revivre l'épopée du Far West. Chambres modernes dans une aile séparée avec télévision et salle de bains.

Nevada City : *National Hotel* W www.thenationalhotel.com ⑤ | 42
211 Broad St, CA 95959. **Carte routière** B3. (*(530) 265-4551.* FAX *(530) 265-2445.*
Cet édifice historique entouré de pins abrite un hôtel depuis 1855. Toutes les chambres ont un mobilier victorien.

Nevada City : *The Parsonage Bed and Breakfast* ⑤⑤ | 6
427 Broad St, CA 95959. **Carte routière** B3. (*(530) 265-9478.* FAX *(530) 265-8147.*
W www.theparsonage.net Le prix comprend un plantureux petit-déjeuner dans ce havre de paix victorien meublé d'antiquités.

Légende des symboles, voir rabat de couverture

Les prix correspondent à une nuit en chambre double, service et taxes compris.

⑤ moins de 100 $
⑤⑤ de 100 à 150 $
⑤⑤⑤ de 150 à 200 $
⑤⑤⑤⑤ de 200 à 250 $
⑤⑤⑤⑤⑤ plus de 250 $

RESTAURANT
Sauf indication contraire, le restaurant ou la salle à manger accueille d'autres clients que les hôtes.

ÉQUIPEMENTS ENFANTS
Berceaux, lits d'enfants et baby-sitting disponibles. Certains établissements proposent des menus pour enfants et possèdent des chaises hautes.

JARDIN OU TERRASSE
Hôtel possédant un jardin, une cour intérieure ou une terrasse. Souvent, possibilité de manger dehors.

PISCINE
Hôtel doté d'une piscine couverte ou à ciel ouvert.

	NOMBRE DE CHAMBRES	RESTAURANT	ÉQUIPEMENTS ENFANTS	JARDIN OU TERRASSE	PISCINE
NEVADA CITY : *Emma Nevada House* w www.emmanevadahouse.com ⑤⑤ 528 E Broad St, CA 95959. **Carte routière** B3. (530) 265-4415 ; (800) 916-3662. FAX (530) 265-4416. Certaines chambres possèdent un jacuzzi dans cette charmante et paisible maison victorienne. 🛏 P 🌿	6			●	
NEVADA CITY : *Grandmere's Inn* w www.grandmeresinn.com ⑤⑤⑤ 449 Broad St, CA 95959. **Carte routière** B3. (530) 265-4660. FAX (530) 265-4561. De style colonial au sein de jardins en terrasses, le meilleur hôtel de la ville sert fruits et pâtisseries fraîches au petit-déjeuner. 🛏 ♿ P 🌿	7		■	●	
SACRAMENTO : *River Boat Delta King Hotel* w www.deltaking.com ⑤⑤ 1000 Front St, CA 95814. **Carte routière** B3. (916) 444-5464 ; (800) 825-5464. FAX (916) 444-5314. Ce bateau à vapeur à aubes (*p. 456*) meublé d'antiquités a retrouvé sa splendeur des années 1930. Chambres spacieuses et somptueux petit-déjeuner continental. 🛏 TV ♿ P 🍽 🌿	44	●	■		
SACRAMENTO : *Amber House* w www.amberhouse.com ⑤⑤⑤ 1315 22nd St, CA 95816. **Carte routière** B3. (916) 444-8085 ; (800) 755-6526. FAX (916) 552-6529. Le sens du détail caractérise ce Bed-and-Breakfast où certaines chambres ont un jacuzzi pour deux personnes. 🛏 TV P 🌿	18			●	
SACRAMENTO : *Marriott Hotel* w www.marriott.com ⑤⑤⑤⑤ 1211 Point East Drive, Rancho Cordova, CA 95742. **Carte routière** B3. (916) 638-1100 ; (800) 228-9290. FAX (916) 638-5803. Cet hôtel moderne sophistiqué satisfera les personnes voyageant pour affaires comme les touristes. 🛏 TV ♿ P 🍽 🌿	262	●	■	●	■
SACRAMENTO : *Sterling Hotel* w www.sterlinghotel.com ⑤⑤⑤⑤ 1300 H St, CA 95814. **Carte routière** B3. (916) 448-1300 ; (800) 365-7660. FAX (916) 448-8066. Une maison victorienne restaurée abrite cet hôtel de luxe en partie décoré d'objets Art déco et orientaux. Jacuzzis en marbre dans les chambres. Petit-déjeuner continental compris. 🛏 TV ♿ P 🍽 🌿	17	●	■	●	
SOMERSET : *Fitzpatrick Winery and Lodge* w www.fitzpatrickwinery.com ⑤ 7740 Fairplay Rd, CA 95684. **Carte routière** B3. (530) 620-3248 ; (800) 245-9166. FAX (530) 620-6838. Située dans un vignoble sur les contreforts de la sierra, cette auberge ménage des vues spectaculaires, depuis un balcon dans certaines chambres. Dégustation de vin le soir. 🛏 ♿ P 🌿	5			●	
SONORA : *Lavender Hill* w www.tcvb.com ⑤⑤ 683 Barretta St, CA 95370. **Carte routière** B3. (209) 532-9024 ; (800) 446-1333. Cette maison victorienne du XIXᵉ siècle domine la vieille ville de Sonoma. Jardin fleuri. 🛏 P 🌿	4			●	
SONORA : *Sonora Days Inn & Café* w www.sonoradaysinn.com ⑤⑤ 160 South Washington St, CA 95370. **Carte routière** B3. (209) 532-2400 ; (800) 580-4667. FAX (209) 532-4542. Dans la vieille ville, cet édifice de style espagnol bâti à la fin du siècle dernier possède un motel en annexe. 🛏 TV ♿ P 🌿	64	●	●	●	■
SUTTER CREEK : *Grey Gables* ⑤⑤ 161 Hanford St, CA 95685. **Carte routière** B3. (209) 267-1039. FAX (209) 267-0998. Cette jolie auberge Bead-and-Breakfast à l'atmosphère romantique est entourée d'une roseraie. Petit-déjeuner. Pas d'enfants de moins de 10 ans. 🛏 TV ♿ P 🌿	24			●	
SUTTER CREEK : *Sutter Creek Inn* w www.suttercreekinn.com ⑤ 75 Main St, CA 95685. **Carte routière** B3. (209) 267-5606. FAX (209) 267-9287. Cheminées et patios, dans certaines chambres, et lits suspendus au plafond par des chaînes caractérisent cette auberge de style anglais. 🛏 P 🌿	17			●	
SUTTER CREEK : *Foxes Inn* w www.foxesinn.com ⑤⑤ 77 Main St (PO Box 159), CA 95685. **Carte routière** B3. (209) 267-5882 ; (800) 987-3344. FAX (209) 267-0712. Des antiquités meublent les chambres confortables de cette auberge accueillante. *Honeymoon Suite.* 🛏 P 🌿	7			●	

HIGH SIERRAS

BISHOP : *Best Western Bishop Holiday Spa Lodge* Ⓦ www.bestwestern.com Ⓢ | 80
1025 N Main St, CA 93514. **Carte routière** C4. ☎ *(760) 873-3543 ; (800) 528-1234.*
℻ *(760) 872-4777.* Un motel d'un bon rapport qualité-prix : réfrigérateurs, fours
à micro-ondes et bain à remous couvert. 🔲 📺 🅿 ✉

BISHOP : *Best Western Creekside Inn* Ⓦ www.bestwestern.com ⓈⓈ | 89
725 N Main St, CA 93514. **Carte routière** C4. ☎ *(760) 872-3044 ; (800) 273-3550.*
℻ *(760) 872-1300.* Un spacieux jardin longeant un ruisseau entoure ce motel
moderne. Cuisine possible dans certaines chambres. 🔲 📺 🅿 ✉

EL PORTAL : *Cedar Lodge* Ⓦ www.yosemitemotels.com Ⓢ | 206
9966 State Hwy 140, CA 95318. **Carte routière** C3. ☎ *(209) 379-2612 ; (800) 321-5261.*
℻ *(209) 379-2712.* À l'entrée ouest du Yosemite National Park *(p. 472-473)*, de
la simple chambre à la grande suite. 🔲 📺 ♿ 🅿 ✉

FISH CAMP : *Narrow Gauge Inn* Ⓦ www.narrowgaugeinn.com ⓈⓈ | 26
48571 State Hwy 41, CA 93623. **Carte routière** C4. ☎ *(559) 683-7720 ; (888) 644-9050.*
℻ *(559) 683-2139.* L'hospitalité reste d'actualité dans cette petite auberge
romantique. Excellent restaurant *(p. 573)*. Fermé en hiver. 🔲 🅿 ✉

FISH CAMP : *Tenaya Lodge* Ⓦ www.tenayalodges.com ⓈⓈⓈ | 242
1122 State Hwy 41, CA 93623. **Carte routière** C4. ☎ *(559) 683-6555 ; (800) 635-5807.*
℻ *(559) 683-8684.* Géré par la chaîne Marriott, cet hôtel est celui qui offre le
plus de prestations, notamment un sauna, près de Yosemite. 🔲 📺 🅿 🍴 ✉

JUNE LAKE : *Boulder Lodge* Ⓦ www.boulderlodge.com Ⓢ | 60
June Lake (PO Box 68), CA 93529. **Carte routière** C3. ☎ *(760) 648-7533 ; (800) 458-
6355.* ℻ *(760) 648-7330.* Cet établissement paisible près d'un lac propose des
chambres standard et des cottages de deux chambres. 🔲 📺 🅿 ✉

KINGS CANYON NATIONAL PARK : *Montecito Lodge* Ⓦ www.mslodge.com ⓈⓈ | 52
PO Box 858, Grant Grove, CA 93633. **Carte routière** C4. ☎ *(559) 565-3388.* ℻ *(559)
565-3223.* Parmi des bosquets de séquoias géants, les chambres standard ont
une salle de bains, mais pas les cabanes rustiques également disponibles.
Ouvert toute l'année. Location de bateaux sur le lac. 🅿 ✉

KIRKWOOD : *Kirkwood Resort* Ⓦ www.kirkwood.com ⓈⓈ | 120
Kirkwood (PO Box 1), CA 95646. **Carte routière** C3. ☎ *(209) 258-7000 ; (800) 967-7500.*
℻ *(209) 258-7400.* À 50 km au sud du Lake Tahoe *(p. 470-471)*, cette *resort*
permet de se dépenser toute l'année, du cheval en été au ski de fond en hiver.
La plupart des suites possèdent cuisine et cheminée. 🔲 📺 🅿 ✉

LEE VINING : *Best Western Lake View Lodge* Ⓦ www.bestwestern.com Ⓢ | 46
PO Box 345, CA 93541. **Carte routière** C3. ☎ *(760) 647-6543 ; (800) 528-1234.* ℻ *(760)
647-6325.* Ce motel sur la rive ouest du Mono Lake *(p. 478)* offre une bonne
base pour explorer la région. Cuisine dans certaines chambres. 🔲 📺 🅿 ✉

LONE PINE : *Best Western Frontier Motel* Ⓦ www.bestwestern.com Ⓢ | 73
1008 S Main St, CA 93545. **Carte routière** C4. ☎ *(760) 876-5571 ; (800) 231-4071.*
℻ *(760) 876-5357.* Pêcheurs et randonneurs apprécient ce motel aux chambres
souvent dotées de bain à remous. Petit-déjeuner continental. 🔲 📺 🅿 ✉

MAMMOTH LAKES : *Austria Hof Lodge* Ⓦ www.austriahof.com Ⓢ | 23
924 Canyon Blvd, CA 93546. **Carte routière** C4. ☎ *(760) 934-2764 ; (866) 662-6668.*
℻ *(760) 934-1880.* À quelques pas des pistes de ski de la Mammoth Mountain,
cet hôtel charmant est très fréquenté les week-ends d'hiver. 🔲 📺 🅿 ✉

MAMMOTH LAKES : *Shilo Inn* Ⓦ www.shiloinns.com ⓈⓈ | 70
2963 Main St, CA 93546. **Carte routière** C4. ☎ *(760) 934-4500 ; (800) 222-2244.*
℻ *(760) 934-7594.* Les hôtes jouissent ici de suites spacieuses dotées d'un bar et
d'un coin salon. Les équipements comprennent un sauna. 🔲 📺 🅿 🍴 ✉

SOUTH LAKE TAHOE : *best Western Timber Cove Inn* ⓈⓈ | 262
3411 Lake Tahoe Blvd, CA 96150. **Carte routière** C3. ☎ *(530) 541-6722 ; (800) 528-1234.*
℻ *(530) 541-7959.* Ⓦ www.bestwestern.com Ce motel au bord du Lake Tahoe
possède sa propre plage. Les chambres, dont la plupart offrent de jolies vues,
sont bien plus confortables que dans la majorité des motels voisins. 🔲 📺 🅿 ✉

SOUTH LAKE TAHOE : *Marriott Timber Lodge* Ⓦ www.marriott.com ⓈⓈⓈ | 369
4110 Lake Tahoe Blvd, CA 96150. **Carte routière** C3. ☎ *(530) 542-6600.* ℻ *(530) 542-
6610.* Proche d'une station de ski, ce pittoresque chalet propose des chambres
simples et des chambres doubles équipées de kitchenette. 🔲 📺 🅿 🍴 ✉

Légende des symboles, voir rabat de couverture

Les prix correspondent à une nuit en chambre double, service et taxes compris.

$ moins de 100 $
$$ de 100 à 150 $
$$$ de 150 à 200 $
$$$$ de 200 à 250 $
$$$$$ plus de 250 $

RESTAURANT
Sauf indication contraire, le restaurant ou la salle à manger accueille d'autres clients que les hôtes.
ÉQUIPEMENTS ENFANTS
Berceaux, lits d'enfants et baby-sitting disponibles. Certains établissements proposent des menus pour enfants et possèdent des chaises hautes.
JARDIN OU TERRASSE
Hôtel possédant un jardin, une cour intérieure ou une terrasse. Souvent, possibilité de manger dehors.
PISCINE
Hôtel doté d'une piscine couverte ou à ciel ouvert.

Établissement	Prix	Nombre de chambres	Restaurant	Équipements enfants	Jardin ou terrasse	Piscine
SQUAW VALLEY : *Resort at Squaw Creek* [W] www.squawcreek.com 400 Squaw Creek Rd, CA 96146. **Carte routière B3.** (530) 583-6300 ; (800) 327-3353. FAX (530) 581-6632. Skieurs en hiver et joueurs de golf en été fréquentent cette *resort* luxueuse au pied de la Squaw Mountain.	$$$$	404	●	■	●	■
TAHOE CITY : *Tahoe City Travelodge* [W] www.travelodge.com 455 North Lake Blvd, CA 96145. **Carte routière B3.** (530) 583-3766 ; (800) 578-7878. FAX (530) 583-8045. Ce motel de base offre le câble gratuit, un jacuzzi en plein air et des réductions dans des restaurants proches.	$$	47		■		
TAHOE CITY : *Chaney House* [W] www.chaneyhouse.com 4725 West Lake Blvd (PO Box 7852), CA 96145. **Carte routière B3.** (530) 525-7333. FAX (530) 525-4413. Entourée d'un jardin au milieu des pins, cette maison possède sa propre plage ainsi qu'une immense cheminée.	$$$	4			●	
TRUCKEE : *Donner Lake Village Resort* [W] www.donnerlakevillage.com Suite 101, 15695 Donner Pass Rd, CA 96161. **Carte routière B3.** (530) 587-6081 ; (800) 621-6664. FAX (530) 587-8782. Cette *resort* dispose de sa propre plage et de son port de plaisance. Quelques suites de deux chambres.	$$	49		■		
YOSEMITE NATIONAL PARK : *Wawona Hotel* [W] www.yosemitepark.com State Hwy 41, CA 95389. **Carte routière C3.** (559) 252-4848 (centrale de réservations). FAX (209) 375-6601. Cet hôtel de caractère des années 1870 propose aussi comme logements quelques cottages rustiques. Golf, tennis et promenades à cheval. Pour l'été, réservez 6 mois à l'avance.	$$	104	●	■	●	■
YOSEMITE NATIONAL PARK : *Yosemite Lodge* [W] www.yosemitepark.com Yosemite Valley, CA 95389. **Carte routière C3.** (209) 372-1274, FAX (209) 372-1444. Près des Yosemite Falls *(p. 474)*, le plus large choix de la vallée : de la chambre de motel moderne à des cabanes rustiques.	$$	245	●	■		■
YOSEMITE NATIONAL PARK : *Ahwahnee Hotel* Yosemite Valley, CA 95389. **Carte routière C3.** (209) 372-1407. FAX (209) 372-1403. [W] www.yosemitepark.com Mariant sophistication et rusticité, l'hôtel le plus chic du parc *(p. 475)* date de 1927. Vastes espaces communs et beau restaurant *(p. 574)*. Location de bicyclettes et de chevaux.	$$$$	123	●	■	●	■
DE SANTA CRUZ À FRESNO						
APTOS : *Best Western Seacliff Inn* [W] www.seacliffinn.com 7500 Old Dominion Court, CA 95003. **Carte routière B4.** (831) 688-7300 ; (800) 367-2003. FAX (831) 685-3603. Tous près de la plage, les chambres sont spacieuses et certaines possèdent un bain à remous.	$	140	●	■		■
APTOS : *Rio Sands Motel* [W] www.riosandsmotel.com 116 Aptos Beach Drive, CA 95003. **Carte routière B4.** (831) 688-3207 ; (800) 826-2077. FAX (831) 688-6107. Toutes les chambres ont un patio ou un balcon donnant sur un jardin. Certaines permettent de cuisiner.	$$	50			●	■
BIG SUR : *Big Sur River Inn* [W] www.bigsurriverinn.com Hwy 1, Pheneger Creek, CA 93920. **Carte routière B4.** (831) 667-2700 ; (800) 548-3610. FAX (831) 667-2743. Une auberge rustique aux chambres simples et confortables. Animation musicale au restaurant le week-end.	$$	20	●	■	●	■
BIG SUR : *Deetjen's Big Sur Inn* [W] www.deetjensbigsurinn.com Castro Canyon, CA 93920. **Carte routière B4.** (831) 667-2377. Cet hôtel pittoresque a une clientèle d'habitués. Bon restaurant. Les enfants ne sont admis que dans les cottages de deux pièces.	$$	20	●		●	
BIG SUR : *Post Ranch Inn* [W] www.postranchinn.com PO Box 219, Hwy 1, CA 93920. **Carte routière B4.** (831) 667-2200 ; (800) 527-2200. FAX (831) 667-2824. Cette *resort* sortant de l'ordinaire propose notamment des maisons dans les arbres et des abris creusés dans la colline.	$$$$$	30	●		●	■

BIG SUR : *The Ventana Inn* W www.ventanainn.com $$$$$ | 60
Hwy 1, CA 93920. **Carte routière** B4. (*(831) 667-2331 ; (800) 628-6500.*
FAX *(831) 667-2419.* Au milieu de la forêt, la plupart des chambres offrent cheminée et vue sur l'océan. Saunas et bibliothèque. ⬛ TV ♿ P �(

CARMEL : *Crystal Terrace Inn* W www.crystalterraceinn.com $$$ | 17
24815 Carpenter St, CA 93921. **Carte routière** B4. (*(831) 624-6400.* FAX *(831) 624-5111.* Près du centre, un hôtel calme et romantique pour séjourner en couple. Cheminée et bar dans certaines chambres. ⬛ TV ♿ P �'

CARMEL : *Cypress Inn* W www.cypressinn.com $$$ | 32
Lincoln & 7th Ave, CA 93921. **Carte routière** B4. (*(831) 624-3871 ; (800) 443-7443.*
FAX *(831) 624-8216.* À la Cypress Inn, les animaux de compagnie ont droit de cité partout. Jacuzzi dans certaines chambres. ⬛ TV ♿ P �'

CARMEL : *La Playa Hotel* W www.laplayahotel.com $$$ | 75
Camino Real & 8th Ave, CA 93921. **Carte routière** B4. (*(831) 624-6476 ; (800) 582-8900.* FAX *(831) 624-7966.* Cet hôtel de style espagnol est bien adapté aux familles. Cinq cottages avec cheminées et cuisinettes. ⬛ TV ♿ P �'

CARMEL : *Los Laureles Lodge* W www.loslaureleslodge.com $$$ | 31
313 W Carmel Valley Rd, Carmel Valley, CA 93924. **Carte routière** B4. (*(831) 659-2233.*
FAX *(831) 659-0481.* Une vieille et rustique *lodge* de chasseur avec un décor à la Laura Ashley. Certaines chambres ont été aménagées dans des écuries. ⬛ TV P �'

CARMEL : *Pine Inn* W www.pine-inn.com $$$ | 49
Ocean Ave & Monte Verde, CA 93921. **Carte routière** B4. (*(831) 624-3851 ; (800) 228-3851.* FAX *(831) 624-3030.* Le plus vieil hôtel de Carmel (1889) possède des chambres douillettes et un magnifique hall meublé d'antiquités. ⬛ TV ♿ P �'

CARMEL : *Carmel Valley Ranch* W www.wyndham.com $$$$ | 144
1 Old Ranch Rd, CA 93923. **Carte routière** B4. (*(831) 625-9500 ; (800) 422-7635.*
FAX *(831) 624-2858.* Certaines chambres possèdent cheminée et jacuzzi dans ce luxueux hôtel moderne faisant club de golf. ⬛ TV ♿ P �'

CARMEL : *Quail Lodge* W www.quaillodge.com $$$$ | 97
8205 Valley Greens Drive, CA 93923. **Carte routière** B4. (*(831) 624-1581 ; (800) 538-9516.* FAX *(831) 624-3726.* Le grand luxe. Terrain de golf, sentiers de randonnée et même un service de gardiennage d'animaux domestiques. ⬛ TV ♿ P �'

CARMEL : *Highlands Inn and Restaurant* W www.hyatt.com $$$$$ | 142
Pacific Coast Hwy 1, CA 93923. **Carte routière** B4. (*(831) 624-3801 ; (800) 682-4811.*
FAX *(831) 626-1574.* Cet hôtel rustique se dresse sur un promontoire boisé dominant la côte. Jacuzzi dans certaines chambres. ⬛ TV ♿ P �'

MONTEREY : *Casa Munras Garden Hotel* W www.casamunras-hotel.com $$$ | 166
700 Munras Ave, CA 93940. **Carte routière** B4. (*(831) 375-2411 ; (800) 222-2446.*
FAX *(831) 375-1365.* Proche de tous les sites, cet hôtel a une clientèle fidèle. Confortables, les chambres disposent d'une cheminée. ⬛ TV ♿ P �'

MONTEREY : *Monterey Plaza Hotel and Spa* $$$$ | 290
400 Cannery Row, CA 93940. **Carte routière** B4. (*(831) 646-1700 ; (800) 334-3999.*
FAX *(831) 646-5937.* W www.montereyplazahotel.com Proche de tous les sites. Certaines chambres ont des balcons donnant sur la Monterey Bay. ⬛ 24 TV ♿ P �'

MONTEREY : *Old Monterey Inn* W www.oldmontereyinn.com $$$ | 10
500 Martin St, CA 93940. **Carte routière** B4. (*(831) 375-8284 ; (800) 350-2344.*
FAX *(831) 375-6730.* Un jardin à l'anglaise entoure ce manoir Tudor. Cheminées et jacuzzis dans les chambres. Adultes seulement. ⬛ ♿ P �'

PACIFIC GROVE : *The Martine Inn* W www.martineinn.com $$$$ | 20
255 Ocean View Blvd, CA 93950. **Carte routière** B4. (*(831) 373-3388 ; (800) 852-5588.*
FAX *(831) 373-3896.* Cette auberge de style méditerranéen conserve un billard de la fin du XIXᵉ siècle. Cheminées dans certaines chambres. ⬛ ♿ P �'

SANTA CRUZ : *Sunset Inn* $$ | 32
2424 Mission St, CA 95060. **Carte routière** B4. (*(831) 423-7500.* FAX *(831) 423-7595.*
L'hôtel a été complètement rénové : toutes les chambres disposent de micro-ondes et de réfrigérateurs. Excellents restaurants à côté. ⬛ TV ♿ P �'

SANTA CRUZ : *Babbling Brook Inn* W www.innbythesea.com $$$ | 12
1025 Laurel St, CA 95060. **Carte routière** B4. (*(831) 427-2437 ; (800) 866-1131.*
FAX *(831) 427-2457.* Les chambres de cette retraite romantique possèdent cheminées, jacuzzis ou balcons. Petit-déjeuner compris. ⬛ TV ♿ P �'

Légende des symboles, voir rabat de couverture

Restaurants

De tous les États américains, la Californie est sans doute celui qui offre la plus grande variété d'endroits où se restaurer. À l'initiative de chefs comme Jeremiah Towers, Wolfgang Puck et Alice Waters, il existe même une « cuisine californienne ». Légère et métissée, elle marie produits locaux et aromates plus exotiques, en particulier asiatiques et méditerranéens. Outre de nombreux restaurants italiens et français, vous pourrez déguster dans

**Enseigne
d'un *diner***

chaque ville des *sushi* japonais, des nouilles thaïes, des *dim sum* chinois, des *burritos* mexicains, des *falafel* moyen-orientaux et des plats *tandoori* indiens. Ne méprisez pas pour autant le classique hamburger-frites, souvent délicieux dans ces petits restaurants sans prétention appelés *diners*. Les pages 544 à 575 proposent un large choix d'établissements sélectionnés pour leur rapport qualité-prix, ainsi que pour la qualité de la nourriture et du service.

LES HABITUDES ALIMENTAIRES CALIFORNIENNES

Servis de 6 h 30 à 11 h, les petits déjeuners américains sont peut-être les meilleurs du monde comme vous le constaterez en Californie. Les restaurants, des plus simples aux plus sophistiqués, offrent le matin un vaste choix : omelettes, œufs au bacon ou saucisses accompagnés de frites, de pommes de terre sautées, de toasts ou de *muffins* (petits pains) ; *pancakes* (crêpes épaisses) ou gaufres *(waffles)* nappées de sirop d'érable ; céréales garnies de fruits secs ou frais. Vous pourrez aussi vous contenter de café et de simples pâtisseries. De 9 h à 14 h le dimanche et, parfois, le samedi, le *brunch* (repas à mi-chemin du *breakfast* et du *lunch*) peut comprendre en outre des viandes grillées.

Les Américains ne s'accordent qu'une courte pause à midi et le déjeuner est léger, soupe et salade ou sandwich. Le principal repas, le dîner, se prend dès 17 h 30 et jusqu'à 22 h 30.

PRIX ET POURBOIRES

Un snack dans un café ne devrait pas dépasser 5 $ par personne. Un repas dans un *diner* ira jusqu'à 15 $. Un dîner de trois plats (sans la boisson) coûtera entre 25 $ et 30 $ dans un bon restaurant et à partir de 40 $ dans certains établissements de standing. Les menus à prix fixe sont rares et, bien que souvent similaires, beaucoup moins chers à midi que le soir.

Le service n'est jamais compris. La taxe de 8,5 % non plus. Le pourboire, entre 15 et 20 % du prix net, dépendra de la qualité du service.

FAST-FOOD

Vous vous trouverez rarement en Californie à plus de cinq minutes d'un fast-food. Parmi les chaînes de *diners* figurent Starbucks, Denny's, Sizzlers et Marie Callendar. Leurs succursales proposent des prix raisonnables, de vastes salles et une carte étendue, mais la nourriture, préparée en gros, peut se révéler un peu fade.

**Planet Hollywood
(p. 546)**

MANGER SAIN

Un certain nombre de restaurants suivent désormais en Californie les recommandations de l'Americain Heart Association (AHA). Sur une carte, un cœur rouge à côté du nom d'un plat signifie peu de calories et de cholestérol. Si l'établissement où vous mangez n'en propose pas, vous pouvez toujours demander au serveur que soient retirés des ingrédients qui ne vous conviennent pas.

La cuisine végétarienne reste assez peu répandue, mais tous les restaurants servent des salades et la plupart ne verront aucun inconvénient à vous préparer sur demande des plats sans viande.

Le Rex Restaurant de Oviatt Building, Los Angeles *(p. 545)*

CAFÉS ET SALONS DE THÉ

Il existe plusieurs sortes de cafés en Californie. Les *coffee houses* sont plus spécialisées dans les boissons (café, sodas, jus de fruits et vin) et les pâtisseries. Certaines font partie de librairies, d'autres offrent la possibilité de naviguer sur le réseau Internet tout en se restaurant.

Les « cafés » proposent généralement une carte plus étendue tout en gardant une atmosphère décontractée. Ils ne possèdent souvent qu'une ou deux tables permettant de dîner dehors.

Élégance et ambiance feutrée caractérisent la plupart des salons de thé.

Chez Ratto, un traiteur italien d'Oakland

PIQUE-NIQUE ET PLATS À EMPORTER

Vous trouverez tous les ingrédients nécessaires à un pique-nique chez les traiteurs *(delicatessen)* et dans les supermarchés possédant un rayon traiteur. On vous y préparera également des sandwiches à la demande.

Tous les restaurants prennent les commandes de plats à emporter, mais ils vous coûteront aussi cher que si vous les mangiez sur place.

LES MICRO-BRASSERIES

Dans toutes les grandes villes californiennes, il existe des établissements proposant, à côté d'une sélection nationale et internationale de bières, leur

El Paseo, à Santa Barbara *(p. 552)*

propre production brassée sur place. Certaines de ces bières, telles l'Anchor Steam de San Francisco et la Karl Straus Amber Lager de San Diego *(p. 542-543)*, connaissent un très grand succès.

Les micro-brasseries proposent toujours un choix d'en-cas et de plats pour accompagner les libations.

TABAC

La Californie est un État anti-tabac dont la législation interdit formellement de fumer dans tous les restaurants et lieux publics, sauf s'il existe un dispositif de ventilation séparé. Certains restaurants avec des tables en terrasse proposent un coin fumeurs, et ceux-ci sont parfois acceptés au bar dans une section séparée. Le cigare est rarement autorisé.

Le Craviotto's, un élégant café de Santa Barbara

ACCÈS EN FAUTEUIL ROULANT

Les normes californiennes de construction ou de rénovation des restaurants obligent à les rendre accessibles aux handicapés. On doit donc pouvoir rejoindre les tables sans prendre d'escalier et les toilettes doivent posséder de larges portes.

LES ENFANTS

Les enfants sont les bienvenus dans la plupart des restaurants et ceux-ci proposent des menus spéciaux et des chaises hautes ou des rehausseurs. Dans les établissements chic, la règle veut toutefois qu'ils restent assis et que les parents sortent les calmer s'ils se montrent turbulents.

LA TENUE VESTIMENTAIRE

La plupart des restaurants gastronomiques n'exigent pas le port de la cravate, mais refusent jeans, shorts et chaussures de sport.

RÉSERVATIONS

Il vaut toujours mieux réserver pour éviter une déception. En centre-ville et dans les quartiers animés, en particulier, les restaurants sont souvent bondés. Les établissements les plus réputés ou les plus en vogue affichent parfois complet un mois à l'avance. Si vous avez pris une réservation et que vos projets changent, pensez à téléphoner pour l'annuler.

Que manger en Californie

L es spécialités chinoises et mexicaines sont très répandues en Californie. Des similitudes de climat, et l'importance que les Californiens accordent à leur ligne, expliquent en outre une forte influence de la cuisine méditerranéenne. Des aromates ou des ingrédients exotiques viennent ainsi rehausser des recettes traditionnelles provençales et italiennes, souvent à base de grillades, pour donner notamment

Huile d'olive aromatisée

des salades colorées ou des plats de pâtes originaux utilisant les légumes frais produits dans les vallées fertiles et ensoleillées de l'État. Les eaux du Pacifique fournissent en abondance un riche éventail de produits de la mer, et les lacs et les rivières de nombreux poissons d'eau douce.

Waffles
Les Californiens apprécient les gaufres accompagnées de crème fouettée et de fruits.

Bagels

Focaccia

Pains
La Californie offre un large choix de pains d'origines ethniques diverses.

Pain au levain

Sandwiches
La plupart des delicatessen permettent de choisir la composition de ses sandwiches.

Guacamole (crème d'avocat aillée)

Taco (tortilla fourrée)

Salsa (tomate, oignon et sauce pimentée)

Arroz (riz), parfumé à la tomate

Burger and Fries
Ce grand classique américain est souvent très bon dans les restaurants.

Burritos (rouleaux de tortilla aux garnitures diverses)

Nachos (chips de farine de maïs souvent épicées)

Frijoles (haricots)

CUISINE MEXICAINE
Partout en Californie, des établissements proposent des spécialités mexicaines, en particulier des plats à base de haricots, de riz et de tortillas (crêpes de farine de maïs).

Dim Sum
Ces petits raviolis chinois sont fourrés de poisson, de viande ou de légumes.

Ahi Tuna
Ce thon se déguste parfois en tranches minces avec une sauce au poivre.

Spaghetti Vongole
En bord de mer, de nombreux restaurants proposent ces pâtes aux clams.

Lobster and Vegetables
Ici servi avec des légumes, le homard figure fréquemment à la carte sur le littoral.

Pizza californienne
Légumes, viande ou poisson grillés garnissent entre autres les pizzas.

Courgettes

Poivrons rouges

Aubergine

Salad in Tortilla
Une salade fraîche magnifiquement présentée dans une coquille de tortilla.

Fruit Dessert
Au restaurant, les fruits frais sont parfois servis en dessert avec un sirop.

Légumes grillés à la méditerranéenne
De la polenta (semoule de maïs cuite) accompagne souvent des légumes méditerranéens grillés après avoir mariné dans de l'huile d'olive, de l'ail et des aromates.

Cantaloup

Dattes

Pêches

Cerises

Fraises

Abricots

Ananas

Citrons verts

Figues

FRUITS
CALIFORNIENS
Produits pour la plupart dans les fertiles vallées de l'État, les fruits se consomment aussi bien au petit déjeuner qu'au dessert ou en-cas.

Kumquats

Que boire en Californie

Marque de bière

Les boissons non alcoolisées sont de loin les plus consommées en Californie. Des fontaines d'eau fraîche équipent la majorité des édifices publics et des stands proposent partout un vaste choix de jus de fruits et de sodas. Le vin *(p. 422-423)* accompagne principalement le dîner, bien que de nombreux restaurants proposent le week-end des brunchs au champagne. Boire de l'alcool est interdit dans la rue, mais on peut se désaltérer d'une bière pendant un match.

La Napa Valley est la principale région viticole de Californie

Tequila   **Sunset Strip**   **Daiquiri à la fraise**   **Margarita**

COCKTAILS

Siroter un cocktail en contemplant un coucher de soleil sur l'océan fait partie des clichés du « rêve californien ».

Le margarita reste le grand favori dans tout l'État. Servi dans un verre conique au bord glacé de sel, il associe tequila, jus de citron vert et liqueur à base d'orange comme le triple sec.

Le Sunset Strip, nommé d'après la célèbre section de Sunset Boulevard *(p. 98-103)*, se compose de parts égales de gin, de rhum, de triple sec, de vodka, de jus d'ananas et de limonade. Le pina colada est un mélange d'ananas frais, de lait de coco, de citron vert et de jus de papaye, d'orange et d'ananas. Arrosé d'une pointe de rhum, il est présenté dans de hauts verres. Dans le daiquiri entrent rhum, citron vert et sucre.

SOFT DRINKS

Ce terme désigne toutes les boissons non alcoolisées, à commencer par les sodas dont les plus répandus restent les colas, de diverses marques, vendus également en versions décaféinée ou sans sucre. Installés dans la rue, ainsi que dans de nombreux hôtels, des distributeurs proposent des *soft drinks* payants et de l'eau fraîche et de la glace pilée gratuites. Vous pouvez aussi acheter des boissons gazeuses dans les fast-foods, mais elles reviennent en général plus cher que dans un supermarché.

Cola   L'intérêt que les Californiens portent à leur santé les conduit à consommer beaucoup de jus de fruits ou de légumes frais. Partout, notamment dans les centres commerciaux, des stands en pressent de toutes sortes sous vos yeux. À l'instar de nombreux Californiens, n'hésitez pas à vous équiper pour vos promenades de gourdes isolantes qui vous permettront de conserver des boissons fraîches.

Jus de fraises fraîchement pressé

CAFÉ ET THÉ

Les Américains accompagnent souvent leurs repas d'un café léger, resservi en général gratuitement dans les restaurants. Ils en apprécient aussi des versions plus exotiques dans les cafés ou les stands dans la rue : espresso, moka, *café latte, cappuccino, frappuccino* (*cappuccino* glacé) ou café parfumé à l'amande. Le thé se boit aromatisé à de très nombreux parfums.

Cappuccino   **Café latte**

Frappuccino   **Thé au citron**

VINS

La Californie du Nord jouit d'un climat tempéré bien adapté à la vigne, des brumes rafraîchissantes permettant une maturité parfaite des grappes. Les principales variétés cultivées sont le cabernet sauvignon, le pinot noir, le merlot et le zinfandel *(p. 422-423)*. Les vins blancs prennent aussi le nom de leur cépage, le chardonnay ayant acquis une grande popularité ces dernières années. Planté sur toute la Côte Ouest, il produit, selon la vinification, des crus aussi bien secs et légers que corsés et riches en tanin.

Des sociétés champenoises telles que Moët et Chandon et Mumm ont fondé des domaines dans le Wine Country, notamment dans la Napa Valley, et la région produit des mousseux *(sparkling wines)*.

Cuvée Napa, un mousseux de Mumm   **Rosé californien**   **Napa Chardonnay**   **Cabernet Sauvignon**

Le vin est relativement cher en Californie, en particulier dans les restaurants, mais la législation de l'État vous autorise à l'acheter dans un supermarché ou une *liquor store* et à l'apporter avec vous. Le « droit de débouchage » est en général de l'ordre de 5 à 10 $.

EAU

L'eau du robinet peut se consommer sans crainte et des distributeurs d'eau fraîche équipent la majorité des lieux publics. Dans les restaurants, elle est servie avec de la glace. L'État produit aussi plusieurs eaux minérales, souvent gazeuses et parfois parfumées aux extraits de fruits. La meilleure provient de Calistoga, une ville thermale de la Napa Valley *(p. 445)*.

Eau minérale de Calistoga

BOISSONS ALCOOLISÉES

Il faut avoir 21 ans pour acheter ou consommer de l'alcool ou entrer dans un bar. Les jeunes doivent pouvoir présenter des papiers d'identité. La législation californienne sur les heures d'ouvertures (de 6 h à 2 h du matin) est toutefois plus souple que celles d'autres États américains. Avoir une bouteille ouverte dans une voiture est interdit.

Dans un bar de Santa Barbara

BIÈRES

Anchor Steam Beer   **Red Tail Ale**   **Liberty Ale**

Les bières américaines les plus répandues manquent généralement de corps, mais vous trouverez aussi en Californie des marques étrangères. Le succès de l'Anchor Brewery de San Francisco, qui produit entre autres la Steam Beer et la Liberty Ale, a ouvert aux États-Unis un marché pour des bières de caractère. De petites brasseries, certaines n'occupant que l'arrière-salle d'un bar *(p. 539)*, ont vu le jour dans tout le pays. La Boont Amber et la Red Tail Ale du Mendocino County font partie des autres très bonnes bières locales.

De nombreux Californiens ouvrent également des *do-it-yourself breweries* où chacun peut fabriquer sa propre cuvée. Des experts guident l'amateur tout au long du processus, du maltage à la mise en bouteille en passant par la fermentation. Il dure de deux à six semaines.

Choisir un restaurant

Classés par régions, en commençant par Los Angeles, les établissements de cette sélection ont été choisis dans une large gamme de prix pour la qualité de leur cuisine, leur bon rapport qualité-prix ou l'attrait de leur situation. Les onglets de couleur correspondent à ceux utilisés dans les chapitres consacrés aux différentes régions dans la partie centrale du guide.

	TABLES À L'EXTÉRIEUR	SPÉCIALITÉS VÉGÉTARIENNES	BAR OU BAR À COCKTAILS	MENUS À PRIX FIXES	ENFANTS BIENVENUS
LOS ANGELES					
BEL AIR : *Bel-Air Hotel Restaurant* ⑤⑤⑤⑤⑤ 701 Stone Canyon Rd, CA 90077. **Plan 4** A2. (*(310) 472-1211.* La cuisine franco-californienne de ce restaurant primé se déguste dans une élégante salle à manger, dans un salon évoquant une bibliothèque ou sur une terrasse dominant un jardin et un lac. & ⛾ *soir.* 🎵 🐾 📧	■	●	■		
BEVERLY HILLS : *Factor's Famous Deli* ⑤ 9420 W Pico Blvd, CA 90035. **Plan 5** F5. (*(310) 278-9175.* Cet authentique *deli* juif sert de telles portions que deux personnes peuvent se partager un sandwich. Service rapide mais amical. & 📧		●			■
BEVERLY HILLS : *Koo Koo Roo* ⑤ 262 S Beverly Drive, CA 90212. **Plan 5** F4. (*(310) 274-3121.* Cette chaîne de fast-food propose des plats diététiques dans toute la ville. Les salades et les sandwiches à la dinde ou au poulet sont délicieux. & 📧		●			■
BEVERLY HILLS : *Nate 'n' Al's Deli* ⑤ 414 N Beverly Drive, CA 90210. **Plan 5** F3. (*(310) 274-0101.* Le Nate 'n' Al's prépare de fabuleux sandwiches et des plats classiques de *deli* tels que volaille rôtie, purée et *gravy* (sauce épaisse). Petits-déjeuners toute la journée. & 📧					■
BEVERLY HILLS : *Barney Greengrass* ⑤⑤ Barney's New York, 9570 Wilshire Blvd, CA 90212. **Plan 5** F4. (*(310) 777-5877.* Voici l'endroit branché pour déjeuner ou prendre le thé : superbe vue, excellents desserts et plats de *deli* haut de gamme. & 📧	■	●	■		
BEVERLY HILLS : *Benihana of Tokyo* ⑤⑤ 38 N La Cienega Blvd, CA 90211. **Plan 6** C4. (*(323) 655-7311.* Dans ce restaurant japonais, le chef vient accommoder légumes, poulet, bœuf ou produits de la mer à votre table. C'est bon et distrayant. Mieux vaut réserver à l'avance. ● *sam. et dim. midi.* & 📧			■		■
BEVERLY HILLS : *Cafe Rodeo* ⑤⑤ 360 N Rodeo Drive, CA 90210. **Plan 5** F3. (*(310) 273-0300.* Cet établissement animé, dont le décor a changé récemment, offre un bon choix d'en-cas, salades et boissons. On mange à l'extérieur, sur le trottoir. & 📧	■	●	■		
BEVERLY HILLS : *Lawry's Prime Rib* ⑤⑤⑤ 100 N La Cienega Blvd, CA 90211. **Plan 6** C4. (*(310) 652-2827.* Le Lawry's ne plaisante pas avec l'entrecôte. Du *Yorkshire pudding* (sorte de pâte à chou) accompagne les énormes portions découpées à votre table. ● *midi.* & 📧			■		
BEVERLY HILLS : *McCormick & Schmick's The Fish House* ⑤⑤⑤ 206 N Rodeo Drive,CA 90210. **Plan 5** F3. (*(310) 859-0434.* Réputé pour ses plats de poissons et de coquillages, notamment les huîtres, cet excellent restaurant propose aussi pâtes, viande et volaille. & 📧	■	●	■		
BEVERLY HILLS : *The Farm of Beverly Hills* ⑤⑤⑤ 439 N Beverly Drive, CA 90210. **Plan 5** F3. (*(310) 273-5578.* Salades, plateaux de fromages, sandwiches et pâtes sont excellents. Une superbe sélection de pains et de desserts les complète. & 📧	■	●			■
BEVERLY HILLS : *Kate Mantilini* ⑤⑤⑤⑤ 9101 Wilshire Blvd, CA 90210. **Plan 5** F4. (*(310) 278-3699.* La cuisine servie ici dans une salle aérée et spacieuse est californienne. Essayez le *white chilli* (chili de poulet aux haricots blancs). & 🍴 📧	■	●	■		
BEVERLY HILLS : *Matsuhisa* ⑤⑤⑤⑤ 129 N La Cienega Blvd, CA 90211. **Plan 6** C4. (*(310) 659-9639.* Cet exceptionnel restaurant de poissons japonais propose des spécialités exotiques telles que des oursins chauds. Réservation obligatoire. 📧	■	●		●	■

Catégories de prix pour un repas de trois plats, une demi-bouteille de vin de la maison, taxes et service compris :
- $ moins de 25 $
- $$ de 25 à 35 $
- $$$ de 35 à 50 $
- $$$$ de 50 à 70 $
- $$$$$ plus de 70 $

TABLES À L'EXTÉRIEUR
Tables dans un patio ou sur une terrasse.
SPÉCIALITÉS VÉGÉTARIENNES
La carte propose un choix de plats végétariens.
BAR OU BAR À COCKTAILS
Possibilité de boire un verre ailleurs qu'à table dans le restaurant.
MENUS À PRIX FIXES
Menu au prix intéressant, généralement de trois plats, proposé au déjeuner et/ou au dîner.
ENFANTS BIENVENUS
Portions réduites et/ou chaises hautes disponibles.

	TABLES À L'EXTÉRIEUR	SPÉCIALITÉS VÉGÉTARIENNES	BAR OU BAR À COCKTAILS	MENUS À PRIX FIXES	ENFANTS BIENVENUS
BEVERLY HILLS : *208 Rodeo* $$$$ 208 Rodeo Drive, CA 90210. **Plan 5 F3.** ((310) 275-2428. Dans ce restaurant, la cuisine est un doux mélange d'inspirations asiatique et française. Les menus, très variés, proposent viandes, pâtes, fruits de mer, excellents amuse-gueules et salades. ◐ ◐	■	●	■		
BEVERLY HILLS : *Dining Room, Regent Beverly Wilshire Hotel* $$$$$ 9500 Wilshire Blvd, CA 90212. **Plan 5 F3.** ((310) 275-5200. Ce restaurant d'hôtel extrêmement élégant *(p. 508)* à l'atmosphère « vieille Europe » attire une clientèle âgée et chic. Paella extraordinaire. ◐ ◐ ◐ ◐		●	■	●	■
BEVERLY HILLS : *Mr Chow* $$$$$ 344 N Camden Dr, CA 90210. **Plan 5 F3.** ((310) 278-9911. Des célébrités viennent savourer chez Mr Chow des plats à la pékinoise portant des noms tels que *gamblers' duck* (canard des joueurs). ● sam.-dim. midi. ◐ ◐ ◐ ◐ ◐		●	■		
BURBANK : *Smoke House* $$ 4420 Lakeside Dr, CA 91505. **Carte routière**, encadré A. ((818) 845-3731. Le meilleur de la cuisine américaine ordinaire. Situé en face de Warner Bros et des Studios Disney, c'est un très bon restaurant pour petits et grands. ◐ ◐	■	●			■
CENTURY CITY : *Johnny Rocket's* $ 10250 Santa Monica Blvd, CA 90067. **Plan 5 D4.** ((310) 788-9020. Les enfants adorent cette nouvelle chaîne de restaurant, avec son ambiance années 1950 et sa vraie fontaine de soda. Hamburgers, milkshakes et frites sont en vedettes, et l'on y sert le meilleur hamburger végétarien de la ville. ◐ ◐		●			■
CENTURY CITY : *La Cachette* $$$$ 10506 South Santa Monica Blvd, CA 90025. **Plan 4 C5.** ((310) 470-4992. Ce restaurant très chic, l'un des meilleurs de L. A., sert de la cuisine méditerranéenne française dans un cadre spacieux, lumineux et aéré. ◐ ◐ ◐		●			■
DOWNTOWN : *Patinette at Moca* $ 250 S Grand Ave, CA 90012. **Plan 11 D4.** ((213) 626-1178. Le café installé dans la cour intérieure du Museum of Contemporary Art *(p. 121)* sert de bons sandwiches et salades. ● lun. ; soir sauf jeu. et dim. ◐ ◐	■	●			■
DOWNTOWN : *Checkers* $$$ 535 S Grand Ave, CA 90071. **Plan 11 D4.** ((213) 624-0000. Marbre et antiquités donnent une atmosphère intime à ce restaurant d'hôtel *(p. 510)* proposant une cuisine californienne éclectique. ◐ ◐		●	■		■
DOWNTOWN : *Sonora Café* $$$ 180 S La Brea, CA 90036. **Plan 7 F3.** ((323) 857-1800. De succulents classiques de la cuisine Tex-Mex se dégustent au Sonora à la lueur des chandelles. Splendides *quesadillas* farcies au bacon et au fromage de chèvre et de vache. ● sam.-dim. midi, lun. ◐ ◐	■		■		
DOWNTOWN : *Smeraldi's* $$$$ Biltmore Hotel, 506 S Grand, CA 90012. **Plan 11 D4.** ((213) 612-1562. Ce restaurant ouvert le midi et le soir est spécialisé dans la cuisine italienne et californienne. Bonne sélection de pizzas, poulets, salades et steaks. ● dim., lun. soir, sam. midi. ◐ ◐ ◐		●	■	●	■
DOWNTOWN : *Cicada* $$$$ 617 S Olive St, CA 90014. **Plan 11 D4.** ((213) 488-9488. La qualité de sa cuisine italienne contemporaine assure le succès de ce superbe restaurant Art déco de l'Oviatt Hotel. ● dim. ; lun.-sam. midi. ◐ ◐ ◐ ◐		●	■	●	
DOWNTOWN : *Water Grill* $$$$ 544 S Grand Ave, CA 90017. **Plan 11 D4.** ((213) 891-0900. Cet établissement comprend un bar à huîtres et sert de délicieuses spécialités de fruits de mer, des *crab cakes* aux crevettes *(prawns)* de Santa Barbara. ◐ ◐		●	■		■

Catégories de prix pour un repas de trois plats, une demi-bouteille de vin de la maison, taxes et service compris : $ moins de 25 $ $$ de 25 à 35 $ $$$ de 35 à 50 $ $$$$ de 50 à 70 $ $$$$$ plus de 70 $	**TABLES À L'EXTÉRIEUR** Tables dans un patio ou sur une terrasse. **SPÉCIALITÉS VÉGÉTARIENNES** La carte propose un choix de plats végétariens. **BAR OU BAR À COCKTAILS** Possibilité de boire un verre ailleurs qu'à table dans le restaurant. **MENUS À PRIX FIXES** Menu au prix intéressant, généralement de trois plats, proposé au déjeuner et/ou au dîner. **ENFANTS BIENVENUS** Portions réduites et/ou chaises hautes disponibles.	**TABLES À L'EXTÉRIEUR**	**SPÉCIALITÉS VÉGÉTARIENNES**	**BAR OU BAR À COCKTAILS**	**MENUS À PRIX FIXES**	**ENFANTS BIENVENUS**

Restaurant	Tables ext.	Spéc. végé.	Bar	Menus	Enfants
GLENDALE : *Damon's Steak House* $$ 317 North Brand Blvd, Glendale, CA 91203. **Carte routière**, encadré A. ☎ *(818) 956-9056.* Ce restaurant à l'ambiance pseudo-tropicale propose d'excellents steaks à bas prix. Le décor est affligeant mais la cuisine excellente. ♿ 🍴 ✉		●	■		■
HOLLYWOOD : *Canter's Deli* $ 419 N Fairfax Ave, CA 90036. **Plan 7 D2.** ☎ *(323) 651-2030.* Ce merveilleux *deli* ouvert 24 h sur 24 permet aux noctambules de reprendre des forces avec d'énormes sandwiches ou des plats chauds sans prétention. ♿ ✉		●	■		■
HOLLYWOOD : *Cha Cha Cha* $ 656 N Virgil Ave, CA 90004. **Plan 9 F1.** ☎ *(323) 664-7723.* La paella et le poulet boucané *(jerk chicken)* sont excellents dans ce restaurant antillais. Les sauces pimentées peuvent être servies à part. ♿ ✉	■	●	■		
HOLLYWOOD : *Kokomo Café* $ Farmer's Market, 6333 W 3rd St, CA 90036. **Plan 7 D3.** ☎ *(323) 933-0773.* Son succès témoigne de la qualité des plats servis au petit-déjeuner et à midi. Goûtez aux sandwiches au blanc de poulet fumé au bois d'arbre fruitier ou aux délicieux *turkey burgers.* ● *soir.* ♿ ✉	■	●			■
HOLLYWOOD : *Mario's Peruvian* $ 5786 Melrose Ave, CA 90038. **Plan 8 B1.** ☎ *(323) 466-4181.* Cadre sans inspiration, mais excellentes spécialités péruviennes telles qu'un ragoût de poisson ou des filets de poisson marinés dans du jus de citron. Mieux vaut arriver tôt. Pas d'alcool, mais vous pouvez apporter le vôtre. ♿ ✉		●			■
HOLLYWOOD : *Pig 'n' Whistle* $ 6714 Hollywood Blvd, CA 90028. **Plan 2 B4.** ☎ *(323) 463-0000.* Ce bâtiment de 1929 récemment réouvert présente une décoration intérieure exceptionnelle. La salle du fond est meublée de sofas pour des dîners plus intimes. ✉			■	●	
HOLLYWOOD : *Souplantation* $ Beverly Connection, 8491 W 3rd St, CA 90048. **Plan 6 C3.** ☎ *(323) 655-0381.* Dans ce restaurant de chaîne, vous vous servez à volonté à des buffets offrant un vaste choix de soupes, de salades, de viandes rôties, de fruits et de yaourts. 1,49 $ seulement pour les moins de 5 ans. ♿ ✉		●			■
HOLLYWOOD : *The Gumbo Pot* $ Farmer's Market, 6333 W 3rd St, CA 90036. **Plan 7 D3.** ☎ *(323) 933-0358.* Des groupes jouent parfois dans ce fast-food cajun. Essayez le ragoût *(stew)* de gombos et les Po'Boys (énormes sandwiches). ♿ 🎵 ✉	■	●			
HOLLYWOOD : *Hollywood Canteen* $$ 1006 N Seward St, CA 90038. **Plan 2 C5.** ☎ *(323) 465-0961.* L'Italie influence la cuisine américaine de ce restaurant de style années 1940. Les *New York steaks* et le saumon mariné sont bons. ● *dim., sam. midi.* ♿ 🎵 ✉	■	●	■		
HOLLYWOOD : *Shin* $$ 1972 Hillhurst Ave, CA 90027. **Carte routière**, encadré A. ☎ *(323) 664-1891.* Le saumon *tempura*, les *sushi* et *sashimi* (poisson cru) et la salade au *steamed lobster* sont délicieux dans ce restaurant japonais minimaliste. La *bento box* permet de goûter un peu de tout. ● *dim., sam. midi.* ♿ ✉		●			
HOLLYWOOD : *The Clay Pit* $$ 145 S Barrington Ave, CA 90049. **Plan 4 A5.** ☎ *(310) 476-4700.* La cuisine de l'Inde du Nord de ce restaurant justifie un détour dans ce quartier peu élégant. Le buffet du déjeuner est une véritable affaire. ♿ ✉		●		●	■
HOLLYWOOD : *Ca'brea* $$$ 346 S La Brea Ave, CA 90036. **Plan 7 F3.** ☎ *(323) 938-2863.* On déguste au Ca'brea de solides plats de l'Italie du Nord, dont une savoureuse soupe de lentilles, dans une ambiance chaleureuse et animée. ♿ ✉		●	■		

HOLLYWOOD : *Campanile* $$$$
624 S La Brea Ave, CA 90036. Plan 7 F4. (323) 938 1447. On peut fumer au bar et choisir entre 70 grappas dans ce restaurant élégant à la cuisine d'inspiration méditerranéenne. ● *dim. soir.*

HOLLYWOOD : *Oasis* $$$$
611 N La Brea Ave, CA 90036. Plan 7 F3. (323) 939-8900. Décor d'inspiration marocaine pour ce restaurant qui propose des menus incluant une série de plats servis dans de petites assiettes.

LONG BEACH : *New York Bryan's* $$
213A Pine Ave à la hauteur de Broadway St, CA 90802. Carte routière, encadré A. (562) 437-1234. Ce restaurant italo-américain, en plein centre-ville, est ouvert le midi, le soir, et une partie de la nuit ● *sam. et dim. midi*

LONG BEACH : *Parker's Lighthouse* $$
435 Shoreline Village Drive, CA 90802. Carte routière, encadré A. (562) 432-6500. On jouit depuis cet ancien phare d'une vue magnifique sur le port tout en dégustant d'excellents poissons grillés dans une ambiance nautique.

LONG BEACH : *Shenandoah Café* $$
4722 E 2nd St, CA 90803. Carte routière, encadré A. (562) 434-3469. Ce curieux café sert une cuisine du Sud. Essayez le travers de porc fumé, les beignets de pomme et le brunch du dimanche.

LONG BEACH : *Sir Winston's Restaurant* $$$
Queen Mary Seaport, 1126 Queen's Hwy, CA 90801. Carte routière, encadré A. (562) 435-3511. Les boiseries du Queen Mary créent un cadre majestueux pour un dîner romantique et habillé. Cuisine européenne. ● *midi.*

MALIBU : *Gladstone's 4 Fish* $$$
17300 Pacific Coast Hwy, CA 90272. Carte routière, encadré A. (310) 454-3474. Ce restaurant de poissons très agréable en famille sert des portions énormes, mais les restes s'emportent dans des sculptures en papier aluminium.

MALIBU : *Saddle Peak Lodge* $$$$
419 Cold Canyon Road, CA 91302. Carte routière, encadré A. (818) 222-3888. Cachée dans les Santa Monica Mountains, la meilleure table de gibier de Los Angeles attire une clientèle élégante. ● *lun., mar.*

MALIBU : *Geoffrey's* $$$$
27400 Pacific Coast Hwy, CA 90265. Carte routière, encadré A. (310) 457-1519. Un endroit romantique et une excellente cuisine californienne pour une superbe soirée Essayez le tartare de thon ou le homard vapeur.

MARINA DEL REY : *Alejo's* $
4002 Lincoln Blvd, CA 90292. Carte routière, encadré A. (310) 822-0095. Il faut patienter pour savourer sur des tables en formica une cuisine italienne de qualité, mais bon marché. Apportez votre vin. ● *sam.-dim. midi.*

MARINA DEL REY : *Killer Shrimp* $
523 Washington St, CA 90292. Carte routière, encadré A. (310) 578-2293. Ce restaurant de chaîne très apprécié ne propose que des crevettes et des sauces succulentes.

MARINA DEL REY : *The Cheesecake Factory* $
4142 Via Marina, CA 90292. Carte routière, encadré A. (310) 306-3344. On fait la queue pour venir ici apprécier des plats asiatiques, français ou italiens. Et plus de 30 variétés de *cheesecake* (gâteau au fromage blanc) !

PASADENA : *Gordon Biersch Brewery* $$$
41 Hugus Alley, CA 91103. Carte routière, encadré A. (626) 449-0052. Ce restaurant de chaîne chic a sa propre brasserie. Beaucoup de célibataires. La bière, les hamburgers, les pâtes et le poisson sont vraiment bons.

PASADENA : *Parkway Grill* $$$
510 S Arroyo Pkwy, CA 91105. Carte routière, encadré A. (626) 795-1001. Voici l'une des meilleures tables de la région pour découvrir la cuisine californienne. Arbres et fleurs font de la salle à manger un jardin. ● *sam. midi.*

PASADENA : *Shiro* $$$
1505 Mission St, CA 91030. Carte routière, encadré A. (626) 799-4774. Son excellente cuisine franco-japonaise a valu au Shiro d'être élu meilleure table de Los Angeles par la Zagat Survey en 1996. ● *lun. et mar. midi.*

Légende des symboles, voir rabat de couverture

		TABLES À L'EXTÉRIEUR	SPÉCIALITÉS VÉGÉTARIENNES	BAR OU BAR À COCKTAILS	MENUS À PRIX FIXES	ENFANTS BIENVENUS

Catégories de prix pour un repas de trois plats, une demi-bouteille de vin de la maison, taxes et service compris :
⑤ moins de 25 $
⑤⑤ de 25 à 35 $
⑤⑤⑤ de 35 à 50 $
⑤⑤⑤⑤ de 50 à 70 $
⑤⑤⑤⑤⑤ plus de 70 $

TABLES À L'EXTÉRIEUR
Tables dans un patio ou sur une terrasse.
SPÉCIALITÉS VÉGÉTARIENNES
La carte propose un choix de plats végétariens.
BAR OU BAR À COCKTAILS
Possibilité de boire un verre ailleurs qu'à table dans le restaurant.
MENUS À PRIX FIXES
Menu au prix intéressant, généralement de trois plats, proposé au déjeuner et/ou au dîner.
ENFANTS BIENVENUS
Portions réduites et/ou chaises hautes disponibles.

Restaurant		T.Ext.	Végé.	Bar	Menus	Enfants
PASADENA : *Yujean Kang's* ⑤⑤⑤ 67 N Raymond Ave, CA 91103. **Carte routière**, encadré A. ((626) 585-0855. Ce très élégant chinois ne désemplit pas. Le homard *(lobster)* y prend d'étranges saveurs *(strange flavours)*. Déjeuner à prix intéressant. ⛱ 🗒			●		●	
SAN PEDRO : *22nd Street Landing Restaurant* ⑤⑤⑤ 141A W 22nd St, CA 90731. **Carte routière**, encadré A. ((310) 548-4400. Ce vaste restaurant de poissons sur le port de San Pedro est toujours très animé. Essayez le cassoulet de fruits de mer en croustade. ⛱ 🍴 🗒		▨	●	▨		▨
SANTA MONICA : *Swingers* ⑤ 802 Broadway St, CA 90404. **Carte routière**, encadré A. ((310) 393-9793. Ce restaurant offre un décor typiquement américain, avec papier peint Andy Warhol, comptoir en formica et jukebox. ⛱ 🗒			●			
SANTA MONICA : *Schatzi on Main* ⑤⑤ 3110 Main St, CA 90405. **Carte routière**, encadré A. ((310) 399-4800. Propriété d'Arnold Schwarzenegger, ce restaurant agréable sert des plats autrichiens et de la cuisine californienne diététique. Brunch au champagne le dimanche. ⛱ 🗒		▨	●	▨		▨
SANTA MONICA : *The Lobster* ⑤⑤ 1602 Ocean Ave, CA 90401. **Carte routière**, encadré A. ((310) 458-9294. Incontournable depuis 1923, ce restaurant offre une vue à 180° sur le Pacifique et Santa Monica Pier. ⛱ 🗒		▨	●	▨		
SANTA MONICA : *Buffalo Club* ⑤⑤⑤⑤ 1520 Olympic Blvd, CA 90404. **Carte routière**, encadré A. ((310) 450-8600. Régulièrement élu parmi les dix meilleures tables de L. A., le Buffalo sert une cuisine américaine pleine d'imagination. Fabuleux *dumplings* de crevette et de homard à la sauce aux haricots noirs. ● *dim. ; mar.-sam. midi.* ⛱ 🍴 🗒		▨	●	▨		
SANTA MONICA : *Café Delfini* ⑤⑤⑤⑤ 147 W Channel Rd, CA 90402. **Carte routière**, encadré A. ((310) 459-8823. De délicieuses spécialités italiennes dans un cadre intime et romantique. Gnocchis maison le jeudi. Réservation recommandée. ● *midi.* ⛱ 🗒			●			▨
SANTA MONICA : *Drago* ⑤⑤⑤ 2628 Wilshire Blvd, CA 90403. **Carte routière**, encadré A. ((310) 828-1585. Ce restaurant soigné propose de merveilleuses recettes siciliennes comme le risotto au faisan et le ragoût aux morilles *(morel)*. ● *sam.-dim. midi.* ⛱ 🍴 🗒			●	▨		
SANTA MONICA : *Chinois on Main* ⑤⑤⑤⑤⑤ 2709 Main St, CA 90405. **Carte routière**, encadré A. ((310) 392-9025. Wolfgang Puck propose ici dans un décor contemporain un mariage entre traditions chinoise, japonaise et californienne. L'occasion de déguster des huîtres au curry. ● *midi du sam. au mar.* ⛱ 🍴 🗒				▨		▨
SANTA MONICA : *Michael's Restaurant* ⑤⑤⑤⑤⑤ 1147 3rd St, CA 90403. **Carte routière**, encadré A. ((310) 451-0843. On s'habille pour savourer au Michael's une cuisine américaine dans un cadre des années 1930 orné de peintures originales. Parmi les spécialités figure le saumon au caviar et à la ciboulette *(chives)*. ● *dim., lun., et sam. midi.* ⛱ 🍴 🗒		▨	●	▨		▨
SANTA MONICA : *Valentino* ⑤⑤⑤⑤⑤ 3115 Pico Blvd, CA 90405. **Carte routière**, encadré A. ((310) 829-4313. Le meilleur italien de Los Angeles possède aussi une des plus belles cartes des vins de la ville. Tout est fait sur place, du pain et des pâtes aux desserts et aux sorbets. ● *dim., à midi du lun. au jeu. et le sam.* ⛱ 🍴 🗒		▨	●	▨	●	▨
STUDIO CITY : *Pinot Bistro* ⑤⑤⑤ 12969 Ventura Blvd, CA 91604. **Carte routière**, encadré A. ((818) 990-0500. Un petit coin de Paris à Los Angeles. Salle confortable et chaleureuse et superbe cuisine. ● *sam.-dim. midi.* ⛱ 🍴 🎵 🗒		▨	●	▨		▨

STUDIO CITY : *La Loggia* $$$$
11814 Ventura Blvd, CA 91604. **Carte routière**, encadré A. *(818) 985-9222*. Ce restaurant italien tout petit est toujours bondé. Goûtez aux spaghetti maison aux crevettes, coquilles Saint-Jacques et calamars. ● *dim., sam. midi.* 🕭 ☝ 🖉

UNIVERSAL CITY : *BB King's Blues Club* $$$
1000 Universal Center Drive, CA 91608. **Carte routière**, encadré A. *(818) 622-5464*. Un groupe de gospel joue pour le brunch du dimanche dans cet établissement servant une cuisine du Sud. ● *midi.* 🕭 🎵 🖉

VENICE : *Café 50s Diner* $
838 Lincoln Blvd, CA 90291. **Carte routière**, encadré A. *(310) 399-1955*. Un minuscule café des années 1950. Plats de *diner* : sandwiches, salades, hamburgers et milkshakes. Spécialités du jour *(blue plate special)* le soir. 🕭 🖉

VENICE : *Jody Maroni's Sausage Kingdom* Ⓦ www.maroni.com $
2011 Ocean Front Walk, CA 90291. **Carte routière**, encadré A. *(310) 822-5639*. Un petit creux ? Essayez un des sandwiches à la saucisse garnis d'oignons et de poivrons préparés par ce stand de la promenade (pas de siège). 🕭

VENICE : *The Rose Café & Market* $
220 Rose Ave, CA 90291. **Carte routière**, encadré A. *(310) 399-0711*. Ce café décontracté au coin de Main Street propose des classiques tels qu'hamburgers et poulet. Très bonne *Chinese chicken salad*. ● *soir.* 🕭 🎵 🖉

VENICE : *Hama Sushi* $$
213 Windward Ave, CA 90921. **Carte routière**, encadré A. *(310) 396-8783*. On attend parfois avant d'être servi dans ce restaurant très fréquenté, mais les *sushis* et autres plats japonais sont très bons. Excellents *sakes* et bières. 🕭 🖉

VENICE : *Hal's Bar and Grill* $$$
1349 Abbot Kinney Blvd, CA 90291. **Carte routière**, encadré A. *(310) 396-3105*. Ce bistrot branché et chaleureux sert pâtes et plats américains dans un cadre aéré. Peintures contemporaines sur les murs. 🎵 🖉

WEST HOLLYWOOD : *Astroburger* $
7475 Santa Monica Blvd, CA 90046. **Plan 7 E1.** *(323) 874-8041*. Très bonne cuisine américaine : hamburgers, frites, oignons frits et large choix de plats végétariens. Ouvert jusqu'à 3 h du matin. 🕭

WEST HOLLYWOOD : *Marix* $
1108 N Flores St, CA 90069. **Carte routière**, encadré A. *(323) 656-8800*. Apprécié de la population gay du quartier, le Marix est bruyant, mais réussit à merveille les plats mexicains. Vaste choix de margaritas. 🕭 🖉

WEST HOLLYWOOD : *The Rainbow Bar and Grill* $
9015 Sunset Blvd, CA 90069. **Plan 6 A1.** *(310) 278-4232*. Les professionnels de l'industrie du spectacle se donnent rendez-vous ici *(p. 98)*. Cuisine européenne. Night-club le soir. 🍷 ☝ 🖉

WEST HOLLYWOOD : *Jones Hollywood* $$
7205 Santa Monica Blvd, CA 90046. **Plan 2 A5.** *(323) 850-1727*. Essayez le *New York steak* grillé dans le four à pizza. Le restaurant, animé, sert une cuisine italo-californienne. ● *sam.-dim. midi.* 🕭 🖉

WEST HOLLYWOOD : *O-Bar* $$
8279 Santa Monica Blvd, CA 90210. **Plan 6 C1.** *(323) 822-3300*. Ce lieu magnifique est orné d'une cheminée et possède un jardin garni d'un bassin. La cuisine y est réconfortante et originale. ● *midi.* 🕭 ☝ 🖉

WEST HOLLYWOOD : *Dolce* $$$
8284 Melrose Ave, CA 90046. **Plan 6 C1.** *(323) 852-7174*. Propriété de diverses célébrités, ce restaurant attire du beau monde. Ouvert tard. ● *lun.* 🕭 ☝ 🖉

WEST HOLLYWOOD : *Jar* $$$
8225 Beverly Blvd. CA 90048. **Plan 6 C2.** *(323) 655-6566*. Ce restaurant s'est donné pour spécialité le steak sous toutes ses formes. Tous les plats sont servis à la carte. 🖉

WEST HOLLYWOOD : *Newsroom Café* $$$
120 Robertson Blvd. CA 90069. **Plan 6 B3.** *(310) 652-4444*. Ce café sert une cuisine diététique, avec douceurs aux fruits, grandes salades et plats végétariens. Il propose également d'excellents petits-déjeuners. ● *lun., mar., jeu.* 🕭 🖉

Légende des symboles, voir rabat de couverture

Catégories de prix pour un repas de trois plats, une demi-bouteille de vin de la maison, taxes et service compris :
$ moins de 25 $
$$ de 25 à 35 $
$$$ de 35 à 50 $
$$$$ de 50 à 70 $
$$$$$ plus de 70 $

TABLES À L'EXTÉRIEUR
Tables dans un patio ou sur une terrasse.
SPÉCIALITÉS VÉGÉTARIENNES
La carte propose un choix de plats végétariens.
BAR OU BAR À COCKTAILS
Possibilité de boire un verre ailleurs qu'à table dans le restaurant.
MENUS À PRIX FIXES
Menu au prix intéressant, généralement de trois plats, proposé au déjeuner et/ou au dîner.
ENFANTS BIENVENUS
Portions réduites et/ou chaises hautes disponibles.

	TABLES À L'EXTÉRIEUR	SPÉCIALITÉS VÉGÉTARIENNES	BAR OU BAR À COCKTAILS	MENUS À PRIX FIXES	ENFANTS BIENVENUS

WEST HOLLYWOOD : *Pane e Vino* $$$
8265 Beverly Blvd, CA 90048. **Plan** 6 C2. [(323) 651-4600. Ce restaurant italien très fréquenté aux murs ornés de fresques propose pâtes, risottos et poissons. Venez tôt si vous désirez manger à l'extérieur. ● *dim. midi.*

WEST HOLLYWOOD : *Talesai* $$$
9043 Sunset Blvd, CA 90069. **Plan** 6 A1. [(310) 275-9724. Ce restaurant thaï accueillant propose une cuisine délicieuse. Le canard à la sauce au soja et au gingembre *(ginger)* est spectaculaire. ● *sam. et dim. midi.*

WEST HOLLYWOOD : *Ago* $$$$
8478 Melrose Ave, CA 90038. **Plan** 6 C1. [(323) 655-6333. Financé par Robert de Niro et les réalisateurs Tony et Ridley Scott, ce restaurant de célébrités ne désemplit pas. La spécialité est le T-bone steak façon toscane. Privilégiez le jeudi si vous souhaitez voir des stars. ● *sam. midi.*

WEST HOLLYWOOD : *Balboa Prime* $$$$
Grafton Hotel, 8462 W Sunset Blvd, CA 90069. **Plan** 6 A1. [(310) 650-8383. Dans ce restaurant, on peut manger toutes sortes de steaks, jusqu'à la viande d'autruche, proposés avec un large choix de sauces et garnitures. Également cuisine de la mer.

WEST HOLLYWOOD : *House of Blues* $$$$
8430 Sunset Blvd, CA 90069. **Plan** 6 C1. [(323) 848-5100. Dans une immense cabane en métal *(p. 99)*, ce restaurant en vogue sert d'excellents plats du Sud comme le *gumbo* (épais potage) au poulet et à la saucisse.

WEST HOLLYWOOD : *Le Dome* $$$$
8720 Sunset Blvd, CA 90069. **Plan** 6 C1. [(310) 659-6919. Cuisine française à prix abordables dans un cadre très agréable. Les portions sont copieuses. Excellent filet mignon aux trois poivres. ● *dim.*

WEST HOLLYWOOD : *L'Orangerie* $$$$$
903 N La Cienega Blvd, CA 90069. **Plan** 6 C1. [(310) 652-9770. Ce restaurant français 5 diamants ne désemplit pas. Les spécialités comprennent le filet de saint-pierre *(John Dory)* aux figues. ● *lun.*

WEST HOLLYWOOD : *The Spanish Kitchen* $$$$$
826 N La Cienega Blvd, CA 90069. **Plan** 6 C1. [(310) 659-4794. Ce restaurant propose une cuisine mexicaine traditionnelle. Parmi ses spécialités : bœuf *flautas* fumé et soupe aux fleurs de courges. Excellentes margaritas.

WEST HOLLYWOOD : *The Tower Bar* $$$$$
8358 Sunset Blvd, CA 90069. **Plan** 6 C1. [(323) 848-6677. Ce restaurant d'hôtel *(p. 99)* élégant, meublé dans le style bistro, sert une cuisine française. Réserver une semaine à l'avance. ● *dim. soir.*

WESTWOOD/WEST LA : *John O'Groats* $
10516 W Pico Blvd, CA 90064. **Carte routière**, encadré A. [(310) 204-0692. Le John O'Groats, très apprécié des familles, n'ouvre que pour le petit-déjeuner et le déjeuner. On peut apporter sa bière ou son vin. ● *soir*

WESTWOOD/WEST LA : *Bombay Café* $$
12021 W Pico Blvd. CA 90025. **Carte routière**, encadré A. [(310) 473-3388. Souvent bondé, l'un des meilleurs indiens de Los Angeles propose des spécialités de la ville natale de son propriétaire.

WESTWOOD : *La Bruschetta* $$$
1621 Westwood Blvd, CA 90024. **Carte routière**, encadré A. [(310) 477-1052. Ce restaurant accueillant sert des plats régionaux de toute l'Italie et des pâtes faites maison. ● *sam. et dim. midi.*

DE CAMBRIA À SANTA BARBARA

BAKERSFIELD : *Wool Growers* $\circledS\circledS$
620 E 19th St, CA 93305. **Carte routière** C5. (*(661) 327-9584.* Classiques américains et cuisine basque française. Salade et frites accompagnent tous les plats. Parfait pour les enfants. ● *dim.* & ⊜

CAMBRIA : *The Brambles* $\circledS\circledS\circledS$
4005 Burton Drive, CA 93428. **Carte routière** B5. (*(805) 927-4716.* Ce charmant restaurant proche du Hearst Castle *(p. 202-205)* propose des plats internationaux et des steaks. Moins cher de 16 h à 18 h. ● *midi sauf dim.* & ⊜

GOLETA : *The Good Earth Restaurant and Bakery* $\circledS$
5955 Calle Real, CA 93117. **Carte routière** B5. (*(805) 683-6101.* Situé à 14 km de Santa Barbara, cet établissement où les familles sont les bienvenues met l'accent sur la diététique. Excellentes lasagnes végétariennes à déguster à l'intérieur ou parmi les pommiers du patio. & ⊜

LOS OLIVOS : *Los Olivos Café* $\circledS$
2879 Grand Ave, CA 93441. **Carte routière** C5. (*(805) 688-7265.* Dans ce charmant bistrot de style méditerranéen qui prépare aussi des paniers de pique-nique, pizzas, pâtes et salades s'arrosent d'un bon vin local. & ⬛ ⊜

MONTECITO : *Tsunami* $\circledS\circledS$
1014 Coast Village Rd, CA 93108. **Carte routière** B5. (*(808) 969-1565.* Le premier *sushi bar* et restaurant japonais de Montecito. Il est possible de manger dans le patio chauffé. Musique *live* le week-end. ♫ ⊜

MONTECITO : *Montecito Café* $\circledS\circledS$
1295 Coast Village Rd, CA 93108. **Carte routière** B5. (*(805) 969-3392.* Il faut parfois attendre une table pour savourer dans un hôtel qui a appartenu à Charlie Chaplin une cuisine américaine de qualité. Essayez le filet mignon grillé à la sauce aux champignons *(mushrooms)* de forêt. & ⬛ ⊜

MONTECITO : *Ristorante Piatti* $\circledS\circledS\circledS$
516 San Ysidro Rd, CA 93108. **Carte routière** B5. (*(805) 969-7520.* Ce restaurant italien très fréquenté propose une sélection de pâtes, de pizzas et plats de poisson et de viande. & ⊜

MORRO BAY : *Windows on the Water* $\circledS\circledS\circledS\circledS$
699 Embarcadero, CA 93442. **Carte routière** B5. (*(805) 772-0677.* Dominant l'océan, ce restaurant compte parmi ses recettes franco-californiennes des raviolis aux fruits de mer à la sauce tomate. & ⬛ ⊜

OJAI : *Suzanne's Cuisine* $\circledS\circledS$
502 West Ojai Ave, CA 93023. **Carte routière** B5. (*(808) 640-1961.* On y sert les cuisines française et italienne, mais les influences sont diverses. Les matières premières (la plupart du temps issues de la culture biologique) sont d'excellente qualité. Le pain est fait maison. ● *mar.* ⊜

PISMO BEACH : *Spyglass Inn Restaurant* $\circledS\circledS\circledS$
2703 Spyglass Drive, CA 93449. **Carte routière** B5. (*(805) 773-1222.* Chaque table jouit d'une vue spectaculaire sur la mer dans ce restaurant dont les steaks, le crabe et le homard sont les spécialités. & ⬛ ♫ ⊜

SAN LUIS OBISPO : *Tio Alberto's* $\circledS$
1131 Broad St, CA 93401. **Carte routière** B5. (*(805) 546-9646.* Ce restaurant mexicain à l'ancienne reste ouvert jusqu'à 3 h du matin. Les habitants du quartier apprécient sa *carne asada* (bœuf grillé). Alcool interdit. & ⊜

SAN LUIS OBISPO : *Buono Tavola* $\circledS\circledS$
1037 Monterey St, CA 93401. **Carte routière** C5. (*(805) 545-8000.* Dans ce minuscule restaurant, on savoure des spécialités de l'Italie du Nord. Pain, pâtes et desserts sont faits sur place. Bonne carte des vins. ● *sam.-dim. midi.* & ⊜

SAN LUIS OBISPO : *Café Roma* $\circledS\circledS$
1020 Railroad Ave, CA 93401. **Carte routière** B5. (*(805) 541-6800.* Le décor toscan est en harmonie avec la cuisine. Bon choix de pâtes, de pizzas et d'huiles d'olive parfumées. ● *sam. et dim. midi.* & ⬛ ⊜

SANTA BARBARA : *La Super-Rica Taco* $\circledS$
622 N Milpas St, CA 93103. **Carte routière** C5. (*(805) 963-4940.* Le chef recommande sa merveilleuse *taqueria* mexicaine. Les plats du jour comprennent des spécialités végétariennes. &

Légende des symboles, voir rabat de couverture

	Catégories de prix pour un repas de trois plats, une demi-bouteille de vin de la maison, taxes et service compris : $ moins de 25 $ / $$ de 25 à 35 $ / $$$ de 35 à 50 $ / $$$$ de 50 à 70 $ / $$$$$ plus de 70 $	**TABLES À L'EXTÉRIEUR** Tables dans un patio ou sur une terrasse. **SPÉCIALITÉS VÉGÉTARIENNES** La carte propose un choix de plats végétariens. **BAR OU BAR À COCKTAILS** Possibilité de boire un verre ailleurs qu'à table dans le restaurant. **MENUS À PRIX FIXES** Menu au prix intéressant, généralement de trois plats, proposé au déjeuner et/ou au dîner. **ENFANTS BIENVENUS** Portions réduites et/ou chaises hautes disponibles.	**TABLES À L'EXTÉRIEUR**	**SPÉCIALITÉS VÉGÉTARIENNES**	**BAR OU BAR À COCKTAILS**	**MENUS À PRIX FIXES**	**ENFANTS BIENVENUS**

	TABLES À L'EXTÉRIEUR	SPÉCIALITÉS VÉGÉTARIENNES	BAR OU BAR À COCKTAILS	MENUS À PRIX FIXES	ENFANTS BIENVENUS
SANTA BARBARA : *Chuck's Waterfront Grill* $$ 113 Harbor Way, CA 93101. **Carte routière** C5. (805) 564-1200. Sur le port de Santa Barbara, ce restaurant sert des fruits de mer et des poissons frais. Depuis le patio, la vue est superbe.	▧		▧		▧
SANTA BARBARA : *El Paseo* $$ 10 El Paseo, CA 93101. **Carte routière** C5. (805) 962-6050. Cette hacienda historique propose des plats mexicains de poisson, de crevettes et de porc et 90 tequilas à siroter dans de la verrerie artisanale.	▧	●	▧		▧
SANTA BARBARA : *Louie's at the Upham* $$ 1404 de la Vina St, CA 93101. **Carte routière** C5. (805) 963-7003. Cadre très romantique dans le plus vieil hôtel de la ville *(p. 515)*. Carte européenne et californienne où figurent poisson et pâtes. ● *sam.-dim. midi.*	▧	●	▧		▧
SANTA BARBARA : *Something's Fishy* $$ 502 State St, CA 93101. **Carte routière** C5. (805) 966-6607. Dans ce restaurant japonais animé, vous pourrez profiter au comptoir de *sushi* à volonté ou déguster un dîner *Benihana* cuisiné à votre table.		●			
SANTA BARBARA : *The Harbor Restaurant & Longboards Grill* $$ 210 Stearns Wharf, CA 93101. **Carte routière** C5. (805) 963-3311. Depuis une jetée, toutes les tables ont vue sur l'océan. Le Longboards sert des pizzas et des plats simples comme les *buffalo wings* (poulet et sauce épicée) ; plus chic, l'Harbor des steaks et du poisson.	▧				▧
SANTA BARBARA : *Piranha* $$ 714 State St, CA 93101. **Carte routière** C5. (805) 965-2980. Son succès vaut à ce restaurant moderne mais confortable d'être parfois bondé. À recommander : le saumon grillé à la sauce au basilic, l'*Ahi tuna* au poivre et de fabuleux *sushi*. ● *lun. ; midi.*		●			▧
SANTA BARBARA : *Cold Spring Tavern* $$$ 5995 Stagecoach Rd, CA 93105. **Carte routière** C5. (805) 967-0066. La cuisine rustique de ce petit restaurant au décor « western » installé dans un ancien relais de poste met l'accent sur le gibier.		●	▧		▧
SANTA BARBARA : *Downey's* $$$ 1305 State St, CA 93101. **Carte routière** C5. (805) 966-5006. Ses spécialités régionales américaines ont valu au Downey's de faire partie des Distinguished Restaurants of North America. Ne pas manquer le dessert aux framboises *(raspberries)* et à la mousse de chocolat blanc. ● *lun. ; midi.*		●	▧		
SANTA BARBARA : *Paradise Café* $$$ 702 Anacapa St, CA 93101. **Carte routière** C5. (805) 962-4416. Soupe, salade ou légumes accompagnent tous les plats, steaks, poissons ou pâtes, dans ce café très en vogue pour ses cocktails et ses vins.	▧	●	▧		▧
SANTA BARBARA : *The Wine Cask* $$$ 813 Anacapa St, CA 93101. **Carte routière** C5. (805) 966-9463. L'une des meilleures cartes des vins des U.S.A et une cuisine méditerranéenne à déguster sous un plafond peint ou dans la cour intérieure. ● *midi.*	▧	●	▧		▧
SANTA BARBARA : *La Marina, Four Seasons Biltmore Hotel* $$$$ 1260 Channel Drive, CA 93108. **Carte routière** C5. (805) 969-2261. Ce restaurant d'hôtel *(p. 515)* offre des vues saisissantes de l'océan. À la carte, essayez les crevettes à l'ail accompagnées de pâtes cheveux d'ange. ● *midi.*		●	▧	●	▧
SANTA BARBARA : *The Patio at the Four Seasons Biltmore Hotel* $$$$ 1260 Channel Drive, CA 93108. **Carte routière** C5. (805) 969-2261. Cet élégant restaurant d'hôtel *(p. 515)* propose une cuisine californienne dans une salle donnant sur l'océan. Le buffet du soir, très copieux, est à un prix avantageux.	▧	●	▧	●	▧

SANTA BARBARA : *Citronelle* $$$$$
901 E Cabrillo Blvd, CA 93103. **Carte routière** C5. (*(805) 963-0111*. La vue sur
l'océan ajoute au plaisir de savourer une bonne cuisine franco-californienne.
Ouvert pour les trois repas. Bonne sélection de vins. 🚻 🍴 🌿

SHELL BEACH : *McLintok's* $$$
750 Mattie Rd, Shell Beach, CA 93449. **Carte routière** B5. (*(805) 773-1892*. Voici
l'endroit idéal pour apprécier un barbecue à l'américaine dans un cadre gai.
Steaks et poulet grillent sur du chêne. 🔵 *midi.* 🚻 🎵 🌿

SHELL BEACH : *Sea Cliffs Restaurant* $$$
2757 Shell Beach Rd, CA 93449. **Carte routière** B5. (*(805) 773-3555*.
Ce restaurant décontracté ayant vue sur l'océan propose le dimanche
un brunch exceptionnel. Cuisine méditerranéenne. 🚻 🎵 🚻

ORANGE COUNTY

ANAHEIM : *Goofy's Kitchen* $
Disneyland Hotel, 1150 Magic Way, CA 92803. **Carte routière** D6. (*(714) 778-6600*.
Buffet dans un hôtel *(p. 516)*. Les enfants mangent en compagnie de
personnages de Disney. 🔵 *à midi du lun. au ven.* 🚻 🌿

ANAHEIM : *Cuban Pete's* $$
1050 W Ball Rd, CA 92801. **Carte routière** D6. (*(714) 490-2020*. De la cuisine venue
des Caraïbes et de Cuba dans une ambiance tropicale. Large choix de boissons
cubaines. Musique et danse les vendredi et samedi soirs. 🚻 🎵 🍴 🌿

ANAHEIM : *Mr Stox* $$$$
1105 E Katella Ave, CA 92805. **Carte routière** D6. (*(714) 634-2994*. Ce restaurant
chic propose une cuisine européenne éclectique. Salades, poissons, pâtes et
viandes sont présentés avec imagination. L'une des meilleures crèmes brûlées
de l'Orange County. 🔵 *sam.-dim. midi.* 🚻 🎵 🍴 🌿

AVALON : *The Landing Bar & Grill* $
El Encanto Market Place, Avalon, Catalina Island, CA 90704. **Carte routière** D6. (*(310)
510-1474*. La plus large gamme de bières régionales et de bières d'importation de
Catalina. Avec pizzas, hamburgers et côtes de bœuf. 🔵 *lun.* 🚻 🍴 🌿

CORONA DEL MAR : *The Five Crowns* $$$$
3801 E Coast Hwy, CA 92965. **Carte routière** D6. (*(949) 760-0331*. Dans un cadre de
pub anglais, ce restaurant propose une cuisine européenne. La carte des vins
compte plus de 800 crus. Excellent brunch le dimanche. 🔵 *midi* 🚻 🍴 🌿

CORONA DEL MAR : *Oyster's* $$$$$
2515 E Coast Hwy, CA 92625. **Carte routière** D6. (*(949) 675-7411*. Groupes de jazz
et plats délicieux justifient la popularité de l'Oyster's. Réservez. L'*Ahi tuna
tempura* fait un excellent amuse-gueule. 🔵 *midi.* 🚻 🎵 🍴 🌿

COSTA MESA : *Wolfgang Puck Café* $$$
South Coast Plaza, 3333 Bristol Ave, CA 92626. **Carte routière** D6. (*(714) 546-9653*.
Le café du célèbre chef pratique des tarifs moins élevés que ses restaurants.
Excellentes pizzas, salades et pâtes. 🚻 🌿

COSTA MESA : *Quattro Café* $$$$$
South Coast Plaza, 3333 Bristol St, CA 92626. **Carte routière** D6. (*(714) 754-0300*.
On sert sandwichs, pizzas, salades et pâtes dans ce restaurant au décor
branché qui jouxte la boutique Emporio Armani. Fruits de mer et *panini*
font aussi partie des spécialités. 🚻 🌿

FULLERTON : *The Cellar* $$$$
305 N Harbor Blvd, CA 92632. **Carte routière** D6. (*(714) 525-5682*. La carte des vins
de ce bon restaurant français offre plus de 1 200 choix. En dînant tôt, vous
pourrez commander le menu à prix fixe. 🔵 *midi.* 🍴 🌿

GARDEN GROVE : *Waterfront Café* $
12902 Brookhurst St, CA 92840. **Carte routière** D6. (*(714) 636-8152*. Ce café sert de la
cuisine américaine typique : pâtes, hamburgers, salades et omelettes, tout cela avec
une vue magnifique sur une cascade. 🌿

IRVINE : *Bistango* $$
19100 Von Karmen Ave, CA 92612. **Carte routière** D6. (*(949) 752-5222*. Les steaks et
la viande d'agneau sont excellents dans ce lieu au décor recherché. La cuisine y
est tellement bonne que ce restaurant ne désemplit pas. Réservation fortement
conseillée. 🚻 🎵 🌿

Légende des symboles, voir rabat de couverture

Catégories de prix pour un repas de trois plats, une demi-bouteille de vin de la maison, taxes et service compris :
- $ moins de 25 $
- $$ de 25 à 35 $
- $$$ de 35 à 50 $
- $$$$ de 50 à 70 $
- $$$$$ plus de 70 $

TABLES À L'EXTÉRIEUR
Tables dans un patio ou sur une terrasse.
SPÉCIALITÉS VÉGÉTARIENNES
La carte propose un choix de plats végétariens.
BAR OU BAR À COCKTAILS
Possibilité de boire un verre ailleurs qu'à table dans le restaurant.
MENUS À PRIX FIXES
Menu au prix intéressant, généralement de trois plats, proposé au déjeuner et/ou au dîner.
ENFANTS BIENVENUS
Portions réduites et/ou chaises hautes disponibles.

	TABLES À L'EXTÉRIEUR	SPÉCIALITÉS VÉGÉTARIENNES	BAR OU BAR À COCKTAILS	MENUS À PRIX FIXES	ENFANTS BIENVENUS
IRVINE : *Il Fornaio* — $$	■	●	■		■
IRVINE : *The Chanteclair* — $$$$	■	●	■	●	■
LAGUNA BEACH : *Café Zinc and Market* — $	■	●			
LAGUNA BEACH : *Las Brisas* — $$	■	●	■		■
LAGUNA BEACH : *Splashes* — $$$	■	●	■		■
LAGUNA NIGUEL : *The Lounge at the Ritz Carlton Hotel* — $$$$$		●			
NEWPORT BEACH : *Bluewater Grill* — $	■		■		■
NEWPORT BEACH : *The Ritz* — $$$		●	■		■
ORANGE : *The Hobbit* — $$$$$		●	■	●	
SANTA ANA : *Antonello Ristorante* — $$$$			■		
SUNSET BEACH : *Harbor House Café* — $		●			■
TUSTIN : *Zov's Bistro* — $$		●			■

IRVINE : *Il Fornaio* $$
18051 Von Karman Ave, CA 92715. **Carte routière** D6. (949) 261-1444. Ce restaurant italien appartient à une chaîne, propose un bon choix de pizzas et de pâtes et vend des pains frais à emporter.

IRVINE : *The Chanteclair* $$$$
18912 MacArthur Blvd, CA 92714. **Carte routière** D6. (949) 752-8001. Meublé d'antiquités, ce charmant restaurant français sert un étonnant saumon en sauce à l'orange. ● sam. midi.

LAGUNA BEACH : *Café Zinc and Market* $
350 Ocean Ave, CA 92651. **Carte routière** D6. (949) 494-6302. Les gens du quartier viennent prendre ici un petit-déjeuner ou juste un café. Bons sandwiches, soupes et desserts à prix très abordables. ● soir.

LAGUNA BEACH : *Las Brisas* $$
361 Cliff Drive, CA 92652. **Carte routière** D6. (949) 497-5434. Toujours plein, ce restaurant mexicain ménage un superbe panorama. L'endroit idéal pour déguster une margarita au coucher du soleil ou un brunch au champagne le dimanche. Poisson, bœuf et salades à la carte.

LAGUNA BEACH : *Splashes* $$$
Surf and Sand Hotel, 1555 South Coast Hwy, CA 92651. **Carte routière** D6. (949) 497-4477. Cuisine méditerranéenne et vue de l'océan sont superbes dans ce restaurant d'hôtel (p. 517). Choisissez de prendre votre repas au moment du coucher du soleil.

LAGUNA NIGUEL : *The Lounge at the Ritz Carlton Hotel* $$$$$
Ritz Carlton Hotel, 1 Ritz Carlton Drive, CA 92629. **Carte routière** D6.
(949) 240-2000. Le Lounge, l'un des trois restaurants du Ritz, offre une vue splendide de l'océan et propose amuse-gueule, pâtes, sandwiches et fruits de mer, ainsi qu'un *high tea* (repas léger) à l'anglaise.

NEWPORT BEACH : *Bluewater Grill* $
630 Lido Park Drive, CA 92663. **Carte routière** D6. (949) 675-3474. Situé tout près de l'eau, ce restaurant sert de la cuisine de la côte Est, avec des palourdes grillées et des cakes de crabe.

NEWPORT BEACH : *The Ritz* $$$
880 Newport Center Drive, CA 92660. **Carte routière** D6. (949) 720-1800. La cuisine et les vins du Ritz lui ont valu de nombreux prix. Menu à prix fixe moins cher le dimanche soir. ● sam. et dim. midi.

ORANGE : *The Hobbit* $$$$$
2932 Chapman Ave, CA 92669. **Carte routière** D6. (714) 997-1972. Le menu à prix fixe de sept plats change tous les jours. Il commence par du champagne et des hors-d'œuvre, laissant le temps de découvrir la carte des vins. Il faut réserver des mois à l'avance. ● lun. et mar.

SANTA ANA : *Antonello Ristorante* $$$$
1611 Sunflower, CA 92704. **Carte routière** D6. (714) 751-7153.
Le meilleur restaurant italien de l'Orange County. On y sert toutes les spécialités d'Italie du Nord : pâtes faites maison, veau et agneau.

SUNSET BEACH : *Harbor House Café* $
12671 Pacific Coast Hwy (Anderson St), CA 90742. **Carte routière** D6. (562) 592-5404. Ouvert 24 h sur 24, ce *diner* sur la plage sert d'énormes portions. Un petit-déjeuner américain vous calera pour la journée.

TUSTIN : *Zov's Bistro* $$
17440 E 17th St, CA 92680. **Carte routière** D6. (714) 838-8855. Parmi les délicieuses spécialités de ce bistrot figure un hamburger d'agneau *(lamb)* à la sauce au yaourt et à la menthe. ● dim., lun.-mar. midi.

TWO HARBORS : *Doug's Harbor Reef Restaurant* $$$
Two Harbors, Catalina Island, CA 90704. **Carte routière** C6. (*(310) 510-2800.*
Certains viennent en bateau savourer ici poisson frais et *baby back ribs.*
On danse le week-end en plein air. ● *de déc. à mai ; à midi de juin à nov.*

YORBA LINDA : *El Torito* $$
22699 Oakcrest Circle, CA 92887. **Carte routière** D6. (*(714) 921-2335.* Ce restaurant
de chaîne offre une cuisine mexicaine authentique et des portions généreuses.
Brunch le dim. et *happy-hour specials* (réductions en fin d'après-midi).

SAN DIEGO COUNTY

CORONADO : *Poehe's* $$$
1201 1st St, Old Ferry Landing Plaza. **Carte routière** D6. (*(619) 437-4474.*
On déguste au Poehe's une cuisine polynésienne créative en contemplant
Downtown San Diego. Chutes d'eau et plantes tropicales créent un
environnement très hawaïen.

CORONADO : *The Brigantine* $$$
1333 Orange Ave, CA 92118. **Carte routière** D6. (*(619) 435-4166.* Spécialisé dans
les steaks et le poisson, The Brigantine ménage une belle vue de la baie.
Excellent espadon *(swordfish)* mariné. ● *sam. et dim. midi.*

CORONADO : *Prince of Wales Grill* $$$$
1500 Orange Ave, CA 92118. **Carte routière** D6. (*(619) 522-8818.* Le restaurant Art
déco de l'élégant Hotel del Coronado *(p. 245)* a conservé son décor des
années 1930. Cuisine classique américaine. ● *midi.*

DEL MAR : *The Dining Room at L'Auberge* $$$$
1540 Camino Del Mar, CA 92104. **Carte routière** D6. (*(858) 259-1515.* Ce restaurant
d'hôtel *(p. 518)* propose des classiques américains et des pâtes. Préférez le
patio dominant les jeux d'eau du jardin.

LA JOLLA : *Alfonso's of La Jolla* $
1251 Prospect St, CA 90237. **Carte routière** D6. (*(858) 454-2232.* Ce restaurant
mexicain se montre accueillant avec les familles. Le bar, ouvert jusqu'à 2 h, est
parfois très animé.

LA JOLLA : *Neo Cuisine French Pastry* $$
5550 La Jolla Blvd, CA 92037. **Carte routière** D6. (*(858) 454-9094.* Ouvert depuis
15 ans, cet établissement apprécié de San Diego propose pain frais, pâtisseries,
pâtes et crêpes sucrées et salées.

LA JOLLA : *George's at the Cove* $$$
1250 Prospect Place, CA 92037. **Carte routière** D6. (*(858) 454-4244.* La carte offre
poissons frais en sauces légères, agneau, steaks et plats de poulet. Le *chocolate
soufflé* conclura agréablement le dîner.

LA JOLLA : *Marine Room* $$$$$
2000 Spindrift Drive, CA 92037. **Carte routière** D6. (*(858) 459-7222.* La cuisine
californienne de ce restaurant chic sur la plage doit beaucoup à la France,
comme en témoigne le filet mignon à la sauce aux champignons. Le
cheesecake nappé de copeaux de chocolat est superbe.

LA JOLLA : *Top O' The Cove* $$$$$
1216 Prospect St, CA 92037. **Carte routière** D6. (*(858) 454-7779.* Magnifique panorama
de la côte, clientèle de célébrités et excellente cuisine française contemporaine
assurent le succès de cette table renommée. Il faut s'habiller.

PACIFIC BEACH : *Nick's At The Beach* $$
809 Thomas Ave, CA 92109. **Carte routière** D6. (*(858) 270-1730.* Ce café propose
des standards américains comme le *meatloaf* et les *crab cakes.* Ne pas manquer
la crème brûlée à l'orange.

SAN DIEGO : *Big Kitchen* $
3003 Grape St, CA 92102. **Carte routière** D6. (*(919) 234-5789.* Le meilleur petit-
déjeuner de la ville. Les serveurs sont très accueillants dans ce restaurant
chaleureux et très fréquenté. Whoopi Goldberg y aurait fait la plonge. ● *soir.*

SAN DIEGO : *Hob Nob Hill* $
2271 1st Ave, CA 92101. **Carte routière** D6. (*(619) 239-8176.* Ce *diner* des années
1940 où l'on déguste un copieux petit-déjeuner, de *pancakes* au babeurre
(buttermilk) par exemple, est resté authentique.

Légende des symboles, voir rabat de couverture

Catégories de prix pour un repas de trois plats, une demi-bouteille de vin de la maison, taxes et service compris :
$ moins de 25 $
$$ de 25 à 35 $
$$$ de 35 à 50 $
$$$$ de 50 à 70 $
$$$$$ plus de 70 $

TABLES À L'EXTÉRIEUR
Tables dans un patio ou sur une terrasse.
SPÉCIALITÉS VÉGÉTARIENNES
La carte propose un choix de plats végétariens.
BAR OU BAR À COCKTAILS
Possibilité de boire un verre ailleurs qu'à table dans le restaurant.
MENUS À PRIX FIXES
Menu au prix intéressant, généralement de trois plats, proposé au déjeuner et/ou au dîner.
ENFANTS BIENVENUS
Portions réduites et/ou chaises hautes disponibles.

Restaurant	Prix	Tables à l'extérieur	Spécialités végétariennes	Bar ou bar à cocktails	Menus à prix fixes	Enfants bienvenus
SAN DIEGO : *Mandarin China*	$		●		●	
SAN DIEGO : *Anthony's Fish Grotto*	$$	■	●	■		■
SAN DIEGO : *Bali Ha'i*	$$	■	●			■
SAN DIEGO : *Café Sevilla*	$$		●	■	●	■
SAN DIEGO : *Karl Strauss' Old Columbia Brewery and Grill*	$$		●	■		■
SAN DIEGO : *Aubergine*	$$$			■		
SAN DIEGO : *Café Pacifica*	$$$	■		■		■
SAN DIEGO : *Fifth and Hawthorn*	$$$		●	■	●	
SAN DIEGO : *5ifth Quarter*	$$$	■	●	■		■
SAN DIEGO : *Grant Grill*	$$$	■	●	■		■
SAN DIEGO : *Harbor House*	$$$	■	●	■		■
SAN DIEGO : *El Bizcocho*	$$$$		●	■		■

SAN DIEGO : *Mandarin China*
4110 W Point Loma Blvd, CA 92110. **Carte routière** D6. *(619) 222-6688.* Ce restaurant chinois propose aussi bien *dim sum* que spécialités de Canton ou du Sichuan. Réservez ou dégustez un plat à emporter devant l'océan.

SAN DIEGO : *Anthony's Fish Grotto*
1360 N Harbor Drive, CA 92101. **Carte routière** D6. *(619) 232-5103.* Ce restaurant décontracté propose des amuse-gueule aux fruits de mer, un plat à base de homard et de crabe et pour le dessert des bananes flambées et un gâteau français.

SAN DIEGO : *Bali Ha'i*
2230 Shelter Island Drive, CA 92106. **Carte routière** D6. *(619) 222-1181.* Dans ce restaurant polynésien circulaire situé sur une île artificielle, des spécialités telles que le *Chicken of the Gods* (poulet des dieux) avec une sauce à la crème sucrée se savourent en contemplant la baie. *sam. midi.*

SAN DIEGO : *Café Sevilla*
555 4th Ave, CA 92101. **Carte routière** D6. *(619) 233-5979.* En plein cœur du Gaslamp Quarter, ce restaurant étoilé est aussi un bar à tapas. Il organise tous les soirs des concerts de flamenco et rumba.

SAN DIEGO : *Karl Strauss' Old Columbia Brewery and Grill*
1157 Columbia St, CA 92101. **Carte routière** D6. *(619) 234-2739.* Ce bar-restaurant souvent bondé le week-end propose plats américains et bières artisanales sans additifs ni conservateurs.

SAN DIEGO : *Aubergine*
500 4th Ave, CA 92101. **Carte routière** D6. *(619) 232-8100.* Ce restaurant parvient à opérer une fusion moderne entre les influences asiatiques et la cuisine occidentale contemporaine. Ambiance romantique et lumière tamisée pendant le repas, mais le lieu se transforme ensuite en boîte de nuit à plusieurs salles.

SAN DIEGO : *Café Pacifica*
2414 San Diego Ave, Old Town, CA 92110. **Carte routière** D6. *(619) 291-6666.* Des guirlandes clignotantes ajoutent à l'atmosphère de ce restaurant de poissons offrant un *pre-theatre menu. midi.*

SAN DIEGO : *Fifth and Hawthorn*
5th Ave & Hawthorn St, CA 92101. **Carte routière** D6. *(619) 544-0940.* Ce petit restaurant chaleureux, très apprécié du voisinage, sert poisson et fruits de mer, ainsi que des classiques comme le filet mignon. Plats différents chaque jour.

SAN DIEGO : *5ifth Quarter*
600 5th Ave, CA 92101. **Carte routière** D6. *(619) 236-1616.* Ce restaurant américain sert surtout des *barbecued ribs* (travers de porc), mais aussi de l'autruche, de l'alligator et du bison.

SAN DIEGO : *Grant Grill*
326 Broadway, CA 92101. **Carte routière** D6. *(619) 239-6806.* Le Grant Grill est surtout réputé pour ses plats de poisson, mais propose aussi *prime rib* (entrecôte) et agneau. Jazz au bar.

SAN DIEGO : *Harbor House*
831 W Harbor Drive, CA 92101. **Carte routière** D6. *(619) 232-1141.* Sur la promenade, la Harbor House accommode les fruits de mer dans un esprit californien contemporain et comprend un bar à huîtres.

SAN DIEGO : *El Bizcocho*
17550 Bernardo Oaks Drive, CA 92128. **Carte routière** D6. *(858) 487-1611.* Cet élégant établissement franco-californien dans la Rancho Bernardo Inn *(p. 519)* a vue sur le terrain de golf et les montagnes. Essayez le canard *(duck)* de Long Island rôti ou l'agneau du Colorado.

SAN DIEGO : *Dobson's* $$$
956 Broadway Circle, CA 92101. **Carte routière** D6. ((619) 231-6771. Ce restaurant primé est célèbre par sa bisque de moules *(mussel)*. Une succulente crème brûlée figure toujours à la carte. ● *dim., sam. midi.* 🛆 🗐

SAN DIEGO : *Old Trieste* $$$
2335 Morana Blvd, CA 92110. **Carte routière** D6. ((619) 276-1841. Une solide cuisine italienne se savoure à la lueur des chandelles. Le gâteau aux noix *(walnuts)* réjouit les habitués depuis des années. ● *dim. et lun. ; sam. midi.* 🛆 🍷 🗐

SAN DIEGO : *Wine Seller & Brasserie* $$$
9550 Waples St, #115, CA 92121. **Carte routière** D6. ((858) 450-9557. Cette petite brasserie propose une cuisine californienne d'inspiration française. Le samedi, un déjeuner dégustation associe trois vins à trois plats. Réservez très à l'avance. ● *dim.-mer. midi.* 🛆 🍷 🗐

SAN DIEGO : *Humphrey's* $$$$
2241 Shelter Island Drive, CA 92106. **Carte routière** D6. ((619) 224-3577. Nommé d'après Humphrey Bogart, ce restaurant de poissons au décor inspiré du film *Casablanca* sert des homards pêchés dans l'aquarium. 🛆 🎵 🍷 🗐

SAN DIEGO : *Mister A's* $$$$
2250 5th Ave, CA 92103. **Carte routière** D6. ((619) 239-1377. Depuis le 12ᵉ étage du Financial Center, le Mister A's ménage une vue saisissante de Downtown. Sur la carte voisinent pâtes, consommé à la tête de veau *(mock turtle soup)* et huîtres au four. ● *sam. midi.* 🛆 🍷 🗐

RANCHO SANTA FE : *Mille Fleurs* $$$$
6009 Paseo Delicias, CA 92067. **Carte routière** D6. ((858) 756-3085. Habillez-vous pour aller manger dans le meilleur restaurant de la région. Cuisine française et carte des vins étendue. ● *sam. et dim. midi.* 🎵 🍷 🗐

INLAND EMPIRE ET LOW DESERT

BIG BEAR LAKE : *Madlon's* $$
829 W Big Bear Blvd, Big Bear City, CA 92314. **Carte routière** D5. ((909) 585-3762. Dans un cottage de style anglais, la carte de ce restaurant à la clientèle locale répond à tous les goûts. Le service est excellent. ● *lun.* 🛆 🍷 🗐

BORREGO SPRINGS : *Bernard's* $
501 Palm Canyon Drive, CA 92004. **Carte routière** D6. ((760) 767-5666. Une grande salle et des baies vitrées pour ce restaurant qui propose une cuisine d'influence alsacienne. Canard et gigot d'agneau. ● *dim.* 🛆 🗐

BORREGO SPRINGS : *Borrego Springs Resort & Country Club* $
1112 Tilting "T" Drive, CA 92004. **Carte routière** D6. ((760) 767-3057. Cuisine américaine dans un cadre recherché mais détendu. Le menu propose hamburgers, steaks et salades. 🛆 🗐

IDYLLWILD : *JC's Red Kettle* $
54220 North Circle Drive, CA 92549. **Carte routière** D6. ((951) 659-4063. Pour le petit-déjeuner et à midi, une cuisine saine et copieuse. Le soir, la cuisine mexicaine est au menu. 🛆 🗐

IDYLLWILD : *Gastrognome* $$
54381 Ridgeview Drive, CA 92549. **Carte routière** D6. ((951) 659-5055. Le Gastrognome sert une cuisine américaine dans un décor rustique français. ● *lun. midi* 🛆 🍷 🗐

LA QUINTA : *Adobe Grill @ La Quinta Resort* $$$
49-499 Eisenhower Dr, CA 92253. **Carte routière** D6. ((760) 777-4835. Dans un décor multicolore, ce restaurant propose une cuisine régionale mexicaine authentique. Les margaritas sont très bonnes. Des groupes viennent y jouer presque tous les soirs. ● *dim.-mar. midi* 🎵 🗐

LA QUINTA : *La Quinta Cliffhouse* $$$
78250 Hwy 111 (Washington St), CA 92253. **Carte routière** D6. ((760) 360-5991. La vue depuis le sommet d'une montagne justifie presque à elle seule de manger ici. Bonne cuisine californienne. 🛆 🗐

PALM DESERT : *Louise's Pantry* $
44491 Towncenter Way, CA 92260. **Carte routière** D6. ((760) 346-9320. On déguste, dans une immense salle à manger de style années 1940, des classiques américains comme le pain de maïs et le *meatloaf* (pain de viande). Pas d'alcool. 🗐

	TABLES À L'EXTÉRIEUR	SPÉCIALITÉS VÉGÉTARIENNES	BAR OU BAR À COCKTAILS	MENUS À PRIX FIXES	ENFANTS BIENVENUS
Catégories de prix pour un repas de trois plats, une demi-bouteille de vin de la maison, taxes et service compris : ⑤ moins de 25 $; ⑤⑤ de 25 à 35 $; ⑤⑤⑤ de 35 à 50 $; ⑤⑤⑤⑤ de 50 à 70 $; ⑤⑤⑤⑤⑤ plus de 70 $. **TABLES À L'EXTÉRIEUR** Tables dans un patio ou sur une terrasse. **SPÉCIALITÉS VÉGÉTARIENNES** La carte propose un choix de plats végétariens. **BAR OU BAR À COCKTAILS** Possibilité de boire un verre ailleurs qu'à table dans le restaurant. **MENUS À PRIX FIXES** Menu au prix intéressant, généralement de trois plats, proposé au déjeuner et/ou au dîner. **ENFANTS BIENVENUS** Portions réduites et/ou chaises hautes disponibles.					

PALM DESERT : *Cuistot*   ⑤⑤⑤⑤
73111 El Paseo, CA 92260. **Carte routière** D6. *(760) 340-1000.* Cet élégant restaurant franco-californien propose chaque soir 3 ou 4 plats de poisson du jour. Délicieuses îles flottantes au dessert. ● *dim. midi ; lun.*

	●		■		■

PALM DESERT : *Tuscany Ristorante*   ⑤⑤⑤⑤
Marriott's Desert Springs Resort and Spa, Country Club Drive, CA 92260. **Carte routière** D6. *(760) 341-1725.* Ce restaurant d'hôtel *(p. 521)* propose d'excellents plats de veau et de pâtes. ● *midi.*

	●		■	●	■

PALM SPRINGS : *Billy Reeds*   ⑤⑤
1800 N Palm Canyon Drive, CA 92262. **Carte routière** D6. *(760) 325-1946.* Beaucoup de monde, en particulier le week-end quand se produisent des groupes de jazz. Cuisine américaine et bons petits-déjeuners.

			■		■

PALM SPRINGS : *Cedar Creek Inn*   ⑤⑤
1555 S Palm Canyon Drive, CA 92264. **Carte routière** D6. *(760) 325-7300.* À partir de 16 h, des plats complètent les salades et les sandwiches servis pendant la journée. Personnel souriant et efficace.

	■		■	●	■

PALM SPRINGS : *John Henry's Café*   ⑤⑤
1785 E Tahquitz Canyon Way, CA 92262. **Carte routière** D6. *(760) 327-7667.* Il est aussi difficile d'entrer dans ce restaurant que de le trouver. Plats du jour renouvelés constamment et énormes portions de viande, de poisson et de pâtes. Réserver très à l'avance. ● *dim. ; midi.*

	■	●			

PALM SPRINGS : *Lord Fletcher Inn*   ⑤⑤
70385 Hwy 111 (Country Club Drive), CA 92270. **Carte routière** D6. *(760) 328-1161.* Les plats, telle l'entrecôte servie avec du *Yorkshire pudding*, sont anglo-américains, mais l'atmosphère est très british sous le regard de portraits de souverains. ● *juil. et août ; de sept. à juin : dim., lun. et midi.*

			■		

PALM SPRINGS : *Riccio's*   ⑤⑤
2155 N Palm Canyon Drive, CA 92262. **Carte routière** D6. *(760) 325-2369.* Élégant, le Riccio's propose des recettes traditionnelles, et des vins rouges, cuits et de dessert, d'Italie. ● *sam. et dim. midi.*

	●		■		■

PALM SPRINGS : *Kaiser Grille*   ⑤⑤⑤
205 S Palm Canyon Drive, CA 92262. **Carte routière** D6. *(760) 323-1003.* Ce restaurant situé en plein centre de palm Springs propose une cuisine aux accents méditerranéens. Privilégiez les plats signés par le chef et les amuse-gueule. On y propose aussi des menus légers et un *happy hour*.

	■		■		■

PALM SPRINGS : *Lyon's English Grille*   ⑤⑤⑤
233 E Palm Canyon Drive, CA 92264. **Carte routière** D6. *(760) 327-1551.* Salade ou légumes accompagnent des spécialités anglaises comme le *steak and kidney pie* (pâté en croûte au bœuf et aux rognons). ● *midi.*

	●		■		■

PALM SPRINGS : *Europa*   ⑤⑤⑤⑤
1620 Indian Trail, CA 92264. **Carte routière** D6. *(760) 327-2314.* La Villa Royale Inn *(p. 521)* abrite l'un des plus jolis restaurants de Palm Springs. Il propose des recettes de l'Italie du Nord. ● *lun. ; mar.-sam. midi.*

	■	●	■	●	

PALM SPRINGS : *Le Vallauris*   ⑤⑤⑤⑤
385 W Tahquitz Canyon Way, CA 92262. **Carte routière** D6. *(760) 325-5059.* La cuisine classique française du Vallauris se déguste dans un cadre sophistiqué. Réservation obligatoire.

	■	●	■		

RANCHO MIRAGE : *Las Casvelas Nuevas*   ⑤⑤
70-050 Hwy 111, A 92270. **Carte routière** D6. *(760) 328-8844.* Tous les classiques mexicains sont proposés dans ce restaurant. Le week-end, il se transforme en boîte de nuit après le dîner. Très bonnes margaritas.

	■	●	■		

RANCHO MIRAGE : *Ritz-Carlton Rancho Mirage Hotel* $$$$$
68900 Frank Sinatra Drive, CA 92270. **Carte routière** D6. (*(760) 321-8282.* Dans cet hôtel confortable *(p. 521)*, on déguste une bonne cuisine française au son d'un groupe de jazz.

REDLANDS : *Joe Greensleeves* $$$
220 North Orange St, CA 92373. **Carte routière** D6. (*(909) 792-6969.* Cet établissement spécialisé dans le gibier accommode aussi produits de la mer et saumon du Canada.

RIVERSIDE : *Mario's Place* $$$
3346 Mission Inn, CA 92507. **Carte routière** D6. (*(951) 684-7755.* Leone Palagi marie gastronomies française et italienne dans ses plats de pâtes, de viande et de poisson. Musiciens plusieurs soirs par semaine. ● *dim.*

DÉSERT DE MOJAVE

BAKER : *The Mad Greek's Diner* $
72112 Baker Blvd, CA 92309. **Carte routière** D5. (*(760) 733-4354.* Un petit coin de Grèce dans la minuscule ville de Baker. Des plats américains sont disponibles à côté de spécialités comme le *gyros* (tranches d'agneau rôti), les chiche-kebabs (brochettes) et le taboulé.

BARSTOW : *Idle Spurs Steak House* $$
690 Old Hwy 58, CA 92311. **Carte routière** D5. (*(760) 256-8888.* Les tranches de bœuf sont épaisses et il y règne une ambiance accueillante à l'Idle Spurs. L'entrecôte *(prime rib)* est tendre à souhait. ● *sam. et dim. midi.*

BARSTOW : *Slash X Ranch Café* $$
28040 Barstow Rd, CA 92311. **Carte routière** D5. (*(760) 252-1197.* Une bonne adresse qui a plus de cinquante ans : ce café propose tous les plats américains traditionnels, des hamburgers aux grillades. ● *dim.-mer. soir.*

DEATH VALLEY : *Wrangler Steakhouse* $$
Furnace Creek Ranch, CA 92328. **Carte routière** D4. (*(760) 786-2345 (poste 250).* Le Wrangler sert steaks, poulet, côtelettes et poisson dans un décor très américain. Bon choix au *salad bar*.

DEATH VALLEY : *Inn Dining Room* $$$
Furnace Creek Inn, CA 92328. **Carte routière** D4. (*(760) 786-2345 (poste 253).* Le restaurant populaire de l'hôtel Furnace Creek Inn *(p. 522)* bénéficie d'une vue superbe sur les montagnes.

LAKE HAVASU : *Krystal's Fine Dining* $$
460 El Camino Way, AZ 86403. **Carte routière** E5. (*(928) 453-2999.* Ce restaurant sans prétention et accueillant pour les familles propose steaks, poisson et poulet, ainsi qu'une large sélection de desserts et de *cheesecakes*.

LAKE HAVASU : *London Arms Pub and Restaurant* $$
422 English Village, AZ 86403. **Carte routière** E5. (*(928) 855-8782.* Ce restaurant anglais a pour spécialités le *fish and chips* (poisson pané et frites) et des desserts comme le *trifle* (une espèce de charlotte). Bières anglaises à la pression.

LAKE HAVASU : *Shugrue's Restaurant* $$
1425 McCulloch Blvd, AZ 86403. **Carte routière** E5. (*(928) 453-1400.* Ce restaurant familial a vue sur le London Bridge *(p. 278)* et sert poisson et steaks. Une boulangerie fabrique sur place desserts et pains.

LAS VEGAS : *Battista's Hole in the Wall* $
4041 Audrie Lane, NV 89109. **Carte routière** E4. (*(702) 732-1424.* Un accordéoniste passe jouer dans cet établissement italien à l'ancienne. Le prix comprend tout le vin que vous pouvez boire. Réserver.

LAS VEGAS : *Stratosphere Tower Revolving Restaurant* $$$
Stratosphere Tower Hotel, 2000 South Las Vegas Blvd, NV 89104. **Carte routière** E4. (*(702) 380-7777.* Il faut s'habiller pour manger dans la salle d'apparat réservée aux adultes. Cuisine européenne.

LAS VEGAS : *Andre's* $$$$$
401 S 6th St, NV 89101. **Carte routière** E4. (*(702) 385-5016.* Ce restaurant français haut de gamme occupe une vieille maison ornée de tapisseries et de dentelles. Le chateaubriand figure à la carte. Appeler la veille pour les commandes spéciales. ● *midi.*

	TABLES À L'EXTÉRIEUR	SPÉCIALITÉS VÉGÉTARIENNES	BAR OU BAR À COCKTAILS	MENUS À PRIX FIXES	ENFANTS BIENVENUS

Catégories de prix pour un repas de trois plats, une demi-bouteille de vin de la maison, taxes et service compris :
⑤ moins de 25 $
⑤⑤ de 25 à 35 $
⑤⑤⑤ de 35 à 50 $
⑤⑤⑤⑤ de 50 à 70 $
⑤⑤⑤⑤⑤ plus de 70 $

TABLES À L'EXTÉRIEUR
Tables dans un patio ou sur une terrasse.
SPÉCIALITÉS VÉGÉTARIENNES
La carte propose un choix de plats végétariens.
BAR OU BAR À COCKTAILS
Possibilité de boire un verre ailleurs qu'à table dans le restaurant.
MENUS À PRIX FIXES
Menu au prix intéressant, généralement de trois plats, proposé au déjeuner et/ou au dîner.
ENFANTS BIENVENUS
Portions réduites et/ou chaises hautes disponibles.

SAN FRANCISCO

Restaurant	TABLES À L'EXTÉRIEUR	SPÉCIALITÉS VÉGÉTARIENNES	BAR OU BAR À COCKTAILS	MENUS À PRIX FIXES	ENFANTS BIENVENUS
CHINATOWN ET NOB HILL : *Cordon Bleu* ⑤ 1574 California St, CA 94109. **Plan** 5 A4. (415) 673-5637. Ce minuscule restaurant vietnamien bon marché n'a qu'une courte carte, mais elle comprend un succulent poulet rôti aux cinq épices. ● *dim. midi ; lun.*					
CHINATOWN ET NOB HILL : *House of Nan King* ⑤ 919 Kearny St, CA 94133. **Plan** 5 C3. (415) 421-1429. L'un des meilleurs restaurants chinois bon marché du pays offre une vaste sélection de viandes braisées et de plats de légumes de Shanghaï. ● *dim. midi.*		●			
CHINATOWN ET NOB HILL : *Kan's* ⑤ 708 Grant Ave, CA 94108. **Plan** 5 C4. (415) 362-5267. Situé au cœur de Chinatown, ce restaurant chinois traditionnel est réputé pour son poulet à la pékinoise *(Peking duck)*.		●	■		
CHINATOWN ET NOB HILL : *Pot Sticker* ⑤ 150 Waverly Pl, CA 94109. **Plan** 5 C4. (415) 397-9985. Dans l'une des ruelles les plus agréables de Chinatown, le Pot Sticker propose des spécialités de la Chine du Nord et des menus à petits prix.		●			■
CHINATOWN ET NOB HILL : *Swan Oyster Depot* ⑤ 1517 Polk St, CA 94109. **Plan** 4 F3. (415) 673-1101. Si vous aimez les huîtres et la bière Anchor Steam, ne ratez pas le plus ancien *oyster bar* de la ville. Aimable, le personnel vous aidera à faire votre choix. ● *dim.*			■		
CHINATOWN ET NOB HILL : *Tokyo Express Restaurant* ⑤ 660 Sacramento St, CA 94108. **Plan** 5 C4. (415) 956-3040 Ce *sushi bar* propose une cuisine japonaise de très bonne tenue. Excellents poissons, nouilles goûteuses et large assortiment de bières japonaises. ● *sam. et dim. ; soir.*		●	■	●	■
CHINATOWN ET NOB HILL : *Empress of China* ⑤⑤ 838 Grant Ave, CA 94108. **Plan** 5 C3. (415) 434-1345. Voici un bon endroit pour savourer une authentique cuisine chinoise au centre de Chinatown. Délicieux *Peking duck*. Souvent plein, appelez pour réserver.		●	■		
CHINATOWN ET NOB HILL : *Fornou's Oven* ⑤⑤⑤ 905 California St, Stanford Court Hotel, CA 94108. **Plan** 5 C3. (415) 989-1910. Ce restaurant tire son nom du grand four portugais qui en occupe le centre. Succulent carré d'agneau *(rack of lamb)*.			■		■
CHINATOWN ET NOB HILL : *Big Four Restaurant* ⑤⑤⑤⑤ 1075 California St, CA 94108. **Plan** 5 B4. (415) 771-1140. À côté du foyer de l'Huntington Hotel *(p. 523)*, le décor intègre des souvenirs liés aux « Quatre Grands » *(p. 46-47)* de l'aventure du rail. Cuisine excellente à défaut d'être très aventureuse. *limité.*		●	■		
CHINATOWN ET NOB HILL : *Tommy Toy's* ⑤⑤⑤⑤ 655 Montgomery St, CA 94111. **Plan** 5 C3. (415) 397-4888. Tapisseries et miroirs anciens ornent ce restaurant chinois gastronomique. Vous dégusterez des plats où se marient nouvelle cuisine française et traditions culinaires de l'empire du Milieu. ● *sam. et dim. midi.*		●			■
CHINATOWN ET NOB HILL : *Masa's* ⑤⑤⑤⑤⑤ 648 Bush St, CA 94108. **Plan** 5 B4. (415) 989-7154. Le Masa's propose une nouvelle cuisine d'une qualité exceptionnelle. Magnifique carte des vins et succulents desserts. ● *dim. et lun.*			■		
CHINATOWN ET NOB HILL : *The Dining Room* ⑤⑤⑤⑤⑤ 600 Stockton St, CA 94108. **Plan** 5 C4. (415) 296-7465. Dans le Ritz-Carlton Hotel *(p. 523)*. Une touche d'art français rehausse une remarquable cuisine californienne. ● *dim. ; midi.*		●	■	●	■

CIVIC CENTER : *Mifune* $
Japan Center, 1737 Post St, CA 94115. **Plan 4 E4.** ((415) 922-0337. Le Mifune est réputé pour ses nouilles fraîches japonaises servies en soupe ou avec un choix de plus de 20 assaisonnements. & *limité.* ⌲

CIVIC CENTER : *Sanppo* $
Japan Center, 1702 Post St, CA 94115. **Plan 4 E4.** ((415) 346-3486. Le Sanppo offre une atmosphère accueillante et un choix de plats traditionnels à prix très abordables. ● *dim. midi, lun.*

CIVIC CENTER : *Home* $$
2100 Market St (sur Church St), CA 94102. **Plan 10 E2.** ((415) 503-0333. Ce restaurant est très vivant, chaleureux et accueillant. La bonne cuisine américaine y côtoie les spécialités italiennes. Bouillie au lard et soupe crémeuse de haricots blancs. ● *midi, sauf brunch du dim.* & ▯ ⌲

CIVIC CENTER : *Indigo* $$
687 McAllister St, CA 94102. **Plan 4 F5.** ((415) 673-9353. Ce restaurant populaire sert des produits locaux frais à la mode californienne. Le personnel amical vous accueille dans un cadre somptueux mauve et cerise. ● *dim. midi ; lun.* & ▯ ⌲

CIVIC CENTER : *Maharani* $$
1122 Post St, CA 94112. **Plan 5 A5.** ((415) 775-1988. C'est peut-être le meilleur indien de la ville. Calez-vous dans les coussins de la Fantasy Room pour savourer *tandooris* et currys. ● *midi.* & ⌲

CIVIC CENTER : *Puccini and Pinetti* $$
129 Ellis St, CA 94109. **Plan 4 D5.** ((415) 392-5500. Ce restaurant italien animé est l'endroit idéal pour se restaurer après une journée de courses. Choix d'entrées considérable. & ⌲

CIVIC CENTER : *Tommy's Joynt* $$
1101 Geary Blvd, CA 94109. **Plan 5 A5.** ((415) 775-4216. Ce restaurant de style cafétéria, décoré de fresques et de têtes d'animaux, est situé dans un bâtiment centenaire. Il ouvre tard et sert une cuisine américaine et des Caraïbes. ⌲

CIVIC CENTER : *Zuni Café* $$$
1658 Market St, CA 94102. **Plan 10 F1.** ((415) 552-2522. Le Zuni sert des produits de la mer d'une grande fraîcheur, dont dix sortes d'huîtres. Les *smokey pizzas* sont bonnes également. ● *lun.* & *limité.* ♫ ⌲

CIVIC CENTER : *Acquerello* $$$$
1722 Sacramento St, CA 94109. **Plan 5 A4.** ((415) 567-5432. Beauté du décor et sophistication d'une carte qui change très régulièrement. ● *dim., lun.* ▯ ⌲

CIVIC CENTER : *Hayes Street Grill* $$$$
320 Hayes St, CA 94102. **Plan 4 F5.** ((415) 863-5545. Cet établissement sans prétention apprécié des amateurs d'opéra grille, cuit à la vapeur ou poêle des poissons tout frais pêchés. ● *sam.-dim. midi.* & ⌲

CIVIC CENTER : *Postrio* $$$$
545 Post St, CA 94102. **Plan 5 B5.** ((415) 776-7825. Ce restaurant de Wolfgang Puck offre l'occasion de goûter dans un superbe cadre une cuisine californienne inspirée. Pizzas et boissons disponibles au bar. & ⌲

DOWNTOWN : *Delancey Street Restaurant* $
600 Embarcadero, CA 94107. **Plan 6 E5.** ((415) 512-5179. Cet établissement dont le Bay Bridge domine le patio propose des plats américains, ainsi que des spécialités ethniques plus éclectiques. ● *lun.* & ⌲

DOWNTOWN : *Café Bastille* $$
22 Belden Place (nord de Bush St entre Kearny St et Montgomery St), CA 94104. **Plan 5 C4.** ((415) 986-5673. Un très agréable bistrot français. Accueil chaleureux et bon choix de vins et de bières. Jazz en soirée. ● *dim.* & ♫ ⌲

DOWNTOWN : *Café de la Presse* $$
352 Grant Ave, CA 94108. **Plan 5 C4.** ((415) 249-0900. Ce restaurant d'un bon rapport qualité-prix sert une cuisine française classique. Le bar est apprécié des habitants du quartier. & ⌲

DOWNTOWN : *Eddie Rickenbacker's* $$
133 Second St, CA 94105. **Plan 6 D5.** ((415) 543-3498. Réputé pour son excellente cuisine américaine, le chef se lance dans les plats mexicains. Le cadre évoque la Seconde Guerre mondiale. ● *dim.* & ⌲

Légende des symboles, voir rabat de couverture

Catégories de prix pour un repas de trois plats, une demi-bouteille de vin de la maison, taxes et service compris : $ moins de 25 \$ $$ de 25 à 35 \$ $$$ de 35 à 50 \$ $$$$ de 50 à 70 \$ $$$$$ plus de 70 \$	**TABLES À L'EXTÉRIEUR** Tables dans un patio ou sur une terrasse. **SPÉCIALITÉS VÉGÉTARIENNES** La carte propose un choix de plats végétariens. **BAR OU BAR À COCKTAILS** Possibilité de boire un verre ailleurs qu'à table dans le restaurant. **MENUS À PRIX FIXES** Menu au prix intéressant, généralement de trois plats, proposé au déjeuner et/ou au dîner. **ENFANTS BIENVENUS** Portions réduites et/ou chaises hautes disponibles.	TABLES À L'EXTÉRIEUR	SPÉCIALITÉS VÉGÉTARIENNES	BAR OU BAR À COCKTAILS	MENUS À PRIX FIXES	ENFANTS BIENVENUS

Restaurant	TABLES À L'EXTÉRIEUR	SPÉCIALITÉS VÉGÉTARIENNES	BAR OU BAR À COCKTAILS	MENUS À PRIX FIXES	ENFANTS BIENVENUS
DOWNTOWN : *Hana Zen* $$ 156 Cyril Magnin St, CA 94102. **Plan 5 B5.** ☎ *(415) 421-2101.* Le meilleur restaurant *yakitori* de la ville, et le plus authentique. La cuisine allie des viandes assaisonnées et grillées au charbon de bois, du poulet et des légumes. Chaque plat est présenté de façon très raffinée. ● *midi.* ⅋		●			●
DOWNTOWN : *Harbor Village Restaurant* $$ 4 Embarcadero Center, niveau de l'entrée. CA 94111. **Plan 6 D3.** ☎ *(415) 781-8833.* De nombreux Chinois expatriés viennent ici déguster des recettes traditionnelles cantonaises et des plats contemporains novateurs. ⅋		●			●
DOWNTOWN : *Sam's Grill and Seafood Restaurant* $$ 374 Bush St, CA 94104. **Plan 5 C4.** ☎ *(415) 421-0594.* L'un des meilleurs restaurants de poissons de la ville. Les serveurs sont peu aimables, mais gèrent avec efficacité la foule qui s'y presse à midi. ● *sam. et dim.* ⅋ *limité.*		●	●		●
DOWNTOWN : *Yank Sing* $$ 427 Battery, CA 94111. **Plan 6 D3.** ☎ *(415) 957-9300.* On choisit ici au passage sur des chariots entre plus de cent *dim sum (p. 540)* différents. Une assiette ne coûte environ que 3 \$ à 4 \$. ● *soir.* ⅋		●			●
DOWNTOWN : *Carnelian Room* ⓦ www.carnelianroom.com $$$ Bank of America, 555 California St, CA 94104. **Plan 6 D3.** ☎ *(415) 433-7500.* Du haut du 52ᵉ étage, le panorama de la ville ajoute au plaisir d'une bonne cuisine californienne. ● *midi sauf dim.* ⅋		●			●
DOWNTOWN : *Il Fornaio* $$$ 1265 Battery St, CA 94111. **Plan 5 C2.** ☎ *(415) 986-0100.* Trattoria élégante, mais sans prétention, Il Fornaio a fondé sa réputation sur ses pains et ses pizzas faits maison, mais la carte propose aussi des pâtes soignées, des viandes grillées, de la polenta et d'excellents desserts. ⅋	●				●
DOWNTOWN : *Kyo-ya* $$$ 2 New Montgomery St, CA 94105. **Plan 5 C4.** ☎ *(415) 546-5090.* La carte du luxueux Kyo-ya, dans le Sheraton Palace Hotel *(p. 526)*, offre, à côté de *sushi* et de mets familiers, des recettes traditionnelles japonaises que l'on voit rarement au menu des restaurants américains. ● *sam. midi ; dim.* ⅋		●			●
DOWNTOWN : *La Scene* $$$ Warick Regency Hotel, 490 Geary St, CA 94102. **Plan 5 B5.** ☎ *(415) 292-6430.* Situé sur Theater Row, ce restaurant propose un menu fixe de bonne tenue. Cuisine californienne goûteuse, à base de produits frais. ● *dim. et lun.* ⅋			●	●	
DOWNTOWN : *MacArthur Park* $$$ 607 Front St, CA 94111. **Plan 6 D3.** ☎ *(415) 398-5700.* Une atmosphère détendue règne dans cet établissement confortable, spécialisé dans les grillades de côtes de porc fumées, de poisson et de steaks. ● *dim. midi.* ⅋		●			●
DOWNTOWN : *Palio D'Asti* $$$ 640 Sacramento St, CA 94111. **Plan 5 C4.** ☎ *(415) 395-9800.* Ce restaurant très fréquenté à midi s'adresse à une clientèle d'affaires. Le menu propose des spécialités italiennes de haute qualité : *antipasti*, pizzas et pâtes. ● *sam. midi ; dim.* ⅋		●	●		●
DOWNTOWN : *Palomino* $$$ 345 Spear St, CA 94105. **Plan 6 E4.** ☎ *(415) 512-7400.* Ce restaurant typique sert une cuisine californienne mâtinée d'influences méditerranéennes. Parmi les spécialités, le poulet rôti à l'ail. ⅋	●				
DOWNTOWN : *Perry's Restaurant* $$$ 185 Sutter St, CA 94111. **Plan 5 C4.** ☎ *(415) 989-6895.* Un bar agréable et des musiciens les soirs de semaine font du Perry's une halte très populaire à la sortie des bureaux. Ouvert pour le brunch du dimanche. ⅋ *limité.*		●	●		●

DOWNTOWN : *Sanraku* $$$
101 Fourth St, CA 94118. **Plan** 5 C5. ((415) 369-6166. Ce restaurant japonais
stylé sert des *sushi* frais, des *teriaki* et un large assortiment de plats végétariens.
Le sake et les bières japonaises sont excellents. &

DOWNTOWN : *St Francis Oak Room* $$$
335 Powell St, CA 94102. **Plan** 5 B4. ((415) 392-1785. Ce restaurant du Westin
St Francis Hotel *(p. 526)* sert une excellente cuisine dans une paisible salle à
manger ornée de boiseries. ● *midi.* & ▮

DOWNTOWN : *Tadich Grill* $$$
240 California St, CA 94111. **Plan** 6 D4. ((415) 391-1849. Ouvert pendant la ruée
vers l'or *(p. 44-45)*, le plus ancien restaurant en activité de Californie propose
de superbes plats de poisson. ● *dim.* &

DOWNTOWN : *Aqua* $$$$
252 California St, CA 94111. **Plan** 5 D4. ((415) 956-9662. Un jeune chef inspiré
élabore à l'Aqua de subtils et créatifs plats de poisson, tels que de l'espadon
fumé enveloppé de *prosciutto*. ● *sam. midi ; dim.* &

DOWNTOWN : *Bix* $$$$
56 Gold St, CA 94133. **Plan** 5 C3. ((415) 433-6300. Ce magnifique restaurant sert
une cuisine contemporaine américaine dans une atmosphère sophistiquée et
presque décadente. ● *sam.-dim. midi.* & ♫

DOWNTOWN : *Boulevard* $$$$
1 Mission St, CA 94105. **Plan** 6 E4. ((415) 543-6084. Nancy Oakes relève avec des
sauces inhabituelles et une présentation théâtrale des plats traditionnels comme
le rôti-purée. ● *sam.-dim. midi.* &

DOWNTOWN : *John's Grill* $$$$
63 Ellis St, CA 94102. **Plan** 5 C5. ((415) 986-0069. Des souvenirs liés à Dashiell
Hammett rappellent qu'il utilisa en 1930 le John's Grill comme décor dans le
Faucon maltais. Classiques de la cuisine américaine. ● *dim. midi.* & *limité.*

DOWNTOWN : *Silks* $$$$
222 Sansome St, CA 94104. **Plan** 5 C4. ((415) 986-2020. Au Mandarin Oriental
Hotel *(p. 525)*, la gastronomie jette un pont entre Asie et Californie. Essayez les
jumbo prawns épicées en brochette. Réserver. &

DOWNTOWN : *Tommy Toys* $$$$
655 Montgomery St, CA 94111. **Plan** 5 C4. ((415) 397-4888. La décoration intérieure
de ce restaurant chinois étoilé rappelle un palais impérial du XIXᵉ siècle. Cuisine
chinoise traditionnelle avec une influence « nouvelle cuisine ». &

DOWNTOWN : *Campton Place* $$$$$
340 Stockton St, CA 94108. **Plan** 5 C4. ((415) 955-5555. Selon de nombreux avis,
la table du Campton Place Hotel *(p. 525)* est la meilleure de San Francisco.
Vous y goûterez des plats préparés avec art. &

DOWNTOWN : *Fleur de Lys* $$$$$
777 Sutter St, CA 94109. **Plan** 5 B4. ((415) 673-7779. Voici l'une des tables les plus
chères et les plus réputées de la ville. Large choix de plats excellents et
soigneusement présentés. ● *dim. ; midi.* & *limité.*

FISHERMAN'S WHARF : *Pompei's Grotto* $
340 Jefferson St, CA 94133. **Plan** 5 A1. ((415) 776-9265. Les habitants du quartier
se pressent dans ce restaurant de poissons ouvert depuis les années 1940. Le
Dungeness crab fait partie des spécialités. &

FISHERMAN'S WHARF : *Scoma's* $$
Pier 47, Fisherman's Wharf, CA 94133. **Plan** 5 A1. ((415) 771-4383. Situé sur la
jetée, le Scoma's est livré tous les jours en fruits de mer frais pêchés. Délicieux
sauté de crustacés *(shellfish)*. &

FISHERMAN'S WHARF : *A. Sabella's* $$$
2766 Taylor St, CA 94133. **Plan** 5 A1. ((415) 771-4416. Cet élégant restaurant de
poissons italien offre une belle vue sur l'océan et une délicieuse *pirate salad*
contenant homard, crabe et crevettes. &

FISHERMAN'S WHARF : *Anna Mandara* $$$
891 Beach St, CA 94109. **Plan** 4 F1. ((415) 771-6800. Situé en face du Maritime
Museum *(p. 327)*, ce restaurant sert une cuisine vietnamienne moderne. Les
plats sont inventifs et sophistiqués. ● *sam.-dim. midi.* & ♫

Légende des symboles, voir rabat de couverture

						TABLES À L'EXTÉRIEUR	SPÉCIALITÉS VÉGÉTARIENNES	BAR OU BAR À COCKTAILS	MENUS À PRIX FIXES	ENFANTS BIENVENUS

Catégories de prix pour un repas de trois plats, une demi-bouteille de vin de la maison, taxes et service compris :
- $ moins de 25 $
- $$ de 25 à 35 $
- $$$ de 35 à 50 $
- $$$$ de 50 à 70 $
- $$$$$ plus de 70 $

TABLES À L'EXTÉRIEUR
Tables dans un patio ou sur une terrasse.
SPÉCIALITÉS VÉGÉTARIENNES
La carte propose un choix de plats végétariens.
BAR OU BAR À COCKTAILS
Possibilité de boire un verre ailleurs qu'à table dans le restaurant.
MENUS À PRIX FIXES
Menu au prix intéressant, généralement de trois plats, proposé au déjeuner et/ou au dîner.
ENFANTS BIENVENUS
Portions réduites et/ou chaises hautes disponibles.

Établissement	Extérieur	Végétariennes	Bar	Menus	Enfants
FISHERMAN'S WHARF : *Fog City Diner* $$$ 1300 Battery St, CA 94111. **Plan** 5 C2. ((415) 982-2000. Ce restaurant souvent bondé, mais qui mérite une visite, offre près du bord de mer un choix d'hamburgers, de côtelettes et de plats de poulet. Bar agréable.	■	●	■		
FISHERMAN'S WHARF : *Alioto's* $$$$ Pier 45, CA 94133. **Plan** 5 A1. ((415) 673-0183. La famille Alioto propose ici depuis 1930 des produits de la mer d'une grande fraîcheur. Beau panorama sur le Golden Gate Bridge.		●	■		■
GOLDEN GATE PARK ET PRESIDIO : *PJ's Oysterbed* $ 737 Irving St, CA 94122. **Plan** 8 F3. ((415) 566-7775. À un pâté de maisons au sud du Golden Gate Park, ce spécialiste du poisson, en particulier grillé, mérite un petit détour.					
GOLDEN GATE PARK ET PRESIDIO : *Bella Tratoria Italiana* $$ 3854 Geary Blvd, CA 94118. **Plan** 3 A5. ((415) 221-0305. Lorsque l'on mange dans ce restaurant l'un des vingt types de pâtes faites maison, on se sent un peu comme chez soi. Concert de jazz le samedi soir.	■	●	■		■
GOLDEN GATE PARK ET PRESIDIO : *New Eritrea Restaurant* $$ 907 Irving St, CA 94122. **Plan** 8 F3. ((415) 681-1288. Ce restaurant familial Érythréen et Éthiopien sert à midi, en semaine, le meilleur buffet de la ville. Poulet, agneau, bœuf, pain Injera et condiments épicés. Au bar, on vous propose des bières africaines et d'autres origines.		●	■		
GOLDEN GATE PARK ET PRESIDIO : *Pacific Café* $$ 7000 Geary Blvd, CA 94121. **Plan** 7 C1. ((415) 387-7091. Ce café d'un excellent rapport qualité-prix sert des plats de poissons. Vin gratuit pendant l'attente d'une table. ● midi. limité.					■
GOLDEN GATE PARK ET PRESIDIO : *Straits Café* $$ 3300 Geary Blvd, CA 94118. **Plan** 3 B5. ((415) 668-1783. Parmi les succulentes spécialités cantonaises, indonésiennes et indiennes, essayez la *kway paita*, pâte farcie aux légumes et aux crevettes.		●			
HAIGHT ASHBURY : *Cha Cha Cha* $ 1801 Haight St, CA 94133. **Plan** 9 B1. ((415) 386-5758. Il faut attendre une table dans ce bar à tapas où les saveurs des Caraïbes, du pays cajun et du Mexique se mêlent. La carte change tous les jours. Décor délirant et clientèle peu conventionnelle.			■		
HAIGHT ASHBURY : *Indian Oven* $ 233 Fillmore St, CA 94117. **Plan** 10 E1. ((415) 626-1628. La cuisine indienne traditionnelle s'est ici modernisée au contact de la Californie. Les plats végétariens varient en fonction des saisons.		●			
NORTH BEACH : *Brandy Ho's* $ 217 Columbus Ave, CA 94133. **Plan** 5 C3. ((415) 362-6268. Le Brandy Ho's propose d'excellentes recettes du Hunan, notamment des viandes fumées, dans un décor moderne un peu austère. limité.		●			
NORTH BEACH : *Il Pollaio* $ 555 Columbus Ave, CA 94133. **Plan** 5 B2. ((415) 362-7727. Cet établissement chaleureux a pour spécialité le poulet mariné et grillé. À déguster avec des salades rafraîchissantes, de bonnes soupes et des vins de table italiens très abordables. ● dim.					■
NORTH BEACH : *Little Joe's & Baby Joe's* $ 2550 Van Ness, CA 94133. **Plan** 4 F3. ((415) 433-4343. Très animé, ce restaurant est l'un des meilleurs italiens bon marché de San Francisco. Le poulpe à l'ail *(garlic squid)* connaît un grand succès. limité.		●			■

NORTH BEACH : *Caffè Macaroni* ⑤⑤
59 Columbus Ave, CA 94111. **Plan** 5 C3. ◖ *(415) 956-9737.* Le Caffè Macaroni a pour atouts d'excellents plats du jour, des prix raisonnables et des portions extrêmement généreuses. ● *midi.*

NORTH BEACH : *Capp's Corner* ⑤⑤
1600 Powell St, CA 94133. **Plan** 5 B2. ◖ *(415) 989-2589.* Populaire auprès des familles, le Capp's Corner propose des plats italo-américains à choisir dans un menu. Bon rapport qualité-prix. ● *sam.-dim. midi.* ⬤ *limité.* ▤

NORTH BEACH : *Helmand* ⑤⑤
430 Broadway, CA 94133. **Plan** 5 C3. ◖ *(415) 362-0641.* Dans ce petit restaurant afghan, légumes, riz ou orge et lentilles sautés accompagnent les plats principaux. Bon rapport qualité-prix. ● *sam.-dim. midi.* ▤

NORTH BEACH : *Rose Pistola* ⑤⑤⑤
532 Columbus Ave, CA 94133. **Plan** 5 B2. ◖ *(415) 399-0499.* Situé dans le centre de North Beach, ce restaurant jouxte Washington Park. Essayez la marmite de fruits de mer ou les pizzas cuites au feu de bois. ⬤ ▤

NORTH BEACH : *Stinking Rose: A Garlic Restaurant* ⑤⑤
325 Columbus Ave, CA 94133. **Plan** 5 C3. ◖ *(415) 781-7673.* L'ail est à l'honneur dans tous les plats de ce restaurant apprécié. Tables en marbre et murs carrelés composent un décor rustique. ⬤ *limité.* ▤

NORTH BEACH : *Café Jacqueline* ⑤⑤⑤
1454 Grant Ave, CA 94133. **Plan** 5 C2. ◖ *(415) 981-5565.* Appréciez en tête à tête des soufflés légers et variés, pour deux personnes, dans ce café français à l'ambiance romantique. ● *lun., mar. ; midi.* ▤

NORTH BEACH : *Julius' Castle* ⑤⑤⑤
1541 Montgomery St, CA 94133. **Plan** 5 B2. ◖ *(415) 392-2222.* Le Julius' Castle offre un cadre romantique où l'on savoure de la cuisine italienne ou française en contemplant Telegraph Hill. ● *midi.* ▤ ▤ ▤

NORTH BEACH : *Moose's* ⑤⑤⑤
1652 Stockton St, CA 94133. **Plan** 5 B2. ◖ *(415) 989-7800.* Hommes politiques et gens des médias apprécient ce grand restaurant bruyant et ensoleillé qui sert une cuisine de qualité. ● *lun.* ⬤ ▤ ▤

PACIFIC HEIGHTS : *Fresca* ⑤
2114 Fillmore St, CA 94115. **Plan** 4 D4. ◖ *(415) 447-2668.* Ce restaurant, qui sert de la cuisine péruvienne, a un petit air bucolique et une cuisine ouverte. Plats à base de viande et de produits de la mer. ▤

PACIFIC HEIGHTS : *Golden Turtle* ⑤
2211 Van Ness Ave, CA 94109. **Plan** 4 F3. ◖ *(415) 441-4419.* Vous savourerez ici des recettes vietnamiennes, apprêtant notamment trois sortes de crabes. Ambiance décontractée. ● *lun. ; midi.* ⬤ ▤

PACIFIC HEIGHTS : *Café Marimba* ⑤⑤
2317 Chestnut St, CA 94123. **Plan** 3 C2. ◖ *(415) 776-1506.* Dans le quartier de Marina, des couleurs éclatantes créent un décor en accord avec des spécialités novatrices du sud du Mexique. ● *lun.* ⬤ ▤

PACIFIC HEIGHTS : *Balboa Café* ⑤⑤⑤
3199 Fillmore St, CA 94123. **Plan** 4 D2. ◖ *(415) 921-3944.* Dans un hangar qui paraît sorti tout droit d'un film de gangsters des années 1940, le Balboa sert d'excellents plats américains à prix raisonnables. ⬤ ▤

PACIFIC HEIGHTS : *Elite Café* ⑤⑤⑤
2049 Fillmore St, CA 94115. **Plan** 4 D4. ◖ *(415) 346-8668.* Ce restaurant aux prix modérés et à la clientèle d'habitués possède un bar animé et de vieux boxes en bois. ● *midi sauf dim.* ⬤ ▤

PACIFIC HEIGHTS : *Plump Jack Café* ⑤⑤⑤
3127 Fillmore St, CA 94123. **Plan** 4 D2. ◖ *(415) 563-4755.* Connu pour ses prix raisonnables et sa grande carte des vins, ce restaurant propose une cuisine méditerranéo-californienne. Mieux vaut réserver. ● *dim.*

PACIFIC HEIGHTS : *Prego* ⑤⑤⑤
2000 Union St, CA 94123. **Plan** 4 D2. ◖ *(415) 563-3305.* Le Prego offre un large choix de plats soignés et présentés avec talent. Les *antipasti* font partie des meilleurs de la ville. ⬤ *limité.* ▤

	Catégories de prix			TABLES À L'EXTÉRIEUR	SPÉCIALITÉS VÉGÉTARIENNES	BAR OU BAR À COCKTAILS	MENUS À PRIX FIXES	ENFANTS BIENVENUS

Catégories de prix pour un repas de trois plats, une demi-bouteille de vin de la maison, taxes et service compris :
- $ moins de 25 $
- $$ de 25 à 35 $
- $$$ de 35 à 50 $
- $$$$ de 50 à 70 $
- $$$$$ plus de 70 $

TABLES À L'EXTÉRIEUR
Tables dans un patio ou sur une terrasse.
SPÉCIALITÉS VÉGÉTARIENNES
La carte propose un choix de plats végétariens.
BAR OU BAR À COCKTAILS
Possibilité de boire un verre ailleurs qu'à table dans le restaurant.
MENUS À PRIX FIXES
Menu au prix intéressant, généralement de trois plats, proposé au déjeuner et/ou au dîner.
ENFANTS BIENVENUS
Portions réduites et/ou chaises hautes disponibles.

Restaurant	TABLES À L'EXTÉRIEUR	SPÉCIALITÉS VÉGÉTARIENNES	BAR OU BAR À COCKTAILS	MENUS À PRIX FIXES	ENFANTS BIENVENUS
PACIFIC HEIGHTS : *Greens* $$$$ Building A, Fort Mason Center, CA 94123. **Plan 4 E1.** (415) 771-6222. Ce célèbre restaurant végétarien est connu pour ses menus du dimanche et ses brunchs du week-ends. La jolie vue ne gâte rien. dim. soir, lun. midi.		●		●	■
PACIFIC HEIGHTS : *Harris'* $$$$ 2100 Van Ness Ave, CA 94109. **Plan 4 F3.** (415) 673-1888. Boxes et planchers donnent à ce restaurant spécialisé dans les steaks un décor qui fait revivre le San Francisco d'antan.		●	■		■
THE MISSION DISTRICT : *El Nuevo Frutilandia* $ 3077 24th St, CA 94110. **Plan 10 F4.** (415) 648-2958. D'authentiques spécialités cubaines et portoricaines à découvrir dans une atmosphère des Caraïbes décontractée. *Fruitshakes* tropicaux. lun.		●			■
THE MISSION DISTRICT : *Ti Couz* $ 3108 16th St, CA 94110. **Plan 10 F2.** (415) 252-7373. Cette authentique crêperie bretonne propose un large choix de crêpes sucrées et salées. Atmosphère chaleureuse et prix bon marché en font un endroit toujours plein.		●			■
THE MISSION DISTRICT : *Firecrackers* $ 1007 Valencia St, CA 94110. (415) 642-3470. Une cuisine contemporaine venue de Chine du Nord pour ce lieu envahi de vieilles photographies et à l'éclairage hors du commun. Beaucoup de plats originaux que vous ne trouverez nulle part ailleurs. midi ; dim.		●			
THE MISSION DISTRICT : *Andalu* $ 3198 16th St, CA 94110. **Plan 10 F2.** (415) 621-2211. Ce restaurant a modernisé le concept des tapas en créant un menu éclectique dans le style tapas à un prix abordable. La sangria est excellente. midi.		●		●	■
BAY AREA					
BERKELEY : *Bette's Ocean View Diner* $ 1807 4th St, CA 94710. **Carte routière,** encadré B. (510) 644-3230. Il faut généralement attendre pour avoir une table dans ce *diner* années 1940 au cœur du quartier commerçant. Bonne nourriture américaine. soir.		●			■
BERKELEY : *Plearn Thai* $ 2050 University Ave, CA 94704. **Carte routière,** encadré B. (510) 841-2148. Il y a tant de restaurants thaïs de ce côté de la baie que seuls les meilleurs survivent. On fait la queue ici pour des plats délicieux et bon marché.		●			■
BERKELEY : *Eccolo* $$ 1820 4th St, CA 94710. **Carte routière,** encadré B. (510) 644-0444. Ce restaurant animé et bruyant de la partie branchée de Fourth Street sert dans un cadre ensoleillé une cuisine italienne.	■	●	■		■
BERKELEY : *Paragon* $$ 41 Tunnel Rd, CA 94704. **Carte routière,** encadré B. (415) 549-8585. Ce restaurant situé à l'intérieur du Claremont Resort & Spa jouit d'un panorama exceptionnel. Large choix de cocktails faits maison.	■		■		
BERKELEY : *Chez Panisse Restaurant* $$$$$ 1517 Shattuck Ave, CA 94709. **Carte routière,** encadré B. (510) 548-5525. Sa fondatrice, Alice Waters, aurait inventé au Panisse la cuisine californienne. Le restaurant du rez-de-chaussée est cher, le café du premier étage bien plus abordable. dim.		●	■	●	
BOLINAS : *Coast Café* $ 46 Wharf Rd, CA 94924. **Carte routière,** encadré B. (415) 868-2298. De la cuisine californienne et des soirées à thème : cuisine mexicaine les lundi et mardi, cuisine familiale les mercredi et jeudi.	■	●			■

BOLINAS : *Blue Heron Inn* $$
11 Wharf Rd, CA 94294. **Carte routière**, encadré B. [*(415) 868-1102*. Ce célèbre restaurant abrité dans une maison victorienne utilise des produits frais locaux, y compris le poisson. Les lundi et mercredi, soirée familiale. ● *mar.*

BURLINGAME : *Kuleto's Trattoria* $$$
1095 Rollins Rd, CA 94010. **Carte routière**, encadré B. [*(650) 342-4922*. La salle de ce restaurant à l'ambiance familiale entoure la cuisine, ouverte, et son four à pizzas. Bonne cuisine italienne. ● *sam. midi. ; dim.*

HALF MOON BAY : *San Benito House* $$
356 Main St, CA 94019. **Carte routière**, encadré B. [*(650) 726-3425*. Cuisine méditerranéenne dans une minuscule mais charmante salle à manger. *Deli* ouvert tous les jours de 11 h à 15 h. ● *soir.*

LAFAYETTE : *Postino* $$$
3565 Mount Diablo Blvd, CA 94549. **Carte routière**, encadré B. [*(925) 284-3565*. Le décor rustique est en harmonie avec la cuisine méditerranéenne : poisson et fruits de mer, viandes rôties et pâtes.

LARKSPUR : *Lark Creek Inn* $$$
234 Magnolia Ave, CA 94939. **Carte routière**, encadré B. [*(415) 924-7766*. Le propriétaire de ce restaurant renommé, le chef Bradley Ogden, a été primé pour sa cuisine de terroir américaine. ● *sam. midi.*

MILL VALLEY : *Samurai* $
425 Miller Ave, CA 94941. **Carte routière**, encadré B. [*(415) 381-3680*. Ce restaurant japonais est souvent bondé. Beignets *tempura*, succulents produits de la mer et *sushi* d'une fraîcheur absolue. ● *dim. ; midi.*

MILL VALLEY : *D'Angelo Restaurant* $$
22 Miller Ave, CA 94941. **Carte routière**, encadré B. [*(415) 388-2000*. Une cuisine italienne simple attire dans une salle spacieuse une foule où voisinent adolescents du comté, réalisateurs de cinéma et rock-stars.

MILL VALLEY : *Buckeye Roadhouse* $$$
15 Shoreline Hwy, CA 94941. **Carte routière**, encadré B. [*(415) 331-2600*. Malgré son aspect, ce restaurant n'appartient pas à une chaîne et vous pouvez vous attendre à un feu de bois. Bons classiques américains.

MILL VALLEY : *Frantoio* $$$
152 Shoreline Hwy, CA 94941. **Carte routière**, encadré B. [*(415) 289-5777*. Cet établissement fabrique sa propre huile d'olive, un ingrédient qui joue un grand rôle dans sa cuisine méditerranéenne. ● *midi.*

OAKLAND : *Rockridge Café* $
5492 College Ave, CA 94618. **Carte routière**, encadré B. [*(510) 653-1567*. Pour un solide petit-déjeuner ou un bon hamburger, ne cherchez pas plus loin que ce café de quartier dans le style d'un *diner* des années 1940.

OAKLAND : *Milano* $$
3425 Grand Ave, CA 94610. **Carte routière**, encadré B. [*(510) 763-0300*. Une clientèle fidèle vient dans ce restaurant élégant profiter d'énormes portions de spécialités de l'Italie du Nord. ● *sam.-dim. midi.*

OAKLAND : *Bay Wolf* $$$
3853 Piedmont Ave, CA 94611. **Carte routière**, encadré B. [*(510) 655-6004*. La carte du Bay Wolf change toutes les deux semaines. La cuisine américano-méditerranéenne est à la hauteur de sa réputation. ● *sam.-dim. midi.*

ORINDA : *Siam Orchid Thai* $
23-H Orinda Way, CA 94563. **Carte routière**, encadré B. [*(925) 253-1975*. Dans un village à 6 km à l'est de Berkeley, cet agréable restaurant sert les classiques thaïs à prix avantageux. Personnel très serviable. ● *sam. midi.*

PALO ALTO : *Gordon Biersch* $$
625 Emerson St, CA 94301. **Carte routière**, encadré B. [*(650) 323-7723*. Cette brasserie au décor soigné offre une bonne cuisine californienne et un choix de bières fabriquées sur place.

PESCADERO : *Duarte's Tavern* $$
202 Stage Rd, CA 94060. **Carte routière**, encadré B. [*(650) 879-0464*. Cet établissement tenu par la même famille depuis plus d'un siècle propose entre autres de nourrissants plats de poisson et des tartes maison.

Légende des symboles, voir rabat de couverture

	TABLES À L'EXTÉRIEUR	SPÉCIALITÉS VÉGÉTARIENNES	BAR OU BAR À COCKTAILS	MENUS À PRIX FIXES	ENFANTS BIENVENUS

Catégories de prix pour un repas de trois plats, une demi-bouteille de vin de la maison, taxes et service compris :
$ moins de 25 $
$$ de 25 à 35 $
$$$ de 35 à 50 $
$$$$ de 50 à 70 $
$$$$$ plus de 70 $

TABLES À L'EXTÉRIEUR
Tables dans un patio ou sur une terrasse.
SPÉCIALITÉS VÉGÉTARIENNES
La carte propose un choix de plats végétariens.
BAR OU BAR À COCKTAILS
Possibilité de boire un verre ailleurs qu'à table dans le restaurant.
MENUS À PRIX FIXES
Menu au prix intéressant, généralement de trois plats, proposé au déjeuner et/ou au dîner.
ENFANTS BIENVENUS
Portions réduites et/ou chaises hautes disponibles.

Restaurant	TABLES À L'EXTÉRIEUR	SPÉCIALITÉS VÉGÉTARIENNES	BAR OU BAR À COCKTAILS	MENUS À PRIX FIXES	ENFANTS BIENVENUS
POINT REYES STATION : *Station House Café* ($$) — 11180 Main St, CA 94956. **Carte routière** A3. *(415) 663-1515*. Ce restaurant sans prétention réserve une bonne surprise au gourmet. En saison, ne manquez pas les huîtres au barbecue.		●	●	●	●
SAN JOSE : *Tied House Café and Brewery* ($$) — 65 N San Pedro St, CA 95112. **Carte routière** B4. *(408) 295-2739*. Surtout connu pour ses bières brassées sur place, cet établissement aéré et animé sert des plats de poisson excellents.	●	●			
SAN JOSE : *Emile's* ($$$$) — 545 South 2nd St, CA 95112. **Carte routière** B4. *(408) 289-1960*. L'Emile's est renommé pour sa cuisine européenne classique, sa carte des vins et l'élégance de son décor. ● dim., lun. ; midi.		●		●	
SAUSALITO : *Christophe* ($$$) — 1919 Bridgeway, CA 94965. **Carte routière** A1. *(415) 332-9244*. Ce petit restaurant français sert une bonne cuisine accompagné d'une excellente carte des vins, le tout dans un cadre merveilleux. Parfait pour une escapade romantique.		●		●	
TIBURON : *Guaymas* ($$) — 5 Main St, CA 94920. **Carte routière** A3. *(415) 435-6300*. Le Guaymas propose une authentique cuisine régionale mexicaine. Par temps clair, de jour comme de nuit, sa terrasse a vue sur San Francisco.	●	●	●		
TIBURON : *Sam's Anchor Café* ($$) — 27 Main St, CA 94920. **Carte routière** A3. *(415) 435-4527*. Situé sur les quais, ce restaurant et bar à cocktails décontracté attire une foule animée, en particulier les week-ends d'été.	●	●	●		
WALNUT CREEK : *Buttercup Bar & Grill* ($$) — 660 Ygnacio Valley Blvd, CA 94596. **Carte routière** B3. *(925) 932-2763*. Près du John Muir National Historic Site *(p. 398)*, ce restaurant sert à peu près de tout, des steaks, du poulet et des fruits de mer jusqu'aux pâtes et aux sandwiches, en passant par les petits-déjeuners.	●	●	●		●

LE NORD

Restaurant	TABLES À L'EXTÉRIEUR	SPÉCIALITÉS VÉGÉTARIENNES	BAR OU BAR À COCKTAILS	MENUS À PRIX FIXES	ENFANTS BIENVENUS
ARCATA : *Crosswinds Vegan Restaurant* ($) — 860 10th St. **Carte routière** B2. *(707) 826-2133*. Pas de viande au Crosswinds, mais des plats américains adaptés au régime végétalien. Verre de champagne gratuit le samedi et le dimanche. ● lun. ; soir. (dim.).		●		●	●
ARCATA : *Arcata Pizza et Deli* ($) — 1057 H St, CA 95521. **Carte routière** B2. *(707) 822-4650*. Cuisine typiquement américaine et italienne : un mélange de hamburgers, de pizzas, de cheesesteaks et de salades. Ouvert tard le soir.		●			
CRESCENT CITY : *Ship Ashore* ($$) — 12370 Hwy 101 North, CA 95531. **Carte routière** A1. *(707) 487-3141*. Situé contre un navire définitivement en cale sèche, cet établissement familial sert de généreuses portions de poisson et de fruits de mer.			●		●
EUREKA : *Samoa Cookhouse* ($) — 59 Cookhouse Lane, CA 95501. **Carte routière** A2. *(707) 442-1659*. Pour avoir un aperçu de l'époque des grandes exploitations forestières, rien n'égale ce restaurant séculaire où les portions restent énormes *(p. 430)*.				●	●
EUREKA : *Avalon* ($$) — 3rd and G St, CA 95501. **Carte routière** A2. *(707) 445-0500*. Situé dans le centre historic d'Eureka, ce restaurant sert de la nouvelle cuisine américaine. Les plats sont inventifs et changent régulièrement. ● dim. ; lun. midi.					●

EUREKA : *Restaurant 301* $$$
301 L St, CA 95501. **Carte routière** A2. ☎ *(707) 444-8062.* Ce lieu stylé propose des plats raffinés et recherchés, tel le filet de porc accompagné de son chutney de pomme fait maison. ● *midi.* 🍷 🎵 🖼

GARBERVILLE : *Woodrose Café* $
911 Redwood Drive, CA 95442. **Carte routière** A2. ☎ *(707) 923-3191.* Au cœur du pays des séquoias, ce café accueillant permet de manger sain avec des plats tels que *tofu burgers* et soupes de légumes. ● *sam. et dim. ; midi.*

LEWISTON : *Mountain Valley Grill* $
Trinity Dam Blvd, CA 96052. **Carte routière** A2. ☎ *(530) 778-3177.* Ce restaurant typiquement américain sert tous les plats classiques : poulet frit, hamburgers, pâtes et steaks. Également solides petits-déjeuners. ♿ 🖼

MOUNT SHASTA : *Lily's* $$
1013 S Mount Shasta Blvd, CA 96067. **Carte routière** B1. ☎ *(530) 926-3372.* La carte de ce restaurant très apprécié offre un éventail éclectique, des œufs Bénédicte aux plats classiques de viande, de volaille, de poisson et de pâtes. Réservation recommandée. 🖼

MOUNT SHASTA : *Michael's* $$
313 N Mount Shasta Blvd, CA 96067. **Carte routière** B1. ☎ *(530) 926-5288.* Délicieux sandwiches, déjeuners légers et dîners italiens valent au Michael's une grande popularité. ● *dim., lun.* 🖼

ORICK : *Rolf's Park Café* $$
Hwy 101 à la hauteur de Davidson Rd, CA 95555. **Carte routière** A1. ☎ *(707) 488-3841.* Tenu par des Allemands, ce café sert de solides petits-déjeuners et des spécialités bavaroises. Portions à la mesure des séquoias de la région. ● *hiver.* 🖼

REDDING : *Jack's Grill* $$
1743 California St, CA 96002. **Carte routière** B2. ☎ *(530) 241-9705.* Voici un restaurant des années 1930 spécialisé dans le bœuf. Sachez que la file d'attente est souvent longue et qu'il est impossible de réserver. ● *dim. ; midi.* 🖼

REDWAY : *Mateel Café* $
3342 Redwood Drive, CA 95560. **Carte routière** A2. ☎ *(707) 923-2030.* Ce café est aussi un centre culturel régional. Salades et pizzas à midi. Plats internationaux le soir. ● *dim.*

SUSANVILLE : *Walker Restaurant* $
1160 Main St, CA 96130. **Carte routière** B2. ☎ *(530) 257-3212.* De copieux petits déjeuners américains y sont servis jusqu'à 11 h, puis la cuisine mexicaine est au menu jusqu'à 21 h. 🖼

TRINIDAD : *Larrupin' Café* $$
1658 Patrick's Point Drive, CA 95570. **Carte routière** A2. ☎ *(707) 677-0230.* À 30 km au nord d'Arcata, ce petit restaurant domine la Humboldt Bay et sert poissons et fruits de mer frais. ● *mar. ; mer.-dim. midi.*

REDDING : *Ukiah Brewing Company* $$
102 State St, CA 95482. **Carte routière** A3. ☎ *(707) 468-5898.* Peut-être le meilleur dans sa catégorie, ce pub propose *curries*, hamburgers, excellents plats végétariens et une longue liste de bières brassées sur place. Tout y est biologique. 🍷 🖼

WEAVERVILLE : *La Grange Café* $$
226 N Main St, CA 96093. **Carte routière** A2. ☎ *(530) 623-5325.* Ce café propose une cuisine californienne diététique mais aventureuse à prix modérés. Salades biologiques et nombreux plats végétariens. 🖼

WINE COUNTRY

BOONVILLE : *Boonville Hotel* $$$
Hwy 128 près de Lambert Lane, CA 95415. **Carte routière** A3. ☎ *(707) 895-2210.* Les gourmets se pressent ici pour essayer la cuisine californienne d'inspiration mexicaine et italienne de John Schmidt. ● *mar. ; midi.* ♿ 🖼

CALISTOGA : *All Seasons Café* $$
1400 Lincoln Ave, CA 94515. **Carte routière** A3. ☎ *(707) 942-9111.* Conçus pour accompagner une carte des vins primée, les plats changent régulièrement. Une cave offrant des dégustations se trouve à l'arrière. ● *lun.* ♿ 🍷 🖼

Légende des symboles, voir rabat de couverture

Catégories de prix pour un repas de trois plats, une demi-bouteille de vin de la maison, taxes et service compris : $ moins de 25 $ / $$ de 25 à 35 $ / $$$ de 35 à 50 $ / $$$$ de 50 à 70 $ / $$$$$ plus de 70 $	**TABLES À L'EXTÉRIEUR** Tables dans un patio ou sur une terrasse. **SPÉCIALITÉS VÉGÉTARIENNES** La carte propose un choix de plats végétariens. **BAR OU BAR À COCKTAILS** Possibilité de boire un verre ailleurs qu'à table dans le restaurant. **MENUS À PRIX FIXES** Menu au prix intéressant, généralement de trois plats, proposé au déjeuner et/ou au dîner. **ENFANTS BIENVENUS** Portions réduites et/ou chaises hautes disponibles.	TABLES À L'EXTÉRIEUR	SPÉCIALITÉS VÉGÉTARIENNES	BAR OU BAR À COCKTAILS	MENUS À PRIX FIXES	ENFANTS BIENVENUS
CALISTOGA : *Stomp* $$$ 1457 Lincoln Ave, CA 94515. **Carte routière** A3. *(707) 942-8272.* Ce restaurant moderne propose une cuisine californienne mâtinée d'influences françaises, ainsi que tous les vins de la Napa Valley. Concerts de jazz le week-end.			●	●		
FORESTVILLE : *Russian River Vineyards Restaurant* $$$ 5700 Gravenstein Hwy North, CA 95436. **Carte routière** A3. *(707) 887-1562.* Situé dans la Russian River Valley au milieu de 9 ha de vignes en culture biologique, ce charmant restaurant propose notamment de vieilles recettes familiales grecques. ● *lun.-jeu.*		●	●			●
NAPA : *Downtown Joe's Restaurant and Brewery* $ 902 Main St, CA 94558. **Carte routière** B3. *(707) 258-2337.* Cette micro-brasserie animée sert petits-déjeuners américains, hamburgers, salades et pizzas. Musique dans le bar le soir.		●	●	●		●
NAPA : *Caledon* $$ 500 Main St, CA 94559. **Carte routière** B3. *(707) 254-9690.* Une cuisine familiale pour un lieu de style bistro. Depuis le joli patio couvert, belle vue sur l'eau.		●				
NAPA : *Napa Valley Wine Train* w www.winetrain.com $$$$ 1275 McKinstry St, CA 94559. **Carte routière** B3. *(800) 427-4124.* Une cuisine californienne raffinée ajoute au plaisir d'une promenade en train de luxe *(p. 477)* dans le Wine Country. ● *lun.-mar. soirs.*			●	●	●	●
RUTHERFORD : *Auberge du Soleil* $$$$ 180 Rutherford Hill Rd, CA 94573. **Carte routière** A3. *(707) 967-3111.* Cheminées et haut plafond aux poutres apparentes donnent une élégance rustique à la salle à manger. La terrasse ménage un magnifique panorama.		●	●	●		
ST HELENA : *Café 29* $$$ 3000 N St Helena Hwy, North St, CA 95474. **Carte routière** A3. *(707) 963-9919.* Ce restaurant stylé est ouvert du petit-déjeuner au dîner. Il propose un menu crêpes, ainsi qu'un brunch le dimanche. Les vins de la région sont en vedette. Vue magnifique depuis le patio couvert. ● *dim. et lun. soir.*		●	●	●		●
ST HELENA : *Cindy's Backstreet Kitchen* $$$ 1327 Railroad Ave, CA 94574. **Carte routière** A3. *(707) 963-1200.* Au menu, cuisine traditionnelle américaine : poulet grillé, hamburgers, copieuses salades et soupes. Le dimanche soir, menu familial.		●	●	●	●	●
ST HELENA : *Meadowood Restaurant* $$$ 900 Meadowood Lane, CA 94574. **Carte routière** A3. *(707) 963-3646.* Délicieux mets provençaux, superbe présentation et service exceptionnel caractérisent ce restaurant élégant qui fait partie du Meadowood Resort Hotel *(p. 533).*			●	●	●	
ST HELENA : *Pinot Blanc* $$$ 641 Main St, CA 94574. **Carte routière** A3. *(707) 963-6191.* Un des meilleurs restaurants de la vallée. Il privilégie les producteurs locaux, les produits de saison, les viandes élevées à la ferme et les vins régionaux.		●	●	●	●	
ST HELENA : *Tra Vigne* $$$ 1050 Charter Oak, CA 94574. **Carte routière** A3. *(707) 963-4444.* Ce restaurant italien possède sa propre boulangerie. Pain et pâtes sont fabriqués en plein air sous la tonnelle de la cour intérieure.		●	●	●	●	●
ST HELENA : *Wine Spectator Greystone Restaurant* $$$ 2555 St Helena Hwy, CA 94574. **Carte routière** A3. *(707) 967-1010.* Dans ce restaurant du Culinary Institute of America, les chefs sont en cours d'apprentissage. Cuisine d'inspiration méditerranéenne. ● *jours fériés.*		●	●	●		●

SANTA ROSA : *John Ash & Co*   ⑤⑤
4330 Barnes Rd, CA 95403. **Carte routière** A3. (*(707) 527-7687.* Dînez dans un
pittoresque décor de vignoble, sous un patio ombragé par une treille et une
glycine. Cuisine régionale au vin. Plus de 400 vins à la carte. ● *sam. midi.* & ✉

SANTA ROSA : *707*   ⑤⑤⑤
1612 Terrace Way, Farmer's Lane, CA 95401. **Carte routière** A3. (*(707) 523-0317.*
La cuisine néo-américaine tient la vedette. Cuisine originaire de l'aire
géographique correspondant au 707. ● *lun.* & 🍷 ✉

SONOMA : *Ristorante Piatti*   ⑤⑤
405 1st St West, CA 94576. **Carte routière** A3. (*(707) 996-2351.* Ce bistrot italien
animé appartient à une petite chaîne californienne. Le risotto du jour, les
pizzas, les pâtes et le poulet sont toujours délicieux. & ✉

YOUNTVILLE : *Pacific Blue Café*   ⑤
6525 Washington St, CA 94599. **Carte routière** B3. (*(707) 944-4455.* Ce restaurant
typiquement américain sert de bons plats traditionnels : hamburgers, poulet frit,
steaks, pâtes, salades et soupes. &

YOUNTVILLE : *Mustards Grill*   ⑤⑤⑤
7399 St Helena Hwy, CA 94558. **Carte routière** B3. (*(707) 944-2424.* Ce restaurant
en bord de route met l'accent sur la cuisine californienne. Belle carte des vins.
Réserver très à l'avance. & 🍷 ✉

YOUNTVILLE : *Napa Valley Grille*   ⑤⑤⑤
6795 Washington St, Hwy 29 à la hauteur de Madison, CA 94599. **Carte routière** B3.
(*(707) 944-8686.* Le chef de ce *roadside restaurant*, Bob Hurley, accommode
des produits locaux pour créer de délicieux plats régionaux. & 🍷 ✉

YOUNTVILLE : *Brix*   ⑤⑤⑤⑤
7377 St Helena Hwy, CA 94558. **Carte routière** B3. (*(707) 944-2749.* Le chef réputé
du Brix compose une cuisine française et californienne, toutes deux très
influencées par l'Asie. La carte des vins propose un choix étendu de vins
locaux rares, que l'on déguste en regardant vignobles et montagnes
environnants. & 🍷 ✉

YOUNTVILLE : *Domaine Chandon* Ⓦ www.chandon.com   ⑤⑤⑤⑤
1 California Drive, CA 94599. **Carte routière** B3. (*(707) 944-2892.* Les vignes d'un
des plus célèbres domaines viticoles de la Napa Valley entourent ce restaurant
français élégant. ● *janv. ; mar.-jeu. midi de déc. à mars.* 🍴 🍷 🎵 *(lun. après-midi).* ✉

YOUNTVILLE : *The French Laundry*   ⑤⑤⑤⑤⑤
6640 Washington St, CA 94599. **Carte routière** B3. (*(707) 944-2380.* Réservez un
mois à l'avance pour être sûr d'obtenir une place à cette excellente table.
Cuisine américaine et impressionnante sélection de demi-bouteilles de crus
rares. Les menus à prix fixe sont une affaire. ● *lun.-mer. midi.* & 🍷 ✉

GOLD COUNTRY ET CENTRAL VALLEY

AMADOR CITY : *Imperial Hotel and Restaurant*   ⑤⑤⑤
14202 Hwy 49, CA 95601. **Carte routière** B3. (*(209) 267-9172.* Des portes-fenêtres
dominent le patio fleuri de ce restaurant d'hôtel *(p. 533)* où tous les plats
peuvent être commandés comme repas léger. ● *midi.* & ✉

CHICO : *Sierra Nevada Brewing Company Restaurant and Tap Room* ⑤⑤
1075 E 20th St, CA 95928. **Carte routière** B2. (*(530) 345-2739.* De bons plats de pub
accompagnent la bière brassée sur place, l'une des plus populaires de Californie.
● *lun. midi.* & ✉

GRASS VALLEY : *Athen's Kuzing*   ⑤⑤
10100 Alta Sierra Drive, CA 95949. **Carte routière** B3. (*(530) 273-5553.* On y sert
une cuisine grecque et européenne. Les desserts faits maison, délicieux, sont la
spécialité de ce restaurant. Grande salle de bar. ● *lun. et mar. ; mer.-dim. midi.* & ✉

GRASS VALLEY : *Holbrooke Hotel and Restaurant*   ⑤⑤⑤
212 West Main St, CA 95945. **Carte routière** B3. (*(530) 273-1353.* Adjacent au plus
vieux *saloon bar* de Californie, ce spacieux restaurant d'hôtel *(p. 533)* se
remplit le week-end. & 🎵 ✉

JAMESTOWN : *National Hotel Restaurant*   ⑤⑤⑤
18183 Main St, CA 95327. **Carte routière** B3. (*(209) 984-3446.* Le chef de ce
restaurant situé dans un hôtel historique est renommé dans toute la région
pour sa cuisine méditerranéenne. Excellente carte des vins. & ✉

Légende des symboles, voir rabat de couverture

Catégories de prix pour un repas de trois plats, une demi-bouteille de vin de la maison, taxes et service compris : ⑤ moins de 25 $ ⑤⑤ de 25 à 35 $ ⑤⑤⑤ de 35 à 50 $ ⑤⑤⑤⑤ de 50 à 70 $ ⑤⑤⑤⑤⑤ plus de 70 $	**TABLES À L'EXTÉRIEUR** Tables dans un patio ou sur une terrasse. **SPÉCIALITÉS VÉGÉTARIENNES** La carte propose un choix de plats végétariens. **BAR OU BAR À COCKTAILS** Possibilité de boire un verre ailleurs qu'à table dans le restaurant. **MENUS À PRIX FIXES** Menu au prix intéressant, généralement de trois plats, proposé au déjeuner et/ou au dîner. **ENFANTS BIENVENUS** Portions réduites et/ou chaises hautes disponibles.	TABLES À L'EXTÉRIEUR	SPÉCIALITÉS VÉGÉTARIENNES	BAR OU BAR À COCKTAILS	MENUS À PRIX FIXES	ENFANTS BIENVENUS
NEVADA CITY : *Citronée* ⑤ 320 Broad St, CA 95959. **Carte routière** B3. **[** *(530) 265-5697*. Un mélange classique de cuisine californienne et d'influences méditerranéennes. La plupart des légumes préparés ici ont poussé dans le potager du propriétaire. ● *dim.* 🔣 🔣			●			
NEVADA CITY : *Country Rose Café* ⑤⑤ 300 Commercial St, CA 95959. **Carte routière** B3. **[** *(530) 265-6248*. Ce bistrot animé propose dans un bâtiment en brique des années 1860 des recettes de terroir françaises. Un guitariste classique joue souvent les vendredi et samedi. Réservation recommandée. 🎵 🔣	■	●	■		■
SACRAMENTO : *Aldo's* ⑤ 2914 Passatiempo Lane, CA 95814. **Carte routière** B3. **[** *(916) 483-5031*. Des mets français et californiens, de délicieux desserts et un bon rapport qualité-prix assurent le succès de l'Aldo's. 🔣 🔣 🔣		●	■		
SACRAMENTO : *Elephant Bar and Restaurant* ⑤⑤ 1500 Arden Way, CA 95824. **Carte routière** B3. **[** *(916) 564-2526*. Ce restaurant fait partie d'une chaîne régionale connue pour ses portions énormes. Cuisine influencée par les saveurs asiatiques et tropicales. 🔣 🔣		●	■		
SACRAMENTO : *Fat City Bar & Grill* ⑤ 1001 Front St, CA 95814. **Carte routière** B3. **[** *(916) 446-6768*. Dans un édifice du XIXᵉ siècle au cœur du quartier ancien (*p. 456-457*), le Fat City Bar and Grill est un endroit parfait pour les familles. Plats américains substantiels. 🔣 🔣 🔣		●	■		
SACRAMENTO : *Paragary's* ⑤⑤ 1401 28th St, CA 95618. **Carte routière** B3. **[** *(916) 457-5737*. Populaire auprès des habitants du quartier, en particulier des familles, le Paragary's offre dans un décor de bistrot new-yorkais des spécialités italiennes telles que des nouilles au romarin *(rosemary)* servies avec du poulet grillé. 🔣 🔣		●	■		
SACRAMENTO : *Pilot House Restaurant* ⑤⑤ 1000 Front St, CA 95814. **Carte routière** B3. **[** *(916) 441-4440*. Dans un bateau à aubes des années 1930 (*p. 534*), ce restaurant d'hôtel sert des classiques américains comme l'entrecôte *(prime rib)* ou le saumon grillé. Le brunch au champagne du dimanche connaît un grand succès. 🔣 🎵 🔣	■	●	■		■
SACRAMENTO : *California Café, Bar & Grill* ⑤⑤⑤ 1689 Arden Way, CA 95815. **Carte routière** B3. **[** *(916) 925-2233*. Situé dans le Arden Fair Mall, ce restaurant est considéré comme l'un des 10 meilleurs de Sacramento. Cuisine californienne, avec pâtes, fruits de mer et steaks. 🔣 🔣 🔣			■		■
SACRAMENTO : *Sterling Hotel* ⑤⑤⑤ 1300 H St, CA 95814. **Carte routière** B3. **[** *(916) 442-0451*. Ce restaurant d'hôtel (*p. 534*) intime offre une belle sélection de plats végétariens franco-californiens, sans négliger les amateurs de viande. Réservez à l'avance. 🔣 🔣 🔣	■	●	■		
SACRAMENTO : *The Firehouse* ⑤⑤⑤ 1112 2nd St, CA 95814. **Carte routière** B3. **[** *(916) 442-4772*. Cette ancienne caserne de pompiers date des années 1850. Plats de poisson et de bœuf, mais aussi canard laqué et filet mignon. ● *dim. ; sam. midi.* 🔣 🔣 🔣	■	●	■	●	■
SONORA : *Banny's Café* ⑤⑤ 83 S Stewart St, Suite 100, CA 95370. **Carte routière** B3. **[** *(209) 533-4709*. Sur la carte de ce café agréable voisinent spécialités californiennes, italiennes, méditerranéennes et thaïes. 🔣 🔣		●	■		
SONORA : *Gus's Steakhouse* ⑤⑤ 1183 S Mono Way, CA 95370. **Carte routière** B3. **[** *(209) 532-5190*. Le bâtiment date de la ruée vers l'or. Steaks, côtes de bœuf et agneau font l'objet d'une présentation soignée. Ouvert le soir seulement. 🔣 🔣			■		■

HIGH SIERRAS

BIG PINE : *Rossi's* ⑤
100 N Main St, CA 93513. **Carte routière** C4. (760) 938-2254. Ce grand restaurant familial propose des plats italo-américains variés. Sur les murs, des photographies retracent l'histoire de l'Owens Valley.

BISHOP : *Jack's Waffle Shop* ⑤
437 N Main St, CA 93514. **Carte routière** C4. (760) 872-7971. Ce restaurant est connu pour servir le meilleur petit-déjeuner de Bishop. Bons prix, service impeccable et portions généreuses.

BISHOP : *Whiskey Creek* ⑤⑤
524 N Main St, CA 93514. **Carte routière** C4. (760) 873-7174. La carte de ce restaurant spacieux et rustique offre un large choix de plats américains de viande et de poisson. Délicieuses soupes et salades.

FISH CAMP : *Narrow Gauge Inn* ⑤⑤⑤
48571 State Hwy 41, CA 93623. **Carte routière** C4. (559) 683-6446. Ce petit restaurant d'hôtel *(p. 535)* sert une des meilleures cuisines des High Sierras. Lampes à pétrole sur les tables et grande cheminée composent un cadre romantique. ● *midi de nov. à avril.*

MAMMOTH LAKES : *Anything Goes* ⑤
645 Old Mammoth Rd, CA 93546. **Carte routière** C4. (760) 934-2424. *Scones* et pâtisseries frais feront un délicieux petit-déjeuner avant une journée de ski. La carte du soir fait voyager d'Italie en Asie du Sud-Est. ● *mar. midi ; mer.*

MAMMOTH LAKES : *Whiskey Creek Mountain Bistro* ⑤⑤
224 Lake Mary Rd, CA 93541. **Carte routière** C4. (760) 934-2555. *Barbecued ribs*, steaks, poisson et fruits de mer figurent parmi les spécialités de cet agréable restaurant américain. ● *midi.*

MAMMOTH LAKES : *Restaurant at Convict Lake* ⑤⑤⑤
Convict Lake, CA 93546. **Carte routière** C4. (760) 934-3803. L'ambiance est rustique dans cette *lodge* où l'on déguste le soir des truites de la région ainsi que des plats de bœuf, d'agneau et de produits de la mer. ● *midi. d'oct. à mai.*

NORTH LAKE TAHOE : *Bridgetender Tavern and Grill* ⑤
50 Westlake Blvd, CA 96145. **Carte routière** C3. (530) 583-3342. Réputée pour ses hamburgers exceptionnels, cette taverne au bord de l'eau se trouve près du Fanny Bridge.

NORTH LAKE TAHOE : *Soule Domain* ⑤⑤⑤
9983 Cove St, King's Beach, CA 96143. **Carte routière** C3. (530) 546-7529. Cette rustique cabane en rondins possède une ambiance détendue mais chic. Les plats californiens comprennent un filet mignon à la *burgundy butter sauce* accompagné de champignons *shiitake.* ● *midi.*

SOUTH LAKE TAHOE : *Chevy's* ⑤
3678 Lake Tahoe Blvd, CA 95731. **Carte routière** C3. (530) 542-1741. Énormes portions de mets traditionnels mexicains et cocktails bon marché rendent ce restaurant très populaire.

SOUTH LAKE TAHOE : *Evans American Gourmet Café* ⑤⑤⑤
536 Emerald Bay Rd, CA 95731. **Carte routière** C3. (530) 542-1990. Cet établissement élégant propose la meilleure cuisine californienne de la région. Superbes desserts. Carte des vins primée. La salle étant petite, réservez très à l'avance. ● *midi.*

STATELINE : *Sage Room* ⑤⑤⑤
Hwy 50, CA 89449. **Carte routière** C3. (775) 588-2411. Installé dans une vénérable *casino resort*, Harvey's, ce restaurant gastronomique sert d'excellents plats de bœuf et de gibier. ● *midi.*

TAHOE CITY : *Tahoe House* ⑤⑤
625 W Lake Blvd, CA 96145. **Carte routière** B3. (530) 583-1377. Au dîner, spécialités suisses comme le *ramschnitzel* (escalope de veau). Ouverte toute la journée, la boulangerie prépare pain, gâteaux et sandwiches.

TAHOE CITY : *Christy Hill* ⑤⑤
115 Grove St, CA 96145. **Carte routière** B3. (916) 583-8551. Des mets renouvelés quotidiennement, mais toujours préparés avec les ingrédients les plus frais se dégustent dans un cadre élégant. ● *lun. ; midi.*

Légende des symboles, voir rabat de couverture

Catégories de prix pour un repas de trois plats, une demi-bouteille de vin de la maison, taxes et service compris :
- $ moins de 25 $
- $$ de 25 à 35 $
- $$$ de 35 à 50 $
- $$$$ de 50 à 70 $
- $$$$$ plus de 70 $

TABLES À L'EXTÉRIEUR
Tables dans un patio ou sur une terrasse.

SPÉCIALITÉS VÉGÉTARIENNES
La carte propose un choix de plats végétariens.

BAR OU BAR À COCKTAILS
Possibilité de boire un verre ailleurs qu'à table dans le restaurant.

MENUS À PRIX FIXES
Menu au prix intéressant, généralement de trois plats, proposé au déjeuner et/ou au dîner.

ENFANTS BIENVENUS
Portions réduites et/ou chaises hautes disponibles.

	TABLES À L'EXTÉRIEUR	SPÉCIALITÉS VÉGÉTARIENNES	BAR OU BAR À COCKTAILS	MENUS À PRIX FIXES	ENFANTS BIENVENUS
TAHOE CITY : *Sierra Vista* ($$$)	■		■		■
TAHOE VISTA : *Le Petit Pier* ($$$)		●	■	●	
TRUCKEE : *Pianeta* ($$$)					
YOSEMITE NATIONAL PARK : *Wawona Dining Room* ($$$)		●	■		■
YOSEMITE NATIONAL PARK : *Ahwahnee Dining Room* ($$$$)					
APTOS : *Ma Maison* ($$$)	■		■		■
BIG SUR : *Nepenthe* ($$)	■	●	■	●	■
BIG SUR : *Deetjen's* ($$$)	■		■		■
BIG SUR : *Sierra Mar* ($$$$)		●	■	●	
CARMEL : *Rio Grill* ($$$)			■		■
CARMEL : *The French Poodle* ($$$)		●			
CARMEL : *The Terrace Grill, La Playa Hotel* ($$$)	■	●	■	●	■

TAHOE CITY : *Sierra Vista* ($$$)
700 N Lake Blvd, CA 96145. **Carte routière** B3. ((530) 583-0233. Grand choix de plats californiens, à déguster de préférence dans la véranda ou sur la charmante terrasse en bois dominant le Lake Tahoe. Un des meilleurs restaurants.

TAHOE VISTA : *Le Petit Pier* ($$$)
7238 N Lake Blvd, CA 96148. **Carte routière** B3. ((530) 546-4464. Sur la carte de ce restaurant français romantique près du Lake Tahoe figurent entre autres homard du Maine et filet *(tenderloin)* d'agneau. ● mar.

TRUCKEE : *Pianeta* ($$$)
10096 Donner Pass Rd, CA 95734. **Carte routière** B3. ((530) 587-4694. Au cœur de Truckee, ce petit restaurant italien possède un décor romantique en parfaite harmonie avec sa cuisine rustique. ● midi.

YOSEMITE NATIONAL PARK : *Wawona Dining Room* ($$$)
State Hwy 41, CA 95389. **Carte routière** C3. ((559) 252-4848. Malgré une cuisine américaine sans caractère, vous jouirez dans la salle à manger de ce restaurant du XIXe siècle *(p. 536)* d'une ambiance reposante. ● de nov. à mars.

YOSEMITE NATIONAL PARK : *Ahwahnee Dining Room* ($$$$)
Yosemite Valley, CA 95389. **Carte routière** C3. ((559) 252-4848. La salle à manger de l'Ahwahnee Hotel *(p. 536)* est magnifique. Steaks et plats simples offrent les choix les plus sûrs.

DE SANTA CRUZ À FRESNO

APTOS : *Ma Maison* ($$$)
9051 Soquel Drive, CA 95003. **Carte routière** B4. ((831) 688-5566. Niché dans un bosquet de séquoias, ce restaurant spécialisé dans la cuisine française propose des fruits de mer, du canard et de l'agneau. Très grand patio ombragé de cerisiers. Concerts de jazz le samedi. ● midi ; lun.

BIG SUR : *Nepenthe* ($$)
Hwy 1, CA 93920. **Carte routière** B4. ((831) 667-2345. Depuis cette ancienne retraite où Orson Welles et Rita Hayworth vinrent passer leur lune de miel, la vue porte par temps clair sur plus de 50 km de côte. Classiques américains, desserts et pains faits maison.

BIG SUR : *Deetjen's* ($$$)
48865 Hwy 1, CA 93920. **Carte routière** B4. ((831) 667-2378. Dans un cadre rustique, ce restaurant d'hôtel *(p. 536)* est réputé pour ses petits-déjeuners et sa carte franco-californienne. ● midi.

BIG SUR : *Sierra Mar* ($$$$)
Hwy 1, CA 93920. **Carte routière** B4. ((831) 667-2800. Dans la Post Ranch Inn *(p. 537)*, ce restaurant chic ménage un splendide panorama sur l'océan. Très large choix de plats exquis à la carte.

CARMEL : *Rio Grill* ($$$)
101 Crossroads Blvd, CA 93924. **Carte routière** B4. ((831) 625-5436. Situé à l'intérieur du Croosroads Shopping Center, ce restaurant privilégie la cuisine du sud-ouest américain. Bons vins régionaux.

CARMEL : *The French Poodle* ($$$)
Junipero & 5th Ave, CA 93921. **Carte routière** B4. ((831) 624-8643. La cuisine française de cet établissement intime est l'une des meilleures des U. S. A. selon l'International Restaurant Rating Bureau. ● dim. ; midi.

CARMEL : *The Terrace Grill, La Playa Hotel* ($$$)
8th Ave/Camino Real, CA 93920. **Carte routière** B4. ((831) 624-6476. Dans un hôtel *(p. 537)*, cuisine californienne et vue sur de superbes jardins et l'océan. En fin d'après-midi, l'*early-bird menu* est une affaire.

CARMEL : *Hog's Breath Inn* $$$$
San Carlos/5th, CA 93921. **Carte routière** B4. (*(831) 625-1044.* Vous mangerez chez Clint Eastwood une nourriture de cow-boy (steaks et hamburgers) dans un décor évoquant un pub anglais.

CARMEL : *The Covey at Quail Lodge* $$$$
8205 Valley Greens Drive, Carmel Valley, CA 93923. **Carte routière** B4. (*(831) 624-1581.* Sa cuisine et ses vins californiens ont valu plusieurs prix à ce restaurant d'hôtel *(p. 537).* ● *midi.*

CARMEL : *Anton and Michel* $$$$$
Mission et 7th Sts, CA 93921. **Carte routière** B4. (*(831) 624-2406.* Ce restaurant élégant propose une cuisine internationale avec des mets tels que le chateaubriand et le carré *(rack)* d'agneau.

CASTROVILLE : *The Franco Restaurant* $
10639 Merrit St, CA 95012. **Carte routière** B4. (*(831) 633-2090.* Dans un édifice Art déco des années 1930, le Franco sert des plats simples, notamment d'énormes hamburgers, au milieu de souvenirs de Marilyn Monroe.

HANFORD : *Imperial Dynasty* $$
2 China Alley, CA 93230. **Carte routière** C4. (*(559) 582-0196.* Ce restaurant familial possède un décor oriental, mais les plats, de viande comme de poisson, sont américains et européens. ● *lun. ; midi.*

MONTEREY : *Abalonetti* $$$
57 Fisherman's Wharf, CA 93940. **Carte routière** B4. (*(831) 373-1851.* Atmosphère détendue dans ce restaurant dont la spécialité est le calamar de Monterey Bay. Il est conseillé de réserver.

MONTEREY : *Domenica's on the Wharf* $$$
50 Fisherman's Wharf, CA 93940. **Carte routière** B4. (*(831) 372-3655.* Offrez-vous un dîner soigné dans un cadre décontracté sur la marina. Fruits de mer et grillades. Le Domenica's comprend aussi un bar à huîtres.

MONTEREY : *Tarpy's Roadhouse* W www.tarpys.com $$$
2999 Monterey-Salinas Hwy, CA 93940. **Carte routière** B4. (*(831) 647-1444.* Dans un ancien ranch, les classiques américains vont des *cheeseburgers* et des *T-bone steaks* au gibier et aux fruits de mer.

MONTEREY : *Fresh Cream* $$$$
99 Pacific St, Suite 100C, Heritage Harbor, CA 93940. **Carte routière** B4. (*(831) 375-9798.* L'une des meilleures cuisines françaises de la Californie du Nord se déguste ici en contemplant le port. ● *midi.*

PACIFIC GROVE : *Fandango* $$$$
223 17th St, CA 93950. **Carte routière** B4. (*(831) 372-3456.* Variée, la carte du Fandango propose des mets méditerranéens allant des pâtes au homard. Un *mesquite grill* réchauffe une des salles.

SANTA CRUZ : *The Crêpe Place* $
1134 Soquel Ave, CA 95062. **Carte routière** B4. (*(831) 429-6994.* Si la carte, aussi éclectique que le décor, ne vous suffit pas, inventez votre propre crêpe.

SANTA CRUZ : *Crow's Nest* $$
2218 E Cliff Drive, CA 95062. **Carte routière** B4. (*(831) 476-4560.* Situé juste sur le quai du port, entre les bateaux et la plage, ce restaurant sert des fruits de mer et des steak. Bar à salade. Concert et piste de danse certains soirs.

SANTA CRUZ : *Hollins House Restaurant* $$
20 Club House Rd, CA 95060. **Carte routière** B4. (*(831) 459-9177.* Perché sur une colline qui domine la ville, ce restaurant chic propose une cuisine à base de produits locaux. ● *lun. et mar. ; midi.*

SANTA CRUZ : *Gabriella's* $$$
910 Cedar St, CA 95060. **Carte routière** B4. (*(831) 457-1677.* Ce restaurant italien apprécié met l'accent sur les légumes biologiques, les fruits de mer et les pâtes. La carte des vins comprend surtout des crus locaux.

SEASIDE : *El Migueleño* $
1066 Broadway, CA 93955. **Carte routière** B4. (*(831) 899-2199.* El Migueleño sert des spécialités du Mexique et du Salvador. Sept sortes de fruits de mer entrent dans la spécialité de la maison : la Playa Azul.

Légende des symboles, voir rabat de couverture

SÉJOURS À THÈMES
ET ACTIVITÉS DE PLEIN AIR

La vie en plein air est un élément essentiel de la culture des Californiens et ils ont su protéger de vastes espaces naturels. Lacs, plages, massifs granitiques, déserts, forêts de séquoias ou prairies de montagne offrent de nombreuses possibilités aux visiteurs, souvent à courte distance des centres

Rafting sur la Merced River
(p. 578)

urbains. Des sentiers de randonnée et des pistes équestres sillonnent partout des paysages sauvages. Les joueurs de golf apprécieront tout particulièrement la région de la Monterey Peninsula *(p. 495)* et les skieurs profiteront en hiver des équipements des stations du Lake Tahoe *(p. 471)*.

Tahquitz Golf Course, Palm Springs

VACANCES THÉMATIQUES

Le **California Office of Tourism** tient à disposition des listes de séjours à thèmes. Ceux proposant la découverte des missions californiennes jalonnant El Camino Real *(p. 42-43)* font partie des plus populaires.

Il existe de nombreux ateliers d'écriture animés par des écrivains. La **Santa Barbara Writers' Conference** et la **Squaw Valley Community of Writers** vous indiqueront les plus intéressants. Vous pourrez aussi pratiquer des activités artistiques variées. Des peintres de renom donnent des cours à la **Crescent Harbor Art Gallery** de Crescent City et au **Mendocino Arts Center**.

En été, des institutions comme **Gourmet Retreats**, à Casa Lana dans la Napa Valley, et la **Tante Marie's Cooking School** organisent des stages de cuisine intensifs d'une semaine agrémentés de visites du Wine Country et de repas fins.

CAMPING

Dès 1864, la Yosemite Valley *(p. 472-475)* et la Mariposa Grove plantée de séquoias géants jouissaient d'un statut les protégeant. Plus de 250 sites sont aujourd'hui préservés : parcs, réserves naturelles, lieux historiques ou simples aires de loisirs.

Tous proposent sentiers de randonnée et parkings. Beaucoup offrent sanitaires et possibilité de camper. Tous les parcs nationaux et d'État sont ouverts aux visites pendant la journée moyennant un faible droit de stationnement. Pour camper, réservez (jusqu'à 8 semaines à l'avance) un emplacement auprès de **State Park**

Reservation ou **Yosemite Reservations**. **Desert Survivors** organise des expéditions dans le désert.

RANDONNÉE

La Californie compte plus de 1,6 million de km de sentiers de randonnée permettant de simples promenades d'une journée ou des marches plus ambitieuses. Le plus long (4 250 km), le Pacific Crest Trail, relie le Canada au Mexique. Une de ses plus belles parties, le John Muir Trail, s'étend sur 320 km entre les hauteurs de Yosemite et le Mount Whitney *(p. 472-479)*. Le **Sierra Club** propose des excursions guidées et fournit des cartes détaillées.

En randonnée sur le John Muir Trail au pied du Mount Whitney

ÉQUITATION

L e cheval offre en Californie le moyen de découvrir des paysages très variés : forêts, vertes prairies, collines érodées ou vallées arides. De nombreux parcs fédéraux et d'État autorisent la circulation de chevaux et d'animaux de bât sur leurs sentiers.

Des ranchs privés encore en activité, permettent de goûter à la vie traditionnelle des cowboys. On peut y galoper avec les employés pour s'occuper du bétail ou monter pour son simple plaisir. **El Alisal Guest Ranch and Resort** organise chaque année des rassemblements et des convois de troupeaux. **Hidden Trails** organise des vacances au ranch.

À cheval dans le Ventura County

À BICYCLETTE

L a plupart des parcs fédéraux et d'État autorisent les vélos sur leurs sentiers. L'une des expériences les plus spectaculaires à tenter commence au High Camp de la Squaw Valley, près du Lake Tahoe *(p. 471)*. À une ascension de 610 m en téléphérique succède une descente à couper le souffle jusqu'au Shirley Lake. Le **Bicycle Trails Council** vous renseignera sur les lieux où l'on pratique le vélo-cross.

Des magasins de sport comme **Backroads** proposent aussi des promenades cyclistes dans la campagne vallonnée de l'État. Des pauses gastronomiques ajoutent souvent au plaisir sportif.

Vélo-cross dans le Marin County

Ces excursions peuvent durer une semaine. Des camionnettes accompagnent alors les groupes, transportant équipement et matériel de camping.

PLAGES

L ong de plus de 1 300 km, le littoral californien présente des visages très divers. Par endroits, rochers et plages de galets offrent des lieux propices à la recherche de crustacés ou à la contemplation de l'océan ; ailleurs, sable blanc et rouleaux permettent la pratique du surf.

La Leo Carrillo State Beach de l'Orange County *(p. 220-221)*, la Windansea Beach de La Jolla *(p. 238-239)* et la Corona del Mar State Beach *(p. 220-221)* font partie des meilleures plages pour s'adonner à ce sport de glisse ou simplement voir à l'œuvre des adeptes chevronnés. La **Club Ed Surf School** organise des stages d'initiation d'une semaine entre avril et octobre.

De nombreux points de la côte raviront les plongeurs, notamment la Scripps Shoreline Underwater Preserve de La Jolla *(p. 239)*, les criques de Laguna Beach *(p. 221)* et la Monterey Bay *(p. 495)*. L'**Aquarius Dive Shop** loue de l'équipement. À Oceanside, les **Underwater Schools of America** proposent des cours pour débutants.

L'érosion a créé dans le Natural Bridge State Park de Santa Cruz *(p. 490-491)* et sur la Pfeiffer State Beach de Big Sur *(p. 498-499)* d'étonnantes formations rocheuses. Forêts et falaises composent un paysage spectaculaire à la Torrey Pines State Beach *(p. 238)*. Ses dunes et ses clams ont rendu célèbre la Pismo Beach *(p. 198)*.

Les eaux de la Californie du Sud sont assez chaudes pour se baigner d'avril à novembre. Au nord de San Francisco, mieux vaut porter une combinaison toute l'année.

Plage de sable de la crique de La Jolla

RAFTING, CANOË ET KAYAK

La descente de torrents en canot pneumatique, le rafting, offre les sensations fortes des montagnes russes dans de magnifiques paysages. Des spécialistes comme **Mariah Wilderness Expeditions, Outdoor Unlimited** et **Whitewater Voyages** organisent des expéditions de six ou huit personnes accompagnées d'un guide. Elles peuvent durer une journée ou inclure une nuitée.

La saison dure d'avril à septembre. Les descentes obéissent à une classification par niveau de difficulté. Les Classes I et II restent excitantes, mais sont relativement sûres. Les débutants tentés par un peu plus d'action peuvent s'essayer à la classe III. Toutes les autres exigent de l'expérience.

La plupart de ces organismes proposent aussi des promenades en canoë ou en kayak. Pour plus d'informations, contactez **Friends of the River** ou l'**American River Touring Association**.

Ski nautique à San Diego

SPORTS NAUTIQUES

Louer une maison flottante *(houseboat)* vous permettra d'effectuer une paisible croisière entre les îlots du delta de la Sacramento River. Des hors-bord sont disponibles au Lake Tahoe *(p. 471)*, au Lake Shasta *(p. 346)* et sur les lacs artificiels intégrés dans les aires de loisirs de l'État.

Le parachute ascensionnel *(parasailing)* connaît une vogue grandissante. Vous démarrez en ski nautique, puis un parachute vous élève dans les airs, toujours relié au bateau. Un sport sans danger si l'on porte un gilet de sauvetage. **Parasailing Catalina** vous renseignera.

OBSERVATION DES OISEAUX

À l'automne, de nombreux migrateurs tels que canards et oies quittent le Canada pour hiverner en Amérique du Sud et font étape en Californie. On a recensé jusqu'à 425 espèces d'oiseaux au Point Reyes National Seashore *(p. 396-397)* où vivent des représentants de près de la moitié des espèces des États-Unis.

On peut aussi observer 400 espèces dans la **Tijuana Slough National Estuarine Research Reserve** au sud de San Diego, surtout au printemps et à l'automne.

Ornithologues à La Jolla *(p. 251)*

PÊCHE

La Californie est un paradis pour les pêcheurs qui, d'avril à novembre, vont traquer la truite dans les rivières et les torrents des montagnes de la Sierra Nevada. La perche prospère tout au long de l'année dans les très nombreux lacs naturels et artificiels. En automne et en hiver, saumons et *steelheads* (une variété de truite migratrice) remontent les cours d'eau, en particulier la Klamath River, l'American River, l'Eel River et la Sacramento River. Esturgeons et bars rayés hantent le delta de cette dernière. Si vous aimez pratiquer la pêche à la mouche, adressez-vous à **Mammoth Lakes Fishing Services** en Sierra Nevada.

Dans presque toutes les villes côtières, il est possible d'affréter des bateaux pour partir pêcher en haute mer. Contactez **Helgren's Sportfishing Trips** ou **Anchor Charters**. Pour organiser des expédition, adressez-vous à **Stagnaro's**

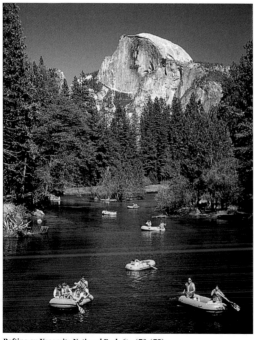
Rafting au Yosemite National Park *(p. 472-475)*

Pêcheurs sur le Lake Molena, à San Diego

Sport Fishing. En Californie du Nord, flétans et saumons constituent des proies de choix en été, saison où thons rouges, albacores, bonites à ventre rayé et barracudas abondent, mais dans les eaux plus chaudes du sud. De l'automne au début du printemps, dans le Pacifique, des prises de 20 kg de cabillaud ou de poissons de roche n'ont rien d'exceptionnel.

Le **State Department of Fish and Game** vous renseignera sur les saisons de pêche.

ESCALADE ET SPÉLÉOLOGIE

L'escalade peut se pratiquer toute l'année dans les gymnases spécialisés des grandes villes. Le Joshua Tree National Park *(p. 268-269)*, la station de montagne d'Idyllwild, près de Palm

Escalade au Joshua Tree National Park

Springs *(p. 266)*, et la Squaw Valley du Lake Tahoe *(p. 471)* offrent de bons endroits pour s'initier ou contempler des alpinistes en action.

L'**American Mountain Guides Association** et la **Mission Cliffs Climbing School** vous indiqueront les stages et les moniteurs de chaque région.

Les spéléologues *(spelunkers)* apprécieront tout particulièrement le Pinnacles National Monument *(p. 501)* et le Lassen Volcanic National Park *(p. 437)* où l'activité volcanique a créé des grottes et des formations rocheuses sortant de l'ordinaire.

PARAPENTE

Si vous avez rêvé de devenir un oiseau pour planer à des vitesses allant de 40 à 80 km/h sur des courants d'air ascendants, osez le parapente *(hand-gliding)*. Il suffit d'enfiler un harnais suspendu à un immense cerf-volant qui se dirige avec une barre de contrôle, puis de s'élancer, du rebord d'une falaise… un seuil où s'évanouirent plus d'une vocation. Les débutants peuvent toutefois effectuer des vols en tandem avec un pilote expérimenté équipé d'un parachute.

Parmi les sites les plus appréciés des adeptes de ce sport figurent le promontoire de

Fort Funston sur la côte de la Bay Area *(p. 396-397)*, le **Torrey Pines Glider Port** à San Diego et Vista Point à Palm Desert *(p. 264)*. Si vous voulez vous initier, ils vous recommanderont des moniteurs. Ils vendent et louent également du matériel.

JARDINS

Le soleil de la Californie et la douceur de son climat ont inspiré de nombreux amateurs d'horticulture et il en résulte dans tout l'État une profusion d'arboretums, de jardins botaniques, de parcs municipaux et de domaines privés ouverts au public.

Les Huntington Library Art Collections and Botanical Gardens sont l'hommage à l'art et à la culture laissé par un riche mécène, Henry Huntington. L'aménagement des jardins commença en 1904. Ils couvrent aujourd'hui les trois quarts d'un terrain de 80 ha et, très variés, sont peut-être les plus beaux de Californie *(p. 154-157)*.

Les **Descanso Gardens** comprennent une roseraie de 1,6 ha, un bois de chênes de 12 ha et une forêt protégée de camélias. Les jardins créés par William Bourn dans son domaine de Filoli à Woodside *(p. 411)* et le **Villa Montalvo Arboretum** de Saratoga sont tous plantés de manière à rester fleuris toute l'année. Le dernier accueille des concerts de jazz les week-ends d'été.

Le South Coast Botanic Garden *(p. 135)* offre un bel exemple de réhabilitation d'une ancienne décharge.

En montgolfière au-dessus de la Californie

EN MONTGOLFIÈRE

La montgolfière connaît de plus en plus d'amateurs dans la Napa Valley *(p. 446-447)*, à Monterey *(p. 494-495)* et dans le Temecula County. Les ascensions ont lieu au coucher ou au lever du soleil quand souffle le moins de vent. Elles offrent un moyen amusant de découvrir d'incomparables panoramas. Des organismes comme **Adventures Aloft** et **Napa Valley Balloons** proposent des sorties individuelles ou en groupe suivies d'un pique-nique.

OBSERVATION DES BALEINES

Entre décembre et avril, les baleines grises longent les côtes de la Californie lors de leur migration du détroit de Béring aux eaux chaudes de la Baja Peninsula. Jubartes, orques, globicéphales et baleines bleues se voient aussi à la fin de l'été entre San Francisco et Monterey.

Des agences comme **Shearwater Journeys** offrent le moyen de s'approcher des baleines grises, ainsi que des dauphins et des marsouins qui les accompagnent dans leur voyage. Pour plus de renseignements, contactez **Oceanic Society Expeditions**.

SOURCES CHAUDES

Les vertus thérapeutiques d'une immersion dans l'eau minérale d'une source chaude sont reconnues depuis l'antiquité. Calistoga, en Californie du Nord *(p. 445)*, compte de nombreux établissements thermaux proposant toutes les formes de bains, notamment de boue et de vapeur, et de massages. La **Calistoga Chamber of Commerce** vous en fournira une liste complète.

LES ÎLES

Au large de la Californie du Sud, cinq îles volcaniques forment le Channel Islands National Park *(p. 214)*, un lieu idéal pour la promenade à pied, l'observation de la nature et l'exploration de mares d'eau de mer dans les rochers. On y voit en outre souvent des dauphins et des baleines. Des vedettes partent des ports de Ventura et de Santa Barbara. Réservez auprès d'**Island Packers**.

On atteint le Wrigley Memorial Garden, sur la Santa Catalina Island, depuis San Pedro, Long Beach, Redondo Beach et Balboa. L'endroit est plus construit que le Channel Island National Park, avec des boutiques, des restaurants et des hôtels. Des sentiers pédestres et des pistes cyclables sillonnent l'île, dont la côte offre de riches possibilités aux plongeurs *(p. 232-233)*.

Plus au nord, au large de la San Francisco Bay, l'**Angel Island** est un sanctuaire de 300 ha accessible depuis le Fisherman's Wharf. L'île dispose de sentiers de randonnée, d'aires de pique-nique et de campings, et permet d'observer baleines grises et oiseaux marins.

Two Harbors sur la Santa Catalina Island

CARNET D'ADRESSES

VACANCES THÉMATIQUES

California Office of Tourism
PO Box 9278,
Van Nuys, CA 91409.
(800) 862-2543.

Gourmet Retreats
Casa Lana, 1316 S Oak St,
Calistoga, CA 94515.
(707) 942-0615 ;
(877) 968-2665.

Mendocino Arts Center
PO Box 765,
Mendocino, CA 95460.
(707) 937-5818.

Crescent Harbor Art Gallery
200 Marine Way,
Crescent City, CA 95531.
(707) 464-9133.

Santa Barbara Writers' Conference
PO Box 304,
Carpinteria, CA 93014.
(805) 684-2250.

Squaw Valley Community of Writers
PO Box 2352,
Olympic Valley, CA 96146.
(530) 583-5200 ;
(530) 470-8440.

Tante Marie's Cooking School
271 Francisco St,
San Francisco, CA 94133.
(415) 788-6699.
www.tantemaries.com

CAMPING

Desert Survivors
PO Box 20991,
Oakland, CA 94620-0991.
(510) 769-1706.

Sequoia National Park Reservations
(800) 252-5757.
www.visitsequoia.com

State Park Reservations
(800) 444-7275.
www.parks.ca.gov

Yosemite Reservations
(209) 252-4848.
www.yosemitepark.com

RANDONNÉE

Sierra Club
730 Polk St, San Francisco,
CA 94109.
(415) 977-5500.

ÉQUITATION

El Alisal Guest Ranch and Resort
1054 Alisal Rd, Solvang,
CA 93463. (805) 688-6411. www.alisals.com

Hidden Trails
202-390 West 1st Ave,
Vancouver, BC V5Y3T7.
(604) 323-1141.
www.hiddentrails.com

À BICYCLETTE

Backroads
801 Cedar St,
Berkeley, CA 94710.
(510) 527-1555.
www.backroads.com

Bicycle Trails Council
PO Box 494,
Fairfax, CA 94978.
(415) 488-1443.

LES PLAGES

Aquarius Dive Shop
32 Cannery Row,
Monterey, CA 93940.
(831) 375-6605.

Club Ed Surf School
2350 Paul Minnie Ave,
Santa Cruz, CA 95062.
(831) 464-0177.
www.club-ed.com

Underwater Schools of America
225 Brooks St,
Oceanside, CA 92054.
(760) 722-7826.

RAFTING, CANOË ET KAYAK

American River Touring Association
24000 Casa Loma Rd,
Groveland, CA 95321.
(209) 962-7873.
www.arta.org

Outdoor Unlimited
500 Parnassus Ave,
San Francisco, CA 94117.
(415) 476-2078.

Whitewater Voyages
PO Box 20400, El Sobrante,
CA 94820. (510) 222-5994. www.whitewater
voyages.com

SPORTS NAUTIQUES

Parasailing Catalina
PO Box 2275,
Avalon, CA 90704.
(310) 510-1777.

OBSERVATION DES OISEAUX

Tijuana Slough National Estuarine Research Reserve
301 Caspian Way,
Imperial Beach, CA 91932.
(619) 575-3613.

PÊCHE

Anchor Charters
PO Box 103,
Fort Bragg, CA 95437.
(707) 964-4550.

Stagnaro's Sport Fishing
PO Box 1340,
Santa Cruz, CA 95061.
(831) 427-2334.

State Department of Fish and Game
1416 9th St, 12th Floor,
Sacramento, CA 95814.
(916) 653-7664.

Troutfitter Guide Service
PO Box 1734, Mammoth
Lakes, CA 93546.
(760) 934-3676.
www.troutfitter.com

ESCALADE ET SPÉLÉOLOGIE

American Mountain Guides Association
710 10th St, Golden
Colorado 80401.
(303) 271-0984.

Mission Cliffs
2295 Harrisson St,
San Francisco, CA 94116
(415) 550-0515
www.mission-cliffs.com

PARAPENTE

Torrey Pines Glider Port
2800 Torrey Pines Scenic
Drive, La Jolla, CA 92037.
(858) 452-9858.

JARDINS

Descanso Gardens
1418 Descanso Drive,
La Canada-Flintridge,
CA 91011. (818) 949-4200. www.descanso
gardens.com

Villa Montalvo Arboretum
15400 Montalvo Rd,
Saratoga, CA 95071.
(408) 741-3421.

EN MONTGOLFIÈRE

Adventures Aloft
6525 Washington St,
Yountville, CA 94599.
(707) 944-4408.

Napa Valley Balloons
6975 Washington St,
Yountville, CA 94599.
(707) 253-2224.

OBSERVATION DES BALEINES

Oceanic Society Expeditions
Fort Mason Center,
San Francisco, CA 94123.
(415) 441-1106.

Shearwater Journeys
PO Box 190, Hollister, CA
95024. (831) 637-8527.

SOURCES CHAUDES

Calistoga Chamber of Commerce
1458 Lincoln Ave, No. 9,
Calistoga, CA 94515.
(707) 942-6333.

LES ÎLES

Angel Island Ferry
(415) 435-2131.

Island Packers
1867 Spinnaker Drive,
Ventura, CA 93001.
(805) 642-1393.

FAIRE DES ACHATS EN CALIFORNIE

Géant de l'industrie textile, la Californie exporte partout ses vêtements de sport et ses tenues de plage et est le premier fabricant de prêt-à-porter pour enfants des États-Unis. Les produits agricoles de la San Joaquin Valley, notamment les fruits et légumes, nourrissent tout le pays. Vous n'aurez pas à vous contenter, pour vos achats, des quartiers commerçants de grandes villes comme Los Angeles (p. 166-167) et San Francisco (p. 376-379). Les localités plus petites et les zones rurales offrent de nombreuses possibilités telles que boutiques d'antiquités, artisanats locaux, domaines viticoles ou éventaires en bord de route. Et les prix sont souvent moins élevés. Le marchandage fait partie des traditions sur les marchés aux puces.

Emblème d'une association d'antiquaires

Lèche-vitrines sur Ocean Avenue, Carmel (p. 494)

HORAIRES D'OUVERTURE

Les Californiens tendent à considérer le shopping comme une distraction et la plupart des principaux magasins ouvrent tous les jours, en général de 10 h à 18 h du lundi au samedi et de midi à 17 h le dimanche. Dans les petites localités, les boutiques peuvent fermer le dimanche ou le lundi et ouvrir parfois les autres jours de 11 h à 19 h.

MODES DE PAIEMENT

Nombre d'établissements acceptent les cartes bancaires et les chèques de voyage. Il faut, pour utiliser ces derniers, présenter une pièce d'identité. Peu de magasins prennent en revanche les chèques tirés sur une banque étrangère. L'argent liquide (p. 594-595) reste le meilleur moyen de régler de petites sommes.

TAXES

Les taxes, qui s'appliquent à tous les achats à l'exception des produits alimentaires et des médicaments sur ordonnance, varient de 7,25 % à 8,5 %. Elles n'apparaissent pas dans les prix et sont ajoutées au paiement.

DROITS ET REMBOURSEMENTS

En Californie, la loi n'impose pas aux commerçants de reprendre un article, mais la plupart le font. Tous rembourseront un objet défectueux s'il n'est pas marqué « flawed » (imparfait) ou « sold as is » (vendu en l'état). Il suffit de le rapporter avec une preuve d'achat et l'emballage d'origine. Beaucoup de magasins accepteront de le rembourser jusqu'à 30 jours après son acquisition.

EXPÉDITIONS

Moyennant un supplément, la plupart des magasins se chargeront de l'expédition de vos achats, parfois par l'intermédiaire de Federal Express ou US Express Mail (p. 596-597). Il vous faudra donner une brève description des objets sur un formulaire et indiquer leur valeur. Pensez à garder un reçu.

OÙ FAIRE DES ACHATS

Certaines villes côtières jalonnant l'Hwy 1 ou l'US 101, telles que Santa Barbara (p. 210-211), Big Sur (p. 498-499), Carmel (p. 494), Santa Cruz (p. 490-491) et Sausalito (p. 398-399), possèdent d'intéressantes boutiques.

Sur la Hwy 99 et d'autres routes de la San Joaquin Valley, de nombreuses fermes vendent directement leurs produits. Palm Springs (p. 264-265) est renommé pour ses magasins de mode. Les antiquaires abondent dans des localités des contreforts de la Sierra comme Sutter Creek (p. 460).

LA MODE

La décontraction avec laquelle s'habillent les Californiens est devenue un cliché aux États-Unis. Ils n'en produisent pas moins 75 % des maillots de bain fabriqués dans le pays, avec de grandes marques telles que **California Wave** ou des chaînes

Un grand nom de San Francisco

de magasins comme **Diane's Swimwear**, et 65 % du prêt-à-porter destiné aux jeunes femmes.

Les vêtements d'enfants sont aussi une grande spécialité de l'État. **Sara's Prints, Gymboree** et **Levi Strauss** proposent les meilleurs. Autre célébrité locale, **Jessica McClintock Inc** excelle dans la robe de soirée et de mariage, tout comme la chaîne de magasin **Forever 21**. **The Gap**, ouvert à San Francisco en 1969, fut le premier magasin à vendre des jeans sur une grande échelle.

MARCHÉS AUX PUCES

Les *flea markets* (aussi appelés *swap meets*) ont lieu le week-end, le plus souvent le dimanche. Les vendeurs installent leurs éventaires sur de vastes parcs de stationnement, dans des stades ou même près d'une des célèbres missions. Le flâneur déniche parfois une pièce unique à bon prix, mais il ne faut jamais accepter le premier chiffre annoncé : le marchandage est de rigueur. Pensez à vous munir de liquide, les vendeurs n'acceptant pratiquement jamais les cartes bancaires ou les chèques de voyage.

Parmi les marchés aux puces les plus importants figurent le **Berkeley Flea Market**, le **San Jose Flea Market**, le **Rose Bowl Flea Market** de Pasadena et la **San Juan Bautista Peddlars Fair**. Certains demandent un droit d'entrée de 75 cents ou 1 $.

Flâneurs sur un marché aux puces à Sausalito

Couverture d'un magazine des années 1950

CURIOSITÉS

Vous n'aurez que l'embarras du choix. À Berkeley, **The Game Doc** propose des jeux anciens pour tous les âges. **Hello Central** vend de vieux téléphones, des plus anciens modèles aux combinés en bakélite des années 1940. **Hillcrest Vintage Paper Collectables** et **Sarah Stocking Fine Vintage Posters** sont spécialisés dans

les affiches de cinéma. Les souvenirs hollywoodiens abondent à Los Angeles *(p. 166-167)*. À Sutter Creek, **Camperos Collectables** vend aussi des articles de ce genre.

VENTE DIRECTE

Les *outlet malls* où des fabricants vendent directement à prix bradés leurs surplus ou des articles hors-saison se sont multipliés en Californie. La plupart ne comptent qu'une vingtaine de magasins, mais les **Factory Stores of America at Nut Tree** en réunissent plus de cent. Les **American Tin Cannery Factory Outlets** (Monterey), les **Napa Factory Stores**, les **Desert Hills Factory Stores**, la **Citadel**, le **Pismo Beach Outlet Center** et le **San Diego Factory Outlet Center** comptent parmi les autres centres importants. **Shopper Stopper Shopping Tours** permet d'en découvrir en visite organisée.

TABLEAU DE CORRESPONDANCE DES TAILLES

Vêtements pour enfants

États-Unis	2-3	4-5	6-6x	7-8	10	12	14	16 (taille)
Angleterre	2-3	4-5	6-7	8-9	10-11	12	14	14 + (années)
France	2-3	4-5	6-7	8-9	10-11	12	14	14 + (années)

Chaussures pour enfants

États-Unis	7½	8½	9½	10½	11½	12½	13½	1½	2½
Angleterre	7	8	9	10	11	12	13	1	2
France	24	25½	27	28	29	30	32	33	34

Robes, jupes et manteaux pour femmes

États-Unis	4	6	8	10	12	14	16	18
Angleterre	6	8	10	12	14	16	18	20
France	38	40	42	44	46	48	50	52

Chemisiers et pull-overs pour femmes

États-Unis	6	8	10	12	14	16	18
Angleterre	30	32	34	36	38	40	42
France	40	42	44	46	48	50	52

Chaussures pour femmes

États-Unis	5	6	7	8	9	10	11
Angleterre	3	4	5	6	7	8	9
France	36	37	38	39	40	41	44

Complets pour hommes

États-Unis	34	36	38	40	42	44	46	48
Angleterre	34	36	38	40	42	44	46	48
France	44	46	48	50	52	54	56	58

Chemises pour hommes

États-Unis	14	15	15½	16	16½	17	17½	18
Angleterre	14	15	15½	16	16½	17	17½	18
France	36	38	39	41	42	43	44	45

Chaussures pour hommes

États-Unis	7	7½	8	8½	9½	10½	11	11½
Angleterre	6	7	7½	8	9	10	11	12
France	39	40	41	42	43	44	45	46

Magasins d'antiquités à Temecula près de Palm Springs

LIVRES, DISQUES ET ARTISANAT

Même les plus petites villes de Californie possèdent au moins une librairie, parfois indépendante, souvent liée à une chaîne.

En revanche, seules les grandes agglomérations offrent un large choix de disques dans des magasins tels que **Tower Records, Virgin Megastore** et **Wherehouse**. Vous trouverez des boutiques plus spécialisées ou de disques d'occasion dans les quartiers universitaires.

Artisanats indien et mexicain sont répandus dans tout l'État. Renseignez-vous auprès du **California Indian Museum and Cultural Center** et du Mexican Museum (p. 255).

ANTIQUITÉS

Bijoux, argenterie, objets indiens, textiles et vêtements anciens, joaillerie en bakélite et meubles datant des XVIIIe et XIXe siècles font partie des antiquités les plus répandues dans les petites villes de Californie.

Les relations qu'entretient la Côte Ouest avec la bordure du Pacifique permettent de dénicher en Californie des sculptures et porcelaines de Chine et du Japon, ainsi que du mobilier asiatique. Le début du XXe siècle a produit des objets intéressants, meubles Arts and Crafts et Art déco, vêtements, affiches, jouets, verre soufflé et céramique.

Les antiquaires s'associent souvent pour louer un vaste bâtiment, parfois une grange

ou un entrepôt, où ils proposent leur marchandise au public. Le plus vaste de ces centres, l'**Antique Plaza**, se trouve juste à l'est de Sacramento. Il abrite près de 300 boutiques et un café.

ALIMENTATION

Nombre d'exploitations agricoles de Californie, en particulier dans les comtés de Sonoma et de Fresno, vendent directement leurs produits au public le long de *farm trails*. À Sonoma, contactez les **Sonoma County Farm Trails** ou la **Sonoma Valley Chamber of Commerce**. Dans le Fresno County, le Blossom Trail, long de 100 km, traverse vergers et vignobles. Il commence aux **Simonian Farms** où on peut acheter fruits, moutarde et miel. Le **Fresno County Farm Bureau** vous renseignera.

À Napa, dans l'Anderson Valley, l'**Apple Farm**, ouverte toute l'année, propose des

Produits frais vendus sur un marché fermier

pommes et des poires. À Napa également, le **Jimtown Store** vend confitures, miel, olives, moutarde, vinaigre et assaisonnements de salades. Sur la Hwy 152, à l'est de Gilroy, la **Casa de Fruta** n'était à ses débuts dans les années 1940 qu'un simple étal de cerises. Elle vent toujours des fruits, mais comprend en outre aujourd'hui un café (Casa de Coffee), un restaurant (Casa de Burger) et une boutique de souvenirs (Casa de Gift).

Presque à mi-chemin de Los Angeles et de San Francisco sur la I-5, l'**Harris Ranch**, un élevage en activité, possède un café et un restaurant et offre des possibilités d'hébergement. Sa boutique propose ses produits agricoles et sa viande, ainsi que des souvenirs.

L'Italian Marketplace de la Viansa Winery

WINERIES

Le **Wine Institute of San Francisco** fournit une liste des domaines viticoles de Californie. Ceux-ci ne sont pas appréciés que pour leurs crus, mais également pour les magasins installés dans leurs salles de dégustation.

La **Viansa Winery** propose ainsi des fromages et des pains italiens à côté de livres et d'ustensiles de cuisine. Les **Sebastiani Vineyards** vendent des souvenirs liés au vin, tandis que la boutique des **Sterling Vineyards** recèle des écharpes en soie, des bijoux en argent et des ouvrages consacrés à l'histoire de la région. Quant à **V. Sattui Winery**, son magasin propose vente et dégustation.

CARNET D'ADRESSES

MODE

California Wave
1250 E Slausen Ave,
Los Angeles, CA 90001.
📞 *(323) 233-0077.*

Diane's Swimwear
116 Main St, Huntington
Beach, CA 92648.
📞 *(714) 536-7803.*

Forever 21
Beverly Center, 8500
Beverly Blvd #849 & #852,
Los Angeles, CA 90048.
📞 *(310) 689-9611.*

The Gap
1 Harrison St,
San Francisco,
CA 94105.
📞 *(800) 333-7899.*

Gymboree
421 Beverly Hils Dr,
Beverly Hills, CA 90210.
📞 *(310) 728-0312.*

**Jessica McClintock
Inc**
1400 16th St,
San Francisco, CA 94103.
📞 *(415) 553-8200.*

**Original Levi's
Store**
Union Square,
San Francisco,
CA 90111.
📞 *(415) 501-0100.*

Sara's Prints
3018-A Alvarado St,
San Leandro, CA 94577.
📞 *(510) 352-6060.*

MARCHÉS
AUX PUCES

**Berkeley Flea
Market**
1937 Ashby Ave,
Berkeley, CA 94703.
📞 *(510) 644-0744.*

**Pasadena's Rose
Bowl**
1001 Rose Bowl Drive,
Pasadena, CA 91103.
📞 *(626) 577-3100.*

**San Jose Flea
Market**
1590 Berryessa Road,
San Jose, CA 95133.
📞 *(408) 453-1110.*

**San Juan Bautista
Peddlars Fair**
Mission San Juan Bautista,
San Juan Bautista,
CA 95023.
📞 *(831) 623-2454.*

SOUVENIRS

**Camperos
Collectables**
PO Box 1629,
Sutter Creek,
CA 95685.
📞 *(209) 245-3725.*

The Game Doc
8000 Wheatland Ave,
Sun Valley,
CA 91352.
📞 *(818) 504-0440.*

Hello Central
2463 Ladera Court,
San Luis Obispo,
CA 93401.
📞 *(805) 541-9123.*

**Hillcrest Vintage
Paper Collectables**
3412 W MacArthur Blvd,
Unit G, Santa Ana,
CA 92704.
📞 *(714) 751-4030.*

**Sarah Stocking
Fine Vintage
Posters**
472 Jackson St,
San Francisco, CA 94111.
📞 *(415) 984-0700.*

VENTE DIRECTE

**American Tin
Cannery Factory
Outlets**
125 Ocean View Blvd,
Monterey, CA 93942.
📞 *(831) 372-1442.*

Camarillo
740 Ventura Blvd,
Camarillo,
CA 93010
📞 *(805) 445-8520.*

Citadel
100-150 Citadel Drive,
Commerce,
CA 90040.
📞 *(323) 888-1724*
🖥 *www.citadeloutlets.com*

**Desert Hills
Premium Outlets**
48400 Seminole Rd,
Cabazon, CA 92230.
📞 *(951) 849-5018.*

**Factory Stores of
America at Nut
Tree**
321-322 Nut Tree Rd,
Vacaville, CA 95687.
📞 *(707) 447-5755.*

**Napa Premium
Outlets**
629 Factory Stores Drive,
Napa, CA 94558.
📞 *(707) 226-9876.*

**Pismo Beach Outlet
Center**
Pismo Beach,
CA 93449.
📞 *(805) 773-4661.*

**Shopper Stopper
Shopping Tours**
PO Box 535,
Sebastopol,
CA 95473.
📞 *(707) 829-1597.*

LIVRES, DISQUES
ET ARTISANAT

**California Indian
Museum & Cultural
Center**
5250 Aero Dr, San Rosa,
CA 95403.
📞 *(707) 579-3004.*
🖥 *www.cimcc.indian.com*

Tower Records
2500 Del Monte St,
Sacramento,
CA 95691.
📞 *(916) 373-2500.*

Virgin Megastore
800 W Sunset Blvd,
Hollywood,
CA 90046.
📞 *(323) 650-8666.*

Wherehouse
17542 Hawthorne Blvd,
Torrance, CA 90504.
📞 *(310) 371-0994.*

ANTIQUITÉS

Antique Plaza
11395 Folsom Blvd,
Rancho Cordova,
CA 95742.
📞 *(916) 852-8517.*

ALIMENTATION

Apple Farm
18501 Greenwood Rd,
Philo, CA 95466.
📞 *(707) 895-2333.*

Casa de Fruta
10021 Pacheco Pass Hwy,
Hollister, CA 95023.
📞 *(408) 842-7282.*

**Fresno County
Farm Bureau**
1274 West Hedges,
Fresno, CA 93728.
📞 *(559) 237-0263.*

Harris Ranch
24505 West Dorris Ave,
Coalinga, CA 93210.
📞 *(800) 942-2333.*
🖥 *www.harrisranch.com*

Jimtown Store
6706 Hwy 128,
Healdsburg,
CA 95448.
📞 *(707) 433-1212.*

Simonian Farm
2629 S Clovis Ave,
Fresno, CA 93725.
📞 *(559) 237-2294.*

**Sonoma County
Farm Trails**
PO Box 6032,
Santa Rosa, CA 95606.
📞 *(707) 571-8288.*

**Sonoma Valley
Chamber of
Commerce**
651-A Broadway,
Sonoma, CA 95476.
📞 *(707) 996-1033.*

WINERIES

**Sebastiani
Vineyards**
389 Fourth St East,
Sonoma, CA 95476.
📞 *(707) 938-5532.*

Sterling Vineyards
1111 Dunaweal Loane,
Calistoga, CA 94515.
📞 *(707) 942-3300.*

Viansa Winery
25200 Arnold Drive,
Sonoma, CA 95476.
📞 *(707) 935-4700.*

V. Sattui Winery
11 White Lane,
St Helena, CA 94574.
📞 *(707) 963-7774.*

**Wine Institute of
San Francisco**
425 Market St,
Suite 1000,
San Francisco, CA 94105.
📞 *(415) 512-0151.*

RENSEIGNEMENTS PRATIQUES

La Californie mode d'emploi

L'identité de la Californie est à découvrir autant dans les espaces sauvages des montagnes de la Sierra Nevada que dans de grandes villes actives comme San Francisco, Los Angeles et San Diego. Les visiteurs ne devraient nulle part rencontrer de graves problèmes pratiques, mais un minimum de prévoyance ne nuit pas. Des précautions recommandées pour assurer votre sécurité et votre santé *(p. 592-593)* à l'utilisation du

UNITED STATES
POSTAL SERVICE®
Logo du service
postal américain

réseau téléphonique californien et du système postal américain *(p. 596-597)* en passant par les questions de change *(p. 594-595)*, les informations données dans les pages qui suivent vous faciliteront tous les aspects de la vie quotidienne. Vous trouverez en général partout dans l'État des *visitors' centers* en mesure de vous renseigner sur les services disponibles et les activités intéressantes de chaque région.

Ski dans la station d'Alpine Meadows au Lake Tahoe *(p. 470)*

QUAND PARTIR

La haute saison dure de mi-avril à septembre, mais la douceur du climat dans le Sud et les pentes enneigées du Lake Tahoe attirent aussi l'hiver de nombreux visiteurs en Californie. Vous profiterez de nombreuses réductions et de meilleures conditions de séjour en basse saison bien que quelques attractions ferment.

DROITS D'ADMISSION

Les principaux musées et attractions touristiques exigent un droit d'entrée d'un montant situé le plus souvent entre 5 $ et 8 $. Il existe des réductions pour les handicapés *(p. 590)*, les étudiants, les personnes âgées et les enfants. La plupart des institutions les plus importantes ouvrent leurs

portes gratuitement une journée par mois (téléphonez pour plus de détails). Des visites guidées et des conférences gratuites sont souvent proposées.

HORAIRES D'OUVERTURE

La plupart des entreprises et des services publics ouvrent en semaine de 9 h à 17 h sans interruption à midi. Beaucoup sont aussi ouverts le week-end. Dans les agglomérations importantes, des magasins d'alimentation, des pharmacies et des stations-service assurent une permanence 24 h sur 24. Les musées sont généralement fermés le lundi et/ou le mardi, ainsi que les jours fériés.

Les Californiens mangent tôt le soir et de nombreux restaurants n'acceptent plus de clients après 22 h. La plupart des bars restent ouverts jusqu'à 2 h du matin, en particulier le vendredi et le samedi.

INFORMATION TOURISTIQUE

Vous pouvez vous renseigner avant votre départ auprès de la **California Division of Tourism** ou du plus proche consulat américain. Sur place, les *visitors' centers* et les *convention bureaux* vous fourniront plans, guides et bons de réduction pour les transports en commun et les attractions touristiques. Ils sont généralement ouverts en semaine de 9 h à 17 h 30. Ce guide indique les coordonnées des centres d'information touristique de chaque ville.

QUELQUES CONSEILS

Pour éviter la foule, visitez le matin les grands musées ou les principales attractions touristiques. Et préférez les jours de semaine aux week-ends. Vous gagnerez beaucoup de temps en regroupant les visites de sites

Façade de style espagnol du San Diego Museum of Art *(p. 247)*

proches, les distances étant grandes aux États-Unis. Dans vos déplacements, évitez les heures de pointe : de 7 h à 9 h et de 16 h à 18 h 30 du lundi au vendredi.

VISAS

Les ressortissants du Canada, de la Suisse et de l'Union européenne n'ont besoin que d'un passeport en cours de validité pour un séjour de moins de 90 jours aux États-Unis. Pour la Suisse et l'Union européenne, il s'agit toutefois d'une convention renouvelée tous les ans. Demandez confirmation auprès de l'ambassade ou d'un consulat des États-Unis.

TAXES ET POURBOIRES

L'État de Californie impose une taxe de 7,25 % sur les ventes et les services, sauf sur les produits alimentaires. Dans les grandes villes, elle augmente de 1 % à 1,25 %. Une taxe d'occupation temporaire

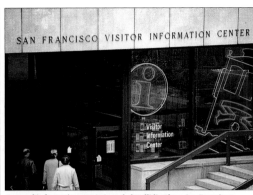

Centre d'information touristique de l'Hallidie Plaza, San Francisco

de 12 % à 14 % s'applique généralement dans les hôtels. Le service n'est jamais compris et c'est principalement le pourboire *(tip)* qui paie le travail du personnel. Laissez de 15 % à 20 % du montant de la note dans un restaurant ; 15 % de la course en taxi ; de 1 $ à 1,5 $ par bagage aux portiers d'hôtel et de 1 $ à 2 $ par jour de séjour aux femmes de chambre.

TABAC

Fumer dans les lieux publics est illégal dans tout l'État de Californie. Demandez le règlement de l'hôtel ou du restaurant lorsque vous réservez. Rappelez-vous qu'il est strictement interdit de fumer dans les restaurants, les bars et tous les lieux publics, sauf aménagements particuliers en termes d'aération.

INFORMATION TOURISTIQUE

CALIFORNIE

California Division of Tourism
102 K St, Suite 6000, Sacramento, CA 95814.
📞 (800) 862-2543.
FAX (916) 322-2881.
W www.gocalif.ca.gov

SAN FRANCISCO

San Francisco
Niveau inférieur de Hallidie Plaza, Powell et Market Sts.
📞 (415) 391-2000, (415) 974-6900.

LE NORD

Redding
777 Auditorium Drive.
📞 (800) 874-7562.
FAX (530) 225-4354
W www.visitredding.org

Eureka
2112 Broadway.
📞 (707) 442-3738, (800) 346-6381.

WINE COUNTRY

Mendocino County
239 S Main St, Willits.
📞 (707) 459-7910.
W www.gomendo.com

Napa Valley
1310 Napa Town Center.
📞 (707) 226-7459.
W www.napavalley.com

GOLD COUNTRY

Sacramento
1608 I St. 📞 (916) 264-7777 ; (800) 292-2334.

Tuolumne County
55 W Stockton St, PO Box 4020, Sonora. 📞 (209) 533-4420 ; (800) 446-1333.
W www.tcvb.com

HIGH SIERRAS

Nord du Lake Tahoe
950 N Lake Blvd, Suite 3, Tahoe City.
📞 (800) 824-6348.

Bishop
690 N Main St.
📞 (760) 873-8405.
W www.bishopvisitor.com

DE SANTA CRUZ À FRESNO

Fresno City/County
808 M St.
📞 (559) 233-0836.
W www.fresnocvb.org

Monterey County
380 Alvarado St.
📞 (831) 649-1770.
W www.montereyinfo.org

LOS ANGELES

Downtown
685 S Figueroa St.
📞 (213) 689-8822.

Hollywood
6801 Hollywood Blvd.
📞 (323) 467-4270.

DE CAMBRIA À SANTA BARBARA

Santa Barbara
510 State St, Suite 1. 📞 (805) 966-9222. W www.santabarbaraCA.com

San Luis Obispo County
1041 Chorro St. 📞 (805) 541-8000. W www.san luisobispocounty.com

ORANGE COUNTY

Anaheim/Orange County
800 W Katella Ave.
📞 (714) 758-0222.

SAN DIEGO

San Diego
11 Horton Plaza.
📞 (619) 236-1212.
W www.sandiego.org

Escondido
720 N Broadway.
📞 (760) 745-2125.

PALM SPRINGS

Riverside
3443 Orange St.
📞 (951) 787-7950.

Palm Springs
69 Hwy 111, Suite 201, Rancho Mirage.
📞 (760) 770-9000.

DÉSERT DE MOJAVE

Death Valley
118 Hwy 127, Shoshone.
📞 (760) 852-4524.

Quotidiens disponibles en Californie

Distributeur de journaux

la rue proposent des journaux gratuits présentant les loisirs et festivités programmés, ainsi que certains bars et restaurants populaires. Les grandes cités éditent des magazines plus spécialisés tels que le *San Francisco Bay Guardian*, le *San Diego Reader* et les *LA Weekly* et *Los Angeles Reader*.

JOURNAUX, TÉLÉVISION ET RADIO

Il est difficile de se procurer des journaux européens hors des plus grandes villes, mais *The New York Times* et le *Wall Street Journal* sont vendus presque partout. En complément de divers quotidiens locaux, *Los Angeles Times* est lu dans tout l'État.

Dans les hôtels, les chambres possèdent quasiment toujours un téléviseur, parfois un magnétoscope. Outre la chaîne publique, PBS, au contenu plus culturel, trois grands réseaux généralistes commerciaux, ABC, NBC et CBS, couvrent l'ensemble des États-Unis. Il existe également d'innombrables chaînes locales ou spécialisées (notamment d'informations, d'émissions pour enfants et de musique) diffusées par câble ou par satellite. Certaines, en Californie, sont en langues espagnole ou asiatiques. La plupart des quotidiens locaux indiquent les programmes. Ils fournissent également une liste de stations de radio. Très nombreuses, elles proposent pour la plupart des programmes surtout musicaux, mais de styles très variés.

MAGAZINES DE PROGRAMMES

Dans la majorité des villes, le *visitors' center* et les distributeurs installés dans

VISITEURS HANDICAPÉS

La législation californienne impose à tous les édifices publics d'être accessibles aux handicapés. Ils bénéficient d'avantages tels que le stationnement gratuit et des réductions dans de nombreux parcs d'État et nationaux. Si vous avez des besoins particuliers, mieux vaut prévenir à l'avance sites ou hôtels. La Society for the Advancement of Travel for the Handicapped (SATH) signale par un H bleu les établissements dotés d'un équipement spécial. Pour tout renseignement, contactez le

Carte internationale d'étudiant

Disability Rights, Education and Defense Fund ; pour vos déplacements, le **California Relay Service**.

Place réservée aux handicapés

VOYAGEURS HOMOSEXUELS

L'importante communauté homosexuelle californienne est principalement concentrée dans les grandes villes, en particulier dans le Castro District de San Francisco *(p. 350)*, à Hillcrest à San Diego et à West Hollywood à Los Angeles *(p. 96-115)*. Les journaux gratuits et les magazines publiés à son intention comprennent *The Edge* à Los Angeles, *Frontier*, dans toute la Californie du Sud, et *Gay Times* à San Francisco. À San Francisco et à Los Angeles, **Out and About** fournit au téléphone un programme d'événements prévus dans la région. Le **Gay and Lesbian Hotline** remplit le même service, mais peut aussi apporter une aide.

ÉTUDIANTS

Les étudiants jouissent de peu de réductions en Californie. La carte internationale (ISIC) est rarement acceptée et mieux vaut présenter un passeport pour prouver que l'on a plus de 21 ans si l'on veut entrer dans un bar. La **Student Travel Association** possède deux bureaux dans la Bay Area et trois à Los Angeles. Il existe de nombreuses auberges de jeunesse en Californie. La FUAJ, à Paris *(p. 507)*, ou **Hosteling International-American Youth Hostels** vous renseigneront.

Nous vous conseillons d'éviter l'auto-stop. Dans les universités et les auberges de jeunesse, des panneaux regroupent des annonces de partage de voiture.

CONSULATS

La plupart des pays occidentaux ont des consulats à la fois à San Francisco et à Los Angeles Il sont ouverts, en général, de 9 h à 17 h du lundi au vendredi. Ces consulats n'ont pas pour mission de veiller sur les touristes, mais peuvent se révéler d'une grande aide en cas d'urgence, notamment en cas de perte de papiers. Ils ne prêtent toutefois pas d'argent. L'annuaire local vous indiquera l'adresse du bureau le plus proche.

APPAREILS ÉLECTRIQUES

Le courant électrique est aux États-Unis d'un voltage de 110-120 volts et d'une fréquence de 60 Hz (50 en France). Pour utiliser vos appareils électriques, vous devrez vous munir d'un transformateur et d'un adaptateur permettant le branchement sur les prises à fiches plates américaines. Il vous sera plus facile de vous les procurer avant le départ. Dans beaucoup d'hôtels, sèche-cheveux muraux et prises autorisant l'usage de rasoirs en 220 V équipent les salles de bains.

Prise standard

TABLEAU DE CONVERSION

Système standard américain
1 inch = 2,54 centimètres
1 foot = 30 centimètres
1 mile = 1,6 kilomètre
1 ounce = 28 grammes
1 pound = 454 grammes
1 US quart = 0,947 litre
1 US gallon = 3,8 litres

Système métrique
1 centimètre = 0,4 inch
1 mètre = 3 feet 3 inches
1 kilomètre = 0,6 miles
1 gramme = 0,04 ounce
1 kilogramme = 2,2 pounds
1 litre = 1,1 US quarts

ORGANISATIONS RELIGIEUSES

La Californie, et en particulier la Californie du Nord, a la réputation d'offrir un riche terreau à toutes formes de croyances (p. 424-425). Les sectes et les cultes marginaux semblent autant y prospérer que les religions établies.

C'est l'Église catholique qui possède la plus large congrégation. Près d'un quart de ses membres est d'origine hispanique. Los Angeles abrite la deuxième communauté juive des États-Unis. Elle a édifié de magnifiques synagogues. Temples hindous, mosquées et toutes sortes de lieux de culte moins conventionnels abondent dans l'État. Vous en trouverez le détail dans les annuaires à la rubrique « *Churches* ».

Église de l'auto-accomplissement, un lieu de culte très californien

CARNET D'ADRESSES

VISITEURS HANDICAPÉS

California Relay Service
[(800) 735-2929 TTY
[(800) 735-2922 VOICE

Disability Rights, Education and Defense Fund
2212 6th St, Berkeley, CA 94710.
[(510) 644-2555.

ÉTUDIANTS

Hosteling International-American Youth Hostels
733 15th St NW, Suite 840, Washington, DC 20005. [(800) 909-4776 ; (202) 783-6161.
W www.hiusa.org

Student Travel Association
32 Geary St, San Francisco.
[(415) 391-8407.

920 Westwood Blvd, Los Angeles.
[(800) 777- 0112.
W www.statravel.com

HOMOSEXUELS

Gay and Lesbian Hotline
[(415) 355-0999 ;
(888) THE-GLNH.

LA Gay and Lesbian Center
[(323) 993-7400.

CONSULATS

France
540 Bush St, San Francisco.
[(415) 397-4330.

Alliance française
1345 Bush St, San Francisco.
[(415) 775-7755.

Belgique
6100 Wilshire Blvd, Suite 1200, Los Angeles.
[(213) 857-1244.

Suisse
11766 Wilshire Blvd, Suite 1400, Los Angeles.
[(310) 575-1982.

456 Montgomery St, Suite 1500, San Francisco.
[(415) 788-2272.

Canada
550 S Hope St, 9ᵉ étage, Los Angeles.
[(213) 346-2700.

L'HEURE ET LA TEMPÉRATURE EN CALIFORNIE

Les tableaux ci-dessous indiquent les décalages horaires entre la Californie et quelques grandes villes (hors heure d'été, de fin avril à début octobre) et la correspondance en degrés Celsius de températures en degrés Fahrenheit.

Ville et pays	Décalage	Degrés Fahrenheit	Degrés Celsius
Paris (France)	+ 9	104	40
Bruxelles (Belgique)	+ 9	98,6	37
Genève (Suisse)	+ 9	86	30
Toronto (Canada)	+ 3	77	25
Londres (Royaume-Uni)	+ 8	68	20
New York (U. S. A.)	+ 3	50	10
Chicago (U. S. A.)	+ 2	32	0
Tokyo (Japon)	+ 17	14	– 10

Santé et sécurité

**Attention aux ours en
Californie du Nord !**

San Francisco est une des grandes villes les plus sûres des États-Unis, une qualité que ne partage pas Los Angeles où il est déconseillé de se risquer dans les quartiers défavorisés, les *slums*. En zones rurales, munissez-vous d'une carte détaillée, en particulier dans le désert ou les montagnes. Et tenez compte des conseils des autorités locales sur les dangers qui peuvent se présenter. Tous les soins médicaux sont payants et extrêmement coûteux. La prudence recommande de souscrire une bonne assurance avant le départ.

SÉCURITÉ DES PERSONNES

Les membres des célèbres gangs de Californie, en particulier de Los Angeles, se risquent rarement hors de leurs territoires et portent en général peu d'intérêt aux visiteurs. Ceux-ci ont plus à redouter les vols, notamment dans les voitures. Des patrouilles de police surveillent la plupart des quartiers touristiques, mais il reste conseillé de préparer avec soin son itinéraire et de faire preuve de bon sens.

Plutôt que de porter sur vous, ou de laisser dans votre chambre, vos objets de valeur, déposez-les dans le coffre de l'hôtel.

Les Américains ne plaisantent pas avec la sécurité des piétons. Traverser hors des passages piétonniers, ou ailleurs qu'à un carrefour sur une route, peut vous valoir une amende.

**Policier de San
Francisco**

SÉCURITÉ DES BIENS

Bien que vous ayez peu de chances de retrouver un objet perdu dans la rue, prévenez la police au téléphone par la **Police Non-Emergency Line** (appels non urgents). Vous aurez besoin d'une copie de votre déposition pour vous faire rembourser par une assurance. Une bonne précaution consiste à garder en sécurité les numéros de série, ou une preuve d'achat, des appareils de prise de vue, ainsi qu'une photocopie de vos documents importants.

En cas de perte ou de vol de votre passeport, entrez immédiatement en contact avec votre consulat *(p. 591)*. Pour les chèques de voyage et les cartes bancaires, adressez-vous à la plus proche succursale de l'organisme qui les a délivrés *(p. 593)*.

ASSURANCE ET SOINS MÉDICAUX

Contracter une assurance n'est pas obligatoire pour se rendre aux États-Unis, mais cette précaution est vivement recommandée. Même si vous ne jugez pas utile de vous prémunir contre la perte ou le vol de vos bagages, une assurance médicale s'avérera nécessaire pour recevoir des soins dans un hôpital. Assurez-vous que votre contrat prévoit la prise en charge directe des frais, sinon vous devrez les avancer. La formule proposée par **Routard Assistance** comprend une large couverture.

Des remèdes comme l'aspirine sont en vente libre dans les drugstores, mais il vous faudra une ordonnance pour la plupart des médicaments.

URGENCES

Que vous ayez besoin de secours médicaux, de la police ou des pompiers, faites le 911. Dans les hôpitaux, les services d'urgence sont appelés *emergency rooms*. Les hôpitaux publics, indiqués dans les pages bleues des annuaires, sont souvent surchargés. Les établissements privés apparaissent dans les pages jaunes. Votre hôtel connaîtra le plus souvent un docteur ou un dentiste prêt à se rendre dans votre chambre. Les consulats de France tiennent à disposition une liste de médecins agréés.

**Ranger d'un
parc national**

Moto de patrouille

Voiture de police

Ambulance

Camion de pompiers

Une organisation nationale, **Travellers' Aid Society**, peut aussi fournir assistance dans de nombreux cas d'urgences.

ACTIVITÉS DE PLEIN AIR

L'océan Pacifique est rarement chaud, même au cœur de l'été, et ses rouleaux se prêtent plus au surf qu'à la natation. Méfiez-vous des courants de retour. Sur les plages, surveillez vos affaires, des vols s'y produisant.

Avant de partir en randonnée, vérifiez votre équipement et prévenez quelqu'un de vos projets. N'oubliez pas que de nombreux parcs abritent des animaux sauvages. Les gardes forestiers, ou *rangers*, vous renseigneront sur les conditions météorologiques et vous indiqueront si les feux de camp sont autorisés, de terribles incendies de forêt ravagent régulièrement la Californie. La chambre de commerce de la ville la plus proche vous fournira des cartes de la région. **The Sierra Club** peut vous conseiller des excursions.

Même avec les moyens modernes, le désert demeure un milieu dangereux. Prenez des réserves d'essence et d'eau. Si votre voiture chauffe, ne l'abandonnez pas pour partir en quête de secours. Laissez le moteur tourner et aspergez le radiateur avant de rétablir le niveau. Songez que dans les zones en altitude, la température peut tomber au-dessous de zéro pendant la nuit. Pour plus d'informations, contactez le Death Valley Visitors' Center *(p. 280)*.

TREMBLEMENTS DE TERRE

La menace que font peser les séismes en Californie impose de garder en tête quelques précautions. Le plus important est d'éviter de paniquer. En vous endormant, laissez près du lit vos chaussures et une lampe de poche en cas de coupure de courant ou de bris de vitres. C'est la chute d'objets ou de gravats qui cause le plus de blessures. À l'intérieur, postez-vous sous le cadre d'une porte ou rampez sous une table. En voiture, rangez-vous sur le bas-côté. En plein air, restez éloigné des arbres, des lignes électriques et des ponts. Pour plus de conseils, vous pouvez vous adresser à **The United States Geological Survey**.

Banques et monnaie

Une carte de crédit vous rendra de précieux services. La plupart des hôtels et des loueurs de voitures l'exigent comme forme de caution et elle vous permettra de retirer de l'argent, à un taux souvent avantageux, dans les nombreux distributeurs automatiques de billets installés dans les grandes villes. Les chèques de voyage en dollars offrent une forme de paiement très pratique. Beaucoup de commerçants les acceptent et rendent la monnaie en liquide. Certaines banques, en particulier dans les petites localités, ne changent pas les monnaies étrangères.

Banque de San Francisco

sont les plus répandues. Avant votre départ, vérifiez auprès de votre banquier que votre carte est utilisable à l'étranger. Et renseignez-vous sur le montant des sommes que vous êtes autorisé à retirer.

LES BANQUES

Les horaires d'ouverture varient grandement, mais vous pourrez généralement accéder aux guichets en semaine entre 10 h et 15 h. Dans les grandes villes, certaines agences ouvrent dès 7 h 30 et ferment à 18 h, assurant souvent une permanence le samedi matin. Renseignez-vous toujours sur le montant des commissions avant une transaction. Les chèques de voyage en dollars sont presque partout échangés contre du liquide sur présentation d'une pièce d'identité. Il est parfois difficile d'échanger des monnaies étrangères.

LES CARTES DE CRÉDIT

Une carte bancaire (aussi appelée *plastic money*) vous permettra de réserver places de spectacle ou chambre d'hôtel par téléphone. Les hôpitaux les acceptent comme forme de paiement. La plupart des hôtels exigeront d'en prendre une empreinte *(print)* comme garantie à votre arrivée. La majorité des loueurs de voitures demandent d'énormes cautions si vous ne pouvez en produire une. Les cartes des réseaux American Express, MasterCard (EuroCard) et VISA

LES DISTRIBUTEURS AUTOMATIQUES DE BILLETS

Les *automated teller machines (ATM)* se trouvent dans l'entrée de la majorité des banques, ou sur un mur extérieur proche. Ils fonctionnent 24 h sur 24 et délivrent des billets de 5 $, 10 $ et 20 $. **Cirrus** et **Plus** sont les systèmes les plus répandus, mais la plupart des distributeurs acceptent les cartes MasterCard (EuroCard) ou VISA. Renseignez-vous auprès de votre banque sur le coût des transactions. Le taux de change est toutefois presque toujours meilleur que pour de l'argent liquide.

LES CHÈQUES DE VOYAGE

Les chèques de voyage offrent un moyen très sûr de transporter de l'argent. Vous avez intérêt à les acquérir avant votre départ, mais préférez des chèques en dollars émis par un grand organisme bancaire américain comme American Express ou

Thomas Cook. Vous pourrez plus facilement vous en servir pour payer ou vous les faire rembourser en cas de vol. Les chèques d'un petit montant sont acceptés presque partout. Il faut présenter une pièce d'identité à l'appui.

Conservez le reçu à part. En cas de vol ou de perte, appelez **Thomas Cook Refund Assistance** ou l'**American Express Helpline**.

Les chèques de voyage en monnaies étrangères ne peuvent s'échanger que dans des hôtels de standing et de grandes banques. Dans ces dernières, les taux de change sont affichés. Les journaux les publient également.

LES BUREAUX DE CHANGE

Les bureaux de change prélèvent frais et commission sur les transactions, mais ils ont généralement des horaires d'ouverture plus étendus que les agences bancaires, au minimum de 9 h à 17 h en semaine. Les deux firmes les plus connues sont **Thomas Cook Currency Services** et **American Express Travel Service**. Elles possèdent des succursales dans toutes les grandes villes de la Californie.

Service de change

Distributeur automatique de billets

Les pièces

Les pièces en circulation, représentées ici grandeur nature, valent 1, 5, 10 et 25 cents. Les pièces de 50 cents sont peu usitées. La nouvelle pièce de 1 $ en or est en circulation Toutes possèdent un surnom : penny (1 cent), nickel (5 cents), dime (10 cents) et quarter (25 cents).

Pièce de 25 cents (quarter)

Pièce de 10 cents (dime) · **Pièce de 5 cents (nickel)** · **Pièce de 1 cent (penny)**

Les billets

Comme leur nom l'indique, 100 cents font un dollar ($). Les billets valent 1 $, 5 $, 10 $, 20 $, 50 $ et 100 $. Il en existe également de 2 $ très peu usités. Attention à ne pas les confondre, ils sont tous de la même taille et du même vert. Les nouveaux billets de 20 $ et 50 $, très sécurisés, sont en circulation ; ceux de 5 $ et 10 $ sont en projet.

Pièce de 1 $ (buck)

Billet de 1 dollar (1 $)

Billet de 5 dollars (5 $)

Billet de 10 dollars (10 $)

Billet de 20 dollars (20$)

Billet de 50 dollars (50 $)

Billet de 100 dollars (100 $)

Le téléphone

Vous trouverez des téléphones publics partout : dans les rues, les hôtels, les restaurants, les bars, les salles de spectacle et les grands magasins. La plupart fonctionnent avec des pièces de 5, 10 et 25 cents ou des cartes téléphoniques, rarement avec des cartes bancaires.

LES TÉLÉPHONES PUBLICS

Des cabines n'abritent pas tous les téléphones publics et ils sont souvent simplement accrochés à un mur ou un poteau. Un annuaire accompagne la plupart. Pacific Bell (PacBell), dont le logo bleu et blanc représente une cloche dans un cercle, gère la majorité des publiphones. D'autres opérateurs en proposent également, mais ils sont généralement moins fiables et peuvent se révéler plus coûteux. La loi impose que tous les frais soient indiqués. Si vous avez une réclamation à formuler, faites le 0 pour obtenir l'opérateur ou appelez le bureau de la compagnie ou la **California Public Utilities Commission**.

TÉLÉPHONER

D'un minimum de 25 cents, le coût d'un appel local (même *area code*), longue distance ou international varie selon la durée. Un opérateur ou un message enregistré vous indiquera quand vous devrez rajouter des pièces. S'il en manque encore, on vous rappellera quand vous raccrocherez et la cabine se mettra à sonner si vous ne payez pas. Vous bénéficierez de tarifs réduits le week-end et entre 18 h et 8 h en semaine. Pour un appel en PCV, passez par l'opérateur (0 ou 01). Les publiphones possèdent un numéro ; vous pouvez vous y faire appeler. Téléphoner d'un hôtel se révèle toujours cher. Les numéros gratuits commencent par 800, 888 ou 877.

On peut acheter des cartes téléphoniques de grandes compagnies comme AT&T dans les bureaux de poste et les drugstores. Elles portent au verso le numéro gratuit à appeler et le code à indiquer. Un autre numéro permet de « recharger » la carte à distance en donnant un numéro de carte bancaire.

Cartes téléphoniques

Pour un prix d'abonnement annuel d'environ 80 F, la carte France Télécom permet de téléphoner depuis n'importe quel poste, y compris privé, en faisant débiter le montant de la communication sur sa propre facture. Passer par le serveur vocal (composer le « 1 ») plutôt que par l'opérateur évite un surcoût important. Même sans cette carte, France Direct permet d'effectuer des appels en PCV. Ils reviennent toutefois très cher. Pour de plus amples renseignements, appelez en France le numéro vert 0800-202-202.

UTILISER UN PUBLIPHONE À PIÈCES

1 Décrochez le combiné et attendez la tonalité.

2 Insérez la ou les pièces.

3 Composez le numéro.

Pièces
Prévoyez une réserve importante.

5 cents

10 cents

25 cents

4 Si vous voulez annuler l'appel, ou si votre correspondant ne répond pas, appuyez sur ce levier pour récupérer vos pièces.

5 Si vous parlez plus de trois minutes, l'opérateur vous coupera pour indiquer combien vous devez rajouter. Les publiphones ne rendent pas la monnaie.

Fax installé dans un aéroport

Les services postaux

Ouverts de 8 h à 17 h en semaine, les bureaux de poste assurent les services les plus courants le samedi matin. Vous pouvez également déposer votre courrier à la réception de l'hôtel ou dans les fentes prévues à cet effet dans les aéroports, les gares et les gares routières. Dans la rue, les boîtes aux lettres sont peintes soit en bleu, soit en rouge, blanc et bleu. Les timbres vendus dans les distributeurs coûtent plus cher qu'aux guichets des postes.

LES SERVICES DE FAX

Bureaux de poste, hôtels et ateliers de photocopie permettent partout en Californie d'envoyer et de recevoir des fax. Consultez les pages jaunes à la rubrique *Facsimile Transmission Services*. Pour les télégrammes, mais aussi les télex, les fax et le courrier électronique, adressez-vous à **Western Union**.

LE BON NUMÉRO

• Pour un appel direct longue distance (indicatif différent) aux U.S. et au Canada, composez le **1**.
• Pour un appel direct à l'étranger, composez le **011**, puis l'indicatif du pays (France : **33**, Belgique : **32**, Suisse : **41**) et le numéro complet sans le premier 0.
• Pour un appel à l'étranger par l'intermédiaire d'un opérateur, composez le **01**, puis l'indicatif du pays et le numéro complet sans le premier 0.
• Renseignements locaux : **411**.
• Renseignements internationaux : **00**.
• Assistance d'un opérateur pour l'international (y compris PCV) : **01**.
• Certains indicatifs sont en train de changer en Californie. Si vous n'arrivez pas à obtenir un numéro, appelez les renseignements.
• **Pour toutes urgences, police, services médicaux ou pompier : 911**.

ENVOYER DU COURRIER

Une lettre pour les États-Unis affranchie au tarif normal *(first class)* arrivera de un à cinq jours après son envoi à condition de ne pas oublier le code postal *(zip code)*. Un courrier par avion *(airmail)* pour l'Europe mettra entre cinq et dix jours pour atteindre son destinataire, un paquet au tarif le plus bas entre quatre et six semaines. La poste propose deux autres services : le Priority Mail plus rapide et l'Express Mail, coûteux, mais qui assure une livraison le lendemain aux États-Unis et dans les 72 h dans de nombreux pays. Plusieurs entreprises privées, répertoriées dans les pages jaunes à la rubrique *Delivery Express*, proposent également des services de messagerie rapide. **DHL** et **Federal Express** ont les réseaux internationaux les plus développés.

Timbres commémoratifs

LA POSTE RESTANTE

Vous pouvez recevoir du courrier en poste restante dans la poste principale de chaque ville. Les lettres, adressées c/o General Delivery, doivent clairement porter le code postal du bureau de poste, l'adresse de l'expéditeur et le nom, souligné, du destinataire. Elles seront conservées 30 jours avant d'être retournées.

San Francisco
c/o General Delivery,
Civic Center, 101 Hyde St,
San Francisco, CA 94142.

Los Angeles
c/o General Delivery,
Los Angeles Main Post Office,
900 N Alameda,
Los Angeles, CA 90086.

San Diego
c/o General Delivery,
San Diego Main Post Office,
San Diego, CA 92110.

Voiture postale

Boîte aux lettres

NUMÉROS UTILES

California Public Utilities Commission
(800) 649-7570.

Western Union
(800) 325-6000.

Renseignements aux États-Unis
1-(indicatif local) 555-1212.

SERVICES POSTAUX

DHL
(800) 225-5345.

Federal Express
(800) 463-3339.

United States Postal Service
(800) 275-8777.

ALLER EN CALIFORNIE ET Y CIRCULER

S i on peut gagner la Californie en train ou en autocar, la plupart des visiteurs arrivent par avion et atterrissent à San Francisco ou Los Angeles. Malgré les problèmes que posent les embouteillages et la pollution atmosphérique, la voiture reste le premier mode de déplacement des Californiens. Des véhicules

Une compagnie américaine

confortables, un carburant bon marché et un important réseau routier font de l'automobile un moyen pratique et agréable de découvrir l'État. Les transports en commun sont d'une efficacité très variable. Certaines villes en ont conservé d'historiques, tels les *cable cars* de San Francisco ou les trolleys de San Diego.

Tableau des arrivées

LES TRANSPORTS AÉRIENS

L es États-Unis couvrent un territoire tellement vaste que les Américains ont depuis longtemps pris l'habitude de se déplacer en avion, d'autant que la concurrence a conduit les compagnies aériennes à baisser leurs tarifs et à ouvrir l'éventail de leurs services. L'idéal est donc d'utiliser l'avion pour les longs trajets et la voiture pour les courtes distances.

La plupart des visiteurs étrangers atterrissent aux aéroports de Los Angeles (LAX) et de San Francisco (SFO), mais des liaisons internationales desservent aussi ceux de San Diego (SAN), Oakland (OAK) et San Jose (SJC). La Californie compte en outre plus de 30 aéroports accueillant des vols intérieurs. Les plus importants sont ceux de Sacramento, Palm Springs, Santa Barbara, John Wayne/Orange County et Fresno.

LES TARIFS

L es compagnies aériennes proposent des tarifs très divers en fonction, notamment, de l'âge (pour les retraités ou les jeunes de moins de 25 ans) ou des périodes de voyage. Il sera toujours plus facile d'obtenir un prix avantageux en basse saison, une règle qui s'applique aussi bien aux vols

transatlantiques qu'aux liaisons à l'intérieur des États-Unis. Sur toutes les lignes régulières, vous pourrez au moins profiter du tarif APEX. Il impose cependant d'effectuer une réservation ferme de deux à trois semaines à l'avance.

Les agences de voyages représentent souvent le moyen le plus simple de dénicher le billet le mieux adapté à ses moyens et à ses besoins. N'hésitez pas à en contacter plusieurs. Elles pourront, entre autres, vous proposer des liaisons avec escale plus économiques (au prix d'un peu de fatigue supplémentaire) que les vols

Le restaurant The Encounters de l'aéroport de Los Angeles

AÉROPORT	RENSEIGNEMENTS
Los Angeles (LAX)	(*(310) 646-5252*
San Francisco (SFO)	(*(650) 761-0800*
Oakland (OAK)	(*(510) 577-4000*
San Diego (SAN)	(*(619) 231-2100*
San Jose (SJC)	(*(408) 277-4759*
Sacramento (SMF)	(*(916) 929-5411*
Palm Springs (PSP)	(*(760) 318-3800*

directs. Sur un même trajet, et avec la même compagnie, une escale peut faire baisser le prix de moitié. Si vous comptez faire plusieurs étapes aux États-Unis ou louer une voiture, il existe des systèmes de forfaits très avantageux lorsqu'ils sont souscrits avant le départ.

À L'AÉROPORT

À Los Angeles comme à San Francisco, préparez-vous à faire la queue aux heures de pointe aux guichets des services d'immigration et de la douane. Jetez les fruits frais que vous pourriez avoir avec vous, la législation américaine interdisant strictement leur importation.

Vous trouverez à l'intérieur de l'aéroport des guichets de change ou des distributeurs automatiques de billets (p. 594-595) et un comptoir d'information. Le plus souvent polyglotte, son personnel vous renseignera sur les modes de transport jusqu'au centre-ville. Outre bus et taxis, il existe des services de navettes (shuttles) en minibus qui vous déposeront à l'adresse de votre choix. Les tarifs dépendent de la distance. Les temps de trajet indiqués ci-dessous peuvent varier en fonction du nombre de passagers et des arrêts demandés.

La plupart des compagnies de location de voitures (p. 602) proposent des navettes gratuites jusqu'aux parcs de

Enregistrement de bagages

stationnement des véhicules. Avant de vous engager, songez que si une voiture est quasiment indispensable à Los Angeles, les transports en commun se révèlent plus pratiques dans San Francisco.

Tous les aéroports disposent d'équipements adaptés aux passagers handicapés. Il est cependant recommandé d'organiser son arrivée par l'intermédiaire de sa compagnie aérienne.

Navette d'un loueur de voitures

Navette pour le centre-ville

DOUANE ET DÉTAXES

Tous les visiteurs arrivant aux États-Unis par air ou par mer doivent remplir une déclaration à la douane. Les adultes non-résidents ont l'autorisation d'importer des produits détaxés (duty-free) en quantités limitées, notamment : 1 litre de boisson alcoolisée (bière, vin ou spiritueux), 200 cigarettes, 50 cigares (ne provenant pas de Cuba) ou 2 kg de tabac et des cadeaux d'une valeur maximale de 100 $.

COMPAGNIES AÉRIENNES (NUMÉROS AUX U. S. A.)

Air France
[(800) 237-2747.
W www.airfrance.com

British Airways
[(800) 247-9297.
W www.britishairways.com

American Airlines
[(800) 433-7300.
W www.aa.com

KLM – Northwest Airlines
[(800) 345-7458 (français).
W www.klm.fr

Delta Air Lines
[(800) 221-1212.
W www.delta.com

United Airlines
[(800) 241-6522.
W www.ual.com

USAirways [(800) 428-4322. W www.usairways.com

DISTANCE DE LA VILLE	COURSE EN TAXI	NAVETTES
24 km de Downtown	environ 40 $ jusqu'à Downtown environ 42 $ jusqu'à Beverly Hills	30 mn jusqu'à Downtown
22 km du centre-ville	environ 28-30 $ jusqu'à Downtown	25 mn jusqu'au centre-ville
12 km du centre-ville	environ 25-28 $ jusqu'à Oakland	20 mn jusqu'au centre-ville
5 km du centre-ville	environ 10-12 $ jusqu'à San Diego	10-15 mn jusqu'au centre-ville
12 km du centre-ville	environ 8-10 $ jusqu'à San Jose	15 mn jusqu'au centre-ville
19 km du centre-ville	environ 30 $ jusqu'à Sacramento	20 mn jusqu'au centre-ville
3 km du centre-ville	environ 10 $ jusqu'à Palm Springs	5-8 mn jusqu'au centre-ville

Circuler en Californie

Licence de taxi

L a voiture offre le moyen le plus pratique de se déplacer en Californie, sauf à San Francisco, cité peu étendue disposant d'excellents transports en commun *(p. 380-383)*. Bus, métro ou tramways permettent aussi de circuler dans de grandes villes comme Los Angeles *(p. 168-169)* et San Diego *(p. 256-257)*, mais les distances séparant les sites touristiques et l'affluence aux heures de pointe ôtent une partie de leur intérêt. Pratiques, les navettes en minibus *(shuttles)* sont moins coûteuses que les taxis. Trains et autocars assurent de nombreuses liaisons à l'intérieur de l'État, parfois à travers de magnifiques paysages.

Taxis à San Francisco

Distributeur de billets de train

EN TRAIN

L es Américains prennent de moins en moins le train, mais la compagnie de chemins de fer nationale, **Amtrak**, continue d'assurer des liaisons directes entre Los Angeles et Chicago, Seattle, Albuquerque et San Antonio. Il n'en existe toutefois plus jusqu'à la Côte Est.

En Californie, le réseau ferroviaire est divisé en trois parties : le San Diegan (entre Santa Barbara et San Diego), le Capitol (entre San Jose et Sacramento) et le San Joaquin (entre Emeryville et Bakersfield). Des cars desservent depuis les arrêts de nombreuses autres destinations. Les lignes locales comprennent **Caltrain** (entre San Jose et San Francisco), la Coast Starlight Connection (entre San Luis Obispo et Santa Barbara) et le Coaster (entre San Diego et Oceanside).

EN AUTOCAR

L es **Greyhound Lines** desservent tous les États-Unis. À l'intérieur de la Californie, elles offrent des liaisons express entre toutes les principales villes, telles que San Francisco, Sacramento, San Jose, Los Angeles et San Diego, ainsi que des trajets *scenic* permettant de découvrir les paysages du littoral. Plusieurs compagnies proposent de courtes visites organisées (*sightseeing tours* ou *guided tours*) de sites touristiques comme l'Hearst Castle *(p. 202-205)*, le Yosemite National Park *(p. 472-475)* et Monterey *(p. 492-495)*. Les pages jaunes de l'annuaire vous indiqueront leurs coordonnées.

Pour une découverte plus approfondie de l'État, **Green Tortoise** offre, dans une ambiance très décontractée, des voyages entre les grandes villes de la Côte Ouest. Les passagers peuvent s'arrêter pour camper, préparer leur repas ou explorer la campagne.

EN TAXI

D es taxis (aussi appelés *cabs*) attendent généralement à la sortie des aéroports, des gares, des gares routières et des grands hôtels. Ailleurs, le plus simple est d'utiliser le téléphone (consultez les pages jaunes). Ne restez jamais la nuit dans la rue avec l'espoir d'en arrêter un.

Tous les chauffeurs ne connaissent pas parfaitement leur ville, si votre destination se trouve un peu à l'écart, prévoyez de l'indiquer sur un plan. Certains taxis acceptent les cartes bancaires, mais le paiement en liquide demeure la règle. N'oubliez pas le pourboire : 15 % du prix de la course.

LES NAVETTES

M oins chères que les taxis et plus rapides que les bus, les *shuttles* offrent un moyen sûr et fiable de se déplacer dans les villes californiennes, en particulier entre un hôtel et l'aéroport. La

Un autocar Greyhound

concurrence qui règne entre les compagnies garantit un service de qualité, mais le temps que demandera un trajet dépendra des autres passagers pris et déposés en cours de route. Les pages jaunes de l'annuaire vous permettront de comparer plusieurs tarifs avant de réserver pour un long déplacement. Le chauffeur du minibus s'attendra à un pourboire d'environ 1 $.

EN BATEAU

Des vedettes assurent des liaisons rapides entre Los Angeles et la Santa Catalina Island *(p. 232-233)*, tandis que d'autres permettent de découvrir paisiblement la San Francisco Bay *(p. 288-289)*. La plupart prennent passagers et bicyclettes, mais pas de véhicules à moteur.

Malgré la construction de nouveaux ponts, plusieurs navettes en bateau continuent d'offrir aux Californiens la possibilité d'éviter les nuages de gaz d'échappement dégagés pendant les heures de pointe. Elles relient notamment Oakland, Sausalito et Tiburon à San Francisco et San Diego à Coronado. Pour de plus amples renseignements, reportez-vous à la page 383 pour San Francisco et la Bay Area, et à la page 257 pour San Diego.

CARNET D'ADRESSES

RENSEIGNEMENTS FERROVIAIRES

Amtrak ℂ *(800) 872-7245.*
Ⓦ *www.amtrak.com*
Caltrain ℂ *(800) 660-4287.*
Ⓦ *www.transitinfo.org*

RENSEIGNEMENTS POUR LES CARS

Greyhound Lines
ℂ *(800) 231-2222.*
Ⓦ *www.greyhound.com*
The Green Tortoise
494 Broadway, San Francisco,
CA 94133. ℂ *(415) 956-7500.*
Ⓦ *www.greentortoise.com*

LES LIGNES AMTRAK

Cette carte montre les principales liaisons ferroviaires à l'intérieur de la Californie, ainsi que les correspondances en car depuis les gares les plus importantes. Les lignes Interstate desservent les grandes villes d'autres États.

Train Amtrak

LÉGENDE

— Réseau San Diegan

— Réseau San Joaquin

— Réseau Capitol

— Liaisons en bus

— Lignes Interstate

Circuler en voiture

Hormis dans de rares cités comme San Francisco, toute la vie s'organise aux États-Unis autour de la voiture. Bien entretenu, le réseau routier et autoroutier de la Californie permet dans les agglomérations d'éviter le pire aux heures de pointe et de circuler agréablement entre les villes et dans la campagne. Dans les endroits les plus isolés, en montagne et dans le désert, un véhicule tout terrain s'avère parfois utile. Attention ! il n'existe aucune tolérance envers les infractions, y compris de stationnement.

Une autoroute de Los Angeles, la Harbor Freeway

LOCATION DE VOITURES

Vous avez tout intérêt à souscrire un forfait avant votre départ, lié ou non à l'achat de votre billet d'avion. Faites-vous préciser exactement ce que comprend le prix. Des suppléments tels que taxes ou frais de livraison ou de rapatriement peuvent considérablement augmenter la facture. Le système d'assurance automobile est plus complexe aux États-Unis qu'en France et les loueurs proposent en général plusieurs options. Nous vous conseillons de choisir une solide couverture. Inutile

cependant de payer une deuxième fois des garanties, notamment en cas de dommages corporels, déjà offertes par une assurance personnelle. Pensez à remplir le réservoir avant de rapporter le véhicule, sinon le carburant coûtera beaucoup plus cher.

Pour louer une voiture, il faut avoir 25 ans révolus, un permis valide aux U. S. A. et une carte bancaire servant de garantie. Quelques rares compagnies acceptent toutefois les cautions en liquide ou en chèques de voyage et les conducteurs plus jeunes.

Les petites sociétés locales

proposent souvent des tarifs intéressants et assurent des livraisons à l'aéroport. Sauf exception, elles ne permettent toutefois pas de laisser le véhicule dans une autre ville que celle où on l'a pris.

Votre voiture aura presque certainement une boîte de vitesses automatique qui vous demandera sans doute un petit temps d'adaptation. Des compagnies spécialisées louent motocyclettes et camping-cars *(motorhomes)*.

LE CODE DE LA ROUTE

Les étrangers doivent avoir leur permis depuis au moins un an pour conduire aux États-Unis. Prenez la précaution d'emporter à la fois un permis international et votre permis national. Les Américains roulent à droite et la ceinture de sécurité est obligatoire pour le conducteur et les passagers. En Californie, la vitesse est généralement limitée à 65 miles per hour (104 km/h) et sur quelques autoroutes *(freeways)* à 70 miles per hour (110 km/h). En ville, suivez les indications des panneaux routiers. La police de la route *(Highway Patrol)* montre beaucoup plus d'efficacité à faire respecter ces limitations qu'en France. De très lourdes sanctions punissent la conduite en état d'ivresse.

À un croisement, c'est le premier arrivé qui passe. En cas d'arrivées simultanées, la priorité à droite s'applique. Tourner à gauche se fait au plus court, et donc devant un véhicule venant d'en face et tournant lui-même à gauche. À un feu rouge (attention ! ils

PANNEAUX DE SIGNALISATION
Surveillez les panneaux routiers. La limitation de vitesse peut varier tous les quelques kilomètres selon l'état de la route et de la circulation et l'équipement des voitures de police leur permet de mesurer votre vitesse même en venant d'en face. Dans les zones isolées, ce sont de gros animaux qui peuvent soudain surgir.

Traversée d'animaux

Sens unique

Sens interdit

Vitesse limitée

Laisser le passage

S'arrêter à l'intersection

Compteur horaire

Glissez les pièces ici

Tournez la manette

Panneaux indiquant des règles de sécurité à San Francisco

PREVENT RUNAWAYS
CURB WHEELS
PARK IN GEAR
SET BRAKE

PARK AT 90 DEGREES

Panneaux indiquant des règles de sécurité à San Francisco

sont installés de l'autre côté des carrefours), sauf si un panneau indique *No Red Turn*, il est permis de tourner à droite après avoir marqué un temps d'arrêt pour vérifier que la voie est libre. Cette tolérance ne s'applique pas dans tous les États américains.

Un piéton engagé sur un passage protégé jouit d'une priorité absolue et respectée. Il est strictement interdit de doubler ou de croiser un bus scolaire (reconnaissable à sa couleur jaune) à l'arrêt lorsqu'il a mis ses feux clignotants.

AAA sign

L'**Automobile Association of America** (AAA) assure un service de dépannage et offre des réductions dans de nombreux restaurants et hôtels, avantages dont peuvent profiter les membres d'automobile-clubs affiliés.

LES CARBURANTS

B on marché, l'essence (*gasoline* ou *gas*) se vend au gallon (3,8 l) et le plus souvent sans plomb (*unleaded*). Attention ! les stations-service sont rares dans les zones isolées. Celles en self-service imposent généralement de payer d'abord à la caisse.

LE STATIONNEMENT

L a réglementation du stationnement dans les villes californiennes est complexe et appliquée avec sévérité.

Il est interdit de se garer contre un trottoir peint en rouge, de s'arrêter plus de dix minutes s'il est vert et plus de cinq minutes pendant les heures de bureau s'il est blanc. Le jaune signale les aires de chargement, le bleu les emplacements réservés aux handicapés. Un panneau peut indiquer une restriction supplémentaire.

La plupart des parcmètres fonctionnent avec des pièces de 25 cents, mais certains imposent de glisser des billets dans la fente correspondant à la place de stationnement. Utiliser un parking gardé est plus pratique bien que plus onéreux. Dans beaucoup d'hôtels et de restaurants haut de gamme, un voiturier prendra votre véhicule en charge.

Sur les collines de San Francisco, vous devez braquer vos roues vers le trottoir si vous regardez vers le bas, vers la chaussée dans le cas contraire. En cas d'enlèvement par la fourrière, contactez le **Police Department Towed Vehicle Information Center**.

CARNET D'ADRESSES

COMPAGNIES DE LOCATION DE VOITURES

Alamo ((800) 327-9633.
www.alamo.com

Avis ((800) 331-1212.
w *www.avis.com*

Budget ((800) 527-7000.
w *www.drivebudget.com*

Hertz ((800) 654-3131.
w *www.hertz.com*

Cruise America Motorhome Rental
((800) 327-7799.

Dubbelju Motorcycle Services ((415) 495-2774.
w *www.dubbleju.com*

INFORMATION ROUTIÈRE

Tout l'État
((800) 427-7623.

Californie du Nord
((916) 445-7623.

Californie du Sud
((213) 897-3656.

AUTOMOBILE-CLUBS

Automobile Association of America
1000 AAA Drive,
Heathrow, FL 32746.
((800) 222-4357.

California State Automobile Association
150 Van Ness Ave,
San Francisco,
CA 94102.
((415) 565-2012.

Automobile Association of Southern California
2601 S Figueroa St,
Los Angeles, CA 90007.
((213) 741-3111.

POLICE DEPARTMENT TOWED VEHICLE INFORMATION

San Francisco
((415) 553-1235.

Los Angeles
((323) 913-4460.

San Diego
((619) 531-2844.

Index

Atascadero 201
Auberges de jeunesse 507
Auberges historiques **506**, 507
Auburn
  hôtels 533
Autobus
  Los Angeles 168-169
  San Francisco 381
Autocars **600**, 601
Automne (Laurens) 95
Automne en Californie 34
Automobile Association of America
  603
Automobile Association of Southern
  California 603
Autoportrait (Rembrandt) 152
Autoroutes
  Los Angeles 170-171
Autry, Gene 147
Autry Museum of Western Heritage
  (Los Angeles) 67, **147**
Avalon
  hôtels 516
  restaurants 553
Avalon Bay (Catalina Island) 233
Avalon Casino (Catalina Island) 233
Avenue of the Giants 431
Avila Adobe (Los Angeles) 123
Avila State Beach 198
Avis 603

B

Babson, Seth 459
Backroads (Berkeley) 581
Back View (Guston) 295
Badwater 281
  une excursion dans la Death Valley
  283
Baja California 255
Baked Potato (Los Angeles) 165
Baker
  restaurants 559
Baker, Carroll 92
Baker, colonel Thomas 215
Bakersfield **215**
  hôtels 514
  restaurants 551
Balboa Park 187, **246-249**
  mode d'emploi 247
  plan 246-247
  San Diego Zoo 247, 249
Balboa Park Tram (San Diego) 257
Balboa Pavilion 220
Balclutha 327
Bale Grist Waterwheel
  excursion dans la Napa Valley 446
Baleines 35, **580**, 581
Ball, Lucille 88, 93, 145
Ballin, Hugo 146
Bank of America (San Francisco) **305**
  plan pas à pas 302
Bank of California (San Francisco)
  306
  plan pas à pas 302
Bank of Canton (San Francisco)
  plan pas à pas 316
Banques 594
Bar Marmont (Los Angeles) 165
Barbary Coast 44
Barnes and Noble (Los Angeles) 167

Barneys New York (Los Angeles)
  167
Barnsdall, Aline 141
Barstow **274-275**
  hôtels 522
  restaurants 559
BART (San Francisco) 382, 383
Bartolommeo, Fra 112
Le Bas Limousines (Los Angeles) 169
Base-ball
  Dodgers 148
  Major League Baseball 32
  SF Giants 374-375
Basie, Count 220
Basket-ball
  Lakers 158
Bastien-Lepage, Jules
  Le Blé mur 210
Bay Area (San Francisco) **395-415**
  côte 396-397
  hôtels 528-529
  plan général 395
  restaurants 566-568
  tremblements de terre 53
  voir aussi San Francisco et Bay
  Area
Bay Area Figurative School 24
Bay Bridge (Oakland) 406-407
Bay City Bike (San Francisco) 380
Bay-to-Breakers (San Francisco) 33
Bayard, Hyppolyte 81
BB Kings' Blues Club (Los Angeles)
  165
Beach Boys 17, 188, 491
Beal, Art 200
Bear Flag Revolt (1846) 43, 418, 448
Beasley, Bruce 25
Beat generation 23, 330
Beatles 88, 107
Beatty, Warren 92
Beelman, Claude 69
Begin, Menachem 66
Bel Air
  restaurants 544
Belluschi, Pietro 342
Belmont Shores 63
Belushi, John 99
Benicia **399**
  hôtels 528
Bennett, Edward 150
Benny, Jack 93
Bergamot Station (Santa
  Monica) 75
Berkeley 289, **402-405**
  hôtels 528
  plan 403
  restaurants 566
  une heure et demie sur le campus
  de l'université de Berkeley 404-405
Berkeley Flea Market 585
Bernhardt, Sarah 307
Bernin, le 80
Bernini (Los Angeles) 167
Best Western 507
Betsey Johnson (Los Angeles) 167
Beverly Center (Los Angeles) 167
Beverly Hills 58, **85-93**
  hôtels 508
  maisons des stars 92-93
  plan général 85

plan pas à pas : Golden Triangle
  86-87
  restaurants 544-545
  Rodeo Drive 90
Beverly Hills City Hall 85
Beverly Hills Civic Center **88**
  plan pas à pas 87
Beverly Hills Hotel 91
Beverly Hills Tours (Los Angeles) 169
Beverly Theatre (Beverly Hills) 87
B. F. Hastings Building (Sacramento)
  457
Bibliothèques
  Huntington Library, Art Collections
  and Botanical Gardens (Pasadena)
  57, 67, **154-156**
  John Steinbeck Library (Salinas)
  500
  Los Angeles Central Library 118,
  120
  Richard Nixon Library and
  Birthplace 217, **228**
  Ronald Reagan Presidential Library
  214
  San Francisco Main Library 295,
  342
  The Library (San Juan Capistrano)
  29
Bicycle Trails Council 581
Bicyclettes
  à Los Angeles **168**, 169
  à San Diego 256
  San Francisco 380
  vélo-cross 577, 581
Bierce, Ambrose 22, 348
Bière 543
  micro-brasseries 539
Bierstadt, Albert 147, 248
  Indians Hunting Buffalo 362
Big Basin Redwoods State Park 488
Big Bear Lake
  excursion du Rim of the World 262
  fêtes et festivals 33
  hôtels 519-520
  restaurants 557
Big Pine
  restaurants 573
Big Sur **498-499**
  hôtels 536-537
  restaurants 574
Bigfoot 420, 430
Bigfoot Days (Willow Creek) 33
Bill Graham Civic Auditorium (San
  Francisco) 342
Billboards 100
Billets 595
Billy the Kid 67
Biltmore Hotel (Los Angeles) 118
Bingham, George Caleb
  Boatmen on the Missouri 363
Biscar Wildlife Area 421
Bischofberger, Bruno 80
Bischoff, Elmer 16
  Orange Sweater 313
Biscuits and Blues
  (San Francisco) 375
Bishop
  hôtels 535
  information touristique 589
  restaurants 573

Remerciements

L'éditeur remercie les organismes, les institutions et les particuliers suivants dont la contribution a permis la préparation de cet ouvrage.

AUTEURS

Jamie Jensen a grandi à Los Angeles et vit en Californie du Nord. Auteur d'un guide sur San Francisco, il a récemment publié *Road Trip USA : Cross-Country Adventures on America's Two-Lane Highways.*

Ellen Payne est rédactrice en chef du *Los Angeles Magazine* et a participé à plusieurs publications touristiques. Elle écrit aussi de la poésie où elle évoque souvent Los Angeles.

J. Kingston Pierce est un écrivain de Seattle spécialisé dans l'histoire de la Côte Ouest. Il collabore au *San Francisco Focus* et à des magazines de Seattle et a notamment publié *San Francisco, You're History !*

Rebecca Poole Forée est rédactrice en chef à Foghorn Press, San Francisco. Elle a écrit de nombreux guides de voyage, entre autres *Northern California Best Places.*

Nigel Tisdall, auteur lui aussi de nombreux guides, a participé à la rédaction des *Guides Voir France, Séville et Andalousie* et *Portugal.*

Stanley Young vit à Los Angeles. Il a écrit plusieurs ouvrages dont : *The Missions of California* et *Paradise Found : The Beautiful Retreats and Sanctuaries of California and the Southwest.*

AUTRES COLLABORATEURS

Virginia Butterfield, Dawn Douglas, Rebecca Renner, Tessa Souter, Shirley Streshinsky, Barbara Tannenbaum, Michael Webb, John Wilcock.

PHOTOGRAPHIES D'APPOINT

Steve Gorton, Gary Grimaud, Kirk Irwin, Neil Lukas, Neil Mersh, Erhard Pfeiffer.

ILLUSTRATIONS D'APPOINT

James A. Allington, Arcana Studios, Hugh Dixon, Richard Draper, Dean Entwhistle, Eugene Fleury, Chris Forsey, Andrew Green, Steve Gyapay, Toni Hargreaves, Philip Hockey, John Lawrence, Nick Lipscombe, Mel Pickering, Sallie Alane Reason, Peter Ross, Simon Roulston, John See, Tristan Spaargaren, Ed Stuart, Paul Williams.

RECHERCHES CARTOGRAPHIQUES

Lovell Johns Ltd, Oxford, UK ; ERA-Maptec Ltd, Dublin, Ireland.

LECTEUR

Sam Merrell.

RESPONSABLE DE L'INDEX

Hilary Bird.

COLLABORATION ARTISTIQUE ET ÉDITORIALE

Peter Bennett, Sophie Boyak, Joanna Craig, Cullen Curtiss, Donna Dailey, Stephanie Driver, Michael Ellis, Jo Gardner, William Gordon, Emily Green, Bonita Halm, Thomas A. Knight, Esther Labi, Ciaran McIntyre, Annie McQuitty, Mary Ormandy, Ellen Root, Ingrid Vienings, Marek Walisiewicz.

AVEC LE CONCOURS SPÉCIAL DE :

Marianne Babel, Wells Fargo History Museum, San Francisco ; Liz Badras, LA Convention and Visitors' Bureau ; Craig Bates, Yosemite Museum ; Joyce Bimbo, Hearst Castle, San Simeon ; Elizabeth A. Borsting et Ron Smith, le *Queen Mary*, Long Beach ; Jean Bruce-Poole, El Pueblo de Los Angeles National Monument ; Carolyn Cassady ; Covent Garden Stamp Shop ; Marcia Eymann et Joy Tahan, Oakland Museum of California ; Donna Galassi ; Mary Jean S. Gamble, Salinas Public Library ; Mary Haas, California Palace of the Legion of Honor ; Nancy Masten, Photophile ; Miguel Millar, US National Weather Service, Monterey ; Warren Morse, LA County Metropolitan Transportation Authority ; Anne North, San Diego Visitors' and Convention Bureau ; Donald Schmidt, San Diego Zoo ; Vito Sgromo, Sacramento State Capitol Museum ; Dawn Stranne et Helen Chang, San Francisco Visitors' and Convention Bureau ; Cherise Sun et Richard Ogar, Bancroft Library ; Gaynell V. Wald, Mission San Juan Capistrano ; Chris Wirth, Wine Institute, San Francisco ; Cynthia J. Wornham et Lori Star, J. Paul Getty Trust.

AUTORISATION DE PHOTOGRAPHIER

L'éditeur remercie les responsables qui ont autorisé des prises de vues dans leur établissement : Balboa Park, San Diego ; Columbia State Historic Park ; Disney Enterprises, Inc. ; J. Paul Getty Museum, LA ; Hearst Castle, San Simeon ; Huntington Library, San Marino ; Knott's Berry Farm, Buena Park ; Los Angeles Children's Museum ; Los Angeles County Museum of Art ; Museum of Contemporary Art, LA ; Museum of Miniatures, LA ; Museum of Television and Radio, LA ; Museum of Tolerance, LA ; Norton Simon Museum, Pasadena ; Petersen Automotive Museum, LA ; *Queen Mary*, Long Beach ; Sacramento State Capitol ; San Diego Aerospace Museum ; San Diego Automotive Museum ; San Diego Museum of Art ; San Diego Wild Animal Park ; San Diego Zoological Society ; Santa Barbara Mission ; Southwest Museum, LA ; John Steinbeck Library, Salinas ; Tao House, Danville ; Timken Museum of Art, San Diego ; Universal Studios, LA ; University of California, Berkeley ; University of California, LA ; University of Southern California, LA ; Wells Fargo History Room, San Francisco ; Winchester Mystery House, San Jose ; et tous les autres églises, missions, musées, parcs, caves, hôtels, restaurants et sites trop nombreux pour être tous cités.

CRÉDIT PHOTOGRAPHIQUE

h = en haut ; hg = en haut à gauche ; hc = en haut au centre ; hd = en haut à droite ; chg = au centre en haut à gauche ; ch = au centre en haut ; chd = au centre en haut à droite ; cg = au centre à gauche ; c = au centre ; cd = au centre à droite ; cbg = au centre en bas à gauche ; cb = au centre en bas ; cbd = au centre en bas à droite ; bg = en bas à gauche ; b = en bas ; bc = en bas au centre ; bd = en bas à droite ; bgh = en bas à gauche en haut ; bch = en bas au centre en haut ; bdh = en bas à droite en haut ; bgb = en bas à gauche en bas ; bcb = en bas au centre en bas ; bdb = en bas à droite en bas ; (d) = détail.

Nous prions par avance les propriétaires des droits photographiques de bien vouloir excuser toute erreur ou omission subsistant dans cette liste en dépit de nos soins. La correction appropriée sera effectuée à la prochaine édition de cet ouvrage.

Les œuvres d'art ont été reproduites avec l'aimable autorisation des organismes suivants :

© AGAGP, Pans and DACS, Londres 1997 : 302pg ; © ALAN BOWNESS, Hepworth Estate, *Figure for Landscape*, bronze 1960 : 247b ; sur autorisation de DARA BIRNBAUM : 308cg ; *Creativity Explored* © 1993, CREATIVITY EXPLORED, tous droits réservés : 297c © DACS, Londres 1997 : 308c ; Museum of Contemporary Art, LA, Robert Rauschenberg Coca Cola Plan (1958), The Panza Collection : 121c ; © DISNEY ENTERPRISES, INC 222c, 222c, 223, 224h, 224b, 225h, 225b ; *8 Immortals (Bok-sen) & 3 Wisdoms* © 1979, JOSIE GRANT, tous droits réservés : 297 bd. sur autorisation de l'Estate of PHILIP GUSTON : 295cd ; © MAN RAY TRUST/ADAGP, Paris and DACS, Londres 1997 : 309chd ; © EDUARDO PAOLOZZI 1997 tous droits réservés DACS : 50-51c ; SUCCESSION PICASSO/DACS 1997 : 152h ; *Untitled* © 1978, MICHAEL RIOS, tous droits réservé : 296 hd. sur autorisation de l'UNIVERSITY OF CALIFORNIA, BERKELEY : *Within*, 1969, par Alexander Lieberman, don de l'artiste, University Art Museum : 405h.

L'éditeur exprime également sa reconnaissance aux particuliers, sociétés et bibliothèques qui ont autorisé la reproduction de leurs photographies :

Ace Photo Agency : T&J Florian 480hg, 480hd, 481b ; David Kerwin 13h ; Cash Mauritius 598b ; Vladimir Pcholkin 96 ; Laszlo Willinger 159h ; Zephyr Pictures/James Blank 18b ; ACTION-PLUS PHOTOGRAPHERS : Chris van Lennep/Keith Maloy 188-9c ; Neale Haynes 189bd ; ALLSPORT : 158hai Stephen Dunn 53bd ; APPLE COMPUTER INC : 52hd ; AQUARIUS LIBRARY : 98chg, 102cd, 103h ; *Gone with the Wind*, MGM 102b, *The Jazz Singer*, Warner Bros 103ed ; *Jurassic Park*, Spielberg/ Universal 145c ; ARCAID : Richard Bryant 27c, 69chd ; ARCHITECTURAL ASSOCIATION : J. Stirling 69hd ; ART DIRECTORS PHOTO LIBRARY : 67chd, Craig Aurness 151cd ; Spencer Grant 255b ; GENE AUTRY WESTERN HERITAGE MUSEUM : 147c.

BANCROFT LIBRARY, UNIVERSITY OF CALIFORNIA, BERKELEY : 40hd, 42cbd, 42b, 45hg, 465b, 501c ; BARNABY'S PICTURE LIBRARY : 15c, 49h, 50cbg, *Giant*, Warner Bros 51bd ; 52ch, 52bd, 53chg, 496chg ; BFI STILLS, POSTERS AND DESIGNS : *Mantrap*, Paramount Studios 48-9c, *The War of the Worlds*, Paramount Studios 109b ; BISON ARCHIVES : Marc Wanamaker 64bg, *The Sting*, Universal Studios 65cg ; MARILYN BLAISDELL COLLECTION : 47h ; BRIDGEMAN ART LIBRARY, Londres : Scottish National Portrait Gallery, Édinbourg 22hd ; Kunsthistorisches Museum, Vienne 42c ; BRITSTOCK IFA : 29c, Bernd Ducke 51bg.

CALIFORNIA ACADEMY OF SCIENCES : 294b, 360hg, 360c, 360b, 361h ; Trevor Hill 361chd ; Caroline Kopp 357b ; Dong Lin 360hd, 360bc, 361bg ; CALIFORNIA STATE RAILROAD MUSEUM : 46cbg, 46cbg, 47chd, 456hg ; CALIFORNIA WESTERN RAILROAD : 443h ; J. ALLAN CASH : 490h ; CAROLYN CASSADY : 23c, 330b ; CENTER FOR THE ARTS GALLERIES : 295bd, 312h ; CENTER FOR THE ARTS THEATER/MARGARET JENKINS DANCE COMPANY : 313h ; CEPHAS PICTURE LIBRARY : Bruce Fleming 584c ; R&K Muschenetz 201h ; Mick Rock 446bg, 447c ; Ted Stefanski 438 ; Colorific : J. Aaronson 53ch ; Black Star/Alan Copeland 52cb ; David Burnett 53hd ; Chuck Nacke 33h ; Alon Reiniger 34h, 34cd ; Visages/Peter Lessing 16c ; Patrick Ward 168b ; CORBIS : Beebe Photography/ Morton 30hd ; Bettmann/UPI 22c, 51cbd, 53cbg, 425cd ; Steve Jay Crise 593h ; Jim Corwin 483 ; Darrell Gulin 421hd ; Conway/W. Perry 60c ; Robert Holmes 193b, 376cd, 507b, 580h ; Macduff Everton 425b ; David Muench 192h, 479b ; Neal Preston 114cd ; Tony Roberts 362-363 ; Michael T. Sedam 341bd ; Everett, *The Maltese Falcon*, Warner Bros 23bg ; Galen Rowell/Mountain Light Photography Inc 469b ; Reuters NewMedia Inc. 373b ; Joseph Sohm ; Chromo Sohm Inc 114ch ; CROCKER ART MUSEUM : 459c ; IMOGEN CUNNINGHAM TRUST : *Two Callas*, 1925, Imogen Cunningham © (1970, 1997) The Imogen Cunningham Trust, 25h.

DEL MAR THOROUGHBRED CLUB : 238cb ; © 2001 THE DISNEYLAND RESORT® INC. All Rights Reserved 222c, 222b, 223b, 225b.

EMBARCADERO CENTER : 302hd ; MARY EVANS PICTURE LIBRARY : 9 (encadré), 19bg, 44hd, 47cbd, 49b, 50h, 55 (encadré), 424h ; EXPLORATORIUM : 294h ; EYEWIRE COLLECTION/GETTY IMAGES : 34cb.

THE FINE ARTS MUSEUMS OF SAN FRANCISCO : *Régates sur la Seine*, v. 1874, par Claude Monet, don de Bruno et Sadie Adrian, 294chg ; cabinet, don de Mr & Mrs Robert A. Magowan, 356hd ; *Paysanne*, v. 1618-1619, Georges de La Tour, Roscoe & Margaret Oakes Collection, 75.2.10, 364h ; *Vierge à l'Enfant*, v. 1460, atelier de Dierick Bouts Roscoe & Margaret Oakes Collection, 75.2.14, 364c ; *Le Tribut*, v. 1612, Peter Paul Rubens, acquis avec les fonds de divers donateurs, 44.11, 365h ; *L'Imprésario*, v. 1877, Edgar Degas, don de Mr & Mrs Louis A. Benoist, 1956.72, 365chd ; *Nymphéas*, v. 1914-1917, Claude Monet, Mildred Anna Williams Collection, 1973.3, 365cb ; *Le Penseur*, v. 1880, fondu v. 1904, Auguste Rodin, don d'Alma de Bretteville Spreckels, 1924.18.1, 365b ; FLAX ART & DESIGN : 378g ; THE FLIGHT COLLECTION : Erik Simonsen 598h ; FORT MASON MUSEUMS : Museo ItaloAmericano : *Muto*, 1985, Mimmo Paladino, esquisse, don de Pasquale Iannetti, 295hg ; *Meta III*, 1985, Italo Scanga, huile et laque sur bois, don d'Alan Shepp, 341bg ; Mexican Museum : *Indios Verdes No 4*, 1980, Manuel Neri, média divers/papier, 341bd.

COLLECTION OF THE J. PAUL GETTY MUSEUM, MALIBU, CALIFORNIA : Joseph Nollekens, *Venus* (1773), marbre, 124 cm, 56c ; Pierre Auguste Renoir, *La Promenade* (1870), huile sur toile, 81,3 x 65 cm, 66c ; Vincent Van Gogh, *Iris* (1889), huile sur toile, 71 x 93 cm, 78h ; plat hispano-arabe (Valence, mi-xvᵉ siècle), céramique lustrée émaillée à l'étain, 10,8 x 49,5 cm, 78b ; attr. à André Charles Boulle, cabinet (v. 1675-1680), marqueterie et montures en bronze doré, 230 x 151 x 66,7 cm, 79h ; Peter Paul Rubens, *Coréen* (v. 1617), fusain et touches de sanguine au visage, 38,4 x 23,5 cm, 79chd ; Claude Monet, *Meules, effet de neige, matin* (1891), huile sur toile, 79cbd ; Rembrandt, *L'Enlèvement d'Europe* (1632), huile sur panneau de chêne, 79b ; Jean-François Millet, *Homme à la houe* (1860-1862), huile sur toile, 80 x 99cm, 80h ; Carleton E. Watkins, *Cape Horn, Columbia River, Oregon* (négatif 1867, épreuve 1881-1883), albumine, 40,5 x 52,3 cm, 80b ; Manufacture de porcelaine de Sèvres, panier (1756), porcelaine à pâte molle, dorure, 22 x 20,1 x 18 cm, 81h ; coupe en verre (Venise, v. 1500-1550), verre *calcedonio* soufflé, 12,5 x 19,5 cm, 81c ; évangéliaire (Helmarshausen, v. 1120-1140), couleurs a tempera, or et argent sur vélin relié entre des feuilles de carton recouvertes de veau brun, 22,8 x 16,4 cm, 81b ; GOLDEN GATE BRIDGE HIGHWAY AND TRANSPORTATION DISTRICT : 51h, 370hg, 370c, 370b, 370-1h, 371c, 371cb ; Charles M. Hiller 51hg ; GOLDEN GATE NATIONAL RECREATION AREA, NATIONAL PARK SERVICE : 329bgb, 329bc ; RONALD GRANT ARCHIVE : 48hg, 98cd, 101cg, 103cg, 583h ; *Capitol* 188hd ; *LA Story*, Warner Bros 16h ; *Rebel Without A Cause*, Warner Bros 64chd ; *The Last Action Hero*, Columbia Pictures 64cbd ; *E. T., The Extra-Terrestrial*, Spielberg/ Universal Studios, 65bd ; *Gidget*, Columbia Pictures 188c.

ROBERT HARDING PICTURE LIBRARY : 186h, 193c, 288c, 584h ; Bildagentur/Schuster 188b ; FPG 20cg, 48chg, 49cbg, 51chd ; Jon Gardey 481h ; Tony Gervis 467 ; Michael J. Howell 19hd ; Dave Jacobs 421b, 481c ; Robert Landau 69cbd ; Westlight/Bill Ross 10b, 146hd,/Steve Smith 19bd 29h ; HEARST CASTLE/HEARST SAN SIMEON STATE HISTORICAL MONUMENT : Z. Baron 202bd ; John Blades 202hd, 202cbg, 203b, 204c, 205c ; V. Garagliano 202bc ; Ken Raveill 202ch, 203h, 203chd, 204b ; Amber Wisdom 203cbd ; PHOEBE HEARST MUSEUM OF ANTHROPOLOGY : 41cbd ; ROBERT HOLMES PHOTOGRAPHY : Markham Johnson 295bg ; HULTON GETTY : 53cd, 101h ; HUNTINGDON LIBRARY, ART COLLECTIONS, AND BOTANIC GARDENS : 25b, 154h, 155cd, 156b ; *Vierge à l'Enfant*, Roger Van der Weyden 67cbd ; *Breakfast in Bed*, Mary Cassatt 154c ; bible de Gutenberg 155h ; *Blue Boy*, Thomas Gainsborough 155cbd ; *Diane chasseresse*, Houdon 156h ; The Wife of Bath from *The Canterbury Tales*, Chaucer (Ellesmere MS), 156c ; HUTCHISON LIBRARY : Robert Francis 279h ; B. Regent 166cg.

THE IMAGE BANK : David Hamilton 19hg ; Marvin E. Newman 314 ; Charles C. Place 441h ; 192cbg ; Paul Slaughter 496hg ; Weinberg-Clark 422hg ; THE IMAGE WORKS : Lisa Law 424-5c ; IMPACT : Mike McQueen 193h ; Kirk Irwin : 16b, 187h, 208c, 208b, 281b, 429, 586-587.

CATHERINE KARNOW : 190bd ; KATZ PICTURES : Lamoine 166cd ; SABA/Steve Starr 21hg, /Lara Jo Regan 65bg ; ROBERT E. KENNEDY LIBRARY : Special

Collections, California Polytechnic State University 205h ; KNOTT'S BERRY FARM : 226-227c, 226bd, 227bd ; KOBAL COLLECTION : *Sabrina*, © 1995 Paramount/Brian Hamill 65hd ; *LA Story*, Guild Film Distribution 65chg, *The Big Sleep*, Warner Bros 75b ; *The Wild One*, Columbia Pictures 190bg.

LA CONVENTION AND VISITORS' BUREAU : Michele & Tom Grimm 169 ; LA COUNTY MUSEUM OF ART : *La Trahison des Images (Ceci n'est pas une pipe)*, René Magritte, acquis avec des fonds fournis par la Mr & Mrs William Preston Harrison Collection, 66h ; *Dans les bois de Giverny*, Claude Monet, Mr & Mrs George Gard De Sylva Collection 110h ; *Mother About to Wash Her Sleepy Child*, Mary Cassatt, legs de Mrs Fred Hathaway Bixby 110chg ; *Jours des fleurs*, Diego Rivera, LA County Fund 110c ; *Mulholland Drive : The Road to the Studio*, David Hockney, acquis avec des fonds fournis par le legs de F. Patrick Burnes 111h ; assiette japonaise, acquise avec des fonds fournis par l'Art Museum Council 111cd ; *Guerrier debout*, The Proctor Stafford Collection, acquis avec des fonds fournis par Mr et Mrs Allen C. Balch 112hg ; *Madeleine à la chandelle*, Georges de La Tour, don de The Ahmanson Foundation 112hd ; *Monument à Honoré de Balzac*, Auguste Rodin, don de B. Gerald Cantor 112c ; *The Cotton Pickers*, Winslow Homer, acquisition rendue possible par des administrateurs du musée 112b ; couple d'officiels, Chine, 618-907, don de Leon Lidow 113h ; *Dunes, Oceano*, Edward Weston, © 1981 Center for Creative Photography, Arizona Board of Regents 113b ; LA DEPARTMENT OF WATER AND POWER : 48cbg, 192b ; LA DODGERS INC : 148b ; LOS ANGELES PHILARMONIC : Tom Bonner 121bd ; JACK LONDON COLLECTION : California State Parks 22b.

MAGNES MUSEUM PERMANENT COLLECTIONS : robe de brocart de velours bleu brodée du XIXᵉ siècle, 403h ; MAGNUM PHOTOS : Michael Nichols 53bg ; MARINE WORLD AFRICA USA : Charlotte Fiorito 288hd ; ANDREW McKINNEY PHOTOGRAPHY : 43cg, 290hg, 290hd, 291cd, 292hd, 293hd, 293bd, 297cd, 297bc, 303cbd, 321h, 336c, 359b, 371bg, 398h ; METROPOLITAN TRANSIT DEVELOPMENT BOARD, SAN DIEGO : Stephen Simpson 256chg ; METROPOLITAN WATER DISTRICT OF SOUTHERN CALIFORNIA : 192c ; ROBERT MONDAVI WINERY : 446bd ; JOHN MUIR NATIONAL HISTORIC SITE : National Park Service 398b ; MUNI : 381h, 381cg, 381b ; MUSEUM OF TELEVISION AND RADIO : Grant Mudford 86h.

THE NAMES PROJECT : AIDS Memorial Quilt © 1988 Matt Herron 53cg ; THE NATIONAL MOTOR MUSEUM, BEAULIEU : 191bg ; PETER NEWARK'S AMERICAN PICTURES : 43bd, 44bd, 191hg, 293cbd ; PETER NEWARK'S WESTERN AMERICANA : 44chg, 44bg, 44-5c, 185 (encadré), 243bd, 285 (encadré), 417 (encadré), 503 (encadré), 587 (encadré) ; NHPA : Joe Blossom 77hd ; Rich Kirchner 35h, 444c ; Stephen Krasemann 487chd ; P. McDonald 232b ; David Middleton 420h, 432h ; Kevin Schafer 420b ; John Shaw 209b, 220b, 269h, 420cg, 475c ; Roger Tidman 231b ; NEW YORK PUBLIC LIBRARY : I. N. Phelps Stokes Collection, Miriam and Ira D. Wallach Division of Art, Prints and Photographs, The New York Public Library, Astor, Lenox and Tilden Foundations 44cbg ; THE NORTON SIMON FOUNDATION, PASADENA : *Nature morte aux citrons, aux oranges et à la rose*, Francisco de Zurbarán (1633) 152b ; Bouddha, Cachemire, Inde (VIIIᵉ siècle) 153b ; *Femme avec un livre*, Pablo Picasso (1932), Estate of Robert Ellis Simon, 1969, 152h ; *Saint Paul et saint Frediano*, Filippino Lippi (1483) 153h ; *Autoportrait*, Rembrandt van Rijn (v. 1636-1638) 152c ; *La Petite Danseuse de quatorze ans*, Edgar Degas (1878-1881) 153bc.

Avec la gracieuse permission de l'OAKLAND MUSEUM OF CALIFORNIA : *Yosemite Valley*, Albert Bierstadt (1868) 8-9 ; *Figure on a Porch*, Richard Diebenkorn (1959) 24cg ; *Ocean Park 107*, Richard Diebenkorn (1978) 408c ; *Afternoon in Piedmont*, Xavier Tizoc Martinez (v. 1911) 24bd ; *California Venus*, Rupert Schmid (v. 1895) 25c ; The Oakland Museum History Department : 20bg, 39b, 40chg, 40-1cb (2), 41chg, 43cd, 45ch, 45cbd, 46hg, 48hd, 49cb, 52chg, 52bg, 369bd, 408hg, 408hd, 408b, 409h, 425h ; The Oakland Museum Kahn Collection 459b ; The Oakland Tribune Collection, don de l'Alameda Newspaper Group 50b, 424cg, 424b ; Oxford Scientific Films : Daniel J. Cox 421ch ; Michael Fogden 480c ; Stan Osolinski 421cd.

PASADENA CONVENTION et VISITORS' BUREAU : 150b ; ERHARD PFEIFFER : 21hd, 26h, 26b, 27b, 59bg, 68h, 69hg, 84, 85, 86b, 87c, 116, 118cg, 128chg, 128b,129h, 129c, 129b, 136, 137, 145h, 539b ; PHOTO NETWORK : Mary Messenger 584b ; Phyllis Picardi 191bd ; Woodard 32b ; PHOTOPHILE : 30b, 57h, 186c, 234 ; Jose Carrillo 33b ; Scott Crain 14c ; Arthur Fox 578h ; Mark Gibson 583b ; Jim Gray 187b ; Michael Hall 64hd, 162h ; Matt Lindsay 17b, 33c, 256b, 257b, 600c ; Sal Maimone 123bg, 167, 186b, 242bd, 418b, 506c ; L.L.T. Rhodes 42hg ; PHOTO TREK INC : M. J. Wickham 418cb ; PICTOR INTERNATIONAL-LONDON : 54-5, 58h, 58bg, 58bd, 190hd, 226bg ; 276-277, 282b, 289hg, 450, 482, 497h ; PICTORIAL PRESS LTD : J. Cummings 349b ; PICTURES COLOUR LIBRARY : 18h, 35bg, 70, 119h ; Leo de Wys 577c ; POPPERFOTO : 500h ; Presidio of San Francisco : NPS staff photos 367hg, 367chd, 367bd.

RETNA PICTURES LTD : LGI Photo Agency/Marco Shark 23bd ; Steve Granite 65h ; REUTERS : Kimberley White 53hd ; REX FEATURES : 350b ; RIVERSIDE MUNICIPAL MUSEUM : Chris Moser 40cd.SALINAS PUBLIC LIBRARY : avec la gracieuse permission des Steinbeck Archives, 23h, 501b ; SAN FRANCISCO ART INSTITUTE : D. Wakely 296c (d), 331h ; SAN FRANCISCO CABLE CAR MUSEUM : 293hg, 293bg ; SAN FRANCISCO CONVENTION AND VISITORS' BUREAU : 35bd, Mark Gibson 292c ; Courtesy of Brown, Zukov & Associates 372h ; SAN FRANCISCO MUSEUM OF MODERN ART : *Back View*, 1977, Philip Guston, huile sur toile, don de l'artiste, 295cd ; *Zip-Light*, 1990, Sigmar Willnauer, cuir, polyester, fermeture Éclair, achat du SFMOMA, 308hg ; *Les Valeurs personnelles*, 1952, de René Magritte, acquis par don de Phyllis Wattis 308hd ; N° 14, 1960, de Mark Rothko 308c ; *Melodious Double Stops*, 1980, Richard Shaw, porcelaine et décalcomanie en glaçure, acquis avec des fonds du National Endowment for the Arts et Frank O. Hamilton, Byron Meyer et Mrs Peter Schlesinger, 309hg ; *The Nest*, 1994, de Louis Bourgeois, acier ;

Points of Departure ; Connecting with Contemporary Art, 23 mars-7 août, 2001, 308bg ; *Le Porteur de fleurs*, 1935, par Diego Rivera, huile et tempera sur masonite, Albert M. Bender Collection, don d'Albert M. Bender en souvenir de Caroline Walter, 309chd ; *Country Dog Gentlemen*, 1972, par Roy De Forest, polymère sur toile, don de l'Hamilton-Wells Collection, 309b ; *Orange Sweater*, 1955, par Elmer Bischoff, huile sur toile, don de Mr et Mrs Mark Schorer, 313cd ; SAN FRANCISCO PUBLIC LIBRARY HISTORY ROOM : 50chg, 329bgh, 359c ; SAN MATEO COUNTY HISTORICAL ASSOCIATION : 396h ; SANTA BARBARA MISSION ARCHIVE LIBRARY : 42cg, 43hg ; SANTA BARBARA MUSEUM OF ART : *Le Blé mûr*, Jules Bastien-Lepage (1884), acquisition du musée avec des fonds fournis par Suzette et Eugene Davidson et le Davidson Endowment Fund 210cg ; SCIENCE PHOTO LIBRARY : NASA 274c ; George Bernard 412b ; Simon Fraser 14h ; David Parker 20h ; Peter Menzel 20cd, 489b ; SONOMA VALLEY VISITORS' BUREAU : Bob Nixon 449b ; SOUTHWEST MUSEUM : ID CT.122, photo par Don Meyer (491.G.802) 67hd ; SPECTRUM COLOUR LIBRARY : 2-3, 190hg, 255hg, 456hd, 493h, 576b ; D.&J. Heaton 334, 538h ; STANFORD UNIVERSITY ARCHIVES : Department of Special Collections, 47b ; STEVENSON HOUSE COLLECTION, MONTEREY STATE HISTORIC PARK : Sharon Fong 492h, 493cd, 493b ; TONY STONE IMAGES : 34b, 397cbd, 418h, 468 ; Jerry Alexander 447h ; Glen Allison 354 ; Ken Biggs 32h, 59hg, 168c ; James Blank 139 ; David Carriere 578b ; Jim Corwin 300 ; Chad Ehlers 59hd ; Johan Elzenga 270, 273, 280h, 282h ; David R. Frazier 426 ; Roy Giles, 324chg ; Lorentz Gullachsen 15h ; Gavin Hellier 478h ; John Lamb 322 ; D. C. Lowe 471h ; David Madison 577h ; David Maisel 288b ; Ed Pritchard 284-285 ; A.&L. Sinibaldi 15bd, 419cd ; Alan Smith 205b ; Larry Ulrich 427 ; John Warden 434-5 ; LEVI STRAUSS & CO : 333cd, 333b ; TIM STREET-PORTER : 28b, 29b, 68bg.

TATE GALLERY LONDON : *It's a Psychological Fact that Pleasure helps your Disposition*, 1948, Eduardo Paolozzi 50-1c ; TELEGRAPH COLOUR LIBRARY : 11, 14b ; EDWARD THOMAS PHOTOGRAPHY : 28h ; TRAVERPIX : Robert Holmes 600hd.
ULSTER MUSEUM, BELFAST : avec l'aimable permission des administrateurs 41cg ; © 2000 UNIVERSAL STUDIOS INC : tous droits réservés 143b, 144hg, 144cd, 144cg, 144bd, 145hd, 145bg ; par gracieuse permission de l'UNITED STATES POSTAL SERVICE : 588h ; Stamp Designs © 1995, 307c, 597h.
WELLS FARGO BANK : 45bg, 302b, 304b, 463b ; WORLD PICTURES : 12, 13b, 17h, 30c, 64hg, 132-133, 143c, 165, 166b, 189h, 216, 394, 582c, 601.
YOSEMITE MUSEUM : National Park Service 40hg, 40chd, Craig & Jennifer Bates 40cg ; Michael Dixon 40cbg ; YOSEMITE NATIONAL PARK RESEARCH LIBRARY : 47ch.
ZEFA PICTURES : 1, 35c, 422chg, 476-477 ; Damm 602h ; BILL ZELDIS PHOTOGRAPHY : 38 ; ZEUM : 312cgb ; ZOOLOGICAL SOCIETY OF SAN DIEGO : 249b.

Couverture : photos prises pour le guide sauf ROBERT HARDING PICTURE LIBRARY : Adrian Nevil 1g ; PICTURES COLAN LIBRARY : 1 h ; TONY STONE IMAGES : 1 chd.

Pour toutes les autres images : © Dorling Kindersley. Voir sur www.DKimages.com pour plus d'informations.

GUIDES VOIR

Carte routière de Californie

SAN FRANCISCO ET LA BAY AREA — *Encadré plan B*

20 km

LOS ANGELES — *Encadré plan A*

20 km

OREGON

NEVADA